Fekyè Vilsen

Mod Etelou

# Diksyonè Kreyòl Vilsen

*Kouvèti: Etelka Prosper*
*Mizanpaj: Immacula Jean-Baptiste, Leibniz Alexandre, Marc-Yves Deshauteur et Etelka Prosper*




*3, Ri lapepinyè • Wout Frè*
*Petyonvil • Ayiti*
*Tel.: (509) 511-4043*
*E-mail: info@areytos.com • Web: http://www.areytos.com*

*ISBN: 99935-36-81-4*
*No de stock: DIK-V-01*

# A a

**Abreviyasyon:**
*a.: adjektif*
*adv: advèb*
*det: detèminan*
*eltr.: elatriye*
*entw: entewogatif ?*
*eskl: esklamatif !*
*fr: fraz*
*kon: konjonksyon*
*n: non*
*nf: fraz non*
*ono: onomatope*
*pej: pejoratif*
*pr: prepozisyon*
*pwo: pwonon*
*sin: sinonim*
*v: vèb*
*vf: fraz vèb*
*vil: vilgè*

**a:** *n. Premye lèt nan alfabèt Kreyòl. A majiskil. 2. Atik defini ki vin apre yon mo ki fini ak yon vwayèl ki pa nazal.* Mayo a. *Palè a. 3. a. Gwoup san. Jan yo klasifye san moun pou transfizyon. Gwoup san mwen se A, ou menm ou se B negatif, Andre se O pozitif, Solanj se AB. 4. Patikil pou make posesif (sitou nan zòn nò Ayiti). Liv a Gaspa, liv a yo. 5. Senbòl elektrik pou anpè. A= 10. 6. Senbòl chimik ak fizik ki reprezante mas atomik. 7. Senbòl pou reprezante inite sifas. Ha, a, ca.* (ekta, a, santya). *8. Patikil pou make fiti.* Bondye a beni ou.

**aa!**: *ent. Son pou make kontraryete osinon pou ensiste sou yon bagay. Son pou atire atansyon.*

**aba**. *ent. : Mo pou di ou pa dakò ak yon moun osinon yon bagay, pou di ou kont, osinon ou vle fini ak sa.* Aba tout enjistis.

**abajou**: *n. Kouvèti lanp, dekorasyon moun mete sou lanp.* Si ou vle plis limyè, wete abajou a.

**abako**: *n. Pantalon gwo ble koton.* Mwen pa renmen wè abako sa a sou ou.

**abandonnen, bandonnen**: *v. Lage, kite, pa okipe.* Manman timoun yo pati, li abandone yo nan lakou a.

**abapri**: *adv. Ki pa vann chè.* Gen yon likidasyon, tout machandiz abapri.

**abat**: *v. Kraze, touye, defèt.* Jan pat renmen kalòj la, li abat li yèswa.

**abdenwèl**: *n. Dekorasyon pou make fèt Nwèl.* Devan Lakomin gen yon abdenwèl ak anpil limyè pou dekore pandan sezon fèt nwèl la.

**abdomèn**: *n. Pati nan kò vètebre (vètebre vle di ki gen zo rèl do, ekzanp moun, kabrit etc.) Nan abdomèn genyen lestomak, trip, fwa eltr.*

**abe**: *n. Etap nan edikasyon pè katolik anvan òdinasyon.* Abe Kebwo pral etidye teyoloji nan peyi Kanada.

**Abela Jesnè (Gesner Abellard):** *np. Atispent. Li fèt Pòtoprens 22 Fevriye 1922. Li te etidye lekòl J. B. Damye li te fè plizyè travay, mekanik, detektif eltr. anvan li te vin atispent.*

**abese**: *n. 1. Alfabèt. Jinyò poko konn abese, li poko al lekòl. 2. Mete nan yon pozisyon ki pi ba.* Abese vit la. *3. Imilye, mòtifye.* Mwen pa p abese m pou m mande msye sèvis.

**abi**: *n. eksè, egzajerasyon.* Sispann fè timoun nan abi, monchè!

**abil**: *a. Entelijan, debouya, ki kapab defann tèt li, ki gen ladrès.* Kalo se timoun ki abil, ou pa bezwen pè pou li, li pap pèdi.

**abilite**: *n. Talan, ladrès, entelijans.*

**abiman**: *n. Rad.* Ki kalite abiman sa a ki sou ou la a?

**abim, labim**: *n. 1. Sitiyasyon difisil, ki pa gen fen. 2. Espas ki desann fon, san limit.*

**abime**: *v. Maltrete, ize, abize.* Pa abime liv la.

**abimen**: *v. Maltrete, matirize, chifonnen.* Pa abimen liv la konsa a, kenbe l byen.

**abit**: *n. Moun ki jije yon match, ki fè abitraj.* Jan Wobè te abit nan match foutbòl la. Abit sa a pa jis, li pran pou gwoup ti medam yo.

**abita**: *nan domèn syans biyoloji ki dekri anviwonman natirèl kote yon gwoup òganis (plant,* *bèt) ka viv nòmalman.* Dezè se yon abita pou bèt ki pa bezen anpil dlo pou viv.

**abitab**: *a. Kote moun ka rete, prezantab.* Kay sa a pa abitab, se pou ou ranje l anvan ou bwote.

**Abitan Dayiti**. *np. : Se yon ekriven anonim ki ekri yon koleksyon pwezi nan lang Kreyòl. Powèm sa yo te pibliye nan eta Filadèlfi Ozetazini an 1811 epi li te pibliye ankò an 1957 ak tit "Gombo Comes to Philadelphia". Se "E. L. Tinker" ki te pibliye l. Liv sa a, gen moun ki panse se premye liv ki te ekri an Kreyòl.*

**abitan**: *n. Moun pwovens. Moun ki rete nan pwovens.* Se abitan mwen ye, mwen pap ret lavil lontan. Yon gwo abitan se yon abitan ki gen anpil tè.

**abitasyon**: *n. Plantasyon. Pwopriyete. Gwo jaden kote ki gen pyebwa plante, epi ki gen kay pou moun rete.* Abitasyon an andwa pote non mèt li.

**abite**: *v. Rete, viv yon kote.* Kote ou abite la a, se pa bò isit?

**abitid**: *n. Pratik; sa yon moun toujou fè. Se sa yon moun fè tout tan san li pa bezwen reflechi sou sa li ap fè a. Gen abitid ki bon, genyen ki pa bon.* Bwose dan ou de fwa pa jou se yon bon abitid. Se yon move abitid pou ou kite kay ou sal.

**abitraj**: *n. Balans pou mentni ekilib ant de ekip.* Abitraj sa a pa an favè m ditou.

**abitre**: *v. Fè respekte règleman yon match ant de ekip.* Fòk se yon moun ki gen eksperyans ki pou abitre match sa a.

**abitrè**: *a. San lojik, ki pa baze sou okenn prensip.*

**abitye**: *v. 1. Fè regilyèman.* Mwen abitye kuit manje ak pwav.

**abityèlman**: *adv. Anjeneral; prèke tout tan.*

**abiye**: *v. 1. Mete rad.* Mwen pral abiye toudenwa paske mwen andèy. 2. *elegan, bwòdè.* Mwen sot wè mesye dam yo, mwen manke pa rekonèt yo sitan yo abiye.

**Abiyotik**: *Mo nan domèn syans biyoloji ki dekri tou sa ki pa vivan nan yon anviwonman men ki gen enpòtans sou lavi ak devlopman ògànis vivan ki nan anviwonnman sa a.* Ekzanp, klima, polisyon, elevasyon, imidite, tout sa se faktè abiyotik.

**abizan**: *a. Ki vle plis pase sa ki posib, ki gen jèfò sou sa ki pa pou li.* Mari abizan anpil.

**abize**: *v. Fè abi, pran avantaj sou yon lòt moun; egzije plis pase sa ki posib, ki gen jèfò.* Mwen pa renmen moun abize m.

**abnegasyon**: *n. Rezonab, san pasyon, ki gen kontwòl, ki ka fè negosiyasyon.* Si ou pa konn fè abnegasyon, ou pa ka viv ak moun.

**abò**: *n. 1. Arebò, bò, aksè.* Pyèandre pa janm ban mwen abò pou mwen diskite sou koze sa a *avè l*. 2. *tou pre.* Biwo sa a, se nan abò bisantnè li ye, se pa bò isit la menm. 3. *Andedan.* Lè moun fin monte abò batiman an dyaz la koumanse jwe mizik.

**abobo, ayibobo**. *ent. : 1. Amèn!.* Si nou tout dakò rele abobo. Ayibobo!. 2. *bravo, se sa nèt, konpliman, bel travay; ou gen rezon, respè pou ou, mwen dakò ak ou, mwen retire chapo devan ou, mwen salye ou.* 3. *Nan relijyon Vodou son pou akeyi lwa, pou apwouve.*

**abòdab**: *a. Ki posib pou ou apwoche, ki posib.* Pri kay sa a abòdab, mwen ka achte l.

**abòde** : *v. Apwoche.* Sizèt abòde m sou kesyon maryaj, mwen di l mwen poko pare.

**aboli**. *v.: Sispann.* Depi yo te aboli esklavay nan peyi Dayiti, tout moun lib.

**abolisyon**: *n. Eliminasyon, kaba.* Esklav yo te goumen pou abolisyon lesklavaj.

**abominab**: *a.Terib, lèd, ki pa akseptab.* Soufrans pèp la abominab, fòk nou tout ansanm fè efò pou sa chanje.

**abominasyon**: *n. 1. Malè, pichon ak kè kase ki ta ka genyen lè yon bagay pa respekte lwa Bondye. 2. Gwo dega nan yon rejyon.*

**abondan**: *adv. Anpil, dri.* Nan tan vakans se lè mango abondan nan peyi mwen.

**abondans**. *n. : Pakèt, anpil.* Nan dènye rekòt ki sot pase a, nou te gen yon abondans danre.

**abònen (abòne)**: *v. Fè kontra pou resevwa kichòy regilyèman.* Mwen abònen nan jounal la pou ennan.

**abòne:** *v. Enskri pou vin manm pou resevwa yon piblikasyon osinon pou resevwa yon sèvis.* Mwen abòne nan jounal nouvelis, chak maten yo vin delivre l devan lakay mwen.

**abonmache**: *Ki pa chè.* Bwen achete vyann bèf abonmache nan mache Kwabosal.

**abònman**: *n. Kontra pou resevwa yon sèvis osinon yon machandiz.* Madan Chal koupe abònman lèt bèf li a.

**abonotcho**: *onom. Son pou repouse move espri.*

**Aboudja**: *np atis pou Wonal Derenonkou, yon mizisyen Ayisyen ki rete Ozetazini.*

**about**: *a. Bouke.* Mwen about ak bri sa a jistan mwen pa konnen ankò.

**abouti**: *v. Rive jwenn, jwenn sa ou te ap chache a.* Mwen fè joustan mwen abouti nan adrès kay Lola a, men esplikasyon an pat fasil.

**aboutisman**: *n. rezilta, tèm. Kote yon bagay rive.*

**Abraram Era (Herard Abraham)**: *np Ansyen militè ayisyen ki pase nan plizyè grad jistan li vin rive jeneral. Li fèt Jakmèl li te al lekòl primè Jakmèl epi lekòl segondè nan vil Pòtoprens. Apresa li al nan lekòl militè epi diplome an 1959. Li te okipe plisyè pòs militè ak sivil, li patisipe diplomatikman nan koudeta ak lòt manèv lame.*

**abreviyasyon**: *n. Fason kontrakte pou ekri yon mo. Retire yon pati nan yon mo pou ekri li rapidman.* Abreviyasyon non mwen se M.H.

**abrevwa**: *n. kote pou bwè dlo, fontèn dlo.*

**abri**: *n. kote pou pare solèy osinon pou pare lapli.* Pyebwa a sèvi kòm yon abri pou machann nan.

**abriko, zabriko**: *n. 1. Fwi koulè jònabriko ki gen po di ak gwo grenn andedan l, li gen anpil chè.* Lè mwen te timoun mwen pat renmen abriko paske li te konn si, mwen te pito bwè ji a osnon manje konfiti.

**absan**: *a. Ki pa la. Ki pa yon kote.* Maryo te absan lekòl paske li te malad.

**absans**: *n. Tan pandan yon moun pa la.* Se pandan absans mwen Kawòl marye.

**absante**: *v. Ki absan. Ki pa la.* Li absante pou twa jou.

**absanteyis**: *n. Ki absan regilyèman alòske gen aktivite.* Gen pwopriyetè teryen absanteyis, yo kite lòt moun travay tè a, yo pa la, yo pa depanse, men yo resevwa rekòt.

**abse**: *n. klou sou kò moun, bouton ki anfle sou po moun.* Al lopital pou doktè kapab fann abse sa a pou ou.

**absedlenn**: *n. Lè lenn yon moun anfle.*

**absent**: *n. fèy, remèd, fèy mant tranpe nan kleren.* Moun mete absent tranpe swa pou fè remèd swa pou fè gwòg .

**absidite**: *n. koze ki pa gen sans lojik.* Pawòl politisyen yo pa gen sans, se yon pakèt absidite.

**absòban**: *a. 1. ki kapab absòbe dlo, luil. Papye twalèt absòban. 2. Ki pran anpil tan, ki mande konsantrasyon.*

**absòbe**: *v. 1. Bwè, rale. Tè a absòbe dlo lapli a touswit. 2. Pran tèt, pran nanm, kapte lespri.* Timoun alèkile, kite televizyon absòbe lespri yo.

**absoli**: *n. 1. ki pa gen restriksyon ni rezèv. 2. Ki pa fèt dapre lalwa men ki fèt dapre fòs pouvwa ki fè aksyon an; otoritè, entranzijan, ki pa sipòte kontradiksyon. 3. Ki pa chanje, ni lè li pozitif, ni lè li ta negatif.* **absoliman**: *adv. San dout, kanmenm.* Mwen vle ou vini absoliman, mwen bezwen ou.

**absolisyon**: *n. Padon pou peche.* Si ou al konfese, pè a ap ba ou absolisyon.

**abstrè**: *a. Ki pa touchab, ki ekziste nan lespri sèlman.* Filozofi abstrè.

**abyenfè**. : *ansent.* Madan Jan abyenfè kounye a, doktè di-li li pral fè yon ti gason.

**ach**: *n. Lèt nan alfabè. Nan Ach, h se dezyèm lèt la.*

**acha**: *n. Aktivite kote ou bay lajan pou yon sèvis osinon pou yon machandiz.* Kou mwen touche, mwen al fè acha.

**acheveche**: *n. Kote achevèk rete, biwo achevèk.* Katedral la tou pre ak acheveche a.

**achevèk**: *n. Evèk anchèf.* Monseyè Myo se Achevèk Pòtoprens.

**achidyosèz**: *n. Bilding kote achevèk rete. Teritwa yon achevèk.*

**Achimèd** *(prensip Achimèd): Yon kò ki nan dlo deplase yon valè dlo ki peze menm pwa ak pwa kò a.*

**achitèk**: *n. Moun ki etidye achitekti.* Kou ou wè kay sa a, ou wè se yon gran achitèk ki desinen l.

**achitekti**: *n. 1. Ladrès ak teknik pou bati kay.* Ou ka diplome nan achitekti nan katran. *2. Estil kay.* Achitekti twopikal.

**achiv**: *n. biwo kote yo konsève papye legal annòd.* Mwen gen pou mwen fè yon rive nan achiv la pou mwen al chache yon ekstrè batistè mwen.

**achivis**: *n. Moun ki okipe achiv, ki òganize dokiman.* Chantal etidye sekretarya men se travay achivis li fè.

**Achtayn Albè** *(Einstein Albert): np. 1879-1955; Espesyalis nan fizik. Li fèt nan peyi Almay epi li natiralize Ameriken. Li devlope teyori Relativite.*

**achte**: *v. Twoke, peye lajan pou machandiz. Sa vle di ou bay kòb pou gen yon bagay.* Nou achte manje nan makèt. Mwen achte yon bèl machin jodi a.

**achtè**: *n. Moun ki ap achte.* Madanm, pa estasyone machin ou la a si ou pa yon achtè, se moun ki ap vin fè mwen vann sèlman ki andwa estasyone la a.

**Adanmsonn Jinèt** *( Adamson Ginette): np. Pwofesè literati, ekriven, kritik literè. Li fèt Jeremi, li te al lekòl Okay, Pòtoprens ak Etazini. Li fè doktora nan literati fransè. Li se pwofesè inivèsite Wichita, nan eta Kanzas.*

**Adan**: *np. Premye moun ki te rete sou latè, dapre istwa labib.* Adan ak Ev te rete nan Jaden Edenn.

**adaptab**: *a. Ki ka adapte.* Se pa tout moun ki adaptab.

**adaptasyon**: *n. chanjman ki fèt nan yon moun, osinon yon bèt, osinon yon plant pou li kapab viv nan yon sitiyasyon, ki pèmèt li pwofite osinon chape anba enfliyans kote li ap viv la. Chanjman an ka tanporè, pèmanan, sipèfisyèl osinon an pwofondè.*

**adapte**: *v. 1. Fè yon bagay vin akòde ak yon lòt.* Se mwen ki adapte kòd sa a nan aparèy la, li pat bon pou li anvan. *2. chanje estil yon bagay.* Panyòl yo adapte mizik Tabou Konbo a, yo fè li tounen yon mereng ki pi cho toujou. *3. Reziyen, koube.* Mwen adapte m a sitiyasyon an, ki sa ou vle mwen fè. *4. ajiste, vin abitye avèk, chanjman ki fèt nan yon bèt osinon yon plant pou li ka viv epi siviv ak chanjman ki fèt nan anviwonnman li.*

**adbòd**: *n. fèy bwa prese endistriyèl.* Mwen bezwen yon tablo, ban m yon fèy adbòd ak yon demilit penti.

**ade**: *adv. de ansanm.* De granmoun yo viv ade, pou kò yo.

**adefo**: *1. Ki gen defo. 2. Sizoka pa gen youn...* Adefo manman, nou tete grann. Adefo youn, nou a pran lòt.

**ademen**: *prep. Demen,* Na wè jou ki vini apre jodi a. Mwen ale, tande Jozèf, ademen.

**adezif**: *n. Tep ki sèvi pou kole.* Pote adezif sa a prete mwen pou m kole malèt la.

**adezyon**: *n. Akò. Li pa bay adezyon li.*

**adiltè**: *n. Lè yon moun ki marye gen yon menaj sou kote. Zoklo.* Madan Chal divòse ak Chal pou adiltè.

**ADIH**: *np. Asosiyasyon Endistriyèl Ayisyen. (Association des Industriels Haitiens)*

**adisyon**: *n. Ajoute valè pou jwenn yon total. Ou fè yon adisyon lè ou mete de (2) osinon plizyè chif ansanm epi ou konte konbyen ou genyen antou. En e en fè de.* Si ou pa konn fè adisyon, ou pa konn konte lajan.

**adisyone**: *v. Ajoute, mete youn ak lòt pou jwen yon total.* Adisyone konbyen lajan ou rete pou ou wè si li ase.

**adjanikon**: *n. Youn nan asistan (gason) nan relijyon vodou.*

**adjektif**: *n. Mo ki sèvi pou modifye, limite osinon kalifye yon non ak yon pwonon. Nan fraz Gwo Sonson, gwo se adjektif.* Yon bèl chemiz. Yon chyen byen lèd.

**adjidan**: *n. grad nan lame. 2. Asistan chèf seksyon.*

**adjwen**. *: n. Asistan, sekretè. Sofi se yon adjwen nan depatman nou an depi semèn pase. 2. a.* Msye pa chèf isit la, se adjwen li ye.

**adlibitòm**: *adv. San limit.* Nou mèt manje adlibitòm.

**admèt**: *a. Dakò, konfese, aksepte.* Li lè pou ou admèt ou antò Woje.

**admeton** : *Sipozon.* Admeton mwen ta fè yon bagay ki mal, ki moun ki pa janm fè erè?

**administrasyon**: *n. 1. Òganizasyon.* Administrasyon Lapòs. *2. Jan yo dirije zafè leta.* Gwoup moun ki anchaj okipe zafè administrasyon yon peyi. *3. Domèn etid ki prepare administratè.* Li etidye administrasyon

**administratè**: *n. Moun ki ap administre yon antrepriz, yon biwo eltr.* Administratè a pa la, moun pap kapab touche.

**administratif**: *a.Ki gen relasyon ak regleman yon administrasyon.*

**administre**: *v. Jere, òganize ak objektif.* Se papa m ki administre lajan fanmi an.

**admirab**: *a. Ki merite admirasyon.* Pòl se yon nonm admirab men li sounwa twòp.

**admirasyon**: *n. Kontanplasyon, apresiyasyon.* Jan gen admirasyon pou Kawòl.

**admiratè**: *n. Moun ki admire, ki apresye yon lòt moun.* Pyè se admiratè Alisya.

**admire**: *v. 1. Kontanple, gade ak plezi epi kontantman.* Mwen tap gade yon fim lòtrejou, se pa de admire mwen te admire jan aktè a jwe byen. *2. renmen, gade ak afeksyon.* Bèl tifi, si ou te konnen jan mwen admire w, ou pa ta ban mwen refi.

**admisib**: *a. Akseptab. Atitid ou a pa admisib, li an dezakò ak prensip legliz.*

**admisyon**: *n. 1. Seri etap pou yo konsidere yon kandida.* Se nan etap admisyon an lekòl la reyalize Jozefin twò gran pou klas la. *2. Pri ou peye pou antre nan yon fonksyon.* Admisyon senk goud.

**Adòf Madan Maks**: *np. (Madame Max Adolphe): Chèf fiyèt-Lalo pandan gouvènman Franswa ak Janklod Divalye. Non li anvan li te marye se te Wozali Boskè (Rosalie Bosquet). Li te fèt Mibalè, li te vin premye fi ki te depite Mibalè. Li te vin direktris Fò-Dimanch, kote ki te gen anpil krim ak abi sou moun ki anprzonnen pou lide politik yo. Lè Janklod pati kite pouvwa a, Madan Maks Adòf pati kite Ayiti al viv Ozetazini ak Kanada.*

**adoken**: *n. Blòk ki sanble ak brik, ki fèt ak beton, ki sèvi pou fè wout osinon, se yon teknik pou pave wout, san koule beton nan jwen ant blòk yo.*

**adolesan**: *n. Moun ki nan laj ant 14 zan rive 18 tan.*

**adolesans**: *n. Peryòd nan lavi yon moun ki kòmanse lè li fòme.* Adolesans se peryòd timoun yo kòmanse pran endepandans nan jan yo panse ak nan sa yo renmen.

**adonnen**: *Ki gen abitid, ki kole sou yon abitid, san kontwòl.* Li adonnen nan sigarèt.

**adopsyon**: *n. 1. Demach pou yon moun osnon yon bagay vin pou ou.* Si ou vle gen yon timoun san ou pa fè l, ou ka konsidere adopsyon. 2. *Aksepte yon lide yon prensip epi defann li.*

**adopte**: *v. Pran yon bagay osnon yon moun tankou li se pa w. Lè ou adopte yon timoun, ou fè li antre nan fanmi w.* Salnav ak madanm li te kontan anpil lè yo te adopte ti bebe a.

**adoptif**: *a. Sa ou konsidere tankou pa ou.* Se pitit adoptif mwen li ye.

**adorab**: *a. Ki merite adore, apresye ak admirasyon.* Ti pitit sa a adorab, depi sou jan li pale a.

**adorasyon**: *n. 1. Egare pou, fou pou yon moun.* Tout lajounen, Jan gen yon sèl adorasyon, se Mari, pitit madan Milo a li renmen. 2. *Chante osnon seremoni legliz.* 3. *Aksyon yon moun ki ap adore.*

**adoratè**: *n. Moun ki adore, moun ki admire yon lòt pa amou.* Gen adoratè sensè.

**adore**: *v. 1.Renmen ak pasyon.* Mwen renmen ou tèlman, mwen santi mwen adore w. 2. *Lapriyè ak devosyon.* Mwen adore ou Bondye.

**adousi, dousi**: *a. 1. Sikre.* Ak ki sik ou adousi akasan mwen an. 2. *Vin pi dous, pi janti.* Depi mwen te fin diskite ak Tisya a, tanperaman li adousi anpil.

**adrenal**: *n. Ki toupre ògàn ren.*

**adrenalin**: *n. Òmòn kò moun osinon kò bèt pwodui lè yo sou tansyon. Adrenalin soti nan glann sirenal epi li vin nan san pou fè kè a bat pi vit fè tansyon monte, fè aktivite sik nan san monte.*

**adrès**: *n. Kote ou rete.* Adrès Kawòl se nimewo 34 nan Ri Lantèman. Adrès lekòl la se 375 Ri Larivyè. Mwen ekri non ak adrès zanmi mwen yo nan yon ti kanè. Ban mwen adrès la, mwen ap vin san fot. Adrès Edika Vizyon se: 755 riyèl Educa. Mwen pa gen adrès ou se sa ki fè mwen pa ekri w.

**adrese**: *v. 1. Pale, fè konvèsasyon.* Fòk ou ta wè sou ki ton Pòl adrese mwen. Gade, pa adrese m lapawòl. 2. *Ekri adrès yon moun sou yon anvlòp.*

**Adriyen Antwàn** *(Adrien, Antoine). np. Pè Katolik Espiriten. Li fèt nan vil Okay 22 Me 1922. Li se pitit Emanyèl Adriyen ak Jèmèn Al (Hall). Li te al lekòl primè Okay, lekòl segondè Pòtoprens. Apresa li al Ozetazini, Okanada ak Anfrans. Li te vin konsakre pè. Li retounen Ayiti an 1949, li pwofesè Sen-Masyal. Li te aktif toupatou pou ede jèn yo aprann. Li te pran ekzil sou gouvènm F. Divalye, an 1963. Li viv 23 ane nan Ozetazini. Li retounen nan peyi a an 1986 apre Divalye pati. Li te sipòte epi ede gouvènman Aristide. Li chape plizyè atanta. Li jwe yon wòl aktif pou gen chanjman demokratik Ayiti. Li te vin direktè kolèj Sen Masyal.*

**advantis**: *n. relijyon ki adopte jou samdi kòm jou pou yo fè sèvis prensipal.* Mwen se advantis, se sa ki fè mwen pa travay lesamdi.

**advèb**: *n. Mo ki modifye yon vèb. Nan fraz li ap vini tousuit, tousuit se yon advèd ki modifye vèb vini. Gen advèb ki make kijan, ki direksyon, kilè, ki kote osnon ki kantite.*

**advèsè**: *n. Ki nan pati opoze.* Si Edwa nan pati repibliken epi Jan nan pati demokrat, talè konsa yo pral fonksyone tankou yo se de advèsè.

**advèsite**: *n. Difikilte, tribilasyon.* Gen jan ou wè yon zanmi boule avèk ou nan advèsite, ou vin konsidere li tankou se frè ou li ye.

**adwat**. *adv. : Sou kote men dwat, sa ki palòtbò kote goch.* Kay mwen an adwat kay madan Pòl la.

**adwaz**: *n. Ti tablo espesyal pou timoun ekri.* Mwen te renmen adwaz lontan yo, kou ou fin ekri, ou kapab efase li ak dlo.

**Adwen Bobren.** : *np. Espesyalis nan jeyografi. Li te ekri premye liv Jeyografi Dayiti ki rele "La Geographie de l'Ile d'Haiti". Msye konsidere pami premye moun ki te espesyalis jeyografi Ayiti.*

**adye!**: *Podyab, son ak soupi pou montre tristès osinon sezisman.* Adye Bondye, gad kisa Konpè Lewa devni!

**AEH** *(AEA): Assoc Ekriven Ayisyen. Fonde an 1979. Premye prezidan li se te Michaelle Lafontant Herard. Ògàn kominikasyon li se te ATèm ak ALangaj. Misyon ògànizasyon an se pou defann ak ankouraje sikilasyon panse san baboukèt.*

**afab**: *a. Debyen, bon jan, atiran.* Ou tou wè Wobè pa menm moun ak Jera, Wobè se yon nonm ki afab, Jera limenm, li repousan.

**afam**: *adv. Pou fi, ki fèt pou fi.* Soulye afam yo ka gen talon kikit men pa gason yo se talon pla pou yo genyen.

**afè** *(zafè): n. 1.Bagay, sa yon moun posede.* Mwen pa kontan ak pè a, mwen pran tout afè m, mwen ale. *2. Istwa, koze, zen.* Gade yon afè, nan ki zen ou ap mete mwen la a? *3. Ògàn sèks moun. 4. Relasyon kote de moun ap viv ansanm san yo pa marye.* Li fè afè ak Kesedyo.

**afebli**: *v. Pèdi fòs, vin fèb; diminye.*

**afeksyon**: *n. 1. Jès oswa santiman karesan pou yon moun.* Jan se moun ki toujou bay fanmi li afeksyon. 2. *Karès.* Dyedone sanble yon timoun ki manke afeksyon papa li pa pase men sou tèt li.

**afekte**: *v. Touche, chanje, fè lapenn.* Lanmò marenn mwen an afekte mwen anpil.

**afèmaj** *(anfèmaj) : n. Lokasyon, lwaye ki kalkile sou ane.*

**afèmen**: *v. Lwe yon kay osinon yon espas ki kalkile pa ane.*

**afè-pabon:**

**afese**: *v. Bese, vyeyi.* Ou pa gad figi Chantal, li afese anpil papa.

**afiba**: *n. Manje ki fèt ak trip bèf.* Afiba bèf bon nan kalalou.

**afich**: *n. Pankat.* Ou wè afich ki sou poto a, se mwen ki mete l.

**afiche**: *v. Kole yon afich.* Msye afiche nouvèl la nan tout poto elektrik nan katye a.

**afidavi**: *n. Entansyon, prèv.* Biwo a mande mwen yon afidavi sipò kifè se pou mwen ranpli fòm nan epi al chache detwa papye labank pou mwen pote ba yo.

**afilyasyon**: *n. Gwoup moun manm ladan l, atach, koneksyon.* Mwen pa nanafilyasyon, mwen se yon moun ki apa.

**afilye**: *v.Konekte, atache ak yon gwoupman.* Eske ou afilye ak asosiyasyon etidyan isi a?

**afimasyon**: *n. Ratifikasyon, konfimasyon, deklarasyon.* Sa ou di la a, monkonpè, se yon afimasyon ki ka vire kont ou!

**afimatif** : *a. Pozitif, ratifye.* Si mwen konprann byen, rezilta egzamen ou an afimatif?

**afime** : *v. Konfime.* Mwen afime ou mwen wè Jezila ak de je mwen ap desann lavil.

**aflè**: *a. ki gen desen flè.* Wòb aflè.

**aflije**: *v. Gen lapenn.* Jan mwen wè ou aflije la a, ou pap ka al nan bal aswè a.

**afon**: *adv. ki ale an pwofondè.* Nou ap etidye keksyon an afon.

**afòs. adv.** : *Tèlman, sitan.* Afòs ou pa etidye, ou pa pase.

**afranchi**: *n. Nan tan koloni, esklav ki libere. Afranchi yo te lib fè anpil nan sa yo te vle, yo te gen dwa esklav yo pat genyen men dwa yo te gen limit tou. Yo te vin konsidere tankou yon lòt kategori moun, ant esklav yo ak kolon blan yo. Se pa tout metye yo te kite yo aprann ni se pa tout kòmès yo te andwa fè. Se pa tout grad yo te kite yo genyen nan lame.*

**afre**: *a. Saf, gouman, voras, ki manje anpil e vit.* Kouman ou fè afre konsa a? *(afreman, afresite)*

**afreman**: *adv. jan moun osinon bèt manje ak vorasite.*

**afresite**: *n. jan yon moun manje anpil e vit.*

**Afrik** *(Lafrik) : np. Youn nan senk kontinan yo. Kotdivwa se nan yonn nan peyi Afrik yo. Se nan kontinan Afrik tout zansèt moun nwa yo sòti. Gen enfòmasyon syantifik ki koumanse montre se nan kontinan Afrik zansèt tout moun sou latè a sòti, kèlkeswa koulè li. Kontinan lafrik osid Ewòp, toupre Azi, li bòde sou kote lwès ak Oseyan Atlantik epi sou kote lès ak Aseyan Endyen.*

**afriken**: *n. Moun ki sot nan peyi Afrik.* Mwen gen twa zanmi afriken nan lekòl mwen an.

**afwo**: *n. Estil kwafi moun nwa renmen fè, cheve a koupe kout ak yon ti ponpon devan.* Mwen renmen afwo li a, li fè li byen.

**afwon**: *n. Atak. Sa ou di la se yon afwon li ye, ou konn sa, se bagay ki pou ta fè mwen mande ou goumen.*

**afwonte**: *v. konfwote, koresponn, opoze fas-a-fas.* Mwen pate janm enterese afwonte nèg sa a.

**afwontman**: *Konfwontasyon, menas, mankedega.* Gen yon afwontman sou granri ant Titato ak Siko.

**Ag** *(alg): n. Plant senp ki viv nan dlo. Gen ag dlo lanmè, gen alg dlo dous. Ag pa gen rasin, tij ni fèy. Yo gen klowofil. Gen ladan yo ki iniselilè (yon sèl selil), genyen ki miltiselilè (plizyè selil)*

**aga**: *n. Nan syans biyoloji, aga se yon jèl klè tankou jelo osinon lanmidon kuit ki soti nan ag. Yo sèvi ak aga nan laboratwa kòm matris (sipò) pou mikwòb ka miltipliye. An reyalite, aga komèsyal se yon poud, se lè yo mete l nan dlo cho li vin tounen yon jèl.*

**aganman**: *n. 1. Bèt ki chanje koulè pou adapte ak sikonstans kote yo ap viv la. 2. a. Moun ki chanje pozisyon tou depann de opòtinite.* Politisyen aganman.

**agasan**: *a. Yon sitiyasyon ki fè yon moun pèdi pasyans.* Bri sa a agasan li anpeche mwen lapriyè.

**agase**: *v. Enève.* Pa agase mouche sa a , se moun ki pou voye wòch dèyè ou tande.

**agat**: *n. Wòch òfèv ak atis sèvi pou fè bijou ak eskilti.*

**agawou**: *n. Nan relijyon vodou agawou reprezante lespri loraj.*

**agiman**: *n. Rezonman dokimante, deklarasyon retorik.* Mwen rayi lè Tika ap bay vye agiman sa yo.

**ago**: *ent. Son pou make apwobasyon osinon kontantman.* Mèt seremoni an sonnen ason an tout moun reponn ago!

**agoch**. *adv. : Sou kote men gòch ou.* Lè ou rive nan kafou a, vire agòch. 2. *Ki pa sou wout, ki lwen, wout ki konplike.* Msye pa sou wout mwen ditou ditou, li agòch.

**agogo**. *adv. : Anpil.* Te gen bwason agogo nan resepsyon an.

**agon** *(Ar) : Gaz san odè, san koulè, inèt ki nan atmosfè a. Yo sèvi ak li nan manifakti anpoul, nan tib radyo, nan soudi eltr. Senbòl li Ar.*

**agoni**: *n. 1. Etap lè yon moun pral mouri.* Mwen pa janm wè moun nan agoni. 2. *Sitiyasyon difisil.*

**agonize**: *v. Mouri lantman, soufri alevini.* Madan Chal agonize pandan yon semenn anvan li mouri.

**agraf**: *n. Presyon.* Vin tache agraf la pou mwen, men mwen pa rive.

**agrafe**: *v. Tache ak agraf.* Vin agrafe do m pou mwen, tanpri, men mwen pa ka rive.

**agrandi**: *v. Fè vin pi gran.* Pouki ou pa agrandi foto sa a, jan li bèl?

**agrandisman**: *n. Ogmantasyon gwosè yon bagay.* Agrandisman kay la koute mwen anpil lajan.

**agrap**: *adv. Ak fòs, san jantiyès.* Ou pa bezwen pran m agrap konsa, se pa joure mwen ap joure ou.

**agravan**: *a. Sikonstans ki fè yon sitiyasyon vin pi grav.*

**agrave**: *v. Vin pi mal, ki vin pi grav.* Depi mwen vin gen dyabèt la, maladi kè mwen an vin agrave.

**agrè**: *a. Ki gen avwa ak travay latè osinon ki gen avwa ak pataj ak pwopriete tè. Ayiti yo pale anpil sou refòm agrè, kòm yon fason pou rezoud pwoblèm pwodiksyon manje nan peyi a.*

**agrese**: *v. Atake san rezon.* Li vole sou moun yo, li agrese yo, polis arete l.

**agresè**: *n. Moun ki fè zak vyolan sou yon lòt san rezon valab.*

**agresif**: *a. Ki reyaji ak vyolans, ak fòs.* Poukisa ou bezwen agresif konsa a, kalme ou non.

**agresivite**: *n. Atitid moun ki agresif.* Woland se moun ki kal, li pa renmen moun fè agresivite sou li ditou.

**agresyon**: *n. Aksyon vyolan sou yon lòt.* Se pou ta wè ki kalite agresyon vòlè a fè sou timoun yo.

**agreyab**: *a. Ki bay kè kontan ak plezi.* Lòtrejou mwen te pase yon sware agreyab lakay Terèz.

**agreye**: *v. Apwouve.*

**agrikiltè**: *n. Metye moun ki fè agrikilti.*

**agrikilti**: *n. 1. Aktivite travay latè.* Ayiti se yon peyi kote twaka peyizan yo travay nan agrikilti. 2. *Domèn teknik ki etidye pwodiksyon ak kontwòl plant.*

**agrikòl**: *a. Ki gen avwa ak agrikilti.* Peyi Dayiti se yon peyi agrikòl.

**Agwe**. *np. : Nan relijyon Vodou se lwa ki kontwole dlo lanmè ak tout plant ak bèt ki viv nan lanmè. Li gen pouvwa tou sou tout bato ki vwayaje nan lanmè. Li reprezante ak yon gason wouj ki gen zye vèt, ki pote inifòm militè, gan nan men ak kas sou tèt.*

**agwo**: *n. Kontraksyon. Al gade agwonòm.*

**agwobiznis**: *n. Biznis ki trete, konsève osinon transfòme pwodui agrikilti.*

**agwonòm**: *n. Moun ki etidye pratik ak teyori kouman pou travay la tè a byen.* Agwonòm Chal pa ret dèyè biwo, li renmen al travay nan pwovens ak abitan yo.

**agwonomi**: *n. Syans ki montre kòman jere resous agrikòl.* Mwen pral etidye agwonomi.

**ajamè**: *adv. Jamè.*

**ajannda**: *n. 1. Kanè ki gen yon paj pou chak jou kote moun make sa li gen pou li fè nan jou yo. 2. Pwogram ki genyen nan yon aktivite.*

**ajan**: *n. 1. Metal, lajan.* Bijou ajan yo dire anpil epi yo bèl. 2. *Reprezantan, koutye.* Jozefa se ajan asirans li ye, li vann asirans.

**ajans**: *n. Biwo espesyalize nan yon bagay.* Mwen pral pase nan ajans famasetik sa a, yo kapab gen kèk dyòb pou mwen.

**ajante**: *adv. Ki gen koulè ajan.*

**ajanten**: *n. Moun ki soti nan peyi Ajantin.* Ajanten pale Panyòl.

**Ajantin**: *n. Peyi nan Amerik Disid ki toupre ak Brezil.* Ajantin se yon peyi kote yo pale Panyòl.

**ajantri**: *n. 1. Kouvè ki gen kiyè, fouchèt ak kouto.* Mwen pa wè kote ajantri yo ye, ou te wete yo nan tiwa a? 2. *Je fouchèt, kiyè ak kouto.* Demen mwen pral resevwa etranje lakay mwen, mete tout ajantri yo deyò.

**Aje** *(Age). np. : Jeneral ayisyen Tousen te voye ak gad blan pou te al kòmande nan Sendomeng an 1800.*

**aje**: *v. Ki antre nan laj.* Madan Bòs se yon moun aje, li gen sansenkan.

**ajen**: *a. ki poko manje depi nan maten, ki gen lestomak vid.*

**Ajenò Wonal** *(Agénor Ronald): np. Espòtif Ayisyen ki jwe tenis nan nivo entènasyonal.*

**ajenou**. : *1. Anpenitans sou jenou w.* Vin mete ou ajenou tifi, ou twò maledve. 2. *Lè ou mete jenou ou atè.* Mwen toujou mete mwen ajenou le dimanch lè mwen al legliz.

**AJH** *(AJA): Asosiyasyon Jounalis Ayisyen.*

**aji**: *v. Fason moun boule, ajisman, konpòtman, aksyon.* Mwen renmen jan ou aji avè m nan.

**ajil**: *a. 1. Lejè, ki ka deplase ak fasilite.* Lorèt konn danse, papa, ou pa wè jan li ajil? 2. *n. Materyo tè ki sèvi pou fè krich, kannari ak lòt travay atizan.*

**ajilite**: *n. Ladrès.* Madan Kalo danse ak yon ajilite, tankou li se yon jenn gengenn.

**ajisman**: *n. Tretman, fason moun boule.* Mwen pa renmen ajisman Tisya ditou.

**ajistab**: *a. Ki kapab ajiste, ki pa fiks.*

**ajistay**: *n. sTeknik pou ajiste de moso metal osinon bwa.*

**ajiste**: *v. Fè de moso amonize youn ak lòt.*

**ajisteman**: *n. Adaptasyon. Chanjman pou ou ka rann yon bagay posib.* Depi mwen pèdi travay mwen an, se pa de ajisteman mwen oblije fè pou m ka fè dlo fè bè.

**ajitasyon**: *n. Mouvman, brasay.* Gen ajitasyon nan lari a paske demen se fèt.

**ajitatè**: *n. Moun ki ap mete dezòd nan yon sitiyasyon.*

**ajite**: *v. mouvmante, ki pa kalme.* Kijan ou ajite konsa a, kalme ou non.

**ajou**: *1. Pati ki vin apre. 2. Ki pare, ki alè, ki pa anreta. 3. Ki gen titwou pou limyè pase.* Twal ajou.

**ajoune**: *v. Ranvwaye pou yon lòt jou. 2. Ki elijib pou reprann yon ekzamen.* Li pa pase bakaloreya, li ajoune pou septanm.

**ajoupa**: *n. Kay pay, ti kay senp ak twati an pay ki monte sou kat poto san mi.* Mwen pa gen gwo kay, se yon ti ajoupa mwen genyen.

**ajoute**: *v.1. Mete sou sa ki genyen.* Lè ou ajoute de mango sou twa mango, sa ba ou senk mango. *Operasyon pou mete ansanm osinon pou ogmante kantite. 5 + 4 = 9.* Kalkile yon total.

**ak**: *konj. 1. Avèk.* Chyen ak chat pa janm fin antann yo byen. Mwen te konprann ou t ap vini ak zanmi ou yo wi, apa se avèk papa ou sèlman ou vini? 2. *anplis, ajoute.*Twa mango ak yon pen. 3. *Dokiman, sètifika, tit, testaman, kontra, konvansyon.* Ak Endepandans. Ak maryaj. 4. *Sipèfisi teren. Yon kawo tè vo apeprè twa ak.*

**Ak Endepandans**: *np. Dokiman ki konsiye deklarasyon Endepandans Ayiti. Moun sa yo te siyen Ak Endepandans Ayiti... Henry Christophe, Clerveaux, Vernet, Gabart, Alexandre Petion, Geffrard, Toussaint Brave, Romain, Lalondrie, Capoix, Magny, Daut, Cange, Magloire-Ambroise, Yayou, Jean-Louis Francois, Gerin, Moreau, Ferou, Bazelais, Martial Besse.*

**akable**: *v. Fatige, kraze.* Mwen toujou akable lè m mache nan solèy cho pandan lontan.

**Akachon**: *np. katye nan zòn kafou, sou kote sid Pòtoprens.* Msye renmen ak yon ti dam ki rete akachon, ki moun Okay.

**akademi**: *n. 1. Lekòl espesyalize.* Mwen pral nan akademi Boza ane pwochen. 2. *Sosyete ki reyini savan osinon atis. 3. Lekòl espesyal pou aprann penti, mizik ak lò boza.*

**akademik**: *a. ki gen relasyon ak yon akademi.*

**akajou**: *n. Bwa di ki sèvi pou fè mèb.* Mwen pral achte yon salon ki fèt bwa akajou.

**akalmi**: *n. Peryòd kal, ki pa gen anpil aktivite.* Van an bay yon ti akalmi.

**akamil**: *n. Manje ki fèt ak mayi melanje ak pwa, ki kuit osinon ki griye epi moulen. Se yon manje ki balanse pou nitrisyon timoun.*

**akansyèl, lakansyèl**: *n. Liy ki gen fòm demisèk plizyè koulè ki parèt nan syèl la, lè reyon solèy pase nan vapè dlo lapli ki nan lè a.* Lapli a tap vini epi, kou li rete, akansyèl la parèt. *Koulè lakansyèl se vyolèt, ble digo, ble, vèt, jòn, jònoranj, wouj; tout koulè sa yo, ou jwenn yo nan optik, nan etid pris (prism).*

**akaryat**: *a. Chimerik, ki bay move jan, move karaktè* . Depi Jan mouri, Mari vin akaryat anpil. Depi mwen sevre pitit la, li vin akaryat.

**akasan**: *n. Labouyi farin mayi fen moun manje tankou sereyal. Resèt akasan soti nan peyi Nijerya ak Dahome.* Vin al achte ven kòb akasan pou mwen nan bout kafou a.

**akawo**: *a. Ki genyen kare.* Mwen ta mete rad akawo mwen an men li poko pase. 2. *np. Non yo bay chèf gwoup peyizan ame nan zòn sid ki te alatèt lagè Pikè.*

**Akayè**. np. : Awondisman ak komin nan *depatman Lwès. Vil tou pre Kabarè. Nan tan Kristòf te wa nan pati Nò Ayiti, Akayè se te yon vil fwontyè ant Nò ak Sid. Non Akayè a soti nan yon mo endyen Tayino Kayaha ki te nan kasika Zaragwa. Se nan Akayè, 18 Me 1803 pandan yon kongrè, Desalin ak lòt lidè yo te kreye drapo ble e wouj ayisyen a. Se Akayè enperatris Adelina, madanm anperè Fosten Premye, te fèt, nan abitasyon Manèg.*

**akayik**: *a. Ki la depi lontan lontan. 2. Ki pa alamòd ankò, ki gen metòd ansyen.*

**akdekontrisyon**: *n. Priyè nan relijyon katolik pou mande Bondye padon pou peche.* Lè yon moun al konfese, selon gwosè peche ou fè pè a kapab voye ou al resite plizyè akdekontrisyon.

**akdenesans**: *n. Batistè.* Gen moun ki pa konn vrè dat fèt yo paske lontan anpil moun pat gen akdenesans.

**akè**: *Ak senserite, ak emosyon.*

**ake**: *konj. Ak, avèk. Varyasyon rejyonal nan depatman Sid.* Jozèf ake mwen.Klara ake m, Andre ake ou

**Aken.** *(aquin) : np. Awondisman ak komin nan depatman Sid. Vil nan depatman sid. Kristòf Kolon te rive nan pò Aken an 1494 lè sa a Tayino yo te rele zòn nan Yakimo. Yon lòt eksploratè Amerigo Vespouchi te poze Aken tou. Gen plizyè atis ak ekriven ki moun Aken. Aken se kote ki gen bèl plaj epi moun yo janti tou.*

**akèy**: *n. Resepsyon.* Lè mwen ale kay Pola li toujou banm bèl akèy.

**akèyan**: *a. Ki bay bèl akèy.*

**akeyi**: *v. Resevwa.* Madan Kalo akeyi m ak de bra.

**Akildinò**: *np. Vil nan depatman Nò.*

**akile**: *v.* sène. Li akile nèg la, msye mande padon.

**Akim-Renpèl Ivòn** *(Yvonne Hakime-Rimpel): np. Jounalis fi, opozan politik militè maltrete epi lage l toutouni nan lari Pòtoprens an 1957.*

**aklamasyon**: *n. 1. Bwi kolektif pou make akò ak yon moun osinon ak yon lide. 2. Vòt kote tout moun dakò ak kè kontan.*

**akimile**: v. *Sanble, mete ansanm.* Mwen akimile yon pakèt kreyon paske mwen pa janm jete yo.

**akizasyon**: *n. Pawòl ki bay yon moun responsab yon zak.* Gade mwen pa fè anyen epi se sou do m akizasyon an tonbe

**akizatè**: *n. Moun ki bay yon lòt pot responsabilite yon zak.* Nan tribinal la, akizatè a te yon jan rete sou silans li pandan tout sesyon an.

**akize**: *v. 1. Bay yon moun pote responsabilite sa ki pase a, anvan jijman.* Manman m akize mwen dèske mwen kite zwazo a soti nan kalòj la. 2. *n. Moun yo di ki reponsab yon fot.* Akize, leve pou defann tèt ou.

**aklame**: *v. aksepte ak kè kontan, an piblik. 2. Aksepte san vote.*

**aklamasyon**: *n. Rèl kolektif anfoul pou apwouve osinon akeyi yon moun.*

**akle**. *adv. : Ki klete.* Malèt la fèmen akle, si ou pa gen kle a ou pap sa louvri l.

**aklè**. *adv. : Kare bare, ki pa fèt ankachèt.* Maryàn pa nan rans, li fè tout bagay aklè; si ou pa renmen l, dyòb pa w. Nan demokrasi, tout aksyon dwe fèt aklè.

**Aklòk Jak** *(Aclocque Jacques): np. Foutbolè ayisyen, li te jwe nan ekip foutbòl Viktori.*

**akò**: *n. Antant.* Lè dekan mete tèt ansanm pou yo deside yon bagay, se yon akò sa ye. Mwen vle fè yon akò avèk ou sou machin daktilo sa a. Mwen fè yon akò ak Wozeli, si li pa p vini, mwen ap vini.

**akòde**: *v. 1. Mete annamoni, antann.* Vini mwen akòde gita a pou ou. 2. *Aksepte, pèmèt.* Se pitit madan Wobè a ki akòde m pèmisyon pou mwen prete oto li a.

**akòdeyon**: *n. Enstriman avan pou fè mizik li gen klavye tankou pyano sou men dwat ak akonpayiman pou men goch, se yon enstriman pòtatif.* Vin jwe yon ti akòdeyon pou mwen la a.

**akòdeyonis**: *n. Moun ki konn jwe akòdeyon.*

**akokiye**: *v. Ranmase kò.* Mwen pa renmen jan ou akokiye kò ou la a, sanble ou gen lafyèv.

**akolad**: *n. 1. Salitasyon.* Wobè ak Bètran bay yon akolad lè Bètran desann avyon an. 2. *Siy matematik ki sanble ak parantèz.* Pou ou gwoupe enfòmasyon matematik ansanm, ou ka sèvi ak parantèz, kwochè osinon akolad.

**akomode**: *v. Adapte, konsilye pou fè yon bagay vin fezab.*

**akolit**: *n. Konpayon nan yon zak.*

**akòn**: *adv. Ki gen kòn.* Bèt akòn.

**akondisyon**. adv. : *konsiderasyon pou yon bagay fèt.* Mwen ap marye avèk ou akondisyon ou kite travay sa ou ap fè kounye a.

**akonpaye**: *v. ki mache avèk.* Madan Viktò al nan maryaj la byen akonpaye ak pitit li yo, se wè pou ou ta wè l.

**akonpli**. *: Ki fin fèt.* Istwa sa a, se yon bagay ki fin akonpli, nou pa bezwen tounen pale sou li ankò.

**akonplisman**: *n. Reyalizasyon, rezilta enpòtan.* Youn nan akonplisman Silòt, se jan li fini pwogram nan anvan tout lòt elèv yo.

**akoste**: *v. 1. Apiye.* Pa vin akoste ou sou mwen la a, mwen tou fatige. 2. *ki al sou lakot, ki mare. Mwen wè twa batiman meriken yo byen akoste nan rad la, mwen pa konn sa ya p fè ni pouki yo la. 3. Akonpaye.* Gen de gad ki akoste madan Jera.

**akote**. *adv. : Toupre, pa nan mitan.* Mayi a cho, si ou vle, pran detwa kiyè akote.

**akouche**: *v. Fè pitit.* Madan Ektò al akouche, li fè jimo.

**akouchman**: *n. Kouch, metba, fè pitit.* Nan dènye akouchman an, se sezaryèn yo te oblije fè, timoun nan pat soti fasil.

**akoupi**: *v. Ki bese pou pran api sou kwis.* Tout timoun yo akoupi pou yo jwe mab.

**akòz** : *Poutèt, paske.* Antwàn vin malad akòz li pat pran prekosyon.

**akra**: n. *Fritay ki fèt ak malanga osnon ak pwa enkoni.* Mwen renmen manje akra ak bannann peze awoze ak yon bon ti sòs pikliz.

**akreditasyon**: *n. Konpetans sètifye. Dokiman pou aksepte yon diplomat nan yon peyi.*

**akredite**: *v. bay otorite pou aji kòmilfo, otorize.*

**akrèk**: *a. Moun ki vle tout pou li ak jèfò.* Ana se moun ki akrèk anpil, pa mande li prete anyen.

**akrekre**: *n. Ki pa gen bon repitasyon.*

**akrilik**: *n. Twal sentetik.*

**aks**: *n. 1. Bafè an liy dwat. 2. Pwen osinon liy ki nan mitan yon bagay ki ap vire.*

**aksan**: *n. 1. Mak ki ekri sou yon lèt (sitou vwayèl) pou modifye jan pou moun pwononse li. é è ò. 2. Jan moun pwononse mo.* Li gen yon aksan Kreyòl.

**aksangrav**: *n. Senbòl pou mete sou yon vwayèl pou chanje son li.*

**aksantegi**: *n. Senbòl pou mete sou yon vwayèl pou chanje son li*

**akselerasyon**: *n. Ogmantasyon vitès pandan yon tan nan yon kò ki an deplasman.*

**akseleratè**: *n. Pedal ki sèvi pou bay motè machin plis gaz, pou li ka fè vitès.* Pa peze akseleratè ra planche.

**akselere**: *v. Ale pi vit. Li* pa bon pou moun akselere lè yo ap fè koub, sa ka koze aksidan.

**akseptab**: *a. Sa yon moun kapab aksepte.* Kondisyon ou fè mwen yo pa akseptab, mwen deside kase kontra a.

**aksepte**: *v. Konsanti, dakò.* Mwen aksepte pataje manje a avèk ou, ak kondisyon pou ou lave asyèt.

**akseswa**: *n. Detay, sa ki vin anplis, dekorasyon.* Kote ou prale ak tout akseswa sa a yo, ou pa bezwen tousa, mache ak sa ki enpòtan sèlman.

**aksidan**: *n. Dega ki fèt sanzatann.* Michèl tonbe sou de bò dèyè li lòtrejou, aksidan sa a fè li fè twa jou kouche lopital.

**aksidante**: *ki fè aksidant.* Li pa vin travay, li aksidante. 2. *Ki pa egal.* Teren aksidante.

aksivil: *n. 1. Dokiman, sètifika maryaj. 2. Lè de moun marye devan yon reprezantan sivil. Yo pase aksivil.*

**Akson**: *n. Pati nan yon selil nè ki sanble ak yon ti fil fen, ki kominike enfòmasyon soti nan yon selil, ale nan yon lòt.*

**aksyon**: *n. Aktivite, mouvman.* Kote ou wè li ye la a, li plen aksyon sou li.

**aksyondegras** *(Action de grace): n. 1. Peryòd nan lamès. 2. Sèvis ki fè pati seremoni vodou.*

**aksyonnè**: *n. Moun ki brav, ki pran chans.* Kouman Polo fè aksyonnè konsa a.

**aktè**: *n. Moun ki jwe wòl.* Mwen ta renmen vin yon aktè pou m al jwe nan televizyon.

**aktif**: *a. Gen mouvman.* Jan se moun ki aktif anpil lè gen kanaval.

**aktivis**: *n. 1.Doktrin politik ki ankouraje aksyon olye chita bra kwaze. 2. Moun ki ap fè aktivite politik pou li ka jwenn yon rezilta.*

**aktivite**: *n. Mouvman ou bay kò w.* Aktivite mwen pi renmen fè se naje. 2. *Fonksyon ki dwe fèt nan yon okazyon.* Mwen ap òganize tout aktivite pou fèt dizui me a.

**aktris**: *n. Moun ki jwe wòl nan fim, sinema osnon nan teyat.* Jezila se gwo aktris

**aktyalite**: *n. Nouvèl ki ap devlope, ki ap dewoule nan moman prezan.* Dapre sa ki nan aktyalite jodi a eleksyon pou de mwa..

**aktyèl**: a. *Nan moman prezan an, ki ap pase kounye a.* Sa m ap di ou la a, se yon evenman aktyèl, se kounye a yo fèk bay li nan radyo.

**aktyèlman**: *adv. Ki ap fèt kounye a; denojou.*

**akwabon**: *entj. Pa bat kò; pa pèdi tan.* Di dyab bonjou, pa di dyab bonjou l ap manje ou, akwabon fè politès ak dyab.

**akwarèl**: *n. Penti pou desine ki ka delye ak dlo. 2. estil penti.*

**akwaryòm**: *n. Basen espesyal pou pwason.* Se pou gen oksijèn nan dlo akwaryòm nan sinon pwason yo ap mouri.

**akwatik**: *a. Ki viv nan dlo.* Pwason se yon animal akwatik.

**akwentans**: *n. Zanmitay, entimite.* Mwen pa nan ankenn akwentans ak pyès moun, mwen pa nan rans.

**akwo**: *n. 1. Dechire; twou nan rad. 2. difikilte ki pa enposib pou rezoud.*

**akwobat**: n. *Ekilibris.* Moun ki fè akwobat se moun ki kapab fè anpil egzèsis ak kò yo.

**akwochaj**: *n. Kont.* Pa mete mwen nan akwochaj ak pèson moun tande tifi.

**akwoche**: *v. Mare; pandye, mare ak yon kwochèt.*

**akwonim**: *n. Mo ki fòme lè yo kole premye lèt (osinon plizyè lèt) ki soti nan plizyè mo.* OPL se akwonim pou Oganizasyon Pèp an Lit.

**al**: *v. Ale, deplase, bouje.* Al di bòs Kola, mwen di, lajan an pa ase.

**ala**: *Ent. Son pou make sipriz.* Ala traka pou lave kay tè.

**alabaz**: *a. Nan rasin; depi nan kòmansman.*

**alabwòs**: *a. Koup cheve, estil kwafi.*

**aladen**: *n. Moun ki pa gen anyen pou l fè; vakabon.*

**aladispozisyon**: *pr. Dispoze pou fè yon aktivite, lè yon moun bay siyal.*

**Al Janklod** *(Jean-Claude Hall) : np. Foutbolè ayisyen*

**Alabi Chal.** *(Charles Halaby) : np. Foutbolè ayisyen*

**aladriv**: *a. Trennen.* Kijan ou kite timoun nan aladriv konsa a, ou dwe veye pitit fi w.

**alafen**. *adv. : Boutpoubout.* Alafen, msye tou marye ak dam nan.

**alafendèfen**: *adv. Finalman.*

**alafil-endyèn**: *adv. Anliy youn dèyè lòt.*

**alafwa**. *adv. : Anmenmtan.* Li te toujou gen de kay alafwa.

**alagwouy** *(alagwouj): adv. Distribisyon san lòd, pa-aza.*

**alalejè**: *adv. San konsantrasyon; san pote atansyon.*

**alam**: *n. Sirèn ki sonnen fò pou atire atansyon.* Gen moun ki sote lè yo tande yon alam pati. Lè alam nan sonnen, rele polis.

**alamen**: *adv. Ki fèt ak men, ki pa fèt nan machin.* Eske ou konn fè bwodri alamen?

**alamòd**. *adv. : Ki nan estil kounye a.* Ou toujou renmen mete rad alamòd ou menm. Rad ki alamòd ane sa a p ap alamòd ane pwochen.

**alamyab**: *a. Amikal, san kont.* An nou fè afè sa a alamyab, nou pa menm bezwen ale tribinal.

**alanaj**: *adv. Naje nan dlo pou deplase.*

**alanbik**: *n. Machin nan gildiv pou distile kleren osinon ronm.*

**alantou**. *adv. : Otou, toutotou.* Se nan alantou bò isi a siklòn nan fè plis ravaj.

**alantran**. *: adv. Annantran, alapapòt, nan kòmansman.* Se depi alantran Ivèt Jan kòmanse kale l, san li pa mande li ni pouki, ni papouki.

**alanvè**: *adv. deyò vin anndan epi anndan vin deyò.*

**alapapòt**: *adv. Okòmansman; anvan ou kòmanse. imedyatman.*

**alaplas**. *adv. : olyede.* Se mwen ki te batize maryaj la alaplas madan Kalo ki te malad byen grav.

**alapòte**: *adv. Ki disponib; ki soulamen.*

**alaso!**: *entj. Annavan; alatak.* Grenadye, alaso!

**alatak**: *adv. Avanse; atake.* Pase alatak.

**alatèt**. *adv. : Antèt, chèf, bòs.* Kouman fè, chak tan gen aktivite lekòl la se ou ki alatèt?

**alatranp**: *adv. Veye; fè atansyon; rete pare.*

**alavni**: *adv. Apati jodi a, apresa, pwochenn fwa, nan tan ki ap vini.* Alavni mwen pap ka kite ou pran tout desizyon yo pou kò ou.

**alawonyay**: *adv. Rete ap veye pa lwen ap tann yon okazyon.*

**alawonn**. *adv. : Sanzeksepsyon.* Tout moun alawonn dwe ale legliz demen paske se dimanch Pak.

**alawonnbadè**. *adv. : Alawonn, sanzeksepsyon.* Mwen fin pale epi mwen vle tout moun la a, alawonnbadè antre nan klas..

**Alawou**. *np. : Yon chèf nwa nan tan koloni, ki te fè konnen li gen pouvwa sinatirèl. Msye te rakonte li sèvi ak yon kòk pou kominike ak syèl la. Msye te toujou mache ak kòk sa a anba bra l.*

**Albimin**: *n. Yon klas pwoteyin senp ki ka fonn nan dlo (solib nan dlo). Pati blan nan ze poul, se albimin, lè li chofe li kowagile tankou blan ze, ki kuit.*

**albè**: *n. Pwasondavril; trik; malis.* Bay albè.

**albinòs**: *a. 1. Ki pa gen pigman melanin sou po l, (yon pigman ki bay po moun koulè). Ni moun nwa, ni moun blan gen melanin ki bay po yo koulè; men moun nwa gen plis melanin sou po yo pase moun blan. Se melanin tou ki bay cheve ak zye koulè yo genyen.* Ou pa konn tipitit bòs Antwàn nan, li albinòs wi, msye tou blan. 2. *n. Yon moun, bèt osinon yon plant ki pa gen pigman ki pou ba li koulè natirèl li. Souvan se yon mitasyon jenetik (chanjamn nan kòd jenetik) ki bay sitiyasyon albinòs la.* Albinòs ki ret anfas la te vin achte nan boutik la jodi a.

**albòm**: *n. Liv kote ou ranje foto, osinon mizik.* Mwen renmen gade albòm mwen an se konsa mwen wè kijan Tipol chanje.

**ale**: *v. Soti, deplase.* Ale chita yon kote tande tigason, ou anpeche m fè travay mwen. Ale ak kè kontan, mèsi Bondye, mèsi. Andre ale Nouyòk.

**alè**. *adv. : Egzat, ki pa anreta.* Jòj pa moun ki janm anreta, li toujou alè.

**alegad, annegad**: *prep. An relasyon ak.*

**alèji**: *n. Reyaksyon kò yon moun bay pou li reponn kont yon manje, yon plant osinon yon pwodui ki nan lè a. Gen moun ki fè alèji ak lenn, lè yo met rad lenn sou kò yo, yo grate san rete. Alèji nan sistèm respirasyon fè moun estènye, osinon bay opresyon, alèji sou po bay gratèl. n. Reyaksyon kò ou fè lè li pa kapab sipòte yon bagay.* Mwen fè alèji ak pelisilin.

**alekè**: *adv. Ki tonbe byen kare.*

**alekout**: *a. 1.Ki pote atansyon. 2. adv. ak atansyon.*

**alekri**: *a. ki ekri sou papye.* Mete kondisyon yo alekri, konsa pap gen bliye.

**alen, lalen**: *n. Sèl alimisyòm osinon sèl potasyòm ki sèvi nan pirifikasyon dlo ak nan manifati tanri po bèf pou fè kui.*

**alèn**: *n. Souf; odè souf moun.*

**alenfinitif**: *1. Touye; fini; pa vo anyen. 2. fòm vèb.*

**alenpwovis**: *adv. Sanzatann*

**alenterè**: *adv. Diplis pou peye lè moun prete lajan.*

**alenteryè**: *adv. Andedan.*

**alepòk**: *adv. 1. alamòd 2. Nan tan pase*

**ale-retou**: *adv. Ale tounen, ale vini, nan tou de sans. Si pou m pati, se pou mwen achte yon tikè ale-retou.*

**alven**: *n. Ti pwason ki fèk fèt, ki poko devlope, ki sèvi pou estok basen elvaj atifisyèl.*

**ale-vini**: *adv. Deplasman nan de sans ki pa gen fen.* Kalo nan yon sèl ale-vini ak madanm li, yo pa ka separe men yo pa ka viv ansanm nonplis. Mwen okipe tout jounen jodi a mwen ap fè anpil ale-vini.

**aleka**: *adv. Sou kote, apa.* Kouman ou rete aleka konsa a, vinn jwenn nou non.

**alèkile**. *adv. : kounye a.* Alèkile, ou pa respekte pawòl granmoun, depi kitan?

**Aleksann Antwàn**, *(Alexandre Antoine) : np. Ekriven, jounalis ayisyen, li te fèt nan vil Leyogàn 21 mas 1971. Li etidye Pòtoprens. Li te pwofesè nan Lise Petyon Pòtoprens apresa li te direktè nan ministè Edikasyon Nasyonal . Zèv li Pwezi. Rythmes Indigènes, Pòtoprens, 1943 ak Chansons Nègres, 1949.*

**Aleksann Makdonal**, *ALEXANDRE MacDonald: np. Ekriven, Pwofesè, Majistra Kominal nan Vil Okay, Depite, li te fèt Okay 25 Out 1862. Li mouri Pòtoprens 30 Jen 1931. Zèv li, Pwezi. Chants Intimes.*

**Aleksann Petyon**. *np. : Prezidan nan zòn sid peyi Dayiti 1806-1818.*

**Aleksi Jak-Edwa** *(Jacques-Edouard Alexis): np. Agwonòm, edikatè, espesyalis nan teknoloji manje. Manm fondatè Inivèsite kiskeya, Li te dwayen Fakilte Agwonomi, nan inivèsite Kiskeya, li te minis edikasyon nasyonal, epi li se Premye Minis.*

**Aleksi, Jak-Estefèn** *(Jaques-Stephen Alexis): np. Doktè, ekriven, politisyen ki fèt Gonayiv 22 Avril 1922. Li te fonde yon pati politik (Pati Antant Popilè). Li ekri Compère Général Soleil (1955); Les Arbres Musiciens (1957); L'Espace d'un Cillement (1959); Romancero aux Etoiles (1960).Yo asasinen li Pòtoprens avril 1961 pou aktivite politik militarize kont gouvènman Divalye.*

**Aleksi Jera** *(Gerard Alexis): np. Ekriven, istoryen nan domèn boza.*

**alèlè**: *a. Pale anpil, pale mete la.* Mwen pa janm konn yon moun ki gen dyòl alèlè pase Kawòl.

**alelouya**. *ent. : Amèn, sa se vre.* Mwen resi dakò avè w, sa ou di a se vre, alelouya. 2. *Retire kò ou.* Alelouya satan.

**alemye**: *n. Miyò, amelyorasyon.* Kounye a travay la gen yon ti alemye ladan l, men lontan, sa te di nèt ale.

**alenterè**. *adv. : Pati ou mete anplis sou lajan ou prete.* Prete mwen senkant goud tanpri, menm si se alenterè; m a remèt ou ni manman lajan an ni enterè a nan dat trant desanm lè mwen touche.

**ale-retou**: *n. vwayaj an de sans.* Mwen gen yon tikè ale-retou pou mwen al Ansavo.

**aletranje**: *adv. Laba, nan lòt peyi.* Tout pitit madan Chal yo pati ale aletranje.

**alevini**: *n. monte desann, sot yon kote ale yon lòt, epi retounen.* Se nan alevini sa a li tou pèdi lavi l. 2. *Flannen*

**alevouzan**. *ent. : Wete kò ou devan m nan.* Alevouzan machè, pa anmède mwen konsa.

**alewè**. *: Sa k konnen. Alewè si li ap di verite la a.*

**alèz**. *adv. : Konfòtab.* Jera mete madanm li ak pitit li yo alèz.

**alfabèt**: *n. Abese. Tout lèt nou sèvi avè yo pou ekri.* Lè mwen te timoun, anvan senkan, mwen te gentan konn alfabèt la.

**alfabetik**: *a. Ki òganize dapre lòd alfabè.*

**alfabetizasyon**: *n. Etap ak pwogram pou moun aprann li ak ekri.*

**alfabetize**: *v. Aprann alfabèt, aprann li ak ekri.* Moun ki alfabetize ka sèvi ak ekriti pou kominike ak lòt moun.

**Alfredo**: *np. Non yon restavèk ki ale nan inivèsite epi ki ekri yon liv sou lavi malere ak malerèz ki rete ak moun. Non legal msye se Janwobè Kadè.*

**alg** *(ag): n. Plant senp ki viv nan dlo. Gen alg dlo lanmè, gen alg dlo dous. Ag pa gen rasin, tij ni fèy. Yo gen klowofil. Gen ladan yo ki iniselilè (yon sèl selil), genyen ki miltiselilè (plizyè selil)*

**aligati** *(fil): Fil an metal ki sèvi pou mare.*

**alilin**: *n. Lank, koloran.* Ayiti moun yo sèvi ak alilin ble pou fè lank.

**aliman**: *n. Manje, nouriti, fòtifyan.* Ki kalite aliman ki genyen nan kola? *2. Anliy (aliyman).* Machin nan pèdi aliman li, fòk mwen mennen l nan garaj.

**alimantasyon**: *n. 1.Tip manje moun manje. 2. Rejim.*

**alimantè**: *a. ki gade koze manje.*

**alimèt**: *n. Ti tij anbwa osinon an katon ki gen yon pwodui souf ki bay limyè, chalè ak flanm lè ou fwote melanj souf la osinon lè ou chofe li. Apre premye limen an bwa a ka boule pou kontinye flanm nan.* Pase m alimèt la pou mwen limen bwapen an.

**aliminyòm**: *n. Metal ki pa lou, ki gri, ki pa wouye. Nan chimi, senbòl li se Al.* Asyèt aliminyòm pi bon pou timoun pase asyèt fayans, lè li tonbe, asyèt la pa kraze.

**alisinasyon**: *n. Sitiyasyon espesyal lè yon moun tande vwa ki ap pale avèk li alòske pa gen moun bò kote li, li wè, li pran sant osnon li santi bagay ki pa bò kote li.*

**alite**: *v. Ki oblije rete nan kabann.*

**alivyal**: *a. Ki gade rezilta lè dlo lavalas desann.*

**alivyon**: *n. Sab, wòch ak lòt bagay ki vini lè dlo desann.*

**aliyman**: *n. Pozisyon an liy.*

**aliyen**: *v. Mete anliy dwat. Li mete tout machandiz li byen aliyen nan bak la.*

**alize**: *Rejim van ki soufle sou lanmè.*

**alizyon**: *n. Fè relasyon ak yon bagay.* Mwen pa renmen lè ou ap fè alizyon a lajan mwen genyen an, se lajan mwen li ye, li pa pou ou.

**aljèb**: *n. Branch nan matematik ki sèvi ak senbòl pou reprezante chif.* Kou ou rive nan segondè ou ap kòmanse aprann aljèb.

**Aljeri** *(algérie)*: np. *Peyi nan kontinan Afrik, kapital li se Alje.* Moun nan peyi Aljeri yo rele Aljeryen.

**Aljeryen** *(algérien) (èn): np. Moun ki soti nan peyi Aljeri.* Jozèt marye ak yon Aljeryen.

**alkalen**: a. Ki pa asid, ki gen gou vinèg; ki gen yon pH ki depase 7.

**alkali**: n. 1. *Solisyon amonyak, solisyon vinèg. 2. Baz idwoksid ki delye fasil nan dlo pou bay iyon idwoksil. 3. Nenpòt ki pwodui ki kapab fè asid vin net, ki gen pH depase 7.*

**alkasèzè**: *n. Anti-asid.*

**alkòl**: *n. Likid ki gen yon pwodui chimik fò ladan li ki kapab sèvi pou fè bwason osnon pou fè medikaman. Moun ki bwè anpil bwason ki gen alkòl ap sou. Gen alkòl ki sèvi pou limen dife, ki sèvi pou dezenfekte. Kleren se yon likid ki gen alkòl etilik ak dlo.*

**alkole**. *adv. : San rete, seryèzman.* Jan mwen wè mesye dam yo ap planifye maryaj yo a, genlè yo damou nèt alkole.

**alkolik**: *1. n. Bwasonyè. Moun ki toujou ap bwè bwason ki gen alkòl ladan l san kontwòl.* Kalo se yon alkolik, chak lè mwen kontre l li toujou sou. 2. *a. Ki gen alkòl.* Moun pa dwe bwè bwason alkolik nan travay yo.

**Alman**: *n. 1. Lang moun ki soti nan peyi Almay pale.* Mwen ap aprann Alman. *2. np Moun ki soti nan peyi Almay.* Msye se yon Alman li ye.

**almanak**: *n. 1.Kalandriye, tablo ki reprezante mwa yo ak jou yo nan yon ane.* Gade nan almanak la pou wè ki jou fèt ou ap tonbe. 2. *Seri aktivite yon moun ap fè nan yon peryòd.*

**Almay** *(allemangne): np. Peyi nan kontinan Ewòp, toupre Lafrans ak Bèljik, se la Alman yo rete. Lontan te gen de Almay, Almay lwès ak Almay lès, kounye a, yo fè yon sèl.* Moun ki sot nan peyi Almay pale Alman.

**alo**. ent. : *Salitasyon. Alo kouman nou ye.* Alo, ban mwen nouvèl ou?

**alonè**: *pr. Ki ap resevwa onè; ki jwenn tout atansyon.*

**alonje, lonje**: *v. 1. Fè yon bagay dire.* Chantal se moun ki renmen alonje yon kont, li pa janm fini ak yon koze, li toujou gen pou li plenyen. 2. *Fè yon bagay vin pi long.* Pomad sa a lonje cheve anpil, ou mèt sèvi avè l. Sòs pwa a twò epè, lonje li ak yon tidlo.

**alontèm**: *adv. Konsideran tan ki long. Ki dire.*

**alòs**: *pr/konj. Pandan*

**alòske**. *adv/konj. : Tandiske.* Alòske mwen chita kèpòpòz ap tann Kalin, li twouve li al ranse nan vwazinaj.

**aloufa**. *n : Saf, voras, tilolit, ki manje anpil.* Si ou wè kote Edwa manje, wa sezi, se yon aloufa li ye.

**alowin**. : *n. Fèt ki selebre nan peyi Etazini jou ki 31 Oktòb.* Timoun yo degize jou alowin epi yo al mache vizite vwazinaj; vwazen yo bay bonbon, sirèt, ak dous.

**Alsibyad.** *np. : Atis ayisyen ki te konn fè teyat popilè nan radyo chak dimanch apremidi.* Depi li dezè ledimanch, tout moun nan katye yo te mete radyo yo sou pwogram Alsibyad la.

**alsiyis**: *n. Son moun fè lè li gen kontantman seksyèl. Se yon mo vilgè.*

**altè**: *n. 1. Zouti pou fè egzèsis pou devlope mis bra (bibit).* Si ou fè egzèsis ak altè, bibit ou ap monte. 2. n. zouti ki fèt ak de boul ki konekte ak yon ba pou fè espò.

**altènatè**: *n. Ekipman ki pwodui kouran.* Machin mwen an gen yon pwoblèm altènatè.

**altènatif**: *n. 1. Chwa, ranplasman.* Mwen ba ou de altènatif, ale osnon rete. 2. *a. Kouran ki chanje direksyon ale-vini.* Kouran altènatif.

**Altidò Rawoul** *(Raoul Altidor): np. Ekriven Novelis, li ekri woman an Kreyòl. Li fèt 11 Janvye 1965.*

**altitid**: *n. Wotè vètikal yon bagay (osinon yon kote) pa rapò ak tè a, osinon pa rapò ak nivo lanmè.*

**Alveyòl**: *n. Espas ki nan poumon ki pèmèt echanj gaz. Li pèmèt gaz oksijèn ki sot nan poumon an antre nan san epitou ki pèmèt gas kabonik ki sot nan kò moun nan, antre an poumon an pou ale deyò.*

**alyaj**: *n. Melanj metal ak yon lòt eleman.*

**alyans**: *n. 1. Inyon, tèt-ansanm pou yon kòz.* Depi de ti komès fè alyans, yo ka vin tounen yon gwo magazen. 2. *Bag maryaj.* Wobè bay madan li yon bè alyans.

**alye**: *n. Moun pa.* Si ou pa si Andre se alye ou, pa rakonte l sekrè ou. 2. *Fanmi.* Se yon alye bò papa.

**alyennkat**: *n. Kat idantifikasyon pou imigran nan peyi Etazini.* Eske Kristòf Kolon te gen alyennkat?

**A.M.**: *Senbòl pou endike maten, peryòd depi minui ale jiska midi.*

**amak**: *n. Kabann ki fèt ak kòd ki tache nan de poto.*

**amalgam**: *n. Melanj mèki ak yon lòt metal. 2. Melanj pou fè dantye.*

**amann**: *n. Penalite ki mande pou moun peye lajan.*

**amannkè**: *n. Anmore, de moun ki pa fanmi epi ki renmen youn lòt.* Chal se amannkè Jezila men Jezila pito Woje.

**amannman.**: *n. Chanjman nan lalwa.* Se yon amannman nan konstitisyon ki te vin bay fanm dwa pou yo vote.

**amatè**: *n. 1. Ki pa fò. Ki pa aprann sa lap fè a dapre prensip.* Mwen kapab ranje radyo a pou ou men mwen pa garanti ou si li ap dire paske se amatè mwen ye. 2. *Ki fanatik yon bagay.* Mwen se amatè foutbòl anpil. 3. Ki kondui bato.

**amati**: *n. 1. chapant pou kenbe kichòy, pou koule beton, echafo, kakas, treyi. 2. a. Ki la pou soutni.*

**ame**: *v. Ki gen zam.* Alèkile, vakabon ki ap vòlè yo mache tou ame.

**amè, anmè**: *a. Ki pa dous ni sale.* Ban m yon ti te amè tanpri, mwen fè sezisman.

**Amedisali**: *np. Òganizasyon legliz ki ede moun ki pòv lè yo vin manm legliz.*

**amelyorasyon**: *n. Chanjman pou miyò.* Mwen wè yon gwo amelyorasyon nan nòt ou yo.

**amelyore**: *v. Chanje pou yon sitiyasyon ki pi bon.* Si nòt ou yo amelyore, sa ka vle di ou konprann sa ou ap etidye a pi byen.

**amèn!** *ent. : Alelouya! sa ou di a se vre (Espresyon ou di apre lapriyè).* Bondye, mwen konnen ou konn fè mirak, fè m wè jistis mwen, amèn. Ensiswatil. Lè mwen al lamès, chak tan pè a di yon bagay, mwen di amèn.

**amerendyen**: *n. 1.Moun ki te nan kontinan Amerik anvan Kristòf Kolon te rive. 2. a. Ki gen relasyon ak endyen Amerik.*

**Amerik.** *(Amérique) : 1. Kontinan kote Etazini, Kanada, Meksik, Brezil, Ayiti elatriye ye. Nan kontinan Amerik la gen moun ki pale Angle, Panyòl, Pòtigè, Franse, Kreyòl ak lòt lang endijèn. Amerik la separe an Amerik disid, Amerik santral, Amerik dinò. Nan zòn santral la gen yon gwoup zile yo rele zile Karayib. Ayiti se youn nan zile yo ki nan Karayib la. 2. Ti non yo bay peyi Etazini.*

**Ameriken, meriken.** *n : 1. Moun ki fèt Ozetazini, osinon moun ki natiralize ameriken. 2. Moun ki viv nan tout kontinan Amerik la. Kontinan ameriken an gen Amerik Dinò, Amerik Disid ak Amerik Santral ladan l. 3. a. Pwodui, machandiz ki soti nan kontinan Amerik.* Machin Fòd yo se machin ameriken yo ye.

**amezi.** *adv. : Pandan, amezike.* Amezi mwen ap prete Filip lajan, li menm, li ap depanse mal, ou kwè se yon move timoun Filip sa a ye!

**amib**: *n. Mikwòb ki viv nan dlo osinon ki viv kòm parazit andedan bèt. Li gen yon sèl selil (iniselilè). Li gen fòm yon ti sak dlo, li chanje pozisyon likid anndan li, pou li ka deplase. Li repwodui dapre metòd fisyon (yon pati nan selil la dekole epi devlope pou fè yon lòt amib)*

**amidal, amigdal**: *n. Pati nan gòj ki tou pre ak larenks.* Moun ki gen amidal anfle fè maladi yo rele amidalitis.

**amidonnen**: *v. mete lanmidon.*

**amigdal**: *n. Lalwèt.Pati nan gòj ki tou pre ak larenks.* Moun ki gen amidal anfle fè maladi yo rele amidalitis.

**amigdalit**: *n. Anflamasyon nan lalwèt.*

**amikal**: *a. 1. Ak amitye, janti.* Mwen resevwa yon lèt byen amikal, se yon bon zanmi m ki voye l. *2. Gwoup. Amikal elèv Lise Petyon.*

**amikalman**: *adv. Ant zanmi; san fache; san joure.*

**amine** *(asid-amine): n. Asid amine se konpoze ki genyen azot oksijèn, kabòn ak idwojèn ladan yo epi ki patisipe pou fòme pwoteyin. Asid-amine se inite fonksyonèl nan pwoteyin. Alanin, serin, lisin eltr se asid-amine. Mo amine a raple li gen azòt ladan l.*

**amitye**: *n. Santiman senpati moun gen youn pou lòt san yo pa fanmi osinon san yon pa nan renmen.*

**amizan**: *a. Ki fè moun amize.* Pyès teyat sa a amizan anpil, li fè mwen ri joustan dlo sot nan je mwen.

**amize**: *v. Pase bon moman ak kè kontan.* Vin amize ou non, machè, sispann ap trennen yon lapenn toutan.

**amizman**: *n. Kontantman, detant.* Mwen renmen al sinema, se amizman mwen pi pito.

**amnisti**: *n. Padon.* Si se pa amnisti sa a, anpil nan militè yo ta al nan tribinal.

**amò**: *adv. Jiska lekstrèm;* jiskalamò.

**amoni**: *n. 1. relasyon kòdyal (osinon nòmal) ant diferan pati. 2. Lè son mizikal mache trè byen youn ak lòt.*

**amonika**: *n. Enstriman ak van pou fè mizik nan bouch.* Mwen te konn jwe amonika lè mwen te piti.

**amonize**: *v. 1. Kenbe nan amoni, ale ansanm.* Koulè jip la amonize ak koulè kòsaj la, ou kapab mete yo. *2. Mete tout enstriman mizik sou menm ton.*

**amonyak**: *n. Pwodui chimik ki ka sèvi pou netwayaj.* Se pa tout moun ki renmen sèvi ak amonyak, gen moun ki panse li senti twò fò.

**amonyòm**: *n. Enstriman mizik ki sanble ak òg yo sèvi avèk li nan legliz.* Klavye amonyòm sanble anpil ak klavye òg.

**amòs**: *n. Jòf, apèsi.* Ban m yo ti amòs sou fim nan, monchè, èske li bèl?

**amòse**: *v. Kòmanse yon bagay.* Se ou ki amòse kont la, mwen pat sou sa mwen menm, men kounye a, mwen sou sa.

**amòti**: *v. Absòbe, pare chòk.* Si se pat sou sab la pitit la te tonbe, chòk li pran an pa tap amòti, li te ka kase zo do l. Se gras ak kawotchou machin sa a ki fè chòk msye pran an amòti, si se pat sa msye te kapab kase ren l. Jwè a amòti balon an sou pye goch li, li choute ak pye dwat li --- gòl.

**amòtisman**: *n. 1. Enstalasyon pou diminye chòk. 2. Rezilta plizyè aktivite.*

**amou, lanmou**: *n. 1. Santiman yon moun gen pou yon lòt.* Bondye di nou dwe gen amou youn pou lòt. *2. Santiman espesyal yon fi gen pou yon gason osnon yon gason gen pou yon fi.* Jan mwen santi mwen renmen ou la a, ticheri, se yon amou ki serye, genlè n ap marye. Amou manman gen pou pitit li.

**amoupwòp**: *n. Santiman valè moun gen pou tèt li.* Moun ki respekte tèt epi ki fè lòt moun respekte l paske li kondui tèt li ak disiplin.

**amoure, anmoure**: *n. gason ki renmen yon fi.*

**amourèz, anmourèz**: *n. Fi ki renmen yon gason.*

**amwa**: *n. Mèb nan chanm kote moun mete rad ak akseswa.* Amwa a menm koulè ak kwafèz la.

**amwenke, amwenske**: *adv. Sinon, eksepte, akondisyon ke, sof si.* Amwenke ou vini tousuit, mwen fini avèk ou. Fòk ou vin travay demen amwenske ou fin fè tout bagay depi jodi a.

**an**: *Atik defini ki vin apre yon mo si mo a fini ak yon vwayèl nazal (vwayèl nen).* Balon an, prezidan an, sendenden an.

**anafaz**: *n. Etap nan miltiplikasyon selil lè kwomozom yo divize epi deplase al nan de pol (ekstrèm) selil la.*

**anbandisyon** : *adv. Move, pare pou atake.* Timoun madan Dyo yo an bandisyon, anvan anyen, yo mande batay.

**anachi**: *n. Sitiyasyon kote moun pa respekte lwa yon peyi osinon yon òganizasyon.* Gen kote sou latè a, se yon ànachi toutan.

**anachis**: *n. Moun ki ap rejte tout otorite ak tout règ.* Ou pa dwe pran pòz anachis ou, se pou ou respekte lalwa.

**Anakawona** *(Anacaona). np. : Madanm Kawonabo, yon chèf endyen ki te gouvène wayom ki te rele Zaragwa a. Anakawona te yon bèl fanm, ki te chante epi di pwezi. Espanyòl yo te rive vin kondane li amò epi yo te touye l.*

**analfabèt**: *n. Moun ki pa konn li, ki pa konn alfabèt yo.* Nou bezwen travay pou bese kantite analfabèt.

**analiz**: *n. Kalkil, evalyasyon sou yon bagay pou jwenn tout sa ki ladan l.* Doktè a pran pipi mwen pou li fè analiz, se pou mwen tounen demen al pran rezilta analiz la.

**analize**: *v. Fè kalkil tout detay yon bagay.* Mwen analize òf direktè a fè m nan, mwen wè se yon bon afè.

**anana, zannana**: *n. Fwi ki yon jan asid ki soti nan peyi cho.* Anana se yon fwi ki gen bon gou men se pa tout moun ki renmen l.

**anatomi**: *n. Domèn nan syans biyoloji ki etidye ògànizasyon, fòm ak estrikti bèt ak plant. Li etidye pati nan kò yo epitou relasyon ki gen ant diferan pati yo. Doktè yo konnen anpil anatomi.*

**Anb**: *n. Yon rezin ki soti nan plat sapen (osinon pen) ki vin di, (fosilize) li transparan, gen koulè jòn klè osinon mawon klè.* Yo sèvi ak anb (solid) pou fè bijou ak lòt bèbèl dekoratif.

**anba.** *adv. : 1. Ki pa sou anwo, ki pa sou anlè.* Gade anba tapi a wa wè kle pòt la. Ki vin apre. Maryo mete devwa li a anba pa mwen an, konsa pa mwen an vin anwo. 2. *Ankachèt.* Msye se konsa li ye, si ou ba li yon ti kòb pa anba, li ap pran l.

**anbabra**: *n. ang ant pati anwo bra ak kòf lestomak moun.* Timoun nan swe anbabra.

**anbachal.** *adv. : sounwa.* Mwen pa janm renmen annafè ak moun ki anbachal. 2. *Ankachèt*

**anbago**: *n. 1. Blokis pou anpeche bato antre soti nan yon pò. 2 Blokis pou anpeche enpòtasyon ak ekspòtasyon machandiz ant de peyi.* Etazini dekrete yon anbago sou Ayiti pou pwoteste kont koudeta militè yo bay gouvènman Lavalas la.

**anbake**: *v. 1. Moute.* Anbake machin nan vit anvan mwen al kite w. 2. *Mete chay. Anbake machandiz yo non, ou paka kite yo atè a. Pran transpòtasyon pou ou ale yon kote.* Mwen anbake Jozefa mwen voye li Tigwav.

**anbakman**: *n. Chajman.* Gade yon kokenn chenn anbakman bannann, se pa de bannann non. *Chajman pou transpòte yon kote.*

**anbalaj**: *n. Kondisyonman, anpaketaj, pwoteje yon bagay pou li pa kase.* Fè yon bon anbalaj pou vè yo pa kraze.

**anbalakal**: *n. espas nan bato ant pon an ak fon an.* Met tout machandiz anbalakal.

**anbalan**: *adv. Ak ezitasyon, endesizyon, ki pa konn si li dwe ale adwat osnon agòch.* Edwa jwenn yon travay Okap epitou yon lòt Jeremi, msye anbalan, li pa si kilès li te dwe pran.

**anbale**: *v. 1. Vlope yon bagay pou li byen pwoteje.* Si ou ap voye bwat vesèl a pa lapòs, fòk ou anbale li byen pou li sa pa kraze. 2. *Vlope nan papye kado.* Madanm, anbale kado sa a pou mwen tanpri.

**anbarasan**: *n. Jenan.* Li anbarasan jan Kawòl pale fò, ou pa ta di se joure li ap joure?

**anbarase**. *v. :1. Chaje.* Mwen anbarase la a, ou pa wè mwen gen de sache sou bra mwen. 2. *Jennen.* Jou li fè mwen malonnèt la mwen te anbarase anpil.

**anbarasman**: *n. 1. Wont, eskandal.* Gade yon lòbèy nèg la vin fè devan pòt mwen an la a, sa se yon anbarasman mezanmi. 2. *Timidite.* Se konsa Jera ye, li pa renmen fè diskou, pou li pale devan moun se tout yon anbarasman.

**anbasad**: *n. Biwo yon anbasadè.* Si ou bezwen enfòmasyon sou yon peyi, ou kapab telefone nan anbasad li.

**anbasadè**: *n. Moun ki reprezante peyi li nan yon lòt peyi.* Malou ta renmen vin anbasadè Ayiti Ozetazini.

**anbasadris**: *n. fi ki reprezante peyi li nan yon lòt peyi.* Malou ta renmen vin anbasadris Ayiti Ozetazini.

**anbatè**. *adv. : 1. Antere. Jodi a fè Nikòl si mwa depi li anbatè. 2. Ki pa sou tè a, ki pa anba.* Gen anpil dlo anbatè Laplenn

**anbativant**: *n. Zòn anba lonbrit yon moun, anwo sèks li.* Kalo gen yon sèl doulè anbativant li, mwen pa konn kot sa soti.

**anbavant**: *n. Pati sou vant moun ki anba lonbrit li.*

**anbazaj**: *a. Piti, jèn.* Jan gen twa timoun anbazaj.

**anbazèsèl**: *n. 1. Zòn anba bra yon moun.* Kouman ou kenbe bous ou di konsa anbazèsèl ou a, genlè li chaje ak lajan papa. 2. *Sou pwoteksyon sere, anba siveyans.* Madan Jan kenbe ti medam li yo byen di anbazèsèl li pou jennjan yo pa vin file yo.

**anbègè**: *n. Manje ki fèt ak vyann moulen griye osinon fri ki plase ant de moso pen.*

**anbeli**: *v. 1. Ki vin pi bèl.* Ou pa wè jan Tika anbeli, se pa menm moun nan menm! 2. *Klate nan syèl la.* Mwen tann yon ti anbeli anvan mwen deplase.

**anbelisman**: *n. Netwayaj, bèlte, pwòpte, amelyorasyon, aparans.* Moun nan katye yo fè yon bon travay, yo netwaye lari a epi yo pentire kay yo tou, anbelisman sa a leve katye a anpil.

**anbès.** *adv. : Ki ap degrengole.* Kòmès la pa mache menm alèkile, li anbès.

**anbetan**: *a. Anmèdan.* Mwen pa janm kontre ak yon moun ki pi anbetan pase Kalo.

**anbete**: *v. Takinen, chache kont.* Timoun lekòl yo anbete li anpil, mwen di li pou li pa okipe yo.

**anbilans**: *n. Machin espesyal pou transpòte moun ki malad ou byen ki blese ale lopital. Moun ki ap kondui anbilans yo konn prese* *lè yon gen yon ka grav yo ap mennen lopital, lèkonsa yo mete sirèn yo.* Mwen santi mwen ap endispoze, rele anbilans la pou mwen tanpri.

**anbiskad**: *n. Pyèj. Se nan yon anbiskad Desalin te pran nan Pon Wouj jou 17 Oktòb li mouri a.*

**anbiske**: *v. Kache.* Pa vin anbiske kò ou la a tande, isit la mwen pa tolere sa.

**anbisye**: *a. Ki vle rive tout jan.* Moun ki pa anbisye konn pa janm kapab reyisi.

**anbisyèz**: *a. Fi ki vle rive lwen.* Se yon bon bagay lè yon fi anbisyèz paske sa fè li travay di pou li rive kote li vle a men twòp anbisyon pabon, li kapab fè moun nan vin akrèk tou.

**anbisyon**: *n. Anvi rive osnon anvi genyen.* Mwen gen anpil anbisyon men se kouraj mwen pa genyen.

**anblèm**: *n. Senbòl, siy.* Mwen renmen anblèm ki nan drapo nou an.

**anbobinen**: *v. 1. Mete nan bobin.* Vin anbobinen fil sa a pou mwen. *2. Bay yon moun manti.* Jan anbobinen Beti. *3. Melanje, foure kò nan yon bagay konplike.* Poukisa ou anbobinen tèt ou nan pwojè sa a?

**anbochay**: *n. Lè yon konpayi ap aksepte moun pou travay.*

**anboche**: *v. Aksepte moun pou vin travay.*

**anbouchi**: *n. 1. Kote yon rivyè antre nan lanmè. 2. Pati kote moun met bouch pou jwe yon enstriman mizik.*

**anboulin**. *adv. : Ak tout vitès.* Jozefa derape la a anboulin, tankou yon moun yo lage chyen dèyè l.

**anbouteyay**: *n. 1. Ankonbreman nan lari ki anpeche machin sikile. 2. Aktivite pou mete likid nan boutèy epi mete bouchon ak etikèt.*

**anbouye**: *v. Mete konplikasyon ak konfizyon.*

**anbrasad**: *n. Akeyi yon moun ak de bra.*

**anbrase**: *v. Bo, kwoke.* Manman Jera anbrase Toto anvan li monte avyon an.

**anbreyaj**: *n. Antre klòch machin nan yon vitès.*

**anbreye**: *v. Pase vitès nan machin ak klòch.* Si mwen pat anbreye machin nan mwen fè yon aksidan lamenm.

**anbrigade**: *v. Rekrite nan lame osinon nan lapolis.*

**anbriyoloji**: *n. Domèn nan syans biyoloji ki etidye devlopman bèt ak plant nan peryòd depi fètilizasyon (de ze kontre) jiska lè pitit la kale.*

**anbriyon**: *n. Etap nan devlopman yon bèt, yon plant osinon yon moun anvan li vin konplete. Si se yon poul, se peryòd lè ze a fèk kouve. Si se yon moun se anvan twa mwa ansent.*

**anbwa**: *a. Ki fèt ak bwa.* Kay anbwa yo boule pi fasil pase kay anmi yo, men yo pi fre.

**Anbwaz Emanyèl** *(Emmanuel Ambroise): np. Komèsan, militan politik, diplomat. Li temanm KEP an 1987 epi li gen anpil menas kont li. Finalman yo te boule magazen l. A 79 an li te vin anbasadè Ayiti nan Kanada.*

**Anbwaz Fènan**, *Ambroise Fernand: np (non prete li se Félix de Saint Laurent) Ekriven, pwofesè, li te fèt nan vil Jakmèl 9 Desanm 1881. Li etidye nan Ti Seminè Kolèj Sen Masyal. Li te pwofesè Syans Natirèl nan lise Jakmèl, administratè nan Finans. Li mouri 7 Avril 1938. Pwezi li pibliye nan plizyè jounal ak revi. Li ekri* Recherche Sur les causes naturelles de Notre malaise social, *(esè) Pòtoprens, 1910.* Le Général Magloire Ambroise a-t-il Eté tué? ou s' est il suicidé? *Pòtoprens, 1937.*

**Anbwaz Lidovik**, *AMBROISE Ludovic: np. Ekriven, kontab, avoka li te fèt nan vil Jakmèl, 12 Out 1879. Li etiidye nan Ti Seminè Kolèj Sen Masyal. Administratè Jeneral Lapòs (1931 1932). Li mouri 7 sektanm 1940. Li ekri yon liv pwezi,* Epanchements, *Pòtoprens, 1939.*

**anbwouye**: *v. Antotiye, konplike, twouble.*

**Anbwaz Lis**, *Ambroise Lys: np. ( non prete li se Jean Libose) Ekriven, li te fèt Bayeux, tou pre lavil Okap, 15 Out 1909. Li te etidye nan Kolèj Nòtredam. Li te antre nan Akademi Militè nan Pòtoprens , te fè karyè nan Lame Dayiti jiska janvye 1934. Depi 1957 ale sektanm 1979, li te Konsil Jeneral Ayiti nan Havre. Li ekri pwezi,* Bouquet à La Naïade, *1914;* Une Palme et Des Roses, *1941,* La Corbeille *(nan kolaborasyon avèk Luc Grimard, Dominique Hippolyte, Edgar Nérée Numa ak Anthony Lespès) 1943;* Grappes de Souvenirs, *1947;* L'Ile Songeuse, *1947;* Les Cendres du Passé, *1948;* Valparaiso, *1951;* Confidences, *1951;* C'Est la Voix de l'Afrique, *1951,* L'Ile Paradisiaque (La Tortue), Cinq Sonnets à ma Mère, *1955;* Poésies du temps jadis, *Pòtoprens , 1982.*

**anbyans**: *n. 1. Kondisyon, atmosfè, sitiyasyon.* Se nan yon move anbyans timoun nan leve ki fè li gen mès konsa a. *2. Pwogram, fèt, anviwonman kote moun ap pran plezi.* Mwen pral nan yon anbyans pita, si ou vle, ou mèt vini tou. *3. Sitiyasyon alantou yon moun..* Mwen pa renmen anbyans sa a pou ou ditou.

**anbyè**: *adv. Antravè, dyagonal.* Si ou koupe yon twal anbye, li ap pran yon fòm klòch.

**anbyen**. *adv. : San pwoblèm.* Mwen rele ou pou mwen fè ou konnen nou tout rive anbyen grasadye mèsi.

**anchaj**. *adj: Ki gen responsabilite.* Mwen pa anchaj revoke moun isi a, tann direktè a.

**anchaje**: *v. Responsab.* Se Kalo ki anchaje pran tout desizyon nan depatman kote li ap travay la.

**anchante**: *v. 1. Vin gen kè kontan.2. a. ki gen kè kontan. 3. ent. Mo pou di ou kontan fè konesans ak yon lòt moun.*

**anchatpent**: *an kachèt.* Mwen pa wè kilè ou vini la a, ou antre san fe bri an chatpent.

**anchèf**. *adj : Alatèt, responsab.* Direktè a nonmen mwen responsab anchèf nan depatman an.

**anchennen**: *v. Mare yon bèt osinon yon bagay ak chenn.* Gen moun ki pral vin vizite la a anchennen chen an.

**ancheri**: *v. Kajole, miyonnen, karese.* Sa ou genyen wap ancheri m konsa a, ou pral mande mwen kèk bagay?

**anchwa**: *n. Ti pwason piti piti yo konsève ak somi dlo sèl.*

**andaki**: *Teknik pou de moun pale pou lot moun pa konprann.* Mwen pa gen sekre, mwen pa bezwen pale andaki.

**andanje**: *v. Ki pa ansekirite.* Mwen te oblije pran egzil paske tout fanmi mwen te andanje.

**ande**. *adv. : Ki fè de moso.* Lakou a sitan gran mwen separe li ande ak frè m nan.

**andedan**. *adv. : Ki pa sou deyò.* Lekòl nou an gen yon pisin andedan depatman jimnastik la. Pa ret andedan toutan, al pran lè deyò detanzantan.

**andefinitif**: *Finalman; alafendefen.* Andefinitif kisa ou chazi?

**andefo**: *Ki gen tò.* Yo mete l deyo nan prizon paske li pat andefo.

**andegraba**: *Ki ap depafini, ki nan mizè.*

**andekonfiti**: *Ki an movèz eta; ki ap fin kraze.* Yo pa repere mache a li andekonfiti.

**andènye**: *Ki parèt nan dènye pozizyon.* Se li ki soti andenye.

**andenmon**. *adv. : Fin dechennen.* Jozèf parèt sou mwen lòtrejou, li sitan andenmon, se lapolis mwen rele pou li.

**andetay**. *adv. : Ki pa angwo, ki separe an plizyè moso.* Mwen pa renmen achte andetay paske lèkonsa, li vin koute mwen pi chè.

**andèy**: *a. Ki gen moun mouri, abiye toudenwa.* Silòt gen de mwa depi li andèy, ki moun li te genyen ki te mouri?

**andeyò**: n. 1. *Ki pa anndan. 2. ki pa nan lavil. Ki nan zòn riral.* Gen yon kote andeyò ki rele Latanye, se la ou jwenn anpil panye ak chapo pay. 3. *adv. Ki pa andedan, ki pa konn sa ki ap pase.* Mwen te rete andeyò tout kont sa a, mwen pa mele papa.

**andezay**: *Moun ki depase karant ane men ki poko gen swasantan.* Se yon moun andezay, nou dwe respekte l, si li respekte tèt li.

**andezòd**. *adv : Ki pa annòd, ki gaye.* Kouman kay la fè andezòd konsa a, pa gen moun pou fè menaj isi a?.

**andikap**: *n. 1. Enfimite.* Mwen pap kite andikap sa a anpeche m fè sa mwen gen pou mwen fè.

*2. anpechman.*

**andikape**: *v. Enfim.* Joslin kouche sou do depi aksidan an, genlè li ap andikape.

**andirans**: *n. Rezistans, kapasite pou moun reziste fatig osinon soufrans.*

**andire**. *: Sanble.* Andire ou pa rekonèt mwen.

**andirèk**: *San entèmedyè. Yon enfomasyon yo bay nan radyo osinon nan televizyon nan menm moman nouvèl la ap fèt yon lòt kote.* Radyo a repòte match foutbòl la andirèk.

**andokrin**: *a. Ki pwodui òmon ki devèse dirèkteman nan san. San an transpote òmòn yo toupatou nan kò a pou sèvi kote li nesesè.*

**andòmi**: *a. Ki pa reveye. Sou anestezi.* Lè yon moun al fè operasyon, doktè toujou andòmi l pou li pa santi doulè a.

**andose**: *v. 1. Siyen non ou dèyèdo yon chèk.* Mwen poko andose chèk la, pako al depoze li labank. 2. *Pran responsabilite yon bagay.* Se pa mwen ki kraze chèz la ou paka vle pou mwen andose responsabilite remèt li.

**andoskòp**: *n. aparèy pou gade anndan kò moun. Teknik andoskòp (pou gade anndan kò moun) sèvi ak ti tib optik an vit ki kondui reyon limyè osinon imaj vizib ale vini nan de sans anndan yon tiyo fleksib.*

**ANDP**: *Asosiyasyon Nasyonal pou Demokrasi ak Pwogrè.*

**andui**: *n. Vyann kochon sale ki bay manje gou.* Mwen ta manje yon ti ble ak pwa nwa ki gen yon bon ti andui fri ladan l.

**andwa**. *: a. Otorize, gen dwa.* Ou pa andwa vin la a pou ou pran zouti mwen yo san ou pa mande mwen.

**andyable**: *a. Anraje, posede, sou move san, eksite.* Pa pale ak Franswa kounye a, li andyable.

**andodomeya**: adv. *An kè pòpòz, san difikilte.* Li pase ekzamen an andodomeya.

**andyoze**: *Flate, karese dòlote, chouchoute; di yon moun ti pawòl dous pou fè kè l kontan.*

**ane**: *n. 1. Inite pou mezire tan ki vo 12 mwa osinon 365 jou. Tan latè pran pou fè tou solèy la. Nan yon peyi, ane a kòmanse premye janvye* *a minui, epi ane a fini 31 desanm a onzè-senkantnèf diswa. 2. Nenpòt peryòd ki gen douz mwa konsekitif. 3. Peryòd aktivite ki rive chak ane, menmsi li pa dire tout ane a.* Kanaval ane pase a te gen anpil moun moun.

**ane lekòl**. : *Tan yon pwogram lekòl dire avan elèv yo pase nan yon lòt klas.* Ti moun sa yo pase ane lekòl sa a, yo pral chanje klas.

**ANEH** *(ANAA): Asosiyasyon nasyonal anseyan Ayisyen, li fòme an 1979.*

**anemi**: *n. 1. Ki fèb, ki pa gen ase fè nan san l.* Depi m timoun mwen fè anemi, mwen bezwen plis fè nan manje mwen. *2. a.* Timoun sa a anemi paske li pa manje byen.

**anemomèt**: *n. Zouti pou mezire vitès van.*

**anestezi**: *n. Pwodui chimik osinon medikaman ki fè moun pa santi doulè. Yo sèvi ak anestezi lè yo ap fè operasyon pou moun nan pa santi doulè. Gen anestezi lokal ki kontwole kote yo mete medikaman an sèlman, epi gen anestezi jeneral ki kontwole toupatou nan kò moun nan epi ki fè moun nan dòmi. Nan tan lontan yo te konn sèvi ak etè. Depi doktè ba ou anestezi a, ou p ap santi anyen ankò.*

**anestezis**: *n. Doktè ki espesyalize nan koze bay moun anestezi.*

**anestezi epidiral** : *nfr. Piki anestezi nan zòn basen pou ede akouchman.*

**anetwale**: *n. Epis pou manje dous tankou labouyi.* Depi mwen ap fè labouyi mwen toujou renmen mete kanèl ak anetwale ladan l.

**aneyanti**: *v. detwi, anile, abat.*

**anfale**: *a. Lage kò ou sou yon chèz ak parès.* Ala tifi paresèz papa, li anfale li sou sofa a depi gran maten, li pa menm leve fè menaj menm.

**anfanmi**: *adv. Ak moun ki nan menm fanmi an, ak moun ou santi ou pre avèk yo tankou fanmi.* Nou tout te reyini anfanmi apre antèman an.

**anfas**. adv. : *Pa lòt bò, bab-pou-bab.* Kalin ak Elsi rete anfas lakay la.

**anfavè**: *Prefere, adopte, chwazi; ki nan avantaj yon moun.*

**anfayit**: *adv. Ki pèdi tout bagay, san senk, ki pa rete anyen.* Jan se yon nonm ki anfayit, kote li pran lajan pou li ba ou?

**anfè**. *adv. : Ki fèt ak fè.* Mwen pa kwè mwen kapab leve bwat sa a, se anfè li ye, li lou kou pwasenkant.

**anfèmay**: *n. Lwe kay osinon teren ak kontra pou peye chak sis mwa osinon chak ane.* Mwen anfèmay teren an pou sis mwa. Anfèmay kay la pou lane pwochèn.s

**anfème**: *v. Lwe yon kay ak kondisyon ou peye pa sis-mwa osnon pa ane.* Lè yon moun anfèmen yon kay, lwaye a vin koute ou pi bonmache.

**anfèmen**: *v. lwe yon kay ak kondisyon ou peye pa sis-mwa osnon pa ane.* Lè yon moun anfèmen yon kay, lwaye a vin koute ou pi bonmache.

**anfen**. *ent. : Alafen.* Moun sa yo resi sispann goumen, anfen Bondye.

**anfibi**: *n. Bèt osinon bato ki fonksyone nan dlo epi sou tè.* Krapo se yon ekzanp anfibi.2. *a. Ki kapab fonksyone sou late ak nan dlo. Bato anfibi*

**anfizèm**: *n. Maladi nan poumon ki fe alveyol yo vin gwo.*

**anflamasyon, enflamasyon**: *n. Reyaksyon ki fè yon moun osnon pati kò yon moun anfle.* Depi mwen kanpe tout lajounen, mwen gen yon sèl anflamasyon nan toulede pye mwen yo.

**anfle**: *a./ v. Gonfle. Ki vin gwo, gonfle, ki kenbe dlo.* Apa timoun nan ap anfle la a, li genlè fè kwachyòkò.

**anflè**: *a. Ki dekore ak anpil flè.*

**anflèch**. *adv. : Ki ap pran fil, ki ap pran espansyon, anfòm.* Mwen wè biznis la anflèch, kontinye konsa tande.

**anfòm**: *a. Byen. ansante. agreyab.* Depi apre espò a mwen santi m anfòm.

**anfondre**: *v. tonbe plat atè, pèdi fondasyon.*

**anfonse**: *v. defonse, kreve.* Fè atansyon pou ou pa anfonse kabann nan tande, se yon senp somye li ye.

**anfoudwaye**: *v. mete yon moun nan erè; fè yon moun pèdi tèt li.*

**anfounen**: *v. Ki ap kwit nan fou.* Pen yo poko bon, mwen fèk anfounen yo la a.

**anfouraye**: *v. Ki pa sou lamen.* Mwen pa fouti jwenn batistè m, li anfouraye ak tout papye sa yo.

**Anfrans**. : *Nan peyi Lafrans.* Yo di mwen konsa operasyon sa a se Anfrans yo kapab fè l.

**ang**: *n. Kwen. Kote de liy kontre. Yon fòm ki fèt ak de liy dwat ki rankontre nan yon pwen komen. Mezi pwen rankont la an degre osinon an radyan*

**ang egi** *(< 90°) : ang ki gen yon valè ki pi piti pase 90 degre.*

**anga**: *n. Espas kouvri men ki pa bare kote moun ka pare solèy osnon anpile machandiz.* Mwen ret tann ou anba anga a men, ou pa janm vini. 2. *Depo*

**angaje**: *v. 1. Ki derape, ki ap swiv yon direksyon.* Ou ta kite mwen pase anvan w, ou wè mwen nan mitan lari a, mwen gentan angaje pou mwen fè koub la. 2. *Ki pran* *yon angajman.* Mwen pap sa vin travay pou ou , mwen gentan angaje kay Bobi a. *3. Ki aksepte pou yon travay.* Mwen angaje ou pou dyòb la, apati jodi a, ou se anplwaye isit la tande. *4. Ki bare, afè li pa bon.* Monchè prete mwen yon ti kraze la a non, mwen angaje, sa pabon menm. *5. Ki pran pwen.* Pa okipe Masiyon tande, se moun ki pwofonde anpil, msye angaje nan sosyete kansonfè tande. *6. n. Nan tan lakoloni, moun ki vwayaje sot nan peyi Frans san peye epi ki pwomèt pou yo travay tanporèman san yo pa touche pou vale vwayaj la te koute.*

**angajman**: *n. Antant ki sanble ak yon kontra. Antant ant yon moun ak yon lòt. Antant yon moun ak lwa yo pou li jwenn yon favè akondisyon pou moun nan fè sèvis pou li.*

**angi**: *n. Pwason ki gen fòm koulèv.* Mwen pa renmen manje angi, li gen yon gou dwòl.

**angiz.** : *Olye.* Angiz pou msye al kache, li parèt tèt li, epi yo tou kenbe l.

**Anglad, Jòj**. *(Anglade Georges): Pwofesè jeyografi, politisyen. Li fèt Aken an 1940. Li te etidye jwografi Anfrans. Li se yon pansè, ekriven. Li ekri plizyè liv. Li rete Monreyal, Kanada, li se pwofesè nan Inivèsite Kebèk nan Monreyal. Li ekri liv ki sèvi nan lekòl Ayiti. An 1983, li te minis Travo-piblik sou gouvènman Aristid. Li te Minis Ayisyen nan dyaspora.*

**Anglè** *(Anglèz): 1. Moun ki soti nan peyi Angletè.* Te gen yon gwo Anglè ki te vin Pòtoprens, msye te toujou ap pale Angle.*2. Lang yo pale Ozetazini ak anpil lòt kote.*

**angle.** *1: n. Lang moun ki rete nan peyi Angletè osnon Etazini pale.* Mwen pa konn pale angle men si yon moun ap di de mo, mwen ap konprann. *2. a. Ki gen avwa ak peyi kote yo pale angle.* Te gen yon gwo kokenn chenn restoran angle nan pwent kafou a.

**Angletè**. *(Angleterre): Peyi ki nan kontinan Ewòp kote yo pale angle.* Peyi Angletè se yon bèl kote men sa mwen pa renmen li se paske li fè lapli souvan.

**anglèz**: *n. Fi ki soti nan peyi Angletè.* Jan marye ak yon anglèz, mwen pa janm kapab sonje non l.

**anglikan.** *1: n. Relijyon katolik ki pa kwè nan Pap.* Mwen pa anglikan paske mwen pat leve nan relijyon sa a. *2. a. Ki gen avwa ak relijyon anglikan. Rit anglikan.* Mwen te ale nan yon maryaj anglikan lotrejou.

**anglofòn**: *n. Moun ki pale Angle kòm premye lang. anglofòn pou angle, frankofòn pou franse, ispanofòn pou...*

**anglouti**: *v. Ki pedi nan dlo pwofon san espwa retounen.* Bato Titanik anglouti nan fon lanme.

**angòje**: *v. Plen.* Poukisa la a angòje konsa a, kijan pou moun fè pase?

**Angola**: *np. Peyi nan kontinan Afrik.* Mwen poko janm kontre ak yon moun ki sot Angola.

**angoudi**: *a. 1. Kannannan, kagou, ki gen lakranp.* Kijan ou angoudi konsa a, èske dòmi nan je w? *2. Kranp*

**angoudisman**: *n. Manm ki lou, ki pa ka travay.*

**angran**: *a. Awogan, anlè.* Mwen pat konnen Tipòl te angran konsa non.

**angrè**: *n. Fòtifyan pou plant.* Gen yon peryòd nan ane a ki pibon pou moun mete angrè, lè sa a plant yo pwofite pi byen. Tout plant bezwen fòtifyan, lè tè a mèg nou mete angrè. Se pa tout angrè ki bon pou tout plant. Gen angrè natirèl tankou poupou poul, gen angrè chimik moun achte nan magazen.

**angren**: *a. Ki degrennen.* Gen moun ki pito mayi angren pase mayi moulen.

**angrenaj**: *n. 1. Mekanik ki fè yon pyès makonnen ak yon lòt pou yo kapab fonksyone ansanm.* Bisiklèt la pa-p woule si chenn nan soti nan angrenaj la. *2. Makonnaj.* Apa mwen rete konsa ou vle antrave m, machè, wete mwen nan angrenaj sa a tande.

**angrese**: *v. Vin gra, manje ak entansyon pou pran pwa.* Lè mwen fin angrese kochon sa a, mwen kapab vann li pou nenpòt san dola.

**angrèv**: *adv. Sitiyasyon kote travayè ap pwoteste pou chanje kondisyon travay yo.* Chofè yo angrèv.

**angwo**: *adv. An grann kantite, ki pa an detay.* Si ou kapab ou te dwe achte manje angwo, chak grenn ap vini koute mwens kòb.

**angwosi**: *v. Ki vin gwo, angrese, anfle.* Angwosi kochon an anvan lekòl louvri. *2. ki ansent.* Se Jozèf ki angwosi pitit madan Chal la.

**angwoup**: *adv. Ansanm, ak yon gwoup moun.* Mwen pa renmen soti pou kont mwen, mwen pito soti angwoup.

**anhan. ent.** : *1. Siy ki vle di ou dakò.* Eske ou pare pou ou soti kounye a? Anhan. *2. Espresyon ki vle di ou kenbe yon moun, ou bare l.* Anhan! se ou ki tap plede vòlè poul mwen yo nan lakou a, mwen kenbe w.

**anile**: *v. Efase, pase gonm sou yon bagay ki te pase, bani, kaba.* Simòn fè anile dat maryaj li ak Kristòf.

**animasyon**: *n. Aktivite, mouvman, mete lavi nan yon anbyans.* Gen anpil animasyon anba lavil la jodi a.

**animatè**: *n. Moun ki ap fè animasyon.* Jan-Chal se animatè li ye nan gwoup jennjan yo.

**animatris**: *n. Monite fi ki ap òganize aktivite pou lòt moun ka fè.*

**anime**: *v. Enspire, dirije, bay lagete, bay lavi.*

**anivèsè**: *n. Dat fèt. Dat yon bagay te pase.* Dat senk (5) Me se anivèsè maryaj papa m ak manman mwen.

**anivo**. *adv. : Sou liy dwat, ki pa kwochi, aliyen.* Mi sa a pa anivo se sa ki fè li kwochi konsa.

**anizèt**: *n. Bwason ki fèt ak fèy lanni tranpe nan alkol ak sik.*

**anj, zanj**: *1. n. mesaje Bondye.* Gen bon zanj, gen move zanj. *2. Moun ki pa gen defo, ki fe dibyen pou tout moun.*

**anjandre**: *a./ v.* Aksyonnè. Nonm sa a anjandre tande, fè atansyon avè l.

**anjelik**: *a. ki sanble ak zanj; ki anrapo ak zanj.*

**anjelis lanjelis**: *n. peryòd nan lajounen Kòmansman aswè, vè sizè diswa.* Kou li lanjelis, timoun antre lakay yo. Sonnen lanjelis. *2. Priyè devosyon pou lavyèj. 3. Son klòch ki anonse lè pou lapriyè lanjelis.*

**anjeneral**. *adv. : Souvan, prèske tout tan.* Anjeneral nou toujou tann jous labrin diswa pou n al dòmi.

**anjin**: *n. ∂oulè nan kè ki rive lè miskilati kè a pa gen ase oksijèn.*

**anjwa**. adv. : *Kontan.* Sara se moun ki toujou anjwa, kè l toujou kontan.

**anjwèt**. *adv. : Ki pa serye, ki pa pou tout bon.* Ou pa bezwen fache, se anjwèt mwen di sa.

**Anjyospèm**: *n. Plant ki fè flè men grenn nan (semans yo) rete fèmen nan yon fui tankou pòm. Plant ki fè grenn epi grenn yo vlope, plant ki fè flè. Anjyospèm divize an de gwoup, monokotiledon ak dikotiledon.*

**anka**: *konj.. Si.* Anka ou pap vini, voye papye yo pou mwen.

**ankachèt**. *ß. : ånba, san moun pa konnen.* Pitit la sove li gentan ale jous anba lavil ankachèt.

**ankadre**: *v. 1. Mete nan ankadreman.* Mwen gen menm dis foto pou m ankadre. 2. *Bay sipò.* Lè Chal te gen moun mouri a, fanmi mwen yo te ankadre l anpil.

**ankadreman**: *n. Kare ki fèt pou fè plas pou mete yon bagay.* Gen de ankadreman foto la a ki fèt anbwa.

**ankake**: *Sizoka.* Pwofesè a di pou mwen prepare mizik pou timoun yo chate nan klas la ankake li ta an reta.

**ankan**: Nan yon pozisyon ki pa dwat, sou lekote.

**ankè**. *adv. : San manke moso, antye.* Mwen pa renmen achte moso joumou, mwen pito achte joumou ankè.

**ankese**: *v. 1. Aksepte san di yon mo.* Mwen pa di anyen, mwen ankese jouman an san mwen pa di yon mo. *2. Touche.* Ou pa kapab mande m monnen se pa mwen ki te ankese lajan an.

**ankèt**: *n. Envestigasyon.* Mwen gen pou mwen mennen ankèt pa m anvan menm mwen pran yon desizyon.

**ankete**. *v. : Envestige. Lè mwen al ankete mwen jwenn sa yo di mwen an se te sa menm.*

**anketè**: *n. Envestigatè.* Moun ki fè ankèt. Mwen peye yon anketè pou l al verifye sa ki ap pase, Epi se konsa tout kakachat la vin deyò.

**ankiloz**: *n. Koubati, paralizi, pet aktivite nan* atikilasyon manm.

**ankiloze**: *v. Pedi aktivite nan yon manm. 2. wouye.* Lespri ki pa sevi vin ankiloze.

**anklim**: *n. Mas fè, zouti ferayè sèvi pou bat fè cho. 2. Youn nan ti zo ki anndan zòrèy moun.*

**ankò**. *adv. : Rekòmansman, bis, mete sou li.* Si ou di ou pap fè sa ankò, sa vle di ou pap kite sa rekòmanse. Mwen pa genyen lajan ankò, tout lajan mwen fini.

**ankòlè**: *a. Anraje, move.* Kouman ou fè ankòlè konsa a, ou gen kont ak kèk moun?

**ankonbre**. *v. : Sere.* Pa gen plas lib. Kijan kay isi a ankonbre konsa a, gen twòp mèb nan kay la.

**ankonbreman**: *n. Anbarasman. Sitiyasyon kote ki pa gen espas.* Tout liv sa yo atè a se yon ankonbreman sou wout mwen.

**ankouraje**: *v. Bay kouraj.* Se papa mwen ki te ankouraje m al aprann kòdonye.

**ankourajman**: *n. Sipò.* Si se pat ankourajman detwa zanmi, mwen ta gentan mouri la a.

**ankriye**: *n. Veso ki fèt pou mete lank.* Lontan timoun te konn sèvi ak plim sa yo tranpe nan ankriye yo, kounye a sa chanje.

**anksyete**: *sitiyasyon mantal ki fè moun enkyete anpil, ki sou tansyon epi ki nève, moun ki pa ka dòmi oubyen ki gen efè segondè medikaman antisikotik.*

**anlè**. *adv. : 1. Ki pa atè, anwo.* Mwen pako janm al gade anlè a non. 2. *Chanmòt. Ki anwo yon bagay.* Chanm mwen an anlè tèt garaj la, garaj la pa anba.

**anliy**. *adv. : Anran, aliyen.* Tout timoun vin mete yo anliy pou yo kapab al monte drapo.

**anmaldanfan**: *Difikilte nan akouchman.*

**anmalmakak**: *adv. Pa anfòm, pa an sante, chimerik.* Pa vin kote m si ou anmalmakak.

**anmbègè**: *n. Sandwich. Pen ak vyann bèf ki konn gen fwomaj, leti ak tomat tou ladan l.* Yo vann anmbègè nan pwent kafou a.

**anmè**. *a. :1. Ki pa dous.* Goute ji chadèk la pou ou wè, li pa dous menm, li anmè kou fyèl. Apa se kafe anmè ou ban mwen, mete yon ti sik ladan l. *2. ki genyen yon bagay ki pa fè l plezi sou kè l.* Poukisa twa pli nan fwon ou konsa a, ou sanble yon moun ki anmè, pa kite lapenn anvayi w, machè.

**anmèdan**: *a. Moun ki renmen anmède.* Pa gen tigason pi anmèdan pase Janjan.

**anmède**: *v. Takinen.* Sispann anmède mwen tande, m'a ba ou yon gwo kou mwen vide ou atè.

**anmègdan**: *a. Moun ki renmen takinen moun, anmèdan.* Tigason sa a si tan anmègdan, si ou ret kote l, li ap fè ou fou.

**anmi**. *adv. : An beton, an mòtye. Jan separasyon yon kay osnon yon bilding fèt.* Mwen pito kay anmi pase kay anbwa.

**anmiyèt**. *adv. : Antikal, tikal, an timoso piti.* Vè a tonbe li kraze anmiyèt moso.

**anmko** *(HAMCO): Konpayi Vyann Ayisyen ak Ameriken. Konpayi ki tiye bèf pou ekspòte vyann.*

**anmore**: *n. 1. Moun ki damou.* Antwàn se anmore Silvi. 2. *Moun ki renmen yon lòt.* Mwen gen yon anmore la a, sanble mwen avè l nou kapab rive marye. *3. Moun ou renmen, moun ki renmen w.* Jozèf se anmore mwen depi ane pase, ane sa a nou pral marye.

**anmorèz**: *n. Fi yon gason renmen osnon fi ki renmen yon gason.* Adlin se anmorèz Franswa depi ane pase.

**anmwe**: *entj. Rèl pou mande èd, Osekou.* Anmwe, vin sove mwen, men yon vòlè antre lakay mwen la a.

**anmwens**. *adv. : Pipiti. Konpare ak.* Ou gen yon dola an mwens mwen. Si ou depanse di goud ou a, ou ap rete senk goud anmwens mwen.

**anmwesekou!** *ent. : Rèl moun pati pou mande sekou.* Anmwesekou! anmwe! men nonm nan ap bat mwen tankou se timoun li mwen ye!

**annafè**: *v. 1. Gen rapò ak, gen relasyon ak.* Mwen pa annafè ak vakabon. *2: a. Nan rale mennen vini.* Mwen pa annafè ak pyès moun isit la.

**annanfans**: *a. Entatad.* Granpapa mwen te vin annanfans anvan l te mouri. *Gaga.* Depi Madan Kalo te malad la li vin annanfans nèt atò.

**annantran**: *adv. Okòmansman, nan papòt, anpatan.* Mwen kite komisyon an pou ou bò pòt la, annantran, sou lamen dwat.

**annaryè**. *adv. : Aryè, padèyè.* Al annaryè, ou pa wè tout moun anran la a?

**annatandan**. *adv. : Antretan, pandanstan an.* Annatandan mwen touche, prete mwen senk pyas.

**annavan**. *adv. : Mache.* Annavan, vin al montre mwen kote ou te kite dyakout la papa.

**annavans**: *adv. Anvan.* Mwen tou di ou annavans, si ou pa peye m, m ap sezi tout bagay.

**anndan**. *adv. : Ki pa deyò, ki andedan.* Antre anndan touswit.

**annik**. *adv. : Senpleman, kou mwen fèk fin..., imedyatman apre.* Mwen annik di l pa manyen liv la epi li pran pale fò sou mwen. Annik antre epi fèmen pòt la.

**annile**: *v. 1. Elimine, ranvwaye.* Mèt la annile egzamen an paske tout repons yo te gentan deyò. *2. Deklare pa bon ankò, defèt, chanje.* Mwen fè annile dat maryaj la paske mwen chanje lide.

**annui**: *n. Anbetman.* Mwen pa moun ki renmen gen okenn annui.

**annuiyan**. *a : Ki anbetan.* Mwen pa fouti tande vwa yon moun ki ap joure tout lajounen tout nannuit, li annuiyan nan zòrèy mwen.

**anòmal**: *a. Ki pa nòmal.* Se pa konsa ou konn ye, Eva, ou sanble ou ànòmal jodi a.

**anonim**: *a. Ki pa siyen, ki san mèt, ki pa gen moun responsab li.* Mwen resevwa yon kout fil anonim lòtrejou.

**anons**. *n.: Piblisite.* Pase anons maryaj la.

**anonse**: *v. Fè konnen davans.* Mwen vle pou anonse vizit ou anvan ou vini.

**Anouka**: *n. Fèt Juif. Yo fete l lan mwa desanm pandan 8 jou.* Moun limen chandèl chak jou jouk tan peryòd Anouka a pase.

**anpàn**. *a. : Ki pa mache.* Machin nan anpàn, mwen pral mennen l nan garaj.

**anpant**. *adv. : 1. Ki pa dwat.* Liy sa a anpant, ou pa wè desen an kwochi. *2. Ki sou yon mòn.* Anbreye machin nan paske jan ri sa a anpant la a, ou kapab degringole desann san ou pa konnen.

**anpare**. **v.** *: 1. Pran, moute.* Mwen gen yon sèl doulè ki anpare m, mwen rele anmwe. *2. Anvayi.* Grangou fin anpare mwen la a.

**anpasan**: *adv.Pa ret sou sa, rapidman, san rete, byen vit, pandan nou sou koze a.* Anpasan, lajan ou dwe m nan, kilè ou ap ban mwen li?

**anpatan.** *adv. : 1. Pou kòmanse.* Anpatan ou ban mwen manti. *2. Lè ou prale.* Se anpatan li kite lèt sa a sou tab la, li pa di anyen ankò.

**anpaye:** *v. Pwoteje ak pay.* Mwen anpaye veso yo byen anpaye pou yo pa kraze.

**anpè:** *a. Trankil, kèpòpòz, klè.* Mwen santi konsyans mwen anpè, moun mèt di sa yo vle. *2. n. inite pou mezire entansite kouran elektrik. Anpè endike ki kantiti elektwon ki pase nan yon sikui. Senbòl li se (amp), kantite kouran elektrik ki pase nan yon fil chak segonn.*

**anpeche:** *v. Ki pa kite yon bagay fèt.* Mwen anpeche l antre nan chanm nan.

**anpechman:** *n. 1. Difikilte ki anpeche yon evènman.* Mwen te gen yon gwo anpechman se sa ki fè mwen pat vini nan maryaj la. *2. Razè.* Mwen gen yon anpechman la a, ou kapab debare m?

**anpèmanans:** *adv. Toutan, san rete.* Sine Lido ap pase twa bon fim anpèmanans.

**anpenitans.** *adv. : An pinisyon.* Mwen mete Kalo anpenitans paske li twò dezòd.

**anpenpan.** *adv. : An plimdepan, bwòdè, anfòm, byen abiye pou atire atansyon, pare.* Mwen wè ti dam nan lòtrejou, li te anpenpan! Kote ou prale jodi a, kouman ou fè anpenpan konsa a?

**anperè:** *n. Tit politik, gran chef yon anpi nan tradisyon lontan lontan anvan te gen demokrasi.*

**anpeste:** *v. Kote ki santi move pake gen yon bagay osinon yon bèt ki ap pouri.*

**anpetre:** *v. Mare, makonnen. Kijan ou anpetre konsa a, ou pa sa kite yon timoun mare pye ou konsa machè.*

**anpi:** *n. Tout teritwa ki anba yon anpere. 2. Gwoup ki puisan anpil ki kontwole lot gwoup.* Anpi endistriyel ameriken.

**anpil fwa:** *adv. Plis pase yon fwa, an plizyè fwa.* Anpil fwa mwen panse pati, men, mwen pito rete nan peyi mwen.

**anpil.** *adv. : 1. Plizyè.* Mwen gen anpil frè ak sè, men yo pa isit. Gen anpil moun ki ap antre nan kay sa a, siman gen yon fèt. *2. Gwo, grap.* Mwen kontan anpil pou tout sa ou fè pou mwen yo.

**anpile:** *v. Poze youn sou lòt.* Kijan ou anpile tout rad yo konsa a, ou pral fè lesiv?

**anpire:** *v. Vin pi mal.* Sante li pa bon menm, li santi li ap anpire.

**anpitasyon:** *n. Koupe jete, wete.* Doktè di jan janm mwen an ye la a, se anpitasyon pou yo fè mwen.

**anpite:** *v. Koupe, wete yon manm.* Apre aksidan an, yo te oblije anpite Pyè, kounye a, li sou beki.

**anplak, anplat:** *n. Pansman solid pou pwoteje yon pati nan kò moun osinon bèt pou repare yon kote ti kase, foule.*

**anplas.** *adv. : Ki pa bouje, ki ret la.* Mwen pa regle anyen, mwen ap balanse anplas.

**anplasman:** *n. 1. Kote yon bagay konn ye, espas.* Se nan anplasman sa a, mwen te kite pake a pou ou, si ou pa wè l, sa vle di yo pran l. *2.Tè, teren.* Mwen te gen yon anplasman Laplenn men kounye a mwen vann li.

**anplitid:** *n. 1. Nan syans fizik, se diferans ant pwen ki pi wo ak pwen ki pi ba nan yon vag osinon yon vibrasyon. 2. nivo wotè yon vag dlo. 2. Pozisyon ekstrèm lè yon bagay ap deplase alevini (tankou kouran altènatif osinon yon pandil osinon yon balanswa).*

**anplis.** *adv. : Ajoute, met sou li.* Anplis tout sa ou di l la ou jwenn mwayen ou kale l met sou li, ou debòde Antwàn.

**anplwaye:** *n. Ki ap travay.* Se bòs chapant la ki te anplwaye mwen isi a men kounye a li pa la ankò. *2. Moun ki ap travay ak yon lòt.* Mwen se anplwaye kay Madsèn.

**anpòtman:** *n. Eksitasyon, enèvman.* Se nan anpòtman li an ki fè li di sa li pat dwe di.

**anpoud.** *adv. : Ki pile fenfen.* Mwen pa renmen chanmchanm, manje anpoud toujou fè mwen touse.

**anpoul:** *n. 1. Limyè elektrik.* Si anpoul la pa limen, sa kapab vle di li fini, ou mèt mete yon lòt. *2. Lanp.* Limen anpoul la pou mwen kapab wè pi klè.

**anprè:** *n. Grad chèf ki kouwone epi ki gen tout pouvwa nan yon peyi.* Desalin te yon anprè.

**anprent:** *n. 1. Mak liy dwèt yon moun ki rete sou nenpòt ki bagay li manyen.* Lòtrejou mwen te ale lapolis, yo pran anprent mwen. *2. Mak kote yon bagay te poze.*

**anpresman:** *n. Rapidite.* Jak kouri louvri pòt la ak anpresman, genlè li ap tann yon moun.

**anpriz:** *n. dominasyon, otorite, enfliyans.*

**anprizonnen:** *v. Arete, mete nan prizon.* Yo te anprizonnen Kòlbè pandan twa mwa.

**anprizonnman:** *n. Sitiyasyon yon moun ki nan prizon.* Kòlbè te gen chwa ant lanmò ak anprizonman, li chwazi prizon pito.

**anpwazonman:** *n. Kontaminasyon ak pwazon.* Depi sou jan kadav la chanje koulè a mwen wè se nan anpwazonman yo touye Kawòl.

**anpwazonnen**: *v. Bay pwazon.* Yo di se anpwazonnen yo anpwazonnen Lisi, men pèsonn moun pa konnen si se vre.

**anraje**: *v. 1.Ki egzajere, debòde.* Mwen annik di Kawòl mwen pap peye l, li mande anraje la menm. 2. *Ki gen maladi laraj.* Chen an anraje.

**anranyon**: *adv. Ki gen ranyon sou li, ki pa gen rad prezantab sou li.* Kijan ou fè ap mache anranyon konsa a, kote bon rad ou yo? 2. *An move kondisyon.*

**anrasinen**: *v. 1. Ki makonnen depi nan rasin. Ki pouse rasin.* Jan plant sa a ye la a, li gentan fin anrasinen, ou pat dwe derasinen l non. 2. *Ki antre byen fon.* Koze sa a pa senp, se nan envestigasyon an yo vin wè ki jan li te anrasinen byen fon. 3. *Ki gen rasin li byen fon anbatè.* Pye zaboka a gentan anrasinen anpil, mwen pa kwè nou kapab deplase l.

**anrèg**: *adv. Kòdyòm, anfòm, ki pa dwe.* Tout papye ou yo anrèg, ou ka vin touche kounye a.

**anrejistre**: *v. Ki kopye sou yon tep, bann mayetik.* Anrejistre mizik sa a pou mwen tanpri, mwen renmen l anpil.

**anrejistreman**: *n. 1. Aksyon kote ou mete enfòmasyon sou rejis osnon sou tep.* Mwen te pwomèt ou yon anrejistreman, se tan mwen poko genyen pou mwen fè l pou ou. 2. *Dokiman. Anrejistreman machin.*

**anreta**. *adv. : Ki pa alè, ki vin ta.* Mwen prese anpil, mwen anreta nan reyinyon an, li lè pou mwen ale.

**anretou**. *adv. : 1. Sou wout tounen.* Annalan mwen pat wè Woje, se anretou mwen wè l. 2. *Nan sans opoze a.* Ou te peye pou mwen lotrejou kounye a mwen ap peye pou ou anretou.

**Anri Kristòf** *(Henry Christophe). np. : 1761-1820. Wa nan Nò. Yo te rele msye sivilizatè, paske li te gen repitasyon fè lagè plizyè kote pou l libere esklav, menm Ozetazini. Li te kontwole pati Nò peyi Dayiti depi 1807 kote li te gouvène kòm Wa Kristòf jiska lè li mouri . Ansanm ak Tousen ak Desalin, Kristòf konsidere pami 3 chèf Ayisyen mete wo sou tèt yo. Msye te touye tèt li 8 oktòb 1820.*

**Anri** *(kasik Anri): np. Endyen ki te chape lè blan kolon yo te masakre patizan Anakawona yo an 1504. Msye te sove ak detwa lòt endyen parèy li ansanm ak detwa nwa tou. Msye te ret an rebelyon pandan 14 an. Chal 5 ki te wa peyi Espay lè sa a, te voye yon moun pou negosye ak Anri epi se konsa yon kontra te vin siyen pou yo kite msye ak tout patizan l yo anrepo. Yo te enstale yo nan yon kote ki te rele Boya. Yo te vin rele msye kasik Anri.*

**anrichi**: *a. Ki gen lajan, ki rich.* Fito fin anrichi nèt nan biznis sa a.

**anrimen**: *v. Gripe. Gen rim ki bloke nen ou.* Si timoun nan anrimen, se pou ou bali remèd. Lè ou anrimen ou pa touse.

**Ansafolè (Anse à foleur)**: *np. Komin nan awondisman Senbwi-Dinò, nan depatman Nòdwès.*

**Ansagalèt** *(Anse à Galets). np. : Komin nan awondisman Lagonav nan depatman Lwès.* Wozita se moun Ansagalèt.

**ansanm-ansanm**: *adv. Inyon, tèt kole, fè ekip solid.* Depi se ansanm-ansanm nou ap fonksyone, nou gen pou nou rive lwen.

**ansanm**. *adv. : Youn ak lòt.* Tout sa nou fè, nou toujou fè l ansanm paske nou se de bon zanmi.

**ansanse**: *v. 1. Brile lansan nan seremoni.* Pè a ansanse sèkèy la. Kay isit la santi lansan, siman gen moun ki sot ap brile lansan. 2. *Fè lwanj.* Michèl pase tout sware a ap ansanse Fito.

**ansante**. *: a. Ki pa malad. Ki santi l byen.* Gade jan monkonpè mwen wòz, monchè, ou tou wè l ansante. Lè yon moun santi l byen, li pa malad, yo di li ansante.

**ansasen**: *n. Kriminèl. Ki touye yon moun.* Depi yon moun touye moun se ansasen li ye.

**ansasinen**: *v. 1. Touye moun.* Yo di mwen se Jera ki ansasinen Woje.

**Ansavo**: *np. awondisman, vil ak komin nan depatman Nippes. Vil la te koumanse depi ane 1670.* Moun Ansavo adopte Sentàn kòm patwòn yo fete l 26 Jiyè.

**Ansdeno** *(Anse d'Hainault) np. : Awondisman ak komin nan depatman Grandans. Ti vil bò lanmè.* Kawòl se moun Ansdeno.

**ansekirite**. *adv. : Lè yon moun pa pè.* Lè ou ansekirite, anyen pa kapab rive w. Lè ou travèse lari sou limyè wouj, ou pa ansekirite.

**ansèkle, sèkle**: *v. Mete anndan yon sèk, Bare nan tout sans.* Lè yo te vin pran Sètilòm, se senk nonm ki te ansèkle l.

**ansekrè**: *adv. An kachèt, san koze a pa vante.* Joslin ak Chal marye ansekrè, se apre tout moun vin konnen.

**ansent**: *a. Fi ki pote yon tibebe andedan vant li. Gwo vant. Peryòd anvan yon fi akouche. Abyenfè.* Mwen pat konnen ou te ansent machè, ki sa ou pral fè, tifi osnon tigason?

**ansèyman**. *n. : Enfòmasyon.* Mwen te vle mande ou yon ansèyman, ki kote Madan Michèl rete?

**ansiklopedi**: *n. Liv ki gen esplikasyon pou tout kalite mo epi ak evenman.* Mwen pral achte yon ansiklopedi kreyòl pou m kapab konprann plis mo toujou, sou divès sijè.

**ansoudin**: *a. Sounwa. Ki pa aklè.* Mwen te toujou konnen ou te ansoudin men mwen pat konnen ou te mantèz machè.

**ansuit**: *adv. Apresa.* Msye fin fè afè l ansuit li pran rele anmwe tankou se lòt moun ki fè l.

**Answouj** *(Anse Rouge): np. komin nan awondisman Gwomòn nan depatman Latibonit.*

**ansyen**. *1: a. ki pa nèf , ki te la deja.* Rad sou mwen an ansyen anpil, sa fè lontan depi mwen te achte l. *2. n. Ki gen lontan nan yon bagay.* Mwen se yon ansyen nan jwe pokè.

**ant**: *prep. Pami.* Ant mwen avèk ou, kilès ki pi wo? *2. espas ki separe bagay osinon moun.* Ant wòch yo.

**antann**: *v. Planifye, dakò.* Mwen antann avèk ou sou yon bagay, ou pa kapab chanje lide san ou pa di mwen anyen.

**antant**: *n. Akò, alyans, inyon, kowalisyon.* Mwen gen yon antant ak Pyè pou li pase chache mwen a senkè jodi a.

**antatik**: *a. 1. Ki gen avwa ak pòl sid.* Kontinan antatik. *2. n. Kote nan pòl sid.* Antatik la se yon kontinan.

**antay**: *n. Fant, mak ki pa fann nèt.* Lè ou ap fè grèf nan pyebwa, ou andwa fè yon antay nan tij la.

**antdezay**. *adv. : Ki pa jenn men ki pako vye non plis tou.* Pyè se yon nèg antdezay, li gen karantsenkan.

**ante**: *a.Kote aktivite sinatirèl ap pase.* Kay madan Sipriyen an ante, se toutan yo wè zonbi ap mache nan lakou a leswa.

**antè**: *np. Pati nan flè a ki bay polèn.*

**antete**: *a. ki bay prèv li tèti, ki gen tèdi, ki pa chanje lide fasil.*

**antèman**: *n. Seremoni kote yo bay yon moun dènye respè anvan yo antere l.* Mwen pa renmen al nan antèman paske gen moun ki konn rele tèlman, yo konn fè mwen anvi kriye.

**antèn**: *n. Yon fil osinon yon tib an metal ki sèvi pou pèmèt yon radyo kapte estasyon yo pi klè.* Televizyon bezwen antèn tou pou kapte pwogram yo. Lè televizyon gen sèvis kab, li pa bezwen yon antèn ankò, kab la sèvi antèn. Antèn modèn yo fèt tout kalite fòm. Gen antèn parabolik ki gen fòm yon asyèt.

**antere**: *v. Mete anbatè.* Mwen poko janm retounen kote papa mwen antere a. Gen moun ki konn antere fatra nan lakou lakay yo.

**antèt**. *adv. : Devan nèt.* Tout moun t ap pale men se Kalo ki te antèt bagay la. *2. Ki gen non ak adrès yon biwo osinon yon biznis.* Li sèvi ak papye ak antèt magazen an pou l kòmande liv yo.

**antibyotik**: *n. Pwodui chimik osinon medikaman ki gen pouvwa detwi mikwòb nan kò moun osinon nan kò bèt. Pèsòn moun pa dwe pran antibyotik amwenske doktè preskri l li.* Doktè sèvi ak antibyotik pou trete enfeksyon.

**antichòk**: *n. Pwoteksyon kont chòk.* Chòk absòbe se antichòk.

**antidòt**: *n. Pwodui ki genyen pouvwa kontrè ak yon lòt.* Lè yon moun pran nan pwazon, ou bezwen yon antidòt pou ou chape.

**Antigòn**: *Pyès teyat grèk otè Feliks Moriso-Lewa te adapte an Kreyòl. Se pa t yon tradiksyon. Se te yon adaptasyon pou kilti ak reyalite ayisyen. Orijinalite pyès Moriso-Lewa a tèlman frapan, gen moun ki tradui adaptasyon ayisyen an nan lòt lang.*

**antijèl**: *n. Pou anpeche konjelasyon.* Kanada, tout moun mete antijèl nan radyatè yo, pou dlo a pa konjle nan fredi a.

**antijèn**: *Yon pwodui etranje (ki pat dwe la) ki pwovoke pwodisyon antikò andedan yon moun osinon yon bèt.* Antikò a detwi antijèn nan.

**antik**: *1. n . Bagay ki te konstwi osnon fèt depi lontan lontan.* Tab sa a se yon antik, li raple estil Lwi Katòz. *2. a. Demode, pase, ki la depi lontan.* Kay sa a antik, mwen pa konnen konbyen lajan sa ka koute pou yo fè renovasyon ladan l.

**antikite**: *n. Bagay ansyen. Tan lontan.* Depi nan antikite nèg ap ede nèg.

**antikò**: *n. Pwoteyin yon moun osinon yon bèt pwodui kòm repons kont yon antijèn. Se yon sistèm defans pou pwoteje ògànis lan kont maladi osinon kont enfeksyon.*

**antikolonyalis**: *1. n. Moun ki kont sistèm koloni yo.* Yon antikolonyalis ekri yon atik. *2. a. Sitiyasyon osnon bagay ki pat anfavè sistèm koloni yo.* Sistèm antikolonyalis.

**antiseptik**: *n. Yon pwodui ki kontwole devlopman mikwòb epi anpeche koloni yo gwosi.*

**antitoksin**: *n. Yon pwodui kò a fè pou elimine pwazon (toksin) ki vin nan kò a.*

**Antiy**: *n. Zòn jeyografik kote genyen yon pakèt zile toupre ak kontinan Amerik la.* Ayiti nan Gwo Antiy yo.

**antò**: *a. Ki pa gen rezon. Monchè ou antò, ou pa t dwe janm fè yon bagay konsa, kounye a , ou antrave la a.*

**antòch**: *n. Aksidan lè yon moun frape pye li epi li tòde yon ligaman.* Mwen fè yon antòch, li fè mwen mal.

**Antonen Anòl** *(Arnold Antonin): np. Sinematograf ki fèt Pòtoprens 3 desanm 1943. Li fè*

*Chemin de la Liberté (1975), Un Tonton Macoute peut-il etre un Poete? (1980).*

**antonim**: *n. Se de mo youn se lekontrè lòt la.* Cho ak frèt se de antonim.

**antonwa**: *n. Tib ki gen yon fòm kòn. Lè ou sèvi ak antonwa pou vide yon likid ou pa jete anyen.*

**antòtye**: *v. Tòde, plòtonnen.* Poul la antòtye kòd la.

**antou**: *adv. Ansanm, tout ansanm, total.* Konbyen lajan mwen dwe ou antou?

**antouka**: *adv. Si se konsa, piske se konsa.* Antouka, ou mèt di sa ou vle, mwen pap kite ou ale.

**antouraj**: *n. Sa ki alantou.* Si se pat moun nan antouraj Edwa, msye ta gen tan mouri.

**antoure**: *v. Rete tout alantou.* Anvan l mouri, tout pitit li yo te antoure l.

**antranp.** *adv. : Mouye ak dlo.* Te gen yon gwo lapli deyò a, mwen mouye antranp.

**antrav.** *1. n. : Tèt chaje, traka, sitiyasyon dezagreyab.* Mwen pa vle mele nan ankenn antrav, wete mwen nan koze a. *2. Moun ki kapab mete moun nan zen.* Ou konnen ou se yon antrav, mwen pat dwe mele avèk ou non.

**antrave**: *v. Ki pran nan antrav, nan twa wa.* Mwen antrave ak tifi sa a, men li blese sou kont mwen la a, kisa mwen pral di manman l!

**antravè.** *adv. : Ki bare wout, ki pa dwat.* Machin nan kanpe antravè wout la. Retire bwa ki antravè sou wout la pou li pa fè moun tonbe.

**antre**: *v. Ki fè wout andedan.* Mwen pa vle ou sòti deyò a, antre anndan. Kot antre lopital la ye la a? *2. Pòt, pòtay.*

**antre-mele**: *v. Melanje, brase youn nan lòt.* Istwa sa a antre-mele, pa gen moun ki konnen sa ki vre ak sa ki manti.

**antre-soti**: *adv. Ale-vini, va-e-vyen.* Depi gen plizyè moun ki ap fè antre-soti yon kote, ou pa ka konnen kilès ki ap fè kisa.

**antrede**: *adv. 1. Ant youn ak lòt, ki pa ka deside, andelide.* Kijan ou fè pa ka deside a, ou pa ka antrede konsa. *2. n. Dantèl, ògandi.* Si ou ta mete yon antrede anba jip la, li tap bèl anpil.

**antrene**: *v. Egzèse.* Ekip la byen antrene, li ap genyen kanmenm.

**antrenè**: *n. Moun ki ap antrene yon ekip.* Se Filip ki antrenè ekip foutbòl la.

**antrenman**: *n. Aktivite, egzèsis moun ki ap antrene yo fè.* Lè mwen gen tan, mwen al nan antrenman twa fwa pa semèn.

**antrenou**: *adv. Ant yon gwoup moun limite, an prive, moun deyò pa ladan l.* Di m laverite, antrenou, kilès ki pi gwo?

**antreprann**: *v. Pran responsabilite fè kichòy.* Se ou ki antreprann kokenn chenn pwojè sa a?

**antreprenè**: *n. Biznismann, moun ki ap antreprann aktivite, ki pran responsabilite fè yon bagay; moun ki gen talan pou yo fè bagay mache.* Woje se gwo antreprenè li ye, li pa fouti pa konn sa pou li fè ak lajan.

**antrepriz**: *n. Biznis.* Antrepriz sa a rapòte kòb papa.

**antretan**: *adv. Pandanstan.* Antretan, mwen gen tan rive byen lwen.

**Antwàn Simon** *(Antoine Simon). np. : Prezidan peyi Ayiti 1908-1911.*

**Antwàn Maks** *(Max A. Antoine): np. Ansyen minis Afè Sosyal sou gouvènman Divalye.*

**antyoutyout**: *adv. Ki pa ka ret trankil, eksite.* Kijan ou fè antyoutyout konsa a, kalme ou non.

**anvan.** *adv. : Okòmansman. Ki rive an premye pa rapò ak yon lòt bagay.* Anvan mwen te konn ale nan lekòl sa a, mwen te anvakans. Nou tande loraj la anvan lapli a kòmanse tonbe.

**anvayi**: *v. 1. Kouvri, depase limit.* Lè siklòn lòtrejou a, dlo te anvayi nou nèt. Nou anvayi kay frè mwen an sanzatann. *2. Okipe ak lafòs.* Militè anvayi Tigwav.

**anvayisman**: *n. Vini an kantite, anpil, gwo kantite.* Kou madanm nan mete chay li a atè, yon sèl anvayisman moun vide sou li.

**anvè**: *adv. Ki fèt ak vè, ak glas.* Mwen vle ji ki nan po anvè a.

**anven.** *adv. : San rezon, san rezilta.* Mwen tann tout tan sa a anven.

**anverite**: *adv. Alaverite, kwè m si ou vle, an tout senserite.* Anverite, mwen pa fouti refè travay la ankò.

**anvi**: *v. Swete, dezire.* Mwen anvi ale Pòtoprens men mwen pa gen kòb pou mwen peye kamyon an.

**anvigè**: *adv. Aktif, aktyèl.* Fòk ou konnen ki lwa ki anvigè nan peyi a.

**anvitès**: *adv. Ki ale vit, ak tout vitès.* Kalo pase anvitès, li pa rete.

**anviwon**: *adv. Apeprè.* Te gen anviwon san moun nan fèt la.

**anvlimen**: *a. ki vin pi mal.* Li te gen yon ti blesi, li anvlimen, kounye a se yon java.

**anve**: *adv. Ki abiye ak rad pou fe penitans.* Le moun anve, li met menm koule rad toutan pandan peryod li anve a.

**anvlòp**: *n. Pòch an papye kote ou kapab mete yon bagay.* Mwen mete lèt la nan anvlòp la epi mwen voye l ale.

**anvòg.** *adv. : Alamòd.* Depi mwen piti mwen toujou renmen mete rad ki anvòg.

**anwe**: *a. le vwa yon moun chanje tanporeman paske li malad nan goj osinon le larenks li anfle.* Li gripe se sa ki fe li anwe konsa a.

**anwetan**: *Eksepte.* Tout moun pale anwetan Filip.

**anwo.** *adv. : Anlè, pi wo pase kote ou ye a.* Mwen pa gen lajan avèk mwen la a, kòb mwen anwo nan chanmòt la. Ki pa rete anba, anlè. Mete liv la jous anwo sou etajè a pou mwen pou timoun yo pa chire paj ladan l.

**anwole**: *v. Anrejistre.* Twaka moun ki anwole yo pap pase egzamen an.

**anyen.** *a. : Aryen, vid.* Mwen pa gen anyen mwen ap di w. Vè a pa ret anyen ladan l.

**anzim**: *n. Pwoteyin ki gen aktivite chimik nan yon ògànis vivan.*

**apa**: *adv. Separe, ki pa ansanm.* Mete pwa a apa, pa melanje l ak diri a, tanpri.

**aparan**: *a. Ki vizib, ki pa kache, ki reyel. 2. Ki pa gen pwofondè, ki sipefisyèl.*

**aparisyon**: *n. Paret, manifestasyon, vizib. 1.* Nan relijyon, lè Jezi te manifeste byen vivan apre li te fin mouri; le lavyej Mari te paret devan sent Katrin. 2. *Revenan, dyab, mò ki manifeste devan vivan.*

**apendisit** : *n. Anflamasyon pati nan trip ki rele apendis la.*

**apantay.** *n. : Aktivite kote yon apantè pran mezi yon teren.* Fòk nou fè apantay pou n leve bòn teren an.

**apante**: *v. 1. Aksyon yon apantè ki ap mezire yon pwopriyete.* Mwen gen tan apante menm senk teren deja. 2. *Mache toupatou.* Mwen apante tout ri anba lavil la, mwen pa janm wè w.

**apantè**: *n. Teknisyen ki mezire dimansyon yon teren, se li tou ki idantifye bòn teren an.* Monkonpè mwen an se apantè li ye. Papa mwen te apantè nan Latibonit.

**aparans.** *n. : Sa ki parèt sou deyò men ki pa an pwofondè.* Ou pa dwe gade moun sou aparans paske aparans kapab twonpe w.

**aparèy.** n. : *1. Machin.* Se ak yon aparèy tou piti doktè a fè operasyon an. 2. *Ekipman pou fè mizik.* Mwen bezwen yon aparèy ki gen bon jan bas.

**aparèyè**: *adv.Alèsa a.* Sa ou ap fè nan lari aparèyè?

**apated**: *n. Separasyon ant moun baze sou ras.* Nan peyi Afrik Disid te gen apated.

**apati jodi a.** *adv. : A kòmanse kounye a.* Apati jodi a, mwen pa vle ou ale nan lari a poukont ou.

**apatman**: *n. Espas kote yon moun rete nan yon bilding.* Mwen rete nan apatman nimewo 4.

**apèl**: *n. Aktivite kote ou site non moun youn apre lòt.* Lè yo ap fè apèl, ou dwe di prezan.

**apendis**: *n. Pati nan entesten moun, tankou yon pòch.* Gen moun ki konn gen apendis yo anfle, sa konn vi lakòz apenndisit.

**apenn.** *adv. : Kou, annik.* Apenn li di sa epi lapli kòmanse tonbe.

**apendisit**: *n. Enflamasyon apendis.* Moun ki gen apendisit dwe opere tousuit.

**apeprè.** *adv. : Prèske, pa fin sa nèt.* Mwen ap vini apeprè vè senk kè konsa.

**aperitif**: *n. Bwason ou pran anvan manje.* Ban m yon ti aperitif, tanpri.

**apèsi**: *n. Jòf, avans.* Bay msye yon ti apèsi sou pwogram demen an.

**apeti.** *n. : Anvi manje. Jan pa gen apeti ditou, se medikaman yo ki ap kenbe l.*

**apetisan**: *a. Ki fè apeti ou vini.* Manje sa a apetisan anpil.

**apeze**: *v. Kalme.* Se pa de efò non mwen fè anvan mwen rive apeze Edwa.

**apezman**: *n. Kalman.* Doktè a di sa ki fè li pa kapab dòmi, se paske li eksite twòp, li bezwen apezman.

**api**: *n. Sipò.* Pa vi pran api sou mwen, tanpri, mwen pa gen kouray pou sa.

**apik**: *adv. Daplon.* Ou jwenn solisyon an apik, ou fò, monchè.

**apil**: *a. Ki mache ak pil, ak batri.* Radyo sa a apil epi li a kouran tou.

**apiye**: *v. Ki pran sipò sou yon bagay, ki pa kanpe poukont li.* Mwen te oblije apiye tab la nan mi an paske li gen yon pye kase.

**apla**: *a. ki pa fon, ki ale an liy orizontal, ki pa gen monte desann.*

**aplani**: *v. Egalize, nivle.*

**aplikab**: *a. Ki kapab mete an pratik.*

**aplikasyon**: *n. Kalite yon moun ki fe travay li avek swen, dilijans. 2. Enskripsyon. 3. ki anvige.* Aplikasyon yon lwa.

**aplike**: *v. 1. Poze, kole.* Si ou pa aplike penti a byen, li ka dekole. 2. *Pran prekosyon, fè ak swen.* Timoun ki pa aplike lekòl pa fouti fè bon nòt.

**aplim**: *Akrèk, apòy, ki vle pout pou li.*

**aplodi**: *v. Bat bravo, esprime akò.* Tout moun ki te nan konsè a aplodi.

**aplodisman**: *n. Bravo.* Apre fèt la se pa de aplodisman moun yo fè.

**apò**: *n. Konkou, kontribisyon, patisipasyon.*

**apokalips**: *n. 1. Lafendimond.* Lè apokalips va rive, tout moun ap mouri. *2. Yon chapit nan Labib, nan pati ansyen testaman.*

**apostola**: *n. travay apot, travay pè, travay ki mande anpil enèji san entere pèsonèl.*

**apostolik**: *a. Ki gade doktin ak tradisyon evek legliz katolik. Ki konsene lepap ak apot yo.*

**apostwòf**: *n. Patikil devan yon lèt pou make kontraksyon. M' rive.*

**apot**: *n. Moun ki ap preche lapawòl osnon ap defann yon kòz osnon yon lidè.* Jezikri te genyen omwen douz apot.

**apoteyoz**: *n. Konsekrasyon, glorifikasyon, triyonf.*

**apòy**: *adv. Akrèk, aplim, ki pa bay lòt moun chans yo; ki vle tout pou li.*

**aprann**: *v. 1. Chache konnen, konnen kijan pou yo fè yon bagay.* Mwen ta renmen aprann koud konsa mwen pa ta bezwen peye koutiryè pakèt lajan ankò. 2. *Pran konesans sou yon bagay.* Lè ou ap aprann, ou chèche eseye konprann. Nou aprann li nan klas la jodi a. Nou aprann yon bèl ti chante lekòl la.

**apranti**: *n. Ki ap aprann, ki poko fò.* Chak maten msye al aprann ebenis, se apranti li ye kounye a.

**aprantisay**: *n. Etap nan aprann.*

**apre**. *adv. : Pita. Pyè vini lakay la apre lekòl lage.* Madi vini apre lendi. Se apre nou vin konnen tout rès istwa a.

**apremidi**: *n. Tan ki vini lè midi fin sonnen.* Lekòl la lage a twazè apremidi.

**apresa**. *adv. : Sa ki vini apre.* Mwen te wè l kay Jan an apresa mwen pa janm wè l ankò.

**apresiyasyon**: *n. Aksyon osnon jès ki montre valè yon moun bay yon evenman osnon yon bagay.* Mèsi anpil pou apresyasyon nou, sa fè m plezi.

**apresyab**: *a.Valab.* Ou pa ka di travay sa a pa apresyab.

**apresye**: *v. Konn valè.* Fòk Chantal te mouri pou mwen te apresye sa l te konn fè pou mwen.

**aptitid**: *n. Talan, ezans pou fè kichòy.* Si yon timoun gen aptitid pou yon enstriman, li ta bon si li ta ka gen enstriman sa a pou li ka pratike chak jou.

**apwoche**: *v. Vin pi pre.* Mwen apwoche foul la pou mwen wè sa ki ap pase.

**apwofondi**: *v. Rive lwen, pwofonde.* Dat mwen ap panse sou sa, mwen apwofondi bagay la byen.

**apwopriye**: *a. Fèt pou sa, bon pou sa.* Rad sa a pa apwopriye pou ou al nan maryaj la.

**apwouve**: *v. Dakò, bay konsantman.* Depi ou fin apwouve desizyon an, pèsonn moun paka chanje l.

**apye**. *adv. : Ki pa nan machin, ki ap mache.* Mwen pral Lali apye paske mwen pa gen kòb pou mwen peye machin.

**Arab**: *np. 1. Moun ki soti nan yon peyi ki nan zon arabi.* Arab yo gen yon jan espesyal yo konn abiye epi yo mare tèt yo tou. *2. Lang moun ki sot nan nasyon osinon sivilizasyon arab.* Lang arab yo parèt difisil, mwen pa konn si se vre.

**arabik**: *a. ki gen relasyon ak Arab.* Gom arabik.

**aran**: *n. Espès pwason lanmè ki viv angwoup.* Gen moun ki renmen aran sale men mwen pito l fimen osinon aransò.

**aranbarik**: *n. Aransel, aran ki konsève nan barik sel.*

**aranjman**: *n. 1. Demach apwopriye pou reyalize kichòy.* Eske ou fè aranjman pou otobis la vin chèche m? *2. Bwodri, bèbèl.* Mwen pa konn ki kalite aranjman mwen ta mete nan jip sa a.

**aransèl**: *n. Pwason aran yo konseve nan sel, kfè li gen anpil sel..* Mwen renmen aransèl men mwen pa renmen sant li.

**aransò**: *n. Pwason aran ki trete ak lafimen ak sel epi ki seche pou konsève li.* Aransò bon ak ze.

**Arawak**. np. : *Non Endyen ki te rete sou teritwa Ayiti yo nan peryòd Kristòf Kolon te rive a. Yo te ògànize lavi politik yo an Kasika, yo te fè agrikilti, lapèch ak lachas. Yo te konn tise twal pou fè pay pou mete sou yo.* Arawak yo te mouri an kantite sou rejim panyòl yo.

**arawout**: *n. Farin manje ki fèt ak rasin plant ki sanble ak malanga.*

**arebò**: *adv. sou kote, ki pa nan mitan.* Labouyi a cho, manje l arebo asyèt la.

**arenyen**: *n. Bèt ki gen uit pat epi ki fè fil.* Pyès kay sa a plen arenyen paske pa gen moun ki netwaye l depi omwen yon mwa.

**arestasyon**: *n. Sitiyasyon kote reprezantan lafòs met lamen sou yon moun pou yo arete l.* Mwen pat la lè jandam yo te vin fè arestasyon an.

**arètkòl**: n. *pens ki sèvi pou tache kravat.*

**arete**: v. *Aksyon kote reprezantan lafòs met lamen sou yon moun ki fè yon enfraksyon.* Pa kite jandam nan wè ou ap lage fatra nan lari a, li ap arete ou.

**areyòl** : *n. Sèk ki alantou pwent tete moun.*

**arid**: *a. Sèch, ki pa ka pouse plant.* Tè arid, bezwen dlo.

**aridite**: *n. Kondisyon arid.*

**Aristid, Jan Bètran,** *(Titid), (Aristide, Jean Bertrand). np. : Sikològ, teyolojyen, ekriven, politisyen, prezidan Ayiti 1991 - 1996. Li fèt nan Pòsali (Sid) 15 Jiyè 1953. Li al lekòl primè Pòtoprens epi lekòl segondè Okap (Nò), nan Kolèj Nòtredam. Li etidye Dominikani, Itali, Izrayèl, Kanada. Li vin prèt Salezyen 3 Jiyè 1982. Li vin pran lakòz moun pòv yo oserye, li fè prèch ak diskou pou l defann dwa moun sa yo. Aristid te gen yon filozofi ki vle pou tout moun se moun, pou gouvènan sèvi tout moun sitou moun ki pi pòv yo. Li vin kandida e li pase nan eleksyon prezidansyèl nan dat 16 Desanm 1990. Dapre listwa, se premye prezidan ki monte dapre eleksyon dirèk, ak patisipasyon tout pèp* la. *Li* prete sèman 7 Fevriye 1991. Apre sèt mwa opouvwa, jou ki te 30 sektanm 1991 *lame Ayiti ak jeneral Sedras alatèt, te bay gouvèn man Aristid la yon koudeta. Prezidan Aristid pati nan egzil. Pandan tout tan li deyò a Gouvènman li an kontinye ap fonksyone ak biwo li nan Wachinntonn Disi, Ozetazini. Nan yon akò ant Aristid, Sedras, Ameriken epi OEA, yo chwazi dat 30 Oktòb 1993 pou prezidan Aristid tounen nan peyi a kòm prezidan an fonksyon. Kom sa pat rive fèt, Nasyonzini ak Ameriken kolabore pou voye militè Ayiti pou fè plas pou Aristid tounen. 15 Oktòb 1994 Prezidan Aristid retounen Ayiti kòm prezidan pou kontinye manda li. Nan dat 16 Desanm 1995, vin gen yon eleksyon prezidansyèl, Rene Preval pase kòm prezidan, li ranplase Aristid. Aristid vin kite pè, li marye ak yon avoka, Mildrèd Twouyo, yo fè yon timoun nan dat uit Novanm 1996, ki rele Kristin (Christine). Yo fè yon lòt pitit fi an 1998.*

**aristokrat**: *n. 1. Moun ki santi li nan yon klas siperyè, li pa kanmarad pèp.* Madan Locha se yon aristokrat sansenk. 2. *Moun ki patizan yon polotik pou moun ki elit gen plis dwa pase lòt moun ki pa gen lajan.*

**aristokrasi**: *n. system politik ki favorize moun ki deja genyen pouvwa lajan plis pase lot moun. Sytem ki favorize pou pouvwa rete nan menm fanmi an.*

**aritmetik**: *n. Syans ki sèvi ak chif epi ak nimewo. Kalkil, operasyon; adisyon, soustraksyon, miltiplikasyon, divizyon.* Se pa tout moun ki fò nan aritmetik.

**arivis**: *n. Moun ki pat espere rive yon nivo wo epi ki ap fè sa fè yon pakèt afè.* Si mwen te arivis ou ta wè mwen ap ba ou cho tout lajounen.

**aryè**. *adv. : Annaryè, padèyè.* Mwen fè de pa aryè lè mwen wè nonm nan ap vin atake mwen.

**aryen**: *anyen*

**aryenafè**: *ki pa gen anyen pou l fe; ki ap flannen san pwojè.*

**aryere**: *ki pa adapte ak tan li ap viv la; ki anrete pa rapo ak moun ki bo kote li.*

**asagwe**. *n. : Dans vodou pou salye lwa yo.* Aswè a mwen pral danse yon bon asagwe.

**asanblaj**: *n. Aksyon kote diferan kalite moso kole pou fè yon pwototip.* Moun ki ap travay nan asanblaj yo konn pa janm konn fè pwototip la annantye paske se toujou menm moso a yo toujou ap fè.

**asanble**: *1. n. Moun ki reyini ansanm pou yon rezon.* Asanble lejislatif . 2. *v. Mete diferant kalite moso ansanm pou ou konstwi yon pwototip.Asanble Kolonyal Senmak (Assemblée Nationale de Saint Marc). np. : Gwoup yon seri "tiblan" nan vil Senmak te fè. Yo t ap defann plis otonomi pou koloni an. "Granblan" ki te nan nò yo pat dakò.*

**Asanble Nasyonal** (Assemblée *Nationale). np. : Lachanm Annayiti. Li gen reprezantan ki nonmen pou sizan. Tout moun ki gen 18 an, ki gen tout dwa sivil ak politik yo epi ki gen plis pase senkan depi yo rete nan distri yo vle reprezante a andwa kandida pou vin reprezantan nan lachanm.*

**asansè**: *n. Ekipman elektrik ki monte desann depi yon etaj jouska lòt epi ki ka estope pou pèmèt moun antre soti.* Lè mwen te piti, sèl kote ki te gen asansè se te nan biwo Kontribisyon.

**asansyon**: *n. 1. pran pwomosyon rapid nan travay.* 2. *Monte vètikal kont fòs gravite. Mirak nan lavi Jezi ki fe li monte nan syèl dirèk ak tout kò li, san li pa mouri.*

**asasen**: *n. Moun ki touye moun.* Mwen pa mele ak asasen.

**asasine**: *v. Tiye yon moun nan tan lape.* Mechan yon asasine peyizan yo.

**asasinay**: *n. Sitiyasyon kote yon moun pèdi lavi l nan men yon lòt ki touye l ak yon zouti mòtèl.* Mwen pap janm ka bliye asasinay madan Polo.

**ase**. *ent. : otan, sispann.* Ase anmède moun la a.

**aseksye**: *a. ki fèt ak yon sèl paran san kontak seksyèl.* Plant aseksye, ki repwodui ak yon paran.

**aseptab**: *a. valab, ki ta kabap aksepte.*

**asepte**: *v. Resevwa.* Aksepte yon envitasyon. 2. *konsanti, bay akò.* Aksepte yon kontra. 3. *Kwè, adere, anbrase. Kwè nan relijyon katolik. 4. Reziye, soufri, sipòte.* Resiye ou ak maladi a

**asetòn**: *n. Sòlvan, pwodui chimik likid ki sèvi nan endistri, gen moun ki sevi ak li pou retire penti osinon pou retire kiteks sou zong.*

**asetsèzè**: *kounye a, alèkonsa.*

**asezon**: *ki pa la tout tan, ki la selman pandan yon sezon espesifik.*

**asezonay**: *n. epis nan manje. Melanj epis ki sevi pou kuit manje.*

**asezonnen**: *v. Mete epis nan manje.*

**asezonman**: *n. Resèt epis pou mete nan manje.*

**asfalt**: *n. 1. Atè a, makadanm nan, lari a.* Pa mache pye atè nan asfalt la, tande. *2. Pwodui nwa ki sèvi nan konstriksyon wout osnon pou bouche twou nan twati kay.* Pa rete pre moun ki ap travay ak asfalt, ou ka boule.

**asfalte**: *v. Kouvri atè a ak asfalt.* Se devan m yo asfalte granri a.

**asid**: *a. 1. Si, gou vinèg.* Ji sitwon sa a gen twòp asid. *2. n. yon bagay ki gen gou si. Yon pwodui ki gen pH pi bas pase 7. Yon poudui ki reyaji ak yon baz pou bay yo sèl.*

**asidamine**: *n. Konpoze ki genyen azòt oksijèn, kabòn ak idwojèn ladan yo epi ki patisipe pou fòme pwoteyin. Asid-amine se inite fonksyonèl nan pwoteyin. Alanin, serin, lisin eltr se asid-amine. Mo amine a raple li gen azòt ladan*

**asidite**: *n. Sitiyasyon kote gen anpil asid.* Gen moun ki soufri asidite lestomak.

**asipoze**. *: Fè kòmsi.* Asipoze ou ta gen lajan, kisa ou ta fè avè l?

**asirans**: *n. Kontra pou asire touche yon lajan resevwa yon dedomajman osnon benefisye yon sèvis nan ka yon malè ta rive.* Moun ki pa gen asirans sante gen anpil pwoblèm pou yo jwenn lajan pou peye doktè yo.

**asire**: *v. 1. mete yon moun ansekirite, an konfyans. 2. garanti, sètifye, bay yon nouvèl tankou li vre, li sèten. 3. Pwoteje, prezève, defann, mete yon bagay an sekirite. 4. Mete yon bagay nan yon pozisyon estab, pou li pa tonbe, pou li pa bouje. 5. pran asirans pou garadi yon oto, kay eltr. 6. Kontwole, verifye.*

**asire-pa-sèten**: a. *ki pa merite konfyans.*

**asistan**: *n. Moun ki ap asiste moun ki alatèt la.* Mwen pa renmen dyòb asistan an, mwen pito se mwen ki chèf.

**asistans**: *n. 1. Gwoup moun ki sanble yon kote pou tande ou byen gade yon bagay.* Fanmi mwen te nan asistans nan jou mwen tap jwe nan pyès teyat lekòl la. *2. Èd.*

**asiste**: *v. 1. Konstate.* Mwen asiste aksidan an ak de je m. *2. Bay èd, kontribye, ede.* Li asiste yo jan l kapab, tanzantan li voye yon ti kòb.

**asiyen**: *v. Voye papye tribinal bay yon moun pou li ka konparèt devan lajistis.* Ou gen je chèch pou ou asiyen mwen pou lajan m ankò!

**asiyasyon**: *n. Papye pou ale nan tribinal.*

**Aslen Pòl** *(Paul Arcelin): np. ekriven. Li ekri Cercueil sous le Bras Nouyòk, Atlas 1999.*

**asmatik**: *a. Moun ki fè opresyon.* Timoun nan toujou ap respire anlè paske li asmatik.

**aso**: *n. Atak san viktim nan pa wè.* Se nan yon aso yo pran Milo.

**ason**: *n. Tyatya; enstriman mizik sakre nan seremoni vodou ougan ak manbo sèvi pou rele lwa.* Pote ason an vini pou mwen kòmanse seremoni an..

**asosi** *(asowosi): n. plant ki sèvi pou fè te kont lafyèv.*

**asosiyasyon**: *n. Gwoup moun ki òganize sou bànyè yon enstitisyon pou yo fè aktivite espesifik ansanm.* Mwen te nan yon asosiyasyon kiltirèl men mwen oblije kite sa pase mwen pa gen tan ankò.

**asosye**: *n. Moun ki fè yon antant pou yo travay osnon fè yon pwojè ansanm.* Jil se asosye Antwàn depi dizan.

**asòti**:*a. Ki mache, amonize osnon ki fè je ak lòt.* Depi mwen al nan magazen, mwen toujou renmen achte rad asòti ak soulye m.

**asòtò**: *n. Tanbou vodou ki wo anpil. Se ak yon sèl moso bwa li fèt epi andedan bwa a vid.* Li bat asòtò byen, se manman li ki te montre li.

**asoupi**: *v. 1. Eta kagou, fatig, kò kraze ki mennen dòmi.* Mwen te chita la a ap gade televizyon epi mwen tou asoupi. *2.n. Fatig ki mennen dòmi.* Te m al fè yon ti asoupi la a.

**asowosi** *(asosi): n. Fèy te, plant ki sèvi pou fè te kont lafyèv.* Gen moun ki renmen pran te asowosi, yo di li bon pou lafyèv.

**ASPEH** *(ASPEA): akw. Asosiyasyon Solidarite Paran Elèv Ayisyen.*

**aspèje**: *v. wouze, mouye, mete likid sou yon bagay.*

**aspèsyon**: *n. Aktivite pou mouye yon bagay. 2. Mete dlo benit nan batèm osinon nan lantèman.*

**aspiran**: *n. Moun ki ap aspire, moun ki ap file yon fi ak espwa.* Janjak se yon move aspiran, pandan li ap file Joslin li ap file Alèt.

**aspirasyon**: *n. Sitiyasyon kote yon moun ap tann kichòy, atant, espwa, objektif.* Ki aspirasyon ou gen nan lavi a?

**aspiratè**: *n. Ekipman ki sèvi pou aspire pousyè ak ti fatra atè sitou kote ki gen tapi.* Poko pase aspiratè a, ou pa wè mwen plen liv atè a?

**aspire**: *v. 1. Espere, nan atant.* Janklod aspire jwenn yon pòs nan biwo minis la yon jou. *2. Rale van.* Machin sa a aspire twòp pousyè, li ka bouche.

**aspirin**: *n. Medikaman, analjezik.* Aspirin bon pou maltèt.

**astwològ**: *n. Moun ki obsève sa ki ap pase nan syèl la (zetwal, planèt eltr) epi ki entèprete enfliyans yo ta ka genyen sou latè .* Dapre astwològ mwen, siy mwen se Kansè.

**astwoloji**: *n. Yon ladrès espesyal ki baze sou lide pozisyon lalin ak solèy ak zetwal yo gen enfliyans sou koze ki ap pase sou latè. Astwoloji sèvi ak obsèvasyon syèl la pou predi kisa ki pral vin pase moun sou latè. Se pa tout moun ki kwè nan astwoloji men gen moun ki pa fè anyen san yo pa konsilte astwològ yo.*

**astwonomi**: *n. Syans ki etidye linivè, lespas, planèt, zetwal eltr. Li etidye kote yo soti (orijin) kisa ki gen anndan yo (ak kisa yo fèt, konpozisyon yo) kijan yo deplase (mouvman yo) gwosè yo eltr... Moun ki nan astwonomi fò nan matematik.*

**astwonòm**: *n. Espesyalis nan domèn astwonomi.*

**astwonòt**: *n. Moun ki vwayaje nan fize ale nan lespas.* Gen kèk astwonòt ki mache sou lalin nan deja.

**aswè**. *1: n. Pati nan lajounen lè solèy koumanse kouche; 2. ta, nan fen jounen an, labrindiswa.* Yon aswè konsa nou va vin rann ou yon ti vizit.

**asye**: *n. Yon metal ki gen yon melanj fè (99%) ak kabòn (1%) yo travay li pou l vin pi di, pi solid.* Mwen renmen chodyè sa a paske li fèt an asye, li solid.

**Asyeri Dayiti** *(Acierie d'Haiti) np. : Konpayi ki travay fè ak lòt metal.*

**asyèt**: *n. 1. Plat moun manje.* Mwen pral mete kouvè, pote asyèt yo vini. *2. Anbyans.* Kote mwen ye la a, mwen nan asyèt mwen.

**atab**. *: Chita devan tab ap manje.* Joslin paka soti kounye a, li atab.

**atachan**: *a. Ki gen atachman, ki gen afeksyon.* Ti pitit sa a atachan anpil.

**atache**: *1. v. Tache yon bagay.* Pa atache rad la ak zepeng sa a. *2. Ki gen afeksyon, atachman pou yon moun.* Mwen atache anpil ak fanmi mwen. *3. Polis sekrè.*

**atachman**: *n. Atirans, afeksyon.* Ti pitit sa a mwen gen anpil atachman pou li paske li se yon bon timoun.

**atak**: *n. Agresyon, pwovokasyon.* Kòm se ou ki fè atak la anvan, se ou ki antò.

**atake**: *v. 1. Pwovoke.* Se ou menm ki kòmanse batay la an premye. Moun ki atake konn sèvi ak fòs ou byen ak zam pou goumen ak yon lénmi. *2. Kòmanse.* Ann atake travay la tande, paske nou kapab pa gentan fini l jodi a.

**atansyon**: *n. 1. Prekosyon.* Ti moun nan tap pòte atansyon ak sa pwofesè a ap di. *2. ent. Atansyon, bout fè sa a kapab tonbe sou ou si ou ret kanpe la a.*

**atanta**: *n. Efò pou fè yon moun mal ki pa reyisi men ki te ka fatal.* Yo fè de atanta sou Dipon deja.

**atantif**: *a. Moun ki mete atansyon yo nan sa yo ap fè.* Jan ou se moun ki atantif, kijan mwen fè pase sou ou la a ou pa wè sa.

**ataton**: *san ale dirèk.*

**ate**: *n. Moun ki pa kwè nan Bondye, ki pa gen lafwa.* Si ou kretyen ou pa ka ate.

**atè**. *adv. : Ki pa anlè.* Pa kite rad la ap trennen atè a, li kapab sal. 2. *n. tib san ki pote san wouj nan kò moun osinon nan kò bèt. Venn, atè, kapilè kolabore ansanm, venn pote san fonse (san ki pa gen anpil oksijèn), atè pote san wouj (san ki gen plis oksijèn). Kapilè se ti venn ak atè piti-piti. Venn atè ak kapilè nan sistèm sikilasyon an. Si yo mete tout venn, atè ak kapilè an ran youn dèyè lòt, yo tap fè yon fil ki long anpil, plis pase san mil kilomèt.*

**atelye**: *n. 1. Kote ki gen ekipman pou moun fè travay.* Mwen pral nan atelye a pou mwen al chache kèk zouti. *2. Reyinyon, sesyon travay kote espesyalis mete tèt ansanm pou yo debat yon sijè.* Mwen pap gentan ale nan atelye sa a, ale ou menm wa di mwen ki sa yo di.

**atèmiyo**: *n. Nat mens moun mete atè pou yo dòmi. kabann san pwoteksyon ki fèt ak fèy kokoye trese yo mete atè pou moun dòmi.* Prete mwen yon atèmiyò pou mwen lage kò mwen atè a pou mwen dòmi, mwen bouke kou sa m pa konnen.

**ateri**: *v. Ki soti anlè epi ki desann atè.* Avyon an ateri egzakteman a dezè.

**aterisay, aterisaj** *: n. Sitiyasyon kote yon bagay ki anlè depoze sou tè.* Avyon an oblije fè yon aterisay fòse.

**ateste**: *v. Sètifye, garanti, asire, demontre, pwouve.*

**Atewoesklewoz**: *Lè ate (venn san wouj) nan sistèm sikilasyon san gen plak kolestewòl ki poze nan anndan. Sa fè atè yo vin pèdi sou volim yo, gendelè yo ka vin bloke.*

**aticho. n.** *: 1. Yon kalite pen rale ki gen yon fòm tou won.* Mwen ta manje de pen aticho ak manba. *2. Legim.* Mwen renmen aticho men se yon legim ki ra anpil Ayiti, ou pa jwenn li fasil. 3. Plant ki sèvi kòm remèd pou bese tansyon.

**atifis**: *n. Trik, ladrès pou kache laverite. 2. Ti bonm dekoratif.*

**atifisyèl**: *a. Ki pa natirèl.* Gou fabrike yo fè nan laboratwa ki sanble anpil ak savè natirèl la.

**atik**: *n. Pati nan yon dokiman tankou kontra, konstitisyon ki di yon bagay espesifik.* Dapre atik 95 ki nan kontra sa a, ou pa gen dwa vann san siyati mwen. *2. detèminan, Pati nan yon fraz ki asosye ak yon non pou endike youn osinon anpil. Atik defini vin plase apre yon non (soulye a). Atik endefini plase anvan yon non (yon soulye). a. ki tou pre pòl Nò. Kote ki fè frèt anpil, tout ane a. Espas ki onò latitid 70 degre.*

**atiran**: *a. Ki atire moun, ki rale moun sou li.* Janjan gen yon karaktè atiran.

**atirans**: *n. Ki atiran. Ki atire atansyon. Leman.* Mwen santi yon atirans pou Tipòl men sanble li pa enterese nan mwen.

**atire**: *v. Rale, lemante, kapte atansyon.* Koulè sa a atire m anpil.

**atis**: *n. Moun ki fè travay da.* Youn nan pi gwo atis nou gen Annayiti mouri san pèp la pa janm ba l ochan. Atis ki fè penti rele pent, atis ki fè mizik rele mizisyen.

**atistik**: *a. Ki gen yon estil ki gen valè ak bèlte.* Kay sa a ranje ak yon gou ki atistik anpil.

**atitid**: *n. Pòz.* Mwen pa renmen atitid ou a ditou, ou sanble ou konprann mwen pa konprann, ebyen, mwen konprann byen pwòp. Li gen yon atitid awogan.

**atiyayo**: *n. Fèy remèd.* Fèy atiyayo bon pou anpil maladi men gen moun ki di se pou grip li pi bon.

**atizan**. *n. Moun ki fè travay atizana; Moun ki pa gen zouti endistriyèl nan pwodiksyon li.* Mwen konnen de atizan ki pa janm ekspoze travay yo fè.

**atizana**: *n. Pyès ki itil yon atis fè. Aktivite moun fè nan yon kominote, pou rezoud pwoblèm nan kay, osinon pou kenbe flanm you kilti vivan. Aktivite ti endistri, ki pa bezwen anpil lajan pou achte zouti.*

**atizanal**: *a. Ki gade atizan.*

**atizay**: *ale nan atizana.*

**Atlantik**: *n. Gwo mas lanmè ki separe Lafik ak Lamerik.*

**atlas**: *n.1. liv ki gen tout kalite kat jewografik pou yon rejyon. Koleksyon kat jewografik. 2. Premye vètèb nan zòn kou.*

**atlèt**: *n. Moun ki fè espò.* Gen atlèt ki sitan fò, yo al patisipe nan konkou nasyonal epi entènasyonal.

**atmosfè**: *1.n. pati nan lespas toutotou latè. Kouch lè ki antoure latè, espas ki antoure tè a, kote ki gen lè pou n respire. Anvlòp lè toutotou latè, li gen 21% oksijèn, 78% azòt epi 1% agon ak lòt gaz melanje. 2. Gaz ki toutotou yon planèt. 3. Anbyans* Depi sou jan ou te wè atmosfè a ye a ou pat dwe rete, ou te dwe jete ou monchè.

**atò**. *: Kifè. Atò ou kwè tout sa vakabon di w?*

**atòm**: *n. Materyo tou piti men ki fondamantal nan eleman chimik / fizik yo; se pati ki pi piti nan yon kò ki kontinye kenbe menm pwopriyete kò sa a te genyen. Gen 92 kalite atòm natirèl, yo chak reprezante yon kò senp tankou fè, kuiv, oksijèn, kabòn eltr. Atòm yo asosye youn ak lòt pou bay molekil. Atòm tèlman piti, ou pa ka wè l ak de je ou, ou bezwen yon mikwoskòp espesyal pou ou wè li. Yon atòm ka ekziste pou kont li osinon ki asosye ak lòt atòm. Atòm gen plizyè pati, gen pwoton, gen elektwon, gen netwon. Elektwon se pati ki gen chaj negatif, pwoton se pati ki gen chaj pozitif nan mitan atom nan. Netwon se pati net (ki pa gen ni chaj pozitif, ni chaj negatif) nan atòm.*

**atomik**: n.1. ji ki fèt ak divès kalite fèy ak legim moun pran lematen pou remonte yo. *2. a. ki gen relasyon ak atòm. 3. Zam ki itilize enèji nikleyè.*

**atou**: *n. Nan jwèt kat koulè ki enpòtan an. 2. Chans, avantaj, koneksyon, mwayen pou reyisi.*

**atoufè**: *a. Ki pa pè anyen, aksyonnè.* Gaston se yon nèg atoufè, se pa vini ou ki pou sove w.

**atoupri**: *Kelkeswa kondisyon.* Mwen ap ale atoupri.

**atousa**: *Konj. poutan.*

**atoutfòs**: *Ak tout kouraj.*

**atraksyon**: *n. 1. Atirans, leman; fòs ki atire de chaj mayetik osinon de chaj elektik pou yo vin kontre. 2. Anbyans kote moun amize yo.* Youn nan pi gwo atraksyon ki genyen nan pwovens se fèt chanpèt. *3.Fòs atraksyon ki atire 2 moun*

**atrap, atrape**: *v. Pare men pou pran yon bagay ki ap pase.* Mwen ap voye boul la pou ou, si ou pa atrap li, ou pèdi.

**atrape**: *v. al gade atrap.*

**atrapan**: *a. Maladi ki soti sou yon moun ale sou yon lòt. Kontajye.*

**atrit**: *n. Anflamasyon nan jwenti.*

**atwofye**: *a. Kokobe, deperi, vin pi piti, ki pèdi nan gwosè ak nan fòm orijinal li.* Li mache bwate paske janm lan vin atrofye.

**atwosite**: *n. Eksè nan mechanste.* Mwen pa janm wè otan atwosite nan vi m konsa.

**atyaba**: *ono. Mo pou voye salitasyon alawonn; onè, bonjou.*

**ava**: *n. 1. Akrèk, ki pa renmen depanse.* Mwen pa ava monchè, se razè mwen razè konsa a. 2. *a. Eta yon moun ki akrèk.* Tout moun konnen Sentilòm se yon nonm ki ava. *3. Patikil pou make fiti.* Mwen ava peye ou.

**avadra**: *n. Vagabon, drivayè, epav.* Mwen pa ta janm pèdi tanm ap joure ak yon avadra tankou ou.

**aval**: *Direksyon kote rivyè desann. 2. Kosyon, garanti, angajman yon moun pran pou peye dèt yon lòt oka moun ki pran dèt la pa ta peye dèt li.*

**avalize**: *v. bay garanti pou yon moun prete yon lajan osinon pou yon moun ka jwenn dokiman pou vwayaje.*

**avalwa**: *n. Avans.* Mwen ap fè travay la pou ou men se pou ban mwen yon avalwa depi jodi a.

**avan, anvan**. *adv. : Pi bonè.* Ti chat yo fèt de jou avan dat veterinè a te di a. Lendi vin anvan madi.

**avanbra**: *n. Pati nan bra ki ant men ak koud.* Se nan avanbra a bibit yo ye.

**avandènye**: *1. n. Ki vini anvan dènye a.* Ou pa ta ka avandènye nan klas ou a chak mwa, manyè fè yon efò. 2. *a. Sa ki vini jous anvan dènye a.* Gade nan avandènye ranje a, ou ap wè bous mwen an.

**avangad**: *Yon pati nan lame ki al devan gwo twoup pou wè si gen danje.*

**avangou**: *n. Apèsi. Yon ti goute anvan.* Sa se yon avangou sou pwogram dimanch la.

**avanjou**: *n. Gran maten, anvan solèy leve.* Depi avanjou mwen gentan fè kafe, se ou ki potko leve.

**avanpòs**: *n. Ti estasyon lapolis ki pa gen anpil pouvwa.* Anvanpòs Kafou.

**avans**: *n. Avalwa.* Si pou mwen fè travay la se pou ta banm yon avans pou mwen kapab achte materyo.

**avansant**: *n. Nan foutòl, pozisyon jwè ki toupre sant teren an.*

**avanse**: *v. Fè mach avan.* Avanse mezanmi, mwen prese la a, manyè mache pi vit.

**avansman**: *n. 1. Mach avan.* Mwen gentan fè menm twaka travay la, sa se yon bon avansman. 2. *Pwomosyon.* Travay sa a pa gen avansman.

**avantaj**: *n. Anfavè, opòtinite, benefis, kondisyon ki pi bon pase yon lòt.* Si ou ap ban mwen avantaj sa a, mwen dakò ak kondisyon ou yo.

**avantaje**: *v. Ki bay avantaj.* Li pa avantaje m ditou pou mwen ap travay san touche.

**avanti**: *n. Pran chans.* Ou pran gwo chans pitit, avanti sa a kapab danjere wi.

**avantire**: *v. Pran chans, pran ris.* Ou pa ka avantire ou konsa a ak yon moun ou poko menm konnen.

**avantirye**: *n. Moun ki pran chans, ki pran ris.* Youn nan pi gwo avantirye mwen konnen se te yon nonm Pòdepè yo te rele Biwon.

**avantyè**: *n. Jou ki te anvan jounen yè a.* Avantyè mwen te kontre ak madan Kalo nan mache anba. Jodi a se Mèkredi, avantyè te lendi.

**avaris**: *n. pasyon pou lajan ak pou richès.*

**ave** *(avemariya): n. Lapriyè pou lavyèj Mari an laten.* Pè a voye mwen al di senk ave ak de patè. 2. *ki sèvi kòm medikaman kont lafyèv. (petiveria alliacea)*

**avèg**: *n. Ki paka wè.* Gen yon alfabèt espesyal avèg kapab li ak dwèt yo; yo rele l alfabèt bray.

**aveglan**: *a. Twò klere pou je. Ki anpeche ou wè byen.* Limyè sa a aveglan anpil.

**avegle**: *a. Ki fè ou pa wè.* Pa kite tinonm sa a avegle ou pou fè ou fè tenten tande. Prete mwen yon linèt solèy , limyè solèy la ap avegle m.

**avèk**. *pr. : Ki vini ansanm ak.* Timoun sa a se avèk mwen li ye.

**Aven Adryen Danielle** *(Danielle Avin Adrien): np. Agwonòm, edikatè, espesyalis nan teknoloji pou transfòme pwodui agrikòl. Li etidye Ayiti, Gwatemala, Kolonbi, Ozenn, Ozetazini. Li dirije Biwo Nasyonal Sekirite Alimantè. Li patisipe nan devlopman inivèsite Kiskeya.*

**avès**. *adv. : Dri, san rete.* Lapli a tonbe avès lè mwen di ou sa a, lavalas desann, machandiz yo tou bwote nan dlo a yo ale.

**avèti**: *v. Enfòme davans.* Mwen avèti w, si ou paka peye, mwen ap mete ou deyò nan kay la.

**avètisman**: *n. Enfòmasyon ki esplike davans kisa ki kapab pase.* Mwen te resevwa yon premye avètisman men mwen pat pran l oseryemen kounye a mwen resevwa yon dezyèm.

**avi**. adv : *Ki la jistan li mouri.* Annayiti pa gen pòs prezidan avi ankò.

**avid**: *a. Swaf, anvi anpil.* Mwen avid pou mwen konnen kijan istwa Lora a fini.

**avidèy**. *adv. : 1. san kache, aklè. 2. Rapidman.*

**avili**: *v. Pale yon moun mal piblikman, sal non l, sal repitasyon l.* Mwen pral avili ou si ou pa peye mwen lajan ou dwe mwen an.

**avilisan**: *a. Jenan, ki kòz lawonte, lèd, dezonoran.* Konpòtman Edwa a avilisan anpil.

**avilisman**: *n. Aksyon yon moun ki vle sal non ak repitasyon yon lòt.* Pi gwo avilisman ki genyen se lè pwòp zanmi ou pale ou mal.

**aviyasyon**: *n. Kote moun al pran avyon. Ayewopò. Kote ki te rele aviyasyon Pòtoprens la kounye a rele ayewopò mayigate.*

**aviyatè, avyatè**: *n. Pilòt, moun ki kondi avyon.* Papa zanmi mwen an se yon aviyatè li ye pou Amerikan Èlayn.

**aviyasyon**: *n. Enstalasyon pou avyon poze osinon pou avyon ka vole.* Aviyasyon Mayigate.

**avize**: *v. Enfòme, pale davans.* Mwen te avize ou mwen tap vin anreta jodi a.

**avni**: *n. 1. Ri.* Mwen pral wè yon moun nan avni Poupla a. 2. *Fiti, demen.* Timoun sa yo san avni.

**avoka**: *n. Moun ki etidye lwa epi ki gen konpetans pou al defann moun nan tribinal.* Mwen gen yonn nan pitit gason mwen yo ki avoka.

**avòte**: *v. Echwe, pa reyisi, pa pase, enkonplè, soti anvan lè.* Madan Pyè avòte apre twa mwa gwosès.

**avòtman**. *n. : Aksyon kote yon moun pèdi yon fetis, swa paske fetis la tonbe osnon paske yo wete l nan vant fi a.* Madanm mwen pa bon menm semèn sa a, li fèk sot fè yon avòtman la a.

**avril.**: *n. Mwa ki vini apre Mas epi anvan Me.*

**Avril Pwospè** *(General Prosper Avril): np. Militè, li rive jeneral lame. Li fèt 12 Desanm 1937 nan vil Tomazo. Etnològ, diplome nan akademi militè (1961 sou-lyetnan). Li te chèf gad-de-kò Jan Klod Divalye. Li te konseye nan KNG ki ranplase J.K. Divalye. Li patisipe nan koudeta youn kont Lesli Maniga epi yon lòt kont Anri Nanfi. Li te prezidan enkonstitisyonèl an 1988-1990. Gen anpil moun ki mouri paske yo te kont Avril. Li kite Ayiti nan yon avyon militè Ameriken pou ale Florida. Apresa li viv nan Dominikani ak Etazini.*

**avwa**: *a. Anrelasyon avèk, ki gen rapò avèk.* Mwen pa gen anyen avwa avè w.

**avwàn**: *n. Sereyal yo fè labouyi.* Mwen ta bwè yon ti avwàn ki gen yon bon lèt evapore ladan l.

**avwe**: *v. Aksepte di laverite, konfese.* Se timoun yo menm ki avwe se yo ki pran konfiti a.

**avyon**: *n. Metòd transpòtasyon ki vole anlè.* Mwen pa renmen monte avyon, kè mwen toujou ap sote.

**Awayi**: *Eta nan peyi Etazini.* Moun ki ale Awayi di se yon bèl kote, yo pa ta janm retounen lakay yo lè yo al vizite l.

**awo**: *a. 1. Ki byen fet.* Se yon bagay awo. 2. *Mak chemiz.* Chemiz awo.

**awogan**: *a. Enpètinan, ki pale osnon poze zak san krentif moun, tankou li ap defye lèzòt. Ensolan.* Kijan ou fè awogan konsa a, talè mwen pa mete ou deyò isi a.

**awogans**: *n. Ensolans.* Mwen pa ka tolere timoun pale ak granmoun ak awogans.

**awona**: *n. Non yo bay fi ki fasil, jouman pou fi.* Gade lè ou non, awona, ou pa ta di yon legedep.

**awondi**: *v. 1. Fè li vin ankè, san tikal, san fraksyon.* Olye ou peye m twa goud edmi, awondi l pou kat goud. 2. *Bay fòm won.* Twal la te kare men kounye a, mwen awondi li.

**awondisman**: *n. Gouvènman lokal, inite administratif.* Annayiti, peyi a separe an depatman, depatman yo separe an awondisman, awondisman yo separe an komin.

**awòt**: *n. gwo atè (tib ki pote san wouj) ki pi laj nan kò moun osinon bèt; li pran san nan kè a (nan vantrikil) epi pote nan lot pati nan kò a.*

**awouwa-pipip** *:ent. Onom onomatope ki gen de pati, Aawouwa imite bri lè oto ap estat epi "pipip" se son klaksonn. Okòmansman oto te konn bay anpil pwoblèm pàn. Lè yon bagay chè, modèn men ki bay pwoblèm yo rele li Awouwa-pipip kòm jouman. Gade Awouwa pipip la non".*

**awouya**: *n. Fi ki pa difisil, ki penyen lage.*

**awoyo**: *a.* Debòde, anraje, eskandalè.

**awozab**: *a. Ki nan pozisyon ak kondisyon pou li ta ka jwenn irigasyon.* Teren an awozab, ou te met achte l.

**awozay**: *n. Kanalize dlo sou teren pou fè agrikilti.*

**awoze**: *v. mete dlo fe plant grandi osinon pou mouye yon bagay.* Awoze rad yo sou blayi a. Lapli a pral awoze plant yo. Ban m yon ti sòs pou mwen awoze diri a.

**awozwa**: *n. Zouti an metal, osinon an plastik ki sèvi pou wouze.* Mwen pral achte yon awozwa pou mwen wouze lakou a.

**ay**: *ono. Son pou make yon santiman tanpore.* Ay pa anmegde m. Ay krem nan bon.

**ayayay**: *ent. Ki bagay sa a! Espresyon ki montre yon aspè sanzatann, sezisman osnon kontraryeteman.* Lè mwen aprann Sentaniz mouri, ayayay, mwen pran rele anmwe.

**ayè**: *n. Yè. Jou ki te anvan jounen jodi a.* Ayè mwen te ale nan yon match foutbòl, se te sa nèt.

**ayewobik** : *a.1.Ògànis ki bezwen oksijèn pou li viv. 2. reyaksyon chimik osinon biyochimik ki bezwen oksijèn.*

**ayeryen**: *a. Ki pase anlè, ki rete anlè, ki gen relasyon ak lè.*

**ayewopò**: *n. Aviyasyon. Kote avyon vole.* Mwen renmen al flannen nan ayewopò a konsa mwen tou wè kilès ki ap pati.

**ayibobo!**: *ent. Amèn, alelouya.* Mwen resi touche lajan sa a, ayibobo!

**ayida**: *a. Fi ki gen cheve kout, ki woule tankou ti boul.* Janèt se fo cheve ki nan tèt li, si ou retire perik la ou gen pou wè jan li ayida.

**Ayida Wèdo**: *np. Espri nan relijyon Vodou ki se deyès lakansyèl li asosye ak Danbala Wèdo.*

**ayik**: *a. Vant plen, ra bouch, manje twòp.* Mwen ayik tèlman mwen manje fritay.

**Ayisyen** *(Ayisyèn): n. 1.Moun ki fèt nan peyi Dayiti osnon ki pran nasyonalite a.* Mwen se yon Ayisyen ki pap janm bliye peyi m. *2. a. Moun osnon bagay ki soti Annayiti.* Wonm Babankou se youn nan pwodui ayisyen ki koni toupatou.

**ayisyèn**: *n. Fi ki soti Ayiti.* Mwen se Ayisyèn natif natal, e ou, kote ou moun?.

**Ayiti** *(Haïti)*: np. Peyi nan Karayib la, li kole ak Repiblik Dominikenn, li fè pati Gwo Antiy yo. Ayiti vle di peyi kote gen anpil mòn, anpil montay wo. Ayiti gen yon popilasyon 7,6 milyon an 1999. Nan lan 2025 yon prevwa popilasyon an ap rive 11,4 milyon moun. 64 pousan moun yo viv nan kominote riral. An mwayèn gason mouri bò laj 51 ane alòske fi mouri bò laj 56 àne. 55 pousan moun yo pa konn li ak ekri. An mwayèn, lajan moun fè nan yon ane pa depase 410 dola pa tèt. Nan lavil 65% moun bonjan pòv, alòske andeyò se 81 pousan moun yo ki pòv. Pou kesyon dlo pou bwè, 60 pousan moun yo bwè dlo ki pa bon pou moun bwè. Ak tout difikilte materyèl sa yo, Ayiti se yon fòs kiltirèl non sèlman andedan men tou nan peyi karayib yo kote vwazen yo renmen mizik, atizana ak pwezi ayisyen. Ayisyen nan dyaspora kontribye nan pwodiksyon kiltirèl kote li ap viv la.

**Ayiti Literè**: *Gwoup literè ki diskite koze literati ayiti*

**ayizan**: *n. senbòl pou yon tè sakre ki pwodui anpil manje.*

**aza**: *n.1. Ki pat atann.* Si ou gade ou wè mwen achte yon machin menm koulè ak pa ou la, se pa imite mwen ap imite w, se yon aza. *2. Jwèt lotri.*

**azade**: *v. Pran chans, oze, pèmèt.* Tinonm nan twouve li azade l, li vin pran kle machin mwen an pou li soti avèl , li byen pèmèt li.

**azaka**: *Espri ki senbòl peyizan, travay latè ak agrikilti.*

**Azi** *(Lazi) (Asie): n. Youn nan gran espas kontinan yo. Youn nan kontinan, se pi gwo kontinan, li antoure ak oseyan aktik, oseyan endyen ak oseyan pasifik. Peyi chinwa yo, Lachin se nan kontinan azi li ye.*

**Azibe**: *np. 1927-1999. Non teyat Lwi Antwàn Renèl Delswen, aktè teyat nan televizyon ak Langichat.*

**azil**. *n.: 1. Pwoteksyon, rak, kach.* Kalo pran azil nan anbasad Itali a paske yo tap chache l pou arete l. *2. Kote yo met moun pou izole yo.* Gen azil pou moun fou, gen azil pou vye granmoun.

**azikrekre**: *n. Anmèdman, nuizans.*

**azòt** : *n. Eleman chimik ki nan lè epitou nan tout pati kò moun, bèt ak plant.*

**azoumounou**: *n. 1. Mo karesan, entimite.* Tout lajounen ou nan yon sèl azoumounou ak Tijo, sa ou pran se pa w. *2. Maladi je ki te pwopaje nan peyi Dayiti nan ane 1981, yo te rele l konsa paske je moun ki te enfekte yo te toujou ap fè dlo epi moun yo te toujou ap miyonnen je a pou yo netwaye lasi ki tap sot ladan l.* Mezanmi, mwen sot Pòtoprens la a, tout moun mwen wè anba lavil la gen yon azoumounou.

**Aztèk**: *np/ a.. Ansyen pèp ki te viv nan Meksik.*

**Azweyi**: *np. Lak, etan Somat.*

**Azyatik**: *a. Ki soti nan kontinan Azi.*
*Ki konsène Azi.*

# B b

**b.** : *Youn nan lèt nan alfabè kreyòl. Lèt b se premye lèt nan mo bebe.*

**bachosèt** *(bakoton): n. Chosèt long ki fèt ak koton osinon nayilòn.* Si mwen te genyen yon ba chosèt ble, mwen ta mete l pito.

**bakoton***: n. Chosèt long ki fèt ak koton.* Mwen te konprann se granmoun sèlman ki mete ba koton men alèkile jenn moun mete yo tou.

**ba leman***: n. Yon moso metal tou long ki kabab atire fè ak asye.* Si ou gen pou ranmase anpil klou atè a, pito ou al chèche ba leman an.

**ba**. *n. : 1. bo. Fè yon ti ba pou manman ou. 2. (Ba, ban, bay) Remèt, mete nan men yon moun..* Ban mwen de bisuit. *3. Pyès an bwa yo mete sou do bourik, milèt osinon cheval lè yo sele yo pou pote chay.* Mete ba, mete sang, mete sakpay. *4. Espas kote yo sèvi bwason ak manje.* Tout moun mèt pase nan ba anvan manje sèvi. *4. Mèb kote moun mete epi sèvi bwason lakay. 5. Pyès an bwa, an metal osinon lòt materyèl.* Ba fè, ba fiks, ba savon. *6. Chosèt fen pou mete nan pye pou chofe osinon pou abiye. Ba kilòt, ba chosèt.* Mete ba nan pye pitit la li fè frèt. *7. Liy vètikal, orizontal oasinon dyagonal.* Rad ak ba wouj. *8. a. Ki pa wo.* Chèz ba. *9. Ki pa anfòm, ki deprime, ki pral mouri.* Malad la ba anpil.

**Baamas** *(Bahamas): np. Peyi nan Karayib la ki gen anpil zile kot-a-kot.* Mwen pral Baamas demen. Moun Baamas rele baameyen.

**bab ak moustach.** *: Yon kondisyon ki trè bon.* Avantaj bab ak moustach.

**bab kabrit***:n. Plim ki nan babich kabrit.* Jera kite bab li pouse tankou bab kabrit.

**bab mayi***: n. Plim swa ki nan tèt zepi mayi.* Gen moun ki di bab mayi bon pou fè rafrechi.

**bab panyòl***: n. Plant parazit wouj, jòn ki pouse sou lòt plant.* Gen moun ki fè rafrechi avèk bab panyòl.

**bab pou bab***: adv. anfas, rankontre sanzatann.* Lotre jou mwen kontre bab pou bak ak Woje.

**bab.** *n. : Cheve ki pouse anba manton yon gason, nan zòn gòj li. Kou yon tigason ap pouse bab sa vle di li pral fòme.*

**Babad** *(Barbades) :np. Peyi, zile nan Karayib la. Li pran endepandans li kont Angletè an 1966. Li gen 255 mil moun (255.000) ki ap viv sou 430 kilomèt kare.* Kapital Babad se Brijtawn.

**babako.** *n. : 1. Gwo fèt kote yo sèvi anpil manje.* Vwazen yo te fè yon sèl babako pou premyè kominyon pitit yo a. *2. Gwo fèt pou bay lwa rekonesans poutèt yon favè moun ki bay fèt la te resevwa. 3. Anpil.* Babako manje.

**Babankou** *(Barbancourt): n. mak wonm ki konni anpil Ayiti, li te kòmanse depi ane 1862.*

**babay**. *n. : Orevwa.* Mwen byen kontan wè ou pitit mwen, mwen ale, babay.

**Babèl***: np. Non yon vil nan labil, kote Noye ak desandan li yo eseye konstwi yon gwo bilding pou rive wo nan syèl. Konstriksyon an sispann paske te vin gen yon konfizyon nan kominikasyon ant yo.*

**babich***: n. Manton moun osinon manton bèt.* Kabrit sa a gen babich rèk papa.

**Babilòn***: np. Ansyyen vil ki te rich anpil.* Se nan espas Babilòn Irak ye kounye a.

**babin.** *n. : Pati anba kou yon moun, nan zòn gòj li, anba manton l.* Gade kijan babin tibebe a wòz, li ansante papa.

**Babo, Kleman** *(Clement Barbot). np. : Sekretè prive Franswa Divalye ki te vin revòlte kont politik Divalye. Dapre listwa, Babo te vle pran pouvwa a nan men Divalye. Divalye te rive fè arete l. Anpil gad te lage dèyè l pou te chèche li, mennen l bay Divalye. Babo te yon nonm madre, li te rive fè moun ki te ap chèche l yo fè anpil lago. Finalman yo resi sène li nan yon chan kann kote li te kache, yo mete dife nan chan kann nan. Se konsa yo te jwenn li epi yo te tire l.*

**babote***: v. 1. Danse nan labou, vire-tounen nan labou; tranpe nan dlo sal. 2. Tranpe.*

**babotèz***: n. Rad pou ti bebe, toudinpyès, ki pa kouvri bra ak janm.*

**baboukèt**. *n. : 1. Brid ki fèt ak kòd, ki mare bouch cheval, bourik osinon milèt pou kontwole mouvman yo.* Baboukèt bourik la gen lè mare twò sere. *2. Presyon yo fè sou yon moun pou anpeche l pale.* Yo mete baboukèt nan bouch tout jounalis.

**bab-pou-bab**: *An konpetisyon, sou menm nivo.*

**babyadò**: *n. Moun ki renmen babye.* Kalin kite ak Antwàn paske msye babyadò twòp.

**babye**. *v. : Plenyen, pale anpil.* Sispann babye la a, si ou pa vle mwen fache sou ou.

**Babyòl** *(Babiole): Katye nan Pòtoprens.*

**bacha** *(pacha): 1. n. Moun ki rich, ki ap viv tankou rich.* Yo di m ou se bacha, ou ta fè yon bagay pou mwen, monchè, nou se zanmi. *2. Non pou abitan ki gen lajan.*

**bachelye**: *n. Moun ki pase ekzamen bakaloreya.*

**bade**. *v. : Badijonnen.* Gade kijan timoun nan bade tout kò l nan labou a.

**badijonnen**. *v. : Sal, pentire san prekosyon, mete an dezòd.* Gade kijan timoun yo badijonnen mi an ak penti.

**badin**: *n. Ti baton pwomnad, baton.*

**badnen** *(badinan, badinen): v. Jwe, amize, ranse.* Pa badnen avèk mwen, mwen granmoun devan ou.

**badyo**: *n. Inik, iranplasab.* Yon sèl badyo, yon sèl manman, yon sèl pitit.

**baf**. *n. : 1. gagann, kou nan lestomak, kalòt.* Se nan goumen ak Ilaryon Kalo pran yon sèl baf ki desann biskèt li. *2. Traka nan lavi.*

**bafre**: *v. Manje ak goumandiz. 2. Twonpe.*

**bafle** *(bafre): v. Manje vit san rete, manje anpil; manje ak goumandiz.*Ketli sitan bafle, li vin gra.

**bafon**: *n. Pati ki piba nan yon espas.* Se jous nan bafon an yo te al sere ja lajan an.

**bafwe**: *v. Twonpe, blofe, pa kenbe pawòl.* Pa koute Loran tande, se nèg ki pou bafwe ou la a epi apresa li di ou li pa konnen kisa ou ap di la a.

**bag**. *n. : Bijou moun mete nan dwèt yo.* Bag maryaj mwen an se lò li ye.

**bagarè**: *n. Ki renmen goumen; ki renmen fè kont.*

**bagas**. *n. : Pay ki rete apre yo fin retire ji nan kann.* Gen anpil bagas nan lakou gildiv la.

**bagay**: *n. mo jeneral, mo vag pou endike yon objè konkrè. 2. Aktivite fè sèks.*

**bagèt**. *n. : 1. Baton pou bat tanbou.* Pote bagèt pou mwen kòmanse seremoni an. *2.Bwa mens.* Pye fi a chèch tankou yon bagèt.

**Bagi**: *n. Pyès nan ounfò kote ki gen otèl pou lwa yo.*

**Baje Janklod** *(Bajeux, Jean-Claude): np. Politisyen, powèt, womansye, jounalis, pwofesè, ansyen Pè katolik, ansyen dirijan KONAKOM. Li fèt 17 septanm 1931. Li te elèv Sen Masyal nan lekòl primè ak segondè. Li etidye teyoloji, filozofi ak literati. Lisansye nan lèt ak filozofi, li resevwa yon diplom doktora (Ph. D) nan Princeton University epi li anseye nan Seminè Senmasyal. Nan pwoblèm politik ant F. Divalye ak Pè Jezwit (fevriye 1964), li pran ekzil 1964. Li travay nan plizyè peyi. Li anseye filozofi nan peyi Kamewoun. Nan peyi Meksik , msye te travay an kolaborasyon ak Ivan Illich, kòm responsab koleksyon "Sondeos". Anfrans, li kolabore nan "Présence Africaine" pou piblikasyon "Des Prêtres noirs s'interrogent" nan kad Premye Kongrè Entelektyèl Nwa (1956). Pandan 23 lane ekzil, nan inivèsite Pòtoriko, li te pwofesè literati (ewopeyen e antiyè). Li patisipe nan redaksyon revi kreyòl "Sèl" Pè Ayisyen Bwouklin te mete deyò. Li pibliye nan Editions Caribéennes, Antilia retrouvée, yon etid sou pwezi nwa atravè zèv Claude Mekay, Luis Palès Matos ak Aimé Césaire (1977)*. Li pibliye yon liv powèm ki rele "Textures" (1997). Lè li retounen Ayiti, li te patisipe nan aktivite politik, li te dirije KONAKOM apre li te direktè Sant Ekimenik Dwa Moun. Li te vin Minis Lakilti sou gouvènman Esmak Michèl ak sou gouvènman Werleigh.*

**bajoukase**: *n. Maten bonè.* Nou va wè anvan bajoukase.

**bak**. *adv. : 1. Direksyon ki ale pa dèyè.* Madanm, pa fè bak sou mwen non, ak vye oto ou la. *2. n. Plato anbwa kote machann ekspoze machandiz.* Pa vin kraze bak machandiz mwen an.

**baka**. *n. : 1. Move zespri, bèt lèd ki nan literati.* Ti moun yo t ap li yon istwa sou yon baka wouj ki te gen de tèt. *2. Maleng ki enfekte. 3. Moun ki pa benyen epi ki lèd.*

**bakaloreya**. *n. : Dènye ane segondè. Egzamen final.* Diplòm bakaloreya sa a, se apre sètan lekòl segondè mwen resi genyen l. Kounyeya mwen pare pou al nan inivèsite. *Gen bakaloreya premye pati, sa se reto; gen bakaloreya dezyèm pati, sa se filo.*

**bakanal**: *n. Banbòch ki gen anpil manje, alkòl, ak lòt plezi.*

**bakara**: *n. Kristal atifisyèl.*

**bakilòt**: *n. Ba fi mete pou kouvri bout anba kò yo soti depi nan tay rive nan pye. Se tankou yon jipon ki gen ni kilòt ni ba chosèt ki fè youn.*

**bakonyè**: *n. Mètdam, moun ki pa onèt.*

**bakoulou**. *a. : 1. Mètdam, malonèt, ki kapab mennen yon moun ak bèl pawòl. Debouya,* *jwisè. 2. n. Move espri, demon ki manje vyann moun.*

**bakteri***: n. Ògànis tou piti, mikòb moun kapab wè nan mikwoskòp ki gen yon sèl selil (inise-lilè) ki san klowofil. Gen bateri itil gen bakteri danjere. Gen anpil ki ka bay maladi, gen anpil ki kapab transfòme matyè ògànik pou pwodui yon lòt bagay.* Ou dwe aprann pran preko-syon nan jan ou ap chofe manje dòmi pou ou ka touye tout bakteri ki ta ka ladan l yo.

**bakteryoloji***: n. Syans ki etidye mikwòb ak bakteri, ki etidye jan yo devlope, jan yon viv, jan yo repwodui epi sitou kijan pou miltipliye yo osinon detwi yo.*

**bal**. *n. : 1. Dans, fèt ki gen danse. Se lè yon gwoup moun reyini nan yon fèt epi yo danse epi yo deplase kò yo ak elegans pandan yo ap suiv kadans yon misik.* Mwen pa renmen bal sa a, pa gen bon mizik. 2. *Moso metal ki soti nan yon zam.* Plon pou chaje fizi osnon revolvè. *3. Woulo twal osinon fib konprese.* Bal fil, bal twal, bal pèpè

**balade***: v. flannen.*

**balans**. *n. :1. Machin (zouti) pou mezire konbyen yon bagay osnon yon moun peze.* Chak tan mwen moute sou balans la mwen peze plis, ou kwè balans sa a bon? 2. *Siy zodyak. 3. Ekilib.* Mwen pèdi balans mwen epi mwen tonbe nan dlo a.

**balanse**. *v. : 1. Fè mouvman adwat agòch.* Sispann balanse kò w, konsantre ou sou sa wap fè a. 2. *Mete yon kontabilite annòd.* Ba-lase liv yo. 3. *Fè alevini ant de pozisyon.*

**balansin**. *n. : Balanswa, jwèt timoun chita sou li pou yo balanse ale vini.*

**balanswa**. *n. : Balansin. Jwèt ou chita sou li epi li balanse ou ale vini.* Manman, mennen mwen sou laplas pou mwen al monte ba-lanswa.

**bale**. *n. : Zouti ki sèvi pou retire pousyè ak salte atè. Li gen yon manch long pou ou kenbe l epi anba l fèt ak pay latanye ki mare ansanm osnon ak plastik, tankou yon pakèt cheve rèd.* Pa pase bale a kounye a, ou ap leve pousyè. Mwen toujou pase bale anvan mwen pase twal mouye atè a.

**balè**. *n. : Estil dans. Moun ki ap danse balè ale lekòl pou yo aprann kenbe kò yo epi aprann fè pa yo tou. Gen balè klasik, balè modèn ak dyaz. Balè dyaz.*

**bale wouze***: v. Netwaye toupatou.* Samdi maten mwen ap bale wouze byen bonè. 2. *Fè chanjman ak otorite.*

**balèn, balenn** *: n. 1.Gwo bèt ki viv nan lanmè, mamifè akwatik.* Lasirèn, labalèn chapo m tonbe nan lanmè! 2. *Bouji lokal moun limen pou klere kay leswa.* Pot balèn nan vin mete sou tab la pou mwen ka wè pi byen.

**balerina**. *n. : 1. Non yo bay yon estil soulye ki gen talon pla.* Lontan mwen te renmen mete balerina paske yo te dous nan pye mwen. 2. *Moun ki ap danse dans balè sou sèn.* Balerina yo konn danse dans modèn men yo konn danse dans ansyen yo tou.

**balis***: n. Pati nan yon galeri osinon yon balkon kote moun apiye.* Pa apiye sou balis la, li pa solid.

**balistik***: a. Syans ki etidye mouvman pwojek-til. Sinematik, dinamik.*

**balistrad***: n. Balis, pati rebò yon galeri ki fèt an bwa osnon an fè fòje. Rebò ki nan yon balkon.* Kay madan Loran an genyen yon bèl balistrad tout alantou galeri a. Pa apiye sou balistrad la, li kapab ba ou tèt vire.

**baliz***: n. Poto osinon lòt mak pou gide moun, pou gide bato osinon pou gide machin.*

**balizay***: n. Aktivite pou mete baliz.*

**balize***: v. Mete baliz.*

**balkon**. *n. : Pati nan yon kay, nan chanmòt la, ki bay sou lari tankou yon ti lakou ki kole ak kay la.* Chak apremidi mwen renmen al chita sou balkon an pou mwen ap gade moun ki ap pase.

**balo***: n. Woulo koton, pit, bagas, twal, osinon lòt fib.* Pot balo a vini pou mwen deplòton-nen l.

**balon**. *n. : 1. Blad. Sache ki fèt ak yon mate-ryèl ki elastik .* Pou fèt la nou gonfle balon tout koulè. 2. *Boul pou moun jwe foutbòl os-non volebòl. 3. Veso ki mache ak gaz pou moun monte nan lespas.*

**balonnman**. *n. : Sa yon moun santi lè li gen anpil gaz ki ap deplase andedan vant li.* Kou mwen fin manje pwa mwen toujou gen ba-lonman.

**balonnen***: v. Lou, chaje ak gaz ki ap fè moute desann.* Vant mwen balonnen m anpil depi mwen fin manje tyaka a.

**balote***: v. Trennen toupatou.* Sispann balote timoun yo konsa, li lè pou ou chita yon kote machè.

**bamann***: n. Moun ki sèvi bwason nan yon ba osinon nan yon restoran; moun ki sèvi bwason alkòl nan fèt.* Moun ki renmen alkòl pat dwe al fè bamann.

**ban maryaj***: n. Anons legliz pou anonse yon maryaj ki pral fèt nan detwa mwa.* Jan Woje ak Kalin ap prese pou yo marye sa a, yo pap bay pè a tan pou li pibliye ban maryaj yo a.

**ban**. *n. : 1. Chèz plat.* Granmè avè mwen te chita sou yon ban nan pak la. 2. *Nouvèl pè bay nan legliz pou anonse maryaj moun.* Lontan yo te konn pibliye ban pou maryaj menm kat fwa anvan maryaj la fèt.

**banal** *(bannal): a. san enpòtans, san konsantrasyon, san retni.*

**banana**: *n Bwason osnon labouyi ki fèt ak fig, ak bannan osnon ak savè atifisyèl fig.* Mwen pito kola banana pase kola Kouwòn.

**banben** *(ti banben): n. Jèn timoun, minè.* Kalo se banben devan ou, li pa ta ka vin file ou.

**banbilay** *(banbilo): n. Fèt, pwogram ki gen anpil plezi.* Mwen pral nan yon banbilay demen swa.

**banbile**: *v. Fete.* Nou vin banbile, jodi a se fèt.

**banbòch**. *n. : Plezi, fèt, moun reyini pou manje, bwè ak kè kontan.* Ala bagay ou renmen se banbòch! Aleksi se nèg ki te renmen banbòch anpil.

**banbòch demokratik**: *Fraz ki te popilè apre gouvènman Janklod Divalye te tonbe. Yo sèvi ak li ak yon pwent iwoni pou*

**banbochè**: *n. Moun ki ap pwofite pran plezi yo, ki ap fete, ki ap banboche.* Ou pat dwe janm al renmen ak Toto, msye se yon banbochè.

**banboche**. *v. : Jwi banbòch, pran plezi. Patisipe nan amizman ki gen anpil manje ak plezi.* Mwen pral banboche nèt aswè a.

**banbou**. *n. : 1. Pye bwa ki gen yon fòm silenn epi ki vid andedan l, moso bwa ki soti nan pye banbou.* Gen pye banbou bò lakay mwen an. 2. *Enstriman mizik ki fèt ak bwa banbou.* Prèske tout mizik fòlklò ayisyen yo gen son banbou ladan yo.

**banboula**: *n. 1. Estil dans. 2. Estil tanbou. 3. Estil mizik.*

**banda**: *a. 1. Bwòdè, byen abiye, elegan. 2. n. Dans ki gen vire ren ladan l. Gen moun ki renmen danse banda nan kanaval, ak nan fèt fòlklorik. Taye banda, mache banda, kraze banda.*

**bandaj**. *n. : Pansman.* Mete yon bandaj sou blesi sa a pou li pa enfekte.

**bande**. *v. : 1. Di. Lè pijon yon gason vin kanpe. 2. Vlope ak yon bann twal;*

**bandi**. *n. : Atoufè, mechan.* Pitit madan Michèl la se yon ti bandi.

**bandisyon** *(an bandisyon): adv. Ki pare, ki move, ki kanpe pou atake.* Timoun madan Dyo yo an bandisyon, anvan anyen yo mande batay.

**bandjo**: *n. Enstriman mizik ak kòd, son li sanble ak son gita men fòm li diferan.* Lè mwen te piti mwen te anvi aprann jwe bandjo men mwen pat jwenn pwofesè pou montre m.

**bando**. *n. : Riban ki fè wonn tèt.* Mwen renmen mete bando ki menm koulè ak rad sou mwen konsa mwen tonsouton.

**bandoulyè**: *n. Kòd osinon sentiwon ki pase sou yon zèpòl epi ale an dyagonal sou hanch opoze a pou pote yon manje, yon zouti, osinon yon zam.*

**bandwòl**. *n. : Bànyè ki gen yon mesaj osnon yon senbòl sou li.* Mwen pa wè bandwòl ki reprezante Ayiti a, èske ou wè li ou menm?.

**bani**: *v. Chase, reprime, siprime, entèdi.*

**banj**. *n. : Moun ki fò, ki entelijan.* Nèg sa se yon banj lasyans.

**bank bòlèt**: *n. Enstalasyon kote moun achte epi vann bòlèt.* Jozèf fèk louvri yon bank bòlèt nan kafou ri Lasnal la.

**bank, labank**. *n. : Biwo kote moun al fè tranzaksyon lajan. Kote ou mete kòb ou epi ou kapab al chache l lè ou vle.*

**Bank Nasyonal** *(Banque Nationale de la République d'Haiti). : np. Bank prensipal peyi Dayiti. Se franse yo ki te enstale l. An 1919, li te vin sou kontwòl Nasyonal Siti Bank ki nan vil Nouyòk. Li vin tounen pwopriete gouvènman Ayisyen an 1921 men se an 1947 gouvènman an vin gen kontwòl total li.*

**bankal**: *a. Kwochi. Elifèt mache bankal paske li fèt ak yon defòmasyon nan jenou.*

**bankèt**: *n. Tiban pou moun chita.* Pote bankèt la prete m pou mwen fè yon ti chita, tanpri.

**bann kanaval**. : *n. Gwoup moun ki degize, ki ap danse mizik yon dyaz nan tan kanaval.* Rele timoun yo vin gade bann kanaval la ki ap vin la a, li pre rive.

**bann machwa**. *: Bann twal yo mare anba machwa yon moun lè li malad osinon tou lè li mouri pou kenbe machwa l.*

**bann rara**. *: n. Gwoup moun ki ap danse rara nan kanaval osnon nan semenn sent.*

**bann**. *n. : 1. Gwoup, anpil, pakèt.* Se yon bann moun ki chita ap tann ou deyò a. 2. *Lè pijon yon gason vin kanpe.*

**bannann peze**: *Bannann ki fri, plati nan pèz epi ki tounen fri ankò.* Bannann peze bon ak griyo, akra, marinad ak sòs pikliz.

**bannann**. *n. : Se yon fwi ki long epi ki vèt , lè li mi, li vin jòn. Li pouse angrap nan pye a.* Mwen renmen bannann miske men se bannann gwòsbòt ki pi bon. Mwen renmen bannann bouyi, fri, boukannen, li te mèt vèt, li te mèt mi, mwen ap manje. Se sèl bannann wòwòt mwen pa manje.

**baraj**: *n. 1. Bit, obstak pou fè yon separasyon fòse. Irigasyon. 2. materièl pou bare dlo rivyè pou kreye yon basen atifisyèl. An jeneral baraj sèvi pou akimile dlo pou irigasyon osinon pou vire tibin elektrik.* Baraj idwoelektrik Pelig.

**barak**: *n. Gwo bilding lame. Kou li katrè, tout jandam rantre nan barak yo.*

**barakouda**: *n. Espès pwason ki gen yon pik pou atake lòt osinon pou defann tèt li.*

**bare** : *v. 1. Klotire.* Nou bare lakou a pou bèt yo pa sove. *2. Kenbe, dekouvri yon moun pandan li ap fè yon bagay ki pa kòrèk.* Yo bare Sovè, Sovè rele anmwe. *3. Bloke, mete yon ba fè dèyè yon pòt.* Kou li nevè diswa, madan Seyè bare pòt boutik li a. *4. Pa kite wout pou moun pase.* Ou pap sa pase nan ri Dèseza paske yo bare l. *5. Razè.* Monchè mwen bare la a, si ou te gen yon degoud prete m, mwen ta kontan anpil.

**barèt**. *n.* : *Òneman tifi mete nan tèt yo pou tache cheve yo.* Mwen te konn mete barèt menm koulè ak rad mwen lè mwen te ti jenn fi.

**barik**. *n.* : *1. Gwo veso anbwa osinon metal ki sèvi pou konsève kleren, dlo, siwo, osinon danre.* Madan Michèl gen twa barik plen kleren nan boutik la. *2. Moun ki gwo.* Kalin gra tankou yon barik.

**barikad**. *n.* : *Baraj tanporè pou anpeche moun pase.* Depi gen grèv gen barikad toupatou anba lavil la, ou pa fouti pase.

**baryè, bayè**. *n.* : *Pòt lakou ki tache ak yon kloti.* Di machann nan pase nan baryè a pou l vin pote sak chabon an.

**bas**. *n.* : *1. Son ba ki make rit mizik.* Mwen renmen al danse Tabou paske mizik li yo gen bon bas. *2. Ki pa wo, ki gen yon sèl etaj.* Mwen rete nan yon kay bas nan riyèl Wa.

**basen**. *n.* : *1. Yon konstriksyon an siman ki sanble yon ti pisin. Li fèt pou kenbe dlo.* Dapre kwayans vodou, gen lwa ki viv nan basen. Pa jete dlo sal nan basen an, mwen pral lave rad ladan l. *2. Pati nan kò moun nan zòn sistèm repwodiksyon.*

**Basenble** *(Bassin Bleu): np. Non yon vil nan depatman Nòdwès, toupre Gwomòn.* Elifèt soti Basenble.

**basiy** : *n. Mikwòb nan fanmi bakteri, ki gen fòm ti baton piti.* Basiy Kòk se mikwòb tibèkiloz.

**baskètbòl**: *n. Jwèt ak balon kote jwè yo ap eseye mete balon an nan yon panye.* Tipòl wo anpil, li ta ka jwe baskètbòl byen.

**baskile**: *v. 1.Balanse, fè mouvman devan dèyè san tonbe.* Si se pa baskile mwen baskile, alèkonsa mwen tap kase tout dan nan bouch mwen. *2. Deplase dapre yon liy wotasyon.*

Bastyen Malèn *(Bastien Marleine): president of the Fanm Ayisyen Nan Miyami (FANM), a nonprofit immigrant social welfare group.*

**bat ba**: *Koule, fè piti.* Kou madan Bwason leve lavwa, mari l bat ba.

**bat bèt**: *v fr. Etidye, prepare egzamen.* Monchè, mwen pa ka rete ap pale lontan avèk ou, fòk mwen al bat bèt la pou yon egzamen demen maten bonè.

**bat bravo**: *v Frape de men ansanm pou bat men pou endike apwobasyon.* Apre Kalin fin chante a, tout moun kanpe bat bravo pou li.

**bat fè**: *v . 1. Fè egzèsis, leve pwa.* Depi Janchal ap bat fè a li vin gwo gason nèt. *2. Frape you fè ak mato pou chanje fòm li.*

**bat gè** *(bat tenèb): v. fr. Frape poto fè, pou anonse tenèb tonbe (fè nwa rive).*

**bat kat**: *v . 1. Brase, melanje kat.* Si ou pa bat kat la plis, mwen pap jwe nan pati sa a. *2. Al nan konnen, al chache konnen sekrè lavi a osnon lavni.* Tèlman lavi m di, mwen oblije al fè bat kat pou mwen ka konnen kote devenn sa a soti.

**bat kò** : *1. Fatige, kraze kò, travay di, fè efò.* Pitit, pouki ou bat kò ou konsa a ap fè de dyòb? *2. Nwi kò, anmède kò.* Jan ou ap bat kò ou la a, sa ou pran, se pa ou.

**bat tenèb**: *Lè plizyè moun nan plizyè kafou ap frape sou poto elektik an metal pou demontre mekontantman osinon kominike solidarite ak patisipasyon.* Le vandredi sen, a twazè, yo bat tenèb nan Pòtoprens.

**bat vant**: *v fr. Fè yon moun pale koze li pa ta renmen pale.* Gaston bat vant Tika joustan manmzèl rakonte l tout koze a.

**bat zèl**: *v fr. 1. Deplase, gaye.* Jan te la a, kou jandam nan vini msye bat zèl li. *2. Degaje.* Mwen al bat zèl mwen deyò a pou mwen ka fè yon ti kòb.

**bat**. *v.* : *1. Kale. Frape yon bagay osinon yon moun.* Kounyeya mwen vin gran, manman mwen pa bat mwen ankò. *2. Fò.* mwen bat ou toutan nan oslè.

**bata** : *Non magazen soulye ki te sou granri; mak soulye.* Mwen te renmen mete ti sandal bata yo, yo te dous nan pye mwen. *2. Modèl soulye ki sanble ak soulye bata.* Soulye bata yo dous nan pye mwen.

**batan**: *n. Youn nan de bò yon pòt.* Fèmen tou de batan pòt yo pou mwen.

**batanklan**. *n.* : *Pakèt bagay san enpòtans.* Ou pa bezwen vini ak tout batanklan ou yo non, mwen pa gen anpil plas.

**Batay Pikè**. : *Rebelyon peyizan ki kòmanse an 1843 nan zòn sid Annayiti avèk yon nèg ki te rele Akao alatèt.* Batay Pikè sa a se yon evenman enpòtan nan istwa peyi a.

**batay**. *n.* : *Goumen. Opozisyon brital. Batay kout pwen, batay ak zam.*

**batèm.** *n. : Sakreman moun resevwa ki fè yo vin kòm pitit Bondye.* Ayisyen renmen fè fèt pou batèm pitit yo, lè sa a, parenn timoun nan konn fè gwo diskou.

**bati.** *v. : Konstwi, mete soupye.* Eva bati yon gwo kokenn chenn kay nan zòn Dèlma a. Bati wout, bati peyi, bati lekòl.

**batiman.** *n. : Metòd transpò pou vwayaje sou dlo. Batiman ak vwal, batiman ak motè, batiman lagè.*

**Batis Estefèn** *(Stephen Baptiste) : np. Foutbolè ayisyen*

**batis** *: n. Relijyon potestan, kretyen.* Mikayèl se batis.

**batisman***: n. Bilding, konstriksyon.* Kou li senkè dimaten mwen al sou batisman an

**batistè.** *n. : Papye ofisyèl ki bay enfòmasyon sou lè yon moun fèt.* Si ou pa gen batistè, ou pa kapab pati, ou pap kapab fè paspò w.

**batize.** *v. : Lè yon moun resevwa sakreman batèm.* Moun ki pwotestan batize pandan yo gran men katolik batize depi yo toupiti.

**batmannkè.** *n. : Eta yon moun kè li ap bat fò anpil swa akoz yon emosyon osnon paske li malad.* Mwen konn anpil moun ki soufri batmannkè.

**bato.** *n. : Transpòtasyon ki flote sou dlo.* Gen bato ki deplase ak van epi gen lòt ki deplase ak motè. Gen moun ki pa renmen moute bato paske sa ba yo tèt vire. Gen anpil moun ki pèdi lavi yo nan bato yo pran pou yo al chèche lavi aletranje.

**baton.** *n. : 1. Moso bwa long.* Gen tout kalite baton, pa egzanp gen baton bezbòl, gen baton jandam yo pote yo. *2. ka, pinisyonl.* Mwen pral ba ou baton, se anmwe wa rele. Ba li baton: kontinye bat li san rete.

**batrasyen***: n. Klas bèt ki gen zo rèl do (vètebre) ki gen kat pye (tetrapòd) ki ka viv sou tè epitou nan dlo (anfibi) ki gen po mou imid epi glise. Krapo se yon batrasyen.* Batrasyen yo gen po frèt.

**Batravil Benwa** *(Benoit Batravil). np. : Chèf kako ki te alatèt mouvman kont dominasyon meriken Annayiti an Janvye 1920. Se te yon kolaboratè Chalmay Peralt, li vin ranplase li apre lanmò l (31 Oktòb 1919).*

**Dominik Batravil** *(Dominique Batravil): np. Ekriven ak jounalis. Li pibliye pwezi, kont, nouvèl ak teyat. Pami yo, gen 2 ki pran pri Matinik ak Kiba.*

**batri kuizin***: n fr. Koleksyon ekipman ak akseswa moun sèvi nan kuizin.* Mwen pral achte batri kuizin nèf anvan mwen marye.

**batri mason.** *: Batman tanbou yo itilize nan kòmansman seremoni vodou kòm senbòl pou louvri pòt bay lwa yo.* Poko jwe batri mason an non, ou pa wè mwen poko pare!

**batri.** *n. : 1. Pil, kote kouran akimile.* Gen anpil bagay ki mache ak pil, men genyen tou ki mache ak batri tankou radyo pa egzanp. *2. Enstriman mizik ki make rit.*

**batwèl.** *n. : Bwa ki sèvi pou ede lesivyè bat rad yo lè li ap lave yo.* Lovana, al chache batwèl ou a pou nou ale lave.

**bavant.** *n. : Anbavant, anbativant. Zòn piba lonbrit men ki piwo sèks yon moun.* Se nan bavant li sanble li gen plis doulè.

**bave.** *n. : 1. Bav, dlo bouch.* Kijan ou fè gen anpil bave nan bouch ou konsa a lè ou fèk leve nan dòmi? *2. v. Sitiyasyon kote bave moun nan ap koule.* Mwen pa janm bave nan dòmi. Pa vin lage bav ou sou mwen.

**bavèt.** *n. : Napwon yo mete devan lestomak tibebe pou anpeche rad li mouye lè li ap bave osnon lè li ap manje.* Mwen pral achte detwa bavèt pou pitit Deniz la.

**bawo.** *n. : 1. Ba fè osinon ba anbwa pou separe you espas.* Pa apiye sou bawo a tande, si li kase ou ap tou tonbe. *2. Enstitisyon ki kontwole kote avoka al plede.* Mwen pat janm konnen Feliks te avoka nan bawo Jakmèl la.

**bawòk.** *a. : 1. Ki pa rafine, ki gwo soulye.* Kote ou soti ak mèb bawòk sa a, li pa ale ak kay ou a ditou. *2. Estil. Mizik bawòk, achitekti bawòk.*

**bawomèt***: n. Enstriman pou mezire presyon atmosfè a. Depi presyon nan atmosfè a chanje, zegui bawomèt la deplase.*

**bawon***: n. 1. Moun ki fouye twou nan simityè. 2. np. Non yon ti vil nan depatman Nò. 3. Tit noblès.*

**Bawon Samdi** *(Baron Samedi). np. : Dapre kwayans mistik Vodou, se espri ki kontwole simityè; se li ki bay pouvwa pou moun touye lòt ak maji; li kontwole nanm moun ki mouri move mò yo.*

**bay** *(ba, ban): v. 1. Remèt.* Mwen pap ka bay tout lajan sa a jodi a. *2. Ofri.* Ou te mèt bay san dola pou recho sa a, li vo plis pase sa. *3. Denonse. Se pwòp fanmi l ki bay non l lapolis. 4. Rapòte, bay benefis.* Ane sa a, rekòt la pa bay anyen. *5. Simen, simaye.* Pafen sa a bay yon odè ki raple m sitwonèl. *6. Disparèt, met deyò, vide.* Moun yo annik tande de twa kout revolvè epi yo bay lari a blanch. *7. Rakonte. Jan yo bay istwa a, sanble sa fèt konsa vre.*

**bay bouden** *: v fr. Fè manti.* Sispann bay Simòn bouden, ou pa wè li pa kwè ou.

**bay chalè** *(bay chenn): v fr. Anmègde, pase nan betiz.* Iv te konn bay chalè twòp, kounye a se tou pa zanmi l yo pou yo anmègde l.

**bay djapòt**: *v fr. 1. Fè premye lo.* Mezanmi, si mwen te konnen senkannkat t ap bay djapòt mwen ta achte pou plis kòb. *2. Vomi. Kalo annik rantre yèreswa li bay yon sèl djapòt nan twalèt la.* Se wonm nan ki ap mande l kont.

**bay egzeyat**: *v fr. Otorize yon malad soti lopital.* Se yèswa yo bay madan Jan egzeyat.

**bay fil** : *v fr. 1. Liyen, bay gabèl, fè lè, swiv tandans yon moun, fè yon moun pale.* Jan bay lapen an fil joustan li pran l nan pèlen. *2. Ede yon lòt monte, ba li sipò pou li rive.* Se Sentaniz ki bay Janklod fil kifè jodi a msye rive jwenn gwo pòs sa a.

**bay gabèl**: *v fr. Fè lè.* Kalito bay Tifrè gabèl joustan msye tounen depoze lajan an kote li te pran l lan.

**bay gan**. : *v.fr Lè doktè ap egzaminen sèks yon fi ak men li (ki kouvri ak gan).* Anvan Alisya te al akouche a doktè a te ba-l gan pou l kapab wè pozisyon tèt timoun nan.

**bay jòf**: *v fr. 1. Bay yon cho ak yon bagay ou ap montre pou ou ka koze anvi.* Lorèt mete de mont nan bra l anmenmtan; se yon jòf l ap ba mwen pou li ka montre m afè l pibon pase pa m. *2. Fè kachkach ak yon bagay ou vle montre men ou fè tankou ou pa fin vle montre tout nèt.* Kostimdeben sa a mwen pap mete l paske mwen pa vle bay pèsonn moun jòf.

**bay kout pitit**: *v fr. Bay yon gason responsablite pou yon timoun ki pa pou li san li pa konnen.* Alin se fi ki konn bay kout pitit, Jera, veye zo ou avèk li.

**bay kout tèt**: *v fr. Kabicha.* Elèv la ap bay kout tèt nan klas la. *2. Pwoteste*

**bay koutba**: *v fr. Pa fè sa ou te di ou ap fè, fè moun tann ou pou gremesi.* Apa ou ban mwen koutba, Eva, mwen tann ou epi ou pa janm vini!

**bay lafyèv**: *v fr. Kreye eksitasyon.* Okès la bay lafyèv deyò a, tout radyo ap pase misik li.

**bay lanmen**: *v fr. Lonje men bay yon moun pou salye li.* Fi bo bò figi, gason bay lanmen. Bobo bay lanmen.

**bay lebra**: *v fr. Lonje bra bay yon moun kòm sipò.* Parenn nan bay lamarye lebra.

**bay legen**: *v fr. Abandonnen.* M bay legen, pran tout rès mab yo.

**bay payèt**: *v fr. Fè mativi, bay cho, fè bwòdè.* Ti medam alèkile yo renmen bay payèt.

**bay poto**: *v fr. Mete yon moun ap tann epi pa vin rankontre l nan yon randevou ou ba li.* Silven se yon nèg ki renmen bay poto men li pa renmen pran poto limenm.

**bay woulib**: *v fr. Kondi yon moun apye osnon nan oto sou chemen kote li prale.* Sa mwen pa renmen ak Chal, depi li al bay zanmi l yo woulib, li poko prèt ap tounen.

**bay zoklo**: *v fr. Fè adiltè.* Joslen di m li pat janm konnen Wozitan te kon bay Alfons zoklo.

**bay**. *v. : 1. Remèt, Fè kado.* Lè rad li twò piti pou li, Sara bay tisè l yo. *2. Kontra pou lwe osinon anfème yon kay.*

**bayakou**. *n. : Metye moun ki netwaye latrin.*

**bayawonn**. *n. : Yon pyebwa ki sèvi pou fè chabon.* Madan Woje rete nan kay ki gen twa pye bayawonn devan li. Yo sèvi ak rasin bayawonn pou fè medikaman kont doulè lestomak.

**baye**. *v. : Reyaksyon kote yon moun louvri bouch li pou fè lè nan gòj li sòti.* Si ou ap baye ou dwe mete men ou devan bouch ou.

**bayè**. *n. : Pòt nan lakou.* Jak fèmen bayè a pou chat la pa sòti. 2. *Senbò nan relijyon vodou.* Nan vodou, se lwa Legba ki siveye bayè. Se li ki louvri l tou.

**bayo**. *ent. : Mete pou yo, ankourajman pou kontinye.* Moun ki ap chofe dife toujou renmen di bayo, bayo.

**bayonèt**. *n. : Yon zam ki gen fòm epe yo mete nan pwent yon fizi.* Bayonèt o-kanon

**baz** : *n. 1. Anba kote yon bagay poze.* Baz estati sa a fèt ak mab. *2. Pati ki pi ba. 3. Fondasyon. 4. Pati fondamantal nan yon pwojè, nan yon plan, nan yon agiman. 5. Engredyan prensipal nan yon resèt. 6. Preparasyon pou mete yon penti. 7. Nan makiyaj yon krèm espesyal pou mete sou po pou prepare po a pou li resevwa koulè final la. 8. Nan bezbòl se pozisyon (ki make ak yon ti sak sab) pou jwè a touche lè li ap kouri apre li frape boul la. 9. Kote yon pati tache ak yon lòt. 10. Sant kote tout operasyon planifye pou prepare yon espedisyon. Katye jeneral kote militè antrene, kote yo planifye aksyon militè. 11. Nan chimi se yon pwodui ki ka reyaji ak yon asid pou fè sèl... pwodui ki gen yon pH ki depase 7, alkali. 12. Nan jewometri se liy osinon se plan (imajinè) ki poze atè. 13. Nan gramè se pati radikal yon mo yo ka ajoute yon prefiks osinon yon sifiks pou chanje sans mo a. 14. kalifye orijin yon gwoup osinon orijin yon mouvman.* Òganizasyon ki sot nan baz sosyete a.

**baza**. *n. : Boutik ki gen anpil machandiz epi anpil varyete tou.* Mwen toujou sonje Baza Lapòs ki te sou Granri a.

**baze**. *v. : Konte sou, apiye sou.* Sou ki sa ou baze agiman pou ou akize m?

**Bazil Kastra** *(Castera Basile): np. 1923-1965. Atispent ki fèt Jakmèl li te ap travay nan atelye atispent epi li gade sa atispent yo ap fè epi li koumanse fè pi byen pase yo. Lè li vin konsantre sou kesyon penti a li vin genyen gwo* *pri entènasyonal pou kalite teknik li devlope. Li fè miral pou Legliz Sent Trinite Pòtoprens. Limouri an 1965 alasuit maladi tibèkiloz. Penti li ekspoze nan plizyè mize entènasyonal.*

**bazilik**. *n. : 1. Plant.* Fèy te ki gen pouvwa chase move zespri. Yo konn tranpe fèy bazilik pou seremoni lwa. 2. *Gwo bilding nan Legliz katolik ki sèvi pou fè seremoni lamès, òdinasyon, batèm, kominyon, antèman.* Bazilik Nòtredam l

**Bazen Mak** *(Marc Louis Basin): np. Politisyen, avoka, òmdafè, kandida pou prezidan. Li fèt 6 Mas 1932. Li te fonksyonè Bank Mondyal, apresa minis finans sou gouvènman Janklo Divalye li. Li se prezidan pati politik MIDH (Mouvman Enstorasyon Demokrasi Ayiti). Li te kandida pou prezidan an 1987 ak 1990. Li vin Premye Minis sou gouvènman koudeta 1992-93.*

**bè**. *n. : 1- Pati nan lanmè ou byen nan yon lak ki rantre nan tè.* Bè Pòtoprens. 2. *manje ki fèt ak krèm lèt.* Mwen pito bè pase magarin. Al achte diskòb bè chalonè pou mwen. 3. *Son ki soti nan bouch mouton.* Mouton, bè.

**bèbè chòchòt**: *n fr. Moun ki pa kapab pale byen.* Ti pitit madan Nerestan an se yon bèbè chòchòt li ye.

**bebe**. *n. : 1. Timoun ki fèk fèt.* Konbyen ti bebe sa a peze? 2. *Tifi, fi ki bèl, fi ki anfòm.* Gade yon bebe ki ap pase la a, kobaba, sa se yon biblo.

**bèbè**. *n. : 1- ki pa kapab pale.* Se yon bèbè li ye, se ak jès li pale. 2. *a. moun ki pa kapab pale.* Ti fi a bèbè li pa di yon mo. Nan lang Kreyòl pa gen lèt ki bèbè.

**bèbèl**. *n. : Aranjman, dekorasyon.* Mwen mete ti bèbèl sou tab la pou timoun yo.

**bebidòl**. *n. : Chemizdenwi elegan.* Pou fèt ou m-ap achte yon bebidòl pou ou.

**bcg**: *akwo. Vaksen kont maladi tibèkiloz.*

**Bèdehèn** *: np. Non yon vil nan depatman Nòdwès ki toupre ak Bonbadopolis.* Kawòl soti Bèdehèn.

**bèf**. *n. : 1. Gwo mamifè, mal vach.* Mwen pa renmen vyann bèf paske mwen pa konn kijan pou mwen kwit li pou l ret mou. 2. *Gwo.* Kalin vin tankou yon bèf.

**bèfchenn**: *nfr. Moun, sitou gason ki ap mete osinon retire chaj nan kamyon piblik.* Mwen mande bèfchenn nan pou li mare pakèt mwen yo byen pou mwen.

**bega**: *n. manje ki fèt ak testikil bèf. Yo pretann li gen valè afrodizyak.*

**Bègmann Jozèf** *(Joseph Berghmanns): Pè katolik Esket ki fèt nan peyi Bèljik an Fevriye 1933. Li òdone an 1952. Ayisyanis, li rive Ayiti an 1958. Li te travay kòm misyonè nan pawas Piyon, Sèka-Kavajal, Sèkalasous, Ench, Gran Basen ak Fayeton. Li te kolabore pou fonde sant Emayis nan Papay ak mouvman Kiwo nan peyi a, apresa li te vin al travay nan prizon pou soulaje lair prizonye. Li mouri nan dat 16 Jen 2002.*

**bègwè**. *n. : Egare, ki pa konprann anyen nan sa ki ap pase a.* Kijan ou chita tankou yon bègwè, manyè leve, souke kò ou machè.

**bege**: *v. Repete yon menm son plizyè fwa lè ou ap pale, san kontwòl.* Timoun nan bege depi li kòmanse pale.

**begle**: *v. Rèl bèf.* Bèf la begle tout lajonen an, al ba li dlo.u

**begoun**: *n. Ti pwason.* Mwen renmen manje begoun fri sèk.

**bèj**. *a. : Koulè ki ant blan ak jòn.* Mwen ta renmen mete yon soulye bèj ak rad vèt mwen an, li ta fè elegan.

**bèk**. *n. : Bouch zwazo.* Gen zwazo ki gen yon bèk ki long epi ki pwenti.

**bekàn**. *n. : Bisiklèt.* Mwen te konn monte bekàn depi mwen tou piti.

**bekasin**: *n. Yon kalite zwazo.* Lotrejou te gen plizyè bekasin ki t ap vole nan lakou lakay mwen an.

**beke**: *v. 1. Bege.* Repete yon menm son plizyè fwa pandan ou ap pale, san kontwòl. Gen plizyè moun nan fanmi mwen ki beke. 2. *Ranmase ak bèk.* Poul la beke mayi a menm twa fwa anvan li vale l. 3. *Fè moun malonèt.*

**bèkèkè**. *ent. : Wayan, wa rete konsa, san anyen.* Ou kite zanmi ou yo pran tout jwèt ou yo, ebyen wa ret bèkèkè.

**beki**. *n. : Sipò pou moun ki paka mache.* Apre aksidan mwen te fè a, mwen fè demwa ap mache ak beki.

**bèl**. *a. : Ki agreyab nan je, ki pa lèd. Fi sa a bèl anpil.* Kay sa a bèl men sa ki akote li a pi bèl toujou.

**Beladè** *(Belladère): np : Komin awondisman Laskawobas, nan depatman Sant.*

**Bèlans** *(Belle Anse): np. Awondisman ak komin nan depatman Sidès Ti vil ki pa lwen ak Sendomeng.* Se moun Bèlans makomè mwen ye.

**Belans Rene** *(René Belance): np. Powèt, edikatè ki fèt Koray 28 Septanm 1915. Li te diplome nan Lekòl Nòmal pou pwofesè. Li viv pandan lontan nan peyi Etazini, kòm pwofesè nan inivèsite.*

**bèldenwi**: *n. Plant ki bay bèl odè leswa.* Leswa, mwen toujou renmen pase kote ki gen bèldenwi pou mwen ka pran sant li.

**Bèlè** *(Bel air): np. Katye popilè istorik nan Pòtoprens. Pandan diznevyèm syèk la, Bèlè se te yon katye rezidansyèl ak yon seri bèl kay pou moun eze ka admire lanmè. Men vin gen plizyè dife ki pase ki ravaje katye a. Nan tan modèn, Bèlè vin yon senbòl reklamasyon popilè, depi sou Estime rive sou tan jodi a. Fiyole te trè popilè nan Bèlè.*

**bèlfi**. *n. : 1. Fi ki marye ak pitit gason ou* lyen ant yon fi ak manman mari l. Nikòl se bèlfi m, li marye ak pitit gason mwen an. *2. Pitit fi moun ou marye a, men ki a piti pa ou.* Lè mwen te marye ak dezyèm madanm mwen li pat janm gen okenn pwoblèm ak pitit mwen te fè ak premye madanm mwen yo; li te boule byen ak tout bèlfi li yo epi bèlfi li yo te renmen l tou.

**Bèlgad, Dantès** *(Bellegarde, Dantès): np. 1877-1966. Pwofesè, editè, istoryen, diplomat, filozòf. Li fèt Pòtoprens an 1877. Li etidye nan lise Petyon apresa li al nan lekòl Dedwa. Li ekri depase 24 liv. Li te minis edikasyon nan peryòd 1918. Li te fè efò pou amelyore sistèm lekòl Ayiti.*

**Bèlgad Esmit Patrik** *(Parick Bellegarde Smith): np. Ayisyen-Ameriken, li fèt nan vil Espokèn, nan eta Wachintonn Ozetazini. Manman li te Ayisyèn, papa li te Ameriken. Patrik Bèlgad-Esmit se pwofesè inivèsite Wiskonsen, ekriven, oungan. Li fè anpil konferans sou enpòtans kilti ayisyen pou jèn timoun ki soti Ayiti ki ap viv Ozetazini. Li ekri plizyè liv, "Haiti: The Breached Citadel" (Westview Press, 1990); li edite ak lòt ekriven "The Spirit, the Myth, the Reality, Vodou in Haitian Development" (Univ. Press of Florida, 2000).*

**belijeran**: *n & a. Moun osinon gwoup osinon nasyon ki pare pou goumen, ki renmen goumen.*

**Beliz** (Bélize): *np. Peyi nan Amerik Santral ki bay sou basen Karayib la. Li pran endepandans li nan ane 1981. Anvan li te vin endepandan, li te yon koloni Angletè. Teritwa a gen 8862 mil kare. Popilasyon li se 170 mil (170.000) moun. Kapital li se Belmopan.*

**Bèlj**: *1. n. Natif nan peyi Bèljik. 2. a. Ki konsène Beljik, moun ki fèt nan peyi Bèljik.*

**Bèljik**. *(Belgique) : Peyi ki nan kontinan Ewòp, toupre peyi Lafrans.* Mwen te fè yon kout rete nan peyi Bèljik, mwen te renmen l anpil, se yon bèl kote.

**bèlmè**. *n. : 1. Manman fi osnon manman gason sa ou marye a.* Depi mwen ak madanm mwen marye, bèlmè mwen abite avèk nou. *2. Madanm papa ou men ki pa manman ou.* Wozita se bèlmè mwen men li trete mwen tankou mwen se pitit li.

**bèlsè**. *n. : 1. Sè amri ou, sè mandanm ou osnon madanm frè ou.* Mwen gen yon bèlsè nou boule tankou de sè. Mwen poko konn bèlsè mwen an ki marye ak tifrè mwen an paske yo ret jous Nouyòk, mwen poko al wè yo.

**bèlte**. *n. : 1. Pwòpte, sa ki agreyab nan je, amelyorasyon pou fè yon moun osnon yon bagay vin pi bon, pi akseptab, pi atiran.* Kou joudlan rive fòk mwen fè yon bèlte ak kò mwen. 2. Bèl, bèbèl. Ala bèlte ou gentan fè nan kay la mezanmi!

**Bèmid** *(Bermudes): np. gwoup zile ki fòme yon peyi nan Karayib la. Kapital li se Amiltonn.*

**Bèna Jozèf C.** *(Joseph C. Bernard): 1916-2005 np. Edikatè, diplome nan Lekòl Nòmal Damyen. Li te oblije pran ekzil sou gouvènman F.Divalye. Li te travay pou UNESCO nan plizyè peyi Afrik kòm espesyalis nan refòm edikasyon. Li retoune Ayiti, li te dirije Enstiti Pedagoji Nasyonal (IPN) epi li vin minis Edikasyon Nasyonal. Li angaje pou li pousuiv yon seri chanjman nan edikasyon nan peyi a. Gen anpil moun ki rele mouvman sa a refòm Bèna. Nan refòm Bèna edikasyon riral ak edikasyon iben inifye ak menm objektif, ak menm administrasyon; ansuit yo kòmanse yon pwogram pou chanje sik etid 6 ane primè-7 ane segondè epi ranplase l ak yon sik (lekòl fondamantal) (4 ane -3 ane, 3 ane) ansuit li te fòmile yon peryòd preparasyon (pre-eskolè). Yon faktè nouvo se te adopsyon lang Kreyòl kòm lang ansèyman nan premye sik la (sik alfabetizasyon), ak sipò pedagojik pou lekti, ekriti, analiz, Yon lòt pwopozisyon nouvo se ansèyman Franse kòm dezyèm lang ak apwòch pedagojik pou aprann yon dezyèm lang. Bèna te pwopoze yon refòm ki asosye edikasyon ak devlopman. Bèna te pasyone ak travay li te vle akonpli epi tou li te ekzije teknisyen yo pou yo gen volonte ak konpetans pou kalite ak kantite travay yo dwe founi.*

**bèn** *(an bèn): adv. Demi ma.* Si ou wè drapo a an bèn jodi a siman se paske gen kèk grannèg ki mouri.

**Benè** *(Bainet): Vil komin ak awondisman ki nan depatman Sidès. Vil Benè kòmanse ekziste nan lane 1698. Benè pwodui kafe, kakawo ak pit. Benè gen anpil zanmann, epi yo fè tablèt zanmann la.*

**benediksyon.** *n. : 1. Sipò ak ankourajman ou resevwa onon Bondye.* Depi pè a fin ban mwen benediksyon an, mwen santi mwen yon lòt moun. *2. Akò, akseptasyon, sipò yon moun.* Mwen pap pran desizyon sa a san benediksyon mari mwen.

**benefisye**. *v. : Resevwa avantaj.* Se pa mwen ki te benefisye lè afè ou te bon, se ak zanmi ou te konn al depanse tout kòb ou kounyeya ou razè, se pou ou al jwenn yo.

**benefis**. *n. : 1. Avantaj.* Gen benefis yon moun fè, se avantaj bab ak moustach. *2. Diferans ant pri ou vann ak pri ou achte*

**Benèt Michèl** *(Michèle Bennet): np. Madanm Jan-Klod Divalye.Yo marye 27 Mai 1980, Pòtoprens.*

**beni**. *v. : 1. benediksyon, ki pirifye.* Mwen pral mande pè a pou li vin beni kay la anvan nou antre al rete ladan l. 2. a. Ki gen benediksyon.

**benitye**: *n. veso espesyal pou met dlo benit.*

**benn** : *v. 1. Koube.* Pa benn foto a konsa, ou ap chifonnen li, pitit. *2. Bonbade, bay anpil.* Jozafa benn Oska ak baton.

**Benwa Rigo** *(Rigaud Benoit): np. 1911-1986) atispent, li fèt Pòtoprens an Janvye 1911. Anvan li te vin atispent li te chofè laliy, kòdonye epi mizisyen. Pita li te vin yon atis epi li gen miral nan Legliz Sent Trinite. Penti li ekspoze nan plizyè mize Ayiti ak Ozetazini. Li te marye ak pitit atispent Ektò Ipolit ki rele Èmit Ipolit. Benwa Rigo se papa Benwa V. Rigo Fis.*

**Benwa Viktò** *(Victor Benoit): np. Jounalis, politisyen, edikatè, kandida pou prezidan. Li fèt 26 Septanm 1941. Li te responsab KONAKOM, ak FNCD; li te kandida prezidansyèl pou FNCD. Lè Aristid vin kandida kèk òganizasyon ki manm KONAKOM ak FNCD bay Aristid sipò epi Benwa vin deziste.*

beny : *n. 1. Aksyon yon moun ki ap pwòpte kò li.* Li lè pou mwen al pral pran yon beny. 2. *Basinen kò ou ak fèy ki bon pou sa.* Mwen ta pran yon beny zorany si, sa bon anpil pou kò kraze. *3. Aksyon lave kò ou ak yon preparasyon fèy ki sipoze pwoteje ou osnon ba ou chans.* Jan mwen wè Alsine vini sou mwen an, li tou sanble yon nonm ki sot pran yon beny. *(Beny fèy, beny vapè, beny santi, beny lanmè)*

**benyè mò**. *: Fi osnon gason ki benyen mò.* Se pou benyè mò a benyen moun ki menm sèks avè l, sa vle di, fi benyen fi, gason benyen gason.

**benyen**. *v. : Lave kò.* Lè ou benyen ou lave tou kò ou epi ou savonnen ou byen savonnen, apre sa ou rense epi siye ak sèvyèt pwòp. *(Benyen nan luil)*

**benywa**. *n. : Veso ou kapab plen dlo pou benyen.* Kou benywa a plen dlo, mwen pral benyen Pouchon.

**bere**: *v. 1. Mete bè, manba osnon konfiti sou pen.* Bere pen griye sa a pou mwen, tanpri. *2. Pete, liyen.* Wobè se moun si li bere ou pa gen manti ou pap pran nan men l.

**berè**. *n. : Chapo mou antwal.* Granpè mwen te renmen mete berè lè fè frèt.

**berejèn**. *n. : 1. Legim hi gen yon koulè mov.* Mwen renmen koulè mòv po berejèn nan. Mwen renmen berejèn ak lanmori. Toufe berejèn ak lanbi se bon manje sou yon dire blan ak sòs pwabè. *2. Yo sèvi ak berejèn kòm medikaman pou fè moun pipi (diwiretik).*

**beri-beri** : *n. Maladi malnitrisyon. Maladi moun genyen lè yo manke vitamin B-1 (tiyamin) nan dyèt yo. Li afekte nè yo, li bay kò anfle, li afekte kè a.*

**bès**: *n. lè nivo yon bagay bese, diminye.*

**bese** : *v. 1. Akoupi, koube.* Do mwen pa bon, mwen pa sa bese ditou. *2. Diminye, mete pi ba.* Bese pri chabon an anvan m achte l

**Bès, Anri** *(Besse, Henri). np. : Enjenyè ayisyen ki sipèvize konstriksyon sitadèl Kristòf, nan depatman Ayiti.*

**bese-leve**: *v. 1. Fè aktivite monte desann, san rete.* Nan laj mwen ye la a, kote mwen te ka nan bese leve tout lajounen. *2. n. Komès.* Adelina pa la, li al nan bese leve li.

**bèso**. *n. : Kabann tibebe ki gen baraj chak kote pou anpeche tibebe a sot tonbe.* Anvan mwen al akouche fòk mwen ta gentan achte bèso timoun nan.

**bèt seren**: *n fr. Bèt ki fè aktivite lannuit.* Mwen pa renmen soti nan lakou a leswa poutèt bèt seren yo.

**bèt**. *n. : 1. Animal. Tout sa ki vivan, ki kapab deplase, ki kapab repwodui, ki bezwen kote yo ap viv la pou yo egziste.* Gen tout kalite bèt nan lakou a, gen vach, kochon, kabrit ak poul. *2. a. Sòt, enbesil.* Kijan ou fè bèt konsa a, jan manman ou ak papa ou entelijan.

**betay**: *n. Twoupo bèt ki nan elvaj. Tout bèt ki gen nan yon fèm. Bèf, cheval, kochon, kabrit, mouton.*

**bètchay**: *n. Bèt ki sèvi pou pote chay. Bourik, cheval, milèt.*

**Betleyèm** *(Bethléème): np. Ansyen vil nan Jida, kote Jezi te fèt (Matye 2:1). Kounye a li se yon vilaj Izrayèl okipe nan Jòdàni.*

**betiz**. *n. : 1. Gwo mo. Ase vin di betiz la a.* 2. *Erè.* Mwen pa ta janm panse Antwàn ta fè yon betiz konsa.

**betize**. *v. : 1. Ranse.* Sispann betize la a, se koze serye ki ap pale tande. *2. Fè erè.* Mwen betize nèt kounye a, mwen twouve mwen al met tout sekrè m deyò.

**beton**: *n. 1. Melanj siman, lacho, sab ak dlo pou bati kay, pon ak lòt estrikti.* Jodi a se jou pou nou koule beton. *2. Makadanm, lari, wout.* Pa chita sou beton an, li twò cho. *Diplomat beton.*

**beton ame**: *n. beton ki gen tij metal pou ranfòse li.*

**betonnen** *(betonay): v. Mete beton, koule beton, pave yon espas.*

**bètrav.** *n. : Legim wouj ki gen anpil sik ladan l.* Anayiti yo renmen manje bètrav jou vandredi sen.

**bètwouj.** *n. : Bètrav. Legim wouj ki gen anpil sik ladan l.* Anayiti yo renmen manje l jou vandredi sen.

**bewòm** *(bewonm): n. Medikaman likid ki sèvi pou bay masaj.*

**Bewòt-Jozèf Kawòl** *(Carole Bérotte Jozèf, PhD.) Edikatè, administratè, aktivis pou edikasyon imigran nan Nouyòk. Doktè Bewòt-Josèf fèt Ayiti, li etidye nan domèn edikasyon epi li konsantre karyè li pou devlope/idantifye metòd, apwòch ak kourikoulòm pou fasilite elèv etranje jwenn siksè nan lekòl. Li mete anpil efò pou elèv ayisyen yo, espesyalman lè li kolabore pouògànize Habetac (biwo teknik pou edikasyon Ayisyen). Men tou, efò li ale pou ede tout imigran kèlkeswa kote li soti, sitou si elèv imigran sa yo pa gen lòbi osinon pa gen yon tradisyon etabli nan Nouyòk.*

**bezbòl.** *n. : Jwèt yo jwe ant de ekip, yon boul epi ak yon baton.* Mwen renmen gade match bezbòl, lè konsa.

**bezig.** *n. : Jwèt kat.* Mwen te konn al jwe bezig chak dimanch kay monkonpè m nan.

**bezwen.** *: v. l.nesesite, sa ou vle genyen.* Mwen bezwen achte yon pòch sigarèt, kote boutik la ye la a. *2. Al nan watè.* Li pral fè bezwen l

**bi**: *n. 1. Rezon, pouki.* Nan ki bi ou rakonte m istwa sa a? *2. Objektif.* Bi mwen se fini diplome epi chache yon travay. *3. Gòl, nan jwèt foutbòl.* Ekip Lise Petyon an bay ekip Kanado a senk bi. *4. Nimewo bòlèt yon moun panse ki gen chans sòti premye lo.* Ban m yon bi la a, mwen bezwen yon lajan cho. *5. Liy kote yon kous fini.*

**bib.** *n. : Liv ki rapòte pawòl Bondye.* Tout pwotestan mwen konnen yo toujou gen bib yo avè yo lè yo pral legliz.

**bibi** *(bibit) : n. Vyann miskilati nan avanbra, bisèp.* Depi Chal fè espò a, men gwosè bibi l monte.

**biblik**: *a. Ki gen relasyon ak labib.* Sa mwen ap di ou la a, se pwofesi biblik yo ye.

**bibliyografi**: *n. Lis liv ki ekri sou yon sijè. Lis liv yon otè te konsilte pou ekri yon dokiman.*

**bibliyotèk.** *n. : 1. Koleksyon liv. 2. Sèvis piblik kote ki gen koleksyon liv ki kataloge pou moun al li osinon prete.* Bibliyotèk Nasyonal la gen anpil dokiman.

**bibliyotekè**: *n. Moun ki ap travay nan bibliyotèk.*

**biblo.** *n. : Bèbèl, òneman moun met nan kay yo pou dekore l.* Mwen pa gen anpil biblo lakay mwen paske timoun yo fin kraze yo

**bibwon.** *n. : Veso ki gen fòm boutèy, epi ki gen yon tetin sou tèt li pou bay ti bebe manje likid tankou lèt, ji, labouyi.* Gen bebe ki pa renmen bwè nan bibwon yo pito manje ak kiyè.

**bichèt**: *n. Laye, zouti pou moun vannen.* Al chache bichèt la pou mwen vannen pitimi an.

**bid**: *n. Ti moso bwa long, fen.*

**bidèt**: *n. Kivèt pou fi fè twalèt entim.*

**bidjè**: *n. Kalkil lajan ki pou depanse nan yon peryòd.* Mwen pap ka achte tikè sa a, mwen pat gen sa nan bidjè m pou mwa sa a.

**bidjonnèl** *(bidjònèl): n. 1. Zouti pou jwe mizik anrejistre.* Mwen pa bezwen dyaz pou mwen danse, menm si se bidjonnèl ki ap jwe, l ap bon.

**bidòl**: *n. Lajan, dola.*

**bidon.** *n. : Veso ki fèt ak fèblan ki sèvi pou konsève dlo, gen moun ki konn mete lòt bagay ladan l tou tankou gaz, pwa, diri. .*

**bidonvil**: *n. kote ki gen yon pil ti kay ki pa solid ki tanporè, kote moun ki pòv rete pil sou pil. An jeneral pa gen dlo, pa gen ijyèn epi kondisyon lavi a difisl pou sitwayen yo.*

**bife.** *v. : Efase. Pwofesè a fin ekri fraz la sou tablo a epi li bife l.*

**bifèt.** *n. : Mèb an bwa, pafwa li gen etajè andedan l ki sèvi pou ranje rad, bijou, dokiman enpòtan.* Mwen gen yon bifèt nan chanm mwen an men li pa gen kle.

**biftèk.** *n. : Vyann bèf ki koupe an tranch yo konn sote l nan lwil ak zonyon osnon yo konn griye l tou.* Ameriken renmen biftèk anpil men Ayisyen pi renmen ragou.

**bigay.** *n. : Ti bèt dezagreyab, ensèk ki gen de zèl (diptè) ki konn pike moun.* Gen anpil bigay sitou nan zòn kote ki gen anpil raje ak dlo ki pa drennen.

**Bigo Wilson** *(Wilson Bigaud): np. Atis pent. Li fèt Pòtoprens an 1946 li penn dapre estil primitif. Li gen penti miral li ( Mirak nan Nòs Kana) ki nan Legliz Sent Trinite Pòtoprens. Li te al rete Tigwav pandan lontan. Penti li ekspoze nan plizyè mize.*

**bigote** *(bigòt): n. Moustach.* Elifèt fè estil kounye a, ou pa wè li gen bigote?

**bigoudi**: *n. Woulo nan cheve pou fè mizanpli.* Mwen rayi lè medam yo pran lari ak bigoudi nan tèt yo.

**bije** *(oblije): v. Reziyen, fè san konviksyon.* Mwen bije dakò pou mwen ale ak Chantal jous lavil.

**bijou**. *n. : òneman, bèbèl moun pote pou dekore kò l. Fi renmen met bijou anpil pou fè bèbèl.* Chenn, braslè, bag se bijou yo ye.

**Bijou Legran** *(Legrand Bijoux): np. Sikyat, ekriven, pwofesè inivèsite, dwayen. Li fèt Pòdepè 23 Me 1930. Li al lekòl kolèj Senmasyal ak Lise Petyon. Li al nan lekòl de medsin (1948-1954) apresa li etidye kontabilite. Li al etidye nan Inivèsite Laval, Kebèk, Kanada apresa nan Lopital Jeneral Kannzas Siti. Lè li toune Ayiti, li travay kòm sikyat nan lopital Jistinyen Okap (1961-66). Apresa li te vin dwayen Fakilte Syans Imèn nan Inivèsite Deta Dayiti (1981-1989). Li ekri plizyè liv sou sikyatri nan peyi Ayiti.*

**bijoutri**: *n. Magazen kote yo ekspoze bijou pou lavant. 2. Atelye kote yo fè epi kote yo repare bijou.*

**bijoutye**: *n. Moun ki fè bijou, repare bijou, vann bijou, òfèv.*

**bik**: *n. Plim ki gen yon pwent won.* Estilo ki fèt ak biy.

**bika**. *n. : mab ki gwo.* Si mwen teke bika ou la, mwen ap tou pran l.

**bikabonat**. *n. : Pwodwi anpoud, yo sèvi avè l pou netwaye, pou kwit manje epi pou remèd tou.* Gen moun ki di bikabonat bon pou gaz men mwen pako janm eseye l.

**bikini**. *n. : Kostimdeben ki fèt an de pyès, yon ti bout kilòt ak yon soutyen dekòlte.* Se moun ki anfòm ki mete bikini, moun ki gra te dwe mete kostimdeben ki kouvri grès yo.

**bil**. *n. : 1. Pwodwi chimik (fyèl) ki soti nan fwa yon moun, se li ki pèmèt ou dijere grès.* Jan mwen santi mwen gen kè plen an genlè bil mwen ap moute sou lestomak mwen. *2. Bòdwo, dapre mo angle "bill" la.* Mwen plen bil pou mwen peye, mwen pa menm gen senkantkòb nan pòch mwen.

**bilan**: *n. 1. Envantè ki endike tout sa yon biwo osinon yon biznis posede epitou tout sa li dwe. 2. Eta jeneral yon sitiyasyon. Rezilta yon operasyon.* Bilan siklòn Jòj.

**bilding**. *n. : Konstriksyon kote moun rete osinon kote ki gen magazen ak biwo.* Pi gwo bilding nan Ri Dèkazèn nan se Biwo Kontribisyon an.

**bileng**: *a. 1. Ki ekri nan de lang.* Dokiman bileng. *2. Moun ki kapab pale de lang alèz, san mamote. 3. Kote yo pale de lang.*

**bilten**. *n. : 1. Mesaj ki afiche.* Gade sou bilten an wa wè ki sa yo anonse pou semenn ki ap vini an. *2. Kanè.* Mwen pa fè bon nòt mwa sa a, bilten mwen an pa bon menm, mwen pa konnen sa mwen pral di manman mwen. *3. Kat pou moun vote nan eleksyon. 4. Piblikasyon.*

**bim**: *n. Limyè machin ki limen klere.*

**bimen**. *v. : Kale.* Mwen kenbe Tichal lotrejou, mwen bimen l byen bimen.

**biren**: *n. Zouti metal solid ki sèvi pou make osinon pou koupe lòt metal.*

**birèt**: *n. 1. Boutèy espesyal pou mete dlo ak diven nan lamès katolik. 2. Nan laboratwa chimi, se yon tib pou kontwole vitès pou vide yon likid.*

**bis**. *1. n. : Gwo machin ki kapab pran anpil moun.* Bis sa a toujou pase chaje, se sa ki fè mwen pito ale apye. *2. ent. Ankò.* Jwe mizik sa a ankò, bis.

**Bisantnè**. *(Bicentenaire) : Pak Pòtoprens, nan bodmè a ki tou pre waf la.* Lontan lè mwen te timoun mwen te konn ale chak dimanch nan bisantnè, se te yon bèl pak ak jedo, mizik; machann fresko, machann krèm, machann pistach te konn vin vann la.

**bise**: *v. Fè de fwa.*

**bisektil**: *a. Ane ki gen 366 jou paske mwa fevriye nan ane sa gen 29 jou.* Gen yon ane bisektil chak katran.

**Bisent Toto** *(Toto Bissainthe): np. Atis, chantè. Li te chante anpil bèl mizik pou raple Ayiti nan kè moun ki ap viv aletranje. Li te marye ak yon jounalis ki rele Michael Norton.*

**bisèp** : *n. Miskilati bibit nan bra ki pèmèt nou pliye bra nou.*

**bisiklèt**. *n. : Machin de wou.* Mwen renmen pedale bisiklèt la epi pou mwen lage de gidon yo.

**biske**: *v. Kache pou siveye.* Pa vin biske kò ou nan lakou mwen an, tanpri souple.

**biskèt**. *n. Pati nan kòf lestomak, estènòm.* Biskèt tonbe.

**bistouri**. *n. : Kouto espesyal .* Doktè sèvi ak bistouri nan sal operasyon.

**bisuit** *(biswit, biskuit). n. Ti pen. Pen ki gen diferan fòm pou sèvis individyèl.* Bisuit gwo mit, bisuit aticho, bisuit manchèt, bisuit sèk.

**bisuit-leta**: *n. Wòch. Si ou atake m, m ap reponn ak bisuit-leta.*

bit. *n. : Pil tè osinon pil wòch ki fè tankou yon ti mòn.* Timoun yo moute sou bit la epi yap glise desann sou dèyè yo youn apre lòt.

**bitàn**: *n. Sous enèji ki sèvi nan brikè. Pwodui ki soti nan petwòl.*

**bitasyon, abitasyon**. *n. : Gwo pwopriete.* Kay Janjan an se sou bitasyon Meyè li ye.

**bite**. *v. : Manke tonbe.* Wete chèz la nan mitan wout la, li fè mwen bite, si mwen pat gade byen mwen te kapab tonbe.

**bitè**: *n. Foutbolè ki gen ladrès pou bay gòl san rate.*

**biten.** *n. : Mago.* Biten sa a se pou mwen avèk ou ta separe l egalego, sa ou di nan sa?

**biva**: *n. Papye epè ki ka apsòbe likid.* Lè li ap ekri, li mete biva anba men li pou li pa mouye kaye a.

**bivalv**: *n. Bèt ki viv nan dlo ki gen koki ki fèt ak de bò ki soude ansanm sou kote tankou zuit.*

**bivèt**: *n. Pati nan yon ba kote yo sèvi bwason.* Filip pase tout tan an nan bivèt la, se sa ki fè li gen tan sou.

**biwo**. *n. : l. Tab ki fèt pou moun travay sou li.* Biwo mwen an gen twa tiwa ak kle, men kle a pèdi. 2. *Bilding kote moun al travay.* Mwen pral nan biwo.

**biwokrasi**: *n. l. Pouvwa ki baze sou òganizasyon biwo, ki atifisyèl, ki gen woutin, osinon ki abize. 2. Tout anplwaye yon òganizasyon ki asire pouvwa òganizasyon an.*

**biwokrat**: *n. Anplwaye ki nan yon sitèm biwokrasi.* Se biwokrat, li pa konn doulè moun ki nan mache.

**biya**. *n. : Jwèt ak boul ak yon baton byen long moun konn jwenn nan ba.* Sanble gason renmen jwe biya plis pase fi.

**biye**. *n. : l. Tikè.* Mwen poko achte biye pou mwen pran avyon an non. 2. *Lajan.* Mwen gen twa biye degoud la a. 3. *Lèt ki kout.* Makomè mwen pa gentan pou l ekri, se yon ti biye tou kout li te voye pou mwen.

**biyè**: *n. Lèt kout.* Mwen voye yon biyè bay pwofesè a pou mwen enfòme li pitit la malad, li pap ka al lekòl.

**biyochimi**. *n. : Domèn lasyans ki etidye aktivite chimik ki fèt andedan tout sa ki vivan (plant, bèt, mikwòb).* Mwen konn anpil moun ki renmen biyochimi men sanble se yon branch ki mande anpil pasyans.

**biyodegradab**: *a. Matyè ògànik ki pouri fasil.*

**biyografi**. *n. : Istwa reyèl lavi yon moun.* Mwen te li biografi Maten Litè Kinn, se yon ameriken ki te gen anpil rèv.

**biyoloji**: *n. Syans ki etidye tout sa ki vivan.*

**biyolojis**: *n. Moun ki etidye byoloji.* Andre se byolojis.

**biyom**: *n. Espas natirèl tankou forè twopikal.*

**biyomas**: *n. Kantite zannimo ak plant ki genyen nan yon anviwonnman.*

**biyopsi**: *n. Echantiyon nan kò yon moun osinon nan yon bèt yo retire pou fè analiz.* Rezilta yon biyopsi sèvi pou fè dyagnostik.

**biyosfè**: *n. l. Zòn sou planèt latè kote lavi posib pou plant, moun ak mikwòb, depi nan fon tè ale nan zòn atmosfè ki pre latè. 2. Ansanm tout sa ki vivan sou latè.*

**biyotik**: *a. Ki gen rapò ak tou sa ki vivan, plant ak zannimo.*

**biza**. *adv. : Ra, dwòl.* Li dezè dimaten Kalin poko vini, mwen twouve sa biza anpil.

**bizango**: *n. Sosyete sekrè yo di ki gen pouvwa fè mal. Gen kote yo rele l chanpwèl osinon vlengbendeng.* Si ou nan bizango fè m konnen.

**biznis**. *n. : Komès. Tranzaksyon ki gen avantaj ladan l.* Biznis papa mwen se vann bijou.

**biznismann**. *n. : Non yo bay moun ki fò nan afè komès epi ki reyisi fè kòb nan biznis li.* Papa mwen te yon bon bizinsman.

**Bizoton**: *np. katye tou pre Pòtoprens sou wout sid, anvan kafou.*

**bla-bla**: *n. koze initil, ki pa rezoud aryen.*

**blad pise**: *n fr. l.Vesi, sak pipi.* Tonton an al kay doktè, paske li gen pwoblèm ak blad pise li. 2. *Blad pipi.*

**blad**. *n. : Balon.* Mwen pa janm renmen tande lè blad pete, bwi a toujou fè kè mwen sote.

**blag**. *n. : Istwa komik pou fè moun ri.* Lè zanmi mwen an te malad la, mwen te konn al chita ba l blag pou li te kapab distrè l.

**blage**. *v. : Ranse, jwe, di bagay pou fè moun ri.* Se blage mwen ap blage Tijan, ou pa dwe pran mwen oserye.

**blagè**. *n. : Moun ki renmen bay blag.* Ou janm kontre Ejèn, msye se bon blagè, gen odyans pou l ba ou, se ri wa ri.

**blakawout**. *n. : Lè kouran elektrik koupe, fè nwa, lè yo pran kouran epi pa gen limyè.* Dapre sa mwen tande, gendelè Pòtoprens konn fè tout yon jounen nan blakawout.

**blame**. *v. : Bay yon moun pote responsabilite yon bagay ki mal fèt, akize l.* Ou pa menm konnen sa ki pase a epi ou gentan ap vin blame mwen.

**blan mannan**: *n fr. Blan pòv.* Depi afè yon blan pa bon, se blan mannan li ye.

**blan meriken**: *n fr. Ameriken blan.* Mwen te konprann Bil te soti nan peyi Angletè men se blan meriken li ye.

**blan poban**. *: Tiblan, blan ki pòv.* Mwen konn blan poban sa a depi lontan, men mwen gen kèk jou mwen pa wè l.

**blan** *(blanch) a. : l. koulè blan.* Koulè ki sanble ak koulè lèt. Mwen bezwen yon rad blan pou mwen al nan lantèman Sovè. Rad blan salisan. Blan kou dan zonbi. 2. *n. moun ki sot nan ras blan.* Mwen byen ak yon blan ki rete nan Ridèseza. 3. *Ki pa gen tach, ki pwòp.* Lè mwen te piti mwen te konprann si mwen pat fè peche nanm mwen tap rete tou blan.

**Blancha Erve** *(Hervé Blanchard): np. Medsen Ayisyen ki ap viv Monreyal, Kanada, pedyat, chirijyen. Li koni anpil nan chiriji pou separe timoun syamwa.*

**Blanchè Pòl** *(Paul Blanchet): np. Ansyen minis enfòmasyon sou gouvènman Divalye.*

**blanchi.** *a. : 1. Ki vin blan.* Klowòks blanchi rad men li chire l tou. *2. Ki byen netwaye.* Mwen pral blayi rad sa yo pou mwen manyè blanchi yo. *3. Kale konplètman.* Ekip Lise blanchi ekip Kanado.

**blanchisay**: *n. netwayaj, blanchi.*

**blanchisri.** *n. : Kote yo netwaye rad an pwofesyonèl.* Mwen pral pote detwa chemiz nan blanchisri anba la a.

**Blanchlann.** *np. : Franse ki te gouvène Sendomeng soti ane 1790 ale 1792. Li te fè jije epi fè touye Vensan Oje, ki te yon revolisyonè. Lè Jakoben yo vin sou pouvwa Anfrans, yo te vin depòte msye epi se konsa yo te koupe tèt li tou.*

**blanmen** *(blenmen, blame): v. Akize, enkriminen yon moun.* Ou pa konn istwa a, ou pa ta ka blanmen mwen konsa, san ou pa tande vèsyon pa mwen.

**blann-balèn**: *lasi pou fè balèn; sous enèji nan bouji.*

**blasfèm**: *n. Mo ki sèvi pou di pawòl ki mal sou Bondye.*

**blasfèmen**: *v. Lè yon moun nonmen non Bondye an mal.*

**blayi.** *v. : 1. Mete rad nan solèy ak tout dlo kim savon pou chalè solèy la kapab fè yo vin pi blan.* Ou kapab blayi rad blan men ou pa dwe blayi rad koulè, yap vin blaze. *2. n. Pil wòch ki sèvi pou ekspoze rad nan solèy. 3. Lage atè, layite.* Simòn endispose, li blayi atè a, sa fèm tris.

**blaze.** *v. : Pèdi koulè, vin pi pal.* Rad ble sa a, , mwen tèlman mete l, mwen tèlman lave l, li pèdi koulè l, li vin blaze kounye ya.

**ble.** *1. a. : Koulè syèl la.* Mwen renmen rad ble men mwen pa renmen soulye ble. Ble digo, ble syèl. *2. n. Sereyal ki sèvi pou fè farin.* Labouyi farin ble se bon manje, mwen renmen sa anpil.

**blèm.** *a. : 1. Pal. Gade kijan Mod blèm, li sanble yon moun ki pral endispoze. 2. Raz.* Ou blèm, ou mèt sispann fè tenten ou pa wè pèsonn moun pa okipe w.

**Blen Michèl** *(Michel Blain): np. Foutbolè ayisyen, li te jwe nan ekip foutbòl Eg nwa.*

**blende.** *v. : 1. Plen.* Mwen blende Jasmin ak manje joustan li manyè gwosi. *2. Ki pwoteje pou moun pou yo pa pran bal.* Se nan yon oto blende prezidan an te fè pakou a.

**blendè.** *n. : Zouti elektrik ki sèvi pou melanje manje.* Mwen renmen fè ji ak lèt evapore nan blendè, sa fè bon milk shake.

**blenoraji**: *n. Maladi moun pran nan sèks (veneryèn), moun ka bay lòt (kontajye), se yon mikwòb ki fè enfeksyon an epi li bay doulè nan pati sèks moun ki enfekte a, li ba li pischod ak ekoulman.*

**blese.** *v. : 1. Ki senyen akòz yon chòk, yon blesi.* Fèy tòl la koupe janm Kalo, li blese grav. *2. Fè yon moun fache, malalèz, enkonfòtab.* Paske mwen di Joslin pi bèl pase Nikòl, manman yo blese poutèt sa, li vire dol li ale.

**blesi.** *n. : Kote po yon moun koupe osnon dechire.* Pa manyen blesi mwen an , li fè mwen mal anpil.

**blewo**: *n. zouti pou fè labab.* Tout kwafè dwe gen bon blewo.

**blije.** *v. : Oblije.* Sa moun dwe fè. Mwen blije soti jous Okay pou mwen vin pote komisyon an paske mwen pate jwenn okazyon.

**bliyadò.** *a. : Ki bliye souvan, ki pa gen memwa.* Manman mwen se yon bliyadò. li fin di ou yon bagay la a epi li bliye l la menm.

**bliye kò**: *v fr. pa fè atansyon.* Mezanmi, ti nonm nan bliye kò l li di sa li pat dwe di.

**bliye.** *v. : Pa sonje.* Mwen bliye mwen te gen yon randevou kay doktè jodi a.

**blòf.** *n. : manti, plan, rans.* Mwen pa janm kwè Nènè paske li toujou sou blòf.

**blofe.** *v. : Bay manti. Sispan blofe la a, Biwon, pèson moun la a pa kwè w.*

**blòk.** *n. : 1. Melanj siman, gravye, sab ak dlo yo bay fòm kib epi ki sèvi pou bati kay.* Mwen bezwen desan blòk pou mwen al fè yon travay *nan lakou a la a. 2. Espas depi yon pwent kafou rive nan yon lòt.* Joslin pa ret lwen non, ou annik mache de blòk epi ou jwen kay li

**bloke.** *v. : Ki pa kapab fè ankenn mouvman. Ki pa kapab sikile.* Tout ri bloke, mouch pa bouje, genlè gen yon gwo aksidan pi devan an.

**blokis**: *n. Izole yon zòn pou koupe kominikasyon ak lòt zòn. 2. Aktivite ki bloke sikilasyon.*

**blon** *(blonn): a. koulè ki ant jòn ak bèj.*

**blouz.** *n. : Kazak, karako. Yon blouz se yon kalite kòsaj moun ki nan laboratwa osnon doktè mete pou pwoteje rad yo.* Estetisyèn mete blouz tou.

**blouzon**: *n. Vès, blouz, manto lejè.* Ou bwòdè, papa ak blouzon nwa sa a, kote ou ap bay?

**bo.** *1. n. : Mouvman yon moun fè ak de bò bouch li pou l salye osnon demontre santiman l* *bay yon lòt moun.* Mwen te wè Marijoze t ap bo Tipòl lotrejou. *2. v. Poze bouch ou bò figi.* Aksyon pou bo yon moun. Li bo manman l.

**bò.** *: Kote, zòn. Moun bò isi yo pa renmen leve bonè.* Moun nan fanmi bò kot papa mwen yo, se moun Jeremi. Se bò dwat la ki pi fè mwen mal.

**Bobadiya** *(Bobadilla) np. : Moun ki te vin ranplase Kristòf Kolon nan zile Ispanyola. Li te maltrete endyen yo anpil, li te rete dezan sèlman opouvwa. 1500-1502.*

**bòbèch.** *n. : Pati ki fèt an metal nan yon lanp gaz ki kenbe twal mèch la.* Mwen te gen yon ti lanp tèt bòbèch men li pa bon ankò.

**bobin.** *n. : 1. woulo fil.* Pran bobin fil blan an pou mwen tanpri. *2. rans, radòt, anyen menm.* Tout sa ou ap di la a, tout se bobin.

**bobinay.** *n. : 1. Makonnaj. Kote yon fil plòtonnen plizyè fwa.* Andre fè bobinay motè a apresa tout zouti nan izin nan ap mache. *2. Ranje fil sou yon bobin.* Map desann kap la, fè bobinay fil pou mwen.

**bobinen** *(bobine). v. : Woule fil nan woulo.* Vin bobinen fil sa a pou mwen.

**bobo** *: 1. V. blese.* Kote ou pran bobo sa a? *2. Pike.* Lotrejou, yon gèp panyòl bobo m nan bra m. *3. n. Rejyonalis(N). Bo.* Ou pa ka ale san ou pa bobo m.

**Bobo Fritz***: np. ansyen foutbolè nan Èglenwa.*

**bobori.** *n. : kasav epè ki konn gen kokoye ladan l.* Gen moun ki renmen manje bobori ak manba.

**bòbòy.** *n. : Gaga, egare.* Kijan ou bòbòy konsa a, ou tankou yon zonbi.

**Bobren Teyodò** *[Langichat] (Theodore Beaubrun): np. Komedyen, atis teyat, dramatij. Li fèt Pòtoprens an Avril 1918. Li te al lekòl nan kolèj Sen Masyal, Lise Petyon ak kolèj Tipennawa. Kòm komedyen se moun ki konni toupatou nan peyi a kòm aletranje, kote gen ayisyen. Li ekri pyès teyat, li jwe pyès teyat li dirije gwoup teyatral pa l epi pwogram televizyon. Karyè li dire pase 50 ane. Li mouri an Jen 1998, li te 80 ane.*

**bòde** *(abòde): v. Apwoche. Pa bòde jodi a mwen pa anvi pale ak ou ditou.*

**bòdèl***: n. Otèl osinon ba kote bouzen resevwa kliyan osinon montre machandiz yo.*

**bodmè.** *n. : 1. Zòn bò lanmè.* Gen yon bòdmè Pòtoprens men mwen konnen youn Jakmèl tou. *2. Zòn magazen. Kote ki gen yon pak byen ranje pou moun vin layite epi konn gen magazen la tou.*

**bòdwo.** *n. : Resi, bil pou peye.* Mwen gentan resevwa bòdwo elektrisite a, kounye a mwen ap tann pa dlo a pou mwen al peye yo ansanm.

**bofi, bofis.** *n: 1. Gason ki marye ak pitit fi ou men ki pa pitit ou.* Janjak se yon bon bofi, li boule avèk mwen tankou se pitit mwen li ye. *2. Pitit gason moun ou marye avè l la pye pou ou.* Madanm mwen te gen twa pitit anvan nou marye, de fi ak yon gason, kidonk mwen gen yon bofi, de bèlfi. 3.Sa ou ye pou manman ak papa madanm ou.

**bòfrè.** *n. : 1. a ou ye pou frè ak sè mandanm ou.* Kalo se bòfrè mwen, ou pat konn sa? 2. *Frè madanm ou ye pou ou.* Jan se bòfrè mwen tou menm si mwen pa byen avè l.

**bogi.** *n. : Bogota, oto ki mache men ki pa an bonneta.* Mwen gen yon vye bogi la a, mwen kapab al fè tout kous mwen yo san mwen pa bezwen depanse kòb nan laliy.

**Bogota.** *np. : 1. Kapital peyi Kolonbi.* Bogota se kote ki konn fè frèt. 2. *Vye machin.* Yo di, mo bogota sa a soti nan tan lontan, lè machin yo te soti nan peyi Kolonbi.

**Bòjla, Bèna** *(Borgella, Bernard). np. : Majistra Pòtoprens epi chèmann nan Asanble Santral ki te ekri premye konstitisyon Ayiti an 1801.*

**Boje-Wozye** *( BAUGÉ-ROSIER, Jacqueline). np.: Ekriven, powèt, womansye, pwofesè Fransè. Li fèt nan vil Jeremi. Karyè ekriven li fleri ak tout kalite zèv, pwezi, kont, istwa-kont ak analiz kritik. Li te genyen yon pri literati nan " Ontario, Canada ". Pami liv li pibliye Climats en Marche, pwezi (1962), À vol d'ombre, pwezi (1966), Les Cahiers de la Mouette, pwezi (1983), d'Or Vif et de Pain, pwezi (1992)*

**bokal.** *n. : Boutèy anvè ki gen kou laj.* Manman mwen toujou renmen mete konfiti nan bokal.

**bòkè, bòkyè.** *n. : Kim krache ki bò bouch yon moun.* Al lave bouch ou gen bòkè nan fant bouch ou nan bò goch la.

**bokit.** *n. : Veso solid ki gen manch.* Bokit dlo.

**bòk** *: n zouti nan kay pou bay lavman, li gen twa pati, yon rezèvwa, yon tib fleksib ak yon kànil.* Depi grann mwen pran bòk la, tout timoun kouri paske yo pa renmen pran lavman.

**bòkò.** *n. : Oungan ki fè malefis.* Dapre kwayans, bòkò kapab voye move lespri sou lòt moun.

**bòks***: n. Espò vyolan ant de moun ki frape youn lòt ak gan ki vlope pwen yo.*

**bokse***: v. Pratike bòks.*

**boksè.** *n. : Moun ki konn bokse.* Mwen pa kapab gade boksè yo nan televizyon, mwen santi se tankou mwen ap pran kou yo tou.

**boksit**. *n. : Min tè yo trete pou fè aliminyòm. min aliminyòm Boksit se te dezyèm pwodwi ekspòtasyon nan peyi Dayiti. Depi kèk tan eksplwatasyon min sa yo fèmen. Ayiti te konn pwodwi 1% boksit disponib nan lemonn antye.*

**bòl**. *n. : Veso fon ki gen rebò byen wo ; li sèvi pou mete manje likid tankou soup ak bouyon.* Mata mete yon gwo bòl soup sou tab la.

**bòlèt**. *n. : 1. Lotri ki baze sou san nimewo epi gen twa chans pou moun genyen.* Gen anpil moun ki jwe bòlèt chak semenn epi ki pa janm genyen anyen ditou. *2. Bank bòlèt. Kote yo vann bòlèt.* Bank bòlèt la plen moun maten an paske se jodi a tiraj la.

**bolewo**. *n. : Mizik santimantal yo jwe dousman.* Lè ayisyen ap danse bolewo yo gen yon seri pa yo fè an amoni.

**Boliva, Simon** *(Bolivar, Simon). np. : (1783-1830) Lidè revolisyonè, militè ki soti nan Amerik disid. Li te fèt nan vil Karakas li te vin yon ero nan lit pou Amerik disid vin pran endepandans kont Espay. Pandan lit li kont Espay, li te vin Ayiti, pou vin aprann sou lit Ayisyen te fè kont Lafrans. Li te vizite Aleksann Petyon an 1816. Petyon te bay Boliva tout sipò materyèl li te genyen ak kondisyon pou l te libere esklav ki te nan peyi Venezyela epi ak lòt kote tou. Boliva enspire sou estil konstitisyon ayisyen an lè li tap fè konstitisyon peyi Venezyela a. 2. Non lajan ki sèvi nan peyi Venezyela.*

**Bolivi** : *n.Peyi nan Amerik Disid.* Kapital peyi Bolivi rele Lapaz.

**Bolivyen** *(Bolivyèn): moun ki soti Bolivi.* Ou pale tankou Perivyen, mwen pat konnen se Bolivyen ou ye.

**bon**. *1. a. : Agreyab. Lè yon bagay bon, li fè plezi, li lan gou w.* Mango sa a bon, li dous kou yon siwo. 2. *ent. Antouka.* Bon, mwen pral ale la, li gentan fin ta. *3. Koupon ki vo lajan.* Madan Kalo ban mwen yon bon pou mwen al touche labank.

**bòn**. *n. : 1.Moun ki fè travay netwaye ak kuit manje lakay lòt moun pou lajan. Moun ki ap travay kay moun.* Madan Kristòf gen twa bòn lakay li. *2. a. Yon fi ki gen bonkè. 3. n. Yon mak ki montre kote yon teren fini epi kote yon lòt kòmanse.*

**bonanj**. *n. : Konsyans osnon lespri yon moun.* Apa wap depale, bonanj ou genlè ap kabicha?

**Bonapat Napoleyon** *(Napoleon Bonaparte): np. Jeneral franse, lidèpolitik, anprè an 1804. Li te kout men michan epi agresif. Li te lite toupatou nan Kontinan Ewòp epi li te genyen anpil batay. Li te voye yon gwo ekspedisyon Ayiti pou kraze revolisyon esklav yo. Men li te pèdi batay la epi Ayiti deklare endepandans an 1804.*

**bonbade**. *v. : 1. Kraze ak yon bonm. Atake ak bonm.* Kapwa bonbade kolon franse yo. *2. Joure, bay anpil agiman pou kraze advèsè a.* Mwen di Joslin tout sa ki te sou kè mwen, se sa mwen bliye mwen pa di l, mwen bonbade l. *3. Poze anpil kesyon, tingting.* Bonbade l ak kesyon.

**bonbadman**: *n. Atak ak bonm.*

**Bonbadopolis**: *np. Vil nan depatman Nòdwès nan peyi Ayiti.* Beti soti yon kote ki rele Bonbadopolis.

**bonbadye**: *n. Sòlda ki responsab pou atake ak bonm. Avyon ki prepare pou atake ak bonm.*

**bonbans**: *n. Festen, repa ki gen anpil manje.*

**bonbe**: *v. Anfle, gwosi.* Kijan bò figi ou bonbe konsa a, ou gen maldan?

**bonbon siwo**. *: n. Biswit ki fèt ak farin, rapadou, epi bikabonat.* Gen moun ki di bonbon siwo bon ak kafe.

**bonbon**. *n. : Melanj farin ki gen lèt, ze, bè, sik.* Gen bonbon ki fen tankou gato, genyen ki tankou biswit konsa, tankou bonbon siwo. Tout bonbon kuit nan fou.

**bonbòn**: *n. Veso an metal ki gen fòm boutèy ki sèvi pou konsève gaz osinon likid ki danjere.*

**bonbonfle**: *a. Ki gwo, ki anfle.* Yon ti bonbonfle. *2. Yon espès ensèk.*

**bonbonyen**. *n. : Fèy ki sèvi pou medikaman.* Gen moun ki konn fè te ak fèy bonbonyen lè yo gripe.

**bonbouch**. *n. : 1. Bon apeti.* Michèl se moun ki gen bonbouch, lè li kòmanse manje li pa tande rete, se sa ki fè li gra konsa a. *2. a. Ki pale ak jantiyès, galantri, bouch dous.* Pa koute Jera tande, se moun ki gen bonbouch, si ou koute l, wa konprann ou bèl fi vre tande.

**bondans** *(abondans): adv. Ki gen anpil.* Ane sa a gen lapli, gen bondans bannan.

**bonde**. *v. : Plen ra bouch.* Depi mwen parèt mwen wè kay la bonde ak moun mwen konnen gen yon ka kanmenm.

**bondi**. *v. : Voltije, plonje pou atake.* Fi a bondi sou nèg la tankou li ta pral tòde kou l.

**Bondye**. *np. : Espri ki reprezante fòs siprèm, Gran Mèt la.* Bondye se papa Jezikri nan relijyon kretyen. Letènèl, pè tou pisan, jij.

**bone** *(bonne, bonnèt): n. 1. Chapo tibebe.* Tibebe sa a gen yon bèl bone nan tèt li. *2. Kas pou fè cheve fi pran yon fòm.*

**bonè**: *adv. : 1. Granmaten. Pi bonè se granmaten.* M'ap vin chache ou demen maten bonè, degaje ou pou ou pare alè. 2. *Anvan lè.* Ou rive twò bonè machè.

**bòne**: *v. mete bòn sou yon teren.*

**bonnèt** *( bònèt) : n. 1. Chapo twal ki vlope tèt moun, espesyalman tibebe. 2. Nan bonnèt, nan kondisyon ki bon pou ou, nan konfò, alèz.* Jan mwen wè ou chita la a byen alèz la, ou nan bònèt ou, pavre?.

**bònfwa**: *n. Bon dispozisyon, san malis.* Li gen bònfwa lè lide l di l.

**Boni Yvèt** *(Yvette Bony MD): np. Doktè Ayisyen ki ap viv Monreyal Kanada, espesyalis nan grèf mwèl zo. Li resevwa plizyè meday pou orijinalite ak kalite travay rechèch li. Ayiti li resevwa meday Chevalye Gran Kwa nan men prezidan Preval.*

**bonis**: *n. Salè siplemantè anplis douz mwa nan ane a, trèzyèm mwa.* M ap tann lajan bonis la pou mwen ka achte rad.

**bonjan**: *a. poli, kam, ki aji ak respè.*

**bonjou.** *1. : Salitasyon moun anvan midi.* Bonjou mesye dam, kouman nou ye la a? *2. n. Salwe.* Mwen vin di ou yon ti bonjou.

**bonkè.** *n. : Bonte, kènanmen, moun ki gen kè touchan.* Anita se fi ki gen bonkè, tout lè Jera malad la, li okipe msye byen pwòp, san plenyen.

**bonkou.** *adv. : Anpil.* Joze se pa moun ki razè, se moun ki te gentan fè bonkou lajan Nouyòk anvan l kite.

**bonm.** *n. : 1. veso fon ou kapab fè manje likid ladan l tankou bouyon ak soup.* Mwen pral fè yon bonm sòs pwa la a. *2. Eksplozif.* Yo lage de bonm nan ri Lasnal. *3. Estil yon jan liberal yon seri jennjan Ozetazini genyen.* Mwen pa renmen jan bonm yo abiye, mwen pa abitwe avè l.

**bonmache.** *a. : Ki pa koute chè; ki ka pa bon kalite tou.* Mwen achte rad sa a bon mache nan yon ti boutik bò lakay la.

**bonnanj.** *n. : Lespri andedan yon moun ki la pou gide l.* Pandan mwen nan dòmi bonnanj mwen di mwen leve gade sou tab la wa wè kle a epi mwen wè kle a tout bon vre lè mwen leve.

**bonnèt.** *n. : Chapo tibebe.* Mete bonnèt nan tèt timoun nan tande, si ou pa vle l pran seren. 2. *sèvo;* pa vin vire bonnèt mwen ti gason, mwen okipe.

**bonnonm, bonòm.** *n. : Bout gason, ti gason.* Mwen di ti bonnonm nan vin wete matla a atè a, li pran dezèdtan anvan li resi wete l.

**Bòno, Lwi** *(Louis Eustache Antoine Francois Joseph Borno). np. : (1865-1942). Prezidan Ayiti 1922-1930. Se te kandida ameriken epi li te pratikman gouvène peyi a ansanm ak Jeneral Djonn H. Risèl (Jhon H. Russell), kòmkwa peyi a te gen de chèf diktatè ki te gouvène l anmenmtan.*

**bonsans.** *n. : Jijman, konpreyansyon.* Si ou te gen bonsans ou pa ta janm mete kouto a sou pwent tab la alòske plen timoun nan kay la ki ap manyen tout sa yo jwenn.

**bonswa.** *n. : Salitasyon moun leswa.* Bonswa mesye dam, kouman nou ye la a?.

**bonte.** *n. : Bonkè.* Anayiz se yon moun ki gen bonte. Tout sa ou mande l, li ba ou l.

**bonten**: *a. Figi ki ansante, ki byen konsève.*

**boreyal**: *a. Ki nan zòn nò latè a.* Emisfè boreyal.

**bòpè.** *n. : 1. Mari manman ou ki pa papa ou.* Bòpè mwen fè mwen kado yon bèl rad flè. *2. Papa mandanm ou ou byen papa mari ou.* Apre lanmò papa m, manman te vin marye ak Jan ki te vin bòpè m, msye trete mwen tankou pitit li.

**bòs.** *n. : 1. Moun ki gen yon atelye, yon atizan.* Mwen pral kot bòs Demostèn pou mwen bali ranje soulye mwen an pou mwen. 2. *Sipèvizè. manadjè osnon mèt yon antrepriz.* Depi bòs la la, mwen pa janm ret lontan ap pale nan telefòn pou l pa bezwen fè mwen obsèvasyon. Mande bòs la pèmisyon pou l kite ou ale lakay ou. *3. Boul, douk.* Kote madanm ki gen bòs nan do a?

**Bosa Konmbo.** *np. : Dyaz ayisyen, li rekoni anpil, yo jwe mizik pou moun danse tankou bolewo, konpa ak mereng.* Bosa Konmbo jwe bò lakay mwen an chak samdi.

**bosal.** *n. : 1. Ki poko inisye nan vodou.* Pral gen yon inisyasyon bosal semen ki ap vini an. *2. Gwo soulye. Brital.* Mwen pa renmen jwe ak Antwàn, msye se yon bosal, li pa konn jan pou l jwe ak moun. *3. a. Ki pa gen finès, osnon rafinman.* Nèg sa a jwe bosal papa, anjwèt konsa li bay tigason an yon sèl kout pwen li vide l atè. *4. Non yo te bay esklav vanyan ki te fè rebelyon kont sistèm esklavaj la. 5. Moso kui yo mete bò je bourik, cheval ak milèt pou yo kapab konsantre sou wout kote yo prale. 6. Non yon Afriken nan koloni ki fèt Afrik.*

**bosale**: *v. Mete bosal osnon brid pou yon bèt.* Tann yon ti moman, mwen pral bosale bourik la.

**Bosan Jòj** *(Georges Baussan): np. Achitèk renome. Li konsevwa Palè Nasyonal (kòmanse an Me 1914), Kazèn Desalin (kòmanse an Mas 1912), Palè Santenè Gonayiv, Lakomin Pòtoprens.*

**Bosan Wobè** *(Robert Baussan): np. Achitèk ayisyen.*

**bosi.** *n. : Moun ki gen bòs nan do. Madan* Wodne te toujou bosi, men se yon madanm ki gen bonjan.

**boske**: *v. Kache.* Pa vin boske kò ou lakay mwen an.

**Bosko Jan** *(Jean Bosco): np. Non yon sen, nan legliz Katolik.* Li te travay pou ede ti moun pòv aprann metye.

**Boston**. *: Vil nan eta Masachousèt, Ozetazini.* Mwen renmen al Boston lè fè cho.

**bòt**. *n. : 1. Soulye ki kouvri je pye ou osinon ki rive jous nan jarèt ou.* Si ou pral mache nan labou a pito ou mete bòt. *2. Kote moun pran yon kou pa aksidan.* Kou ou pran yon bòt ou ap rete.

**botanik**: *n. Ki gen rapò ak istwa plant. Pati nan lasyans ki etidye jan plant devlope.* Ou te dwe gen yon konesans sou botanik, sa enpòtan anpil.

**botanis**: *n. Moun ki etidye botanik.* Leona se yon botanis li ye.

**bote**. *: n. 1. bèl, bèlte.* Ou gade dam nan ou wè se pa nenpòt ki fanm. Se yon bote ki devan ou lan, Nikès. *2. Ti twou ki bò figi moun.* Twou bote.

**Bòtlè, Smèdli** *(Butler, Smedley). np. : 1881-1940. Majò ki te nan lame ameriken lè Lèzetazini te okipe Ayiti a. Alòske tout jandam te sou kòmand prezidan Ayisyen an, Bòtlè limenm pat janm aksepte pran lòd nan men okenn Ayisyen. Se msye ki te retounen mete sistèm kòve a nan peyi a lè yo t ap konstwi wout yo. Yo te vin sispann sa an 1918.*

**bouboun**. *n. : Afè, bagay, pati, sèks yon fi.*

**boubout**. *n. : Tinon ou rele menaj ou osnon moun ou renmen an.* Chantal se boubout mwen, mwen pral marye avè l.

**bouch chape**: *n fr. Sitiyasyon kote yon pawòl ki pat dwe soti, soti nan bouch yon moun sanzatann.* Pitit, kijan ou fè di koze sa a, se chape bouch ou chape?

**bouch**. *n. : Pati nan figi ki fèt pou moun pale, manje, bwè. Dan ak lang ou nan bouch ou.* Lè nou fin manje nou siye bouch nou. *(Bouch alèlè, bouch dous, bouch pa bon, bouch santi, bouch kabrit)*

**bouche**: *v. 1. Mete kouvèti, fèmen.* Vin bouche boutèy yo pou mwen. *2. v. Bloke.* Apa twou egou a bouche, kounye a lari a pral anvayi ak dlo sal. *3. n. Kantite manje ki plen bouch yon moun.* Menm si ou pa gen tan manje tout manje a, pran de twa bouche. *4. n. Metye moun ki tiye bèt, koupe epi vann vyann.* Si mwen te bouche mwen tap manje anpil vyann paske mwen t ap jwenn li gratis. *5. a. Ki pa entelijan.* Timoun nan bouche.

**bouchi**: *n. kkte rivyè kontre ak lanmè.* Pa al pre bouchi a, yo di gen yon toubiyon la, li ka pote ou ale sanzatann.

**bouchon**. *n. : Kouvèti ki bouche boutèy osnon bokal.* Si ou pa gen bouchon pou boutèy sa a mwen pap kapab sèvi avè l.

**bouchri**: *n. Komès kote yo vann vyann.*

bouda, bounda. *n. : dèyè, mo pejoratf pou pati fès nan kò moun.*

**Bouda**: *n. 1. np. Sa yo adore nan relijyon boudis. 2.Tit yo bay moun nan relijyon boudis, ki gen anpil sajès.*

**boude**. *v. : Montre mekontantman osnon move jan dapre jan ou fè bouch ou.* Ou pa bezwen boude konsa Sentaniz, lè ou ri ou pi bèl fi.

**bouden**. *n. : 1. Manti.* Ase bay bouden la a, pa gen moun ki kwè ou ankò. *2. San kochon ki gen epis epi ki kwit nan trip tankou yon sosis.* Mwen pa renmen manje bouden men, sè mwen an renmen sa anpil.

**boudis**: *n. relijyon yo pratike nan peyi Lachin ak nan peyi Lenn.*

**boudonnen**: *v. Son ensèk pouse.* Mwen pa renmen lè mouch vin boudonnen nan zòrèy mwen.

**Boudon (Bourdon)** *: np. Katye ant Lali ak Petyonvil, toupre vil Pòtoprens.* Kou ou rive Boudon, ou ap kòmanse santi li fè pi fre.

**boudonnman**: *n. bri gèp (ak lòt ensèk) fè lè li ap vole*

**boufant**. *a. : Ki boufte.* Mwen te konn mete rad ak manch boufant lontan men kounyeya sa pa alamòd ankò.

**bougenvilye**: *n. Pye bwa ki bay flè.* Bougenvilye yo fè lari a bèl, sitou lè yo ap fleri.

**bougon**: *n. Pati nan mayi ki rete apre mayi a fin grennen. 2. Piti.*

**bougon mayi** *: n fr. Bwa mayi.* Yo di bougon mayi ka sèvi bouchon kalbas.

**bougonnen**. *v. : Plenyen , fè rondonmon.* Tout lajounen ou ap boudonnen, kisa ou genyen la a?. *2. Manje sikre ki fèt ak mayi griye ak sik.*

**bouje**. *v. : Deplase.* Gade pou wè kijan zye chat la ap bouje.

**bouji**. *n. : Chandèl, melanj ki fèt ak yon woulo lasi ki gen yon fisèl lan mitan l kòm mèch moun limen pou fè limyè.* Mwen toujou sere bouji lakay mwen ak tout alimèt pou si gen blakawout.

**boujon**. *n. : Pati ki fèk jèmen nan yon plant. Gwoup selil plant ki parèt epi ki pral devlope pou fè yon branch osinon yon ògàn.* Gen moun ki konn kwit bon jan boujon militon ak kalalou.

**boujonnen**. *v. : Ki fèk jèmen, ki ap fleri; metod repwodiksyon aseksyèl nan plant.* Gade kijan pye militon an ap boujonnen, talè konsa li pral bay militon.

**boujwa.** *n. : 1. Moun ki fè pati yon klas sosyal ki alèz, ki pa pòv. 2.Gwoup moun ki gen boutik osinon izin ki rapòte lajan, men ki pa gen bongou. 3. Se moun ki gen byen, ki gen kòb, men ki pa gen ran. 4.Moun ki nan klas mwayèn, ki gen pouvwa, ki gen byen, ki gen lajan. 5. a. atitid moun ki awogan.*

**boujwazi.** *n. : Kategori sosyal kote moun yo alèz. Gwoup sosyal ki fò anpil nan sosyete kapitalis.*

**bouk.** *n. : Mal kabrit.* Gen moun ki pito manje vyann kabrit femèl pase vyann bouk paske yo di vyann bouk la konn santi fò. 2. *Ti vil, kote ki pa gen anpil moun.* Nou pa konnen okenn moun ki rele Dyelavwa nan bouk bò isit la.

**bouk kabrit** *(bouk): n. mal kabrit.* Chode vyann bouk kabrit la de fwa paske li santi di.

**Bouka Franswaz** *(Françoise Boucard): np. Powèt, atispent, edikatè, teknisyen laboratwa, sosyològ ki fèt Pòtoprens an jen 1944. Li te dirije Komisyon Nasyonal Verite ak Jistis, yon komisyon ki fè ankèt sou krim ki te fèt sou anpil moun pandan koudeta septam 1991-Oktob 1994. Li travay tou pou idantifye kondisyon ki ka favorize devlopman ti bizniz pami tranch popilasyon ki pa gen mwayen lajan.*

**Boukan**: *Jounal pwotestan Metodis ki pibliye an Kreyòl direktè li pandan lontan se Pastè Poris Jan Batis. n. 1. Dife ki limen ak bwa, nan mitan lanati.* Annou fè yon boukan, nou va chita pre li, li va chofe nou. Karye poèt te edite li.

**boukandife.** *n. : Flanm dife ki limen.* Dife ki limen ak branch bwa. Soti bò kote boukandife sa a , etensèl yo kapab vole sou ou.

**boukannen**. *v. : 1. Kwit nan boukandife. Kwit sou chabon.* Mwen renmen boukannen mayi. 2. *a. Ki kwit nan dife boukan.* Mwen pa konn yon Ayisyen ki pa renmen mayi boukannen.

**boukantay.** *n. : Echanj, twoke.* Mwen fè yon boukantay ak sè mwen an, li ban mwen rad ble li a pou rad wouj mwen an.

**boukante.** *v. : Chanje.* Annou boukante, mwen pa renmen mont mwen an ankò. Mwen pito pa ou la.

**boukànye.** *n. : Blan franse ki te rete nan zile Latòti nan disetyèm syèk. Mo sa a soti nan lang franse a, dapre rasin mo boukan ki vle di lafimen. Boukànye yo te sitou enstale nan zòn nòdwès peyi a nan ane 1630. Yo te konn chase bèt epi kuit manje sou boukan dife.*

**bouke.** *v. : 1. Fatige.* Mwen bouke kounye a, mwen pral fè yon ti kouche. 2. *Trakase.* Mwen bouke kou pitit bouki.

**Bouki.** *: np. Non pèsonaj nan kont Ayisyen.* Bouki reprezante moun sòt, ki gwonanm, li toujou gen yon bagay li ap regle ak Malis *(lòt pèsonay ki represente moun lespri).*

**boukle.** *v. : Tache ak bouk.* Vini mwen boukle sentiwon an, si li pa byen boukle, pantalon an ap tonbe. 2. *Yon estil kwafi.*

**bouklèt**: *n. fòm yo bay cheve pou li ka parèt ondile.*

**Bouklin.** *(Brooklyn) : np. Vil nan eta Nouyòk kote ki gen anpil Ayisyen.* Mwen poko janm al Bouklin men yo di mwen gen katye ou pase se Ayisyen sèlman ou wè.

**bouklye**: *n. Zam sòlda mete sou bra yo pou defann yo.*

**Boukmann Esperyans**. *: np. Gwoup mizisyen ki fòme epi ki fè pwomosyon mizik fòlklò, vodou, patriyotis epi ki gen mizik varye tou. Gwoup sa a itilize estil mizik fòlklò yo tankou rara. Li itilize divès enstriman ki soti Annafrik. Se yon gwoup miks, gen fi ak gason ladan l ki chante epi ki jwe enstriman. Estil mizik la sèvi tankou pou konsè, reyinyon patriyotik, men li gen mizik moun kapab danse tou. Gwoup sa a gen anpil fanatik meriken akoz estil mizik li a gen ti resanblans ak wòk, dyaz, blouz epi lòt mizik meriken.*

**Boukmann.** *np. : Yon gwo nèg byen wo ki te viv nan tan koloni. Li te yon oungan ki pat pè kolon franse yo. Li ògànize yon revòlt an Out 1791 kont esklavaj, kont kolon franse, kont opresyon. Se revòlt sa a ki te kòmansman revolisyon pou elimine esklavaj Ayiti. Nan seremoni Bwa Kayiman nèg vanyan yo te sèmante pou yo goumen san rete jistan yo vin gen libète yo. Franse yo te arete Boukmann epi yo te koupe tèt li. Tèt msye te ret ekspoze nan vil Okap ak yon pankat ki te di "Sa a se tèt Boukmann, Chèf rebèl yo". Mouvman an kontinye menm apre mouche mouri.*

**boul.** *n. : 1.Balon tou won ki gen lè andedan l, jwèt ki won, ki kapab rebondi, mate, lè ou jwe avè l.* Foutbòl, baskètbòl, tenis, tout jwèt sa yo se ak yon kalite boul yo jwe yo. Ou kapab jwe boul nan lakou a men fè atansyon pou ou pa tonbe. 2. *Nimewo lotri.*

**boula.** *n. : 1. Pi piti tanbou ki sèvi nan vodou. 2. Seremoni chante ak danse.* Mwen pral bat yon boula la a, pare kò nou.

**boulanje.** *n. : 1. Moun ki fè pen nan boulanjri.* Bòs Morèl te yon gwo boulanje sou Granri a. 2. *Kote yo fè pen.*

**bouldimas**: *n. Medikaman pou geri anflamasyon.* Se sèl bouldimas ki ka dezanfle pye ou, tande.

**bouldòg**: *n. Yon kalite chen ki mechan.*

**bouldozè**. *n. : Gwo machin ki fèt pou leve chay lou tankou wòch ak tè osnon pou kraze miray.* Si mwen te gen yon bouldozè la a, mwen te gentan fin kraze mi sa a deja.

**boule.** *v. : 1. Boule, brile, kankannen. Nou boule bwa pou nou fè chabon.* Jan boule seryèzman lotrejou pandan l ap boukannen yon mayi. *2. Ki pran nan dife. 3. Degaje.* sa ki pase?, N ap boule piti piti monchè.

**boule zen**: *v fr. fè tripotay.* Sispann boule zen, chèche yon travay ou fè.

**boulèt**. *n. : 1. Manje ki fèt ak vyann moulen ki woule tankou yon boul epi ki fri.* Gen moun ki renmen boulèt lanmori osnon boulèt lamveritab. *2. Zam, boul metal yo mete nan kanon pou tire.* Kapwa lamò pran yon kout boulèt, msye tonbe, msye leve lamenm pou kontinye batay la menmsi cheval li mouri.

**boulin**. *n. : Vitès. Machin Sovè a sot pase la a a tout boulin.* A tout boulin, an boulin.

**boulòk**: *n. manti, bouden.* Pa ban m boulòk tande, Seza, de je ou make manti ladan l.

**boulon**. *n. : Pyès nan mekanik ki sèvi pou vise l nan yon ekwou.* Tab sa a solid, li pa klouwe, se ak boulon li tache.

**boulonnen**. *v. : Vise boulon.* Si ou pa boulonnen pyès sa a byen, li kapab devise nan detwa jou.

**boulpik**: *n. Mab ki bèl ki pote chans pou jwè ki mèt li a; mab yon jwè prefere pase tout lòt. 2. Bèl fi yon moun prefere pase tout lòt.*

**boulsenlo**: *gwo boul sirèt.* Dat mwen pa manje yon boulsenlo.

**boulva**. *n. : Ri ki laj kote anpil oto kapab pase.* Mwen ap fè yon ti deplase la a, mwen ap rive sou boulva Desalin.

**boulvès**. *n. : touman, traka.* Gade mwen chita la a byen pwòp epi timoun nan vin pote yon boulvès ban mwen.

**boulvèse**. *v. : Toumante, trakase.* Sispann boulvèse m, pitit, ou pa wè mwen okipe ap pale ak yon moun.

**boulvèsman**: *n. revolisyon, chanjman, dezòd.*

**bounda, bouda**. *n. : Dèyè, pati nan kò ou sa ou chita sou li a.* Sispann mache nan lari a, vin mete bounda ou yon kote.

**bourad**. *n. : 1. Pousad.* Oto mwen an paka pati, vin ban-m yon bourad tanpri souple. *Li ban m yon bourad menm tonbe. 2. Èd.* Mwen razè, banm yon bourad.

**bourade**. *v. : Pouse.* Poukisa ou bourade timoun nan, kisa li fè?.

**bourara**: *n. dezòd ki gen pouse.*

**boure**. *v. : Plen.* Mwen boure sak mwen ak pwovizyon.

**bourèt**. *n. : Machin ki gen de wou, ki fèt ak yon pòtchaj anbwa ak de manch.* Depi maten nèg sa ap pouse bourèt sa a, kilè li ap pran yon repo?

**bouretye**. *n. : Moun ki ap pouse bourèt.* Yo di moun ki fè travay bouretye dwe manje anpil paske se yon travay ki di.

**bourik**. *n. : 1. Bèt sèvi pou transpòte moun osnon chaj.* Madanm ki te konn vin vann mwen chabon an te konn vini sou bourik. *2. a. Brital, gwosoulye.* Kijan ou fè bourik konsa a?.

**bourik chaje**: *non senbolik pou Alvin Adams, yon ansyen diplomat ameriken Annayiti.*

**bourike**. *v. : Travay di, fè travay fòse.* Madanm sa a vle pou moun bourike pou li epi li pa menm vle peye byen menm.

**bous**. *n. : 1. Akseswa moun mache avè l pou mete lajan, foto ak papye enpòtan.* Mwen renmen bous ou a, li pa twò gwo ni li pa twò piti. *2. Èd, sipò lajan yon moun resevwa pou ede l nan etid li.* Mwen te gen yon bous lè mwen te al etidye Nouyòk.

**bouse**: *n. Ti pòch nan pantalon gason kote yo ka met lajan osinon mont yo.* Pantalon sa a pa gen bouse, fè atansyon pou ou pa jete lajan ou, tande.

**bouske** *(boske): v. Chèche (rejyonalis).*Al bouske tifi a, Janjan, dat li soti li pa janm tounen lakay li.

**bouskile**. *v. : 1.Pouse.* Pa bouskile mwen tande, sinon mwen pral pote madmwazèl la plent pou ou tande. *2. Fòse yon moun pou li fè vit.*

**bousòl**. *n. : Zouti ki pèmèt ou konnen kote nò, sid, lès ak lwès ye.* Mwen pa bezwen bousòl pou mwen kondwi Pòtoprens, mwen konnen tout vil la nan plamen mwen.

**boustabak**: *n zwazo ki rele mèl, mal boustabak gen plim nwa alòske femèl boustabak gen plim bren.* Mwen pa fasil wè boustabak bò isit la. *(Crotophaga ani).*

**bousye**: *n. Moun ki gen èd ak sipò lajan pou li al etidye.*

**bousoufle**: *a. anfle.*

**boustè**: *n. Kab pou konekte batri nan de machin.*

**bout**: *n. 1. Moso.* Ban m yon ti bout kann souple. *2. Pwent final.* Kay Woza a nan bout kafou a. *3. Limit.* Woje gen lè pap janm konn bout Kawòl. *4. Fason, mannyè.* Ou konn bout mwen byen pwòp, ou konnen mwen pap janm renmen sa.

**bout anwo**: *n fr. Pati sou anwo.* Si ou ap koupe kann nan, ban mwen bout anwo a pito.

**boutdigo**: *n. Zouti pou travay latè.* Si mwen pat gen boutdigo sa a, mwen pa ta ko prèt fin fè travay sa a.

**boutèy**. *n. : Veso ki fèt ak vit, glas osinon anvè epi ki gen yon kou long ak bouchon pou met nenpòt ki likid.* Vin al achte yon boutèy kola pou mwen. Gen boutèy plastik epi boutèy anvè.

**boutik**. *n. : Kote yo vann manje, kenkay osnon twal.* Nan boutik ka madan Pyè a ou ap jwenn tout sa ou bezwen.

**bouton**. *n. : 1. Òneman, bèbèl ki fèt pou fèmen osnon louvri rad.* Si ou met bouton nan rad sa a, ou pa bezwen mete zip. 2. *Tiboul sou po moun.* Gen anpil moun ki gen bouton nan figi yo lè yo pral fòme. Moun ki gen bouton nan figi yo pa dwe manyen po figi yo toutan.

**boutonnen**. *v. : Tache ak bouton.* Vin boutonnen rad la pou mwen, mem paka rive.

**boutonnyè**: *n. Twou ki fèt nan yon rad osnon chemiz pou pèmèt bouton antre.* Mwen te konn fè boutonnyè pou yon koutiryè bò lakay mwen an.

**boutyo**. *n. : Pè endyen ki te nan Ispanyola.* Yo te pè epi yo te doktè fèy anmenmtan.

**bouwo**. *n. : 1. Mechan, moun ki kapab fè moun soufri anpil.* Nèg sa a se yon bouwo, mwen pa konnen kijan Mariya fè rete viv avè l. 2. *Moun ki ap veye prizonye.*

**bouya**. *n. : Nwaj, lè li fè sonm, gen anpil imidite ak nwaj ki devan je w.* Mwen pa renmen kondi lè gen bouya paske mwen pa kapab wè wout mwen byen.

**bouyay** : *n. 1. Konfizyon, difikilte.* Eva pati, li lage m nan bouyay. 2. *Entèferans nan transmisyon radyo.* Mwen pa ka tande pwogram nan byen, gen twòp bouyay. 3. *Eskandal.* Madan Konstan fè yon sèl bouyay ak Konstan, se lapolis ki blije met pye.

**bouye**: *v. deranje, melanje, gaye, mete dezòd.*

**bouyi**. *v. : 1. Cho depase 100 degre santigrad. Si ou kite chokola a bouyi twòp, li kapab tonbe sou dife a. 2. kuit nan dlo. Gen moun ki pito bannann bouyi pase bannann fri. Jan bouyi yon ze pou li manje maten an.*

**bouyi vide**. : *n. Manje ki fèt san anpil swen, ki pa gen tout engredyan ladan l epi ki fèt vitvit.* Map prese antre lakay pou mwen al fè yon bouyi vide pou timoun yo paske mwen kite yo grangou depi maten.

**bouyi zen**: *n. pale. koze tripotaj.*

**bouyon**: *n. Manje ayisyen ki fèt ak dlo, viv , legim ak vyann.* Chak samdi, fòk mwen bwè bouyon pyebèf. Bouyon krab, bouyon pyebèf, bouyon pechè, bouyon klè. 2. *Pwason kraze nan bouyon... de moun ki pa gen sekrè youn pou lòt, de moun ki nan kòkòday.*

**bouyon pechè**: *n fr. Bouyon ki gen bèt lanmè, tankou kribich, sirik, krab, krevèt, lanbi...* Si ou pako janm bwè yon bouyon pechè, ou pèdi twaka nan vi ou.

**bouywa**: *n. Vapè, nyaj ki anpeche moun wè lwen.*

**bouzen**: *n. fi ki bay sèks pou lajan, piten, penbèch, kaprina, lafrechè, awonna, jennès.* Bouzen kafe.

**bouziye**: *v. Andui yon kay, fè finisyon yon kay ak mòtye fen.* Kay la pre fini mwen wè bòs mason an gen tan ap bouziye.

**bouziyèt** *(breziyèt): n. Fèy plant ak pikan ki sèvi pou fè remèd.* Mwen pa renmen manyen bouziyèt poutèt li gen pikan yo.

**Bovwa Maks** *(Max Beauvoir): np. Ougan, ekriven, edikatè, biyochimis.*

**bow**: *onom. Son pou endike yon bri.*

**bòy**. *n. : Doumbwèy. Melanj farin dlo ak sèl bouyi nan bouyon, nan soup osinon sòs pwa. Pou prepare bòy, ou melanje farin nan nan enpe dlo epi ou brase l joustan li fè yon pat di. Pat di sa a ou lage l pa timoso nan pwa cho pandan pwa ap bouyi. Gen moun ki fè donmbwèy nan bouyon. Ozetazini, gen yon manje ki sanble ak donmbwèy ki rele donmplin. 2. Moun ki wè nan yon sèl je.*

**bòykotay**: *n. blokis sou yon pwojè osinon sou yon machandiz pou anpeche li devlope osinon pou anpeche li fèt.*

**bòykote**: *v. Mete bòkotay.*

**Boyo**. : *np. 1. Non Ayiti nan tan anvan Kristòf Kolon.* Nan Istwa Dayiti nou etidye yo te rele Ayiti "Ayiti, Kiskeya osinon Boyo". 2. *n. Mak soulye kawoutchou ak sandal plastik ki fèt nan peyi Dayiti.* Mwen te konn mete soulye boyo pou mwen al lekòl lè mwen te timoun.

**bòzò**. *adj : Alèz, bwòdè, byennere.* Ala bòzò ou bòzò papa, kote ou prale?.

**bra**. *n. : 1. Pati nan kò moun, ant zepòl ak men.* Sak lou l ap pote a te fatige bra l anpil. 2. *Manch.* Kite bra chèz la trankil non, wa kase l.

**bragèt** *(bwagèt): n. Pati nan pantalon kote zip la ye a.* Fèmen bragèt ou Ektò.

**brak** : *a. Ki pa dous ase.* Mwen pa renmen ji brak mwenmenm, mwen pito ji mwen byen sikre.

**brake**: *v. 1. Sikre ak tikras sik.* Ou brake ji a, machè, ou ta met plis sik, ou konnen mwen renmen ji m dous. 2. *Pwentenan yon direksyon, pare pou atake.* Fito brake fizil sou foul la kareman.

**branch**. *n. : 1. Pati nan pyebwa kote fèy ak flè yo tache.* Pye bwa sa a gen anpil branch, li genlè plante depi lontan. *2. Domèn konesans, espesyalite.* Nan ki branch lamedsin ou te etidye. Gen plizyè branch nan metye enjenyè: gen jeni mekanik, jeni elektronik, jeni elektrik, jeni chimik, jeni alimantè, jeni nikleyè. *3. Pati nan yon ògànizasyon.* Biwo sa a se yon branch biwo santral la.

**branka**. *n. : Kabann espesyal pou pote moun malad osinon moun ki blese nan aksidan, nan lagè eltr.* Mwen pito mache pase pou anbilans bwòte mwen sou branka.

**brannen**. *v. : Bouje tou dousman.* Lori ret nan kabann depi maten an li pa brannen kò li, gen lè li malad.

**bras**. *n. : Mouvman moun fè ak bra l lè l ap naje.* Ann al bay detwa bras nan pisin nan la a.

**brasa**. *n. : Bann moun mete nan bra yo tankou yon senbòl.* Nan lantèman madan Michèl la, tout mason yo te mete yon brasa nan bra gòch yo.

**brase**. *v. : Melanje.* Vin brase labouyi a pou li pa fè boul.

**brasewòs**: *n. Travayè Ayisyen nan chan kann nan Dominikani osinon Kiba.*

**braslè**. *n. : Bijou ou met nan bra.* Mwen pèdi bèl braslè lò m nan.

**brasri**: *n. Izin kote yo fè byè.*

**brav**. *a. : Moun ki gen kouray.* Ou brav monchè pou al diskite ak Tikam, se moun ki tyak anpil anpil.

**bravo**. *n. : Aplodisman.* Mwen bat bravo pou atis la tèlman li jwe byen.

**bravou**: *n. zak ki montre anpil kran, anpil fòs nan karaktè.*

**bray** *(bway): 1. jèn gason ki ap fè ti travay pasipala. 2. Sistèm ekriti pou avèg.*

**brazye**. *n. : Gwo flanm.* Gade kokenn chenn brazye dife ki limen nan lakou a.

**brèf**: *adv. 1. Ki pa dire.* Se yon voyaj brèf mwen te fè, mwen rete twa jou sèlman. *2. Sanzatann.* Kijan ou parèt an brèf konsa a, ou tankou yon moun ki ap esoufle.

**brenn**. *n. : Sèvo, entelijans, ki gen ladrès.* Tout moun kapab fè enjenyè, depi li gen brenn.

**bretèl**. *n. : Bann ki pase sou zèpòl ou pou tache padevan ak padèyè.* Lè fè cho, anpil moun renmen mete rad san bretèl.

**breton**. *n. : 1. Manje dous ki fèt ak mayi griye sik, rapadou osnon siwo.* Mwen te konn manje breton men apresa li te vin konn ban mwen maldan. *2. Ki soti nan yon pwovens an Frans ki rele Bretay.*

**brevè**: *n. 1. Diplòm apre twazan lekòl segondè.* Kawolin fè brevè l kay Madan Bwason. *2. Pri, diplòm.* Jera gen brevè nan metye ebenis la. *3. Sètifika pou yon dekouvèt.*

**Brevè Elemantè**. *: n. Sètifika moun kapab resevwa apre 7 ane lekòl primè epi twazan segondè.* Kote ou wè mwen ye la a, mwen fè brevè elemantè, mwen fè brevè siperyè, mwen pa yon moun sòt ditou.

**brevyè**: *1. n. liv ki gen priyè pou moun resite toulejou epi chak è. 2. Tout sa yon moun bezwen konnen sou yon sijè.*

**Brezil** *(Brésil): n. Peyi ki nan Amerik disid. Brezil se yon gwo peyi, se li ki pi gwo nan tout peyi Amerik Disid yo. Kapital li se Brazilia*

**Brezilyen** *(Brezilyèn) np: Moun ki soti nan peyi Brezil.* Gen anpil Brezilyen ki fò nan foutbòl.

**Brezo**, *Keslè (Brézauly Kesler): np. se yon sanba kreyòl ki ap viv nan lakou Monreyal. Se misye ki responsab Edisyon Lagomatik. Keslè pibliye yon woman kreyòl, Maskilanje (1987). Li pibliye tou plizyè liv pwezi kreyòl Profil No 1 (1988); Parantèz, (1988); Profil No 2 (1990); eksetera. Pi bèl kontribisyon Keslè Brezo pou literati kreyòl se teknik pwezi ki rele " lomeyans " lan. 2. n. wozèt gason mete pour remplase kravat.*

**bri**. *n. : 1. Son moun ka tande ak zòrèy.* Sispann fè bri nan kay la, ban-m zòrèy mwen. Pouki tout bri sa yo. Nou genlè gri. 2. *Nouvèl, rimè.* Bri kouri, nouvèl gaye.

**brid**. *n. : Atach, baboukèt. Zouti yo tache nan bouch bourik, cheval, milèt osinon chamo, pou kontwole mouvman yo.*

**bride**. *v. : Kenbe, tache, kontwole, mete brid.*

**bridsoukou**. *adv. : Plop plop, Sanzatann.* Se konsa manmzèl parèt sou nou bridsoukou, san avize.

**brigad**. *n. : 1.Gwoup takrik pami militè.* Franswa se jeneral brigad li ye kounye a. 2. *Gwoup espesyalize.*

**brigadye**: *n. Manm yon brigad.*

**brigan**. *a. : Dezòd, vakabon.* Mwen pa janm wè timoun brigan pase timesye madan Chal yo. *2.n. Ki pa pè, ki awogan.*

**briganday**. *n. : Dezòd, vakabonday, devègondaj.* Mwen pa nan briganday avèk ou tande, fè respè ou avèk mwen.

**brigande**. *v. : Lage nan vakabonday.* Kounye a ou fin brigande kont ou nan lari a, ou resi sonje wout kay ou.

**brik**. *n. : Blòk ajil yo kwit nan fou osinon solèy.* Mi sa a ap dire anpil, se ak bon brik li fèt.

**brikabrak**. *n. : Melimelo. Magazen kote yo vann tout bagay. Kote yo vann, achte epi yo* *prete lajan.* Papa mwen te gen yon brikabrak sou Granri a.

**brikè**. *n. : Aparèy pou fè dife; pou ranplase alimèt. Zouti ki gen yon rezèvwa gaz ak yon mèch li kapab fè flanm lè ou fwote tèt la, moun sèvi anpil ak brikè pou limen sigarèt.* Moun ki fimen mache ak brikè yo.

**brikole**: *v. Fè travay pou repare. Fè travay ak men.*

**brikolè**: *n. Moun ki fè tout kalite travay reparasyon menm si yo pat etidye pou sa.*

**brile**. *v. : 1. Boule, kankannen.* Mwen brile tout men mwen pandan mwen tap drese manje a. *2. Koutim nan agrikilti pou boule tout bagay sou yon tè anvan yo plante.*

**brili**: *n. 1. Sanasyon ki bay yon doulè ki sanble ak doulè brile. Ti dife ki pa fè dega.*

**brili (lestomak)**: *n. Doulè lestomak ki devlope lè gen anpil asid nan lestomak la osinon lè gen blesi anndan lestomak la.* Brili lestomak.

**brimad**. *n. : Reprimand, repwòch, pinnga.* Manman mwen te konn bannou brimad lè nou fè sak pa sa.

**Brinè** *(Brunet). np. : Jeneral franse ki te pare pyèj pou Tousen kote l te envite l pou diskite avè l. Se konsa yo te vin arete Tousen epi yo te espedye l Anfrans pa bato.*

**brisak**: *n. sak ki gen afè pèsonèl yon moun.*

**briskeman.** *adv. : Toudenkou, vap.* Briskeman li parèt.

**Brison Richard** *(Richard Brisson): np. powèt, jounalis, opozan politik pandan gouvènman J.C. Divalye. Li se pitit-pitit powèt Frederik Bèreno. Li te kandida pou depite apresa li vin pratike kòm jounalis. Yo arete li epi ekzile li an 1980. Li retounen ak yon gwoup ame, yo okipe Latòti ak entansyon pou ranvèse Divalye. Men yo vin bloke nan zile a paske ranfò yo ta p tann pat janm rive. Li mouri ekzekite nan vil Pòdpè 25 Janvye 1982.*

**brital.** *a. : Agresif, brizfè, ki sèvi ak vyolans.* Kouman ou jwe brital konsa a, ou twò bourik.

**britalite**: *n. Sovajri, vyolans.*

**britalize**: *v. Trete ak britalite.*

**Briyè Jan Fènan** *(Jean Fernand Brierre): np. Powèt, jounalis, womansye, biyograf, diplomat, pwofesè. Li fèt Jeremi Septanm 1909. Li te elèv kay frè Jeremi. Li pibliye pase 15 liv pwezi. Li te soti premye nan yon konkou Pwezi, Chal Moravya te ògànize. An 1929 li te aktif nan politik. Li te gen plizyè pòs nan leta, kòm enspektè epi direktè lekòl. Li te direktè biwo touris ak direktè divizyon kiltirèl nan ministè Afè Etranjè epi Anbasadè nan Bwenozè. Li te viv Daka nan kontinan Afrik. Li te ekri pwezi, woman, teyat, kritik literati*

**briyan** : *a. 1. Entelijan.* Ivon se yon timoun ki briyan lekòl. *2. Klere. Pa mete rad briyan sa a pou ou al legliz.* Zetwal briyan, metal briyan.

**briye.** *v. : Klere.* Solèy la briye anpil lematen, sitou lè pa gen nwaj. Lè mwen fin lave yon ajantri, li briye, li klere tankou l nèf.

**briz.** *n. : Ti van ki ap vante.* Briz ki sòt nan lanmè a rafrechi nou.

**brizfè**: *n. Karaktè moun ki abime, kraze tout sa li sèvi, tout sa li manyen.*

**Brutus Thimoleon**: *np. famasyen, endistriyel, istoryen, biyograf, direktè Kabinè Prezidan Vensan.*

**Bwa, Kal** *(Brouard, Carl). np. : Powèt ki fèt Pòtoprens 5 jiye 1902. Li te etidye an Frans. Byen bonè, li vin enterese nan bwason alkòl, se konsa li vin pa fòmèl, li flannen lavil, ekri bèl pwezi, resite yo pou lèpasan. Li te yon ekriven, powèt epi yon jounalis tou. An 1938, li te direktè revi Les Griots. Gen moun ki di li se AVillon ayisyen. Li gen plizyè piblikasyon koni tankou AEcrit sur du Ruban Rose (1938), Pages Retrouvées (1963). Li mouri nan lane 1965.*

**Bwa Kamèn** *(Carmen Brouard): np. Mizisyen, konpozitè, pwofesè mizik.*

**bwa long**: *n. expresyon pou endike yon moun vle mete distans ant li-menm ak yon lòt.* Mwen ba l yon bwa long kenbe.

**Bwa Patat (Bois Patate)** *: np. Katye nan Pòtoprens ki nan lès Bwa Vèna.* Frè Jera rete Bwa Patat.

**Bwa Vèna (Bois verna)** *: np. Katye nan Pòtoprens ki sou kote lwès Kanapevè.* Si ou pral Bwa Vèna ou ka monte nan ri ki rele Tifou a.

**bwa**. *n. : 1. Pak, espas ki plen pye bwa.* Yo di mwen gen yon gwo bwa, tankou yon forè ki rele Forèdèpen Annayiti. *2. Planch, materyo pou bati kay.* An al achte bwa pou nou fin fè planche *a. 3. Pati nan plant ki ka brile. 4. Moun.* Gwo bwa nan vil la.

**bwachat** *(ale): v fr. Mouri, jwenn ak lanmò.* Wobè te la a byen pwòp epi maten an li leve, li ale bwachat.

**bwadchèn**: *n. pye bwa, chèn. 2. Ravin ki pase pòtoprens al tonbe nan lanmmè sou bisantnè. Espas drenaj nan pòtoprens yo amenaje pou dlo lapli al devèse.*

**bwadòm**. *n. : Fèy osinon ekòs ki sèvi pou fè remèd.* Mwen konnen moun ki konn fè anpil tretman ak fèy bwadòm.

**bwafouye**: *n. kannòt ki fèt ak tij yon pye bwa you fouye.*

**bwaze**: *v. Ale, kouri, pran bwa, chape. Li wè lapolis ap vini, li bwaze. 2.* N. *Ki gen anpil bwa.*

**bwanannen**: *n. Pyès an bwa pou tache nan nen ki sèvi pou make pwen nan jwèt kat.*

**bwapen**. *n. : Bwa ki soti nan pye pen, yo seche l, koupe l piti piti pou limen dife.* Chak maten anvan madan Absalon fè kafe li chache alimèt ak bwapen pou li limen dife.

**bwapiwo**: *n. Moun ki wo anpil.* Bètran se yon bwapiwo. *2. Degizman nan kanaval lè yon moun monte sou yon beki an bwa ki fè li parèt wo anpil.*

**bwason**: *n. 1. likid pou moun bwè.* Dlo se pi bon bwason ki genyen *2. Likid ki gen alkòl ladan l.* Senlwi se nèg ki renmen ti bwason l detanzantan..

**bwasonyè**. *n. : Tafyatè, moun ki bwè bwason ki gen alkòl anpil, ki bwè twòp osnon ki depann twòp sou alkòl.* Mwen pa mele ak bwasonyè paske souvan yo pa serye.

**bwat sekrè**: *n fr. Bwat kote moun sere lajan.* Manman te toujou sere bwat sekrè l anba kabann li.

**bwat**. *n. : Veso ki gen fòm kib, ankaton, metal osnon an bwa.* Bwat katon sa a solid, mwen ap sere l pou mwen mete pwovizyon ladan

**bwatchenn**. *n. : 1.Gwo pyebwa ki bay anpil lonbray.* Te gen yon kote bò Tijo ki te rele Koridò Bwatchenn, kote sa a te gen anpil pye bwatchenn. *2. Yon kanal nan Pòtoprens ki sèvi pou fè drenaj. 3. Mòn nan Pòtoprens ki defèse dlo lapli sou kote Sid vil la.*

**bwate**. *v. : Mache ak difikilte, sote sou yon pye.* Depi apre aksidan an Simon bwate paske li pa kapab poze pye dwat li atè byen.

**Bwawon, Kanal** *(Boisrond, Canal). np. : Prezidan Ayiti 1876-1879.*

**bway**. *n. : Tigason. Se pa mwen ki deplase bale a, se ti bway sa a.*

**Bwaye, Janpyè** *(Boyer, Jean-Pierre). np. : (1787-1850) Msye te prezidan avi nan peyi Dayiti (depi mwa mas an 1818 jiska mwa mas an 1843). Se Bwaye ki te reyini nò ak sid peyi a epi li te reyini tout zile a ansanm tou lè li te anvayi Dominikani. Dapre listwa, li te bay Lafrans anpil avantaj pou yo te kapab rive aksepte rekonèt Ayiti kòm yon peyi endepandan. Sa te fè anpil moun fache epi Bwaye limenm te vin pi tyak. Yo te rive mete msye deyò nan peyi a. Se konsa pati Dominikani an vin separe pou li retounen vin yon peyi apa.*

**bwaze**. *v. : Kache, pran rak. Msye pa konn kisa li fè, men yo di l lapolis ap chèche l, li bwaze, li pa pran chans paske pa gen jistis nòmal nan ti vil kote li rete a.*

**bwè pwa** *(bwè): v fr. bay lejann, nan tire kont.* Si ou pa konnen, di m ou bwè pwa.

**bwè**. *v. : 1.Vale yon bagay likid gòje pa gòje.* Mwen renmen bwè dlo, li bon pou lasante. *2. Pran bwason ki gen alkòl.* Mwen pa bwè, mwen pa fimen. *3. pa pale.* Mwen bwè l pou ou.

**bwenn** *( breng): n. gwo gran moun.* Gwo bwenn tankou ou, ou pa ka ap monte bisiklèt timoun.

**bwete** *(bwate, brete): v. Mache ak difikilte.* Kouman ou fè ap mache bwete, ou fè aksidan?

**bwode**. *v. : Desinen ak zegui epi ak fil koulè.* Mwen ta renmen genyen yon bèl rad bwode ak fil ble.

**bwòdè**. *a. : Elegan, anpenpan.* Jinèt se yon fi ki bwòdè anpil, li renmen abiye tonsouton.

**bwodri**: *n. Dekorasyon twal ak fil tout koulè pou fè desen ki atiran.*

**bwokoli**. *n. : Legim vèt.* Mwen renmen manje bwokoli ak fwomaj. Yo di m bwokoli fè moun pa konstipe epitou li pwoteje moun kont kansè.

**bwonch**. *n. : Pati nan poumon moun.* Jozafa al kay doktè pou yon gwo tous li gen sou lestomak li, doktè a di li malad nan bwonch li.

**bwonchit**. *n. : Maladi enfeksyon ak anflamasyon nan bwonch.*

**bwonz**: *n. 1. Metal ki fèt lè yo melanje kuiv ak eten. 2. Meday yo bay nan fen yon konpetisyon.*

**bwòs**. *n. : 1. Penso.* Yo sèvi avèk bwòs pou netwaye ou byen pou pentire. *2. zouti pou netwaye.* Bwòs dan, bwòs tèt, bwòs soulye.

**bwòsadan**. *n. : Zouti ki gen fòm yon ti bwòs piti pipi ki gen yon manch long pou ou kapab kenbe l pandan ou ap fwote l sou dan w.* Mwen renmen bwòsadan ki di paske li bwose dan mwen pi byen.

**bwose**. *v. : 1. Mete yon bagay annòd ak bwòs. 2. Netwaye.*

**bwote**. *v. : 1. demenaje, pa ret menm kote a ankò.* Madan Jan pa rete isit la ankò, dat li bwote. *2. Pran pa pakèt pou pote ale.* Mwen pa renmen lè Silvi vini isit la, li bwote tout pafen mwen yo. *3. Pote ak difikilte.* Li bwote pitit la tankou yon pakèt rad.

**Byasou** *(Biassou). np. : Revolisyonè. Li eseye mete lapè ant blan Franse ak esklav yo. Menm jan ak Tousen, li te fè sèvis militè l ak panyòl Sendomeng yo ki t ap goumen kont Lafrans.*

**bye**. *n. : Pozisyon dyagonal ou mete yon twal osnon yon materyèl.* Si ou koupe twal la an bye li kapab ba ou plis avantaj.

**byè**. *n. : Bwason fèmante ki fèt ak poud elevasyon, ak sereyal; li gen yon gou anmè.* Mwen renmen bwè byè lè mwen ap manje manje ki gen piman. Byè prestij, byè sitadèl.

**byèl**: *n. Pati nan motè machin.* Depi byèl la ap bay bwi sa a se pou machin nan al nan garaj.

**byen**. *adv. : 1. Anfòm, oke, san pwoblèm, papimal.* Nou byen mèsi, e ou menm? *2. n. Sa yon moun posede.* Tout byen mwen fin pase nan lotri. *3. Reflechi.* Ou pa byen nan tèt ou pou ou al goumen ak ti malandren sa a. *4. Bon.* Pwofesè a make byen nan kaye a.

**byenfetè**: *n. Moun ki fè byen pou lòt moun.*

**byenfezans**: *n. Fè jenewozite osinon charite pou byen lòt moun.*

**byennelve**. *a. : Ki gen elevasyon, ki resevwa edikasyon.* Tout timoun madan Michèl yo byennelve.

**byennere**. *a. : 1.Ki alèz, ki pa gen pwoblèm sou latè.* Ou se moun ki byennere Beniswa, mwen pap okipe w. *2.Moun ki mouri ki al nan syèl jwen Bondye, dapre kwayans kretyen.*

**byennèt**. *n. : 1. Amelyorasyon, bon eta, konfò.* Tout sa mwen ap fè la a se pou byennèt pitit mwen yo ak madanm mwen. *2. Non yo bay yon pafen ki popilè. 3. Biwo ki okipe keksyon sante ak konpòtman danjere nan yon popilasyon.* Nan tan lontan biwo byennèt sosyal te vle pou tout timoun gen bòn konduit.

**byenseyans**: *n. politès, savwa-viv, pwotokòl.*

**byenveni**: *1. n. moun ki rive bon lè epi yo kontan wè li. 2. Ti moun ki byen grandi.*

# Ch ch

**CATH**: *Santral Otonòm Travayè Ayisyen ( Central Autonome des Travailleurs Haitiens.)*

**cha**. *n. : 1. Kamyon dekore pou pwonmnen rèn ak mizisyen nan kanaval.* Mwen pa renmen cha sa a, li pa byen dekore. 2. *Tank ak charyo militè.* Cha daso.

**chabin**: *n. Moun ki pa gen anpil pigman melanin sou po yo. Po yo klè, pwal je yo blan, cheve yo wouj.*

**chabon dife**: *Chabon limen ki ap bay chalè.* Kou ou fin kuit manje a, tanpri touye chabon dife a.

**chabon gayak**: *n fr. Chabon bon kalite ki fèt ak bwa gayak.* Chabon gayak dire plis pase chabon tibwa.

**chabon tibwa**: *n fr. Chabon ki konsome vit.* Chabon an fini vit paske se chabon tibwa li ye.

**chabon**. *n. : Sous chalè, sous enèji yo sèvi pou kwit manje.*

**chabonye**: *n. Moun ki fè chabon.*

**chabrak**: *n. 1.Moun rich. 2. Twal pou mete sou sèl cheval.*

**chache kont**: *v fr. Takinen, anmègde.* Sispann chache kont tande, sinon m ap kale ou.

**chache lavi**: *v fr. Lite, travay pou ka fè yon ti kòb.* Jozefa pa la, li soti, li al chache lavi a.

**chache**(*chèche*): *v. 1. Gade toupatou pou ou wè si ou jwenn yon bagay espesifik.* Mwen chache nan lakou a, mwen pa jwenn anyen. 2. *Fè joustan ou jwenn ak pa ou.* Si ou chache m ou ap jwenn mwen. 3. *Sak an papye osnon an plastik.* Mwen fèk kite yon chache sik la a, kote li.

**Chada** (*Shada*). *np : Se inisyal ki vle di Sosyete Ayisyen Ameriken pou Devlopman Agrikòl.*

**chadèk**. *n. : Fwi, fanmi zoranj men ki pi gwo pase l epi li pi si tou.* Mwen ta bwè yon bon ji chadèk byen glase.

**Chadonyè** (*Chardonnières*): *np. awondisman ak komin nan depatman Sid.*

**chadwon**. *n. : Bèt ki gen pikan sou do-l moun jwenn nan lanmè, osinon bò plaj yo, pikan yo konn antre nan pye moun.* Al mete soulye nan pye ou paske si ou mache pye atè la a, ou kapab pile chadwon.

**chafo** (*echafo, chafodaj*): *n. Kofraj, estrikti metal osinon an bwa pou kontriksyon.* Depi ou wè chafo sa a, ou wè se yon bòs kòdyòm ki fè l.

**chagren**. *n. : Tristès, lapenn.* Sa ou rakonte mwen la a fè mwen gen anpil chagren.

**chaj. n.** *: Komisyon ki lou yon moun ap pote.* Mwen pa renmen pote chaj sou tèt mwen paske li fè kou mwen fè mwen mal apresa.

**chaje**. *v. : Ranpli, plen, gen anpil. Mete chaj sou yon moun sou yon bèt, sou yon kamyon eltr.* Mwen sot wè vwazin nan pase la a ak oto li chaje ak rejim bannann. *Chaje kouleba, chaje kou Lekba.*

**chajman**, *chaj. : 1.Komisyon lou osnon ki gwo.* Mwen sot voye yon chajman machandiz ale andeyò, mwen swete li rive anbyen. *2.Chay, pake pwovizyon.* Kote ou prale ak chajman mango sa a?

**chajman tèt**: *n fr. Traka, tèt chaje.* Mwen gen chajman tèt depi Edga pati a.

**chak jou** *: pr fr. Jou apre jou, regilyèman.* Chak jou ou leve se yon sèl pawòl ou ap pale.

**chak lè** *: pr fr. Chaj fwa, regilyèman.* Chak lè ou di m tann ou, ou pa janm vini.

**chak vire**: *pr fr. Anvan anyen, tanzantan.* Chak vire, chak tounen Kalo grangou.

**chak**. *pr. : Youn alafwa.* Chak timoun gen karaktè l, yo youn pa sanble.

**chakitri**: *n. Magazen kote yo vann vyann kochon, sosis kochon, fwomay eltr.* Oso Blanco ak Bèf kouwone se te de chakitri sou channmas.

**chakitye**: *n. moun ki prepare vyann kochon pou vann.*

**chal**: *n. Moso twal pou met sou do.* Mwen renmen mete chal ki ale ak rad mwen.

**Chal, Nòman Ilis** (*Charles, Norman Ulysses*). *: Eskiltè Ayisyen ki fè moniman Tousen Louvèti an ki nan Pòtoprens la.*

**chalan**: n. *Kamyon espesyal pou tranpòte prizonye.*

**chalatan**: n. *Moun ki fè manti sou metye l pou l atire kliyan.* Edga se chalatan, monchè, pa kite l al trete ou, li ka touye ou ak vye remèd.

**chalbari** ( *chalbarik, bat chalbari*): *Pase nan betiz, anmède, kouri dèyè. Fason yo pase moun nan betiz, kwape. Gwoup ti moun ki ap frape asyèt aliminyòm ak fouchèt pou kouri dèyè yon moun yo vle imilye.* Yo bat chalbari dèyè Kalo.

**chalè**. n. : *Nivo tanperati ki cho.* Fè cho anpil nan sezon chalè a, se vantilatè moun oblije konnekte toutan.

**chalè** *(bay chalè) : Chofe, ankouraje moun fache, joure osnon goumen.* Deniz bay Jan chalè joustan li deside tounen lekòl.

**chalimo**. n. : *Tib plastik osnon katon ou rale likid ladan l.* Mwen renmen bwè ti lèmalte mwen nan chalimo, li desann nan gagann mwen pi byen.

**Chalmès Rene** *(René Charlmers): np. Ansyen minis Afè Etranjè sou gouvènman Divalye.*

**chaloska**. np.s : *I. Charles Oscar, pèsonaj nan Istwa peyi Dayiti. Moun ki te rele Chaloska a se te nèg tyak, mechan ki te kòmandan prizon sou prezidan Giyòm Sam. 2. pèsonaj degizman nan peryòd kanaval.* Lè mwen te piti mwen te pè chaloska anpil. *Chaloska se yon pèsonaj nan tan kanaval ki maske, ak levit li sou do li epi li renmen fè timoun pè.*

**chalòt** *(echalòt): n. Epis ki fèt an tranch, li sanble ak zonyon.* Depi m ap kuit poul se pou mwen met chalòt ladan l kanmenm.

**chaloup**. n. : *Tibato.* Mwen toujou pè moute chaloup men yo di mwen se yon bèl esperyans.

**Chalye Jislèn** *(Ghislaine Charlier): np. Jounalis, womansye. Li fèt Pòtoprens an 1918. Li viv Monreyal. Li ekri «Mémoires D'une Affranchie», woman, Éditions du Méridien1989.*

**cham**. n. : *I. Atirans, bonte ki atiran.* Fi sa a se yon moun ki gen yon cham natirèl. 2. *Senbòl moun met sou yo pou atire chans.* Met sa a sou ou, se yon cham ki plen pouvwa, se Ezili ki te pote l ban mwen nan dòmi.

**Chaman, Alsiyis** *(Charmant, Alcius). np. : Ekriven Ayisyen ki ekri yon liv li dedye bay tout Ayisyen an 1905. Liv sa a, kritike milat yo anpil, li rele Haiti, vivra t-elle? Etude sur le préjugé des races; race noire, race jaune, race blanche, et sur la Doctrine Monroe. Ayiti, èske l ap siviv?. Etid sou prejije koulè; ras nwa, ras jòn, ras blanch, epi sou Doktrin Monnwo a.*

**chame**: v. *I. Miyonnen, atire ak jantiyès.* Wozlin se fi ki gen bon jan, depi li pale, se *chame li chame ou. 2. Pran yon moun nan wanga.* Depi sou jan ou wè tèt Pyè pati pou Wozita a, ou tou konnen fòk se chame fanmi fi a chame msye.

**chamo**: n. *Bèt,mamifè riminan ki gen bòs nan do; nan peyi kote genyen l, moun monte sou li tankou Ayisyen moute sou bourik.* Si nou te gen chamo nan peyi nou mwen ta aprann monte yo.

**chan** : n. *I.Mizik ak pawòl moun ka chante.* Annou chante chan levanjil. *2. Jaden ki lwen kay. 3. Domèn.* Chan mayetik.

**chanbre**: n. *Kalite twal koton.* Lè chalè mwen pito mete twal chanbre pase lenn.

**chanday**. n. : *Mayo ki yon jan epè moun kapab mete nan tan fredi.* Chanday sa a fè mwen twò cho, mwen pap mete l ankò.

**chandèl**. n. : *I.Plant ki sèvi pou fè lantouray.* Chandèl se yon plant ki bay yon lèt ki gen pwazon ladan l. 2. *Gwo bouji nan legliz katolik.* Limen chandèl.

**chandelye**. n. : *Veso kote ou mete chandèl; lanp elegan ou mete nan salon osnon nan salamanje.* Mwen ta renmen mete yon bèl chandelye nan salon mwen an men mwen poko gen kòb pou mwen achte l.

**Chango**: np. *Espri nan relijyon vodou ki reprezante loraj ak zèklè.*

**chanje lide**: v fr. *Pa vle sa ou te vle a ankò.* Pòl se yon nonm ki chanje lide toutan, li pa konn sa li vle.

**chanje**. v. : *I.Ki transfòme, ki pa menm jan an ankò.* Mwen pa konprann Jera menm, li vin chanje depi li marye a. 2. *Ranplase.* Chanje rad

**chanjman vitès**: n fr. *Varyasyon lè ou soti nan yon vitès pou ou ale nan yon lòt.*

**chanjman**. n. : *Transfòmasyon.* Nan lavi toujou gen chanjman, men gen prensip ki pap chanje.

**chank**. n. : *Maladi ki fè andedan bouch ti bebe fè blad.* Gen moun ki konn fè bon tretman fèy pou ti bebe ki gen chank yo.

**chankre**. v. : *Vire. Chanje direksyon.* Mwen t ap kondwi nan ri Lantèman epi mwen chankre nan ri Charewon.

**chanm gason**: n fr *Pyès kay kote yon gason selibatè rete poukont li.* Tifi pat dwe janm al vizite zanmi ki nan chanm gason poukont yo.

**Chanm Depite**. : np. *Legislati Ayisyen ki gen depite yo eli pou 4 an.*

**chanm**. n. : *I. Pyès kay kote moun dòmi.* Apatman mwen an gen 2 *chanm. 2. Tib an kawoutchou ki nan wou machin pou kenbe lè* *sou presyon.* Kounye a yo prèske pa sèvi ak chanm nan wou machin, yo sèvi ak tiblès.

**chanmchanm**. *n. : Manje ki fèt ak mayi griye moulen fenfen ki gen sik ak kanèl ladan l.*

**chanmòt**. *n. : Etaj, Kay etaj.* Sa pou mwen al fè jous nan chanmòt la, mwen fatige mwen pa gen fòs pou mwen monte!

**Channmas**. *(Champs de Mars) : np. Plas piblik nan Pòtoprens, nan zòn bò palè a.* Se sou Channmas mwen te konn al gade maswife lè mwen te timoun.

**chanpay**. *n. : Bwason tankou diven ki gen gaz kabonik ladan l moun renmen bwè lè fèt.* Chak trenten desanm mwen toujou louvri yon boutèy chanpay.

**Chanpay Jera** *(Gerard Champagne) : np. Foutbolè ayisyen.*

**Chanpay Jèmen** *(Germain Champagne): np. Foutbolè ayisyen, li te jwe nan ekip foutbòl Resin.*

**chanpèt**: *a. Ki fèt ak andeyò lavil.* Nou pral nan fèt chanpèt Tomazo.

**chanpou**. *n. : Savon likid pou lave cheve.* Moun ki gen kap te dwe sèvi ak yon chanpou espesyal ki bon pou elimine kap.

**chanprèl** *(sanpwèl, chanpwèl): n. Sosyete sekrè nan relijyon Vodou. Gen kote yo rele l bizango osinon vlengbendeng.* Sanble li nan chanprèl.

**chanpyon**. *n. : Moun ki pi fò pase tout lòt konpetitè parèy li yo epi ki genyen chanpyonna*

**chanpyonna**. *n. : Òganizasyon konpetisyon kote yo mete ansanm moun ki konn fè menm bagay pou yo kapab wè kilès ap bay pi bon rezilta.* Se Tijan ki te genyen nan chanpyonna bòks lotrejou a.

**chans**. *n. : l. Avantaj ou jwenn san ou pa bezwen merite l.* 2. Ou se yon moun ki gen chans, gade kijan ou gen nan lotri fasil. *3. Opòtinite.* Si mwen nan plas ou mwen pa ta kite chans sa a pase.Mwen tande yo ap pran moun pou travay, mwen al tante chans mwen.

**Chansi Miryam** *(M. J. A. Chancy): np. Ekriven ki ekri Framing Silence (1997); Searching for Safe Spaces (1997).*

**Chansòl**: *np. Non yon kominote nan depatman Nòdwès, pa lwen ak Pòdepè.* Kalin se moun Chansòl

**chanson**: *n. Melodi, pawòl ak mizik.*

**chantay**: *n. Sitiyasyon kote yo egzije yon moun pou li bay yon avantaj, pou yo pa devwale yon sekrè.* Mwen pa nan chantaj avèk ou.

**chante bòt**: *v fr. Ranse, radote, bay manti.* Pa vin chante bòt la a, Edit, nou youn pa kwè ou.

**chante gam** *(fè gam): v fr. Voye flè moute, di anpil pawòl pou bay tèt ou enpòtans.* Mwen pa konprann poukisa, depi Aliks wè de twa medam, se pou li kòmanse chante gam.

**chantè**: *n. Moun ki chante.* Ivon se gwo chantè nan dyaz Fantezis.

**chante**. *v. : Pouse son yon mizik ak vwa.* Vwazen mwen an gen bèl vwa, toutan l ap chante.

**chantonnen**: *v. l.Dekoupe, siye dapre fòm ou vle a.* Gen moun ki konn chantonnen bwa byen pou yo sa fè bèl mèb. *2. Chante san pawòl.*

**chantye**. *n. : Kote yo ap bati kay.* Mwen pral sou chantye a kounye a pou mwen wè si yo te koule beton an maten an.

**chanwàn** : *Tit pou pè katolik.*

**chany**. *n. : Moun ki netwaye soulye pou lajan.* Rele chany lan pou mwen, tout soulye mwen yo sal, yo bezwen netwaye.

**chap**: *n. Deplasman ki pap dire.* M ap vini tande Oska, m ap fè yon ti chap la a.

**chapant**. *n. : l.Metye moun ki travay bwa.* Bòs chapant bezwen goyin pou yo kapab siye bwa a. *2. Kofraj an bwa. yo fè pou koule beton.*

**chapantye**: *l. n. Moun ki fè travay chapant, ki travay ak planch.* Papa Ti Chal se chapantye, li toujou ap siye bwa. *2. Espès zwazo (Spyropicus varius)*

**chape kò**: *v fr. Sove, eskive, chape poul.* Erezman madan Pyè chape kòl nan sitiyasyon sa a.

**chape poul** *(chape kò): v fr. Sove, deplase san bri.* Si ou pa kouri chape poul ou, sa ou pran, se pa ou.

**chape**. *v. : Sove.* Mwen chape byen vit anvan yo gentan antrave mwen nan koze a.

**chapèl**. *n. : Ti legliz nan yon pawas.* Mwen te fè premyè kominyon mwen nan yon chapèl kay mè yo.

**chapit**. *n. : Pati nan yon liv ki trete yon moso nan sijè liv la.* Lè mwen fin li premye chapit yon liv mwen gentan konnen si rès liv la pral enteresan.

**chapito**: *n. Anpil.*

**chaplè**: *n. Chenn espesyal katolik sèvi, ki genyen senk seri douz tigrenn chak, premye grenn nan pou resite yon "Nòtrepè" epi rès grenn yo pou resite yon "Jevousali Mari" pou chak.*

**chaplèt** *(chaplè) : n. l. Zouti pou konte nòtrepè ak Jevousali pandan moun ap lapriyè. Li fèt ak yon seri grenn won file nan yon chenn an gwoup dis pa dis. 2. Baton militè sèvi pou kontwole mouvman foul. 3. Adv. Pakèt.* Wolan se nonm pou li rakonte yon chaplèt manti ba ou.

**Chaplen Chali** *(Charlie Chaplin) : Direktè sinema, aktè sinema. Li fit nan Angletè men li fè karyè Ozetazini. 1889-1977.*

**chapo kare**: *n fr. Plant ki gen fèy ak pikan ki sèvi pou fè te.* Mwen pa janm renmen manyen fèy chapo kare poutèt pakèt pikan li genyen yo.

**chapo**. *n. : Kouvèti pou tèt.* Mwen renmen wè medam yo abiye byen bwòdè ak chapo yo sou tèt yo pral legliz ledimanch.

**charabya**: *Mo ak son moun pa ka konprann.*

**charad**: *n. devinèt.*

**chare**. *v. : Fè menm sa yon moun fè, ansanm avèk li pou anmède l.* Pa gen bagay mwen rayi konsa se lè yon moun ap chare mwen.

**charèt**: *n. bourèt ak de wou.*

**charit**, *(charite)*. *n. : Fè byen pou yon moun, ou ede l osnon ou bali kichòy.* Gransè mwen an se moun ki gen anpil charit, li toujou ap rann moun sèvis.

**charitab**. *a. : Ki gen bon kè, ki renmen fè charite.* Mwen pa janm wè yon moun charitab pase madan Simon.

**charite** *(charit, lacharite): n. 1. Lanmou, konpreyansyon, konpasyon pou pwochen.* Si ou gen charite, ou pap kite m rete grangou. *2. Don, kado.* Mwen ap bay tout sa mwen posede nan charite. *3. Byenfezans pou moun ki pòv.* Pa konprann se charite ou ap fè lè ou peye l lajan l.

**charye** *(chaye, chawaye): v. Pote chay.* Bwote, Mete yon chay yon jan pou ou sa bwote l. Mwen pa gen kouray pou mwen charye pakèt mango sa yo sou tèt. Mwen sot charye bwat yo jous nan biwo lapòs la.

**charyo**. *n. : Machin ki sèvi pou bwote chay, prèske tout charyo gen de wou konsa ou kapab woule l lè ou fin chaje machandiz sou li.*

**chas** *(lachas): n. pousuiv bèt pou tiye yo pou manje vyann yo.*

**chase**. *v. : 1.Al trape bèt, tire bèt.* Le dimanch papa mwen toujou mennen mwen al chase zòtolan. *2. Repouse.* Jezi chase madanm nan tanp la.

**chasè**. *v. : Moun ki al chase. 2. Yon chyen ki antrene pou li chase lòt bèt.*

**chasi**. *n. : Pati solid nan yon aparèy.* Chasi radyo sa a sanble li ansyen anpil, mwen pa konn si li bon toujou.

**chat dis dwèt**: *n fr. Moun ki vòlè.* Jan mwen fè ou konfyans mwen pa ta janm panse ou se yon chat dis dwèt.

**chat**. *n. : Bèt ki gen ke, kat pat epi ki gen moustach ki toujou ap fè miaou.* Gen chat ki entelijan anpil, kou yo wè mèt yo, yo konnen pou yo kouri vin jwenn li.

**chat-sourit** (*chosourit,chovsourit*): *n . Mamifè ki gen zèl. Ki aktif leswa.*

**chat-wouj**: *n fr. Bèt lanmè.* Lotrejou mwen t al benyen nan lanmè, mwen wè yon nonm ki peche yon chat-wouj.

**chata**: *v. Derape, chape poul.* Lè mwen wè lapolis rive sou mwen, mwen chata kò m la menm.

**chatchoutè**: *n. Moun ki konn tire ak zam byen.* Yo di m ou se chatchoutè, fòk mwen veye zo m avèk ou.

**chatiman**. *n. : Malediksyon, sa ou ap peye pou sa ou fè.* Jan moun sa yo mechan, fòk yo ta gen yon chatiman kanmenm pou tout sa yo fè a.

**chato**: *n. 1.Kokenn chenn batis byen pwoteje kote grannèg rete.* Elifèt bati yon kay Dèlma, si ou konn yon chato. *2. Kokenn chenn kay ki gen estil ansyen epi anpil pèsonalite.* Mwen te al vizite twa chato lè mwen te ale Anfrans lotrejou a. *3. Gwo kay.* Machè, se nan yon chato ou rete la a, kote ou pran lajan pou achte kokenn chenn kay sa a?.

**chatouyèt**, *(zatiyèt)*. *n. : Eksitasyon yon moun santi lè yon lòt manyen l yon kote li sansib.* Mwen pa renmen moun chatouyèt mwen bò zo kòt mwen paske mwen santi mwen pral gen kriz chak tan yon moun fè mwen sa.

**chatre**. *v. : Lè yo retire testikil (grenn) yon bèt osinon yon moun, pou l pa fè pitit.*

**chatye**: *v. pini, mòtifye, korije.*

**Janbatis Chavann** *(Chavannes, Jean Baptiste.) np. : 1. Milat lib ki te kole tèt li ak Vensan Oje an 1791 pou yo te chache gen plis dwa ak favè pou moun ki milat. Yo pat rive, yo te oblije ale nan peyi Espay ki te voye yo retounen. 2. Animatè, politisyen, jesyonè. Li te direktè Biwo Karitas Plato Santral. Li se koòdinatè Mouvman Peyizan Papay depi nan ane 1970 ale pou 1999.*

**chavire**. *v. : 1.Kapote, tonbe.* Chak tan mwen ap montè mòn Pilboro mwen toujou sonje machin ki te chavire avèk mwen an. 2. *Pèdi tèt, vin fou.* Kawòl chavire, li ap depale.

**chawony**. *n. : 1. Ranyon ki santi move anpil.* Wete chawony sa a devan pòt mwen an. 2. *Jouman pou moun ki pa merite respè.* Gade lè ou non, manman chawony.

**chay**. *n. : Komisyon ki lou osnon ki enpòtan.* Mwen pa renmen pote chay sou tèt mwen paske li fè kou mwen fè mwen mal.

**chaye**: *v. Charye, chawaye.* Si mwen poko manje, mwen pa ka chaye tout malèt sa yo.

**chè nan gòj**: *n fr. Tisi osnon vyann ki pouse andedan gòg.* Gen plizyè timoun mwen konnen ki fè operasyon pou wete chè nan gòj yo.

**chè nan nen**: *n fr. Tisi osnon vyann ki pouse andedan nen.* Chal sot fè operasyon, doktè retire chè an nen li an.

**chè**: *a. 1. Ki vo anpil lajan, ki koute anpil kòb.* Mwen achte pantalon sa a byen chè. *2. n. Vyann sou kò yon bèt miskilati.* Chè poul. Ou pa banm chè, se plis zo ki nan asyèt la. *3. Ki enpòtan, ki merite afeksyon.* Bèl chè manman mwen, ou mèt fè sa ou vle. *4. Tribin pou fè diskou.* Pastè a monte sou chè a.

**chèch** *(sèch): a. 1. Ki pa gen dlo ladan l.* kokoye chèch. *2. Mèg.* Maladi a fini ak Biwon, ou pa wè jan li vin chèch?

**chèche,** *(chache). v. : Gade toupatou ak espwa pou ou jwenn yon bagay.* Mwen chèche kle a toupatou, mwen pa janm jwenn li.

**chèf eskwad.** *: n. fr. Tit moun ki òganize yon konbit.* Mwen te konn yon nèg ki te chèf eskwad Blòkòs.

**chèf kanbiz**: *n fr. Moun ki òganize manje ak bwason nan fèt.* Depi gen fèt, Lilyan toujou sèl chèf kanbiz.

**chèf**: *n. 1. Bòs.* Se ou ki chèf kay ou, sa ou di, se sa. *2. Anplwaye leta ki gen gwo pòs.* Mari ou se chèf li ye. *3. Militè ak moun ki pouvwa pote zam.*

**chèf seksyon**: *n fr. Reprezantan leta nan yon seksyon riral. Pi ba nivo militè nan zòn riral Annayiti.* Depi ou vin chèf seksyon an, mwen pa wè ou ditou.

**chèk san pwovizyon**: *n fr. Chèk ki pa gen fon labank.* Jisten se aksyonè, li pa pè bay moun chèk san pwovizyon.

**chèk**. *n. : Dokiman ki gen nimewo kont labank yon moun ki sèvi pou peye.* Mwen te resevwa yon chèk san pwovizyon yon fwa mwen pat renmen sa ditou.

**chelèn**: *n. Bèl mab ki pa grizon. 2. Yon bèl fi.*

**chema**: *n. Desen ki bay yon reprezantasyon senplifye pou montre yon machin, yon bilding, yon metòd, eltr.*

**chemen**: *n. Wout pou soti yon kote ale nan yon lòt kote. Distans, trajè, direksyon.*

**chemenn kwa** : *n fr. Seremoni legliz katolik fè chak vandredi karèm;* seremoni sa a genyen Katòz estasyon ki raple depi kondànasyon Jezi jiskaske yo remèt kadav li bay manman l. Nou pral chemenn kwa pita.

**chèmèt**. *n. : Mèt, pwopriyetè.* Kay sa a se mwen ki chèmèt, chèmètrès li.

**chemètrès**: *n. (Gade chèmèt)*

**chelbè**. *a. : Bwòdè, ki ap fè enteresant pou moun.* Makso se nèg ki chèlbè anpil, tout timedam nan katye a konnen l byen.

**chemen** *(chimen): n. 1. Wout.* Mwen ap fè chemen sa a pito, li pi kout. *2. Destine.* Nonm nan vin jwenn mwen nan chemen m, li detounen m. *3. Tandans.* Si ou vle mwen byen avèk ou, pa pran move chemen.

**chemen dekoupe** *( chemen koupe): n fr. Wout kout, rakousi.* Si ou pa vle pase sou granri a, pase pa ri channmas, ou va fè chemen dekoupe ki ap mennen ou bò palè a.

**chemen rat**: *n fr. 1. Twou, koridò, wout zigzag.* Mwen pat janm konnen moun te ka pran wout sa a pou yo ale Petyonvil, sa se yon chemen rat. *2. Kwafi titrès kote po tèt moun nan tyaktyak.* Kote ou jwenn ak kout peny chemen rat sa a?

**chemiz**. *n. : Rad gason mete pou kouvri anwo kò yo.* Anjeneral, koulè chemiz la mache ak koulè pantalon an pou l kapab ton sou ton. Fi mete kòsaj.

**chemizdenuit**. *n. : Kalite rad fi mete sou yo pou yo al dòmi.* Chemizdenuit sa ki dekòlte anpil yo osnon ki seksi anpil yo rele yo bebidòl.

**chemizèt madyòk**: *n fr. Chemizèt ki fèt ak retay epi ki sipoze bay chans osinon pwoteje kont malchans.* Madan Woje mete chemizèt maldyòk sou pitit li yo lè yo fèk fèt.

**chemizèt**. *n. : rad gason mete sou yo anba chemiz.* Mwen pa renmen lè Mak mete chemizèt san manch yo.

**chen ak chat**: *n fr. Moun ki pa sa antann yo.* Ivèt ak Wozi se chen ak chat, yo toujou ap joure.

**chen manje chen**: *n fr. San pitye, chak moun defann avantaj yo.* Gen anpil moun ki se chen manje chen men mwen ta pito wè tout moun antann yo.

**chen san mèt**: *n fr. Vakabon, Dezevre.* Ou pa ka ret nan lari a tout lajounen tankou yon chen san mèt, se timoun defami ou ye.

**chèn** *(chenn): n. 1. Bijou ou met nan kou.* Mwen pèdi yon bèl chèn annò nan lanmè. *2. Pyebwa (bwadchèn).* Te gen yon chèn nan lakou lakay mwen, li te bay anpil lonbray. *3. Prizon, kòd.* Yo arete Edwa, yo mete l nan chèn kareman.

**chèn alimantè** : *n fr. Kontinuite nan lanati kote bèt manje plant, moun manje bèt, elatriye.*

**Chèn Mate** *(Chaine des Matheux). : Yon liy mòn ki sòti depi nan zòn bò zile Lagonav rive jous nan fwontyè ak Dominikani.*

**chen**. *n. : Bèt ki gen ke, kat pat epi ki nan menm fanmi ak lou, yo renmen jape houp houp*

*houp.* Mwen te gen yon gwo chyen ki te rele Seza.

**chènangòj**. *n. : Chè moun konn genyen ki pouse nan gòj, sa kapab bay pwoblèm malgòj, ak pwoblèm sinis.* Tifrè mwen an te toujou gen chènannen men mwen se chènangòj mwen te genyen.

**chendan**: *n. Raje, plant sovaj ki pa itil.* Chendan fin anvayi lakou a.

**chenè**, *(fè chenè): n. jwèt timoun fè ak tiboul twal pou choute monte-desann sou dopye.*

**chenèt**. *n. : Espas ant dan moun.* Gen moun ki pa renmen chenèt men mwen se dan doukla mwen pa renmen.

**cheni**. *n. : Etap nan lavi papiyon.* Ze papiyon fè cheni, cheni antre nan kokon, kokon an devlope pou tounen papiyon... transfòmasyon an se yon metamòfoz.

**chenn** *(chèn): n. 1. Bijou ou met nan kou.* Papa m fè m kado yon chenn ajan. *2. Pyebwa (bwadchenn).* Mwen renmen al pran bon van anba pye chenn nan lakou lakay mwen an. *3. Prizon, kòd.* Pa mete m nan chenn tanpri, mwen inosan. *4. Remonte yon revèy osinon yon jwèt ki mache ak chenn.* Bay revèy la chenn pou mwen chak swa anvan ou al dòmi.

**chenpanze** *: n. Senj ki sot nan kontinan Afrik.* Chenpanze se bèt ki konn grenpe bwa vit.

**chente**: *v. Konpòtman moun ki ap flate lòt moun.*

**cheran**. *a. : Moun ki mande chè pou yo fè yon travay osnon pou yo vann kichòy.* Mwen te konn yon madanm ki te koud byen men li te cheran anpil.

**cheri** *: n. 1. Mo amikal pou adrese moun ou renmen.* Mwen renmen ou anpil, cheri. *2. v. Santiman afeksyon yon moun ka santi pou yon lòt.* Si ou marye avèk mwen, Adelina, mwen ap cheri ou tout lavi m.

**cheriben**: *n. Zanj ki nan dezyèm ran.*

**chèsè**: *n. Tit yo bay mè nan relijyon katolik.*

**chète**: *n. Kondisyon lè tout bagay vin chè.*

**chetif**: *a. 1. Mèg, fèb osinon ki pa devlope.* Kijan timoun nan fè chetif konsa a, li pa manje? *2. Maladif.* Depi tibebe sa a piti li chetif.

**cheval**. *n. : Gwo bèt mamifè ki gen 4 pye ak yon ke long.* Moun sèvi ak cheval pou plezi men yo moute l plis pou nesesite transpò.

**chevalèt**: *n. Sipò pou kenbe penti, osinon kànva.* Poze ankadreman an sou chevalèt la.

**chevalye**. *n. : 1.Militè wo grade. Nan tan lontan, chevalye se te yon grad espesyal pou wa ak rèn.* Chevalye te gen rad fè sou yo epi yo te konn monte cheval. *2. Pyon nan jwèt echèk.*

**cheve grenn** *( tèt grenn): n fr. Cheve ki rezistan, rèd epi plòtonnen pou fè ti boul.* Mete yon ti pomad osinon yon ti dlo nan cheve a pou ou penyen li, pou moun pa rele ou tèt grenn

**cheve siwo** *(cheve swa, cheve luil) : n fr. Cheve, ki pa plòtonnen, ki pa rezistan.* Moun ki gen cheve siwo pa bezwen fè pèmanant.

**cheve swa** *(cheve siwo, cheve luil): n fr. Cheve ki pa rezistan, ki pa plòtonnen, ki fasil pou penyen.* Madan Bòs pran cheve swa li a kot papa l.

**cheve**. *n. : plim ki pouse sou tèt moun.* Cheve ak pwal sanble, men cheve pi long.

**chevon**: *n. 1. Bwa ki sèvi pou soutni twati.* Si ou pa gen chevon an avèk ou, nou pap ka moute twati a jodi a. *2. Dekorasyon.* Mwen renmen twal ki gen chevon ladan l.

**chèvrèt**, *(krevèt, kribich.) n. : bèt lanmè osinon dlo sous, kristase ki gen yon koulè wòz ki gen yon fòm vigil.* Mwen te renmen diri ak pwatchous ak krevèt lè mwen te piti.

**chèz woulant** *: n fr. Chèz ki gen wou pou moun ki pa kapab mache.* Depi madan Monplezi fè maladi li a, se sou chèz woulant li deplase.

**chèz**. *n. : mèb pou moun chita.* Mwen renmen chèz boure paske yo pa fè dèyè mwen fè mwen mal. *Chèz pay, chèz ba, chèz kajou.*

**chi**: *ent. Ale, degèpi.* Gade poul yo fin manje tout mayi a, chi, chi, pa vin la a ankò. Chi poul.

**chich**. *a. : Ki pa renmen bay ni pataje nan sa li genyen; ti koulout.* Tonton Kalo se moun ki chich, l ap manje sou ou, li pap ofri w. *2. Ki pa anpil.* Manje a chich, chak moun ap jwenn yon tikal.

**chicha**, *(chich.) a. : Ki pa renmen pataje, ki egoyis.* Kouman ou fè chicha konsa a?.

**chichadò**. *a : Chich, moun ki pap janm kite chich.* Mwen pa konn ankenn moun ki pi chichadò pase Jislèn.

**chichi** *: n. Enteresant, konplikasyon, mativi san nesesite.* **Mwen pa nan chichi avèk ou.**

**chif desimal** *: n fr. Chif ki pa antye, ki gen fraksyon ladan yo menmsi denominatè a pa ekri. (0.5 = 5/10).*

**chif pè**: *n fr. Ki pa enpè. kòmanse ak 2 epi sote youn; ki divizib pa 2. (2, 4, 6...)*

**chif women** *: n fr. Sistèm nimerik ki te kouran nan peryòd women. Chif ki ekri ak lèt alaplas nimewo. Pa egzanp, 1=I, 5=V, 10=X, 50=L, 100=C, 500=D, 1000=M.*

**chif.** *n. : Senbòl ki sèvi pou ekri valè ak nonm. Gen dis chif prensipal 0,1, 2, 3, 4, 5, 6, 7, 8, 9. Gen chif pè, chif enpè.*

**chifon**: *n. Twal pou siye.*

**chifonnen.** *v. : Ki pa pase.* Mwen pa ta kapab kite ou mete chemiz chifonnen sa a san mwen pa pase l pou ou.

**chik**: *a. 1.Bwòdè.* Mwen rankontre Selimèn, dam nan te chik. *2. Enfeksyon nan pye.* Pye chik.

**Chikago** *(Chicago): np. Vil Ozetazini, nan eta Ilinwa. Li gen yon gwo pò sou lak Michigan. Li gen 3 milyon moun nan yon metwopòl ki gen 6 milyon moun. Premye plan vil la se te yon moun ki fèt Ayiti ki te trase li epi devlope li. Msye te rele Pwendisab (Point Du Sable). Jodi a gen plizyè lekòl Chikago, plizyè ri ak yon mize ki pote non Pwendisab.*

**chike** : *v. Mete tabak anpoud anndan bouch.* Moun ki chike tabak toujou ap krache.

**chikèt** *(an chikèt): adv. 1. Pa moso, pa tikal.* Mwen pa vle lajan-an an chikèt konsa, mwen pap janm rive fè anyen avèk li. 2. *Piti.* Yon chikèt gason.

**chikin.** *v. : Souke, arimen, deplase ale-vini.* Jera ap fè mekanik deyò a nan motosiklèt li a, mwen wè li ap chikin motè a.

**chiklèt**: *n. Gòm dous moun moulen san vale pou plezi osinon pou fè bouch santi bon.* Al achte yon bwat chiklèt pou mwen, bouch mwen ta pran yon ti gou mant.

**Chili** : *np. Peyi nan Amerik Disid.* Yo di m Chili se yon bèl kote, gen anpil plaj epi moun yo janti.

**Chilyen** *(Chilyèn) : n. Moun ki soti nan peyi Chili.* Wozita ak Polo se Chilyen yo ye.

**chimè**: *1. n. mons imajinè. 2. Gwoup ajitasyon politik.*

**chimen** *( chemen): n. 1. Wout.* Mwen ap fè chemen sa a pito, li pi kout. 2. *Destine.* Nonm nan vin jwenn mwen nan chemen m, li detounen m. *3. Tandans.* Si ou vle mwen byen avèk ou, pa pran move chemen.

**chimerik.** *a. : Ki pa sou bon san, ki pa kontan, ki akaryat.* Pa anmède m, mwen tou chimerik.

**chimi.** *n. : Syans ki etidye konpozisyon pwodui natirèl ak atifisyèl.* Mwen te renmen etidye chimi anpil paske pwofesè mwen an te esplike l byen. *Chimi òganik etidye bagay ki gen kabòn. Chimi analitik mezire kantite chak eleman ki gen nan yon pwodui.*

**chimik.** *a. : Ki gade sijè chimi.* Sa se yon pwodwi chimik ki fò anpil, pran prekosyon avè l.

**chimis**: *n. metye moun ki etidye epi ki pratike syans chimi.*

**chini** *(cheni) : n. Lav papiyon ki gen fòm alonje.* Mwen pa renmen lè chini yo manje tout plant mwen yo.

**Chinwa.** *(Chinois) : np. 1. Moun ki soti nan peyi Lachin.* Mwen gen de chinwa nan klas mwen an. *2. a. Ki soti nan kilti osnon nan abitid chinwa.* Mwen renmen manje Chinwa yo.

**Chinwaz**: *n. Fi ki soti nan peyi Lachin.* Te gen yon Chinwaz nan travay mwen an, li te konn pale menm senk lang.

**chipote.** *v. : Trakase.* Koze a chipote lespri mwen anpil, li fè mwen pa kapab dòmi.

**chire.** *v. : 1. Dechire, ki defèt.* Rad la chire padèyè, fòk ou ta koud li anvan ou mete l ankò. 2. *Pèdi.* Si se konsa ou ap vin sou mwen ou chire davans paske mwen fè karate, mwen ap tou mete do ou atè. Si ou pa etidye ou ap chire nan ekzamen an.

**chiriji.** *n. : Operasyon medikal. Doktè te fè mwen yon chiriji pou l te retire chènannen mwen te genyen an.*

**chirijyen** : *n. Doktè ki espesyalize nan fè operasyon.* Doktè Lawoz se yon chirijyen.

**chit dlo** : *n fr. Nan lanati, kote dlo soti anlè nan yon falèz pou li tonbe tou dwat pi ba.* Gen yon chit dlo nan Sodo.

**chit**: *n. 1. Kote dlo soti anwo pou desann vètikal.* Pwochenn fwa mwen ale Ayiti, se pou mwen ale vizite chit Pelig la. 2. *Tonbe.* Se yon chit li fè epi li kase zo janm li. *3. Zwazo.* Yo di m gen anpil chit nan zòn Jakmèl men mwen pa janm wè yo.

**chita sou tab**: *v fr. 1. Mete ou atab.* Li lè pou vin chita sou tab la, manje pare.

**chita.** *v. : Mete dèyè sou yon chèz osnon sou yon ban.* Mwen te chita kay Manno a epi mwen wè Asefi ki ap pase byen vit.

**chita tande**: *reyinyon.* Ap gen yon chitatande lendi maten pou tout moun ki pral pase ekzamen an

**chitatann.** *n. : Pwen, wanga.* Yo di se yon chitatann yo te voye dèyè Janjan. 2. *menas.*

**chival** *(cheval, chwal): n. Bèt domestike, ki gen krinyè, yo sèvi avèk li pou transpò.* Vwazen mwen an gen twa chival mare nan lakou li.

**chive** *(cheve): n. Pwal ki sou tèt moun, li ka long, kout, grenn osnon swa.*

**chiwawa** : *n. Yon kalite chyen piti.* Se premye fwa mwen wè yon chiwawa gwosè sa a.

**chiyon** *(tiyon): n. Estil fi penyen tèt yo... Estil mare cheve tankou yon chou padèyè ak* *yon mouchwa osnon foula.* Chiyon fè m byen se sa ki fè mwen renmen mare tèt mwen konsa.

**cho.** *a. : 1. Ki gen tanperati ki wo, ki bay chalè.* Fè cho jodiya. 2. *Eksite.* Kijan mesyedam sa yo fè cho konsa a?

**cho frèt**: *n. 1. Fredi, refwadisman.* Si ou ap rantre soti nan van an konsa, ou ap pran yon chofrèt. 2. *Ekipman pòtatif pou chofe kay.*

**chòche.** *n. : Move moun, mechan.* Ou se yon chòche machè, si ou kapab sere kle a epi ou wè mwen ap touye tèt mwen chache l.

**chòchòt.** *n. : Tinon pou bouboun.* Gen moun ki rele pati sèks fi chòchòt mwen pa konn poukisa.

**chode.** *v. : 1. Ki pase nan dlo cho.* Gen moun ki pap manje poul si ou pa chode l anvan ou mete l nan epis. 2. *Ki fè yon move eksperyans.* Monchè, depi mwen te chode nan move zafè ak Adriyen an, mwen pa fè afè ak zanmi ankò.

**chodpis** *: n. Gonore, ekoulman, grann chalè.* Maladi moun pran nan sèks.

**chodyè** *(chòdyè): n. Veso pou kuit manje, li won epi li fon.* Pa mete dife a wo pou ou pa boule manje nan chodyè a.

**chof**: *n. kote yo chofe kichòy. Etap pou chofe kichòy. Peryòd pou chofe kichòy.*

**chofay**: *n. Aktivite pou mete chalè pou chofe kichòy.*

**chofe.** *v. : 1. mete nan chalè.* Al chofe manje a pou mwen, li twò frèt. 2. *Eksite.* Lè mwen tande Jan jwenn travay sa a, se pa de chofe mwen chofe. 3. *Kouri oto vit.* Chofe chofè .

**chofè.** *n. : Moun ki ap kondui oto.* David se chofè taksi li ye kounye a.

**chofè-gid**: *n. Moun ki fè metye kondui taksi pou touris.* Mesye chofè-gid yo gen asosyasyon ak restoran pa yo.

**chofi.** *n. : Tibouton sou po moun.* Pitit la plen chofi sou li siman li pral fè lawoujòl.

**chofrèt**: *1. Aparèy pòtatif ki sèvi pou chofe espas. 2. Kondisyon ki bay moun grip.*

**chòfsourit** *(chousourit, chat-sourit) : n. Mamifè ki gen zèl.* Chòfsourit aktif leswa.

**chòk.** *n. : Sezisman, pat atann.* Lè Timari pran nouvèl lanmò Asefi, li pran yon gwo chòk, se lopital yo kouri mennen l. 2. *Lè de bagay frape youn sou lòt.*

**chokola** *: n. 1. Bwason ki fèt ak kakawo, lèt ak sik.* Mwen ta bwè yon chokola cho aswè a. 2. *Kakawo ki transfòme.* Gen moun ki pa renmen chokola, yo di li gen twòp grès. 3. *Pase bouch, desè.* Lè mwen te piti, mwen te konn al achte baton chokola nan makèt bò lakay mwen an. 4. *a. Koulè.* Mwen sot achte yon soulye chokola ki pou mache ak valiz mwen an.

**chokan**: *a. Ki bay sezisman ak santiman dezagreyab.*

**choke**: *v. Bay chòk.*

**chomay**: *n. Peryòd san travay.*

**chomè**: *n. 1. Moun ki pap travay, ki sou chomaj.* Depi dezan Antonyo se chomè, kijan li fè jwenn lajan pou li al sinema chak samdi? 2. *Flannè ki ap pran plezi yo epi ki pa sou chèche travay.* Mwen pa enterese renmen ak chomè mwenmenm.

**chonje** *(sonje) : v. Raple.* Mwen pa chonje ki dènye fwa mwen pran vakans.

**chonmay** *(chomay): n. 1. Jou konje, jou fèt.* Elifèt pap al travay jodi a paske se chonmaj. 2. *San travay, ap resevwa asistans piblik.* Nan peyi Ayiti pa gen afè viv sou chonmaj, si moun pap travay, li ret sansenk; gen peyi ou ka resevwa chonmaj lè travay ou mete ou atè.

**chòp**: *n. 1. Boutik, magasen.* Madan Alsendò louvri yon chòp anba lavil la. 2. *Atelye.* Bòs kòdonye a genyen chòp li a nan bout kafou a.

**chose**: *v. Mete soulye osinon mete chosèt.* 2. Pwenti pwe yon moun.

**chosèt**. *n. : Tib an twal moun met nan pye.* Timoun yo renmen mete chosèt blan ak soulye vèni nwa pou yo al legliz lè dimanch.

**choson**: *n. Ti soulye kwochè pou tibebe.* Pika fè yon bèl choson pou pitit madan Pòl la.

**chòt**: *n. Bout pantalon.* Alèkile Benwa se ak chòt li pran lari.

**chòtdeben.** *n. : Kostimdeben moun mete pou benyen nan pisin osnon nan lanmè.* Mwen pral achte yon chòtdeben.

**chou karayib**: *n fr.Rasin tankou yanm ak malanga; tibèkil.* Mwen renmen manje chou karayib ak lanmori ansòs.

**chou palmis**: *n fr. Boujon palmis.* Mwen gen yon resèt pou kuit chou palmis

**chou.** *n. : 1. legim vèt.* Si ou pa konn manje chou ak berejèn, ou poko konn sa ki bon. 2. *Ti non afektye.* Vin al fè komisyon sa a pou mwen tanpri chou.

**choublak**. *n. : Flè twopikal ou jwenn toupatou nan Karayib la.* Gen tout kalite koulè flè choublak epi gen choublak senp ak choublak doub.

**chouboulout.** *n. : Cheri, toutou.* Chouboulout, tanpri, rann mwen yon sèvis la a, al pran yon vè dlo pou mwen.

**chouchany** *(chany): n. Moun ki netwaye soulye.* Wobè travay kòm chany lajounen epi leswa li al vann fresko sou laplas.

**chouchou.** *n. : Chou. Ti non afektye.* Ti chouchou mwen renmen ou anpil.

**choute**. *v. : Pouse yon bagay ak fòs ak pye w.* Pa choute boul la konsa, wa fè nou pran gòl.

**chouflè**. *n. : Legim.* Gen moun ki pa renmen chouflè paske li gen yon gou ki fò men anreyalite se yon bon legim.

**chouk dan**: *n fr. Moso dan ki rete nan jansiv.* Lora fin pèdi tout dan nan bouch li, se de twa chouk dan ki rete.

**chouk**. *n. : Bout tij yon pyebwa ki kole ak rasin nan.* Si ou pa koupe pye bwa a ratè, chouk sa a yo kapab fè moun tonbe.

**choukbwa,** *(chouk.) n. : Bout tij pyebwa ki kole ak rasin nan.* Gen moun ki toujou renmen wete chouk bwa lè yo ap koupe yon pyebwa konsa choukbwa a pa retounen pouse ankò.

**Choukèt lawouze**: *n fr. Asistan chèf seksyon.* Depi chèf seksyon an pa la, choukèt lawouze a pran bouk la pou li.

**choukèt**. *n. : Kout, foule. Tout sa ou tande a,* Tisya se yon ti bout choukèt wi, nan pwen fanm nan li ditou ditou.

**choukoun.** *n. : 1. Tit mizik ak pwezi ki popilè, ki bèl, tout ayisyen renmen. Pawòl yo se Osval Diran (Oswald Durand) ki te ekri yo, mizik la se te Michèl Moleya Monton (Michel Mauleart Monton) ki te konpoze li. 2. Bèl marabou. 3. Nan kanaval, degizman ki reprezante fi ki byen gra, ki gen gwo dèyè.* Madan Wodney sanble yon gwo choukoun, lè l ap mache li brase anpil van.

**choukounèt.** *n. : Tikay konfòtab moun kapab al pase vakans ladan l.* Gen yon plaj Anayiti ki gen choukounèt tout bò lanmè a epi ou kapab al pase yon fennsemèn la pou ou al relaks kò w.

**choupèt** *(choupit): n.Kòkòt, dyakoukout, chouchou, mo pou make afeksyon.* Vin al fè yon komisyon pou mwen, tanpri choupèt.

**chout**: *n. Frape ak pye.* Bay yon balon yon kout pye nan jwèt foutbòl. Si gadyen bi a te bay balon an yon bon chout, ekip la pa tap pran gòl sa a.

**chòv.** *n. : Pa gen cheve devan tèt.* Si ou se tèt chòv, ou bay kwafè piyay.

**Chovèt** *(Chauvet): np. Fanmi ki pwopriyetè jounal Nouvelis, youn nan jounal ki pi ansyen Ayiti.*

**Chovèt Èns** *(Ersnt Chauvet): np. Ansyen direktè Jounal Nouvelis.*

**Chovèt Mari** *(Marie Chauvet): np. Marie Chovèt te fèt Mari Vye (Marie Vieux) 16 Septanm 1917 Pòtoprens. Li mouri an 1975 nan vil Nouyòk. Ekriven, li ekri woman, nouvèl, pyès teyat ak istwa kout epitou li te pwofesè. Li ekri La Légende des Fleurs pyès teyat, Pòtoprens, Deschamps 1948. Fille d'Haiti Paris, Edisyon Fasquelle, 1954; La Danse sur le Volcan, Paris, Plon, 1957; Fonds Des Nègres (pote pri France-Antille 1960), Pòtoprens, Deschamps 1961; Amour, Colère et Folie, Paris, Gallimard, 1968. Li te marye ak Aymon Chalye apresa ak Chovèt.*

**chòvsourit.** *n. : Mamifè ki gen zèl ki aktif leswa.* Chòvsourit dòmi la jounen epi yo vole nannuit.

**chwazi.** *v. : Prefere. Pran yon bagay epi kite yon lòt.* Si ou chwazi al lekòl, se pou etidye leson w.

**chwe** *(echwe) : v. 1. Ateri, akoste pa aza.* Bato sa a vin chwe nan teritwa nou, gad kòt yo sezi l. *2. Fè echèk, pa reyisi, pa pase. Jowèl al nan egzamen de fwa, li chwe tou de fwa yo.*

**chwèt**: *n. Zwazo rapas ki vole nannuit.* Lè chwèt yo kòmanse vole, li ta.

**chyen** *(chen) : n. 1. Mamifè dometik ki gen kat pat.* Chyen se zanmi moun. *2. Jouman pou di moun li pa gen nen nan figi yo, moun ki pa merite respè.* Mwen te konprann ou te yon moun, Jozèf, men genlè se yon chyen ou ye.

**chyente** : *v. Achte figi.* Mwen pa okipe Nikès epi li vin chyente jous devan pòt mwen an.

**CONEH** *(KNAA): akw. Kò Nasyonal Anseyan Ayisyen.*

# D d

**d**: *lèt alfabè kreyòl*

**da**: *a. an relasyon ak travay atis.*

**dabitid** : *adv. An jeneral, regilyèman.* Dabitid, mwen fè pwovizyon leswa.

**dabò**: *adv. Pou kòmanse, avan tout bagay.* Anvan menm ou kòmanse pale se pou mwen di ou dabò mwen pa fè ou konfyans.

**dafni** *(flè): n. Pyebwa ki pa wo, ki bay flè wouj osnon blan, ki pran nan mòn.* Mwen ta renmen gen yo plan dafni lakay mwen.

**daki**: *n. Kòd sekrè pou pale. Fason ou pale ki pa di tout bagay aklè, konsa lòt moun pa konprann sa ou ap di a.* Mwen pral di ou yon bagay la a an daki, met zòrèy ou alekout.

**dakò**. *1. ent. : Apwouve, oke. Lè ou dakò ak yon moun, ou aksepte opinyon moun nan, ou antann ou sou sa ki ap di a.* Dakò, ou pa bezwen vin travay demen. *2. Opinyon ki ale nan menm sans.* Mwen dakò pou nou pa bezwen travay demen.

**daktilograf**: *n. Moun ki tape alamachin.*

**daktilografi**: *Aktivite tape alamachin.*

**dakwonn**: *n. Fib atifisyèl ki sèvi pou fè twal.*

**dal** : *n. 1. Twati beton.* Semenn pase a nou koule dal la, talè konsa kay la ap pare. *2. Goutyè.* Ranmase dlo ki ap sot nan dal la sinon li pral gaye toupatou nan lakou a. *3. (Yon dal) Anpil, pakèt.* Marilisi vini la a ak yon dal liv, mwen pa konnen kote li jwenn yo.

**dalya** *n. Plant ak tibèkil ki bay flè koulè vif.* Prèske tout moun mwen konnen renmen dalya.

**dam** : *n. 1. Fi ki pa timoun ankò, madanm.* Si ou wè dam sa a, ou ap tonbe kanmenm. *2. Pèsonaj nan jwèt kat.* Lè ou ap jwe twasèt, dam koupe valèt. *3. Jwèt damye.* Mwen ba ou dam. *4. Baraj.* Si yo pat fè dam sa a, alè konsa dlo a tap gaye toupatou nan jaden an.

**Dammari** *(Dame Marie). : np. Awondisman ak komin nan depatman Grandans. Vil bò lanmè.* Moun Dammari toujou sonje fèt senpatwon yo a.

**damou**: *v. 1. Renmen.* Mwen damou pou Alisya, mwen pral mande manman l pou li. *2. Ki ap karese.* Ou pa ka vin damou nan figi m la a.

**damye**: *n.(dam, danmye, danm): Jwèt pou de moun jwe moun ki rive manje tout pyon lòt la genyen.* Fito fò nan jwe damye.

**Damye J. B.** *(Jean-Baptiste Damier): Ansyen Minis Edikasyon Nasyonal sou gouvènman Bòno, li te ankouraje devlopman edikasyon teknik. Lekòl teknik J.B. Damier pote non li.*

**dan chen**: *n fr. Kànin.* Ti sè m nan gen de tidan chen tou piti, youn chak bò nan machwa li.

**dan devan** : *n fr. Ensisiv.* Dan devan ti pitit sa a file.

**dan dèyè** : *n fr. (dan sajès, dan zòrèy) molè.* Gen dantis qui rekòmande pou moun fè wete dan dèyè li yo si yo parèt kwochi.

**dan pike** : *n fr. Dan gate, dan pouri, kari.* Si yon moun pa bwose dan li chak jou apre li fin manje, li ka vin gen dan pike.

**dan sajès** : *n fr. Dan dèyè, dan zòrèy, molè.* Gen dantis ki rekòmande pou moun rache dan sajès yo lè yo parèt kwochi.

**dan zòrèy**: *n fr. Dan sajès.* Gen dantis ki rekòmande pou moun rache dan sajès yo lè yo pouse kwochi.

**dan**: *n. Pati di ki nan bouch ki chita nan machwa vètebre ki sèvi pou moulen manje; dan yo sèvi tou pou mòde pou chire epi kraze. Nòmalman yon moun gen 32 dan.* Moun ki pa gen dan devan bouch yo, yo rele yo mazora.

**dane**: *a. Modi, kondane.* Ou se yon moun ki dane si ou ka fè yon kretyen parèy ou gwosè mechanste sa a.

**danfans**: *n. Cheve sou fwon ki sanble dantèl kap desann anlè sousi fi yo.* Mwen toujou fè danfans pou Choupèt lè mwen fin penyen l.

**danje**: *n. Malè, kondisyon kote malè ka rive sanzatann; yon bagay ki ka pote malè.* Se toutan mwen di timoun yo pou yo evite danje.

**danjere**: *a. Ki ka koze danje osnon malè.* Jwèt sa a danjere, pa fè l ankò.

**danm** *(dam): n. Kote yo bare dlo pou wouze tè, pou fè tibin mache osinon pou pwoteje kont inondasyon. Baraj.* Si yo pat fè dam sa a, alè konsa dlo a tap gaye toupatou nan jaden an.

**Danmbala:** *np : Lwa vodou yo reprezante ak koulèv. Dapre kwayans vodou, danmbala renmen lapli. Tout sa l manje dwe tou blan.* Jera ap fè yon seremoni pou danmbala aswè a.

**danmen** *: v. 1. Foule, fè presyon.* Si yo pa danmen lari a byen anvan yo koule beton an, wout la pap janm dire.

**danmijann** *(danmjan): n. Veso pou mete likid.* Monkonpè m toujou mete ti gwòg li nan yon danmijann bò kote l.

**danno***: n. Fwèt, matinèt, rigwaz.* Pase pou mwen ta pran kout danno sa a, mwen ta pito al kache.

**danre***: n. Pwodui latè ki kiltive. Kafe, koton, mayi, diri se pami danre Ayiti pwodui.*

**dans** *: n. 1. Mouvman kò dapre rit yon mizik.* Depi m piti mwen toujou renmen dans. 2. *Bal.* Kalo pa la, li al nan yon ti dans la a. 3. Yon mizik ki fèt pou danse. 4. *a. Kondisyon lè tout espas okipe, lè gen anpil moun.* Trafik la dans jodi a.

**danse:** *v. Mouvman kò ki ale ak rit yon mizik.* Danse bolewo.

**dansè** *(dansèz): n. Moun ki konn danse, moun ki ap danse.* Mwen pa yon dansè pwofesyonèl men depi mwen tande mizik, fòk mwen danse.

**danse kole** *: v fr. Dans lè de patnè kole kò yo youn sou lòt, ploge.* Si ou pa konn nèg la ou pat dwe janm nan danse kole avèk li.

**dansite***: n. Kantite yon bagay pa rapò ak espas li okipe.*Yo mezire dansite an kilogram pa mèt kib (kg/m3). Dansite popilasyon Pòtoprens la ogmante anpil depi kèk ane.

**dantèl***: n. Aranjman, bèbèl nan twal ki dekore rad.* Mete de ranje dantèl nan jipon an.

**Dantika Edwij** *(Edwidge Danticat): np. Ekriven, jounalis, konferansye Ayisyen-ameriken ki fèt Ayiti an 1969. Li kite Ayiti lè li te gen onzan. Li popilè Ozetazini. Li ekri nan lang Anglè epi yo tradui woman li yo an Fransè ak nan lòt lang. Li ekri Breath Eyes and Memory , (souf, koutje ak memwa osinon ral, zye ak kè yanm) Krik-Krak, The Farming of Bones (Lakilti Zo) Fòs Lanmou Bò Larivyè Masak. Li jwenn popilarite trè jèn. Fòs li se sous enspirasyon li genyen, se metriz ekriti lang (sitou lang angle a) epi konpasyon li mete pou li rakonte chak segman nan istwa li rakonte yo, konpasyon sa a kenbe lektè a. Kòm li jèn, epi sitou li gen yon pèsonalite ki ekilibre nou ka predi li ap akonpli anpil bagay pandan lavi li.*

**dantis***: n. Moun ki etidye syans ak teknik pou pran swen dan.* Papa m te yon dantis.

**dantisyon** *: n. Peryòd timoun ap fè dan. Tibebe chimerik lè yo ap fè dantisyon yo.*

**dantrit***: n. Pati sansib nan nè yo ki reyaji lè li resevwa mesaj ki soti nan yon lòt selil nè.*

**dawou***: np. : Out. Uityèm mwa nan lane.* Joslin di moun ki fèt nan mwa dawou toujou janti.

**dap** *(bap) : Onomatope pou lè moun sezi youn bagay sanzantann.*

**dapiyanp**, *dappiyanp, dappiyank: adv. Pran san otorizasyon, sanzatann.* Ou pa ka fè dapipyanp sou rad mwen an, li pa pou ou.

**daplon***: adv. Egzakteman, byen chita, dwat.* Mwen te pran mezi a byen, kifè rad la tonbe daplon sou ou.

**dapre***: adv. Selon.* Dapre mwen, se yon lòt machin pou ou achte paske sa a pa bon ankò.

**daprezavwa***: adv. Paske.* Ou pa ta ka chanje pawòl daprezavwa ou fin di mwen se lougawou.

**darati kòn sye** *(darati): n fr. Rasi, bon jan rasi. Moun ki gen lontan yon kote. Yon darati kòn siye, se yon moun ki la lontan.*

**darati***: n. Rasi, ki gen laj.* Ou mèt wè Loran tou kout la, se yon darati li ye, li plen laj sou tèt li.

**daso***: adv. 1. San avèti.* Ou pran m daso, Jera, si se pat sa, ou pa tap janm ka genyen m. 2. *Benefisye san peye.* Chak tan Kalo al nan estad la li pran daso.

**dasomann***: n. Moun ki pran daso.* Si ou pa sispann fè dasomann, jou yo kenbe ou, ou pral nan prizon tou dwat.

**dat** *: n. 1. Enfòmasyon ki endike jou, ane ak mwa.* Ki dat jodi a ye? *2.adv. Lontan.* Dat mwen pa wè ou, kisa ou ap regle konsa a.

**Datig Moris** *(Maurice Dartigue): np. Agwonòm, ansyen minis edikasyon sou prezidan Lesko. Li te enterese anpil pou mete resous devlopman riral.*

**Datignav, Filip Sid** *(Dartiguenave, Philippe Sudre). np. : Prezidan Ayisyen 1915-1922 sou dominasyon ameriken. Li te siyen antant ki legalize dominasyon ameriken nan peyi Dayiti a. Msye te yon milat moun nan sid. Msye te gen anpil difikilte pou l te limite pouvwa ameriken te vle pran nan peyi a; pandanstan, lachanm te yon jan ap vise boulon l tou. Msye te ant de fòs sa yo epi sa te di pou li. Pèp la te refize ba li yon dezyèm manda lè msye te aplike pou releksyon.*

**Davètij** *(Davertige): np. Non plim Deni Vila (Denis Villard). Powèt, pent. Li fèt Pòtoprens an*

*Desanm 1940. Li fè plizyè penti ki te ekspoze nan galeri Bwochèt ak Liknè Laza. Li pibliye "Idem" 1961, 1964, 1983. Gen moun ki konpare Davètij ak Renbo. Depi 1987 li ap viv Monreyal, Kanada.*

**davwa**: *konj. Paske, dèske, akòz.* Moransi genyen m nan kè davwa mwen rakonte manman l istwa ki pase a.

**Dawin Chal** *(Charles Darwin) : np. Syantis ki devlope teyori modèn sou evolisyon ak jenetik.*

**dawou** *(out): n. Uityèm mwa nan ane.* Nan mwa daou fè cho anpil.

**dayè**: *konj.men,epi ,paske.*Li pa pase, dayè li pat etidye pou sa

**Dayiti**. *np : Ayiti. Peyi Dayiti. Ki konsène osnon ki pou Ayiti.*

**dayiva** *(dayva): n. 1. Moun ki konn naje byen.* Se dayiva ou ye, ou mèt al nan fon pisin nan si ou vle. 2. *Timoun ki ap plonje nan lanmè pou chache lajan touris lage.*

**daza** *(aza): n. Sou chans, ou paka kontwole.* Jwèt sa a, se yon jwèt daza li ye, ou pa dwe ap jwe l toutan.

**de**: *1. prep. Osijè, konsènan.* Pale m de Malèn. *2. Adjektif nimeral (1+1=2). Valè ki vin apre en (1). 3. de- (dez-) Prefiks ki kole ak yon vèb pou fè vèb la vin kontrè ak sa li te vle di avan. Defèt (Defèt yon travay); dekole, detòtye, demonte, dezose, dezoblijan, dezabiye.*

**De Masyal** *(Martial Day): np. Komèsan, famasyen. Li kreye Laboratwa De nan Pòtoprens.*

**de tan twa mouvman**: *adv. Lamenm, touswit, san pèdi tan.* Depi tan mwen pale ou la, nan de tan twa mouvman madan Edga parèt li bonbade Edga ak jouman.

**de twa**. *adv.(dezoutwa): Kèk, dezoutwa.* Te gen de twa moun nan lantèman an men yo pat rete.

**de jou an jou**: *adv. Ofiamezi, chak jou ki pase.* De-jou-an-jou Kawòl ap vin pi bèl.

**deba**: *n. Diskisyon.* Mwen sot nan yon deba la a, pèson moun pa rive antann yo.

**debabouye**: *v. Lave ak sèvyèt, ak debabouyèt, retire labou.* Jan figi ou sal la, ou mèt al debabouye ou.

**debakadè**: *n. Waf; kote pou bato akoste.*

**debake** : *v. 1. Rive, parèt, ateri.* Mwen fèk debake la a, mwen poko menm louvri malèt mwen. 2. *Vide machandiz.* Mwen poko prèt ap kite ou debake machandiz yo, toutotan ou pa di m konbyen ou mande pou fè sa.

**debakman**: *n. Mete pasaje ak machandiz atè.*

**debale**: *v. Louvri yon pake; louvri yon bwat.*

**debanday**: *n. Dezòd.* Depi m pa la, tout bagay an debanday nan kay isit la.

**debarase**: *v. 1. Soulaje.* Kite m debarase men ou, chay sa a twò lou pou ou. 2. *Bay, jete, retire.* Mwen gen tan debarase kay la ak tout tyanpan ki te ladan l yo. *3. Netwaye, mete lòd.* Apre fèt, se Sizàn ki toujou vin debarase kay la pou mwen.

**debare**: *v. 1. Wete nan enpas, sove.* Monchè, se ou ki debare m ak degoud sa ou prete m nan. 2. *Fè lè, deplase, wete kò ou.* Debare bak la non, tigason, si ou kanpe devan m nan kijan pou moun fè wè machandiz mwen an?

**debat**: *v.1. Degaje, goumen ak lavi a.* Moun nan wè m ap debat ak lavi a, sa li bezwen vin plen tèt mwen fè? 2. *Goumen pou chape.* Li debat kò l jistan li chape.

**debatman**. *n. : Dapre kwayans vodou, se batay ant bonanj yon moun ak lwa ki ap antre sou li yo.* Nan seremoni lotrejou a, Inès te gen yon sèl debatman lè lwa a tap moute l la, se wè pou ou ta wè.

**debitan**: *n. Apranti, novis.*

**debleye**:*v. Retire wòch, retire dedri.*

**debloke**: *v. Retire sa ki bloke yon pòt, rezoud pwoblèm nan sikilasyon. Libere.*

**deblozay** *(deplozay): n. Eskandal piblik.* Jou mesyedam yo goumen an, sa te fè deblozay.

**debobine** *(debobinen): v. Dewoule (fil), wete nan bobin.* . Kite timoun nan debobine fil la.

**deboche**: *v. Pran plezi san kontwòl.*

**Debòdis Langichat**:*np. Non yon pèsonay Teyodò Bobren (alyas Langichat) pran kòm aktè sou sèn.*

**debòdman**: *n. Eksè depase yon yon limit.* Fè atansyon, ou pa wè mòtye a fè yon debòdman.

**Debodyè, Fènan** *(De Beaudière, Fernand). np. : Yon "blan" nan Sendomeng ki te marye ak yon milat. Msye te bat pou l te amelyore kondisyon milat yo nan koloni an. Dapre listwa, gen lòt blan ki te rache mouche pakanpak.*

**debon**: *adv. Ki vo lapenn, valab.* Sa ou ap regle debon nan peyi Etazini? 2. *Ansent.* Andreya ap fè debon.

**debouche**: *v. 1.Wete bouchon.* Ou pa dwe debouche boutèy la konsa. 2. *Travay.* Mwen jwen yon debouche.

**deboulinen sòti**: *v. fr. Derape ak vitès.* Msye te gen yon sèl dyare, sa fè li kouri deboulinen sòti sou tèt.

**deboure**: *v. Libere yon bagay. Wete nan sa ki te boure.* Deboure chèz la.

**debouse:** *v. Fè depans.* Kalo pa renmen debouse.

**deboutonnen** *: v. 1. Detache bouton.* Si ou deboutonnen chemiz la, lestomak ou ap parèt. 2. *Ranpli.* Vant deboutonnen.

**debouya:** *a. Moun ki konn degaje, ki gen nanm.* Anita se yon fi ki debouya, se pou sa mwen renmen l anpil.

**debouyay:** *n. Dyòb ki pap dire.* Mwen jwenn yon ti debouyay nan katye a, mwen pran l.

**debouye** *(debwouye): v. Degaje. Fè efò pou soti nan yon sitiyasyon difisil.*M ap debouye m joustan mwen jwenn yon bon dyòb.

**debranche:** *v. 1. Wete branch.* Vin ede m debranche pyebwa sa a, li kòmanse vin twò gwo. 2. *Dekonekte, pèdi tèt, pèdi fèy.* Kou ou wè Magerit, ou wè se yon fi ki debranche.

**debraye** *(debaye): a. Louvri, Neglije.* Mwen pa ka wè ou ap mache ak kòlèt ou debraye konsa a.

**debreye:** *v. Dezangaje koneksyon ant motè ak wou yon machin. 2. Pwoteste.*

**debri:** *n. 1. Fatra ki rete apre dega.* Kay la kraze nèt, se debri yo ki rete. 2. *Fatra.* Mwen mete debri yo pa dèyè kay la.

**debride:** *v.1. Retire brid nan tèt cheval, bourik, milèt. 2. Lave figi apre yon somèy.*

**debwaze:** *v. Degani yon teren, retire pye bwa ki sou yon teren.*

**debwazman:** *n. Deforestasyon, rezilta apre yo debwaze.*

**debyen:** *a. Kòrèk, onèt, ou ka konte sou li.* Aliks se yon nonm debyen, li pa andwa fè ou wont.

**dechaje** *: v. 1. Retire yon chaj.* Mwen dechaje ak responsabilite sa a. 2. *Deplase yon chajman.* Kote bèfchenn ki ap vin dechaje machandiz la?

**dechalbore:** *v. 1. Dechire, kraze.* Timoun yo fin dechalbore mèb yo. 2. *Pran ak fòs, vyolans epi mechanste.* Ou pa ta dechalbore l konsa.

**dechay:** *n. 1. Retire responsablite sou yon moun. 2. Ejakilasyon.*

**dechè:** *n. Fatra, debri.* Men kote pou mete dechè yo.

**dechennen**. *a. : Debòde, ki pa kontwole sa li ap di osinon sa li ap fè.* Sa ou genyen la a, ou fin dechennen an?

**dechèpiyaj:** *n. Gaspiyaj.*

**dechèpiye** *: 1. Vide, pran tout, abize, gaspiye.* Jinèt vin la a, li dechèpiye kay la. 2. *Rache an ti moso.* Mwen fin dechèpiye poul la pou ou.

**dechifonnen:** *v. 1. Pase rapidman.* Fè a pa cho, se sa ki fè se dechifonnen mwen dechifonnen jip la pou ou.

**dechifre:** *v. Li ak difikilte, dekode, jwenn sans yon kominikasyon.* Mwen rive dechifre lèt la men plen mo ladan l mwen pa konprann.

**dechire:** *v.1. Dekoupe ak men.* Mwen dechire tout lèt Pyè yo. 2. *Koupe, dekoud.* Apa rad ou a dechire.

**dechose** *: v. Retire soulye.*

**dechoukay:** *n. 1. Netwayaj, derasinman, demonte yon òganizasyon.* Te gen anpil dechoukay apre Divalye tonbe. 2. *Retire rasin, rache rasin.* Li lè pou nou fè dechoukay tout manyòk yo. *3. Operasyon pou ranvèse epi derasine diktati Divalye.*

**dechouke**. *v. : 1. Wete yon pye bwa nan tè. 2. Elimine move zè, move moun osnon moun ki pa fè bon bagay pou peyi a (politik).* Yo dechouke minis Entèl semèn pase a.

**dechoukè:** *n. Moun ki aktif nan yon operasyon dechoukaj.*

**dede** *(laviwonn): n. fr. 1. Jwèt timoun.* Sispann fè laviwonn dede nan kay la, sa ka fè tèt nou vire epi nou ka pran yon gwo so nou kase tèt nou. 2. *Egare.*

**dedete** *(DDT): n. Pwodui chimik ki sèvi pou tiye ensèk nan jaden.* Dedete se danje pou moun.

**dedi** *: v. 1. Di lekontrè pa rapò ak sa ou te di anvan.* Ou fin di ou pa renmen m, ou pa bezwen vin dedi tèt ou kounye a. 2. *Redui.* Se pou ou kite lèt la sou dife a joustan li dedi nèt. *3. Opoze.* Se metye Kawòl, anvan anyen pou li ap dedi moun.

**dedikas:** *n. 1. Mo ki ekri nan yon liv pou bay yon moun konpliman osinon omaj. 2. Mete non yon moun osinon yon sen sou yon bilding, yon bato eltr.*

**dedomaje:** *v. 1. Peye yon moun pou soulaje yon pèt li sibi.2. Divize an de, separe.*

**dedomajman:** *n. Reparasyon, konsolasyon.*

**dedwane:** *v. Peye taks ladwann pou libere machandiz.*

**dedye** *(dedje): v. Dedikase.* Mwen dedye liv sa a pou bon zanmi mwen Woje.

**defalke:** *v. Kraze, demoli, depatya.* Konbyen jou sa dwe te pran pou yo te defalke kay Lewis la?

**dafandab:** *a. Ou ka defann. Ki jistifyab.*

**defanmi:** *a. Debyen, byen elve, ki gen prensip.* Jera se yon moun defanmi, li pa ta ka nan chita ap joure ak Wozalin.

**defann** *: v. 1. Pran pati pou.* Se paske Lyonèl se zanmi ou kifè ou ap defann li an. 2.

*Debouye.* Mwen ap defann mwen nan dyòb la, mwen swete yo kenbe m.

**defans:** *n. 1. Pran pati pou yon moun.* Lawoz pi piti pase ou, se pou mwen pran defans li. *2. Pati devan yon oto ki pwoteje chasi a.* Aksidan an pat si grav, menm defans la pa kolboso.

**defen:** *n. Moun ki mouri.* Si defen papa m te la, li tap fache anpil.

**defèt** : *v. 1. Chanje yon bagay ki fèt.* Vin defèt malèt yo pou mwen. *2. Wete yon bagay osnon yon moun sou ou.* Si Jera pat defèt li ak tidam sa a, se lè li ta gade nan mont li, li ta wè kilè li fè. *3. n. Desepsyon, echèk.* Eksperyans sa a se yon defèt li ye pou fanmi an.

**defi**. *n. : Pinga, eprèv, chans, risk.* Mwen ba ou defi repete sa ou sòt di a. Egzamen sa a, se yon defi li te ye pou mwen.

**defile** : *v. 1. Mache nan liy youn apre lòt.* Fòk ou ta wè kijan tout moun ap defile nan parad la. *n. Parad, mach.* Defile sa a byen òganize. *2. Ki vin pa file.* Kouto a defile. *3. Dekoud, retire fil.* Rad la defile.

**Defile:** *Yon fi, yo di, ki te fòl, men ki vin yon ewo, paske se li ki te brave militè yo epi ki te antere kadav Desalin ki te rete atè, apre yo te asasine li nan Ponwouj.* Gen moun ki di bon non Defile se te Dede Bazil.

**defigire:** *v. Gate aparans yon moun osinon yon bagay.*

**defini:** *v. Ki byen espesifye.* Tout enfòmasyon yo byen defini nan kat la.

**definisyon** : *n. Eksplike sans yon mo osinon yon bagay.* Ki definisyon ou bay yon atitid konsa.

**definitif:** *a. Ki pap ka chanje, pozisyon final.*

**defisi:** *n. Pèt.* Jan fè anpil defisi nan komès li a. Ou fè defisi lè ou vann pi ba pase pri machandiz la koute.

**defo:** *n. 1. Mankman, tandans ki pa dezirab.* Mwen pa renmen defo sa a lakay ou, Selin. *2. v. Ki manke, pa disponib.* Tout bagay te byen pase men prezans ou te fè defo. *3. n fr. (Pa defo) Pandan absans...* Jij la rann jijman an pa defo kareman.

**defofile:** *v. retire fil ki te la pou kenbe yon twal li te koud .*

**defòmasyon:** *n. 1. Prezantasyon anòmal, enpèfeksyon.* Pitit Mari Andre a fèt ak yon defòmasyon. 2. *Move atitid osnon mannyè konpare ak lòt moun.* Woje gen yon defòmasyon, depi li wè ou, se pou li di ou sa ki pa bon sou ou.

**defòme:** *v. 1. Ki pèdi fòm orijinal li.* Mwen tèlman kanpe sou pye m, zòtèy mwen yo vin defòme. *2. Chanje pou bay yon aparans ki pa favorab.* Jounalis yo defòme nouvèl la.

**defonse** : *v. 1. Kraze, kreve, pete.* Vòlè yo defonse pòt devan an. *2. Retire fon yon veso.* Li defonse droum nan.

**defouke:** *v. Defèt fouk.* Mwen annik fè yon mouvman ak pantalon an epi li defouke.

**defoule:** *v. Libere santiman, libere agresivite ki anndan yon moun.*

**defounen:** *v. Retire nan fou.*

**defouni:** *v. Degàni, ki pa gen anpil.* Cheve nan tèt mwen fin defouni.

**defriche:** *v. Debwaze, debousaye, netwaye, prepare yon teren pou fè jaden.*

**defripe** : *v. 1. Joure yon moun.* Mona tèlman defripe Izabèl, mwen pa kwè yo ap janm byen ankò. *2. Dechire.* Paske li ap fè movesan, madan Lanbè defripe dra a pakanpak.

**defwoke:** *n. Ki kite pè.* Pè Ibè se yon defwoke, li kite pè depi ane pase.

**dega** : *1. Respè.* Pa manke m dega, Elifèt, mwen gran pase ou. *2. Domaj.* Lapli a fè anpil dega nan katye a.

**degad:** *adv. An pozisyon pou veye, gen responsablite pou veye.*

**degagannen**. *v. : Abize, maltrete.* Monchè mwen pat la non, men yo di mwen se degagannen vòlè a degagannen Tisya.

**degajan:** *a. Ki konn degaje l.* Oska se yon nonm ki degajan, li toujou ap chèche dyòb.

**degaje** : *v. 1. Prese.* Degaje ou met deyò. *2. Ede, retire nan difikilte.* Se Loran ki vin degaje m la a. *3. Ki ap soti yon kote ale nan yon lòt.* Gen yon odè ki ap degaje la a, kisa li dwe ye. *4. Vizite oungan.* Msye tèlman wè afè li ap desann, li te sètoblije al degaje l kay Kanson Fè. *5. n. Ti biznis.* Mwen gen yon ti degaje sou Granri a.

**degaye:** *v. Mete dezòd, gaye.* Msye vin la a, li degaye tout papye mwen yo.

**degè**. *a. : Ki espesyalize nan zafè lagè.* Te gen yon bato degè nan rad la, ou pat wè li?

**degengole** *(gengole, genngole): v. Desann an vitès.* Kou Edwa tande sirèn lapolis la, msye degengole mach eskalye yo pa de epi li met deyò.

**degenn** : *n. 1. Kran, longè aksyon.* Se pa jodi a m ap gad degenn ou la a. *2. Nouvèl.* Ban m degenn ou Franswa, sa ou ap regle?

**degèpi:** *v. Ale rapidman, kouri ale, abandonne yon pozisyon.*

**degèpisman:** *n. Rezilta lè yon moun degèpi.*

**degi:** *n. Ekstra, tikras anplis.* Depi mwen

achte nan men madan Benwa li toujou ban m degi.

**degize**: *v. Maske, mete kostim kànaval.* Ane sa a mwen ap degize pou kanaval la kanmenm.

**degobe** *(degobye): v. Rann gaz.* Nan peyi m si ou degobe sou moun, se pou ou eskize ou.

**degochi** *(degoche): v. Aprann baz, kòmansman, apèsi sou yon sijè.* Se kay madan Payè mwen te al degochi nan kizin ak patisri.

**degòje**: *v. 1. Degagannen.* Moun ki netwaye pwason toujou degòje l epi yo wete kal yo tou. 2. *Devalize.* Mwen sot kontre ak Telisma, msye degòje m, li pran tout kòb mwen te gen sou mwen.

**degonfle** : *v. 1. Fè lè soti.* Apa ou degonfle kawotchou a. 2. *Dekouraje.* Msye chita la a depi maten, li degonfle depi li pèdi chèk li a. 3. *Fè espas, fè plas.* Degonfle pewon an, rale kò nou bay moun pase.

**degonn**: *n. Dèyè, apre.* Li lage nan degonn mwen.

**degou**: *n. 1. Repiyans.* Konpòtman Jozèt la ban mwen degou. 2. *Dekourajman.* Mwen pa anvi fè anyen depi mwen fin pran nouvèl la, mwen gen degou ak lavi a.

**degouden**: *n. Mwatye yon goud.*

**degoudi**: *v. Reveye, fè yon moun vin evolye.*

**degouse**: *v. Defèt gous.* Mwen pito achte pwa degouse paske mwen pa gen tan pou mwen kale pwa.

**degout**: *n. Ti tak.* Tiyo a poko vini se degout l ap bay.

**degoutan**: *a. Ki bay repiyans; ki bay degou; ki gwosye.*

**degoutans**: *n. Dekourajman.* Mwen gen degoutans ak pitit sa a, li pa vle aprann lekòl. 2. *Repiyans.* Mwen pa renmen bobori ankò, mwen sitan manje l twòp, mwen gen degoutans li.

**degoute** : *v.1. Dekouraje.* Mwen degoute travay sa a. 2. *Repiyen.* Ji a twò dous, mwen degoute l.

**degraba** *(nan degraba, sou lagraba) : n. fr. Razè.* Depi yon semenn mwen nan degraba.

**degradan**: *a. Avilisan, ki pa leve moral.*

**degradasyon**: *n. Deteryorasyon, avilisman.*

**degrade**: *v. 1. Desann grad, wete enpe pouvwa nan men yon chèf.* Yo degrade Lyetnan Jozèf. 2. *Desann figi.* Mwen pa ta ka janm degrade tèt mwen pou mwen al nan diskisyon ak yon aryenafè tankou ou.

**Degraf, Michèl** *(Michel DeGraff): np. Lengwis, pwofesè, edikatè, ekriven, ki pratike nan Enstiti Teknoloji Masachousèt, (Massachussetts Intitute of Technology).Li fèt Pòtoprens 26 Jiyè 1963. Li fè doktora li nan Inivèsite Pensilvanya (University of Pennsylvania) nan ane 1989. Espesyalite li se teyori lengwistik, semantik, devlopman lang eltr. Li ekri plizyè atik nan jounal espesyalize nan domèn lengwistik.*

**degrape**: *v. Keyi.* Annou al degrape kèk mango nan lakou a.

**degre** : *n. 1. Estad, nivo.* Mwen ap swiv ou lontan pou mwen wè jous nan ki degre sankè ou a ap rive. 2. *Ran, nivo.* Nan ki degre papa ou ye nan lame a? 3. *Inite, mezi.* Sa se yon ang karannsenk degre. 4. *Pwoteksyon majik.* Wonsa se yon nonm ki gen gwo degre sou li.

**degrenngolad**: *n. Desann byen ba byen vit.*

**degrengole** *(gengole): v. Glise desann ak vitès.* Mwen al degrengole Mòn Tijo a epi mwen tou kase dan m.

**degrennen** : *v. 1. Defèt grenn pa gren. Eske ou fin degrennen mayi a.* 2. *Gaye.* Fanmi an fin degrennen.

**degrese** : *v. Wete grès.* Anvan mwen kuit poul, mwen toujou degrese l.

**degriji** : *v. 1. Defèt grij.* Kilè ou ap fin degriji jip la pou mwen? 2. *Blase, fini.* Dapre mwen, rad sa a fin degriji, ou te mèt fè twal siye avèk li.

**degwosi** : *v. 1 Megri, wete grès.* Semenn sa a mwen suiv yon dyèt ki fè m degwosi. 2. *Amelyore, rafine tigout.* Ou twò bourik, manyè al degwosi ou.

**deja**. *adv. : Pase, anvan.* Bis la gentan pase deja, mwen ap oblije pran yon taksi.

**dejante**: *v. Retire jant nan yon wou.*

**Pòl Dejan** *(Dejean, Paul):np. Edikatè, ekriven, politisyen. Li fèt Pòtoprens. Li se frè Iv Dejan. Pòl Dejan te konni anpil nan Monreyal, Okanada pou efò ògànizasyon ak enfòmasyon li te mete pou Ayisyen nan Kanada viv nan diyite ak respè. Lè msye te retounen Ayiti, li te vin Minis pou Ayisyen ki ap viv nan dizyèm Depatman.*

**Dejean, Yves** *(Iv Dejan): np. Lenguis, pwofesè, ekriven. Li fèt Pòtoprens an 1927. Li pase nevan (1953-1962) nan Pòsali Li etidye lenguistik nan inivèsite Indiana Etazini, nivo doktora (1970-1973). Li vin travay nan sistèm lekòl nan vil Nouyòk. Li ekri plizyè liv sou òtograf lang Kreyòl. Li te vin Sekretè Leta sou koze alfabetizasyon. Msye bati lekòl Twa Ti flè nan Fò Wayal, tou pre Ti Gwav. Li ekri liv sou metòd pou montre moun li ak ekri epi tou plizyè atik sou gramè, vokabilè ak òtograf lang Kreyòl.*

**dejene.** *n. : Manje maten.* Kou mwen leve lematen se pou mwen pran dejene sinon mwen gen tèt vire la menm.

**dejenere**: *v. a. degrade, pèdi valè; devalorize.*

**dejle**: *v. Fè yon bagay ki te konjle vin fonn.*

**dejnen** *(dejne, dejene): n. Manje maten.*Kisa ou vle dejnen jodi a?

**dejouke** *(dechouke): v. Rache depi nan rasin.* Dejouke move abitid.

**Dejwa Lui** *(Dejoie, Louis ): np Agwonòm pwofesè, agwonomi, politisyen, komèsan*

**Dejwa Lui 2** *(Dejoie, Louis II): father and sonnp., komèsan, ,politisyen, kandida pou prezidan. Li fèt 28 Me 1928. Li te pati nan ekzil Pòtoriko, la, li te vin yon zotobre nan konstriksyon. (Papa li ki te gen menm non ak li, te kandida an konpetisyon ak Franswa Divalye an 1957). Lè li tounen Ayiti li patisipe nan aktivite politik epi li vin aktif nan pati politik papa li te ògànize PAIN (Pati Agrikòl e Endistriyèl Nasyonal). An 1990 li te kandida pou prezidan lè Jan Bètran Aristid te pase. Ti non jwèt li se TILOULOU. Li mouri Pòtoriko an Janvye 1998. Te gen seremoni katolik ki fèt pou li nan katedral Pòtoprens.*

**dejwe** : *n. 1. Moun ki depanse lajan l ak lòt bagay enpòtan san reflechi.* Jak se yon dejwe, pa kite li wè kote ou met kòb ou. 2. *v. Dewoute, fè pèdi tèt.* Fòk se yon moun ki dejwe l, li pat konsa ditou.

**dejwente** : *v. Deplase, soti nan plas yo.* Zo bra Kalo dejwente nan jwe volebòl.

**dekabès** : *n. Genyen doub.* Nan jwèt domino, si dènye bout la ta ka depoze nan nenpòt ki pozisyon, jwè a fè dekabès.

**dekachte:** *v. Louvri sa ki te fèmen.* Mwen fèk dekachte anvlòp la.

**dekadans**: *n. degradasyon; decheyans; deperisman.*

**dekafeyine**: *v. Retire kafeyin nan kafe.*

**dekagòn**: *n. Fòm jeyometrik ki gen dis ang ak dis kote.*

**dekalaj**: *n. Eka; dezakò; desenkwonizasyon.*

**dekalke**: *v. Enprime ak papye kabòn, kopye ak papye kabòn.*

**dekale**: *v. Wete kal osnon wete yon kouch.* Pa dekale penti a nan mi an.

**dekamèt**: *n. 1. Riban pou mezire.* Bòs chapant la pa ka koupe bwa a paske li pa vini ak dekamèt li. 2. *Inite longè nan sistèm metrik. Yon dekamèt egal 10 mèt.*

**dekana**: *n. Travay yon dwayen; ekip yon dwayen; peryòd tan yon dwayen te pase an fonksyon.*

**dekanpe.** *v. : Rale kò w.* Dekanpe devan m nan.

**dekape**: *v. Wete kap, wete kouch.* Pou ou dekape bwa a, fòk ou gen zouti pou sa.

**dekapite**: *v. Koupe tèt, retire tèt.*

**dekapotab**: *a. Tip machin ki pèmèt retire epi remete twati a.*

**dekatiye** :*v. Degani, wete branch.* Li poko lè pou ou dekatiye pye mango a.

**dekatya** *(depatya): v. Koupe an tikal.* Mwen di ou pa dekatya vyann nan konsa, lè li kuit l ap kraze.

**dekilakyèl**: *entj. Sa sa fè; ki te mele m!*

**dekiprevyen**: *adv. Kijan sa fè fèt!*

**deklanchman**: *n. Kòmansman.*

**deklanche**: *v. Kòmanse; pwovoke.*

**deklarasyon** : *1. Diskou kote ou deklare kichòy.* Mwen deklare ofisyèlman moun pa andwa jete fatra nan lari a. 2. *Mesaj lanmou yon gason fè yon fi.* Lè Janklod tap fè m deklarasyon, li te tou ban mwen dat maryaj la.

**deklare.** *v. : Di, anonse piblikman, kominike bay tout moun.* Msye deklare kareman si yo pa bali manje li pap travay.

**deklen**: *n. Regresyon, dekadans.*

**dekline** : *v. 1. Refize.* Msye dekline envitasyon mwen fè l la. 2. *Vin pi mal.* Kòmès la vin dekline nan yon pwen se fèmen mwen vin oblije fèmen l.

**dekloke**: *v. Disloke.* Li fè jous tan li dekloke bra l.

**dekloure** *(deklouwe): v. Wete klou.* Tab la fin dekloure, li prèske tonbe.

**dekò**: *n. Ki sèvi kòm dekorasyon, anbyans, kad. Eleman ki pa esansyèl men ki sèvi pou bay valè osinon pou mete elegans.* 2. Dekorasyon nan teyat pou kreye yon enpresyon.

**dekochte**. *v. : Wete yon kochèt nan yon bayè osnon yon pòt.* Vin dekochte bayè a pou mwen, de menm anbarase .

**dekode**: *v. Dechifre, konprann.*

**dekòde**: *v. Retire kòd, detòtiye.*

**dekofre**: *v. Retire kofraj.*

**dekolaj**: *n. 1. Rezilta lè yon avyon ki dekole. 2. Pratik ilegal lè yon moun retire foto nan yon dokiman epi ranplase l ak yon lòt.*

**dekole**: *v. Ki pèdi lakòl li.* Semèl soulye a dekole. 2. *Libere yon bagay ki kole.* Retire lakòl.

**dekolboso**: *v. Repare yon metal ki kolboso.*

**dekole** : *v.leve, vole.* Avyon an dekole

**dekolore**: *v. Retire koulè.*

**dekòlte**: *v. 1. Louvri anpil nan zòn kou.* Rad dekòlte sa a bon pou ou al nan bal. 2. *Gaye,* *san dekowòm.* Mwen pa ta panse pitit madan Wilsonn ta dekòlte konsa.

**dekòmande**: *v. ranvwaye, siprime, anile yon envitasyon (osinon yon kòmann).*

**dekonjesyone:** *v. Degaje, dezankonbre.*

**dekonnekte:** *v. Deploge.* Apa ou dekonnekte fè a.

**dekonnèt**: *v. Renye.* Ou si tan pa bon papa ou oblije dekonnèt ou.

**dekonpoze** : *v. 1. Endispoze.* Rele anbilans, men madan Chal dekonpoze la a. *2. Pouri.* Jete vyann sa a, li fin dekonpoze. *3.Fè moun malad.* Madan Pyè pa ka pran sant manje, depi li ansent la, tout sant dekonpoze l.

**dekonpozisyon**: *n. 1.Eta yon moun ki dekonpoze. Jan fè yon ti kouche, li fèk fè yon dekonpozisyon la a. 2. Kondisyon yon manje ki gate.*

**dekonstonbre:** *v. 1. Demantibile,kraze, bat, pèdi fòs, pèdi kouraj.* Nouvèl ou ban mwen an dekonstonbre m. *2. Kraze, demoli, fè tounen dekonb.* Timoun yo fin dekonstonbre tout mèb nan kay l*a*.

**dekontaminasyon**: *n. Retire kontaminasyon.*

**dekontwole:** *v. Pèdi kontwòl.* Ou pa bezwen dekontwole, se mwenmenm ki te kite pòt kay la louvri.

**dekorasyon**: *n. tou sas ki sèvi pou dekore, pou anbeli.*

**dekoratif:** *a. Ki la pou dekore. Ki pa gen itilite. Ki la pou anbelisman.*

**dekore**: *v. 1. Anbeli, òne, ranje ak dekorasyon, mete dekorasyon.* Lè nwèl, mwen dekore kay mwen ak limyè. *2. Onore ak meday.* Prezidan an dekore Jan Chal. *3. Retire sipò ki kenbe yon bagay.* Dekore wou machin nan.

**dekoud** : *v. 1. Defèt kouti.* Rad la fin dekoud sou mwen la a. *2. Pèdi sans lojik.* Elifèt fin dekoud nèt depi li ap pran medikaman sa a.

**dekoupe**: *v. 1.Koupe an moso.* Si ou dekoupe vyann nan an ti moso, gou epis la ap rantre pi byen ladan l. *2. Manje ak apeti.* Depi mwen al nan kominyon, mwen toujou dekoupe alèz. *3. Entewonp.* Pa dekoupe granmoun lè yo ap pale. *4. Deleye yon likid ak dlo.* Dekoupe klowòks la ak de galon dlo.

**dekouraje**: *v. Pèdi kouraj, pèdi motivasyon.* Jan mwen wè Pòl malad la a, mwen pa gen espwa pou li, mwen fin dekouraje.

**dekouvèt** : *n. Envansyon, revelasyon bagay moun pat konnen anvan.* Telefòn se yon gwo dekouvèt, gras ak li de moun ka pale kèlkeswa distans yo ye.

**dekouvri** : *1. Fè dekouvèt.* Moun ki dekouvri jan pou yo fè avyon vole a fè yon bon envansyon. *2. Wete sa ki kouvri.* Pa dekouvri kabann nan, li poko lè pou mwen chanje dra yo.

**dekouvri sen Pye pou kouvri sen Pòl** : *v fr. Wete sou yon bò pou bay sou lòt bò a.* Kote mwen pran lajan pou mwen gaspiye ou pa wè se dekouvri mwen ap dekouvri sen Pyè pou mwen kouvri sen Pòl?

**dekowòm**. *n. : Desans, mannyè.* Mwen se moun ki gen dekowòm, mwen pa ta janm pran lajan ou san mwen pa di ou machè.

**dekrenmen**: *a. Fini, delala, megri.* Mwen pa konn poukisa Andre ap fin dekrenmen konsa a.

**dekrete:** *v. Deside ak otorite. Pibliye yon dekrè.*

**dekri**: *v. Eksplike avèk detay.*

**dekwa**. *adv. : Pou kapab. Ak rezon.Poutèt.* Li fè espre li vin chita la a dekwa pou mwen kapab wè l.

**dekwennen** : *v. Retire kwenn.*

**dekwochi**: *v. Drese, fè sa ki te kwochi pa kwochi ankò.* Mwen pral pote soulye yo kay bòs kòdonye a pou li ka dekwochi yo.

**dekwoke** *(dekoke): 1.n. Voryen, sanzave.* Manyèl se yon dekwoke, li pa janm pran responsabilite li. *2. v. Wete nan sèso.* Dekwoke rad la pou mwen tanpri.

**dekwote**: *v. Netwaye ak fòs pou wete salte.* Kay la te sitan sal, mwen pran de jou pou mwen dekwote l.

**dela**. *prep. : Soti kote ou ye a, apati dela.* Dela etan msye vin byen ak dam la.

**delabre:** *a.Konstriksyon ki an movèzeta, ki merite repare, ki prèt pou tonbe.*

**delage**: *v. Santi kò kraze, san kouray.* Lè mwen fin travay, mwen delage.

**delala.** *a. : lage, penyen lage, pèdi tèt.* Beniswa fin delala depi madanm li mouri a.

**delase** : *v. 1. Defèt lasèt.* Vini mwen delase soulye a pou ou pitit. *2. Relaks.* Si mwen vle delase kò m se pou mwen fè yon soti kite kay la.

**Delaskazas, Batolome** *(De Las Casas, Bartolome). np. : Pè panyòl ki te pwoteje endyen yo nan Ispayola. Se li ki te rekòmande pou yo te al chache moun Annafrik pito pou ranplase endyen yo ki pa te kapab sipòte travay di. Msye se te yon rasis. Istwa rapòte anvan msye mouri li rekonèt pwopozisyon an te rasis, li regrèt li, men li deja twò ta pou Afriken esklav yo.*

**delatètopye**. *adv. : Depi anwo jous anba.* Fi a twaze mwen delatètopye epi podyab mwen, mwen pa menm konnen l menm.

**delave**. *v. : blaze.* Rad sa a fin delave, ou pat dwe kontinwe ap mete l toujou.

**delè**: *n. Dat limit.* Jij la ba li delè twa jou pou li jwenn tout lajan an remèt. *2.adv. Gendelè.*

**delegasyon**: *n. Gwoup moun ki al fè yon misyon.* Nan lantèman Beniswa te gen delegasyon depatman sante piblik ki te la.

**delege**: *I. n. Moun ki gen responsabilite reprezante yon gwoup; reprezantan, mandatè, pòtpawòl, depite. 2. v. Anchaje yon moun pou yon misyon.* Mwen delege ou pou reprezante fanmi an nan reyinyon sa a.

**delenkan**: *n./ a. Moun ki pa respekte règleman.*

**delenkans**: *n. Konduit ki pa respekte regleman.*

**Delens Kèns** *(Kern Delince): np. ekriven, militè, espesyalis syans ekonomik, li fèt Jakmèl. Ansyen militè nan Lame Dayiti. Li diplome nan Fakilte Dwa ak Syans Ekonomik 1953. Li te kite Ayiti kòm ekzile an 1963 sou govènman F. Divalye. Li te etidye devlopman ekonomik an Frans. Li viv pandan lontan Ozetazini, Florida.*

**deleye**: *v. Gaye, repann, fonn.* Si ou pa deleye sik la nan kafe a, kafe a pap dous.

**delijans** *(dilijans): n. Swen ak atansyon. Ou mèt konte sou mwen , travay mwen fèt ak dilijans.*

**delika**: *a. Rafine, frajil .* Mwen pa sèvi ak pafen santi fò, mwen se yon nonm ki renmen pafen delika.

**delikatès**: *n. Finès, elegans, frajilite, presizyon, konpleksite, jantiyès.*

**deliks**: *a. Ki koute chè men ki pa nesesè.*

**delire**: *I. v. Ki ap pèdi tèt li.* Apa madan Wozmon ap delire la a. *2. a. Devègonde, san prensip.* Tifi madan Lewa a fin delire, si ou wè jan li awoyo nan lari a.

**Delis Chaden** *(Delis Chaden): np. Foutbolè ki te gen anpil talan, li te jwe nan ekip foutbòl Èglenwa.*

**delivrans**. *n. : Fini ak yon sitiyasyon difisil.* Lè matant mwen te resi kite kay la se te yon delivrans pou mwen.

**delivre**. *v. : I. Pran libète, soti nan yon enpas.* Mwen byen kontan ou vin delivre mwen la a 2. *akouche.* Mwen kontan mwen delivre vit konsa mwen te konprann tranche a tap pi long.

**dèlko**: *n. Aparèy pou fè kouran elektrik, ki chanje enèji mekanik pou li fè enèji elektrik. 2. Mak aparèy ki ka fè kouran elektrik.*

**Delma**: *np. Vil tou pre Pòtoprens, sou kote nòdès.*

**deloje**: *v. Retire nan yon kay, retire nan yon biro.* Moun yo pa paye nou ap fè deloje yo.

**delwen**: *adv.Yon distans ki pa pre (ki lwen).* Delwen ou sanble ak papa m.

**delye**: *v. Melanje yon poud nan dlo, osinon nan yon likid.*

**demach**: *n. I. Kontakte moun pou gen yon rezilta. Efò pou jwenn rezilta. Chèche sipò.* Mwen fè demach pou Woz antre lekòl lamedsin men li pa pase.

**demachwele**: *v. Frape yon moun nan machwa, disloke machwa a.* Gad la bay Klod yon sèl kalòt li demachwele l

**demagòg**: *n. Moun ki sèvi ak emosyon, prejije eltr.* pou li atire lòt moun nan kòz li pou li ka vin gen pouvwa.

**demagogi**: *n. Metòd demagòg sèvi.*

**demagogik**: *a. Ki sanble ak taravay yon demagòg.*

**demakay**: *n. Evite, al kache.*

**demake**: *v. Mete kò apa, separe, evite, kache.*

**demakiye**: *v.I. Retire makiyaj. 2. Dekouvri yon mantè.*

**demakoutizasyon**: *n. Pwogram pou retire òganizasyon ak enstitisyon makout nan sosyete. 2. Pwogram pou chanje metòd travay ki sanble ak metòd makout.*

**demakoutize**: *v. Retire tout sa ki asosye ak makout.*

**demalanmal**: *nf. Soti nan yon sitiyasyon ki mal epi al tonbe nan yon lòt ki pa miyò.*

**demakònen**: *v. Defèt makòn, demare, demele.* Vin demakonnen fil sa a pou mwen.

**Demamlad, Kont** *(De Marmelade, Comte). np. : Youn nan moun nòb yo sou Wa Anri Kristòf. Msye te pran non an dapre zòn li tap gouvène a ki te rele Mamlad.*

**demanbre** : *v. Kraze manm, retire manm.* Si mwen kenbe ou, m ap kale ou joustan mwen demanbre ou.

**demanche**: *I. v. Ki pèdi manch li.* Si mwen demanche kaswòl la, mwen pap konnen kijan pou mwen mete manch la ankò. 2. *a.* Depi yon bokit demanche mwen pa sèvi avèk li.

**demanjezon**: *n.I. Gratèl.* Depi maten Jozafa gen yon demanjezon, se kay doktè pou li ale. 2. *Enkyetid.* Li gen demanjezon apre ekzamen an li pa ka chita anplas.

**demann** *(lademann): n. I. Petisyon pou yon bagay ou vle osnon ou bezwen.* Mwen te fè demann yon bous men mwen pat jwenn li. 2. *Priyè.* Mwen lage demann sa a bay Sentantwàn. *3. Pwopozisyon pou marye.*

**demanti**: *I. n. Pawòl ki di lekontrè yon premye koze ki te pale.* Koze sa demanti deklarasyon Joslin nan. 2. *v.* *Kontredi.* Pa demanti granmoun.

**demantibile**: *v.* *1. Demoli.* Mwen sezi wè kijan volè yo demantibile kay ou a. 2. *a.* *Santiman fatig osinon dekourajman.* Kounye a mwen santi mwen fin demantibile.

**demantle**: *v.* *1.Retire tout sa ki itil nan yon kay, nan yon biwo osinon nan nenpòt bakay.* Demantle kay la se retire tout mèb ak rido. *2. Kraze.* Yo demantle ti tonèl ki te sou channmas yo.

**demare**: *v.* *1. Derape, kòmanse.* Molyè demare oto a ak twòp gaz. *2. Defèt ne. Retire kòd ki mare yon bagay.* Vini mwen demare lasèt la pou ou.

**demaske**: *v.* *1. retire mas. 2.* Dekouvri yon manti, dekouvri yon blòf.

**dèmatoloji**: *n.* *Branch nan medsin ki trete maladi po.*

**dèmatolojik**: *a.* *Ki konsène maladi ak tretman po.*

**demaye**: *v.* *Defèt may nan yon chenn.* Jan chenn sa a fèt la li pa fasil pou demaye ditou.

**demefyan**: *a.* *Ki pa fè lòt moun konfyans fasil.* Mwen tou di ou mwen se yon nonm ki demefyan.

**demele** *:1. n. Ti komès.* Mwen gen yon ti demele anba lavil la, li pa rapòte anpil men sa ap mache. 2. *v.* *Penyen; pase peny pou libere cheve ki boukle.* Vini mwen demele cheve ou. *3. v. Degaje, fè yon sitiyasyon rapòte.* Mwen demele m joustan mwen soti anba michan yo.

**demen** *(denmen): n. 1. Jou ki vin apre jodi a.* Demen dimanch, mwen pral legliz nan maten epi mwen pral sou laplas nan apre midi. *2. Yon jou pita, apre kèk tan.* Ou pa janm konn sa ki ka rive demen.

**demeplè**: *a.* *Dezagreyab.* Kijan ou fè demeplè konsa a?

**demi** *(edmi): n.* *Mwatye.* Li ban mwen demi lit luil pou kat goud edmi.

**demibòt**: *n.* *Bòt ki rive nan je pye.* Mwen pa renmen mete bòt, mwen pito demibòt.

**demidèy**: *dèy ak rad blan. Dèy ki pa estrik.*

**demifrè**:*n. Frè ki gen yon paran komen ak yon lòt.*

**demijann**: *n. Veso pou konsèvr likid.*

**demilitarize**: *v.1. Libere yon zòn anba kontwòl militè. 2. Retire pouvwa nan men militè ki nan yon zòn.*

**demimezi**: *n. Mwayen ki pa sifizan pou konplete yon desizyon. Blòf.*

**demipansyon**: *n. Pansyon pou moun ki resevwa mwatye sa li te dwe resevwa. 2. Pansyon pou elèv manje manje midi nan lekòl.*

**demistifye**: *v.1. Retire sekrè osinon mistè ki genyen nan yon bagay. 2. Fè yon bagay vin konpreyansib pou tout moun.*

**demisèk** : *n.* *Mwatye yon sèk.* Gen jou, lalin lan sanble ak yon demisèk.

**demisyon**: *n.1. Aksyon moun poze pou li retire tèt li nan yon pòs. 2. Anons moun bay pou li enfòme lòt li ap kite pòs li.*

**demisyone**: *v. Kite yon pòs, bay demisyon.*

**demisyonè**: *n. Moun ki ale kite yon pozisyon. Moun ki bay demisyon.*

**demitas**: *n.* *Mwatye yon tas.* Ban mwen yon demitas kafe senpman.

**demitou**: *n. Retounen annaryè.*

**demiyèdtan**. *n.* : *Trant minit.* Nan demiyèdtan mwen gentan ale lavil, joustan mwen tounen.

**demografi**. *n.* : *Syans ki etidye chanjman nan popilasyon.*

**demobilizasyon**:*n.1.Dekourajman,fatig.* Echèk sa a mete yon demobilizasyon nan mitan gwoup la.*2.Depa millitè nan pòs yo.*Depi demobilizasyon kaporal la ,li treounen lekol .

**demobilize**: *v.* *Voye tout moun ale lakay, separe, kanpe yon aksyon ki te rale plizyè moun.*

**demode**:*a. Pase mòd, pa alamòd.*

**demokrasi**: *n.* *gouvènman kote majorite moun yo gen pouvwa, swa dirèkteman swa ak eleksyon moun ki reprezante yo. Doktrin politik kote tout moun ka patisipe. 2. Yon peyi ki gen yon gouvènman demokratik.*

**demokrat**: *n.1. Moun ki ankouraje modèl gouvènman ki ekzekite volonte majorite moun ki nan yon sosyete.2.moun ki toleran*

**demokratik**: *a.1.Ki gen adesyon majorite moun ki konsène yo. 2. Ki trete tout moun menm jan, san koze mounpa. 3. Ki kenbe flanm demokrasi.*

**demokratikman**: *adv. Selon metòd demokratik.*

**demoli**: *v.* *Kraze, rale desannn, detwi yon kay.*

**demolisman**: *n. Kay ki kraze.*

**demolisyon**: *n.* *Destriksyon.* Mwen te la lè yo tap fè demolisyon bilding nan kafou a.

**demon**: *n.* *1.Dyab, espri mechan. Satan, espri malen.* Alelouya satan. *2.* *Moun, bèt osinon fetich yo panse ki mechan. 3. Timoun dezòd.* Se yon ti satan.

**demonte**: *v.* *Kraze, demoli, defèt, dezasanble.*

**demonstrasyon**: *n. 1. Prèv, jistifikasyon, prezantasyon etap pou montre kòman ou fè yon bagay.* Mwen pral bay yon demonstrasyon sou kijan pou ou pran tansyon talè konsa. *2. Etalaj.* Ki tout demonstrasyon ou ap fè la a, kilès ki bezwen konnen konbyen oto ou posede. *3. Cho, parad, expozisyon.* Machin sa a nou pap vann li, li la senpman pou demonstrasyon.

**demontre** : *v. Pwouve, demontre yon verite; bay prèv pou pwouve yon agiman.* Mwen di tout sa pou mwen ka demontre nou mwen pa ap bay manti.

**demoralize**: *v. Bese moral yon group, fè li dekouraje, mete konfizyon nan...*

**demwatye**:*n. Pwogram kote agrikiltè a travay yon tè ki pou yon lòt moun epi li pataje benefis yo mwatye mwatye ak mèt tè a.*

**demwazèl**. *n. : Tifi ki nan laj adolesans, ki fòme.* Ti demwazèl alèkile yo grandi vit, dejou ou gade epi yo fin gran sou ou la a.

**dengonn** *(deng): n.Dèyè, pousuit.* Kote mwen pran dengonn pou mwen responsab ka sa a.

**Deni Ève** *(Denis, Herve): np. Pwofesè, dramatij, ekriven, komedyen, ekonomis, komèsan, politisyen. Li gen yon twoup teyat ki monte plizyè pyès ki gen siksè Ayiti ak aletranje. Ansyen rektè inivèsite Ayiti li te kandida pou li te vin Premye Minis an 1998 Men Paleman an pat apwouve li.*

**Deni Jan Mari** *(Jean Marie Denis): np. Al gade "Mapou Jean"*

**Deni Loden Michlin** *(Laudin Denis): np Pwofesè mizik, mizisyen, pyanis klasik.* Li se madanm Rawoul Deni

**Deni Lorimè** *(Lorimer Denis micheline) : Etnològ, entelektyèl mistik, espesyalis nan relijyon Vodou ki enfliyanse F.Divalye.Li mouri anvan Divalye rive opouvwa. Li se kofondatè Biwo Etnoloji avèk Jak Woumen.*

**Deni Rawoul** *(Raoul Denis)np. : Komèsan, mizisyen, pwomotè mizikal. Li monte yon magazen mizik "La Boite à Musique" ki popilè. Preske tout moun nan fanmi an se mizisyen, papa, manman, pitit.*

**deniche**: *v. Dekouvri, retire, kouri dèyè, bare.*

**denigre**: *v. Desann valè, pale mal.* Ou denigre bèlmè ou twòp, Lora.

**denominatè komen** *:1. yon chif ki divizib nan tout denominatè yon gwoup fraksyon.* Pa egzanp, chif 6 se denominatè komen pou 2, 1/6 ak 1/3. 2. Yon bagay ki konecte ak lòt bagay.

**denominatè** : *n. Chif nan pati anba yon fraksyon ki endike an konbyen moso nimeratè a divize.*

**denominasyon**:*n.Yon klas lajan ki gen yon valè ofisyèl. 2. Non ofisyèl yon moun yon gwoup.*

**denonse**: *v. 1. Trayi, denonse.* Se pi bon zanmi Leyon ki te al denonse l bay lapolis. 2. *Rapòte yon bagay ki pa kòrèk. Pale byen fò sa ki pa akseptab.*Mwen pa pè denonse abi yap fè travayè yo.

**denonsiyasyon**: *n. Aksyon yon moun poze pou denonse yon lòt moun osinon pou denonse yon bagay ki pa kòrèk.*

**dènye**. : *1. n. Ki dèyè, ki final.* Mwen dènye nan klas mwen an. Al nan dènye paj liv la 2. *a. Sa ki nan fen an.* Ki dènye mo ou te gen ak manmzèl anvan li ale? *3. Sa ki pi mal la*

**dènyepriyè**:*n. Priyè ki fèt sou nevyèm jou apre yon moun fin mouri.* Mwen t al lantèman, mwen pap gen tan ale nan dènye-priyè.

**depafini**: *v. detwi, fini nèt-ale, pèdi fil...* Lamizè depafini moun yo, fòk sa chanje.

**depale**: *v. 1. Pale san ou pa konn sa ou ap di.* Yo kale Lyonèl joustan li depale. 2. *Divage, pale pandan ou pèdi konsyans.* Anvan Kalo mouri, msye depale san rete.

**depa** : *n. 1.Vwayaj. 2. Lanmò.*

**depaman**: *a. Ki pa ale ansanm; de grenn diferan.* Apa ou mete soulye depaman yon grenn ble, lòt la nwa.

**depan** *(depann): 1. An relasyon ak yon lòt.* Mwen ka vini wè ou, sa depan si pa gen lapli. *2. V. Rapòte bay, resevwa lòd.* Biwo mwen an sou depan ministè a.

**depannen** *(depane): v. 1. Repare.* Mwen bezwen Jan pou depannen machin nan. 2. *Wete nan enpas.* Si ou pat depannen mwen, sitiyasyon mwen tap grav. Depannen m, prete m de goud.

**depans**: *n. Sèvi ak lajan pou achte.* Mwen pap fè anpil depans paske mwen razè.

**depanse**. *v. : Sèvi ak lajan pou peye yon bagay anretou.* Depi madanm sa a vin achte la a, li toujou depanse tout kòb li pote.

**depase**: *v. 1. Pase limit osnon yon kote.* Ou depase kay mwen an depi lontan. 2. *Demode, ki pase mòd.* Mizik sa a depase, se bagay ansyen ou ap di la a.

**depasyante**: *v. Pèdi pasyans.* Ou pa andwa depasyante sou mwen.

**depataje**: *v. Separe, deside ant de opsyon.*

**depate**: *v. Separe, divize, koupe.* Mwen pa renmen jan ou depate rejim bannan nan.

**depati**: *v. Sispann fè pati yon gwoup.* Se jodi mwen depati ak mesye sa yo.

**depatman**. *n. : Divizyon, separasyon nan teritwa.* Ayiti gen dis depatman.

**depatmantal**: *a.1. Ki gen relasyon ak depatman. 2. Ki òganize an depatman.*

**depatya** *(depatcha): v. 1. Dekoupe. Nou depatya kodenn nan menm jou a. 2. Kraze, detwi, defèt.* Nou depatya ekip foutbòl Andre a.

**depaye** *(depaye) : v. Retire pay ki sèvi kòm pwoteksyon.* Depi yon chèz depaye ou ka toujou ranje l ak lòt pay. Depaye bwat vè a.

**depè**: *Sifiks ki ale ak mo tankou Jij depè.*

**depeche**: *v. 1. Voye yon reprezantan tousuit.* Yo depeche m vin jous isit la pou mwen rezoud pwoblèm nan. 2. *Prese.* Depeche ou al pran komisyon an pou mwen

**depèch**: *n. Telegram, kab, mesaj rapid ki mande repons rapid.*

**depeple**: *v. Redui yon popilasyon (bèt, plant, moun) ak fòs osinon paske yon maladi pase.*

**depenn**: *v. 1. Fè penti. 2. fè deskripsyon*

**deperi**: *v. Chanje pou vin pi mal.* Vil la ap deperi.

**Depès, Rene** *(Depestre, René). np. : Powèt, womansye. Li fèt Jakmèl 29 Out 1926, li te kofondatè Jounal "La Ruche"(1946). Li ekri sou Afrik epi li ekri anpil sou fratènite. Li pase tan egzil li Kiba depi 1970. Apresa li al rete an Frans. Li ekri Etincelle (1945); Gerbes de Sang (1946); Végétation de Clarté (1851); Traduit du Grand Large (1952); Minerai Noir 1957; Hadriana dans tous mes revês (1988, Pri Renaudot 1988) ak lòt ankò.*

**depèswade**: *v. Fè yon moun chanje lide, konvenk.*Map depèswadw li pati.

**depetre**: *v. Fè sòti nan yon move enpas.* Si se pa kontak mwen te genyen nan biwo sa a pou yo te depetre m, mwen te andwa al nan prizon.

**depeyize**: *v. chanje plas, chanje kominote, chanje peyi.*

**depi**: *adv.1. Apatide yon tan ki pase rive kounye a.* Depi jou mwen te rankontre l lakay ou a, mwen pa janm wè l ankò. 2. *Apatide yon moman.* Depi Beniswa parèt, jwèt la gaye. *3. n. degou, chagren, kòlè.* Ou banm depi.

**depite** *(debite): n. Reprezantan pèp nan lachanm.* Makantwàn se depite Jakmèl.

**deplancheye**: *v. Wete planch ki kouvri atè nan yon kay.* Lè ou fin deplancheye èske ou ap mete mozayik pito?

**deplase**. *v. : Fè mouvman soti yon kote pou ale yon lòt.* Edi deplase bwat la, li mete l nan chanm lan. Mari ak fanmi l deplase al rete andeyò.

**deplasman** *: n. Sòti yon kote al nan yon lòt kote.* Talè konsa mwen pral fè yon ti deplasman la a, si yo mande pou mwen, di mwen pa la.

**deplezi**: *v. Pa kontan.* Pawòl ou di a fè m deplezi anpil.

**deplimen**: *v. 1. Ki pa gen plim.* Chen an fin deplimen. 2. *Retire plim.* Kilè ou fin deplimen poul la?

**deplise**: *v. Retire pli, repase.*

**deplizanpli**: *adv. plis toujou amezi tan ap pase.*

**deploge**: *v. Dekonekte, wete plòg.* Lè ou fin pase, deploge fè a.

**deplòtonnen**: *v. 1. Defèt fil ki woule tankou yon boul.* Vin deplòtonnen fil sa a pou mwen. 2. *Ranse, radote, di tenten, bay manti.* Pa vin deplòtonnen anyen ban mwen la a.

**deploye**: *v. Louvri.* Deplwoye dra yo anvan ou kouvri kabann nan.

**depo** *: n. Kote ou mete estòk.* Gen yon gwo depo sak sik nan kafou lakay mwen an.

**depo poul**: *n fr. Kote yo vann poul vivan.* Depo poul yo toujou santi move.

**deposede**: *v. Pèdi byen, pèdi tout sa yon moun posede.*

**depòtasyon**: *depòte yon moun soti nan yon peyi ale nan yon lòt; fòse yon moun chanje peyi.*

**depòte**: *v. Fòse yon moun chanje peyi.*

**depotwa**: *n. Kote pou mete fatra,tout batanklan.*

**depouyman**: *n. 1. Retire tout sa ki genyen yon kote. 2. Konte vot apre yon eleksyon.*

**depoze**. *v. : 1. mete yon bagay yon kote.* Tanpri depoze liv la sou tab la. Depoze ze yo pou yo pa kase. 2. *Pote papye pou anrejistre.* Li depoze papye kay notè.

**depozisyon**: *n. Deklarasyonnan nan tribinal ak lòt biwo.* Li te fè depozisyon lapolis.

**Depradin, Emerant** *(Despradines, Emérante): np. Edikatè, dansè, chantè, òganizatè gwoup fòlklò Li te travay nan "Smithsonian Institution" Ozetazini. Li se pitit Kodio Depradin, gran chantè, mizisyen.* Pitit Emerant nan mizik tou li fè yon gwoup rasin ki rele RAM.

**deprave** *: 1. n. Vakabon, ki pa gen prensip.* Ou se yon deprave, ret nan wòl ou. 2. *a. San diyite.* Msye gen yon fason deprave pou li ap pale ak moun.

**depreferans**: *adv. Olyede.* Mwen pito pati demen maten depreferans.

**depresiyasyon**: *n.1. Bès nan valè yon pwopriyete, deteryorasyon. 2. Kalkil kontab ki predi valè deteryorasyon byen, bilding osinon ekipman.*

**depresye**: *v. Pèdi valè.*

**depresyon**: *n. 1.Sitiyasyon espesyal lè moun toujou wè kote negatif tout bagay, lè moun dekouraje, san espwa, santi yo pa vo anyen, tris, fatige, pèdi kouray yo abitye genyen, manke enterè, pa ka dòmi jan yo abitye dòmi, chanjman nan apeti osnon nan jan yo manje, difikilte pou pran desizyon, pèdi sou vitalite osnon sou kapasite pou konsantre, iritab, enkyete pou tout bagay, santi yo koupab pou tout sa ki pase epi gen lide pou yo fè tèt yo yon bagay mal.* Tidam soufri depresyon ki vini, ale epi retounen, se pou li al kay doktè pou jwenn yon preskripsyon antidepresif. *2. Desant, bès.* Ekonomi meriken an an depresyon ane sa a. *3. Siklòn.* Gen yon depresyon atmosfè a ki sanble li pral lakòz yon siklòn fèt demen maten.

**deprime**: *v. Dekouraje, atriste, afebli.*

**depwente**: *v. Ki pèdi pwent li.* Zegi a pa ka koud byen paske li depwente.

**deranje**: *v. 1. Defèt.* Apa ou deranje kouvè a? *2. Gate.* Timoun nan jwe nan radyo a joustan li deranje l. *3. Entewonp.* Si mwen okipe, pa deranje m. *4. n. Gen vant pase.* Jan ou al nan watè souvan sa a, ou genlè deranje?

**derapaj**: *1. komansman.* Depi nan derapaj la machin nan bay pwoblèm. *2. Pwoblèm.* Tout bagay te ap mache byen epi nou gen yon derapaj nan klas la.

**derape**. *v. : Kòmanse, deplase, kouri.* Kou klòch la sonnen derape.

**derasine**: *v. 1. Rache rasin.* Derasinen pye bwa a. *2. Pa kite tras.* Se pou nou derasinen move mès nou yo.

**derasinman** : *n. 1. Aksyon pou rache rasin, aksyon pou dechouke.* Yo fè derasinman tout manyòk yo.

**deraye** : *v. 1. Soti nan ray.* Tren an deraye. *2. Fè eskandal piblik, fè bwi ki pa fè sans.* Apa ou ap deraye sou mwen?

**derefize**: *v. Refize.* Mwen pa konn poukisa ou derefize manje.

**derechanj**: *a. Ki pa sèvi regilyèman, ki la pou si gen yon pwoblèm.* Kawotchou derechanj.

**derespektan**: *a. Ensolan, ensiltan, enpètinan.*

**derespekte**: *v. Manke yon moun dega; manke respè.* Timoun pa derespekte granmoun.

**derespektans**: *n. San respè.*

**deretou**: *adv. an retou.*

**derezonab**: *a. Ki pa rezonab, ki pa fè sans, ki pa rasyonèl.*

**derezonnen**: *v. Pale pawòl ki pa gen sans.*

**deregle**: *v. 1. Ki pa gen règ li regilyèman.* Madanm mwen se yon moun ki toujou deregle detwa fwa nan yon ane. *2. Ki pa suiv règleman, ki aji an moun fou.* Ou fin deregle, mwen pap okipe ou. *3. Maledve, ki pa respekte prensip.* Tigason sa a sitan deregle se ak baton pou mwen korije l.

**derespektan**: *a. Frekan, ensolan.* Ou pa manke pa derespektan pou ou ap vin chante betiz nan zòrèy mwen.

**derespekte**: *v. Ki manke respè.* Ou pa kapab ap derespekte manman ou, sa va ba ou madichon.

**derik**: *n. Aparèy pou leve chay lou, pou chaje epi dechaje bato, pou leve kontenè.*

**derisen**: *a. Ki soti nan maskriti.* Luil derisen se luil ki soti nan grenn maskriti.

**deriv**: *n. Deplase selon kouran dlo a ale.*

**derive**: *v. 1.Pèdi kontwòl deplase an deriv. 2. Nan matematik, se diferans ant de valè ki pwòch youn ak lòt, se pant. 3. Nan lang se yon mo ki fòme apatide yon lòt.*

**derizwa**: *a. Ki pa enpòtan.*

**dèryè** *(dèyè)*: *n. Pati nan kò pa devan, ki dèyè, ki anba do.*

**deryen**: *Avèk plezi.* Mèsi anpil pou manje a, madan Wobè di, madan Kalo reponn; deryen.

**desale**: *v. Retire sèl nan manje osinon nan yon teren.*

**Desalin, Janjak** *(Dessalines, Jean Jacques). : Ewo, moun ki te alatèt endepandans peyi Dayiti. Li te premye prezidan peyi a apresa li te vin Anperè. Li gouvène peyi a ant 1804-1806. Li mouri kote ki rele Ponwouj, yon kote alantran Pòtoprens, kote yo te fè dappiyanp sou li. Dapre listwa, msye te viv ant 1758-1806. Li te yon ansyen esklav ki te vin rive jeneral anchèf gwoup nwa ki tap goumen kont blan franse. Li te nome dabò gouvène jeneral avi epi, nan 22 septanm 1804, li te kouwone anprè, se konsa li vin rele Jak Premye. Se an novanm 1803, lame franse yo te bat ba devan jeneral Janjak Desalin. Konsa, premye janvye 1804, Desalin te deklare Ayiti yon repiblik endepandan, premye koloni nan Amerik la ki koupe kòd lonbrit li ak kolon yo epitou ki aboli esklavaj.*

**Desalin**:*(Dessalines) np. Awondisman ak komin nan depatman Latibonit.*

**desalinyèn** *(Ladesalinyèn): im nasyonal ayisyen.*

**desandans**: *n. Liy kòd fanmi depi plizyè jenerasyon.* Janwobè gen desandans ak prezidan Petyon.

**desanm** *(desam)*: *n. Douzyèm mwa nan ane a.* Moun ki fèt nan mwa desanm yo se sajitè osnon kaprikòn.

**desann** : *v. 1. Soti anwo rive anba, pèdi wotè. mache nan direksyon ki pi ba.* Pa desann mach eskalye a vit pou ou pa tonbe.*2. Pèdi pouvwa. 3 deteryore. 4. Pran ekzamen. Desan filo.*

**desant** :*n. 1. Degringolad.* Mwen te fè yon sèl desant, sa pat bon menm, se nan lajan prete mwen te ye. *2. Debakman.* Te gen yon desant gad ki te vin arete Antonyo. *3. Rete kay moun pandan yon tan.* Mwen te fè desant kay madan Dipèval.

**desantdèlye**: *n. Lè lapolis rive yon kote pou li fouye osinon degèpi moun sou yon teren, san avèti davans.*

**desangle**: *v. Retire sang ki mare vant yon bèt.*

**desans**: *n. Konpòtman modès, ki gen politès, san ekzajerasyon.*

**desantralizasyon**: *n. Distribisyon pouvwa (osinon resous) toupatou.*

**desantralize**: *v. Retire konsantrasyon pouvwa yon sèl kote epi distribiye li toupatou.*

**desè**. *n. : Manje dous moun manje apre yon repa.* Mwen pare yon bon desè pou ou, se yon ti penpatat ki pran koulè sou chabon.

**desele** : *v. Wete sèl.* Desele chwal la pou mwen.

**desen alechèl** : *n fr. Desen ki suiv mezi ki respekte pwopòsyon.*

**desen**. *n. : liy ki òganize pou fè reprezantasyon yon bagay.Teknik pou trase yon bagay.*

**desène**: *bay yon diplom, yon kado ,yon konpliman.*

**deseni**: *n. Peryòd dizan, dekad.*

**desepsyon**: *n. Malonnèt.*

**desere**: *v. Lache, sa ki te sere.* Kwafi sa a sere tèt Linda twòp, desere l pou li tanpri.

**desèvi**: *v. Leve kouvè a. Netwaye tab la.* Pa fatige ou, se mwen ki pral desèvi tab la.

**desèvis**: *a. Ki dwe la.* Doktè Oska desèvis lopital Jeneral jodi a.

**desevan**: *a. Ki pa reponn ak sa moun te dwe espere; ki bay desepsyon.*

**desibèl**: *n. Inite pou mezire entansite son, senbòl li se (dB).*

**deside** : *v. Pran desizyon.* Mwen deside pa retounen ak Mak ankò.

**desilit** *(1/10 lit) : n. Inite mezi nan sistèm metrik.* Yon desilit pap ase pou resèt la. 10 desilit = 1 lit.

**desimal** *(sistèm baz dis) : n. Fraksyon nan yon inite ki divizib pa dis; ki baze sou chif dis.*

**desimèt** : *n. Inite mezi nan systèm metrik. 10 desimèt egal yon mèt.*

**desinatè**: *n. Metye moun ki fè desen teknik.*

**desine**: *v. Fè liy osinon mak ki reprezante yon moun yon bagay osinon yon lide.* Prete mwen kreyon an pou mwen desine yon kamyon.

**desizif**: *a. Ki pote solisyon nan yon diskisyon.* Ki pote agiman valid pou deside.

**desizyon**. *n. : Fikse opinyon, fè chwa.* Ki desizyon ou ap pran ak sitiyasyon sa a, li lè pou ou voye repons.

**dèske**: *konj. Paske, puiske.* Msye fache dèske mwen pa chwazi l kòm monkonpè m.

**Deskiwon Jan** *(Jean Desquiron): ??-1998. np. Komèsan, ekriven, istoryen. Li ekri plizyè liv sou la près ak kwonik laprès Ayiti.*

**deskripsyon**: *n.1. Mo pou dekri yon moun osinon yon bagay. 2. Teknik osinon ladrès pou sèvi ak mo pou represante yon moun osinon yon bagay.*

**desounen**: *v. 1. Bay yon chòk.* Aksidan an desounen Woje. *2. Fè yon moun antre nan yon eta kote ou ka fè sa o uvle avèk li.* Oungan an desounen Odil anvan li fè tretman an pou li.

**Despabès** *(Desparbes). np. : Gouvènè Sendomeng an 1792 - 1793.*

**despòt**: *n. Yon chèf ki pran tout pouvwa, ki fè sa li vle, san pran konsèy.*

**destabilize**: *v. Debalanse, retire estabilite yon moun, yon gwoup osinon yon peyi.*

**destabilizasyon**:*n. Sitiyasyon ki destabilize.*

**destinasyon**: *n. Kote yon moun prale, plas kote yo voye yon bagay.*

**destriksyon**: *n. Demolisyon, aktivite pou detwi, demoli , touye.*

**Toma Dezilme** *(Desulme, Thomas): np. Komèsan, politisyen, kandida pou prezidan. Li te pran ekzil sou Divalye li te al ret Jamayik, li te gen aktivite nan endistri twal, fib ak plastik. Li retounen Ayiti nan ane 1986. Li te kandida pou prezidan nan eleksyon 1990 la*

**desten:** *(destine) n. Sò, chans, sa moun pa ka evite.* Se pat desten m pou mwen te marye.

**destine** *(desten): n. Sò, chans, sa moun pa ka evite.* Sa ki nan destine ou, moun pa ka retire l.

**dèt. n.** *: Lajan osinon redevans. Ou dwe remèt.* Prete pi fasil pase peye dèt.

**detache** : *a.1. San atachman.* Kijan pitit sa a yon jan detache konsa a, li twò endiferan. *2. v. dekole.* Apa po liv la detache? *3. Demare.* Mwen pa wè lè kòd la detache nan poto a.

**detake:** *v. Retire sekirite nan pòt,retire kwochèt, louvri.*

**detan**: *n fr. La menm.* Se an detan mwen koud rad la. Detan twa mouvman

**detann:** *v. repoze, relaks.*

**detansyon**: *n. Pinisyon, mete an retni, mete nan prizon.*

**detant**: *n. Diminisyon tansyon ant de gwoup. 2. Aktivite ki pa mande tansyon osinon atansyon, amizman.*

**detanzantan** *(tanzantan): adv. Souvan.* Detanzantan mwen fè yon rive Miyami.

**detay:** *n. 1. Akseswa ki pa enpòtan.* Annou kite koze a tonbe, li pa enpòtan, se yon detay. *2. Esplikasyon elabore.* Desen achitèk la gen anpil detay. *3. Pa moso.* Pri detay.

**detayan**: *n. Komèsan ki vann an detay.*

**detaye** : *v. 1. Vann an detay.* Mwen pito vann angwo, mwen pa gen tan pou mwen ap detaye moso twal. *2. Pyè detaye tout pwogram nan ban mwen.*

**detèjan** : *n. Pwodui chimik ki gen pouvwa netwaye.* Se pa tout detèjan ki bon pou moun kite soulamen.

**detekte**: *v. Dekouvri, revele.*

**detektè:** *n. ki la pou detekte.*

**detektif:** *n. Metye moun ki fè ankèt, ki fè envestigasyon pou rezoud yon krim.*

**detèminan**: *n. Ki la pou bay direksyon. 2. Nan matematik se sòm pwodui yon matris kare.*

**detèminasyon**: *n. Entansyon fèm.*

**detèmine** : *v. 1. Ki pran detèminasyon, ki pran desizyon.* Mwen detèmine pou mwen pase egzamen an ak bon nòt. *2. Ki koze osnon antrene yon sitiyasyon.* Se atitid sa a ki detèmine pou yo divòse.

**detenn**: *v. 1. Ki pèdi koulè. 2. Ki kontamine koulè lòt bagay ki kole ak li.* Ou pa ka lave pantalon ble sa a ak rès rad yo, li detenn. *3. Ki enfliyanse.* Se ou ki detenn sou tifrè ou a kifè li vin mètdam konsa a.

**detere**. *v. : Wete anba tè.* Detere labapen.

**deteryorasyon**: *n. vin pi mal, bès nan kalite, depresiyasyon.*

**deteryore**: *v. 1. Vin pi mal.* Distans pou yo jwenn kadav la, kò moun nan te fin deteryore. *2. Anpire.* Relasyon yo vin deteryore depi Jan kite kay la.

**detestab**: *a. Rayisab, ki merite pou yo rayi li.*

**deteste:** *v. Rayi.* Poukisa ou deteste makomè ou la konsa a, kisa li fè ou?

**detete**: *n. Pwodui chimik, ensektisid pisan epi danjre.*

**detewonòm**: *n. Youn nan chapit labib (ansyen Testaman) ki dekri lalwa Moyiz.*

**detike**: *v. 1. Wete kras.* Se abitid Woje pou li ap detike dan l pandan ou ap pale avèk li. *2. Joure.* Wete kò ou devan m nan si ou pa vle mwen detike ou. *3. Retire tik sou bèt.*

**detire**: *v. Redi pati nan kò pou ou ka lache mis yo.* Kanpe pou detire pye ou.

**detonasyon**: *n Gwo esplozyon, gwo bri.*

**detòtye**: *v. Demare.*

**detou**: *n. Devire, ki pa dwat.*

**detounen**: *v. 1. Dewoute, retire yon moun osinon yon kamyon nan wout kote li ta prale epi fòse li ale yon lòt kote.* Pa kite tigason detounen ou sou lekòl. Teworis yo detounen avyon an. *2. Distrè.* Mwen te fè yon ti vwayaj pou mwen te ka detounen lespri m sou pwoblèm mwen yo.

**detounman**: *n. Aktivite pou detounen.*

**detravè**: *adv. Kwochi, ki pa plase nòmalman.*

**detrese**: *v. Defèt três.*

**detrès**: *n. Difikilte, malè, mizè, lapenn.* Pou twa moun mouri toudenkou, sa se yon gwo detrès mezanmi.

**detripe**: *v. 1. Wete trip.* Lè ou fin detripe kochon an nou pral fè bouden. *2. Joure.* Adelin detripe Maks lè lide li di l.

**detwa**. *pr. : Pa anpil, dezoutwa.* Detwa jou mwen pa wè ou la, ou gentan fè yon ti gwosi.

**detwi** *(detui): v. 1. Kraze.* Yo detwi tout estati ki te nan pak la. *2. Malmennen, devalorize.* Mwen pa ta janm panse yon moun ta detwi tèt li konsa.

**detwone**: *v. Retire yon moun sou pisans li; retire twòn; revoke yon moun ki te gen yon pozisyon enpòtan.*

**detwonpe**: *v. Mete nan laverite.*

**devalize**: *v. Vòlè tout sa yon moun genye.*

**devan**. *adv. : Anvan, ki gen lòt apre l.* Mache tande, pran devan, mwen dèyè.

**devanjou** *(douvanjou): adv. Nan maten bonè bonè.* Moun ki rete nan mòn renmen pran wout la devanjou, anvan chalè a monte.

**devanpòt**: *adv.Devan yon kay. 2. Lakay.*

**devanse**: *v. Depase, ale devan.*

**devanti**: *n. Pati sou devan yon bilding osinon devan yon magazen.*

**devantre**: *v. Louvri vant, blayi sa ki andedan vant.* Vòlè a devantre moun yo anvan li pran tout lajan ki te nan kay la.

**Devarye Simon** *(Simon Desvarieux): np. Ansyen minis lajistis sou gouvènman Divalye.*

**devas**: *n. Ravaj. Se pou ou ta wè devas la apre lapli a.*

**devastasyon**: *n. Destriksyon, dezolasyon.*

**devastè:** *n. Ki pote dezolasyon.*

**devaste:** *v. 1. Ravaje, detwi.* Tout teren yo devaste, pa gen yon ti pyebwa sou yo. Siklòn nan devaste zòn nan. *2. Piye.* Anvan Lovana divòse Manno, li devaste l nèt, li kite l ak de po dèyè l.

**devègonday**: *n. Dezòd, move konduit.*

**devèse**: *v. vide.*

**devègonde**: *1. a. San respè pou prensip, vagabon.* Paske tifi sa a devègonde, li gen anpil chans pou lavi l pase mal. *2. n. Vagabon, vagabòn.* Pa mele ak devègonde sa a, li ap mennen ou nan move chemen.

**devenn**: *n. Malchans.* Kawòl se yon moun ki gen devenn, nan menm ane a li pèdi manmanl, papa ak yon frè l.

**devi:** *n. Kalkil davans ki bay estimasyon konbyen kòb yon travay ap koute.* Si mwen pa gen devi a, mwen pap ka di ou si mwen ap dakò pou ou fè travay la pou mwen.

**devide**: *v. Vide. Ou mèt devide karaf la.*

**devilge** *(divilge): v. Pwopaje yon enfòmasyon.* Se Tifrè ki ap devilge koze a toupatou, se pa mwen.

**devinè** *(devinèz): n. Moun ki konn devinen.* Kilès nan devinè ki la yo ki ka jwenn devinèt sa a?

**devine**. *v. : Eseye jwenn repons san prèv.* Mwen devine ou pap kapab peye kay la mwa sa a men mwen pa konn longè pòch ou.

**devinèt:** *n. Charad, kesyon pou devine repons li.* Timoun yo renmen bay devinè leswa.

**deviray**: *n. Detou.* Wout sa a plen deviray ladan.

**devire**: *1. v. Fè detou.* Mwen devire nan kafou ri Bònfwa a. *2. Chanje lide.* Oska fè yon sèl devire, li di li pap marye ankò. *3. n. Debouyaj.* Silòt se fi ki gen devire, pa pè pou li.

**devise**: *v. Wete vis.* Kou mwen fin devise bwa a mwen ap pote tounvis la ba ou.

**deviz:** *n. Lejand, anblèm ki esprime nan yon fraz.* Nan peyi nou gen yon deviz ki di "men anpil chay pa lou".

**devlope**. *v. : 1.Pran espansyon, grandi.* Timoun yo fè yon sèl devlope la a, yo fin gran nèt. *2. Teknik pou fè yon foto vizib.* Devlope fim.

**devlopman** *: n. 1. Dewoulman, rezilta.* Pa gen moun ki te ap atann devlopman sa a. *2. Kwasans.* Nan laj sa a, timoun yo gen yon devlopman rapid. Devlopman Ayiti, devlopman sistèm sante.

**devni:** *v. 1. Chanje, sòti yon eta vin yon lòt.* Ban m nouvèl Kristòf, sa l devni? *2. n. Avni.* Devni ou nan men ou. *3. n. Sò, chans.* Se devni ou, se pou ou reziyen ou.

**devore:** *v. 1. Manje ak pasyon.* Mwen te grangou anpil, mwen oblije devore de mango. *2. Touye ak dan.* Reken an devore moun yo nan lanmè a. *3. Pale mal ak pasyon.* Mwen pa ta panse de zanmi te ka devore younlòt konsa.

**devosyon**: *n. Pyete, devouman, pratik relijyon san relach.*

**devouman**: *n. Atansyon espesyal, devosyon.*

**devwa**. *n. : 1. Ekzèzis alekri elèv prepare pou lekòl.* Sispann jwe, li lè pou ou ale fè devwa. *2. Responsabilite, obligasyon.* Se devwa ou pou ale di papa ou bonjou menm si li pa byen avè ou. Se devwa yon prezidan pou li pwoteje enterè tout sitwayen.

**Devwe**: *v.* Pòl se moun ki devwe, li toujou pare pou rann sèvis.

**devye**: *v. Ki chanje wout.* Jan ou te yon bon moun, mwen sezi wè ou devye nan chemen kwochi.

**Dewòch Wosni** *(Rosny Desroches): np. Edikatè, filozòf. Li fèt Okap, li diplome nan inivèsite Deta Dayiti nan Edikasyon. Li etidye filozofi an Suis. Li te Direktè FONHEP epitou li te Minis Ledikasyon pandan 1986-1987. Li ekri yon liv Ni Misère Ni Pauvreté Pour Haiti . Li te prezidan Konsèy Administrasyon Inivèsite Kiskeya. Li resevwa meday Chevalye grad Gran Kwa.*

**Dewonsre Ibè** *( De Ronceray, Hubert): np. Sosyològ, politisyen, kandida prezidansyèl. Li fèt 20 Out 1932. Li se manm fondatè Mobilizasyon pou Devlopman Nasyonal MDN. Li te Sekretè Deta nan Edikasyon Nasyonal nan àne 1972-1974, Minis Afè Sosyal 1978-1980, diplomat nan UNESCO 1984. Li te kandida nan eleksyon pandan kat okazyon.*

**dewotanba**: *adv. Depi anwo rive jous anba, delatètopye.* Mwen pa konn poukisa Sentelwa gade m dewotanba tankou mwen se lenmi li.

**dewoule:** *v. 1. Debobinen.* Piga dewoule dantèl la. *2. Pase, fèt.* Se devan je m tout bagay dewoule.

**dewoulman**: *n. Pwogrè, devlopman yon aktivite.*

**dewoute**: *v. Pèdi direksyon, pèdi atansyon.*

**Dewoz Annsi** *(Ansy Dérose): np. Atis ayisyen ki koni plis pou mizik ak chante li chante. Msye tou se atispent, desinatè, teknisyen. Li te konn chante souvan ak madanm li Yòl (Yole). Ayode, yo te konn chante chan patriyotik, chan damou, chan revòlt. Msye mouri Pòtoprens an Janvye 1998.*

**Dewoz Filip** *(Philippe Dérose):np. Politisyen Ayisyen nan Miyami. Li te Asistan Majistra nan vil El Portal, nan Florida.*

**Dewoz Yòl** *(Yole Dérose): np. Atis chantè ki chante anpil mizik damou, mizik patriyotik ak mari li Annsi Dewoz.*

**Dewozye Jowèl** *(Joel Des Rosiers): np. Medsen, powèt, ekriven. Li fèt Okay 26 Oktòb 1951. Li pratike medsin nan peyi Kanada, nan pwovens Kebèk. Li pibliye Metropolis Opera 1987; Tribu 1990; Theories Caraibes*

**dèy:** *n. 1. Lapenn lanmò.* Lanmò Alsiyis se yon gwo dèy pou fanmi an. *2. Adv. (an dèy). Koulè moun mete apre lanmò nan yon fanmi.* Nan peyi m, depi yon moun pèdi manman l, li an dèy pou dezan. *3. Rad sonm moun mete pou make tristès apre lanmò yon fanmi.*

**deyakoud** *(deakoud) : n. Pwoteksyon an metal ou plastik pou met nan dwèt ou lè ou ap koud pou ou pa pike.* Mwen pa renmen sèvi ak deyakoud mwen an paske li twò gwo pou mwen.

**dèyè**. *n. : 1. Pati ki pa sou devan kò moun.* Rale kò ou la, al poze dèyè ou yon kote. *2. Do, revè, palòtbò.* Mwen pa wè figi mouche non, se dèyè do l mwen wè pandan l ap mache byen vit. Li rete jous dèyè simityè a.

**dèyèkay**: *n. 1. Pati nan kay ki bay sou lakou. 2. Dèyè yon moun.*

**dèyèdo**: *n. 1. Fèy ki sèvi kòm medikaman.* Fèy dèyèdo bon pou plizyè maladi. *2. adv. Lè yon moun pa la.* Sispann pale dèyèdo m. *3. n. Direksyon pa rapò ak yon moun.* Gade dèyèdo mwen ou ap wè de moun ki ap vini.

**Deyita**: *np.Non plim yon ekriven ayisyen. Bon non li se Mèsedès Giya (Mercedes Guignard)*

**deyò**: *adv. 1. Ki pa andedan .* Kay mwen an sou deyò. *2. Nan lari a.* Deyò a pa dous, si ou pa gen kè, ou pa soti. *3. Vle kanmenm.* Ou deyò pou fè m nève, sa ou chèche se li ou va jwenn.

**deyodoran** *(dezodoran) : n. Pwodui ki kapab kache move odè.*

**dezabitye**: *v. Pèdi abitid.*

**dezabiye**. *v. : 1. Retire rad.* Anvan ou benyen se pou ou dezabiye w. *2. Rad leje pou mete nan kay. Chemizdenwuit.* Apresa, ou andwa mete bèl ti dezabiye mwen te achte pou ou a.

**dezakse**: *v. Pèdi kontròl, lè yon wou soti nan aks li.*

**dezagreman**: *n. 1. Kont.* Diskisyon sa a mennen yon dezagreman ant de mesye yo. *2. Lè de moun/gwoup pa dakò sou yon kesyon.*

**dezagreyab**: *1. a. Ki pa agreyab, demeplè. Kijan ou fè dezagreyab konsa a, pitit. 2. Ki gen move gou.* Medikaman sa a gen yon gou dezagreyab. *3. n. Moun ki difisil pou viv avèk li.* Ou se yon dezagreyab, ou pap janm ka fè zanmi.

**dezakò**: *n. 1. Mezantant, zizani, hinghang.* Fòk yo ta divòse piske yo toujou an dezakò.

*2. Ki pa dakò sou yon sijè.*

**dezame:** *1.v. Retire zam, retire bagay ki bay yon moun fòs ak pisans. 2. Poze lèzam.*

**dezameman**: *n. Retire zam osinon diminye zam ki nan men yon gwoup, selon sou yon akò,yon plan.*

**dezan**: *2 zan, de lane.*

**dezanfle**: *v. 1. Ki pèdi lè.* Kawotchou a dezanfle, fòk mwen al mete yon ti lè ladan l. *2. Ki kalme ògèy osnon santiman siperyorite .* Depi kèk jou mwen rann mwen kont Oska manyè dezanfle. *3. Ki pa gen enflamasyon ankò.* Kote machwa a te anfle a dezanfle kounye a.

**dezannouye**: *v. Amize.*

**dezanpetre**: *v. Demare, depetre, jwenn solisyon.*

**dezantòtye**: *v. Detòtye, demare, depetre.*

**dezapwobasyon**: *n. Opinyon defavorab, dezakò.*

**dezapwouve**: *v. bay opinyon defavorab, kondane, rejte yon posizyon.*

**dezanpare:** *a. Ki pa konn kisa pou li fè, sanzespwa, an dezespwa.* Mwen fin dezanpare Bondye papa m, fè yon bagay pou mwen tanpri.

**dezapiye:** *v. Pa apiye, kanpe dwat.* Mwen mande tout moun pou yo dezapiye sou oto a.

**dezas**: *n. Evennman ki pote anpil dega, kalamite.*

**dezavantaj:** *n. Sitiyasyon defavorab, san avantaj.*

**dezavantaje**: *v. Ki pa pote avantaj.*

**dezè** : *n.1. Lè li fè, lè ti egui revèy la make de (2) epi gwo egui a make douz.* Li dezè kounye a, vè kilè ou ap tounen? *2. n. Teren kote plant pa pouse osinon pa kabab pouse. Zòn, anviwonman ak teren ki pa gen dlo, ki sèk, ki cho, ki gen sab epi ki pa gen anpil plant.*

**dezekilibre** : *a. Ki pèdi ekilib.*

**dezsekilib**: *n. Ki pa gen ekilib.*

**dezenfektan**: *n. Tout pwodui chimik ki anpeche mikwòb devlope osinon ki kapab touye mikwòb.*

**dezenfekte** : *v. Detwi mikwòb.* Fòk mwen dezenfekte zouti yo anvan chak konsiltasyon.

**dezenfòmasyon:** *n. Move enfòmasyon ki soti pou fè moun aji yon jan ki defini davans; enfòmasyon ki gen malis.*

**dezentegrasyon**: *1. n. Pèdi entegrasyon. 2. defèt, lè zannimo, plant ansanm ak matyè ògànik pouri.*

**dezenterese**: *v.1. Pa chèche enterè pèsonèl. 2. Atitid ki pa motive, pa enterese.*

**dezespere**: *v. Pèdi lespwa, san espwa.*

**dezespwa**. *n. : Dekourajman.* Mwen te gen yon sèl dezespwa ki te antre sou mwen semèn pase a men kounyeya mwen refè papa.

**dezète**: *v. Abandone.*

**dezètik** : *a. Ki sanble dezè,ki san plant, .* Savann Dezole se yon zòn dezètik.

**dezevre:** *a. San sipò, san espwa, san travay, san aktivite.*

**dezi**: *n. Swè, anvi, rèv.* Se tout dezi mwen pou mwen ta vin wè ou yon jou.

**dezidratasyon**: *n. Pèt dlo, sechaj; aktivite pou retire dlo.*

**dezidrate:** *v. Pèdi dlo oubyen seche.* Timoun nan vomi epi li gen dyare, li pèdi anpil dlo, li vin dezidrate. Moun yo ap travay tout lajounen nan solèy la san yo pa bwè likid, yo ap dezidrate. Lèt anpoud se lèt bèf yo dezidrate.

**dezini**: *a. Separe, divize.*

**Dezinò Klovis** *(Clovis Desinor) : np. Ansyen minis finans sou gouvènman Divalye. Ansyen kandida pou prezidan.*

**dezinyon:** *n. Relasyon ki pa gen inyon, dezakò.* Yon fanmi pa dwe viv nan dezinyon.

**dezipe:** *v. Louvri yon zip.* Si ou pa dezipe do rad la, li pap ka soti sou ou.

**Dezi Janklod** *(Jean-Claude Désir): np. Foutbolè ayisyen, tout moun te konnen sou non Tonmpous.*

**dezire:** *v. Swete, anvi.* Mwen ta toujou dezire marye ak yon Ayisyen.

**Dezire Janjan**, *Désié Jean-Robespierre (Janjan Dezire):np. Atis teyat, teknisyen konpyoutè, manm Sosyete koukouy Miyami. Nan ane 1988 li te parèt ak youn plak pwezi kreyòl ki rele Powèm pou youn Ayiti tou nèf. Liv ki gen menm non ak plak la te parèt an 1994. Li te jwe wòl prensipal nan pyès teyat Antigòn yo te jwe nan Miyami nan lane 1998 ak 1999.*

**Dezire Pari Leyon** *(Leon Desire Paris):np. Premye aviyate ayisyen avyon li te rele "Toussaint Louverture".*

**deziste**: *v. Abandone yon konpetisyon, absteni.* Si mwen wè sitiyasyon an ap vin pi difisil, m ap deziste.

**dezobeyi**: *v. Refize obeyi, pa vle aksepte lòd.* Paske ou dezobeyi moun lakay ou, m ap mete ou an pinisyon.

**dezobeyisan** : *a. Moun ki pa obeyi.* Depi Toto piti li dezobeyisan.

**dezobeyisans:** *n. Sitiyasyon kote yon moun dezobeyi.* Ou ka peye dezobeyisans ou an byen chè.

**dezoblijan**: *a. Dezagreyab, ki pa janti.* Ou dezoblijan menm jan ak papa ou, se kote l ou pran sa.

**dezòd, andezòd**. *n. : 1. Ki bouje anpil.* Timoun Masèl yo dezòd anpil, mwen pa fouti siveye yo. *2. Ki pa nan lòd.* Lotrejou, timoun yo vin la a, yo met tout kay la andezòd. *3. Pwotestasyon, manifestasyon.* Gen dezòd nan lekòl la.

**dezòdone**: *a. Ki pa gen lòd, karaktè moun ki pa met lòd.*

**dezodoran**: *n. Pwodui twalèt ki retire move odè.*

**dezokipasyon**: *n. Liberasyon yon espas ki te okipe pandan grèv, pwotestasyon osinon dappiyanp militè.*

**dezokipe**: *v. Libere yon espas ki te okipe pandan grèv, pwotestasyon osinon dappiyanp militè.*

**dezolasyon:** *n. Kondisyon dezespwa, kondisyon mizè, kondisyon solitè.*

**dezole:** *1. a. Abandonne, retire, lwen, zòn ki pa gen aktivite.* Bò isi a yon jan dezole. *2. v. Regrèt.* Mwen dezole pou sa ki pase a, men se pa fòt mwen.

**dezòmè**. *adv. : Apatidejodi.* Dezòmè pa janm met pye devan pòt mwen ankò.

**dezonnè**(dezonè): *n. Wonte, ki pa fè onè yon moun.* Sa se yon dezonnè pou Sizàn al pote yon pitit san papa.

**dezonoran**: *a.Ki fè moun pèdi onè.*

**dezonore**: *v. Retire onè. Pa bay yon moun respè ak onè li merite. Pale mal sou yon moun.*

**dezoryante**: *v. Pèdi oryantasyon, pèdi bousòl.*

**dezose**: *v. Retire zo.* Kou mwen fin dezose kodenn nan m ap sèvi tout moun.

**dezoutwa**: *n fr. Detwa, pa anpil.* Jan te envite dezoutwa zanmi vin fete avèk li.

**dezyèm:** *a. Ki vin apre premye.* Mwen manke genyen pati sa a, malerezman Jan fini premye, se mwen ki dezyèm.

**dezyèmman**: *adv. Ki vin an dezyèm, ki vin apre premye pozisyon.*

**di**. *v. : 1. Pale, pwononse, deklare, bay opinyon, resite, repete, kominike.* Ki sa ou di la a? Sa ou te di a mwen pa kapab sonje l. Jan di konsa " Ki kote boul mwen an ye"? *2. a. ki pa mou,* *ki gen vigè, difisil pou kase, fèm solid, konpak.* Wòch se bagay ki di. 3. *Ki pa fasil, ki difisil, ki mande efò.* Egzamen lotrejou a te di anpil, gen elèv ki pap pase. 4. *Ki bay anpil doulè, anpil tristès.* Kè di.

**dibita** *(yon dibita): n. Anpil, pakèt, dal.* Gen yon dibita medam deyò a ki bezwen travay.

**dibreyis***: n. Ranyon, kenedi, restan.* Lontan dibreyis yo pat vann chè.

**didaktik***: a. / n. Ki sèvi pou fè moun aprann, ki gen valè nan domèn pedagoji.*

**difamasyon***: n. Deklarasyon sou yon moun ki pa laverite,mo ak ekri pou pale moun mal.*

**difamatè***: n. Moun ki fè deklasyon ki fo sou lòt moun,moun ki di pawòl osnon ekri koze pou pale moun mal.*

**dife bwa***: n fr. Dife ki limen ak bwa.* Si dife bwa a pa gen lafimen, ou ka fè vyann fimen

**dife**. *n. : Flanm ak chalè epi limyè ki fèt lè yon bagay ap brile.* Kalo fè yon dife pou l kapab kuit manje a.

**dife jennès***: bouton dri ki leve nan figi moun ki jèn.*

**diferaman***: adv. Yon lòt jan.*

**diferan***: a. Ki pa sanble.* Ou diferan konpare ak lòt elèv nan klas la paske ou toujou fè devwa ou.

**diferans:** *n.1. Sa ki pa menm.* Pi gwo diferans ant mwen avèk ou se nan jan nou panse. 2. *Rezilta apre yon soustraksyon.*

**diferansiyasyon***: n. Modifikasyon (ak transfòmasyon pa etap) ki fèt nan tisi, nan ògàn, nan estrikti ak nan fonksyon yon òganis vivan.*

**diferansyèl:** *1. n. Angrenay nan machin ki transmèt fòs motè a nan wou machin nan pou fè l deplase. 2. a. Pati nan matematik ki etidye varyasyon nan fonksyon ki piti anpil.*

**difikilte***: n. Pwoblèm.* Mwen pa gen difikilte pou mwen ekri Kreyòl ditou.

**difisil***: a. 1. Ki pa fasil .* Fè lajan difisil, depanse l fasil. 2. *Chèlbè.* Kalo se yon kopen difisil. 3. *Delika.* Li difisil pou ou mete yon moun deyò lakay ou. 4. *Konplike, danjre.* Gen moun ki panse wout Jakmèl la difisil pou kondui.

**difisilman***: adv. Ki fèt ak difikilte, osinon ak lapenn.*

**difizyon** *: n. 1. Espansion, pwopagasyon.* Se pa mwen ki fè difizyon lavi prive moun yo. 2. *Emisyon.* Te gen yon estasyon radyo ki te konn fè difizyon li nan estad Silvyo Katò a. 3. *Prensip chimik lè yon pwodui al melanje ak yon lòt.*

**Difo Prefèt** *(Duffault, Préfète). np. : Atis-pent estil nayif. Li fèt nan vil Jakmèl premye Janvye 1923. Li fè penti primitif ki gen valè mistik; li gen plizyè penti sou vil Jakmèl, twal arenyen ak lwa vodou yo. Penti li ekspoze Ayiti ak aletranje. Li te pote pri nan konkou entènasyonal nan peyi Senegal. Li gen miral anndan legliz Sent Trinite, Pòtoprens.*

**difòm***: a. Ki pa gen fòm nòmal.* Madan Bacha difòm, ankenn rad pa ka fè l byen.

**difraksyon** *(direksyon diferan) : n. Dispèsyon reyon limyè anndan yon vit. Opoze difraksyon se refraksyon.*

**difteri:** *n. Yon maladi kontajye bakteri pwovoke. Li bay lafyèv, kò kraz, difikilte pou respire epi li afekte sèvo ak nè nan kò moun nan. Nou jwenn mikwòb sa yo nan gòj moun, li bay anjin. Yo repwodui anpil epi yo kontamine tout kò an epi fè pwazon (toksin) ki al toupatou. Gen vaksen pou prevni difteri.*

**dig***: n. Mi an tè osinon an beton pou pwoteje tè kont inondasyon osinon pou akimile dlo.*

**dikdantan***: adv. Nan tan lontan lontan.*

**dige** *(djige): v. Pike osnon touche ak yon bwa.* Pa dige zoranj yo si yo poko mi. Dige milèt la pou li ka mache pi vit.

**digèt** *(djigèt): n. Bwa, baton.* Ou ka keyi mango ak digèt sa a.

**digo**. *n.1. : Koloran ble ou met nan rad blan pou fè l pi blan epi pou li pa pachiman.* Lè mwen ap rense rad blan mwen toujou met digo nan dlo a. 2. *Zouti abitan sèvi pou travay latè.* Prete mwen digo ou la tanpri pou mwen al fè yon travay nan lakou a.

**dijere:** *v. Transfòme manje pou li ka nouri kò.* Kraze manje anvan ou vale li, sa ede ou dijere.

**dijestif***: a.1. Ki gen rapò ak dijesyon. 2. Ki ede dijesyon. 3. n.Bwason osinon medikaman moun pran pou ede dijesyon.*

**dijesyon***: n. 1.Mwayen nou kraze epi transfòme manje pou mete yo nan yon fòm pou kò nou kapab absobe yo epi pwofite. Transfòmasyon ki fèt nan bouch, nan lestomak ak nan trip pou dijere manje epitou pèmèt fòtifyan ki nan manje antre nan kò a. 2. Fèmantasyon, lè bakteri konsome manje osinon fatra pou fè gaz ak angrè. Gen dijesyon ayewobik ak anayewobik.*

**dijesyon fizik***: n.Yon faz nan dijesyon kote moun ak zannnimo kraze manje an myèt moso. (Konpare ak dijesyon chimik kote asid, anzim tranfòme moso yo).*

**dik***: n.1. Prens ki dirije yon teritwa endepandan. 2. Ran nan noblès ki vin apre prens.*

**dikotiledon** *: n. Plant ak grenn de bò tankou pwa ak pistach.* Pwa ak pistach se dikotledon yo ye.

**diksyon***: n. Estil jan moun ranje mo lè li pale.*

**diksyonè:** *n. Liv ki rasanble mo ki enpòtan nan yon lang (osinon nan yon sijè). Yon diksyonè mete mo yo nan lòd (alfabetik) yo dwe ye epi li bay definisyon, òtograf, enfòmasyon ak tout siy ki ale ak mo yo.* Diksyonè Kreyòl Vilsen, diksyonè Lawous, diksyonè ekolye ayisyen se twa ekzanp diksyonè ki popilè Ayiti.

**dikta:** *n. Dekrè otorite, lòd san refleksyon, pawòl diktati, pawòl diktatè.*

**diktatè.** *n. : Moun ki gen tout pouvwa epi ki ap kòmande palafòs osinon nan avantaj tèt pa yo, moun ki dirije san konsilte opinyon lòt moun ki konsène.* Divalye se te yon diktatè nan peyi Ayiti. Gen diktatè nan Ameriklatin.

**diktati:** *n. Sistèm politik kote tout pouvwa konsantre nan men yon sèl moun, osinon yon sèl ti gwoup moun, osinon yon sèl klas.*

**dikte** *: n. 1. Egzèsis kote elèv yo tande yon tèks epi yo ekri li sou papye ak entansyon pou yo ekri chak mo yo dapre òtograf kòrèk yo.* Moun ki fò nan dikte gen bon vokabilè. *2. Transkri sou papye tout sa ou tande. 3. Delivre yon enfòmasyon vèbalman pou yon lòt mou ka ekri li.*

**dil:** *n.Tranzaksyon komès, opòtinite.*

**dilapidasyon:** *n. Depans san konsyans, gaspiyay.*

**dilapide:** *v. Depanse an dezòd, gaspiye*

**dilatasyon** *: n. 1. Ogmantasyon volim. 2. Avòtman pwovoke. Jete pitit.* Li te fè yon dilatasyon ane pase.

**dilate:** *v. Agrandi, louvri, gonfle, gwosi.*

**dilatwa:** *teknik pou retade osinon pou pwolonje yon diskisyon pou anpeche solisyon,desizyon.*

**dilèm:** *n. Sitiyasyon ki gen de solisyon kontrè osinon de solisyon kontradiktwa epi moun oblije chwazi youn.*

**dilijan:** *a. Ki akti epi rapid.*

**dilijans** *: n.Rapidite.* Erezman nou te fè dilijans, sinon nou pa tap gentan kwaze Aleksi.

**Dim:** *n. Pati nan rekòt legliz reklame nan men travayè. Enpo legliz.*

**dimanch, ledimanch.** *n. : 1. Jou ki vini apre samdi, anvan lendi.* Se dimanch batèm Kalo a, èske ou ap vini? *2. Jou kretyen al legliz. 3. Jou konje pou repo.*

**dimansyon:** *n. Grandè, gwosè, pwopòsyon, tay yon bagay ki kapab mezire.* Ki dimansyon tab la?

**Dimasè Estime** *(Dumarsais, Estimé). : Prezidan 1946-1950.*

**dimaten** *: adv. Nan maten.* Se a twazè dimaten mwen leve jodi a.

**dimatenoswa:** *adv. Depi maten jous aswè.* Vwazen Nerestan ap plenn dimatenoswa.

**diminisyon:** *n. Bès, chit, regresyon, fèbak.*

**diminye:** *v. Redui, rakousi, konsantre, degonfle, bese.*Diminye vitès oto a.

**demwatye:** *fèmye ki travay sou tè yon lòt moun epi li pataje rezilta rekòlt la ak mèt tè a.*

**dinamik:** *a. Ki gen aksyon, fòs.* Ou se yon moun ki dinamik anpil.

**dinamis:** *n. Fòs, enèji, vitalite, rapidite.*

**dinamit** *(dilamit): n. Eksplozif ki gen melanj plizyè pwodui chimik ladan l.* Lè gen dinamit ki eksploze, konn gen anpil dega ki fèt.

**dinamo:** *n. 1. Machin ki transfòme enèji mekanik pou fè enèji elektrik. 2. Altènatè.*

**dine, dinen:** *n. Manje midi.*

**dinozò** *: n. Yon gwo reptil ki te ap viv nan epòk pre-istorik. Kokenn chenn gwo bèt sa yo pa egziste ankò yo sibi yon fenomèn ki rele ektenksyon, sa vle di yo pa kapab repwodui epi tout vin mouri san kite desandan. Nou jwenn tras yo, zosman yo (eskelèt) ak po ze yo te kite.*

**dioksid kabòn** *: n fr. Gaz kabonik, $CO^2$. Moun pat dwe rete kote ki gen anpil dioksid kabòn epi ki pa vantile. Plant bezwen solèy, dioksid kabòn ak dlo pou yo pouse.*

**diplikata:** *n. Yon dokiman ki parèy ak orijinal la, men se yon kopi.*

**diplis** *: n. Sipleman, degi.* Mwen ba ou diplis sa a pou ankouraje ou.

**diplòm:** *n. Papye ofisyèl ki sètifye konesans yon moun nan yon sijè.* Mwen gen yon diplòm nan kouti men Jera gen diplòm pa li a nan mekanik.

**diplomasi:** *n. Branch nan politik ki regle relasyon ak kontra ant peyi.*

**diplomat:** *n. Moun ki gen responsabilite reprezante peyi l nan fonksyon diplomatik kote li ka negosye ak lòt gouvènman pou peyi li.* Mwen te konnen yon diplomat Meriken ki te reprezante Etazini nan peyi Kanada.

**diplomat beton:** *n. fr. Moun ki al fè pwotestasyon nan lari pou yo tande revandikasyon yo.*

**diplomatik:** *a. 1.Ki gen relasyon ak diplomasi. 2. Ki gen ladrès.*

**dipopo** *(djipopo): n. bagay san enpòtans.* Ki dipopo ou ap vin ban mwen la a, ou krè mwen krè ou?

**Dipui, Bawon** *(Dupuis, Baron). np. : Yon konseye Anri Kristòf te genyen. Se te yon milat ki te nan lame sou Desalin men li pat janm gen twò gwo grad. Li te vin pati al Filadèlfi, kote li te vin rich epi li te fè gwo klas. Msye te retounen Ayiti sou Anri Kristòf. Se konsa li te vin sekretè epi entèprèt pou Kristòf nan wayòm nan.*

**dirab**: *a. Ki la pou lontan. Ki ka dire.* Soulye sa yo sanble yo dirab, mwen ap achte de pè.

**dirakwa**: *n. 1. Pat espere, moun vini, nouvo rich.* Kote bann dirakwa sa yo soti. *2. Sentoma, moun ki pou wè pou kwè.* Se dirakwa ou ye, tann wa wè.

**diran**: *prep. 1. San rete, tout lavi.* Mwen fache ak Jozèt pou lavi diran. *2. adv.* Diran tout tan yo te ansanm nan, Pola pat janm mete sekrè l deyò bay Toma.

**Diran, Osval** *(Durand, Osvald): np. Powèt, jounalis, politisyen. Li fèt 17 sektanm 1840 nan vil Okap. Papa li ak manman li te mouri nan yon gwo tranbleman tè ki pase Okap an 1942. Lè sa a Osval te gen sèlman dezan. Granmè li te elve l nan vil Wanament. Li te pwofesè lekòl epi li te depite tou nan vil Okap pandan 6 lejislati. Li te nan redaksyon Actes du Gouvernement yo epitou li te direktè jounal ofisyèl ALe Moniteur Haitien". Li se yon powèt Ayisyen ki ekri an Franse ak an Kreyòl. Osval Diran te ekri powèm "Choukoun" an 1880. Se te youn nan premye pwezi ki ekri an Kreyòl. Ti pwezi a te fè anpil moun plezi. Gen yon mizisyen ki mete mizik sou li. Mizik la vin fè powèm nan pi popilè toujou. Gen anpil mizisyen ak chantè nan zòn Karayib la ki chante l tou, tankou Ari Belafonnte eltr. Li mouri Pòtoprens jou ki te 22 Avril 1906. Li ekri "Rires et Pleurs" 1869 epi yon dezyèm volim an 1872; "Quatre nouveaux Poemes", 1900;*

**dirantan**: *adv. Pandan yon tan long.*

**dire** : *v. Pwolonje.* fim sa a dire lontan.

**dirèk** *(dirèkteman): adv.1. Dwat. 2. San ezitasyon.* Mwen di l sa mwen gen pou mwen di li a dirèk, si li pa kontan, zafè l, Vòl dirèk.

**direksyon** : *n. 1. Oryentasyon.* Nan ki direksyon kay ou ye la a? *2. Esplikasyon pou jwen yon adrès. Direksyon ou yo te bon, mwen rive nan kay la san pwoblèm. 3. Kòmandman.* Timoun nan sou direksyon ou, sa ou di li, se sa. *4. Biwo direktè.* Pase nan direksyon.

**direktè** *(dirèk): n. Moun ki ap dirije. chèf, dirijan, patwon.* Direktè lekòl la te vin nan klas mwen an jodi a.

**direktris**: *n. Fi ki ap dirije, chèf, dirijan, patwon.* Direktris lekòl la te vin nan klas mwen an jodi a.

**dirèkteman**: *adv. San pase akote, kareman.* Mwen rive nan adrès la dirèkteman, san mwen pa pèdi.

**diri** : *n. 1. Manje, sereyal ki gen anpil lanmidon ki popilè Ayiti.* Diri kole ak pwa se manje prefere m. *2. Plant ki bay diri.* Diri bezwen anpil dlo.

**diri ole**: *n fr. Labouyi ki fèt ak diri, lèt, sik epi lòt engredyan tou.* Diri ole se bon labouyi.

**dirijab**: *a. Ki kapab dirije,kit se moun,kit se lòt bagay.*

**dirijan**: *n. Moun, gwoup osinon klas ki gen pouvwa osinon responsabilite pou dirije.*

**dirije**: *v. Bay direksyon.* Se Kalo ki ap dirije lekòl la kounye a.

**diryan**. *n. : Fwi ki soti Annazi, li santi move men li gen yon bon gou.* Gen Ayisyen ki kwè li bay bann.

**dis**: *n. Chif ki vini apre nèf, anvan onz. Madan Sentan gen dis pitit.*

**disann** *(desann): v. 1. Ale nan direkyon pi ba.* Se chak jou dlo a ap desann. *2. Denigre.* Mwen pa ta janm desann figi mwen pou mwen ta fè yon bagay konsa.

**disantri** : *n. Maladi, enfeksyon entesten ki bay gwo dyare.* Si ou wè dyare a dri sou ou, se ka disantri ou genyen.

**Disèk Michlin** *(Micheline Dusseck): np. Doktè ayisyen ki pratike nan peyi Espay. Li se yon politisyen nan peyi Espay. Li ekri woman an espayòl.*

**diseke**: *v. Koupe kò yon mò nan laboratwa moso pa moso pou obsève, pou etidye ogàn yo.*

**disèl, sèl**: *n. Engredyan blan ki ka delye nan dlo yo met nan manje pou leve gou manje a. Se de jan moun jwenn sèl, swa nan min sèl, swa lè yo evapore dlo lamè.*

**disèt**: *n. Chif ki vini apre sèz, anvan dizuit.* Kote disèt mango ki te la yo?

**disetan**: *n.laj, peryòd tan.*

**disètasyon**: *n. Devlopman yon sijè, alekri; etid, diskou, memwa akademik.*

**disètyèm**: *a. Nonm òdinal ki vini apre sèzyèm epi avan dizuityèm. Pozisyon nimewo disèt.* Sou disetyèm jou a, solèy la leve.

**disidan**: *n. Rebèl, separatis.*

**disip** : *n. Moun ki resevwa konesans nan men yon mèt pou li ka kontinye filozofi mèt la.* Tout disip Jezi yo te gason,*elèv, apot, patizan.*

**disiplin**: *n. 1. Règleman ki valid yon kote; lwa.* Kay isit la gen disiplin. *2. Pinisyon.* Si mwen pa mete disiplin sou timoun yo, yo san lè vin kwochi nan menm. *3. Domèn, kou, klas.* Molyè ap anseye nan disiplin syans.

**disipline** *(displinen): a. Ki gen disiplin. 2. v. Mete lòd*

**diskalifye**: *v. Retire nan yon konpetisyon; pèdi kalifikasyon.*

**diskisyon**: *n. 1. Konvèsasyon, deba.* Diskisyon sa a enteresan anpil, mwen renmen tande opinyon plizyè moun. *2. Jouman.* Li lè pou diskisyon sa yo fini. *3. Pati nan yon* *disètasyon.* Se nan diskisyon an mwen mete diferan opinyon otè yo.

**diskite:** *v. 1. Konvèse, fè deba.* Mwen renmen diskite avèk ou. *2. Joure, fè altèkasyon.* Se pa estil pa mwen pou mwen nan diskte, ni leve lavwa.

**diskotèk:** *n. 1. Koleksyon disk. Ou gen yon diskotèk ki chaje ak mizik ayisyen. 2. Kote moun al danse mizik.* Eske gen diskotèk ayisyen bò isit la?

**diskòd:** *n. Dezakò, disansyon, zizani.*

**diskou:** *n. 1. Koze chita tande.* Mwen te renmen diskou ou a anpil. *2. Bèl pawòl san aksyon.* Sispann diskou sa a, se toujou menm koze a, toutan.

**diskriminen:** *v. Fè diskriminasyon, diferans, paspouki ant de bagay, ant de moun osinon ant de gwoup.*

**disloke:** *v. Demanche, demantibile.*

**disnèf:** *n. 1. Nimewo ki vini apre dizuit epi anvan ven.* Mwen sot fè disnèf jou Ayiti. *2. Nonm antye ki vo dis plis nèf.*

**disnevyèm:** *a. Nonm ki vini apre dizuityèm epi anvan ventyèm.* Mwen rive nan diznevyèm paj liv la.

**dispans:** *n. Pèminsyon pou pa fè yon bagay*

**dispanse :** *v. Bay pèmisyon pou yon moun pa fè yon bagay li te dwe fè.* Dispanse m traka sa a, tanpri.

**dispansè :** *n. Klinik. Ti sant sante kote yo bay swen.* Mwen konn enfimyè ki nan dispansè isi a.

**disparèt :** *a. Ki soti nan sikilasyon an san moun pa konn ki jan.* Zanno a te la a, li pa ta ka disparèt.

**disparisyon :** *n. 1. Sitiyasyon yon moun osnon yon bagay ki disparèt.* Klod renmen li sou disparisyon sivilizasyon grèk la. *2. Lanmò.* Disparisyon Woza rete yon chagren pou tout moun. *3. Yon evenman majik ki fè yon bagay pa vizib.*

**dispèse:** *v. Simen, gaye, epapiye,degaye.*

**dispit:** *n. Deba, diskisyon, polemik; konfli, goumen, bwouyay.*

**dispite:** *v. Fè diskisyon, fè deba.*

**disponib:** *a. Ki lib, ki pa rezève.*

**disponiblite:** *n. Ki pa angaje, ki pa ap travay.*

**dispoze :** *v. 1. Mete aladispozisyon, deside.* Mwen dispoze twa goud pou travay la. *2. Pare pou, aksepte.* Bòs la dispoze fè travay la demen maten. *3. Ranje. Òganize.* Mwen *renmen jan ou dispoze kay la.*

**dispozisyon:** *n. 1. Mwayen.* Mwen pa gen dispozisyon pou mwen achte kay sa a. *2. Desizyon.* Mwen pran dispozisyon mwen pou mwen achte kay la ane sa a. *3. Disponib.* Mwen aladispozisyon ou nenpòt kilè ou vle.

**distans :** *n. 1. Espas ant yon pwen jouska yon lòt.* Mwen pa konn ki distans ki genyen soti isit rive kote mwen rete a. *2. Limit.* Mwen ba ou distans ou, pa nan vin pale avèk mwen ankò. Mwen pran distans mwen.

**distenge :** *v. 1. Fè diferans.* Mwen ka distenge youn ak lòt. *2. a. Siperyè, elegan.* Se se yon restoran distenge.

**distenksyon:** *n. Diferans ant de bagay, ant de moun.*

**distilasyon:** *n. Teknik pou separe de likid diferan baze tanperati vaporizasyon yo. Nan distilasyon gen de etap, etap chofay pou fè likid tounen vapè, etap kondansasyon pou fè vapè tounen likid.*

**distilatè:** *n. machin pou fè distilasyon.*

**distile:** *v. Konvèti yon pati nan yon likid an vapè (metòd separasyon) epi rafredi vapè a pou li ka tounen likid ankò.* Yo distile ji kann fèmante pou fè kleren ak wonm.

**distraksyon :** *n. 1. Amizman.* Mwen renmen ale nan pak, se yon bon distraksyon. *2. Rezon ki anpeche moun konsantre.* Mizik la se yon distraksyon li ye, ou pap ka konsantre ou si ou pa etenn radyo a.

**distrè** *(distre): 1. a. Tèt pa la, moun ki toujou ap bliye.* Kouman ou fè distrè konsa a? *2. v. Amize.* Vin distrè ou ak timoun yo pa bò isit la.

**distribisyon :** *n. 1. Separasyon, pataj.* Lè ou fini ak distribisyon an, annou fè règleman. 2. *Aranjman.* Mwen renmen distribisyon kay isit la.

**distribye:** *v. separe, pataje, bay.*

**diswa:** *adv. Nan aswè.* Li senkè diswa kounye a.

**ditan:** *adv. nan tan (tèl moun).*

**dite** *(te): n. Te fèy.* Mwen konn yon fanmi nan nò se chak swa yo pran dite.

**ditou:** *adv. Negasyon, pa menm.* Mwen pa vle sa ditou.

**divage:** *v. derezone, di tenten, delire.*

**Divalye, Franswa** *(Duvalier, François). np.: (1907-1971). Prezidan Ayiti 1957-1971. Msye te fèt an 1907. Li te al lekòl Lise Petyon. Apresa li te al nan lekòl Medsin. Li te yonn nan doktè ki te travay nan kanpay pou elimine maladi pyan andeyò. Li te minis Sante Piblik ak Travay nan gouvènman Esime. Li vin prezidan an 1957. Listwa di msye te pami prezidan ki te sanginè paske te gen anpil moun ki mouri sèlman paske yo pat dakò ak politik li. Msye te itilize teknik* *pa li pou li te gen kontwòl polis sekrè, rapòtè, vodou ak tonton makout pou l te elimine tout opozisyon epi vin gen kontwòl peyi a. Msye te bay orijin afriken ayisyen an anpil valè. Li te bay moun nwa yo plis pouvwa ankonparezon ak milat yo ki te konn gen anpil pouvwa anvan sa. Li te gouvène peyi a joustan l te mouri an 1971. Ti non yo te ba li se "papa dòk". Anvan li mouri, li te nonmen pitit li Jan Klod kòm moun ki pou te ranplase li pou kontinwe gouvènman diktati a.*

**Divalye, Janklod** *(Duvalier, Jean-Claude). np. : Pitit Franswa Divalye, prezidan peyi Dayiti 1971-1986. Dapre listwa, msye te vin prezidan, kòm eritye papa l nan ane 1971, lè sa a li te gen 19 an. Msye te gwo, li pat gen rèv pou peyi a ni li pat gen okenn pwojè, li te renmen jwi lavi l ak bèl tifi. Se manman l ki te di l ki jan pou l te kòmande peyi a pandan de premye ane yo men apre sa, msye te vin pran endepandans li anba manman an. Li te marye ak yon fi Ayisyèn yo rele Michèl Benèt 27 Mai 1980. Nan ane 1986 sou presyon pèp la ki mande libète, lekòl, demokrasi, travay ak sèvis sante, Divalye pati li ale nan peyi Lafrans.*

**Divalye, Simòn Ovid** *(Duvalier, Simone Ovide): np. Madanm Franswa Divalye , manman Janklod. Li te koni kòm moun ki te kòmande pitit li Janklod nan de premye ane apre msye te vin prezidan. Li kite Ayiti lè Janklod pati.*

**divalyeris:** *n. Moun ki patizan Divalye. a. Ki gen relasyon ak Divalye.*

**divan:** *n. Chèz long san bra ki tankou yon ti kabann.* Chak apremidi madan Pòl fè ti kabicha sou divan an.

**divè**: *n. Ti plim ki fèk ap pouse..* Ti poul la poko pouse plim, se yon ti divè fenfen li genyen sou kò l.

**divèjans**: *n. Dezakò, diferans, eka.*

**diven kann**: *n fr. Bwason fèmante ki fèt ak kann.* Gen moun ki pito diven kann pase kleren.

**diven**: *n. Bwason alkolize ki fèt ak ji rezen ki fèmante.Yo te sèvi yon bon diven nan fèt la.*

**divès**: *a. Plizyè, diferant anpil.* Sa depan sa ou vle, gen divès kalite mango.

**divèsite** : *n. Varyete.* Gen yongran divèsite ji nan makèt la.

**divèti**: *v distrè, amize, fè ri.*

**divètisman**: *n. amiszman, distraksyon, plezi, rekreyasyon.*

**dividal**: *n. Anpil.* Yon dividal moun.

**dividann** : *n. 1. Nimeratè pati anwo yon fraksyon.* Nonm ou pral divize pa yon lòt. Si ou divize 3:4, 3 se dividann nan. *2. Benefis ki pou tout asosye nan yon biznis.* Lè mwen resevwa dividann pa mwen an, mwen pral achte yon oto avèk li.

**Divikè Moris**: *np.(Maurice Dunviquet) Animatè radyo.*

**divilge** *(devilge): v. 1. Gaye nouvèl.* Se Jera ki divilge koze li. *2. Anonse.* Lè radyo divilge nouvèl la, tout moun sezi.

**divinèz** *(devinèz): n.1. Fi ki konn devine lavni.* Joslin se divinèz li ye,sa ki fè ou pa al kote l.

**divinite**: *n.1. Esans, nati Bondye. 2. Espri, Lwa. Fòs ki gen pouvwa espirityèl.*

**divinò** *(divinè, devinè): n. 1. Moun, sitou gason, ki konn devinen.* Òska se bon jan divinò. *2. Prèt vodou.* Si ou al kote yon divinò, li ka regle zafè ou pou ou.

**divize** : *v. 1. Fè divizyon.* Depi nan klas elemantè mwen te konn miltipliye ak divize. *2. Fè separasyon.* Mwen divize kay la an twa pati.3.Mete divizyon.

**divizè** : *1. Pati nan yon fraksyon ki nan denominatè a. Nan 2/5 5 se divizè a. 2. Moun ki ap divize.* Ou pa rann ou kont se Kawòl ki divizè a nan sitiyasyon an? *3. Moun osnon bagay ki fè separasyon, nan manifakti.* Pase pat la nan divizè pou koupe pate yo. Pou ou dekoupe salon an, ou ta ka sèvi ak playwod kòm divizè.

**divizib**: *a. Yon valè divizib ak yon lòt se lè rezilta divizyon ant yo pa gen rès (rès la egal zewo),ki kapab divize.*

**divizyon**: *n. Operasyon aritmetik pou divize yon valè an plizyè pòsyon.*

**divizyon selil** : *n fr. Separasyon selil yo kote yo repwodui lòt selil ki sanble.* Divizyon selil kòmanse byen vit nan lavi yon anbriyon.

**divòs**: *n. 1. Separasyon entèrè ak santiman ant de moun ki te renmen.* Alèkile vin gen plis divòs pami Ayisyen yo. *2. Dezakò, kontradiksyon.* Gen yon divòs ant sa ou di ak sa ou fè.

**divòse:** *v. Kase maryaj, separedevan lalwa.* Lyonèl divòse ak Beti depi ane pase.

**Diwozo Fab** *(Fabre Duroseau): np. Mizisyen chantè.*

**Diwozo Richa** *(Richard Duroseau): np. Mizisyen akòdeyonis ki te jwe nan dyaz Nemou Janbatis.*

**Diwozye Gi** *(Guy Durosier): np. Atis mizisyen, chantè ki te jwe plizyè enstriman (saksofòn, pyano eltr) Yo te rele li anbasadè mizik a-yisyenLi jwe, li chante nan plizyè peyi, tankou Lafrans, Anglete, Kolonbi, Brezil, Naso, Kanada, Etazini. Li jwe nan Kaneji Hòl (Carnegie Hall) ak anpil lòt kote ki koni. Pami misik popilè Diwozye gen Ma Brune,Dodo Turgeau, Michaelle Courrier D Haiti Si w al "nnayiti Nou Pianos Nostalgiques.*

*Nan karyè li, li te fè yon fopa, lè li te chante ak anpil emosyon nan antèman yon diktatè fewòs. Apresa msye te kontinye karyè li ak menm talan ak menm pasyon. Li mouri Ozetazini ASeattle, Wa le 18 Out 1999.*

**diyite** *: n. 1. Respè melanje ak fyète.* Lawoz se yon nonm ki gen anpil diyite, se pa tout bagay li ap fè. *2. Respè figi, lonnè; estim bon repitasyon.* Si ou te gen diyite ou pa ta janm vin devan pòt mwen an.

**Diyitè:** n.*Moun enpòtan.* Prezidan peyi a se yon diyite.

**dizan**: *dis lane.*

**dizè** *: n. Lè li fè, si ti egui a sou 10 epi gwo egui a sou douz.* Li deplase a dizè.

**dizèl**: *n. 1. Motè ki mache akgaz lou.* Machin pejo yo gen motè dizèl sou yo. *2. Gazolin espesyal ki fèt pou motè dizèl.* Mwen pa gen gaz ankò, fòk mwen rete nan estasyon gazolin nan pou mwen pran senk galon dizèl.

**dizèn**: *n. Gwoup dis.* Mè nan lekòl mwen yo toujou resite yon dizèn chaplè chak maten.

**dizèt:** *n. Grangou, famin.* Nan tan dizèt, moun pa jwenn anyen pou yo manje.

**dizon** *: n. Akò .* Ou gen dizon avèk mwen, ou pa sa chanje lide san ou pa di mwen anyen.

**dizondi**: adv. 1. A sipozisyon ! 2. *Malerezman*

**dizuit**: *n. Chif kadinal ki vini apre disèt epi anvan diznèf.* Si ou gen dizuit pè soulye, ou te dwe banmwen youn ladan yo.

**dizuityèm**: *a. Pozisyon nimewo dizuit.* Sou dizuityèm jou apre operasyon an, Elifèt mache sou de pye l.

**dizyèm**: *a. Nonm òdinal ki vini apre nevyèm, anvan onzyèm.* Apre dizyèm kay la, vire sou lamen dwat.

**djab** *(dyab): n. Satan.* Moun sa yo se moun ki gen djab sou yo.

**djablès**: *n. Femèl dyab.* Kote dyablès sa a soti.

**djage** *(dyage, dyake) : v. Atake ak kouto, manchèt, ponya.* Se nan goumen epi rale ponya youn twouve al djage lòt.

**djak** *: n. 1. Valèt, nan jwèt kat.* Ou oblije mete djak la atè kanmenm. *2. Zouti ki sèvi kòm levye pou ou soulve oto lè ou bezwen chanje kawotchou.* Prete m djak ou a tanpri, mwen gen yon kawotchou anpàn la a. *3. Grad nan legliz kretyen.* Lè pa gen pè, dyak ka fè batèm.

**Djakata**: *Youn nan denominasyon ak estil nan pratik Vodou.*

**djake**: *v. 1. Sèvi ak djak pou leve yon oto.* Si ou pa djake oto a byen, ou pap ka chanje kawotchou a. *2. Fouke.* Depi yo arete yon gason, yo gen tandans dyake l.

**djakèt**. *n. : Manto ki kout.* Djakèt Bòb la gen anpil bouton epi li gen de pòch.

**djakout**: *n. Sak ki fèt ak fib latanye osinon pit.* Si ou vle abiye tankou abitan ou yo, ou ka pase yon djakout nan kou ou.

**djal** *(dyal): n. Tifi.* Wobè toujou ap vin bò isit la msye gen lè gen yon dyal nan katye a.

**djandjan** *(dyandyan): a. Ki gen koulè twò vif.* Kijan ou fè mete koulè djandjan sou ou.

**djanm:** *a. 1. Ki gen anpil aktivite.* Annou al nan fèt la, li sanble li djanm. *Kosto.* Mwen pap al diskte ak Edga, jan nonm sa a djanm sa a, li ka ban mwen nenpòt sabò.

**djanni** *(dyanni): n. Bagay ki pa itil. Bagay ki an dezòd.* Kòman fè gen djanni konsa nan lakou ou a?

**djapòt** *(dyapòt) : n. 1. Gwolo.* Kounye a mwen gen djapòt la, tout sa mwen vle mwen ka achte l. *2. Machin pou jwe aza.* Mwen mete yon dola, mwen fè san dola nan djapòt. *3. Viktwa.* Ekip foutbòl nou an bay djapòt la. *4. Vomi.* Li bay djapòt.

**djayi** *(djay): a. Fè kriz.* Pitit la djayi atè, mwen te pè pou li pat frape tèt li fò.

**djaz** *(dyaz): n. Okès ki jwe mizik popilè.* Mwen renmen jan djaz sa a frape a, li jwe byen.

**djazmann**: *n. Moun ki jwe mizik nan djaz.*

**djèdjè**: *a. Bègwè, egare.* Gade djèdjè a.

**djèp** *(gèp): n. 1. Ensèk ak zèl ki viv an gwoup (sosyal) ki ka pike moun.* Si ou wè yon nich djèp, pa pwoche kote l. *2. a. Ki gen fòm gèp, (Fi ki gen senti piti).* Gade tay ou, li fen tankou tay djèp.

**djèt** *: n. 1. Avyon a reyaksyon.* Demen maten bonè, m ap pran djèt la pou mwen ale Miyami. *2. Moun ki kouri rapid.* Jan se yon djèt, ou pa ka kouri avèk li.

**djètapan** *(gètapan): n. Pyèj.* Se nan yon djètapan yo te pran Alsibyad.

**djige** *(dige): v. Pike osnon touche ak yon bwa.* Pa djige zoranj yo si yo poko mi.

**djigèt** *(digèt): n. Bwa, baton ki sèvi pou djige.* Mete djigèt la lwen pou timoun yo pa pran l pou yo jwe avèk li.

**djip** *(jip) : n. Machin konpak, solid, ki fèt pou kondui nan nenpòt wout.* Mwen te gen yon djip lontan, mwen vann li pou yon bon lajan.

**djipopo***(dipopo, zipopo): n. Bagay san valè ki gen anpil chans bay traka. Sitiyasyon konplike ki bay pwoblèm.* Mwen pa bezwen ankenn djipopo vin kale m.

**djòb** *(dyòb): n. 1. Travay ki pap dire.* Mwen jwenn yon djòb pou mwa Jiyè a. *2. Travay. Responsablite.* Ki djòb ou?

**djòbè** *(dyòbè): n. Moun ki ap chèche ti djòb adwat agoch san pèmanans.* Yon djobè fè yon dyòb apre lòt, li pa rete lontan nan okenn travay.

**djòk** *(dyòk, maldyòk): n. Malchans.* Ou gen lè gen djòk, pitit, al pran yon beny nan Souspyant.

**djoke** *(dyoke) : v. mete bouch sou yon moun, bay madichon.* Ou fè li twòp konpliman ou ap djoke l.

**djòl** *(dyòl): n. Bouch, nan sans vilgè.* Si ou te wè dyòl fi a ki ap di betiz san rete, sa ta ba ou degou. Dyòl loulou.

**djòl alèlè** *(dyòlalèlè): n fr. Moun ki renmen pale tout sa ki pa regade l.* Pa pale devan Lerison, se yon dyòl alèlè li ye.

**djòl loulou** *(djòl lolo): n fr. Ki bon anpil nan bouch.* Goute pou wè, konsonmen sa a se djòl loulou.

**djòle** *(dyòle): v. Ranse, pale met la, pale koze san enpòtans.* Kite l djòle, non, pa okipe l.

**djòlè** *(dyòlè): n. Moun ki ap pale anpil met la, pa di anyen enpòtan.* Richa se djòlè, fòk ou pa pran anyen li di oserye.

**djòlpave***: n. Pwason.* Mwen poko janm manje pwason yo rele djòlpave a.

**djondjon** *(dyondyon): n. Yon kalite plant san klowofil, san fèy ki pouse nan kote ki imid, souvan yo gen fòm parapli. Se yon chanpiyon nwa moun manje nan peyi Dayiti ak diri osnon ak mayi. Gen plizyè kalite djondjon, genyen ki gen bon gou anpil, genyen tou ki konn gen pwazon ladan yo, fòk moun fè atansyon sou sa.*

**djouba** *(djoumba): n. Rit, estil mizik.* Gen moun depi yo tande djouba yo leve kanpe pou yo danse.

**dlo bouch***: n fr. Krache, bav.* Gen moun lè yo ap dòmi, yo pa vale krache yo, sa fè, lè yo leve nan maten, yo plen dlo bouch.

**dlo dous** *: n fr. 1. Rivyè, gwo basen dlo ki pa sale. Mwen renmen pwason dlo dous. 2. a. Ki viv nan dlo ki pa sale.* Pwason dlo dous.

**dlo glase** *: n fr. Dlo ki te nan frijidè osnon ki gen glas ladan l.* Jan fè cho sa a, se yon ti dlo glase mwen ta bwè.

**dlo lolo** *(dlo, dlololop): n fr. Likid, ki pa epè.* Mwen pa renmen soup ki dlo lolo.

**dlo pwa***: n fr. Liquid apre pwa fin bouyi..* Ban m yo ti dlo pwa, mwen pa santi mwen ta manje gwo manje.

**dlo sale** *(dlo sèl): n fr. Dlo ki gen sèl ladan l.* Fè yon ti dlo sale pou mwen tanpri.

**dlo**. *n. : 1. Likid ki pa gen ni gou, ni odè, ni koulè moun bwè pou soulaje swaf.* Pote yon ti dlo byen glase pou mwen, tanpri. *2. Likid ki pa epè.* Dlo soup, dlo kafe. *3. Gwo espas dlo.* Bèt dlo.

**DNA** *: Abreviyasyon pou non pwodui chimik (asid deyoksiribo nikleyik). Nou jwenn li nan nwayo yon selil anndan kwomozòm lan se li ki kontwole eredite ak repwodiksyon.*

**do**. *n. : 1. Pati nan kò moun ki soti depi nan zèpòl rive bò ren toudebò kolòn vètebral, pa dèyè lestomak 2. Ki padèyè.* Jan t ap naje sou do nan pisin lan. *2. Nòt mizik, premye nòt mizik nan kle do.* Mwen pa konn jwe pyano, se sèlman do re mi fa sòl la si do mwen konnen. *3. Kote opoze.* Pa do. *4. Pati sou anro.* Do kay moun, do pye.

**dòb***: n. Vyann ki gen anpil chè.* Mete bonkou dòb nan bouyon an pou mwen.

**doba***: a. Koube. 2. Estil nan Vodou.*

**doble***: a. Ki poko mi.*

**dodin**. *n. : Chèz an bwa ki balanse.* Kite mwen chita sou dodin nan pito, al pran chèz la ou menm.

**dodinen**. *v. : Balanse sou yon chèz ki baskile. Si ou dodinen ak timoun nan sou bra ou, l ap dòmi pi vit.*

**dodinay***: n. Balanse nan dodin.*

**dodo***: v. Dòmi, kouche.* Al dodo tande, li ta.

**dodomeya**. *v. : Kabicha, apiye.* Pa vin dodomeya kò ou sou mwen la a, mwen pa nan rans non.

**dofen** *:n. 1. Gwo bèt lanmè ki manje vyann.* Mwen pè dan dofen sa a. *2. Eritye gwo chabrak.*

**Dofen Klod** *(Claude Dauphin): np. Mizisyen, konpozitè Ayisyen. Li se pwofesè mizik nan inivèsite Monreyal Kanada.*

**Dojeron, Bètran** *(D'Ogeron, Bertrand). np. : Gouvènè Latòti an 1665. Li te kontwole boukanye yo kare bare epi li te òganize plizyè ti vil. Li te voye chache fi Anfrans pou mesye yo. Apati 1675, ane msye mouri a, boukanye yo vin tounen plantè. Antretan, pati lwès peyi a vin tounen sou dominasyon Lafrans ki fè Latòti tonbe nan men Lafrans tou.*

**dòk** *(doktè): n. 1. Metye moun ki pran swen malad, fòm kout pou doktè.* Dòk, gade maleng lan pou mwen tanpri. **dokiman***: n. Papye , dosye enpòtan. Pa kite ankenn dokiman ap trennen.*

**dokimantasyon***: n. dokiman pou apiye yon etid; prèv pou konfime yon agiman.*

**dokimantè**: *n. Fim pou edikasyon, ki bay dokiman otantik san li pa modifye osinon san li pa kòmante yo.*

**dokimante**: *v. Apiye yon piblikasyon (osinon yon agiman) ak dokiman valab.*

**doktè** *(dòk): n.1. Moun ki etidye lamedsin epi ki konn trete moun.* Fè rele doktè a pou madanm lan, li genlè pral pouse pitit la.*2. Tit pou moun ki gen yon doktora.*

**dòktè fèy**: *n fr. Moun ki konnen trete moun ak fèy, posyon osnon melanj pwodui natirèl.* Gen moun ki pi kwè nan doktè fèy pase nan doktè ki diplome nan inivèsite yo.

**doktora**: *n. Nivo siperyè etid moun fè nan inivèsite.*

**doktorès**: *n.* Fi ki doktè.

**doktrin**: *n. Prensib nan relijyon osinon nan yon pati politik ki defini poukisa yo la, kisa yo vle fè.*

**dola**. *n. : Lajan, inite lajan.* Dola ayisyen, dola ameriken.

**dole** : *v. 1. Debat.* Afè m pa bon, m ap dole. 2. *Koupe an ti moso.* Jan ou ap dole gato a, tranch yo ap soti twò piti.

**doleyans**: *n. Konplent, plent.*

**doliv** *(oliv): a. Ki soti nan oliv.* Luil doliv koute chè isi a.

**dolote** *(dòlote): v. Miyonnen, karese.* Gade kijan ou ap dolote madanm ou, sa se bèl bagay.

**domaj**: *n. 1. Ki pa regilye.* Piti la fèt ak yon domaj. 2. *Ravaj.* Gen yon pakèt domaj ki fèt apre lagè a. *3. a. Regretan.* Se domaj ou pap ka vin nan fèt la.

**domaje** : *a. Enfim.* Pitit la pat domaje anvan, se depi li tonbe a li vin konsa.

**domajenterè**: *nfr.Reparasyon nan ka kote yo dedomaje pou pèt dirèk ak pèt endirèk.*

**domajman**: *n. Defòmite fizik.*

**domèn** : *n. 1. Seksyon, depatman, sijè yon moun apwofondi.* Mwen pa fò nan domèn sa a. 2. *Plantasyon, teritwa.* Domèn dofen.

**Domeng, Michèl** *(Domingue, Michel). np. : Kòmandan anchèf lame Dayiti. Li te vin prezidan peyi Ayiti ant 11 jen 1874 a 15 avril 1876. Se sou prezidans li relasyon ant Ayiti ak Dominikani te vin amelyore.*

**domestik** : *1. n. Restavèk, moun ki ap fè travay nan kay pou yon lòt moun san yo pa peye l men yo bal manje ak dòmi.* Kamita te domestik kay madan Chal. 2. *a. Ki pase andedan kay, afè prive.* Vòl sa a se yon vòl domestik, fòk se yon moun ki konn kay la fen e byen ki pou vin kase l konsa *a. 3. Yon bèt ki viv andedan kay osinon ki viv sou moun.* Chyen se yon bèt domestik, koulèv se yon bèt sovaj. *4. Tout koze ki konsène yon peyi.* Ekonomi domestik.

**domestike** : *a. 1. Ki vin adapte pou viv ak moun. Gen lyon ki domestike . 2. v. Ki sou enfliyans osnon abi yon lòt moun.* Nèg la annik marye ak dam nan, msye domestike l alèz, se sa li vle dam nan fè pou li fè. *3. Fè yon moun travay kòm domestik.*

*dòmèz:* chèz pou moun dòmi.

**dòmi nan je**: *n fr. Gen bezwen al repoze je fèmen nan kabann.* Jan ou ap baye a, genlè dòmi nan je ou.

**dòmi sou**: *v fr. Twonpe.* Pa eseye dòmi sou mwen, mwen ap veye ou depi lontan.

**dòmi twonpe**: *n fr. Sitiyasyon kote yon moun dòmi depase lè li te dwe leve a.* Mwen pa gentan pare alè pou mwen pran woulib la, dòmi twonpe m.

**dòmi**. *v. : 1. Repoze, fèmen de je, antre nan somèy.* Mwen t ap dòmi lè Chal pase a, mwen pat gentan pale avè l. 2. *Apiye sou yon moun pou pran avantaj sou li.* Pa vin dòmi sou mwen la a, ou mètdam twòp.

**dòmi di**: *nfr. Difisil pou reveye.*

**dominan** : *a. Ki domine, ki pran plas.* Si ou gade nan penti sa a, koulè wouj la dominan.

**dominans**: *n. Kontwòl, otorite.*

**dominasyon**: *n. Kontwòl, otorite.*

**domine**: *v. 1. Trakase, boulvèse.* Pa kite pwoblèm ou yo domine ou. 2. *Kontanple depi anwo.* Mwen t al kay Babankou, etan sou mòn nan mwen domine tout Pòtoprens. *3. Kontwole.* Ti Resin domine Egnwa nan match yè a.

**Dominik Maks** *(Max Dominique): np. Prèt katolik espiriten. Li fèt Pòtoprens 24 Avril 1940. Li diplome nan teyoloji ak nan literati. Li te pwofesè nan Kolèj Sen Masyal. An 1969, sou gouvènman Divalye, li pran ekzil ak uit lòt moun. Li te ale kòm pwofesè nan kontinan Afrik epitou apre li ale Kanada ak Bahamas. An 1986 li retounen Ayiti epi li se pwofesè,li mouri an sektanm 2005.*

**Dominik, Maks** *(Dominique, Max). np. : Kolonèl nan lame Dayiti ki te marye ak Marideniz Divalye, pitit Fwanswa Divalye. Dapre listwa, nan lane 1967, Divalye te panse Maks t ap konplote sou do l, li te egzile l, voye l ale kòm anbasadè nan peyi Espay. Li te fè yon kout anbasadè peyi Lafrans tou.*

**Dominik Ramo** *(Dominique, Rameau). np.: Sou gouvènman Michèl Domeng, se Ramo Dominik ki te vrèman ap kòmande peyi a ant 1874 a 1876.*

**Dominik** *(Dominique) : np. Ofisye nan lame ki te eseye jete Gouvènman Divalye pandan yon* *envazyon militè, an 1958 an kolaborasyon ak Pèpiyan ak Paskè.*

**Dominiken** *(Dominikenn): np.1. Moun ki soti nan peyi Dominikani.* Dominiken yo pale Panyòl.2. *Sa ki gen rapò ak peyi Dominikani*

**domino**: *n. Jwèt ou ka jwe a de, twa osnon kat kote ou poze pyès ki genyen de bout pou matche ak sa ki sou tab la deja.* Annou al bat yon domino la a, mwen anvi ba ou yon dekabès.

**don** : *n. 1. Gwo pwopriyetè.* Papa Kalo te yon don, li te plen tè nan Gonayiv. 2. *Pwopriyete leta ba yon moun pou sèvis li rann. 3. Kado.*

**donab**: *a. Ki gen jenewozite. 2. Ki rapòte.*

**donan** *(donnab, donnan): a. Ki renmen bay.* Ou kwè se nonm donan se Oska.

**donasyon**: *n. don, kado pou fè dibyen nan legliz osinon nan yon òganizasyon charitab.*

**Dondon**: *np. Non yon vil nan depatman Nò peyi Ayiti. Tou pre Dondon gen yon sit endyen ki rele Vout-a-Mengè. Jeneral Gaba, Vensan Oje,* Klodèt Wèle se moun Dondon.

**done:** *n. Enfomasyon reyèl yon moun itilize nan yon diskisyon, esperyans, oubyen kalkil matematik.*

**donk** *(kidonk): adv. Kifè.* Mwen pa gen lajan, donk, mwen pap ka rantre.

**donmbwèy**, *doumbwèy. n.1. : Bòy. Melanj farin dlo ak sèl bouyi nan bouyon, nan soup osinon sòs pwa. Pou prepare bòy, ou melanje farin nan enpe dlo epi ou brase l joustan li fè yon pat di. Pat di sa a ou lage l pa timoso nan pwa cho pandan pwa ap bouyi. Gen moun ki fè donmbwèy nan bouyon. Ozetazini, gen yon manje ki sanble ak donmbwèy ki rele donmplin. 2. Moun ki wè nan yon sèl je.*

**donnen** : *v. Pouse, bay, fleri.* Patat donnen byen bò isit la.

**donte**: *v. Domine, kontwole.* Mwen te aprann donte cheval lè mwen te konn ale Okay.

**dore** : *v. 1. Chofe pou gen koulè karamel.* Lè ou fin dore vyann nan ou mèt kite l sou dife a pou senk minit ankò. 2. *Glase, dekore.* Mwen pa renmen jan ou dore gato a. *3. a. Koulè moun klè ki gen cheve wouj.* Gen yon chabin dore byen anfòm ki rete nan kafou a.4.*Ki gen koulè lò.* Mwen renmen valiz koulè dore sa a.

**Dorèt, Frederik** *(Dorette, Frederique). np.: Moun ki ekri yon seri liv an kreyòl pou edikasyon nan peyi Ayiti. Liv sa yo pibliye kòm "Bibliotèk Ayisyen".*

**Dorisme Miryam**: *np Chantè, mizisyèn.*

**Dòsenvil Woje** *(Dorsinville, Roger): np. 1911-1992. Ekriven, edikatè, politisyen, diplomat. Li te fèt Pòtoprens 13 Mas 1911. Li te elèv Kolèj Sen Masyal, apresa li al lekòl militè epi li te vin ofisye. Sou gouvènman Estime, li te vin chèf kabinè , Konsil Ayiti nan Nouyòk, Sekretè Deta Sante Piblik, anbasadè Ayiti nan Rio de Janeiro, nan Brésil, nan Costa Rica, nan Venezyela, nan Liberia ak nan Senegal eltr. Li pran ekzil sou gouvènman Divalye, li rive Daka li te dirije yon mezon edisyon. Apresa li ale Senegal. Li retounen Ayiti, li mouri nan peyi a 12 Janvye 1992. Zèv li: : Poésie. Pour Célébrer la Terre, Pòtoprens, 1955; Le Grand Devoir, Madrid, 1962. Woman: Kimby ou la loi de Niang, Paris, 1973; L'Afrique des Rois Paris, 1975; Un homme en trois morceaux, Paris 1975; Sainte Esther, Montréal, 1978; Mourir pour Haïti ou les Croisés d'Esther, Paris,1980. Renaître a Dendé, Paris, 1980. Teyat : Barrières, Pòtoprens, 1946. La Fresque,(représente nan dat 12 janvye 1977). Disètasyon Politik : Lettre aux Hommes Clairs, à Corvington et Fignolé, Pòtoprens, Deschamps 1946; Lettre à ami Serge Corvington. Pòtoprens,1947; Lettre à Daniel Fignolé, Pòtoprens,1947. Histoire: Toussaint Louverture ou la Vocation de la liberté Paris, 1965. Etudes ethnologiques: Mythologie de l'hinterland libérien, Alger, 1970; The Bassa Mask. A stranger in the House (Mario Meneghini) Zurich, 1973. Interview Marche Arrière II 1990 avec Jean Coradin.*

**dosil**: *a. Obeyisan, fasil pou disipline. Lina se yon timoun byen dosil.*

**dosilite**: *n. Karaktè moun ki dosil, ki soumi, ki pare pou obeyi. obeyisans.*

**dosou** *(dossou). n. : Pitit ki vin apre yon pòte jimo.*

**Dosou Frits-Andre**,*Dossous Fritz-André:np. Misye se pwofesè fizik nan Boston. Li ekri plizyè pyèsteyat. Li ekri youn liv pwezi: Pataswèl (1987). Li gen you liv, Wòch Nan Dlo, ki se youn pyèsteyat, (1994).*

**dosye**: *n. 1. Do chèz kote ou apiye do ou.* Dosye chèz sa a pa konfòm ditou. 2. *Pakèt dokiman konsènan yon evenman.* Se pa nan menm dosye Chalmay la ye.

**dòt**: *n. Byen fanmi yon fi bay gason an lè l ap marye ak fi a.* Nan peyi m pa gen afè bay dòt; si yon nonm renmen yon fi, ou marye avèk li menm si li vini ak de men l, de pye l.

**dotan**: *adv. 1. Alòske, anplisde.* Ou pa dwe manyen afè m dotan mwen pa zanmi ou. 2. *Plis.* Dotan li ap achte, dotan li vle achete mete sou li.

**dou**: *a. 1. Ki gen dousè.* Leyon se yon nonm dou. 2. *Ki pa fò.* Piman sa a dou.

**doub**. *adv. : Defwa. Se andefwa yo peye mwen mwa sa a, ki fè ti kòb la vin doub.*

**double**. *v. : 1. Defwa repete menm jan an.* Mwen double salè mwen depi mwa pase.

2. *Rekòmanse.* Mwen pat konprann leson yo se sa ki fè mwen double klas elemantè de a.

**doudous**: *n. Mo pou endike afeksyon.*

**Douglas, Frederik** *(Douglas, Frederik): np. 1817-1895 Meriken ki te vin anbasadè peyi Etazini ant 1889 a 1891. Msye te admire revolisyon ayisyen an epi li te twouve sa di lè li te gen pou l te reprezante Etazini nan negosyasyon pou yon baz ameriken te vin enstale Mòlsennikola paske si sa ta fèt sa te kapab reprezante yon danje pou endependans Ayiti.*

**doubli** *(doub): n. 1. Sa ki ale pa anba pou ranfòse yon twal.* Achte doubli a menm koulè avèk twal la. *2. a. Ki la pou fasad.* Prezidan doubli.

**doubout**: *adv. 1. Kanpe debou, dwat.* Poto a byen doubout apre siklòn nan. *2. Rèd, ki pa lage.* Choukoun te gen tete doubout. *3. a. eksite, ki pa kalm.* Timoun nan doubout li pale tout koze.

**douch** : *n. 1. Kote ou benyen.* Mwen pap benyen nan douch la, mwen pito benyen nan basen an jodi a. *2. Lavaj nan vajen.* Gen fi ki pran douch souvan men doktè di sa pa bon. *3. Pakèt.* Fi a di nonm nan yon douch jouman, se pa de betiz.

**doudous**: *n. Mo pou endike afeksyon.*

**douk**. *n. : bit, mas.* Li frape tèt li, li fè yon douk.

**doukla**: *a. Andoub, kwochi.* Nan fanmi mwen gen anpil moun ki gen dan doukla.

**douko** : *v. Mete penti sou metal.* Yo pa pentire machin, se douko yo douko yo.

**doukomann**: *n. Mekanisyen ki espesyalize nan pentire metal.*

**doukounou**. *n. : Manje ki fèt ak farin mayi fen, dlo ak sik.* Mwen pa konn fè doukounou men mwen konn manje l.

**doulè**. *n. : Sansayon dezagreyab lè moun gen yon bagay ki ap fè yo mal.* Depi ou gen doulè ou dwe chache chemen kay doktè.

**doum** *(dwoum) : n. 1. Veso won, wo, an metal ki sèvi rezèvwa.* Kou tiyo a vini, plen doum nan dlo pou mwen. *2. Inite mezi ki vo 50 galon.* Doum lwil.

**dous** : *1. a. Ki karesan. Magali se yon fi ki dous anpil. 2. Ki gen gou sikre.* Mango sa a dous kou siwo, ou wè se mango miska vre. Ou met twòp sik nan labouyi a, li twò dous, mwen pa kapab manje l. *3. n. Manje ki fèt ak lèt epi sik.* Mwen ta manje yon ti dous lèt.

**dous lèt** : *n fr. Desè ki fèt ak lèt epi anpil sik; yo koupe li lajè epi longè yon dwèt moun; yo vann li nan boutik toupatou.* Madan Kalo te konn yon fè yon seri dous lèt, se koupe dwèt!

**dous makòs** : *n fr. Desè ki fèt ak lèt, sik ki gen 3 koulè.* Dous makòs soti nan zòn Tigwav.

**dousè**:*n.sanv yolans;afeksyon, ancheri, trankilite.*

**dousi**: *v. 1. Sikre, adousi.* Mwen poko dousi kafe a. *2. Kalme.* Mwen poko pale ak Bèna, msye an kòlè toujou, mwen ap tann li dousi.

**dousman**. *adv. : Pa vit.* Se pou ou pran koub sa a dousman, sinon ou kapab fè aksidan fasil ladan l.

**dout** *(doutans): n. Ezitasyon.* Mwen gen dout mwen sou koze sa a.

**doute**: *v. 1. Pa krè. Mwen doute nou ap kapab rive alè.* Mwen doute ou ka bat Chantal.

**douvan** *(devan): 1. n. Pati ki nan antre a.* Devan kay la bèl. *2. n. Sèks fi.* Lizèt malad nan douvan li. *3. adv. Pozisyon annavan* Pase devan pou ou ka wè pi byen.

**douvanjou**. *adv. : avanjou, anvan solèy leve.* Moun andeyò renmen leve douvanjou epi yo pran yon bon ti kafe anvan yo ale nan jaden.

**douy**: *n. Pati ki rete apre yon bal fin pati; anvlòp bal.*

**Douyon Emèsonn** *(Emerson Douyon): np. psychiatre Ansyen Minis Edikasyon Nasyonal.*

**douz**: *n. Chif ki vini apre onz, anvan trèz.* Madan Kristòf fè douz pitit.

**douzan**: *n.douz ane.*

**douzèn** : *n. Kantite ki fè douz.* Si ou ap achte pa douzèn, mwen ap ba ou dyegi. Douzèn ze.

**douzyèm**: *a. Nonm òdinal ki vini apre onzyèm, anvan trèzyèm.* Sa fè douzyèm fwa mwen vizite Florida. Pozisyon nimewo douz.

**dòz**: *n. Kantite, konsantrasyon.* Ki dòz doktè a di pou ou pran?

**dozado**: *1. Adv. ki pa an amoni; ki fè kont. 2. Pozisyon yon bagay pa rapò ak yon lòt.*

**Dòzilme Dòsena, (Dorzilmé,Dorséna)** *(Mèt Dòlegran): np. Misye se mounn Senmak. Li gen kèk tan li ap viv nan rejyon Outawè Kanada. Misye se sikopedagòg. Li te animatè ribrik kreyòl " Bouyon Rasin ". Li ekri Ayiti Fanm Lespwa, pwezi (1995).*

**dra**: *n. Twal ki ajiste pou kouvri kabann.* Mwen pito dra blan pase dra koulè.

**dragon**: *n. 1.Bèt imajinè yo reprezante tankou yon reptil ki ap soufle dife. 2. Non yon bann madigra.*

**drapo**: *n. Twal ki gen desen ak koulè ki senbolize yon nasyon.* Chak peyi gen drapo yo, pa Ayiti a se ble ak wouj li ye.

**dram**: *n. 1.Yon pyès teyat ki rakonte yon istwa ki gen konfli, ki pa fè moun ri. 2. Evènman ki pote tristès.*

**drandran**: *n. Lasi nan je.*

**drapri**: *n. Ansanm twal ki sèvi pou dekore fenèt ak mèb.* Si mwen tap chwazi, mwen pa tap pran drapri sa a.

**dray**: *n. Kote ki netwaye rad ak solvan akd chalè.* Mwen pral pote rad mwen yo nan dray jodi a.

**drayvin**: *n. Komès kote moun ka vin achte (osinon jwenn sèvis, pandan li nan machin li.*

**dren**: *n. Gwo tiyo anba tè ki sèvi pou retire dlo ki sou deyò.*

**drenaj**: *n. Operasyon ak sistèm pou seche tè ki twò imid osinon ki gen twòp dlo.*

**drene**: *v. Retire eksè dlo ak sistèm denaj.*

**dreno**: *n. Pwodui chimik ki sèvi pou netwaye twalèt, lavabo.*

**drese** : *v. 1. Kanpe.* Si ou wè jan timoun nan drese l kont mwen. 2. *Separe. Mwen pral drese manje a talè konsa. 3. Ranje, fè sa ki te kwochi vin dwat.* Drese poto a, ou pa wè li prèske tonbe.

**drèt** : *a. Dwat, ki pa kwochi.* Lè yo ap jwe im nasyonal nou, nou toujou kanpe drèt, san bouje.

**dri**. *a. : Youn apre lòt, san rete.* Mwen pa janm wè moun fè pitit dri konsa, ou te dwe fè planing.

**drib**: *n. Nan foutbòl, aksyon ak mouvman jwè fè pou anpeche yon lòt jwè pran balon an nan pye li.*

**drible**: *v. Evite lòt jwè kontwole balon.*

**driblè**: *a. ki gen talan pou drible lòt jwè.*

**dridri**. *a. : 1. Youn apre lòt, san rete.*

**dril**: *n.1. Vilbreken. 2. Ekzèsis, repetisyon.*

**driv** *(aladriv): a. San objektif, ap trennen.* Nou pa ka kite tifi a aladriv konsa a.

**drivaye**: *v. Drive, pèdi tan, ale san objektif, flannen, fè lè pase.* Ou gen laj pou ou pap drivaye nan lari a alèkonsa, chèche yon bagay ou fè.

**drivayè** *(drivayèz): n. Moun ki renmen drivaye.* Selin se yon drivayèz, lè ou voye li fè yon komisyon, li ale, li rete nan wout, li vin tounen jous byen ta.

**drive** : *v. Kalbende, pèdi tan, flannen.* Sispann drive nan lari a, poukisa ou pa chèche yon travay ou fè?

**dwa**: *a. 1. Sa lalwa pèmèt ou fè.* Dwa vote. *2. Sa lalwa garanti pou ou genyen.* Dwa moun.

**dwadantre**: *n. Pri pou peye pou antre nan yon fèt.*

**dwadlòm**: *n. Dwa moun.*

**Dipuy Benjamen**: *(Benjamen Dupuis) np. Jounalis, politisyen, komèsan, editè, edikatè, teyorisyen politik. Direktè jounal Ayiti Pwogrè Haiti Progrès ki pibliye nan vil Nouyòk, Ozetazini.*

**dwat**. *adv. : 1. Anfas. Drèt.* Ale dwat devan ou w ap wè lanp la. 2. *Ki pa kwochi.* Liy sa a trase byen dwat. *3.a. Direksyon.* Vin bò kote dwat.

**dwate**: *n Ladrès pou fè tout kalite ekzèsis ak dwèt.*

**dwategòch**: *adv. ki pa nan plas ti te dwe ye; lanvè, nan sans kontrè.* Soulye dwategoch. Ki pa nan plas li. Opinyon dwategoch.

**dwati**: *n. Kalite moun ki onèt, ki sensè.*

**dwe**. *v. : 1. Oblije. Si ou dwe fè yon bagay fòk ou fè l.* Nou dwe mete senti sekirite lè nou nan oto. *2. Gen dèt.* Mwen pa dwe w, monchè, mwen pap peye.

**dwèt bouwo** : *n fr. dwèt majè.* Se pa pou anyen yo rele dwèt sa a dwèt bouwo.

**dwèt jouda**: *n fr. Dwèt lendèks.* Depi Janin ap lonje dwèt jouda li sou kay mwen, se pale li ap pale sou mwen.

**dwèt long**: *n fr. Visye, vòlè.* Mwen pa renmen moun ki gen dwèt long vin lakay mwen.

**dwèt majè** : *n fr. Dwèt mitan an.* Se dwèt majè a ki pi long pase yo tout.

**dwèt** : *n. Pati nan men ki pèmèt moun kenbe. Moun gen senk dwèt.* Chak dwèt yon moun gen zong.

**dwòg** : *n. Pwodui chimik osnon fèy ki gen pouvwa vire lòlòj moun.* Lè mwen te timoun mwen pat janm tande moun nan peyi m te konn nan pran dwòg.

**dwoge**: *a. Ki sou enfliyans dwòg.* Mwen sezi rankontre Leyon nan lari, jan mwen wè l dwòl la sanble li dwoge.

**dwòl**: *a. 1. Ki pa nòmal.* Mwen twouve ou dwòl depi semenn pase a. 2. *Komik.* Istwa sa a gentan dwòl.

**dyab** *(djab): n. 1. Satan. 2. Sèvi ak satan.* Moun sa yo sanble dyab.

**dyabèt** : *n. Maladi yon moun genyen paske li pa ka dijere sik byen, swa paske li pa gen ase ensilin nan kò li pou sa, swa paske kò li pa ka sèvi ak ensilin li an. Se yon maladi ki devlope lè pankreyas yon moun pa pwodui ensilin. Kò a vin gen pwoblèm pou l balanse sik ki nan san* *an. Moun ka fè dyabèt swa paske li kouran nan fanmi li osnon paske li vin twò gwo.*

**dyabetik**: *n. a. Moun ki soufri maladi dyabèt.*

**dyablès** *(djablès, ladyablès.): n. Femèl dyab.* Kote dyablès sa a soti.

**dyabèt sale** : *n fr. Maladi sik kote moun nan pa bezwen pran ensilin.* Madan Kalo fè dyabèt sale depi ane pase.

**dyabolik**: *a. Ki gen kalite dyab genyen; ki gen konpòtman dyab. Mechan, satanik, demonyak.*

**dyafram**: *n. Mis nan lestomak, miskilati ki separe vant ak kòf lestomak.Yon mambràn miskilè ki separe kaj torasik ak kaj abdomèn nan mamifè yo. Li kontrakte api dilate pandan respirasyon.* Jan di li gen yon doulè nan zòn anba dyafram. 2. *Yon proteksyon ki sèvi pou anpeche konsepsyon.*

**dyagnostik**: *n. Metòd ak mwayen pou detèmine nati maladi lè yo egzaminen sentom yo.*

**dyagonal** : *n. 1. Liy dwat ki ini de ang opoze nan yon kwadrilatè.* Trase yon dyagonal nan kare sa a. 2. *adv. Antravè , an bye.* Pozisyon sa a an dyagonal, mwen pa konnen si ou vle li konsa.

**dyak**: *n. 1. Nan legliz primitif, se tit yo bay fidèl legliz katolik ki gen responsablite pou separe zèv bay pòv. 2. Etap tanporè nan preparasyon yon prèt katolik, anvan li òdone. 3. Tit pèmanan nan legliz katolik.*

**dyakonès**: *n. Fi ki dyak nan legliz kretyen.*

**dyakoukout**: *n. Mo janti pou rele yon moun; cheri.*

**dyakout (djakout)**: *n. Sak latanye osnon pit.* Mwen te gen yon dyakout, mwen kite li Pòdepè.

**Dyakwa, Lwi** *(Diaquois, Louis). np. : Yon powèt jounalis ki te alatèt gwoup Lègriyo a nan lane 1935.*

**dyal** *(djal): n. Non yo bay jenn tifi.* Kote bèl ti dyal ki te konn vin wè ou a?

**dyaliz** : *n. Teknik ki pèmèt netwaye san yon moun ki pa gen bon ren. 2. Nan chimi teknik pou separe de eleman nan yon konpoze.*

**dyalòg**: *n. Koze pale osinon negosiyasyon ant de moun ki ap chèche yon akò. 2. Tout pawòl ki pale ant pèsonaj nan yon pyès teyat.*

**dyaloge**: *v. Fè dyalòg, pale, negosye.*

**dyaman** : *n. 1. Pyè ki gen anpil valè, li klere anpil, yo mete li nan bijou.* Bag dyaman. 2. *Zouti pou koupe glas ak vit ak miwa.* Dyaman sa a sanble li pa file ankò.

**dyamèt**: *n. liy dwat ki pase nan sant yon sèk epi ki touche sèk la nan de pwen ekstrèm. Dyamèt yon sèk se liy pi long ki pase andedan l.*

**dyandyan**: *a. Cho, ki gen anpil koulè.* Mwen pa renmen koulè dyandyan.

**dyanm**: *a. Ki gen enèji, ki gen fòs, vivan.*

**dyanmdyanm**: *a. 1. Koulè briyan.* Rad sa a dyanmdyanm papa. 2. *Karaktè cho.* Kijan fi sa a fè dyanmdyanm konsa a?

**dyare**: *n. Poupou likid ki vini souvan.* Yon moun ki gen dyare dwe bwè anpil dlo pou li pa dezidrate.

**dyaspora**: *n tout moun ki sot nan yon peyi ki gaye nan lòt peyi.*

**dyatom**: *n. Ag miniskil (mikwoskopik) yo jwenn nan lanmè ak lak, gen anpil bèt ki manje dyatom.*

**dyayi**: *v. Fè kriz.* Madan Kal te dyayi nan lantèman mari l la lotrejou.

**dyaz**: *n. 1.Okès ki jwe mizik popilè.* Nan dyaz ayisyen yo se Triyo Selèk ki jwe mizik ou pi renmen 2. *Estil mizik nwa ameriken devlope..*

**Dyazdèjèn**: *np. Non yon dyaz ki te jwe mizik kitirèl amizan.* Li pran pwezi pèp la li mete bèl mizik epi li renmèt li bay pèp la ankò pou danse.

**Dye**: *np. Bondye, granmèt la.* Si Dye vle, mwen va achte yon oto yon jou.

**Dyedone Andre** *(Dieudonné André): np. Foutbolè ayisyen, li te jwe nan ekip foutbòl Ègnwa. Yo te ba l tinon Desalin.*

**dyèt**. *n. : 1. Avyon ki pa gen elis.* Mwen pito moute dyèt yo pase elikoptè. 2. *Rejim manje yon gwoup moun osinon bèt manje nòmalman.* Poul manje mayi, kabrit manje zèb, chak gen dyèt pa yo. 3. *Yon manje espesyal ki manke sèten bagay moun fòse manje akoz maladi yo genyen.* Kalo nan dyèt pou li ka vin pi piti. Mwen pa manje tout manje, mwen ap eseye suiv yon dyèt la a.

**dyetetik**: *a. Ki gen rapò ak manje dyèt. Seri règ pou moun suiv pou balanse sa moun nan manje pou satisfè bezwen li. 2. n.Domèn etid ki analize kalite ak kantite manje ki nesesè pou kenbe lasante.*

**dyetetisyen**: *n. Espesyalis nan koze dyèt, nitrisyon, alimantasyon ak dyetetik.*

**dyèz**: *n. Siy ki modifye nòt mizik ki suiv li a.*

**dyòlè**: *a. ki renmen vante tèt li; ki pale anpil men ki pa aji. (Plis nan nò)*

**dyosèz**: *n. Teritwa legliz ki anba administrasyon yon evèk.*

**dyosezen**: *a. an rapò ak yon dyosèz.*

# E e

**e**. *pr. : 1. Ak, epi.* Mwen konnen li la e mwen pa gen dout ditou. 2. *Adisyon.* En e en de, de e de kat. 3. Lèt nan alfabèt.

**è**. *n. : Lè, pati nan jounen an, inite tan ki gen swasant minit (3600 segonn).* Gen 24 è lan yon jounen. 60 minit egal innèdtan.

**eben**: *ent. Abyen*

**ebenis**. *n. : Moun ki travay bwa pou fè mèb.* Simon te gwo ebenis nan Lakou Foumi.

**ebete** *(enbete): a. Gaga, egare, sòt, idyòt.* Ou pa bezwen boule tankou yon ebete, ou se moun lespri.

**eboulman**: *n. Kantite tè ak wòch ki efondre.*

**ebre**: *1. n. Izrayelit, juif, desandan Abraram. 2. Lang pèp izrayèl. 3. Ki gen relasyon ak pèp, relijyon ak lang Izrayèl.*

**èbivò** *: a. Bèt ki manje zèb.* Kabrit se yon èbivò.

**ebyen** *(enben): ent. Se konsa!* Enbyen, dapre sa ou di a, nou tout antrave.

**echafo** *: n. 1. Platfòm.* Ou se yon bon chapantye si ou ka fè yon echafo solid konsa. 2. *Konstriksyon ki fèt pou prizonye yo pral ekzekite.* Lontan, nan peyi Lafrans, yo te konn touye moun sou echafo.

**echalòt** *(jechalòt, chalòt, zechalòt) : n. Epis ki gen yon fòm boul, epi li an tranch.* Gen moun ki di yon ti vyann san echalòt pa fouti gen bon gou.

**echanj**. *n. : Twòk.* Banm pa ou la mwen ap ba ou pa mwen an ak yon monnen dèyè l, sa se yon bon echanj monchè.

**echantiyon**: *n. 1. Yon egzanp ki reprezante tout lòt ki fèt menm jan avèk li a.* Mwen ap voye yon echantiyon ba ou pou ou ka wè estil travay mwen fè. 2. *Pwodiksyon an ti kantite.* Mwen pat fè anpil, se poko gwo pwodiksyon an sa, se yon echantiyon mwen fè. 3. *Yon moun ki pa gen parèy.* Ou se yon echantiyon, Jera, mwen pa konn ankenn lòt moun ki te ka fè yon bagay konsa.

**echèk**: *Jwèt moun jwe ak de seri 16 pyon sou yon tablo ki sanble ak tablo jwèt damye. Tablo jwèt echèk gen 76 kawo. 2. sitiyasyon yon moun ki pa pase nan yon ekzamen.*

**echeyans**: *n. Dat ki make lè moun gen obligasyon fè yon bagay. Echeyans lwaye a rive.*

**echèl** *(nechèl) : n. 1. Zouti tankou yon eskalye, an bwa osnon an metal, ki fèt ak de ba vètikal ki lye ak yon pakèt ba orizontal pou moun ka monte desann.* Prete m yon echèl pou mwen ka monte sou do kay mwen an. 2. *Grad.* Msye monte jous nan echèl ki pi wo nan konpayi kote li ap travay la.

**echèl Farennayt** *: n fr. Sistèm pou mezire tanperati. Nan afè mezire tanperati, gen echèl Sèlsiyis epi gen echèl Farennrayt tou.*

**echèl Sèlsiyis** *: n fr. Sistèm pou mezire tanperati. Nan afè mezire tanperati, gen echèl Sèlsiyis epi gen echèl Farennrayt tou.*

**echi**: *Ki rive nan dat echeyans.*

**echwe** *(chwe): v. 1. Ki pa reyisi.* Li ale nan egzamen de fwa epi li echwe tou de fwa yo. 2. *Touche tè.* Kannòt la al chwe jous Lagonav.

**èd** *: n. 1. Asistans.* Mwen ta apresye si ou ka ban mwen yon ti èd.

**ede** *(ride): v. 1. Asiste.* Gen yon biwo ki ede Ayisyen. 2. *Kolabore, bay kout men.* Si ou ede mwen nan pwojè sa mwen ka ede ou tou nan pa ou a. M'ap ede ou fè devwa sa a epi ou a ede mwen nan matematik.

**èd-dekan**: *Asistan.*

**edèm**: *n. Anflamasyon, akimilasyon likid anba po moun.*

**Edèn** *(jaden): Dabre liv lajenèz, se jaden kote dlo a te koule pi fre, kote Adan ak Èv te ap viv ak divès kalite bèt ak plant.*

**EDH**: *akr. Senbòl ELEKTRISITE DAYITI*

**edifis**: *n. batis bilding, konstriksyon.*

**edifye**: *v. enspire yon moun pou li vin pi bon.*

**Edika Vizyon**. *(Educa Vision). : Konpayi Ozetazini ki konsakre pou devlope liv Kreyòl pou Ayisyen.*

**edikasyon**. *n. : 1. Mwayen, metòd ak resous ki la pou devlope lespri moun ki nan yon* *peyi.* Sistèm edikasyon Annayiti pran anpil tan pou fè lekòl nan lang Kreyòl, nan lang tout moun pale tout bon vre a. 2. *Savwa ak teknik moun aprann lekòl.* 3. *Lisay, manyè moun genyen pou yo kominike ak lòt moun.* Timoun Otwou gen bon edikasyon.

**edikatè**: *n. Moun ki ap fè edikasyon lòt moun.*

**edikatif**: *a. Ki gen relasyon ak edikasyon; ki gen edikasyon moun kòm bi aktivite li ap fè*

**edike** *(endike): v. Ki gen elevasyon.* Kawòl se yon fi ki edike, li fè filozofi li ansanm avèk frè m nan. *1. Antrene, aprann.* M ap edike ou pou ou pa janm fèm sa ankò.

**Edouvil, Teyodò** *(Edouville, Théodore). np.: Moun ki te vin reprezante Lafrans Annayiti an 1798. Msye te vini pou l te mentni Sendomeng pou pirèd sou dominasyon Lafrans. Msye te gen pwojè tou pou l te anvayi Jamayik ak èd Tousen ak Rigo men, Tousen te anbake msye voye l tounen nan peyi l.*

**edisyon**: *n. Koreksyon ak piblikasyon yon liv.* Edika Vizyon fè de edisyon liv Lafanmi Bonplezi a.

**edite**: *v. Korije, fè travay edisyon.*

**editoryal**: *n. 1. Atik otorite nan yon jounal ekri ki reflete pozisyon jounal la. 2. ki konsène koze piblikasyon.*

**edmi**: *Ak mwatye anplis, ak demi anplis.* Yon mamit edmi. Kat galon edmi.

**efas**: *n. Rej, gòm, gonm.* Prete m efas ou a tanpri.

**efase**: *v. 1. Defèt, retire ak gonm.* Mwen efase sa mwen te ekri ak kreyon an. 2. *Disparèt.* Efase ou la a, ban m talon ou. *3. a. Modès, ki pa renmen parèt.* Grann mwen se te yon granmoun yon jan efase.

**efawouche**: *v. Fè pè.*

**efè** : *n. 1. Malèt, bagaj.* Mwen vini ak efè mwen yo byen ranje. 2. *Enpak.* Lanmò manman li an gen yon efò tris sou li. 3. *Aparans.* Rad sa a fè yon bèl efè sou ou. 4. *Enpresyon.* Fe datifis la fè yon bèl efè nan syèl la.

**efektif**: *n. a. 1. Kantite. 2. pozitif, konkrè, reyèl.*

**efikas**: *a. Ki pwodui efè moun ap tann, ki mache.*

**efikasite** : *n. Rannman, kapasite pou jwenn rezilta san gaspiye resous.* Mwen konsidere efikasite machin nan anvan mwen achte l. 2. *Kapasite pou bay rezilta ki te planifye davans. 3. Rezilta ant sa ou jwenn divize pa sa ou te mete.*

**efò**. *n. : Enèji siplemantè; mobilizasyon fòs pou reyisi kichòy.* Si ou pa fè efò ou pap janm reyisi reyalize sa ou vle.

**efrayik** *(frayik, enfrayik): a. Estra-òdinè.* Diskou sa a efrayik papa, ala nèg konn pale. *2. Ki fè moun pè.*

**efondre**: *Demoli, detwi, aneyanti.* Kay la efondre pandan tranbeman tè a.

**efreyan**: *a. Ki fè pè.* Mwen pa renmen fim efreyan yo.

**egal**. *a. : Menm valè ak; idantik, sanblab.* Senkant kòb egal degouden.

**egale**: *v. Mete sou menm nivo.*

**egalego** : *a. Menmman, san diferans.* Si nou se asosye se pou nou pataje benefis yo egalego.

**egalite**: *Ki gen menm valè, egal.*

**egalize** *(galize): v. Mete sou liy dwat.* Vin egalize cheve m pou mwen, dèyè a kwochi.

**egare**: *a. 1. Sòt, nayif.* Ou te dwe rann ou kont ti dam nan pa renmen ou monchè, ou pa egare. 2. *Gaga, fou pou.* Premye jou mwen kontre Alsiyis mwen te egare pou li. *3. v. Pèdi, dekonekte.* Lorèt gade m tankou yon mou ki egare. *4. n.* Ou pa ka bay Janjan fè komisyon pou li fè l byen, li se yon egare li ye.

**èglenwa**: *Ekip foutbòl ki fonde an 1951.*

**egou** *(ego): n. Twou nan lari a ki fèt pou kondui dlo rigòl anba tè.* Malerezman, gen kote, twou egou yo bouche ak fatra, se sa ki konn fè yon pakèt dlo rete estannbay nan lari a.

**egoyis**. *a. : 1.Ki fè sa ki anfavè l, san atansyon pou lòt moun.* Kijan ou fè egoyis konsa a, tout sa ou wè ou vle se pou ou sèl pou l ye! 2. *Moun ki santre tèt pa li.*

**egui** *(egwi, zegui): n. 1. Zouti fenfen, long, pwenti ki sèvi pou koud.* Chak tan mwen koud ak egui sa a, mwen toujou pike dwèt mwen. 2. *Make nan mont ak revèy.*

**egoyin** *(goyin): n. Zouti chapantye ak menizye sèvi pou koupe bwa.*

**egzagòn** : *n. Ki gen sis kote ak sis ang.* Tout bèlte bwat sa a, se paske li se yon egzagòn.

**egzat**: *ki fèt dapre règ, san erè.*

**egzaktitid**: *n. Kalite sa ki egzak.* Lari se yon nonm ki kenbe randevou li ak egzaktitid.

**egzamen**: *n. 1. Tès pou mezire konesans sou yon sijè.* Mwen pral nan yon egzamen demen, si mwen pa pase, mwen ap chagren anpil. 2. *Tès laboratwa.* Se rezilta egzamen yo ki endike se ànemi Kalo fè. 3. *Konsiltasyon.* Doktè a fè mwen egzamen, li manyen toupatou nan kò mwen.

**egzaminasyon**: *n.* *1. Egzamen.* Si se pat egzaminasyon sa a, nou pa tap janm konnen ki sa elèv yo vo. *2. Refleksyon.* Lè Jera te gen pou li te chwazi ant Elizabèt ak Linda, msye te plonje nan yon egzaminasyon ki te di pou li paske li renmen tou de medam yo. *3. Lapenn, enkyetid.* Pa kite egzaminasyon anpòte ou, lapriyè pito.

**egzaminen** : *v.* *1. Verifye. Mwen egzaminen bag la byen, mwen wè li pa lò.* *2. Konsilte.* Se doktè Pòl ki te egzaminen mwen dènye fwa mwen te vini an.

**egzanp** : *n.* *1. Modèl.* Li ta bon si ou ta suiv bon egzanp manman ou ak papa ou ba ou yo. *2. Kòm.* Tout mo ki gen son ò ekri ak yon aksan grav sou o a, egzanp: vòlò. *3. Echantiyon.* Mwen voye yon egzanp ba ou pou ou ka wè.

**egzante** : *v.* *Evite.* Si yon moun ka egzante malè lavi li ap gen mwens pwoblèm.

**egzat**: *a.* *1. Espesifik, daplon. Vit la chita egzat sou tab la.* *2. Alè.* Pyè se yon nonm ki toujou egzat.

**egzema** : *n.* *Maladi iritasyon po, sitou nan pye ak nan men.* Moun ki gen egzema nan pye konn pa ka sipòte soulye nan pye yo.

**egzèse**: *v.* *1. Fè repetisyon, fè pratik.* Se chak jou nou egzèse semèn sa a paske prezantasyon an se semèn pwochèn. *2. Fè regilyèman.* Se chak jou mwen egzèse joustan mwen vin fò. *3. Fè travay.* Se nan biwo sa a Mèt Kare egzèse fonksyon li yo chak jou. *4. Fè egzèsis.* Si mwen te gen tan, mwen ta egzèse chak jou, sa ta ka ede mwen megri.

**egzèsis** : *n.* *1. Devwa lekòl.* Pwofesè a bay elèv yo fè egzèsi chak jou. *2. Aktivite espò.* Chak jou mwen al fè egzèsis regilyèman. *3. Esperyans, aktivite repetitif moun fè pou yo ka jwenn yon rezilta.* Se tout egzèsis sa mwen te fè yo ki pèmèt mwen ka pran responsabilite sa a jounen jodi a.

**egzeyat** (*egzeat*): *n.* *Ranvwa, otorizasyon pou soti lopital.* Doktè a ban mwen egzeyat yè maten.

**egzijan**: *a.* *1. Ki mande anpil rannman.* Mwen ap travay ak yon bòs ki egzijan anpil. *2. Difisil.* Travay sa a egzijan anpil, si ou pa genyen kouraj, ou pap ka fè l. *3. Disiplin.* Papa Kalo te yon nonm egzijan, si Kalo pat konn leson li depi nan vandredi apremidi, li pat kite li al jwe samdi.

**egzijans**: *n.* *1. Kondisyon.* Youn nan egzijans mwen, se pou anplwaye mwen yo rive alè. *2. Reklamasyon.* Egzijans pa mwen se pou yo peye m tout lajan yo dwe mwen yo. *3. Disiplin, obligasyon.* Se egzijans lavi a pou yon moun peye pou sa li fè.

**egzil**. *n.* : *Kite peyi ou pafòs pou yon rezon ou pa kapab kontwole.* Tout moun ki pat dakò ak nèg sa a te oblije pran egzil anvan l fè touye yo. *Gen egzil volontè, gen egzil.*

**egzile**. *1. n : Moun ki pran egzil.* Papa Tika te yon egzile ki te ap viv Anfrans. *2 v. Refijye.* Mwen egzile mwen jous nan ziltik.

**Egzime, Rene** (*Exime, René*). *np.* : *Li fèt nan lane 1929 nan Petyonvil. Li kòmanse fè penti nan lane 1948. Li se yonn nan gwo atis pent Ayisyen yo. Li se yon manm fondatè Foyer Des Arts Plastiques. Li te pwofesè desen nan Lise F. Divalye epi nan Foyer des Arts Plastiques la tou.*

**egzistans**: *n.* *Ki gen reyalite, ki egziste.*

**egziste**. *v.* : *Ki la, ki ap viv.* Menm si ou pa renmen moun sa yo, yo egziste kanmenm.

**egzòd**: *n.* *lè anpil moun pati kite yon kote pou ale yon lòt kote.*

**egzose**. *v.* : *Demand ki reyalize.* Se apre yon nevèn mwen te fè demand mwen te resi egzose.

**egzòsize**: *v.* *Dapre legliz katolik, se lè yo chase demon ki nan kò yon moun.*

**ejakile**: *v.* *Voye, bay espèm.* Apre Andre fin ejakile, li al benyen.

**Ejèn Manno**, (*Eugène, Manno*): *np.* *Powèt, jounalis ki fèt Gwanntanamo, Kiba an 1946. Misye se youn nan fondatè Sosyete Koukouy Kanada. Li ekri youn liv ki rele "Ekziltik" (1988).*

**ejenis / ejenik**: *Yon branch (kontrovèse) nan lasyans ki enterese nan amelyorasyon, transfòmasyon eredite lakay ògànis vivan.*

**Ejip, Lejip** ( *Egypte*) (*Repiblik Arab Dejip*) : *np.* *Peyi nan kontinan Afrik, onòdès tou pre Lanmè wouj ak Lanmè Mediterane, kapital Lejip se Lekè (Le Caire).*

**Ejipsyen** (*èn*) : *n.* *Moun ki soti nan peyi Ejip.* Ejipsyen yo abiye ak yon bèl kostim blan ki genyen desen nan manch ak nan kou.

**eka** : *n.* *1. Enkatad, mankman, erè, fòt.* Mwen pa renmen eka sa yo, yo pa akseptab devan lasosyete. *2. Espas (nan laj), distans* Gen yon gwo eka ant mwenmenm ak tisè mwen yo. *3. 3, Ka, yon ka, yon pati nan kat.* Li fè wout la nan senkè eka.

**ekay** (*kal*): *n.* *Kal ki sou bèt.* Sa ki pi difisil pou mwen nan netwaye pwason, se wete ekay yo.

**ekaliptis**: *n.* *Pyebwa ki gen fèy vè-gri ki gen luil esans ki santi bon.*

**ekaristi**: *n.* *Sakreman enpòtan nan legliz katolik ki reprezante sakrifis Jezikris.*

**ekaristik**: *a.* *Ki gen rapò ak ekaristi.*

**ekate**: *v. Separe, louvri, mete apa, elimine, fann, met distans, detounen, pa suiv.*

**ekè**: *n. Zouti ki sèvi pou trase ang dwat osnon liy pèpandikilè youn ak lòt.* Si ou pa sèvi ak ekè a, ou pa ka si ang sa a gen katrevendis degre.

**ekilateral**: *a. Ki egal nan tout kote li yo.* Si triyang sa a ekilateral ebyen ang li yo gen menm valè tou.

**ekilib**: *Egalite ant de fòs ki opoze youn ak lòt.*

**ekilibre**: *v. Mete ekilib ant de fòs.*

**ekimenik**: *a. Ki rasanble tout moun, menm si yo gen lide ki diferan.*

**ekip**. *n. : Gwoup moun ki kolabore ansanm.* Lotrejou mwen desann ak yon ekip solid anba lavil la, nou pase tout jounen an ap pran plezi nou. *Ekip foutbòl.*

**ekipay** *(kipay): n. 1. Tout bagay ki sèvi pou sele bourik, cheval ak milèt. Nan ekipay la gen ba, brid, etrivye, fopanno, koupyè (an twal, kui, pit), panno, sakpay, sang, sèl . Nan Plato Santral, yo rele aparèy pou sele bèt. .* Si ou pa mete ekipay la ou pap ka chita byen sou milèt la. 2. *Gwoup moun ki ap pati ansanm.* Ekipay la te sou bon san li, nou pase tout tan an ap chante. 3. *Bataklan, pakèt.* Kote ou prale ak tout ekipay sa a, se de jou sèlman nou ap fè deyò.

**ekipe**: *Bay ekipman, bay sa ki neseè pou fè yon aktivite.*

**ekipman**: *Materyè, enstalasyon, zouti, zam.*

**ekirèy**. *n. : Bèt wonjè ki sanble ak rat, men ki gen bèl ke long.*

**ekiri**: *n. Kote yo gade bèf ak cheval. 2. Dezòd nan administrasyon.*

**ekivalan** : *a. Egal, parèy.* Lajan yo peye mwen an ekivalan a sa mwen te ap touche nan lòt travay la.

**eklanpsi** : *n. Maladi fi ansent ka fè si li gwo, si li kenbe anpil dlo epi si tout kò l pa fonksyone nòmalman.* Madan Dyo manke fè eklanpsi nan dènye akouchman li a, se Bondye ki sove l.

**eklari**: *n. Son yon moun fè lè li ri ak kontantman.* Tande eklari timoun yo, kè yo pa manke pa kontan papa.

**eklate** : *v. 1. Pete, esploze. Kawotchou a eklate nan mitan lari a.* 2. *Ri sibit ki fèt ak apeti.* Timoun yo eklate ri paske mwen mande yo si yo se de sè. 3. *Kòmanse, deklare.* Lagè a eklate, tout moun se kouri al mete fanmi yo ansekirite.

**eklerasyon** *(eklarasyon): n. Limyè, klate.* Gen twòp eklerasyon nan estad la, sa fè je m fè m mal.

**eklere** *(eklère): v. 1. Mete limyè.* Sal la byen eklere, siman yo mete plizyè anpoul. 2. *Ki gen edikasyon, elevasyon.* Moun tankou ou se moun ki eklere, ou pa ta ka fè m wont devan lasosyete. 3. *Ki fè gwo etid.* Se pa ak nenpòt ki fi Woje ap marye a, se yon fi eklere. 4. *Enfòme, ranseye.* Se makomè mwen an ki eklere m sou sitiyasyon an, mwen pat konnen anyen sou sa ditou.

**eklèsi** *(klèsi): n. 1. Anbeli, souf.* Lapli ap tonbe depi maten, se kounye a li bay yon eklèsi. 2. *v. Vin pi klè.* Timoun yo vin eklèsi depi ivè a kòmanse a. 3. *Degaje.* Tan an vi eklèsi kounye a, sanble lapli a pase. 4. *Klarifye, jwe kat sou tab.* Mwen byen kontan ou vini pou nou eklèsi sitiyasyon an.

**eklips** : *n. Baraj, separasyon tanporè ant de as nan syèl la paske yon twazyèm as pase ant yo.* Lè lalin nan pase ant solèy ak latè, li lakòz yon eklips.

**eklips solè** : *n f. Blokaj klate ki genyen lè lalin nan pase ant solèy ak latè.* Gen moun ki toujou renmen suiv eklips solè yo.

**eklis** : *n. Ti moso bwa.* Gen yon eklis bwa ki rantre nan pla menm pandan mwen ap kloure chèz la.

**eko** : *n. Refleksyon son ki anplifye.* Lè mwen al nan bwa mwen toujou renmen tande eko vwa mwen lè mwen pale fò.

**ekòl**: *lekòl*

**Ekòl Nòmal Siperyè:** *Lekòl pou fòme pwofesè espesyalize.*

**ekoloji** : *n. Syans ki etidye anviwonman kote moun, bèt ak plant viv epitou ki etidye rapò ant anviwonman an ak sa ki ap viv ladan.* Jòj etidye ekoloji nan menm inivèsite avèk mwen.

**ekolojik** : *a. Ki gen rapò ak syans anviwonman, ak ekoloji.* Pwoblèm ekolojik ou ap jwenn nan peyi nou pa menm ak pwoblèm ekolojik peyi Etazini.

**ekolojis** : *n. Moun ki etidye ekoloji.* Zanmi mwen ki etidye ekoloji a, kounye a, li ap travay kòm ekolojis nan yon gwo sant rechèch.

**èkondisyone**. *n. : Yon machin ki refwadi lè.* Mwen pa kapab rete kote ki pa gen èkondisyone lè fè cho, chalè a ap toufe mwen.

**ekonòm**: *n. 1. Trezorye, moun ki okipe afè lajan.* Se Katlin ki ekonòm nan lekòl la. 2. *a. Ki pa renmen depanse.* Lilyàn se yon fi ki ekònòm anpil, li pa moun ki depanse lajan pou anyen.

**Ekonomi Dayiti.** : *Sitiyasyon epi òganizasyon finans peyi Ayiti.*

**ekonomi**. *n. : 1. Syans ki etidye kijan lajan ak lòt resous yon peyi (osinon yon kominote)* *pwodui, distribye,dechèpiye ak akimile; kijan yo pwodui resous yo epi yo separe yo.* Ekonomi Dayiti. 2. *Rezèv lajan, bwat sekrè.* Si ou pat konn fè ekonomi ou pa tap janm kapab achte kay sa a.

**ekonomik**: *a. ki gen rapò ak ekonomi. ki etidye koze ekonomi, richès ak povrete.*

**ekonomikman**: *adv. yon jan ki pa gaspiye lajan.*

**ekonomis**: *n. espesyalis sou koze syans ekonomik.*

**ekonomize**: *v. 1. Jere lajan ak sajès, administre finans san gaspiye.* Eske ou te ekonomize pandan ou tap travay la? 2. *Sere lajan.* Elizabèt te gen tan ekonomize jous li achte yon ti kay chanmòt. 3. *Evite, epaye.* Ekonomize m tout detay sou lavi nèg la, di m tou senpman poukisa ou panse li se yon mètdam.

**ekòs latè** : *fr. Pati sou deyò glòb terès la, kote plant pouse, dlo koule, moun viv.*

**ekòs**: *n. Pati ki vlope rasin, tij ak branch yon pyebwa, ki kapab soti fasilman.* Ekòs bwadòm sèvi pou fè te.

**ekosè**: *Moun ki soti nan peyi Ekòs. 2. a. ki gen relasyon ak Ekòs.*

**ekosistèm** : *n. Tout sa ki vivan tankou moun, bèt ak plant ki depann youn de lòt nan zòn kote yo ap viv.. Tout moun te dwe evite polisyon eksosistèm nou an.*

**ekwou**: *moso bwa osinon moso metal ki gen yon twou kote pou vis pase; boulon.*

**ekoulman**: *n. 1. Gonore, chodpis, maladi sèks ki fè yon moun gen yon likid ki ap koule soti andedan sèks li.* Alèkile moun gen ase enfòmasyon pou yo konnen kijan pou yo evite pran maladi ekoulman. 2. *Lavant pou likide yon estòk machandiz.* Depi mwen desann pri machandiz yo ekloulman an fèt byen vit.

**ekoutè**. *n. : Aparèy pou tande.* Si mwen pa gen ekoutè a nan zòrèy mwen, mwen pa fouti tande sa Kawòl ap di.

**ekran**: *n. 1. Pati nan televizyon ak òdinatè kote imaj parèt. 2. Sifas an plan kote yo projte imaj.*

**ekri**: *n. 1. Liv, ansanm tèks ki enprime.* Ekri Leyon Lalo yo popilè anpil. 2. *v. Yon seri mo ansanm pou fòme yon tèks ki fè sans. Mwen pito pale nan telefòn pase mwen ekri.* 3. *Mete lide sou papye.* Se pa mwen ki di, se repete mwen ap repete sa msye ekri. 4. *Pibliye. Mwen ekri plizyè liv men se youn mwen pi renmen.*

**ekritè**: *n. moun ki ekri; ekriven.*

**ekriti**: *n. 1. Mesaj ki ekri nan labib.* Dapre ekriti yo, yon jou, latè a ap disparèt. 2. *Lèt alfabèt yo. Pitit sa a pa fò nan ekriti ditou. 3. Estil jan yon moun mete lide I sou papye. Mwen renmen ekriti ki komik.*

ekrito: *n. Afich, ànons ekri, enfòmasyon ekri sou pankat pou tout moun ka enfòme.* Yo annonse fim ki ap pase nan sal sinema yo sou yon ekrito nan kafou ri Channmas la.

**ekriven**: *1. moun ki gen ladrès pou ekri liv osinon atik. 2. moun ki ekri kòm metye*

**eksè**: *n. 1. Sipli, diplis.* Si ou gen eksè manje ou mèt retire yon plat pou mwen, tande. 2. *Liks.* Kote pou mwen ta pran lajan pou mwen ta va ap fè eksè konsa, se malere mwen ye. 3. *Egzajerasyon.* Mwen pa renmen eksè sa yo, pa gen nesesite pou ou mete tou makiyaj sa a.

**ekselans**: *n. tit ki bay moun onè. 2. nivo pèfeksyon.*

**eksepsyon**: *n. 1. Ka ki apa, ki pa regilye.* Se pa toutan mwen ap vin lakay ou bonè konsa, jodi a se yon eksepsyon.

**eksepte** *(esepte): prep. Sòf.* Nou travay chak jou eksepte dimanch.

**eksetera**: *lok. Elatriye.* Nou vann pen, bisuit, aticho, bonbon eksetera.

**eksitan**: *a. / n. ki reveye santiman ak sansasyon. Ki reveye pasyon; ki bay tout kalite apeti; ki bay anvi.*

**eksitasyon**: *n. Kè kontan, ankoutajman, estimilasyon, anvi.*

**eksite** *(èksite): v. 1. Chofe, montre anpil enterè.* Timoun yo eksite pou yo al nan fèt la. 2. *Fè kòlè, fè movesan.* Ou pa gen ni pou joure, ni pou eksite, sa ou di a se sa pou tout moun fè. 3. *Reveye enterè, limen.* Sa ou di a eksite imajinasyon mwen sou yon lòt pwojè.

**ekskiz**: *n. Mo pou retire blam, pou jistifye yon zak ki pa kòrèk. 2. bay pèmisyon.*

**ekskresyon**: *n. Eliminasyon dechè, metòd ògànis vivan pou elimine dechè ki nan ko yo. 2. Deplasman yon pwodui soti kote li te fèt pou ale yon lòt kote.*

**ekspè**: *n. Moun ki gen savwa, opinyon, ladrès ak eksperyans nan yon domèn. 2. Ki soti nan men yon moun ki konn domèn nan.*

**ekspedisyon** *(espedisyon): n. 1. Ranvwa, move lespri.* Sa sanble ak yon ekspedisyon kanmenm, pito mwen pran prekosyon pou pwoteje tèt mwen. 2. *Estòk ki yon kote.* Ekspedisyon sa a pa ka pati san li pa peye taks. 3. *Gwoup moun ki ale nan yon pwojè ansanm.*

**ekspedye**: *v. 1. Voye ale byen vit epi san atansyon.* Mwen ekspedye nèg la paske dat li chita la a, li ap fè m pèdi tan. 2. *Voye yon lèt osnon yon pake ale.* Mwen ekspedye ou machandiz la depi yè.

**eksperyans**: *n. 1. Pratik, abitd, woutin.* Mwen gen eksperyans ak kalite moun sa yo. *2. Aprantisaj. Eksperyans mwen nan lavi fè mwen pa kapab fè ou konfyans. 3. Esè esperimantal.* Mwen pa dakò pou moun ki chèchè nan lasyans yo fè eksperyans medikaman sou moun san yo pa di yo.

**ekspetiz**: *Talan, ladrès, konesans, jijman yon ekspè.*

**ekspire** : *v. 1. Pase dat.* Medikaman sa a ekspire depi ane pase, ou pa dwe bwè l. 2. *Mete lè nan poumon deyò.* Li bon pou ou enspire lè fre epi ekspire lè ki sot nan poumon ou an. *3. Mouri.*

**eksplikasyon**: *n. 1. Bay detay sou yon sijè.* Ban mwen esplikasyon sa mo sa a vle di. *2. Entèpretasyon.* Sa mwen di ou la a, se eksplikasyon pa mwen. *3. Rezon, lakòz.* Lè fi a bay Jera eksplikasyon poukisa li pap marye avèk li, Jera sezi men li oblije reziyen l. *4. Elkèsisman, rannman kont, fè repwòch.* Madan Chal vin fè m ekplikasyon devan pòt mwen an.

**eksplike**: *v. 1. Bay sans.* Eksplike mwen sa sa vle di mo sa a. *2. Entèprete.* Jan mwen eksplike li sa mwen panse a, li te vin oblije dakò. *3. Koze.* Se maladi Michèl la ki eksplike reta mwen an. *4. Egzije eklèsisman.* Se pou ou eksplike m ki pwoblèm ou avèk mwen.

**eksplozyon**: *n. Gwo bri ki fèt lè yon bagay pete. 2. Kwasans ki fèt trè rapid.*

**eksploze**: *v. fè yon bagay pete fò epi ak rapidite osinon ak vyolans.*

**eksplwatasyon**: *n. Yon bagay osinon yon moun yo ap eksplwate.*

**eksplwate**: *v.1. Itilize, ekstrè.* Yo ka eksplwate min aliminyòm nan Miragwàn. *2. Abize, pwofite, pran avantaj sou fòs travay yon moun san ba li pati li ta merite.* Gen bòs ki konn eksplwate anplwaye li yo paske li konnen pa gen lwa ki pou pwoteje anplwaye yo. *3. Pwofite yon opòtinite.*

**ekspozan** : *n. 1. Nan matematik chif osinon senbòl yo plase adwat yon lòt chif ki endike konbyen fwa chif agoch la ap miltipliye tèt li.* $4^2 = 4x4 = 16$. *De (2) se ekspozan. 2. Ki ap patisipe nan yon ekspozisyon.* Edika Vizyon te youn nan ekspozan nan dènye konkou liv Kreyòl ki te genyen Pòtoprens la.

**ekstèminen**: *v. Fè disparèt, touye.* Si yo te ka ekstèminen ravèt se ta yon bon bagay.

**ekta**: *n. Mezi sifas ki egal dimil mèt kare.* Konbyen ekta tè ou genyen nan Laplenn nan?

**ekstaz**: *n. Santiman puisan, emosyon ekstrèm ki pote anpil kè kontan, pasyon. 2. Trans ki soti nan eksperyans relijyon.*

**ekstèminasyon**: *n. Detwi, abolisyon*

**ekstèmine**: *v. Detwi konplètman, tiye tout reprezantan, aboli.*

**eksteryè**: *a. Ki sou deyò, ki pa andedan.*

**ekstèn**: *l. Elèv ki nan lekòl ki gen pansyon men ki pa rete nan pansyon. 2. Pasyan ki pa rete dòmi nan lopital.*

**ekstèna**: *n. Seksyon nan yon lekòl pou elèv ki pa dòmi-leve.*

**ekstra**: *a. Ki depase sa ki nesesè, ki anplis.*

**ekstrèm**: *a. ki pi lwen posib, aleksè, ki depase sa ki nòmal, final, ki nan pozisyon opoze konpare ak yon lòt.*

**ekstrèmman**: *adv. yon jan ki depase lamezi.*

**ekstremis**: *n/a. ki ale pi lwen pase zòn mitan.*

**ekstremite**: *n. Mezi ki pi fò.*

**ekstraòdinè**: *ki depase mezi òdinè, ki depase limit, ki pa kouran, espesyal.*

**ekwasyon** : *n. 1. Fòmil ki montre idantite ant de valè. 2. Relasyon kondisyonèl ant de kantite ki depannde varyab koni osnon enkoni. Pou rezoud yon ekwasyon, se pou ou kalkile valè varyab enkoni yo ki konfime ekwasyon an.* Lè mwen tap fè matematik, mwen te renmen fè ekwasyon anpil.

**Ekwatè** *(Equateur) : n. 1. Liy imajinè ki fè toutotou latè a distans egal ant de pòl yo epi ki divize latè an de pati egal. Ekwatè pèpandikilè ak aks wotasyon latè. 2. Peyi nan Amerik Disid. Kapital Ekwatè se Kito. 3. Rejyon sou latè kote li fè chalè.*

**Ekwatoryen** *(Equatoryèn) : 1. n. Moun ki soti nan peyi Ekwatè. Gen nan Ekwatoryen yo ki gen orijin endyen. 2. a. Ki soti nan Ekwatè.* Atizàna ekwatoryen bèl anpil.

**ekwilateral**: *a. Desen jewometrik ki gen tout kote li yo egal. Triyang ekwilateral.*

**ekwou** *(ekou): n. Pyès an bwa osnon an metal ki taye pa andedan pou vis osnon boulon ka chita ladan l.* Mwen pa konnen si ekwou sa a ap bon pou travay la.

**ekzagòn**: *n. Desen jewometrik fèmen, ki gen sis kote ak sis ang. Poligòn ki gen sis kote.*

**ekzajerasyon**: *n. Mete pase genyen nan ekri, nan pale, nan panse.*

**ekzajere**: *v. Fè yon bagay parèt pi gran pase jan li ye vrèman. 2. Mete pase genyen nan ekri, nan pale, nan panse.*

**ekzaminasyon**: *Evestigasyon, enspeksyon, tès.*

**ekzamen**: *n. 1. Tès, konpozisyon pou pase yon etap. 2. Obsèvasyon doktè fè pou yon malad.*

**ekzaminen**: *v. 1. Gade yon bagay ak metòd, ak lespri kritik pou jwenn enfòmasyon ak konesans. 2. Poze keksyon pou jwenn repons. 3. Gade yon malad pou jwenn kisa li soufri.*

**ekzat**: *a. Kòrèk, ki pa gen erè, ki vre.*

**ekzema** *(egzema): n. Maladi iritasyon po, sitou nan pye ak nan men ki pa atrapan ki fè po a anfle, vin wouj epi ki grate, gendelè se yon alèji gendelè se yon enfeksyon.* Moun ki gen ekzema nan pye konn pa ka sipòte soulye nan pye yo.

**ekzèse**: *v. 1. Antrene, devlope yon ladrès. 2. aprann yon pyès teyat an gwoup.*

**ekzèsis**: *n. 1. Antrennman pou devlope ladrès kò osinon ladrès lespri. 2. Mouvman regilye espesifik pou devlope yon pati nan kò osinon pou devlope yon talan.*

**ekzeyate**: *Kite yon malad soti lopital pou li tounen lakay li.*

**ekzibisyon**: *n. Ekspozisyon piblik. Cho.*

**ekzil**: *n. Sitiyasyon yon moun ki oblije viv lwen peyi l osinon lwen kominote li.*

**ekzile**: *Ki oblije viv lwen peyi l osinon lwen kominote li.*

**ekzòte**: *v. Ankouraje ak anpil ensistans.*

**ekzotèmik**: *a. Ki bay chalè.* Lè yon reyaksyon bay chalè li ekzotèmik, lè reyaksyon an bezwen chalè pou li fèt se yon reyaksyon andotèmik.

**elabore**: *v. 1. Devlope ak anpil detay, ak anpil dekorasyon, konplike. 2. Di yon bagay ak anpil bèl mo.*

**elaji**: *v. Ogmante gwosè, ogmante volim.*

**elan**: *n. 1. Mouvman pou prepare ou anvan ou sote.* Si ou pran elan ou byen, ou ap kapab sote pi wo pase lòt moun yo. *2. Avansman.* Kawòl pran yon sèl elan nan biznis li ya, se pa de kòb li ap fè.

**elas**: *entj. Son pou endike regrè, plennt osinon doulè.*

**elatriye**: *Ak tout lòt yo, ak tout sa ki sanble yo.* Li voye di mwen yon pakèt bann bagay dwòl, afè l ki pa bon. . . elatriye.

**elefan**: *n. Gwo bèt kat pat, ki gen po epè, ki prèske san plim, ki gen yon twonp byen long ki gen dan kwòk byen long, Mamifè ongile, Yo jwenn elefan nan kontinan Afrik ak nan kontinan Azi.*

**elegan**: *a. 1. Bwòdè, byen abiye.* Leyona se yon nonm ki elegan, lè li abiye li pa janm depaman. *2. Byenelve.* Yon moun ki gen edikasyon ap jwenn yon fason elegan pou li di ou laverite.

**eleksyon**: *n. 1. vòt pou chwazi yon kandida pou yon pozisyon. 2. Vòt pou chwazi yon lide ant plizyèt lide. Etap pou chwazi yon moun pou yon pòs.* Mwen te al vote nan eleksyon ane pase a, moun mwen vote pou li a pase; men militè yo ba l panzou.

**elektè**: *n. Moun ki vote, moun ki elijib pou vote.*

**elektoral**: *a. Ki konsène yon eleksyon.*

**elektora**: *n. Tout moun yo ki elijib pou vote nan yon eleksyon.*

**elastik** *(lastik) : n. 1. Riban flekib ki sèvi pou griji twal.* Elastik kilòt la fini, se sa ki fè li ap plede tonbe sou timoun nan. *2. Riban kawotchou fleksib ki fèmen tankou yon sèk.* Mwen woule papye yo epi mwen soutni yo ak de riban elastik. *3. a. Fleksib.* Moun isit yo gen yon orè trvay ki elastik, yo louvri lè yo vle, yo fèmen lè yo vle.

**elektrik** : *a. Ki branche osnon ki mache ak elektrisite.* Biwo konpayi elektrik.

**elektrisite estatik**: *n fr. Chaj elektrik ki akimile nan yon bagay, elektrisite ki akimile lè gen friksyon.* Si ou fwote peny nan cheve ou, li ap akimile elektrisite estatik.

**elektrisite** : *n. 1. Kouran elektrik, yon fòm enèji, yon chaj elektrik. 2. Yon branch nan domèn fizik ki etidye kouran elektrik. 3. Kouran ki disponib nan kay pou fè aparèy elektrik mache. 4. Tansyon moun santi lè li gen anpil emosyon.*

**Elektrisite Dayiti**: *Premye konpayi ki bay kouran Ayiti se te Jakmèl li te ye. Li te kòmanse an 1895. Pwojè idwoelektrik Pelig la te jwenn finansman an 1948 pou komanse pwojè a. Pati dam nan te fini pandan gouvènman Maglwa, men yo pot ko mete jeneratè yo.*

**elektrisyen**: *n. Metye moun ki repare osinon enstale aparèy elektrik. Rele yon elektrisyen pou vin vin met limyè nan chanm nan.*

**elektwokadyogram**: *n. Teknik pou wè kijan kè moun ap mache.*

**elektwon**: *n. Pati nan atòm ki gen chaj negatif. Elektwon se inite fondamantal elektrisite. Elektwon toujou ap deplase toutotou a nwayo yon atòm. Ou gen kouran elektrik lè elektwon ap deplase san rete nan yon kò tankou fè, kuiv, aliminyòm eltr.*

**eleman**: *n. 1. Pati ki pi piti lè yon bagay separe osinon divize. Pyès, moso ki fè pati yon lòt ki pi gwo.* Yon opalè se yon eleman andedan yon radyo. *2. Fòs lanati.* Latè, dlo, lè ak dife se kat eleman lanati ki pèmèt lavi moun, bèt ak plant fonksyone nòmalman. *3. Nan chimi nenpòt materyo [kabòn (C), idwojèn (H), oksijèn (O) osinon fè (Fe)] chimis yo pa kapab separe ak metòd chimi tradisyonèl.* Chak eleman chimik gen kalite fòmil atom pa li.. *4. Konesans san apwofondi sou yon sijè.* Silòt pa konnen anpil sou teyoloji, mwen konnen kèk eleman debaz senpman. *5. Flannè, non familye, san sofistikasyon yo bay yon gason lè yo ap palede li, jenn gason.* Silòt konnen Lorans trè byen, se yon eleman ki toujou vin nan reyinyon asosyasyon an.

**elemantè** *: a. 1. Senp, debaz.* Silòt renmen jan ou fè prezantasyon ou an, ou prezante prensip elemantè sijè a ak anpil klate. *2. Esansyèl, san pèdi tan nan detay.* Rapò ou a long anpil, mwen ta pito ou prezante mwen pati elemantè a pito. *3. Ki gen avwa ak kat eleman fòs lanati yo.* Latè, dlo, lè ak dife se fòs elemantè ki endispansab pou lavi nou sou latè a. *4. n. Klas primè ki vini apre klas preparatwa yo nan pwogram lekòl primè.* Timoun ki nan elemantè en ak elemantè de poko konn fè rasin kare byen.

**elemantè de**: *n fr. Nan pwogram lekòl primè, kou ki vini tousuit apre elemantè en.* Lè mwen tap fè elemantè de, mwen te tèlman fò, yo te sote m klas sa a.

**elemantè en:** *n fr. Nan pwogram lekòl primè, kou ki vini tousuit apre preparatwa de.* Kou primè nan peyi Ayiti gen klas anfanten en ak de, preparatwa en ak de, elemantè en ak de epi mwayen en ak de.

**elèv**: *n. 1. Etidyan lekòl anjeneral.* Mwen te konnen yon elèv nan lekòl Lise Petyon, msye te toujou premye nan klas li. *2. Disip, moun, timoun kou granmoun, ki ap aprann nan men yon lidè.* Paske lavi a toujou ap bannou leson, nou konnen nou se elèv ki pap janm fin aprann.

**elevasyon**: *n. 1. Edikasyon.* Si ou te gen elevasyon, ou pa tap janm pale lèd ak granmoun konsa. *2. Wotè.* Ki elevasyon mi sa a? *3. Pil, bagay ki wo.* Yon mòn se yon elevasyon wòch ak tè nan yon anviwonman. *4. Ogmantasyon, akselerasyon.* Jan elevasyon kou lavi a ye la a, si yon moun pa gen yon bon salè, ou nan ka.

**elevatè**: *n. zouti nan gwo bilding pou monte desann etaj yo, san pase nan eskalye.*

**Eli Jistin** *(Justin Elie): np. (1883-1931). Mizisyen ki fèt nan vil Okap, li te etidye mizik Ayiti ak an Frans nan Konsèvatwa Pari. Li etidye mizik Vodou epi li pibliye kèk pyès ki konni. Li mouri Nouyòk (1931) kote li te al viv depi 1922.*

**Eli Maryo** *(Mario Elie): np Ayisyen-Ameriken ki fèt Nouyòk epi ki jwe baskètbòl pwofesyonèl pwofesyonèl Ozetazini. Li te nan ekip chanpyon an de fwa 93-94 ak 94-95, nan Youstonn Wokèts (Houston Rockets). Apresa li vin jwe nan Sann Antonyo Espè (San Antonio Spur)[Zepon Sann Anntonyo].*

**Eli, Patrik** *(Patrick Elie): np. Biyochimis, politisyen, pwofesè.*

**elikoptè**. *n. : Transpòtasyon ki vole tankou avyon. Li gen yon gwo elis sou tèt li. Yo sèvi avè l souvan nan ijans paske li ka poze nenpòt ki kote san ayewopò.* Mwen pa janm renmen moute elikoptè paske li vole twò ba, li ban mwen tèt vire.

**eliminasyon**: *n. retire nan konpetisyon, diskalifikasyon, rejete. 2. Retire nan kò.* Ki jan elimininasyon medikaman an fèt, nan pipi.

**eliminatwa**: *n. konpetisyon pou elimine ekip ki mwen bon yo epi pou mete sa ki pi bon yo fas a fas.*

**eliminen** *(elimine): v. 1. Retire nan konpetisyon, rejete, pa konsidere.* Ekip la elimine. *2. Pa pase nan yon ekzamen. 3. Tiye.* Yo elimine mechan yo.

**elips**: *n. 1. Figi (fòm) jewometri oval. 2. Retire yon mo nan yon fraz san fraz la pa pèdi sans li.*

**elis**: *n. Pati nan avyon osinon lòt machin ki vire toutotou yon aks nan yon likid (osinon gaz) li pèmèt pouse, rale osinon mentni aparèy la anplas; li ka sèvi tou pou melanje de likid.*

**elit**: *n. Gwoup moun nan sosyete ki gen plis pouvwa lajan, edikasyon, enfòmasyon.*

**elokisyon**: *Estil jan moun li osinon pale, pwononse an piblik, teknik atifisyèl pou moun pale.*

**elt** *(eltr).: Kontraksyon pou "elatriye" ki vle di "ak tout lòt yo".*

**elatriye**: *Ak tout lòt yo.*

**Elsalvadò**, *(Salvaldò): n p. Peyi nan Amerik Santral ki tou pre ak Gwatemala. Elsalvadò se yon peyi ki bò lanmè, fè cho epi moun yo renmen al sou plaj.*

**elvaj**: *Teknik ak ladrès pou leve bèt domestik tankou bèf, kabrit, cheval, poul, kodenn eltr.*

**elvè**: *moun ki ap fè elvaj.*

**elve**: *v. 1. Ki wo.* Poukisa mi an elve konsa a? *2. Ki chè.* Pri a twò elve, Silòt pap ka achte kay la. *3. Ki edike.* Timoun sa yo elve ak prensip. *4. Ki grandi ansanm.* Nou tout elve nan men matant nou.

**elyòm** *: n. Gaz senp ki toutotou solèy la men ki ra pou jwenn nan lè nou ap respire a.* Elyòm se yon gaz leje.

**èm, yèm, zyèm, ryèm**: *Sifiks ki vini apre yon chif pou make pozisyon.* Dezyèm, katriyèm eltr.

**emab**: *a.1. Merite pou moun renmen l.* Lizèt se yon bon timoun , li emab anpil. *2. Sèvyab. ki renmen fè moun plezi.* Anpil moun renmen Lizèt paske li emab, li toujou renmen rann moun sèvis. *3. Sosyab, janti.* Moun nan magazen sa yo emab, se pou sa Silòt renmen ale achte la.

**èmafwodit**: *a. Ki genyen ògàn mal ak femèl nan menm bèt la.* Vètè se yon bèt èmafwodit. Plant a-flè genyen ni estamèn (ògàn ki pote polèn) ni pistil.

**emansipasyon**: *n. Liberasyon.*

**emansipe**: *v. 1. Bay libète, pran libète, libere.*

**ematimèt**: *n. Zouti pou mezire kantite selil nan san.*

**ematokrit**: *n. valè ki endike pwopòsyon selil wouj nan yon volim san.*

**emay**: *n. 1. Kouch espesyal sou metal, sou vit, sou potri pou fè yo vin lis epi pou pwoteje yo. 2. Pati blan ki kouvri dan nou. Emay dan.*

**emaye**: *a. Ki fèt ak emay. Asyèt emaye yo dekale fasil.*

**emetè**: *n. 1. yon bagay ki voye patikil. 2. Yon estasyon radyo.*

**emewòd**: *Yon wòch espesyal ki gen koulè vèt briyan, yo sèvi ak li pou fè bijou ak kouwòn.*

**emisè**: *n. Yon moun yo voye an misyon espesyal.*

**emisfè** : *n. 1. Chak bò latè a. Chak nan emisfè yo egal, gen emisfè nò ak emisfè sid. 2. Youn nan de bò sèvo.*

**emofil**: *n. 1. Yon maladi ereditè, san moun nan manke pwodui chimik ki pou fè san kaye. Lè moun sa a blese andedan kou deyò, li pèdi anpil san. Se plis gason ki gen maladi a alòske fi plis pote eleman jenetik la epi transmèt li bay pitit li. 2. a. Yon tip bakteri ki devlope byen kote ki gen emoglobin.*

**emoglobin**: *n. Pigman ki nan san ki pran oksijèn ki soti nan poumon epi pote li ale nan tisi yo anplis, li pran gas kabonik nan tisi yo pote yo ale nan poumon.*

**emoraji** : *n. San ki ap sòti nan venn osnon nan atè yon moun; pèdi san, senyen . Moun ki fè maladi yo rele emofili a gen tandans fè emoraji fasil.*

**emosyon**: *n. 1. Sezisman.* Moun ki fè emosyon konn gen tandans swe anpil. *2. Santiman.* Lè ou ap li otè sa a, ou santi tout emosyon li te viv yo travèse zantray ou. *Kontan, fache, tris, move, tout se emosyon.*

**emowoyid**: *n. Gwo trip ki soti nan twou dèyè. Venn nan twou dèyè moun ki gen emowoyid yo gen tandans dilate.*

**en**. : *1. Youn nan son nan lang kreyòl; "en" e ak n kole ansanm pou fòme yon vwayèl. Gen dis manman son, dis vwayèl: a, an, e, è, en, i, o, ò, on, ou. 2. Premye chif nou konte. 3. Entèjeksyon: en!*

**en-en** *(en hen, an-an): ent. Son ki endike wi osnon non selon entonasyon li.* En-en, pa fè m sa, mwen pa renmen moun ban mwen manti. En en ... di m toujou.

**enben** *( ebyen, anben): Ent. Konsa menm, pwiske se konsa, nan kondisyon sa a.* Enben, m ap oblije reziyen m ak sitiyasyon an.

**enbesil**: *a. 1. Idyòt, idyo, sòt, ki manke sou entelijans li.* Kouman ou fè kite sa rive ou, ou se yon enbesil, monchè. *2. n. Moun ki sòt.* Si ou ap pran pòz ou se yon enbesil, plen moun ki ap manje de grenn je ou.

**enbesilite**: *n. Konpòtman ki manke entelijans.*

**enbete, anbete**: *a. 1. Takinen, agase.* Pa anbete timoun nan, ou pa wè li pa vle jwe. *2. Anniye.* Ou chita la a tankou ou anbete, al chèche yon travay pou ou fè.

**Ench** *(Hinche) np. : Awondisman ak komin nan depatman Sant. Vil ki nan yon distans apeprè 30 mil ak fontyè Dominikani an.*

**Enn** *(Indes). : Yon peyi ki nan zòn Azi. Moun ki sot nan peyi Enn yo rele Endyen.*

**endepandans**. *n. : Sitiyasyon kote ou konte sou pwòp fòs pa ou, ou pa konte sou moun, ou responsab tèt ou, pou ou deside fè sa ou vle jan ou vle. Fè apa. Jere pwòp tèt ou.* Ayiti pran endepandans li depi an 1804. *2. Lè yon peyi vin endepandan, pa gen lòt moun, lòt peyi ki kapab vin dirije l. Ayiti pran endepandans li kont peti Lafrans apre yon lagè. Ofisyèlman dat premye janvye 1804 Ayiti deklare endepandans li epi kreye yon dokiman endepandans. Men moun ki te siyen dokiman sa a: Henry Christophe, Clerveaux, Vernet, Gabart, Alexandre Petion, Geffrard, Toussaint Brave, Romain, Lalondrie, Capoix, Magny, Daut, Cange, Magloire-Ambroise, Yayou, Jean-Louis Francois, Gerin, Moreau, Ferou, Bazelais, Martial Besse.*

**endependan**. *a. : Ki apa. Pouchon se yon tinèg ki endepandan, li pa renmen moun sèvi ak afè pa l. 2. Ki pran endepandans. Ayiti se yon peyi endepandan*

**endesan**: *a. 1. San dekowòm.* Pou ou jenn fi ap mache ak mini jip sere sa a nan lari a, ou tou wè se yon fi ki endesan. *2. Ki montre espektak sèks.* Fim sa a yon jan endesan, timoun pat dwe wè l.

**endesans**: *n. Ensolans; ki manke desans.*

**endesizyon**: *n. Dout, flotman, ezitasyon.*

**endezirab**: *a. / n. Moun ou pa ta renmen vini yon kote.*

**endiferan**: *a. ki pa gen enpòtans, atitid ki pa montre enterè; ki frèt.*

**endiferans**: *n. Distans, rezèv, ensansibilite, fwadè.*

**endijan**: *n. Pòv.* Lopital la ofri tout endijan yo yon sèvis gratis.

**endijans**: *n. Sitiyasyon moun ki pòv.*

**endijès**: *a. Ki pa ka dijere. ki pa atiran.*

**endijenis**: *n. Mouvman literè ak filozofik ki pran enspirasyon nan sa ki ap pase anndan peyi-a, (koutim, mizik, relijyon, dans) konpare ak yon lòt literati ki vire sou sa ki ap pase deyò peyi-a. Mouvman sa a te fòmile plis (1927) pandan okipasyon ameriken (1915-19). Ekriven yo te gen yon jounal yo te rele "La Revue Indigène". Revi a pat dire lontan, li te pibliye 6 nimewo, men mouvman te kontinye devlope.*

**endijès**: *a. 1. Manje ki difisil pou dijere.* Silòt pa renmen manje zonyon kri, li yon jan endijès. *2. Ensipòtab. Moun osnon sitiyasyon difisil pou aksepte.* Edga se yon nonm ki gen yon karaktè dezagreyab, dapre Silòt, msye se yon nonm endijès.

**endijesyon** *(endijesyon): n. Sitiyasyon kote manje yon moun manje pa dijere byen.* Si ou gen endijesyon se pou ou ta pran remèd pou sa.

**endikasyon**: *n. 1. Siy.* Si tan an mare, sa se yon endikasyon lapli ka pral tonbe. *2. Eksplikasyon pou ou jwenn yon adrès.* Silòt pa rive jwenn kay la paske endikasyon yo pat klè ditou.

**endikatè** : *n. 1 Siy, enfòmasyon ki ka eksplike yon sitiyasyon.* Tout endikatè nou genyen yo fè montre nou se Kalo ki koupab. *2. Nan chimi, sibstans ki chanje koulè lè li an kontak ak yon lòt sa ka sèvi pou idantifye prezans lòt la.* Si ou bezwen konnen Ph yon sibstans, ou ka sèvi ak yon endikatè.

**endikatif**: *n. 1. Siy pou make yon lòt bagay. 2. Fòm yon vèb an Fransè.* Mòd endikatif osinon mòd sibjonktif.

**endike** : *v. 1. Montre.* Vini endike m ki jan pou mwen kuit manje sa a, tanpri. *2. Dikte, preskri, rekòmande.* Sa ou endike pou nou fè a, se sa nou ap fè. *3. Enfòme, temwaye.* Msye endike kilès ki fè zak la.

**endirèk**: *a. Ki pa dirèk, ki devye, konplike.*

**endirèkteman**: *adv. Yon jan ki pa dirèk.*

**endisiplin**: *San disiplin, pa dosil.*

**endisipline**: *v. Moun ki pa gen disiplin.*

**endiskrè**: *a. Moun ki pa gen jijman, ki pa reflechi sou sa li ap di, ki pa ka kenbe yon sekrè.*

**endispansab**: *a. Ki difisil pou aji san li; obligatwa, nesesè, itil.*

**endispoze**. *v. : Pèdi konesans.* Depi li pran move nouvèl li toujou endispoze.

**endispozisyon**: *n. Malèz, kò pa bon ki ka grav men ki ka senp tou.* Madan Pòl fè yon ti endispozisyon la a, nou fè yon ti te pou li men apresa, li pat refè, nou te sètoblije mennen l lopital.

**endistenkteman**: *adv. San eksepsyon.*

**endistri**. *n. : Aktivite nan ekonomi yon peyi ki okipe manifakti ak lòt mouvman komès ki rapòte lajan. Gen endistri asanblaj kote moun yo enpòte pyès pou yo asanble an Ayiti. Gen plis pase 250 antrepriz asanblaj nan peyi Ayiti, paske peyi endistriyalize yo vin pwofite travay fòs anplwaye ayisyen paske salè minimòm nan pa gwo. Gen endistri agrikòl, gen endistri manje (alimantè), gen endistri touris.*

**endistriyalizasyon** : *n. 1.Rezilta pwogram yon politik devlopman endistriyèl.* Depi endistriyalizasyon anvayi peyi Etazini, pwodiksyon anmas vin pi fasil epi pri machandiz vin bese. *2. Aplikasyon pwosede ak teknik pou devlope endistri nan yon peyi.* Pwogram endistriyalizasyon.

**endistriyalize**: *v. Oganizasyon pou eksplwate yon resous ak gwo ekipman ak teknik modèn.*

**endividi**: *n. 1. Moun, moun ou pa konnen trèbyen.* Nèg sa a sanble yon endividi ki ka serye. *2. Moun kèlkonk, san twòp enpòtans.* Jan se yon tètchaje, ala yon endividi, papa!

**endividyalis**: *a. ki pa fonksyone an gwoup, ki pèsonèl; ki egoyis.*

**endiy**: *a. Ki pa merite, ki pa diy.*

**endiyasyon**: *n. Kòlè, reyaksyon kont kichòy.*

**endiye**: *v. 1. Vekse.* Mwen endiye dèske Kawòl pèmèt li konprann li ka fè frekan avèk mwen. *2. Imilye.* Ou pa bezwen endiye paske marenn ou bliye non ou, se lavi.

**endiyite**: *n. Yon bagay ki fè yon moun pèdi respè ak diyite li. 2. Ofans.*

**Endochin**: *np. Zòn toupre Lachin ki gen peyi Lawòs, Vyetnam, Kanbòj, Tayilann.*

**endont**: *n. Moun rebèl.*

**endui / endwi**: *Endui li nan erè.*

**Endyen** *(endyèn): 1. n. Moun ki soti nan peyi End osnon ki sot nan ras endyen.* Gen anpil endyen nan Amerikdisid. *2. a. Ki pou moun ki sot nan peyi End.* Gen nan relijyon endyen yo ki pa pèmèt moun manje vyann bèf. *3. Moun ki te rete nan kontinan amerik la anvan Kristòf Kolon te debake. Moun sa yo pa endyen vrèman men Kolon te panse se nan peyi End li te ateri konsa li tou rele yo endyen. Yon estil degizman nan kanaval.*

**enèji atomik:** *Enèji ki soti nan atòm.*

**enèji chimik**: *enèji ki soti nan reyaksyon chimik.*

**enèji idwoelektrik:** *Enèji elektrik ki soti nan dlo.* Izin elektrik Pelig pwodui enèji idwoelektrik.

**enèji idwolik** : *Enèji ki soti nan dlo.*

**enèji kinetik:** *Enèji ki soti nan mouvman, nan deplasman.*

**enèji** : *n. 1. Kouray, fòs, fòs potansyèl.* Silòt pa janm wè yon moun gen enèji pase Jozèf. *2. Chalè.* Enèji ki soti nan chodyè a te kont pou te boule tout do men Silòt. *3. Resous tankou chabon, gaz, petwòl, van, solèy, atòm, ki sèvi pou fè elektrisite osinon pou chofe. 4. Kantite enèji ki disponib.*

**enèji potansyèl:** *Sous enèji ki poko aktif. Enèji ki baze sou pozisyon osinon kondisyon.*

**enèji Solèy:** *Enèji ki soti nan reyon solèy.* Nou kapab sèvi ak enèji solèy pou chofe osinon pou fè elektrisite.

**enèjik**: *a. Ki gen enèji, ki gen vigè.*

**enèjikman**: *adv. Ki fèt ak enèji, ak vigè.*

**enève**: *Fè yon moun fè kòlè, pòte yon moun sou-lè-nè.*

**enfantri**: *n. Branch nan lame ki antrene sòlda pou batay apye.*

**enfeksyon**: *n. Envazyon mikwòb ki bay maladi nan kò moun osinon nan kò bèt. Pou trete enfeksyon doktè preskri antibyotik. Men tout moun epi espesyalman moun ki ap travay nan lopital, nan sanatoryòm, nan klinik ak nan nepòt sèvis ijyèn, restotan elt. gen responsablite pou yo prevni enfeksyon. Yo dwe pran konsyans sou sa yo ap fè, kilè yo dwe pran prekosyon epi ki kalite prekosyon yo dwe pran nan tout sitiyasyon. Nan klinik, nan nèsin-om ak nan lopital nou atann nou tout anplwaye ap pratike ASEPSI MEDIKAL (asepsi vle di ki pa gen mikwòb ki ka bay maladi). Se yon seri abitid ak prekosyon pou anpeche mikwòb pwopaje. Fò nou konnen, ti neglijans kapab pwopaje mikwòb epi mete sante, sekirite osinon lavi moun an andanje. Men se pa tout, ou menm tou ou ka met pwòp sante pa ou andanje si ou neglijan osinon si ou pa pran prekosyon ou dwe pran. Gen kèk abitid senp tankou lave men ak savon anvan epi apre kontak ak tout pasyan kapab diminye osinon anpeche mikwòb pwopaje. Yon enfeksyon ka lokal (nan yon pati espesifik) osinon sistemik (nan tout sistèm kò a). Men kèk siy enfeksyon... Lafyèv, doulè osinon yon kote ki vin mou, fatig, pa gen apeti, noze, vomisman, dyare, lagratèl, anflamasyon yon kote ki wouj, pi nan yon maleng. Chenn enfeksyon; pou enfeksyon avanse, fò gen... yon sous (patojèn), yon metòd pou li transmèt, (kontak, nan lè, tous estene, manje kontamine, dlo, bet, moustik, kiyè, fouchèt, pansman, ekipman takou vaz, peny), yon pòt pou li antre, yon rezèvwa (kote li santi li byen pou li viv epi miltipliye tankou yon moun osinon yon bèt), yon moun ka yon rezèvwa kanmenm mennsi li pa gen siy enfeksyon. Yon moun ki enfekte epi ki pa gen oken siy se yon pòtè [li pote jèm nan men li pa malad], yon pòt pou li sòti, (tankou nan respirasyon, nan pipi, nan poupou, nan sèks, nan blesi, nan maleng, sou po, nan san), yon sistèm ki fèb (laj, nitrisyon, fatig, medikaman, maladi, blesi eltr). Enfeksyon nozokomyal se enfeksyon moun pran nan lopital nan klinik, nan terapi, nan laboratwa, nan sal operasyon ak lòt kote moun malad ale.*

**enfekte**. *v. : Eta yon moun osnon yon bèt ki anvayi ak mikwòb.* Depi mwen gade maleng nan mwen wè li enfekte.

**enfènal**: *a. Ki raple kondisyon lanfè, ki mechan.*

**enferyè**: *a. 1. Ki pa bon kalite.* Kalite twal sa a enferyè. 2. *Pozisyon ki pi ba.* Nou nan menm lekòl men li nan yon nivo enferyè. *3. n. Ransè, ki pap di anyen serye.* Sispann fè enferyè la a, Gaston, mwen bouke tande ou ap ranse.

**enfidèl**: *a. Ki pa fidèl.*

**enfidelite**: *n. Zak yon moun ki pa fidèl.*

**enfiltrasyon**: *Penetrasyon an kachèt.*

**enflitre**: *v. Pase, antre anndan, devye tout siveyans, antre an kachèt, penetre lakay yon lenmi pou kontwole l pa anndan.*

**enfim**: *a. Envalid, ki gen yon manm ki pa mache.* Kalo se yon nonm enfim, se sou beki li mache. *2. Fèb, enstab, delika.*

**enfimite**: *Feblès fizik, sitiyasyon yon enfim.*

**enfimri**: *n. Kay kote pou yo trete moun ki malad.*

**enfimyè** : *n. Moun ki diplome nan syans ki montre kòman pran swen malad.* Pou moun enfimyè fòk ou gen kè pou wè moun ap soufri devan ou.

**enfinitif**: *n. Fòm yon vèb ki make aksyon osinon ekzistans san pwonon pèsonèl, san make ki moun, ni ki kantite ni ki tan.*

**enflamasyon**: *n. Gonfleman, iritasyon epi doulè yon moun ka santi akòz yon enfeksyon li fè.*

**enflasyon**: *n. Ogmantasyon nan kantite lajan ki genyen nan yon ekonomi (kominote, peyi) pandan kantite machandiz ak sèvis ap diminye ki vin bay lavi chè osinon ki fè kòb pèdi valè.*

**enflyans**: *n. 1. Presyon, otorite, kapasite, pouvwa pou konvenk lòt moun.* Jak konnen li gen enfliyans sou Woza. 2. *Kapasite yon moun genyen pou li pote chanjman endirekteman ak fòs li, lajan li, pozisyon. 3. Kontak, rezo nan sosyete a.* Kalo se yon nonm ki gen anpil enfliyans nan gouvènman an.

**enfliyanse**: *v. Ki ka fè presyon pou li jwenn sa li vle a; pouva pou fè chanjamn nan opinyon lòt moun.* Nou ka enfliyanse eleksyon yo.

**enfòmasyon**. *n. : 1. Esplikasyon sou yon sitiyasyon.* Pran enfòmasyon sou dyòb sa a pou mwen tanpri. 2. *Nouvèl nan radyo jounal osnon nan televizyon sou evenman ki ap pase.* Mwen pa tande enfòmasyon menm, èske ou kapab di mwen kijan sitiyasyon an ye?

**enfòmatè**: *n. Yon moun ki bay enfòmasyon, yon moun ki sèvi kòm sous pou jwenn enfòmasyon. 2. Moun yo itilize kòm referans pou etidye yon fonnman yon lang.*

**enfòmatik** (*enfonmatik*) *: n. Syans ki triye, sere, transmèt epi sèvi ak enfòmasyon ak pwogram òdinatè.* Silòt konnen anpil moun ki ap pran kou enfòmatik.

**enfòmatize**: *v. opere tout fonksyon ak òdinatè. 2. Ekipe tout depatman ak òdinatè.*

**enfòme**: *v. 1. Pran enfòmasyon, chèche konnen.* Al enfòme ou sou kisa ki ap pase nan kafou a. 2. *Bay enfòmasyon.* M ap enfòme ou apati jodi a, ou ap gen yon ogmantasyon salè. 3. *Konnen, okouran.* Chantal se yon fi ki byen enfòme sou afè achte epi vann kay. 4. *Avèti.* Silòt enfòme tout moun pou yo rive nan travay alè.

**enfòmèl**: *a. ki pa fòmèl, ki senp, ki pa respekte règ, san seremoni. 2. ki sèvi toulèjou.*

**enfraksyon**: *n. vyolasyon, pa respekte yon règleman, pa respekte yon antant.*

**enfrastikti**: *n. fondasyon. 2. Tout ekipman ak enstalasyon ki pèmèt yon kominote devlope tankou wout, lekòl, lopital, telefòn, elektrisite eltr.*

**enfrayik**: *a. ki bay lapèrèz.*

**enganm**: *a. Byen pòtan, ansante, anfòm.* Manman Silòt se yon fi byen enganm, li pa pè travay di.

**engra**: *a. Ki pa gen rekonesans.* Moun ki engra pa janm sonje moun ki ede yo.

**engratitid**: *n. ki pa gen rekonesans.*

**engredyan**: *n. chak pati ki fòme yon melanj.* Nan tyaka gen de engredyan prensipal, se mayi ak pwa. Engredyan ki nan kafe se kafe, dlo, lèt ak sik.

**èni** : *n. Anflamasyon nan yon tisi osinon ògàn ki soti sou deyò parapò avèk kote tisi a nòmalman ta dwe ye.* Kawòl gen yon èni nan lonbrit li.

**enjenyè** (*enjennyè, enjènyè*): *n. Moun ki diplome osinon antrene nan domèn jeni.* Enjenyè chimik ak enjenyè sivil se de fòmasyon diferan. 2. *Moun ki sipèvize fonksyon motè tren, jeneratè vapè eltr.*

**enjerans**: *n. antre nan afè lòt moun san envitasyon.*

**enjis** : *a. 1. ki pa jis. Sa ou fè a enjis, ou pa ta ka pran tout lajan tifi a.* Desizyon sa a enjis, ou pa ka pran tè abitan yo pou gremesi.

**enjistis**. *n. : Abi, ki pa jis. Desizyon ki pa respekte dwa moun, ki pa anfavè moun ki gen rezon.* Kilè yo ap sispann fè malere yo enjistis mezanmi?

**enkanasyon**: *n. 1. resevwa yon kò moun, aparans imen. 2. Mistè, nan relijyon katolik, kote yon jenn fi vyèj bay kò li pou Bondye vin moun, li fè yon pitit ki rele Jezi dapre operasyon Sentespri.*

**enkane**: *v. 1. Pèsonifye, resevwa yon kò moun, pran aparans imen.* Bondye enkane nan vant Lavyèj Mari. 2. *a. Ki pouse anba chè.* Zong enkane.

**enkapab**: *a. 1. Ki pa kapab, ki limite nan sa li ka fè.* Ou enkapab leve chay sa a poukont ou. 2. *Ki pa gen resous osnon kapasite pou fè yon travay.* Mwen enkapab koud tout rad sa yo amwenske yon moun ta vin ede m.

**enkapasite** : *n. 1. Enfimite.* Afè pou mwen pa kapab mache sou de pye mwen an, se yon enkapasite grav li ye pou mwen. 2. *Enkonpetans.* Mwen ta revoke yo tout pou enkapasite yo.

**enkibatè**: *n. yon espas yo chofe atifisyèlman pou fè ze kale. 2. Espas chofe nan lopital kote yo mete ti bebe ki ki fèt prematire (anvan lè).*

**enkomode** : *v. 1. Ki pa alèz.* Ou sanble ou enkomode, èske ou gen doulè? 2. *Ki pa kontan.* Sanble konvèsasyon an te enkomode Jezila.

**enkizisyon**: *n. envestigasyon, ankèt. 2. Tribinal legliz te opere pandan 13e syèk pou pèsekite eretik yo. 3. Aktivite pou pèsekite opozisyon.*

**enkoni**: *n. yon moun ki pa koni. 2. Yon valè matematik ki pa kalkile.*

**enkonpetan**: *a. ki pa gen ladrès ki nesesè, enkapab, ki pa kalifye. 2. n. Yon moun ki pa konpetan pou yon pò.*

**enkonplèt**: *a. ki pa antye, ki manke moso, ki pa fini.*

**enkonsekan**: *a. ki pa konsekan, ki pa bay rezilta yo te ap tann nan. Ki pa suiv lojik nòmal la.*

**enkonsolab**: *a. ki soufri san konsolasyon.*

**enkonstitisyonèl**: *a. ki pa fèt dapre konstitisyon.*

**enkonsyan**: *a. 1. San konsyans.* Timoun enkonsyan, toutan yo ap mande fanmi yo pou fè depans initil pou yo. 2. *Ki pèdi konesans.* Madanm nan kouche atè a, li blayi enkonsyan pandan inèdtan.

**enkonvenyan** *(enkonveyan): n. Obstak, difikilte.* Li ap yon enkonvenyan pou mwen fè tout wout sa a.

**enkoutab** *: a. Teti, ki pa fè sa yo di li fè.* Timoun sa a enkoutab, ou mèt di li yon bagay plizyè fwa, se tankou se pa avèk li ou pale.

**enkoutan***: a. Ki pa suiv direksyon, tèti, tèt di.*

**enkredil***: n. / a. Ki pa kapab osnon ki pa vle kwè. Ki pa gen lafwa. Moun ki difisil pou konvenk.* Irèn se yon enkredil, li refize kwè istwa Silòt rakonte a.

**enkredilite***: n. Pa ka kwè, pa vle kwè, doute.*

**enkriminen***: v. Akize, blanmen.* Ou pa menm wè ak de je ou epi ou ap enkriminen Silòt.

**enkwayab***: a. 1. Ki difisil pou aksepte.* Lanmò Marijoze se yon nouvèl enkwayab. 2. *Estraòdinè, enpresyonan.* Janwobè ale nan konpetisyon an, li bay yon rannman enkwayab.

**enkwayan***: n. Moun ki pa vle osnon ki pa ka kwè, ki pa gen lafwa.* Silòt se yon enkwayan, pa pèdi tan ou eseye konvèti l.

**enkyè***: a. Ki gen sousi.* Ou sanble ou enkyè pou Silòt pa pèdi wout li. Ou pa bezwen enkyè, lougawou pap manje ou.

**enkyete**. *v. : Pa anpè, ki pè osnon ki gen sousi.* Pa enkyete tande, tonton ou ap pote kado a pou ou kanmenm.

**enm***: Lèt nan alfabè.*

**ennèvan** *(nèvan) : a. Agasan, ki ennève moun.* Jak renmen diskite twòp, msye ennèvan.

**ennève***: v. Fache, pèdi pasyans.* Pa ennève m, monchè, kite m trankil.

**Ennri** *(Ennery). : Komin nan awondisman Gonayiv depatman Latibonit.*

**enpak***: n. 1. Ki gen fòs, ki afekte, ki enfliyanse. 2. Fòs yon bagay ki frape yon lòt.*

**enpas***: n. Yon ri ki pa gen sòti. 2. Sitiyasyon difisil, ki pa gen solisyon.*

**enpasyan***: a. Ki pa pasyan.*

**enpasyans***: n. Ki pa gen pasyans*

**enpèmeyab***: a. Ki pa kite dlo pase. 2. Rad an plastik moun mete lè gen lapli. 3. Ki pa vle chanje.*

**enperyal***: a. Pran kontwòl lòt payi palafòs. 2. Ki konsène anpi.*

**enperyalis***: Politik konkèt pou mentni kontwol materyèl ak mache lòt peyi ki pi fèb.*

**enpav** *(epav): n. Aryennafè. Ki rete ki pa gen okenn aktivite ki rapòte; wazif.* Ti nonm sa a se yon enpav li ye. Ou pa ta ka chita la a depi maten tankou yon enpav alòske plen travay pou ou fè. 2. *Rès yon bato apre li fin echwe. Rès, kakas.*

**enpè** *: a. Ki pa divizib pa de, ki pa fè pè, ki fini ak yon nimewo ki pa pè.* Chif twa se yon chif enpè.

**enpe**. *adv. : Pa tout. kèlke, dezoutwa.* Enpe moun di se pa konsa istwa a te pase, men genlè pa gen ankenn moun ki konnen vrè istwa a.

**enpi** *( epi): Konj. Apresa.* Mwen al wè madan Chal, enpi, mwen tou retounen lakay.

**enpo lokatif**: *n fr. Taks moun peye sou kay yo posede.* Si ou gen de kay se pou ou peye enpo lokatif sou yo chak.

**enpo***: n. Kontribisyon leta pran sou sitwayen yo. Moun ki pa travay pa peye enpo.*

**enposib***: a. 1. Pa fezab, ki pa reyalizab.* Sa ou mande Silòt fè a enposib. 2. *Ensipòtab.* Ou konnen timoun sa a enposib, li toujou ap kriye tout lajounen.

**enpòtan**. *a. : Ki gen anpil valè.* Lè yon bagay enpòtan , fòk ou pran l oserye. Papye sa yo enpòtan, al sere yo nan amwa a sou kle.

**enpopilè***: a. ki pa gen anpil moun ki dakò.*

**enpòtans***: n. 1. bagay ki enpòtan, ki gen valè. 2. Valè materyèl, sosyal, politik osinon relijye.* Silòt panse direktè a konn enpòtans pwogram nan.

**enpòte***: v. Pote vini nan yon peyi machandiz ki soti nan peyi etranje.* Soulye sa yo enpòte, yo soti jous Kanada.

**enpoze***: v. 1. Kòmande, dikte yon moun kisa pou li fè.* Pinga vin enpoze volonte pa ou nan legliz la. 2. *Anpeche.* Pa vin enpoze m viv.

**enpresyon** *(lenpresyon): n. 1. Efè yon bagay fè sou santiman yon moun.* Jozèt kite yon bon enpresyon nan kè timoun yo. 2. *Anprent, tras, mak yon bagay fè sou yon lòt.* Mak pye li kite enpresyon sou dal la. 3. *Rezilta lè ou enprime kichòy sou papye.* Kalite enpresyon an pa bon, manke kontras.

**enpridan***: a. Ki pa pran prekosyon, ki pa pè anyen, ki pran chans.* Leyon enpridan, li gen yon grip sou li epi li soti anba lapli a.

**enpridans***: n. 1. Aksidan ki rive paske yon moun enpridan.* Kalo ap kouri machin nan vit, se enpridans sa a ki fè li pèdi kontwòl oto a. 2. *Erè, move kalkil.* San Silòt pa reflechi, li al komèt enpridans pwomèt Jaklin yon oto.

**enprime***: v. 1. Mete yon tèks osinon yon desen sou papye. Enprime yon liv.* 2. *Grave.* Eksperyans sa a rete enprime nan memwa Silòt.

**enprimè** : *n. Metye moun ki enprime, ki travay nan enprimri.* Jera se pi gwo enprimè nan vil Okap.

**enprimri**: *n. Atelye kote yo enprime osinon kote yo fè repwodiksyon.* Lontan te gen yon enprimri ki te rele Enprimri Lafalanj.

**enpwovizasyon**: *Aktivite san preparasyon.*

**enpwovize**: *v. Fè yon bagay san preparasyon, toudenkou; sèvi ak zouti ki soulamen.*

**ensansib**: . *Ki pa gen sansiblite. 2. Yon pati ki pa gen sansiblite.*

**ensèk**. *n. : Tibèt ki gen sis pat (3 pè) ki vole. Yo nan klas "insecta", kò yo gen twa pate, tèt, kòf lestomak (toraks) ak abdomèn (vant). Souvan ensèk yo gen zèl youn osinon de pè zèl. Gen ensèk itil tankou myèl, gen ensèk ki pote pwoblèm tankou tik, marengwen, pinèz.* Gèp, pye lou, sigal, mouch, papiyon, demwazèl, pis tout se ensèk.

**ensekirite**: *n. Ki pa pwoteje kont danje; ki pa an sekirite.*

**ensektisid**: *n. Pwodui chimik ki sèvi pou tiye osinon kontwole ensèk nwizib.* Fòk yon moun pran prekosyon lè li ap sèvi ak ensektisid paske pwodui sa yo danjre.

**ensilin**: *n. 1. Òmòn ki fèt nan pankreyas, ki sèvi pou kontwole nivo sik (glikoz) andedan bèt osinon moun.* Se pa tout moun ki fè dyabèt ki pa pwodui ensilin. *2. Yon medikaman moun ki fè dyabèt pran pou kontwole nivo sik nan san yo.* Pami moun ki fè sik yo, gen ladan yo ki oblije pran ensilin nan piki chak jou.

**ensineratè**: *n. Fou pou boule fatra, fou ki cho anpil.* Gen yon ensineratè Dèlma, toupre kay marenn mwen an.

**ensilte**: *v. Joure; trete san respè.*

**ensiste**: *v. Pran yon pozisyon fèm; mande ak ensistans.*

**ensipòtab**: *a. 1. Entolerab, ki pa posib pou moun sipòte.* Gen yon chalè nan Pòtoprens nan mwa Jiyè, li rann lavi a ensipòtab anba lavil la. *2. Agasan, rayisab, dezòd.* Pitit sa a ensipòtab twòp, mwen pap mennen l kay moun avèk mwen.

**ensiswatil**: *ent. Amèn.* Bondye, nou ap mande ou padon pou peche nou fè, ensiswatil.

**ensiyifyan** *(ensinifyan): a. 1. Ki pa gen valè, ki pa gen enpòtans.* Sa ou di m nan se yon pwoblèm ensiyifyan nou ka rezoud pou ou lamenm. *2. Bànal, piti, kreten.* Ti nonm nan tou ensiyifyan epi li parèt sou Silòt ak yon awogans.

**enskri**: *v. 1. Anwole, mete sou lis.* Annou al enskri nan kou kuizin nan. *2. Anrejistre.* Silòt sot enskri non li kòm volontè.

**enskripsyon**: *n. 1. Anrejistreman, mete moun sou lis. Dat enskripsyon an se lendi pwochen. 2. Pankat.* Msye gen yon enskripsyon sou wout Lali a.

**ensolan**: *a. Frekan, ki pa respekte lòt.* Jan ou ensolan, ou resi jwenn ak pa ou.

**ensolans**: *n. 1. Frekansite.* Sa se yon ensolans sa pou yon moun konprann li ap vin di mwen kijan pou mwen jere lakay mwen. *2. Afwon, mankdega.* Pitit sa a sitan maledve, li andwa fè ensolans avèk ou lè lide l di l.

**enspeksyon**: *n. Verifikasyon.* Jodi a se jou enspeksyon, pa kite anyen ap trennen la a.

**enspekte**: *v. Verifye, egzamine.* Silòt enspekte tout kay la, li pa jwenn ankenn pwoblèm nan fondasyon li.

**enspektè**: *n. Moun ki gen responsablite pou egzamine osinon enspekte.* Enspektè a di se pou nou repare twati kay la tousuit.

**ensten**: *tandans natirèl pou aji yon jan patikilye; repons otomatik.*

**enstalasyon**: *n. 1. Seremoni ofisyèl kote yo asiyen yon moun yon gwo pozisyon.* Silòt te ale nan enstalasyon minis la. *2. Ranjman, òganizasyon.* Lè mwen te fin bwote, se Andre ki te vin fè enstalasyon estereyo mwen an pou mwen. *3. Espas biznis byen plase, byen ranje.* Ou gen yon bèl enstalasyon la a, dapre mwen, fòk komès ou mache.

**enstale**: *v. 1. Mete yon moun ofisyèlman nan yon pozisyon.* Silòt pat la lè yo tap enstale direktè sa a. *2. Ranje ekipman pou yo ka fonksyone nòmalman.* Kilè ou ap enstale opalè yo? *3. Etabli apre ou fin demenaje.* Mwen poko prèt ap fin enstale m paske mwen pa gen tan..

**enstitisyon**: *n. Òganizasyon, sosyete piblik tankou lekòl, legliz, labank, prizon eltr.*

**enstitisyonel**: *a. Ki konsène enstitisyon.*

**enstriktè**: *n. Moun ki la pou bay enstriksyon; pwofesè; antrenè.*

**enstriksyon**: *n. 1. Fòmasyon moun pran lekòl.* Si ou te gen enstriksyon, ou pa tap pale konsa. *2.Eksplikasyon, etap pou moun suiv pou yo fè yon bagay.* Si ou gade nan enstriksyon an, ou ap wè kijan li fasil pou ou monte mèb sa a. *3. Edikasyon, elevasyon, konesans.* Jozèf se yon nonm ki gen enstriksyon.

**enstriman**. *n. : Zouti ki ede ou fè yon bagay, tankou nan mizik.* Plim se enstriman pou moun ekri. Fouchèt se enstriman pou manje.

**enstwi** *(enstwi): v. 1. Edike, ki gen anpil konesans, ki fè anpil klas.* Edwa se yon nonm enstwi, li gen doktora nan fizik. 2.

*Anseye, montre.* Nan lekòl sa a, yo enstwi timoun yo byen. *3. Ki gen fòmasyon nan yon metye osnon pwofesyon.* Kalin gen eksperyans nan fè kòmès, li pa nenpòtki, se yon fi enstwi li ye.

**entansyon**: *n. 1. Lide, pwojè, sa moun gen nan tèt yo pou yo ta fè.* Entansyon Silòt se voye timoun yo lekòl kay mè. *2. Detèminasyon.* Se entansyon mwen pou mwen reyisi kanmenm.

**entatad**: *a. Gaga, ki pèdi koòdinasyon ki pèdi lakap, egare.* Papa m te fin entatad anvan li mouri.

**entèdepandans**: *n. Ki konte youn sou lòt.* Gen yon gwo entèdepandans ant madanm ak mouche.

**entèg**: *a. Onèt, ki merite konfyans.*

**entèjeksyon**: *n. Yon son ki sòti pou make sezisman.* Wouch! mwen blese.

**entèl**. *n. : Tèl moun, san site non; yon moun.* Se entèl entèl menm ki ban mwen nouvèl la nan bon timamit.

**entèlektyèl** *(entelèktyèl): n. 1. Moun ki sèvi ak sèvo l pou etidye pwoblèm. 2. Moun ki gen anpil fòmasyon teyorik men ki manke eksperyans reyèl.* Jano se yon entelektyèl, li reflechi anpil sou sijè sa a men li pa janm gen opòtinite pou li viv li nan reyalite. Mwen rayi fè bann diskisyon entelektyèl sa yo, yo pa mennen m ankenn kote.

**entelijan**: *1. a. Moun eveye, ki panse epi ki konprann vit.* Timoun ki toujou premye nan klas yo gen tandans pou yo entelijan. *2. Moun ki ka sèvi ak sèvo l pou twonpe lòt moun san difikilte.* Fè atansyon ak Elifèt, se yon nonm ki entelijan, mwen pale ou.

**entelijans**: *n. 1. Kapasite pou panse epi konprann vit.* Mwen konn yon ti Ayisyen ki gen yon entelijans sou li, misye ap vin yon gran sitwayen demen. *2. Aktivite mantal.* Se pou fè entelijans ou travay.

**entèn**: *a. Ki rete menm kote li al lekòl osinon travay.* Silòt se entèn kay Mè Lwiz. *2. n. Etap nan fòmasyon doktè.* Entèn nan lopital jeneral.

**entène**: *a. Ki dwe rete anndan yon enstitisyon, nan yon lopital, osinon nan prizon pou yon rezon.* Kalo entène Lopital Jeneral depi mwa pase.

**entènèt**: *Rezo konpyoutè ki ka konekte/kominike youn ak lòt.*

**enterè**: *n. 1. Diplis yon moun fè (osinon peye) sou kòb li prete yon moun osinon li envesti. An jeneral enterè prezante tankou yon pousantaj. Gen enterè senp, gen enterè konpoze. Nan enterè senp, enterè a kalkile dapre kantite lajan prensipal la. Nan enterè konpoze, enterè a kalkile dapre dapre prensipal la plis tout lòt enterè yo te deja mete sou prensipal la..* Mwen pa mete anpil enterè sou lajan mwen prete ou a paske ou se moun mwen. *2. Motivasyon, atansyon yon moun mete pou fè yon bagay; atansyon favorab.* Mwen pa gen ankenn enterè pou mwen ta fè ou lapenn. *3. Avantaj, benefis.*

**enteresan**. *a. : 1. Ki gen yon atirans, yon cham ki atiran.* Lè yon bagay enteresan, ou pi anvi pase tan ladan l, ou pa menm wè lè tan an pase menm. *2. Ki ap fè enpòtan.*

**enterese**: *v. 1. Pote atansyon.* Mwen enterese aprann desen. *2. Motive, gen anvi.* Mwen enterese achte yon grandou.

**entèseksyon** : *n. 1. Kafou, kote de wout osnon de liy kontre.* Kay mwen an nan entèseksyon ant ri Pòlsis ak ri Disant.

**entesten** : *n. Pati nan kò moun osinon bèt kote manje dijere. Entesten konekte ak lestomak.*

**entestinal**: *ki konsène entesten (trip); ki afekte trip.*

**entèval**: *n. Distans ant de pwen, de pozisyon osinon de peryòd tan.* Se nan entèval ant lendi ak mèkredi evenman an pase.

**entèvni**: *v. Antre annaksyon, pran lapawòl.*

**entèwogatwa**: *n. Etap nan lajistis kote yo poze yon moun kesyon epi dokimante sa li di pou prepare yon dosye.*

**entim** : *1. a. Anndan, pwofon.* Mwen gen santiman entim pou nèg sa a. *2. n. Relasyon kote emosyon enplike, konfidan.* Lora se zanmi entim Woje. *3. Prive, sekrè, pèsonnèl.* Mwen pa bezwen konnen koze entim moun.

**entrig**: *n. pati nan pyès teyat osinon nan yon woman ki reveye kiryozite. 2. Preparasyon pou fè yon move kou; konplo.*

**envansyon**. *n. : Dekouvèt, mete sou pye yon bagay ki pat egziste anvan.* Telefòn se yon bèl envansyon.

**envante**: *v. 1. Dekouvri, rann posib, kreye, imajine.* Moun ki envante telefòn nan rann limanite yon gwo sèvis. *2. Bay manti.* Pa vin envante ankenn manti la a.

**envazyon**: *n. 1. Antre palafòs, anvayi palafòs ak zam.* Ayiti pran de envazyon nan men Ameriken. *2. Depase limit, fouye zo nan kalalou.* Pou jan Loreta antre nan koze mwen an la a, ou ka di li fè yon envazyon nan vi prive mwen.

**envès**: *a. Direksyon kontrè, sans kontrè, sans opoze.* Lontan mwen te konn okipe pitit mwen yo, kounye a se yo ki ap okipe m, lavi a vire nan sans envès.

**envesti**: *v. 1. Mete lajan nan yon biznis ak espwa li ap rapòte.* Mwen te envesti dimil dola nan pwojè devlopman sou wout Bèlè a. 2. *Konte sou yon moun, mete konfyans ou sou li.* Nou tout te envesti nan Nikòl, men li fè nou wont.

**envestige**: *v. 1. Fè ankèt, chèche konnen.* Leta te envestige sou krim sa a men yo pa janm jwenn kilès ki fè l. 2. *Dokimante, ranmase enfòmasyon pou abouti jwenn rezilta syantifik.* Gen plizyè syantis ki ap envestige maladi Sida a.

**envestisè**: *n. Moun ki fè yon envestisman.*

**envestisman**: *n. Mete lajan nan yon pwojè osinon yon komès avèk espwa li pral rapòte. 2. yon kantite lajan ki nan yon komès.*

**envètebre**: *n. Gwoup bèt san zo, ki pa gen vètèb, ki pa gen zo rèl do. Bèt ki pa gen vètèb yo rele envètebre.*

**envitasyon**. *n. : Òf yon moun fè yon lòt pou ale yon kote osnon patisipe nan yon bagay.* Mwen pap kapab ale nan envitasyon an paske mwen ap okipe jou sa a.

**envite**. *v. : Ofri yon moun vin patisipe nan yon bagay.* Mwen envite ou vin manje lakay mwen demen pou fèt mwen.

**envizib**. *a. : Sa moun paka wè ak je l.* Bondye envizib men gen moun ki di yo santi l nan kè yo menm si yo pa kapab wè l ak je yo.

**envoke**: *v. Rele Bondye, lèsen pou mande gras, èd, enspirasyon, sipò. 2. Sèvi ak yon lwa nan yon agiman nan tribinal.*

**epapiye**: *v. Gaye, simaye toupatou.* Timoun yo kite jwèt yo epapiye nan lakou a.

**epav** *(enpav): n. Moun ki souvan pa gen anyen pou l fè, ki ap drive.* Mwen pa epav, ou pa ta ka konprann ou pral voye mwen fè komisyon pou ou toutan. 2. *Bato abandone.*

**epay**: *n. Ekonomi, lajan ki sere.* Si mwen te gen epay Lolita genyen, alèkonsa mwen alèz.

**epè**: *a. Ki gwo nan epesè, ki pa mens.* Mi sa a epè, li sanble li solid.

**epe**. *n. : Zam long an metal sanble ak yon gwo lanm pwenti ki gen fòm manchèt.* Gen moun ki te kon goumen ak epe lontan men mwen pa tande yo fè sa alèkile.

**epesè**: *n. Mezi ki defini gwosè.* Epesè mi an se douz pous.

**èpetoloji**: *n. Syans ki etidye reptil.*

**epi**. *: E, apre.* Manmzèl fin di sa epi msye tou fonse sou li.

**epidèm**: *n. 1. Kouch selil po ki an kontak ak anviwonman kote bèt osinon moun nan ap viv. 2. Nan plant se kouch selil ki solid ki kouvri toutotou grenn osinon semans osinon fèy plant lan.*

**epidemi**: *n. Deteksyon anpil ka yon maladi atrapan nan yon tan kout nan yon peyi osinon nan yon kominote espesifik.* Yo di mwen gen yon epidemi grip nan zòn Leyogàn. *Gen epidemi, se lè gen yon maladi ki atake anpil moun an menm tan epi nan menm zòn nan.*

**epiglòt**: *n. Yon pati nan kò, dèyè lang nan ki kouvri trache a lè n ap vale.*

**epina** *(zepina): n. Fèy vèt plen fòtifyan moun manje.* Pa gen jadinay san epina.

**epis** *(zepis): n. Plant ki gen bon gou ak bon sant ki sèvi pou leve gou manje.* Pami tout epis mwen konnen yo se lay mwen pi pito.

**epis dous:** *n fr. Plant ki gen bon gou ak bon sant ki sèvi pou leve gou manje sikre osnon desè.* Kannèl ak lannis se de epis dous mwen renmen.

**epis te:** *n fr. Plant ki gen gou fò ki sèvi pou fè te.* Kànèl ak ànetwale se de epis te.

**epitou** *(epi): kon. Ak, Konjonksyon koòdinasyon ki sèvi pou mare ansanm de pati nan yon fraz.* Gen de moun mwen boule byen avèk yo, se Lolita epitou Alis.

**eple**. *v. : Chak lèt nan yon mo.* Mwen pa fò nan eple mo mwen menm, mwen pi fò nan gramè.

**epòk**. *n. : Tan, peryòd tan ki pase.* Te gen yon epòk, pitimi te fè dis kòb mamit la. Kounye a, li koute twa goud, ou wè jan lavi vin chè?

**eponj**: *n. 1. Materyo mou, leje, ki soti nan yon bèt lanmè, li gen anpil twou ladan l.* Lè ou manyen eponj, ou wè li mou toutbon. 2. *Materyo mou an plastik epitou lejè ki fèt nan manifakti.* Eponj ki fèt nan manifakti a mou menm jan ak eponj natirèl la.

**èpòt**. *n. : Ayewopò, kote espesyal pou avyon ateri epi dekole.* Gen moun ki konn al flannen nan èpòt la chak jou paske yo renmen al gade avyon ki ap vole.

**eprèv**: *n. 1. Soufrans, malè, danje ki pote tristès.* Madan Chal pèdi twa moun nan fanmi li nan de mwa, sa se yon gwo eprèv pou li. 2. *Tès, egzamen ki difisil.* Bakaloreya se yon eprèv anpil etidyan pa rive pase.

**Èr-pwen-èr** *(r.r): revoke ranplase.*

**Era, Chal Ene Rivyè** *(Herard, Charles Ainé Rivière). np. : 1787-1850. Yon senp sòlda ki te mete prezidan Bwaye atè 27 Janvye 1843. Li te vin prezidan 30 Desanm 1843 men msye te gen difikilte pou l te chanje estil militè an pou l te suiv règ sivil. Msye te kite peyi a 2 Jen 1844, li te al annegzil nan peyi Jamayik.*

**erè** *(lerè): n. 1. Fòt.* Ou fè erè nan dikte a. 2. *Konfizyon, malantandi ki fè yon moun pran* *sa ki pa sa pou reyalite.* Olye mwen vire adwat, mwen fè erè, mwen vire agòch.

**eredite**: *n. 1. Karaktè jenetik ki transmèt sot nan paran ale nan pitit. Transmisyon karaktè soti nan paran ale nan timoun. 2. Pati nan lasyans biyolojik ki etidye mòd, metòd ak rezilta transmisyon jèn soti nan paran ale nan pitit. 3. Tandans ki gen kay timoun pou yo sanble ak paran, ak fanmi osinon ak zansèt. Parante,* **resanblans**. Se eredite ki fè ou gen menm nen ak papa ou.

**erezman**: *adv. Yon jan ki favorab, yon jan ki byen.* Erezman mwen te kontre avèk ou.

**eritaj**: *1. n. Byen yon moun mouri kite pou yon lòt.* Papa Linda te mouri kite eritaj pou li, se sa ki fè li ap viv alèz kounye a. *2. Rezilta ak karaktè zansèt kite pou yon popilasyon.* Youn nan eritaj nasyonal nou yo se Sitadèl Kristòf la.

**eritye**: *n. Moun ki elijib pou resevwa byen yon lòt moun.* Pitit madan Sànon yo eritye tout byen grann yo te mouri kite.

**ès-ès**: *a. Dwat, san vire gad dèyè, sou zòd.* Michlin fè Andre mache ès-ès.

**esans**: *n. 1. Ekstrè, odè natirèl konsantre ki soti nan yon plant osinon nan yon bèt.* Ou ka ekstrè esans sitwon nan po sitwon. *2. Nannan, pati santral, sa ki pi enpòtan.* Nou ka di sa ki esans mesaj jodi a, se lanmou pou pwochen. *3. Gaz swa pou fè limyè osnon pou ou kondi oto.* Esans yo vann pou mete nan machin dizèl yo pa menm ak esans lòt oto yo.

**esansyèl**: *a. Endispansab, nesesè.* Pa pèdi tan ou nan detay, di esansyèl la ou fini.

**eseye**. *v. : Fè tès, teste. Bay yon chans.* Mwen te eseye fè l konprann li pa kapab betize ak sante l konsa men msye refize konprann.

**eskalye**. *n. : Mach ki mennen anwo osnon anba, soti nan yon etaj al nan yon lòt.* Lè mwen te timoun mwen te renmen monte desann mach eskalye; kounyeya mwen pa kapab fè sa ankò, mwen bouke fasil.

**eskandal**. *n. : Lòbèy, kont ki mennen pale fò.* Kouman fè ou renmen fè bri konsa a, ou renmen eskandal papa.

**eskandalè, eskandalèz**. *a. : Moun ki renmen fè eskandal, ki pale fò.* Mariya se yon eskandalèz, si ou te wè gwosè lòbèy li fè lotrejou. Jan pa eskandalè limenm.

**eskanp**. *n. : Liy dwat ki fèt nan mitan pantalon an lè li byen pase.* Pantalon sa a pa gen eskanp, genlè ou pa konn pase byen.

**eskanpe**. *a. : Byen pase.* Si pantalon an pa byen eskanpe, se tankou li pa pase.

**eskapilè**: *n. Imaj ki enprime sou twal ki pandye sou pwatrin timoun katolik yo lè yo pral fè premyè kominyon.* Mwen pèdi eskapilè mwen an menm jou kominyon mwen an.

**eskelèt**: *n. 1. Koleksyon tout zo anndan yon moun osinon anndan yon bèt.* Gen yon eskèlèt nan klas mwen an. *2. Lamègzo. Moun ki sitan mèg, li sanble ak yon eskèlèt.*

**eskive**. *v. : Evite.* Mwen eskive motosiklèt la sinon mwen ta pral frape msye epi mwen tap antò.

**eskiz**: *1. Rezon moun bay pou defann tèt li lè gen yon akizasyon.* Ki eskiz ou genyen ki fè ou pa te al lekòl jodi a? *2. Pawòl yon moun di pou mande padon pou yon bagay li pat dwe fè.* Mwen vin prezante eskiz pou maledve timoun yo fè nan fèt la. *3. Pretèks, fasad moun pran pou fè yon bagay li pat dwe fè.* Yo revoke l paske pa gen lajan, agiman enkonpetans yo ba li a se yon eskiz.

**esklav**. *n. : Ki pa andwa deside pou tèt li menm si li granmoun. Moun ki pa lib, moun yo fòse travay san yo pa touche. Esklav yo te reprezante 90 pousan popilasyon Ayiti anvan revolisyon Sendomeng la, apeprè demi milyon moun. Yo te anrebelyon kont blan eksplwatè yo epi yo te pran endepandans yo finalman. Esklav yo pat janm byen trete. Blan yo te trete yo ak mechanste epi yo te abize yo, fè yo fè travay fòse. Yo te konn koupe zòrèy yo, koupe lang yo osnon kloure yo nan mi pou nenpòt ki ti bagay yo fè. Lè esklav yo vin revòlte, yo te touye epi ravaje kolon blan yo tou.*

**esklavay**: *n. 1. Kondisyon travay enjis, ki pa peye.* Nan tan kolonyal, te gen esklavay nan peyi Ayiti. *2. Esplwatasyon san konsyans.* Nan peyi Ayiti, gen moun jouskounye a ki ap travay nan kondisyon di anpil ki raple esklavay.

**esklewoz anplak** : *nfr. Yon maladi sistèm nève santral.*

**eskolè**: *a. Ki gen avwa ak lekòl.* Ane eskolè a kòmanse nan mwa septanm.

**eskonbrit**: *n. 1. Diskisyon, pale anpil, san rete.* Depi maten mesye yo ap pale anpil, li lè pou yo ta fini ak eskonbrit sa a. *2. Joure, eskandal, diskisyon ki atire moun.* Moun yo fè yon sèl eskonbrit la a, lapolis oblije debake.

**eskòpyon**: *n. 1. Bèt san zo anndan ki gen segman ak karapas. Yo gen de pens ak yon ke long. An jeneral eskòpyon gen yon pwazon li enjekte lè li pike yon bèt osinon yon moun.* Mwen pè pou yon eskòpyon pa pike m. *2. Siy owoskòp.* Mwen te gen yon zanmi ki te fèt sou siy eskòpyon.

**eskout**: *n. Mouvman, ògànizasyon fratènèl pou jèn ti gason.* Timesye ki te eskout yo konnen anpil chante.

**eskresyon**: *n. Eliminasyon dechè, metòd ògànis vivan pou elimine dechè ki nan ko yo. 2. Deplasman yon pwodui soti kote li te fèt pou ale yon lòt kote.*

**eskwad**: *n. 1. Yon gwoup militè ki gen yon kaporal alatèt li.* Gen yon eskwad ki pral pase devanpòt mwen an. *2. Gwoup moun.* Mwen pa fè patide ankenn eskwad nan katye a.

**eskwotòm**: *n. nan mamifè se yon sak ki vlope testikil ak tib ki asosye ak testikil yo*

**esnèm** *(SNEM): Sèvis Nasyonal Eradikasyon Malarya). Sèvis gouvènnman pou kontwole maladi malarya nan peyi a.*

**esnep** *(SNEP): Sèvis nasyonal dlo potab. Enstitisyon gouvènman ki pwomèt dlo potab toupatou nan peyi a.*

**espante**: *v. Sezi, sote, pè, terifye.*

**espayòl**: *1. a. Ki gen relasyon ak Espay. 2. n. Lang yo pale nan plizyè peyi Amerik Disid ak nan peyi Espay.*

**Espay**: *Peyi nan kontinan Ewòp. Li gen 39 milyon moun ki ap viv sou 500 mil kilomèt kare. Kapital li se Madrid.*

**espas**. *n. : Plas. Yon kote moun kapab sèvi pou mete kichòy.* Malèt sa a twò gwo, li pran twòp espas, li pran tout plas la.

**Espayòl** *( Panyòl): n. 1. Lang yo pale nan peyi Espay ak nan plizyè peyi nan kontinan Amerik (Santral epitou Disid).* Gen moun ki di Espayòl se lang moun ki damou. *2. n. Moun ki fèt nan peyi Espay.*

**espedisyon** *(ekspedisyon): 1. n. Vwayaj, deplasman an gwoup.* Mwen pap ale nan premye espedisyon an, mwen prale nan pwochen an. *2. Move sò yo voye sou yon moun osinon yon bèt.*

**espedye**: *v. 1. Voye yon komisyon.* Mwen poko espedye ou machandiz la. *2. Fè yon espedisyon.* Si ou kite madan Simon voye yon espedisyon dèyè ou, ou ap giyonnen pou lavidiran.

**espekilatè**: *n. Komèsan ki achte danre bon mache epi tann lè pri monte pou li revann.*

**espekilòm** : *n. Aparèy ki sèvi pou louvri andedan vajen pou konsiltasyon medikal.*

**espektak**: *Reprezantasyon teyat, sinema osinon televizyon.*

**espektatè**: *Moun ki ap asiste yon espektak.*

**espèm** : *n. Semans gason.*

**esperans**: *n Espwa, atant, santiman konfyans ki fè moun panse rèv yo osinon dezi yo kapab reyalize.* Mwen gen esperans yon jou lavi a va miyò.

**espere**. *v. : Atann.* Mwen espere na wè pita. Ou fè tankou ou pat espere gen bèl machin sa a.

**esperimante**: *v. 1. Fè esperyans, teste.* Gen yon sant Ozetazini ki esperimante vaksen pou plizyè maladi. *2. Viv, santi andedan ou.* Mwen esperimante anpil soufrans anvan afè m te vin miyò.

**esperyans**: *n. 1. Tès sou yon bagay osinon sou yon bèt pou obsève, note, demontre epi ana-lize rezilta yo nan kondisyon ki byen kontwole. 2. Evennman ki rive nan lavi yon moun ki enfliyanse santiman li.*

**espès**: *n 1. Karaktè ki pèmèt fè diferans ant divès kalite bèt (osinon plant). Yon varyete, yon kalite yon klas ou ka distenge, ou ka idantifye pa rapò ak tout lòt ki sanble avèk lil. An jeneral yon popilasyon natirèl ki gen anpil bagay an komen epi ki kapab repwodui youn ak lòt. 2. Espesimenn. Tip, kalite.* Ki espès moun sa a ki ap di tenten konsa a? *3. Varyete.* Fèy sa a, rele menm jan ak lòt la, men se yon lòt espès.

**espesifik**: *a. ki espesifye, ki limite sèlman pou yon aplikasyon. Yon bagay ki la sèlman pou yon itilite. Ki presize.*

**espesyal**. *a. : Ki pa tankou lòt.* Pa gen ankenn moun ki espesyal isi a, tout moun gen pou resevwa menm bagay.

**espesyalman**: *adv. An patikilye, sitou.* Mwen ap pale la a, espesyalman pou ou.

**espiral**: *n. Elis, Ki gen fòm sèk epi ki ap ogmante (osinon diminye) nan chak sik.). 2. Resò ki gen chak sèk yo ak yon dyamèt diferan.*

**espirityalite**: *n. Kwayans ak pratik ki gen valè espirityèl ak moral.*

**esplike** : *v. 1. Devlope, bay detay.* Pwofesè a esplike devwa a byen. *2. Montre, endike.* Esplike m kijan pou mwen ale kay Jera. *3. Pwouve, bay detay sou yon lide pou klarifye yon pwen.* Mwen ap esplike ou poukisa mwen pa dakò avèk ou.

**espò**: *n. 1. Aktivite fizik lib osinon metodik. Mwen ale fè espò chak jou.*

**espò**: *n. Nan domèn biyoloji, se eleman (nan plant osinon bakteri) ki gen yon sèl selil ki pwopaje nan lè epi ki ka jème pou devlope yon nouvo ògànis. Nan plant, polèn se espò mal. 2. Yon mas ti grenn tou piti piti ki sot nan plant epi ki dispèse nan lespas.*

**espòtmann**: *n. Moun ki pratike espò.*

**espre**: *adv. Avèk entansyon.* Ou fè espre ou pa rele mwen.

**esprès**: *n. Monte osinon desann yon machin pandan li ap kouri.* Gen moun machin konn frape nan afè fè esprès sa a.

**espresyon**: *n. 1. Fraz, senbòl, metafò.* Mwen renmen lè ou itilize espresyon sa a. *2. Fòmil matematik pou make valè yon sistèm. Gen nan espresyon sa yo ki konn konplike. 3. Imaj, mesaj ou ka li sou figi yon moun.* Lè mwen gade espresyon figi madan Jan, mwen konnen li ta pral dekonpoze. *Pòz nan yon foto.* Mwen renmen espresyon kote ou ap ri a.

**espri**: *n. Nanm, fòs sinatirèl, lespri zansèt, souf Bondye. Fòs ki nan kò moun ki kontinye viv apre moun nan mouri. Anj, demon, diab, revenan, zonbi. 2. Panse, konsyans. 3. Karaktè. 4. Prensip entelektyèl, valè entelektyèl. Esans panse yon ekriven.*

**espwa**. *n. : Atant.* Si mwen pat gen espwa alè konsa mwen ta fèk kare chita lakay mwen, gad kijan mwen jwenn yon gwo dyòb kounye a. *n. Swete epi atann yon bagay plal rive.* Espwa fè viv.

**espyon**: *n. Yon moun ki la pou veye mouvman yon lòt epi pou li al fè rapò.*

**espyonaj**: *n. Operasyon pou espyone.*

**espyone**: *v. Siveye aksyon ak pawòl yon moun pou al rapòte bay lenmi li.*

**estab**: *a. Ki pap chanje rapidman, pèmanan, ekilibre, dirab, solid.*

**estabilize**: *v. Fè yon bagay (osinon yon sitiyasyon) vin estab.*

**estad**: *n. 1. Teren espesyal klotire pou fè espò.* Mwen konnen ale nan estad Silvyo Katò Pòtoprens. *2. Faz, peryòd nan devlopman moun osinon nan devlopman yon maladi.* Maladi a te gen tan nan yon estad avanse.

**estaf**: *n. Gwoup moun ki la pou asiste yon direktè (osinon yon lidè) nan travay li. 2. Gwoup travayè, gwoup anplwaye.*

**estanda**: *n. Règleman ki deside davanski sèvi pou mezire, evalye, konpare, jije travay ki pral fèt apre nan domèn sa a.*

**estannbay**. *: Poste. Tann san prese pou veye yon bagay.* Pa vin estannbay la a non, mwen okipe la a.

**estann**: *n. Anplasman yo prepare pou yon ekspozisyon tanporè. Anplasman pou moun kanpe pou gade match, pwosesyon, kanaval.*

**estasyon gazolin**: *n fr. Kote ki ògànize pou vann gazolin.* Mwen renmen ale nan estasyon gazolin kote yo tou mete gaz la pou ou.

**estasyon**. *n. : 1. Pòs radyo osnon televizyon.* Pa bliye pran nouvèl nan estasyon Radyo Ayiti a tande, kou li nevè yo pral kòmanse bay nouvèl. *2. Kote ou al pran kamyon osnon otobis. Kote espesyal pou tout kamyon rete.* Estasyon kamyon Jakmèl. *3. Kote pou yon pwosesyon kanpe.* Nan twazyèm estasyon chemenn kwa.

**estasyone**: *Kanpe tanporèman.* Estasyone machin nan. Jezi rive nan twazyèm estasyon.

**estat**: *v. Kòmanse, derape fè yon motè pati.* Mwen poko estat machin nan.

**estatè**: *n. Pati elektrik nan machin ki fè motè a pati.* Jan oto a pati a, estatè a pa anfòm.

**estati**. *n. : 1. Pòtre an twa dimansyon ki fèt ak bwonz, plakdepari, bwa osnon mab.* Sou Channmas la gen yon estati Desalin. *2. Moun ki pa bouje, gaga.* Kouman ou kanpe tankou yon estati konsa a, mache non.

**estatik**: *1. a. Ki fikse, ki pa chanje. 2. Branch nan fizik ki etidye relasyon ant fòs ki nan yon sistèm.*

**estatistik**: *n. 1. Branch matematik ki etidye metodikman yon pati nan yon popilasyon epi ki sèvi ak enfòmasyon yo pou konprann rès popilasyon an.*

**estèling**. *n. : Lajan peyi Angletè.* Rad sa a mwen achte l pou 69 estèling.

**estènen**. *v. : Reflèks kontraksyon epi yon ak ekpilsyon ki soti nan gòj ak nan nen yon moun pou debloke nen l, lè gen yon eksitasyon / estimilasyon nan nen l.* Depi mwen estènen anpil, mwen pral gripe.

**estèminen**: *v. Detwi, masakre, tiye, siprime tout yon gwoup bèt, plant osinon moun.*

**estènye**: *tyeke estènen.*

**esterilizasyon**: *n. Rezilta lè yo esterilize yon bagay osinon yon bèt. Metòd pou anpeche yon bèt repwodui osinon pou anpeche mikwòb devlope yon kote.*

**esterilize**: *v. 1. Fè yon bèt osinon plant vin pa kapab repwodui. 2. Elimine tout mikwò sou yon bagay. Ou ka esterilize ak gwo chalè (chofe, bouyi) osinon ou ka esterilize yon bagay ak pwodui chimik ki touye tout mikwòb.*

**estetoskòp** *(sonn)*: *n. Enstriman doktè sèvi pou tande batman kè, ral poumon ak lòt son nan kòf lestomak. Se yon syantis ki rele Laennec ki te envante li.*

**estènoum** : *n. Zo plat, long ki sou devan nan kòf lestomak la.* Gen moun ki rele estènoum zo biskèt.

**estilè**: *1. Pwaya ki gen lam mens epi pwenti. 2. Zouti doktè pou fè operasyon. 3. pwent plim pou desinatè. 4. Pati nan bouch marengwen ki pwenti ki sèvi pou pèse po epi pou souse san.*

**estimasyon** : *n. Kalkil pou jwenn valè apeprè pou yon bagay.* Ki estimasyon ou ka ban mwen pou travay sa a?

**estime**: *v. 1. Kalkile valè pou bay yon machandiz osinon yon travay.* Mwen estime travay sa a ap koute san dola. *2. Evalye.* Mwen estime ou te dwe rete lakay ou alè sa a.

**Estime, Dimasè** *(Estimé, Dumarsais). np.: 1900-1953 Prezidan ki te enstale an 1946. Msye te gen bonsans reyalize majorite Ayisyen pa t patisipe nan politik peyi a paske yo pat al lekòl epitou akoz diskriminasyon yon ti gwoup moun te peze sou yo. Estime te pwomèt pou sa chanje. Se sou gouvènman l Latibonit devlope. An 1950, msye te vle vin reeli men lame te ba l panzou, voye l annegzil.*

**estimilis**: *n. Yon renmèd osinon yon aksyon ki lakòz aktivite yon ògànis vivan (osinon yon ògàn) chanje vit.*

**estipid**. *a. : Ridikil, ransè ki ap di osnon fè tenten.* Ase fè estipid non, ou wè se bagay serye ki ap regle la a.

**estòk**: *n. machandiz an rezèv. Machandiz.*

**estoma**: *n. 1. Nan botanik, se ti twou tou piti ki genyen nan epidèm fèy plant ki pèmèt echanj gaz fèt pou plant la ka respire. 2. Nan zowoloji se ti twou tankou bouch ki gen sou kò envètebre ki pèmèt yo antre manje anndan kò yo.*

**estonmake** *(estomake): a. Fache, choke.* Ou pa bezwen estonmake, sa mwen di a se vre.

**estwojèn**: *n. Òmon femèl ki fèt nan ovè a epi ki lakòz diferan karaktè devlope lakay yon femèl.*

**estwok** *: n. Konjesyon nan sèvo, emoraji nan sèvo.*

**estrateji**: *n. Ladrès pou jere, planifye. 2. Planifikasyon pou deside kijan yon bagay pral fèt, kisa moun ap bezwen pou fè li, anvan moun kòmanse met men.*

**estwopye**: *n. 1. Yon moun ki pèdi fonksyon yon manm, paske li malad osinon paske li koupe.* Chal te yon estwopye depi li piti.

**estyèm**: *onom. Son pou imite lè moun estène.*

**eta**. *n. : Kondisyon, sitiyasyon.* Gad nan ki eta ou ye, li lè pou ou al benyen.

**etabli** *(tabli): n. 1. Yon tab nan yon atelye ki sèvi pou fè aktivite atelye a.* Pa apiye sou etabli a tande. *2. Enstale.* Depi kilè ou etabli ou Pòtoprens?

**etadedwa**: *Doktrin politik ki mande pou tout aksyon yon gouvènman pou jere sosyete a fèt dapre lwa ki ekziste.*

**etajè**. *n. : espas ki òganize youn sou lòt pou pèmèt moun ranje bagay.* Nan boutik kay madan Lesko a gen yon etajè ki gen kola sèlman epi gen yon lòt etajè kote ki gen dousmakòs.

**etale**: *v. 1. Ekspoze yon bagay osinon yon machandiz.* Mwen etale tout machandiz ki rete yo *2. Layite, pran espas.* Ou pa kapab vin etale ou la a tankou plas la se pou ou sèl.

**etamin** *(estamenn): n. Ògàn repwodiksyon mal nan flè ki pote polèn. Li gen yon ti filaman (filè) ak yon sak polèn (antè) ki sou tèt filè a.*

**Etan Somat** *(Etang Saumatre) : Pi gwo lak Annayiti, apeprè 70 mil kare konsa. Li tou pre Dominikani; gen anpil bèl bèt sovaj nan dlo sa a.*

**etandòt**: *konj. Elatriye, ak lòt ankò.* Mwen panse Kalo se yon nonm ki mechan, visye, vòlè, etandòt.

**etandi**: *n. Laj, vas, ki pran anpil plas, deplwaye.*

**etandone**: *adv. admeton, asipoze.*

**etanp**: *n. Zouti pou enprime sou po bèt, pou make yo. 2. So.*

**etanpe**: *v. Mete etap sou yon bèt. Poze so.*

**etap**: *n. 1. Peryòd.* Ou nan etap pou ou gade lavi a anfas. *2. Peryòd tan nan devlopman yo moun, yon bèt.* Adolesans se yon etap rapid.

**etatize**: *v. Transfòme yon antrepriz pou leta vin kontwole l epi dirije l. Kontrè etatize se privatize.*

**Etazini**. *(Etats-Unis) : Peyi ki nan nò kontinan amerik la, sou kote sid peyi Kanada. Li divize an 50 eta osnon depatman. Se yon peyi kote yo pale angle. Se youn nan gwo peyi nan lemond, li parèt gen anpil opòtinite pou travay epitou pou siviv. Se yon peyi ki gen anpil kontradiksyon tou, gen anpil moun rich men gen anpil moun pòv la tou. Se yon peyi kapitalis, ki ankouraje egalite pou tout moun men li kite tout moun lib fè kòmès osnon tout lòt bagay ki legal pou fè lajan. Nan peyi sa a gen anpil diskriminasyon ki baze sou ras, sitou kont nwa, men nwa yo ap travay di pou yo chanje sò yo. Gen de gwo zouti yo genyen pou defann tèt yo: youn se teknik ak metye yo aprann lekòl epi dezyèm bagay la se sistèm lajistis ameriken an. Gen anpil moun ki amelyore sò yo nan Etazini men tou gen anpil moun ki fè bak lè yo al rete la.*

**ete**. *n. : Sezon chalè. Peryòd nan ane ki pi fè cho; peryòd vakans. Ete vin apre prentan epi anvan otòn. Timoun al benyen larivyè, yo al nan piknik tou.*

**etè**: *n. Konpoze chimik yo fè lè yo melanje asid ak alkòl. Li sèvi kòm anestezi nan lopital. Se yon pwodui ki volatil epitou danjere.*

**etènèl**: *a. Ki dire tout tan; pèpetyèl. Ki pa gen kòmansman ni fen. 2. n. Non yo bay Bondye.*

**etènèlman**: *adv. Pou tout tan.*

**Ètelou Danyèl** *(Daniel Heurtelou): Komèsan, jounalis, ekriven, edikatè. Li fèt 19 Desanm 1906 Pòtoprens. Li al lekòl nan Seminè Senmasyal apresa li te al nan lekòl-de-dwa. Li te* *vin pwofesè ak administratè nan Depatman Sante Piblik. Li te sekretè prive Prezidan Eli Lesko epi an 1953, li te Minis Komès. Li te ekri nan plizyè jounal ak revi (Lematen, Lenouvelis, Larelèv, Kaye Dayiti. Ak lòt kolaboratè, li fonde yon jounal amizman ki te rele Panglòs. Kòm ekriven, li ekri plizyè pyè teyat ak plizyè pwezi ki pibliye.*

**Ètelou Mod** *(Maude Heurtelou): Ekriven ki ap viv nan vil Coconut Creek, Florida. Li se yon edikatè nan domèn sante piblik. Men domèn ekriti a se boulpik li. Li pibliye Diksyonè kreyòl " Vilsen" avèk kolaborasyon Féquière Vilsaint, (1994). Li pibliye tou Lafanmi Bonplezi, woman, (1993), Sezisman pou lafanmi Bonplezi (1996) ak plizyè lòt liv nan domèn sante piblik. Nan domèn liv pou timoun Maude Heurtelou leve mayòl. Li pibliye 20 liv istwa pou timoun nan koleksyon "Anayiz". Tout liv li yo parèt nan " Edisyon Educa Vision". Lòt liv Maude Heurtelou gen nan kouti se Otan ak Tika nan twawa*

**etenn**: *v. 1. Toufe yon dife.* Nou etenn dife a anvan ponpye rive. *2. Fèmen yon limyè osinon motè.* Etenn limyè a, li lè pou nou al dòmi.

**etènite**: *n. 1. Tan ki pa gen kòmansman ni finisman. 2. Yon tan ki parèt long anpil.*

**etensèl** *(tensèl): n. Yon ti pati briyan ki dekole soti nan yon dife.* Chabon sa a fè anpil etensèl.

**etewotwòf**: *n. Ògànis vivan ki paka fè manje pou kont li. Li pran manje nan plant ak animal ak lamatyè k ap pouri. Majorite animal, fonji ak bakteri se etewotwof.*

**etid**: *n. 1. Fòmasyon, konsantrasyon pou aprann yon bagay, yon leson osinon yon metye.* Li fè etid li lise Petyon. *2. Biwo avoka osinon apantè kote yo gen tout dosye kliyan.*

**etidyan**. *n. : Moun ki ap fè etid, ki ale nan yon lekòl.* Mwen konn msye trèbyen, se etidyan li ye nan lekòl Frè Andre a.

**etidye**. *v. : 1. Aprann.* Etidye leson ou tigason, se avni ou. *2. Obsève, suiv.* Mwen etidye mouvman Tichal byen, mwen pa kwè ou te dwe fè l konfyans.

**etik**: *Moral, domèn nan filozofi ki konsène konpòtman moral yon moun, yon sosyete eltr. Koze konduit.*

**etikèt** *(letikèt): n. 1. Idantifikasyon ki make yon rad, manje osinon lòt bagay ki soti nan manifakti.* Gade pou wè ki sa ki ekri sou etikèt la. *2. Prensip, elegans, mannyè.* Filip se yon nonm ki gen etikèt, li pa travay san prensip.

**etnològ**: *n. Moun ki etidye etnonoji.*

**etnoloji**: *n. Syans ki etidye dokiman, zouti, atizana ki sèvi nan istwa, kilti ak reyalite yon gwoup.*

**eto**: *n. près ki fèt ak de moso fè ki poze tankou machwa epi ki kapab deplase (pi pwòch osinon pi lwen) pou kenbe osinon kraze kèlkeswa sa yo mete ant de machwa yo.*

**etone**: *v. Sezi, fè sezisman, sote.*

**etonan**: *a. ki bay sezisman.*

**etoudi**: *a. Ki aji san pote atansyon; distrè, ensousyan.*

**etoudisman**: *n. Tèt vire; vètij.*

**etoufman**: *n. Difikilte pou respire.* Madanm sa a soufri etoufman.

**etranj**: *a. Ki nan yon kote ki pa familye. Ki nouvo. Yon bagay yon moun pat ko konnen. ki pa komen, ki pa natirèl. 2. Konpòtman ki pa natirèl. 3. Santiman moun santi lè li pa gen eksperyans nan sa li ap fè. Ki manke eksperyans.*

**etranje**. *n. : 1. Ki pa moun kay osinon peyi kote li ye a.* Mwen pa konn moun sa a non, se yon etranje li ye. *2. a. Ki pa lokal.* Rad sa a pa fèt isit, li sot nan peyi etranje.

**etriye** *(zetriye): n. Pati ki pandye chak bò sèl yon cheval, milèt osinon bourik ki sèvi pou repoze pye kavalye ki monte bèt la.* Foure pye ou nan etriye yo.

**etwaldemè**: *n. Bèt lanmè ki gen fòm zetwal.* Mwen pa janm manje etwaldemè mwen menm.

**etwal** *(zetwal): n. Kò klere ki nan syèl la. 2. Desen konvansyonèl ki gen senk (osoinon sis) branch ki sèvi pou reprezante etwal yo.*

**etwale**: *v. Mete zetwal, ki gen zetwal.*

**etyò** *(rentyò) : n. Mal bourik.* Tonton Richa ap vann etyò li a.

**etui**: *n. Anvlòp di pou pwoteje yon bagay. Fouro, douy, gèn.*

**etwat**. *a. : Jis.* Ou pa bezwen met rad sa a non, li twò etwat pou ou.

**Etyopi**: *n p. Yon peyi nan kontinan Afrik. Kapital Etyopi se Adisabeba.*

**Etyopyen** *(èn): n. Moun ki fèt nan peyi Etyopi.* Mwen te konnen yon bèl ti Etyopyèn.

**ètzyèn** *(ond): a. Ki gen rapò ak ond elektwomayetik. Ond ètzyèn.*

**evaliyasyon**: *Mezire valè osinon enpòtans yon bagay.*

**evalye**: *mete valè, bay pri, mezire rezilta*

**evanjil**: *n. Ansèyiman Jezi ak apot yo; doktrin kretyen; youn nan kat chapit nan nouvo testaman. Pati nan liv nouvo testaman yo li nan yon seremoni.*

**evanjelize**: *v. Preche relijyon, konvèti nan legliz kretyen.*

**evantre**: *v. Detripe, defonse. Retire trip.*

**Evans Paul**: *np. Sekretè Jeneral KID Konferans Inite Demokratik. Ansyen Majistra Pòtoprens.*

**evantay** *(vantay)*: *n. 1. Zouti pou moun soufle dife.* Vin fè evantay ak vye chapo sa a. *2. Zouti pou moun fè van, lè fè chalè.* Evantay sa a bèl, sere li pou lè ou ap soti.

**evaporasyon**: *n. Lè yon likid tounen vapè osinon gaz. Etap lè yon likid tankou dlo vin tounen gaz epi monte anlè. Nan evaporasyon dlo soti nan yon melanj, ki fè melanj lan vin pi konsantre.* Mwen te fè yon tès laboratwa sou evaporasyon, mwen chofe dlo, epi mwen mezire volim vapè.

**evapore**: *v. 1. Fè yon likid tounen vapè.* Dlo a fin evapore nan solèy la. *2. Konsantre, ki pèdi dlo, redui.* Lèt evapore bon nan foskawo.

**èv** *(zèv)*: *n. Tout kontribisyon yon moun fè nan yon domèn atistik.*

**evèk**: *n. Tit elve nan legliz katolik yo bay prèt ki responsab yon dyosèz. Yo mete tit Monsenyè devan non tout evèk yo. Nan ane 1997 men evèk ayisyen yo: Franswa Gayo, Achevèk Okap, Ibè Konstan, Fòlibète. Lwi Kebwo, oksilyè Pòtoprens. Franswa Ligonde, Achevèk Pòtoprens. Emanyèl Konstan, Gonayiv. Leyona Lawòch, Ench. Wili Womelis, Jeremi. Aliks Verye, Okay. Frans Kolimon, Pòdepè. Jozèf Lafontan (Sede plena). Gi Poula, Jakmèl.*

**evenman**. *n. : Sikonstans ki vle di anpil pou moun ki ap viv li a.* Premye jou mwen ta pral pale nan radyo, se te yon evenman.

**Èvesansyèl** *(Oeuvres Essentielles) : Liv an de tòm Franswa Divalye te ekri sou ras nwa ak sivilizasyon afriken.*

**evite**: *v. 1. Eskive, pran distans.* Chak tan li wè m, li evite m. *2. Pran prekosyon.* Evite pou malè pa rive nou, timoun.

**evolisyon**: *n. 1.Chanjman, transfòmasyon pou amelyorasyon.* Gen yon gwo evolisyon nan kalite pwodui konpayi sa a mete sou mache a. *2. Chanjman nan mès ak tradisyon.* Evolisyon alèkile a twòp pou mwen, timoun yo vin twò lib. *3. Nan syans biyolojik, se chanjman pwogresif ki pote rezilta ki enpòtan . 4. Devlopman yon espès, osinon yon ògàn soti nan yon etap primitif rive nan yon etap aktyèl.*

**evolye**: *Ki avanse yon degre nan devlopman. Ki chanje pou vin meyè.*

**ewo**. *n. : Moun vanyan. Moun ki merite nou met chapo ba devan yo, pou tèt yo patisipe nan lagè osnon yo konbat yon kòz, osinon yo fè yon bon bagay ki mande pou yo brav, pou yo gen anpil kouraj.*

**Ewòp**: *n. Kontinan ki sou kote nò Afrik, ki pre ak Lazi sou kote ès ak Oseyan Atlantik sou kote wès.*

**Ewopeyen**: *n. Moun ki soti nan kontinan ewòp.*

**ewoyik**: *a. Ki brav, ki bay prèv kouraj ak bon kè.*

**ewo, ewoyin**: *n. Moun ki brav, ki merite admirasyon lòt moun pou kouraj yo, ladrès yo, devouman yo nan onè ak respè.*

**ewozyon**. *n. : Degradasyon tè ki fèt lè dlo lapli osinon van dekale tè a ale nan lanmè paske pa gen pye bwa osinon zèb ki pou kenbe tè a.* Pwoblèm ewozyon nan peyi Dayiti konplike paske moun yo oblije koupe bwa yo pou yo fè manje. Si yo pa koupe bwa yo pa gen lòt bagay pou yo sèvi, sitou andeyò. Pi gwo patisipasyon yon moun kapab fè jodiya se plante tout kalite pyebwa.

**Ezayi**: *np. 1. Nan labib, se non yon pwofèt ebre ki te la nan uityèm syèk anvan Jezikri. 2. Liv nan labib ki gen tout ansèyman pwofèt Izayi yo.*

**eze**: *a. ki gen tout sa li bezwen. ki pa nan bezwen.*

**Ezekyèl**: *1. Non gason. 2. Profèt ebre nan labib. 3. Liv nan labib ki rapòte pwofesi pwofèt Ezekyèl.*

**Èzili**: *np. Lwa nan relijyon Vodou. Li reprezante bote, amou ak pasyon. Ezili Dantò reprezante yon bèl deyès nwa.* Madan Jak gen yon foto Ezili Freda lakay li.

**ezitasyon**: *n. dout, flotman, endesizyon.*

**ezite**: *v. Rete nan pa sèten, nan pa ka deside.*

**ezofaj**: *n. Pati nan sistèm dijestif ki soti nan farenks ale nan lestomak. Tib ki konekte bouch epi farenks pou ale nan lestomak. Li deplase manje dapre yon pwosede yo rele peristalis epitou fòs gravite.* Li vale doumbwèy la san kraze, ezofaj li bloke, li vomi.

# F f

**f**.: *n. Lèt alfabè. Lèt f vini tousuit apre e.*

**fa**: *n. 1. Baton parafin kolore fi mete sou bouch li pou li kapab parèt pi bèl.* Adlin mete fa lè li ap soti. *2. Nòt mizik ki vini apre mi, anvan sòl.* Do re mi fa ... Fa minè

**fab**: *1. n. Savon an poud.* Fab koka se yon bon savon. *2. Istwa osinon pwezi ki gen yon moral dèyè l.* Fab Lafontèn yo enteresan. *3. Manti.* Sa ou ap di a se fab.

**Fab Nikola Jefra** *(Fabre, Nicolas Geffrard). np. : Prezidan Ayiti. 1859-1867.*

**fabnak**: *n. 1. Soulye an kawoutchou ki te popilè Ayiti ak nan peyi Azi.* Al mete fabnak la nan pye ou. *2. Non yon izin ki te fè soulye fabnak.* Kilès ki te mèt izin fabnak la?

**fabrik**: *n. Izin, manifakti.* Mwen konnen fabrik ki fè soulye sa yo.

**fache** : *n. Pa kontan.* Mwen fache avèk ou paske ou renmen tripotay twòp.

**fachin**: *n. Ti moso bwa, ti branch tou piti ki atè ki seche, moun ranmase pou limen dife.*

**fachis**: *n. 1. Moun ki patizan yon pwogram (ak yon ideyoloji) ki konsèvatè epi otoritè. 2. a. Ki enpoze, ki fòse nan gòj.*

**fad**: *a. Ki pa gen gou.* Manje a fad.

**Faden Dyedone** *(Dieudonné Fardin): np. Ekriven, powèt, novelis, jounalis, kritik literè, pwofesè. Li fèt Senlui-Dinò an Novanm 1936. Li te elèv nan lise Tètilyen Gilbo nan Pòdepè. Li te fonde yon jounal Le Petit Samedi Soir dabò nan depatman Nòdwès apresa li vin enstale près la Pòtoprens. Li repibliye plizyè tèks nan literati Ayisyen epitou plizyè antoloji sou powèt nan Nòdwès. Li pibliye liv lekòl espesayalman manyèl literati Ayisyen.*

**fado**: *n. Chay, pwa senkant, pwa lou.* Mwen pa kapab pran gwosè fado sa a.

**fakilte**: *1. Bonsans, entelijans, kapasite.* Ou gen fakilte pou ou fè yon bon travay. *2. Seksyon nan inivèsite.* Mwen ale nan fakilte syans.

**faks**: *n. 1. Teknik repwodiksyon ak transmisyon elektwonik pou dokiman. 2. Dokiman ki repwodui dapre definisyon 1 (en) an. 3. v. Transmèt, voye faks*

**faksyon**: *Gwoup moun anndan yon gran gwoup.*

**faktè** : *n. Anplwaye lapòs ki livre lèt ak ti pake kay moun.* Men faktè a rive,

**fakti**: *List machandiz ki delivre ak pri yo pou yon kliyan peye.*

**faktori**: *n. Izin, manifakti, fabrik.* Mwen te konn travay nan yon faktori tou pre a.

**fal**: *n. 1. Pati nan sistèm dijestif zwazo.* Fal poul la te plen manje ladan l. *2. Kòf lestomak.*

**falèz**: *n. Gwo pant ki pre yon mòn osnon yon bit.* Pa pwoche falèz la.

**famasi** *(fonmasi, fanmasi): n. 1. Magazen kote yo vann medikaman.* Achte remèd sa a pou mwen nan famasi akote a. *2. Domèn syans ki etidye manifakti medikaman.*

**famasyen** : *n. 1. Moun ki ap travay nan famasi.* Nèg sa a se famasyen, li konn onpoze remèd. *2. Moun ki etidye syans famasi.*

**familyal**: *a. Ki enplike lafanmi.*

**familyarize**: *v. Vin familye, vin alèz ak yon machin, yon sijè osinon yon moun.*

**famin**: *n. Lè manke manje pou moun manje nan yon rejyon osinon yon zòn.*

**fanal** *(fannal): n. Tikay osnon legliz ki fèt ak papye fen epi katon, timoun konn limen pandan peryòd nwèl.* Lè fànal yo limen, yo bèl.

**fànatik** *(fannatik): n. Moun ki gen pasyon pou yon lòt moun, yon bagay, yon teknik osnon yon filozofi.* Mwen se fànatik konpa men Jera pito dyaz.

**fanbre**: *a. Gason ki jwenn menaj fasil epi ki gen plizyè menaj alafwa.* Filè ki gen siksè.

**fandanman**: *a. 1. Fèmante.* Gen moun ki renmen fonmaj fondanman. *2. Santi move.* Vyann sa a fondanman, ou pat dwe manje l.

**fanfa**: *n. Òkès mobil ki gen gwo kès ak liy enstriman yo soufle, ki pa gen enstriman elektrik.* Annou al gade fanfa a ki ap pase.

**fanm**: *n. 1. Fi ki pa piti ankò, ki fin devlope.* Mwen se yon fanm ki plen kouray. *2. Metrès, fi ki ap viv ak yon nèg san marye.* Se dat Jozefin se fanm Pyè, moun sa yo pap kite, jan yo damou sa a.

**fanmi**: *n. 1. Moun ki gen menm estòk jenetik.* Mwen ak Beti se fanmi. 2. *Moun ki gen relasyon youn ak lòt swa kot manman, swa kot papa.* Edga pa fanmi pre mwen.

**fanmòt**: *1. Fi ki yenyen ki pa gen kran. 2. Gason ki pa gen aktivite viril.*

**fanmsay**: *n. Fi ki antrene pou pran swen famn ansent epi ede yo akouche.* Adelin se fanmsay, ou mèt rele li pou mwen.

**fann**: *v. 1. Bat kò.* Mwen fann mwen an kat pou timoun yo. 2. *Kase, koupe.* Ki moun ki fann melon an san li pa di mwen.

**fant** *(fann):n. Ti espas ant de bagay.* Mwen pa renmen gade nan fant mi.

**fannfwa**: *a. Ki mechan, ki difisil, ki kriminèl.*

**fantezi**: *n. 1. Plezi, bèbèl, amizman.* Mwen gen koleksyon tenm, se fantezi mwen. 2. *Bijou krizokal, ki pa vann chè.* Bijou sa yo pa lò, se fantezi yo ye.

**Farawon**: *n. Tit yo bay wa nan ansyen Lejip.*

**farin**: *n. Poud fen ki fèt lè yo moulen osinon pile ble, mayi, pitimi, bannan sèk eltr. epi pase yo nan paswa. 2. Nenpòt poud fen moun ka manje.*

**farizyen**: *n. Moun ki panse yo miyò pase tout lòt moun paske yo respekte epi suiv lalwa legliz. 2. Moun ki jije sa lòt moun fè ak severite alòske yo pa menm ka wè sa yo fè ki pa kòrèk. 3.n. Jwif ki te ap suiv lalwa Tora a.* Dapre labib, farizyen yo te ipokrit.

**fantòm**: *n. Zonbi, lespri.* Mwen wè Jera nan dòmi, tankou yon fantòm devan mwen.

**farenks** : *n. Manbràn ki ant wout dijesyon ak wout respirasyon an.* Doktè a egzaminen farenks mwen.

**Farennay** : *np. 1. Inite (echèl) pou mezire tanperati. Senbòl li se F. Lè tanperati dlo rive 32 degre F dlo a tounen glas (sa se conjelasyon), lè tanperati a rive 212 degre F dlo bouyi li vin fè vapè (evaporasyon). Lè vapè dlo an kontak ak yon bagay ki frèt (tankou yon vè ki gen glas ladan l) vapè dlo a vin tounen dlo ankò, sa rele kondansasyon. 2. Non moun ki envante yon kalite tèmomèt.* Farennay se te yon fizisyen prisyen.

**farin frans**: *n fr. Farin ki fèt ak ble, ki sèvi pou fè pen.* Mwen achte farin frans la.

**farin mayi**: *n fr. Farin ki fèt ak mayi.* Si farin mayi a pa fen, ou pa ka fè akasan an.

**farin**: *n. Manje anpoud.* Nan peyi m yo fè farin diri byen.

**farinay.** *n. : ti lapli ki pa fò.* Ann ale anvan farinay lapli a pran nou nan lari.

**farinen**: *v. Tonbe fen fen san fòs.* Lapli ap farinen, annou antre.

**fasafas**: *n fr. Bab pou bab, youn anfas lòt.* Mwen tonbe fasafas ak Leyon.

**fas.** *n. : 1. Fasad, figi.* Apre aksidan an mwen pat rekonèt fas Mariyàn ditou ditou. 2. *Afwonte.* Mwen pa kwè mwen ka fè fas ak pwoblèm sa a, li twòp pou mwen.

**fasad**: *n. 1. Devan, devanti.* Mwen renmen fasad kay sa a. 2. *Aparans.* Tout sa li ap di a se fasad.

**fasil**: *a. San pwoblèm, ki pa difisil.* Travay sa a fasil men li long.

**fasilite**: *n. Kondisyon ki pa difisil, alèz.* Mwen jwenn li ak fasilite. San difikilte.

**fason.** *n. : Mannyè.* Mwen pa renmen fason ou aji a ditou.

**fatig**: *n. Sitiyasyon yon moun ki febli, ki manke fòs li.* Mwen santi fatig, pito mwen al repoze.

**fatigan**: *a. 1. Ki fè moun pèdi kouraj.* Travay la fatigan. 2. *Ki anmègdan.* Timoun sa a pa manke pa fatigan, tout lajounen li ap plede kriye.

**fatige**: *a. 1. San kouraj.* Mwen pa ka kontinye paske mwen fatige. 2. *Ki anvi dòmi.* Mwen fatige, pito mwen al dòmi.

**Sesil Fatiman** *(Cecile Fatiman): np. yonn nan prensipal oganizatè seremoni Bwa Kayiman. Se te yon Kongrè pou deside kouman nèg t ap fè pou soti anba grif lesklavaj. Esklav ki soti Lafrik ginen nan Sen Domeng te reyini jou sa a. Nan seremoni an yo te sakrifye yon kochon, se Cecile Fatiman ki te responab mete kouto nan zantray li. Lè sa a Cecile te yon jèn fanm, li te gen yon rad blanch sou li. Cecile te yon mambo, pitit yon nègès afrikèn ak yon kolon ki soti nan peyi Corse. Cecile te vin madanm Louis Michel Pierrot ki te kòmande batayon militè nan Vertières epi ki te vin prezidan Ayiti annapre. Cecile Fatiman t ap viv okap. Li mouri nan laj 112 lane.*

**fatra**: *n. Dechè, rès pou jete.* Pa vin jete fatra devan pòt mwen an, al lage l nan poubèl la.

**favorize**: *v. ede, ankouraje, pwoteje, soutni, pouse, fasilite youn pa rapò ak yon lòt. Bay atansyon espesyal sou lòt moun ki merite menm favè.*

**fawouche**: *v. 1. Fè moun pè.* Pa fawouche timoun nan. 2.*Kaponnen.* Msye fawouche kou yo di li pou li marye a.

**fay**: *n. 1. Blo, kout pwen.* Ogisten bay Opo yon sèl fay li lage li atè. 2. *a. Fèb. Pitit sa a fay, li bezwen fòtifyan.*

**fayans**: *n. Ajil ki kuit ak gwo chalè, pou fè asyèt ak lòt bagay.* Fayans se yon materyo ki frajil. 2. *a. Yon kalite asyèt.* Asyèt fayans.

**Fayeton** *(Phaéton): np. Vil nan depatman Nòdès. Non yon plantasyon agrikòl nan depatman Nòdès.*

**fayit**: *n. Pèt lajan deklare devan lalwa ki eksplike poukisa yon moun pa ka peye dèt li.* Depi Dyo fè fayit la, labank sezi oto li a.

**faz**: *n. Etap.* Mwen pa nan faz pou mwen ap pèdi tan.

**fè**: *n. 1. Metal ki di, ki ka wouye, ki solid, ki sèvi pou fè zouti, amati kay ak tout bagay ki dwe solid.* Balkon kay sa a fèt ak fè fòje. *2. Yon eleman chimik ki gen senbòl Fe.3. Aparèy pou pase rad. Gen fè chabon, gen fè elektrik. 4. v. Reyalize, konstwi, bati.* Mwen gentan fè anpil bagay nan lavi a men mwen ret anpil pou mwen fè toujou. Mwen konn fè kouti, mwen konn fè manje, mwen pap janm mouri san travay.

**fè afè**: *n. 1. plasay, plasaj.* Jan fè afè ak pitit madan Chal. *2. Antant nan komès*

**fè bak**: *v fr. Rekile, ale annaryè.* Si ou ap fè bak fòk ou gade dèyè.

**fè bouch**: *v fr. Prepare yon moun pou fè li di yon bagay ki pa fin sa.* Se mwen ki fè bouch li.

**fè chen**: *v fr. Flate. Ou wè jan mwen ap fè chen nan pye ou.*

**fè dapiyanp**: *v fr. Pran ak jèfò.* Ti gason an fè dapiyanp sou tifi a kareman.

**fè dekan** : *v fr. Ògànize de ekip.* Annou fè dekan, pou nou bat yon foutbòl.

**fè enteresan**: *v fr. Fè chèlbè.* Msye fè enteresan tèlman fi a oblije ri li.

**fè epany**: *v fr. Ekonomize lajan. Se pou ou fè epany pandan ou ap travay la.*

**fè esplikasyon**: *v fr. Mande kont, fè règleman.* Pa vin fè m esplikasyon la a.

**fè fayit**: *v fr. Deklare piblikman pèt lajan nan yon biznis epi ou ka pa onore dèt ou.* Mwen fè fayit nan komès la.

**fè flè**:*v fr. Voye flè, fè bwòdè, file.* Ti jennjan toujou renmen fè flè.

**fè gam**: *v fr. Fè bwòdè, fè chelbè.* Mwen pa nan fè gam avèk ou.

**fè gaz**: *v. fr.1 Mete gaz nan machin.* Rete nan estasyon an pou ou fè gaz. *2. Pipi.* Mwen bwè twòp dlo, fòk mwen ret fè gaz.

**fèfe**:*v. fr. Mo pou endike kouman yon bagay difisil.* Ou mèt fè fe, mwen pap janm deplase la a.

**fè gras**: *v fr. Fè pa, padone, sispann bat yon moun osinon yon bèt.* Fè TiChal gras.

**fè jako pye vèt**:*v fr. Flate yon fi pou gen atansyon li.* Pa vin fè jako pye vèt isi a.

**fè jalouzi.** : *v. fr. Fache paske ou panse yon lòt moun gen yon relasyon damou ak moun ou renmen an.* Depi fi sa a marye ak Janjan l ap fè jalouzi pou li.

**fè kan**: *v fr. Pran pozisyon.* Si ou fè kan ak Jan, mwen pral ede Terèz.

**fè kwasans**: *v fr. Fòme.* Timoun sa a nan laj pou li fè kwasans li.

**fè kwè.** : *v. fr. Fè moun konprann yon bagay menm si li pa sa.* Msye vle fè kwè li se yon etidyan lamedsin men tout moun konnen se kwafè li ye.

**fè lachas.** : *v. fr. Ale dèyè yon bagay osnon yon bèt pou atrap li.* Yon chasè se yon moun ki fè lachas.

**fè lekòl**. : *v. fr. Aprann elèv lekòl pwogram klas yo a.* Manman mwen se pwofesè nan lekòl kay mè yo; l ap fè lekòl la depi ane pase.

**fè lè**: *v. fr.1. Fè tan pase san aktivite itil.* Pretann ou okipe alòske ou ap tann yon lè rive pou chanje aktivite. *2.Fès plas, bay lè*

**fè mal**: *v fr. 1. Lakòz doulè.* Vant mwen ap fè mwen mal. 2. *Fè mechanste, ale nan malefis.* Kalo se moun ki konn fè mal, veye kò ou avèk li.

**fè movesan**: *v fr. Fache san kontwòl.* Lè mwen fè movesan kè m bat fò.

**fè pa**: *v fr. Pa pini yon moun pou yon fot.* Mwen fè pa ou fwa sa a.

**fè pri** *(fè jis pri): v fr. machande, diskite pri yon machandiz ak yon machann.* Si ou fè pri machann nan ka ba ou li pou mwens kòb.

**fè wè.** : *Bay yon cho, fè mativi, atire atansyon moun ak parad.* Joslin se moun ki renmen fè wè, se sa ki fè l fè kokenn chenn resepsyon sa a.

**fè wòl**: *v fr. Rete nan sa ki gade ou.* Fè wòl ou si ou pa vle mwen fache.

**fè woul**: *v fr. Al flannen olye ou al lekòl osinon al legliz.* Li pa bon pou ou ap fè woul.

**fè woulib**: *v fr. 1. Kondui yon machin san klòtch la pa angaje, ak klòtch la nan pozisyon net.* Si ou fè woulib pandan ou sou pant, ou ka pa ka kontwole machin nan. *2. Pwofite yon sitiyasyon.* Ou gen lè ap fè woulib sou ide mwen an.

**fè yon vire**: *v fr. Deplase.* M ap fè yon vire, m ap tounen tousuit.

**fèb**: *a. 1. Ba, ki pa fò, ki pa konsantre.* Vwa li fèb. Pitit la tou fèb. *2. Santiman Senpatik pou yon moun.* Mwen gen yon fèb pou ou.

**fèblan**: *n. Tòl mens ki gen yon kouch eten pou pwoteje l pou li pa wouye.* Pran bokit fèblan an pou mwen.

**fèblantye**:*n. Moun ki travay ak fèblan osinon ak fèy metal.* Bòfrè mwen an se yon fèblantye.

**feblès**: *n. 1. Manke fòs, manke kouray.* Ou lage kò ou tankou yon moun ki gen feblès. *2. Anemi, maladi moun ki manke fòtifyan.* Jan zye ou pal la, ou sanble ou gen feblès. *3. Defo.* gen yon feblès nan beton an, li kwochi.

**febli**: *v. Ki vin fèb, ki bese, ki pèdi kouraj.* Pitit la febli. Kenbe fèm, pa febli.

**fedatifis**: *n. Dife atistik ki fè bri, bay bèl koulè briyan yo fè sote anlè pou fè yon selebrasyon.*

**fedkan**: *Dife yo limen deyò nan kan pou moun reyini.*

**fekal**: *a. Ki gen avwa ak poupou. Matyè fekal.*

**fekonde**: *v. fè yon fwi osinon yon bèt osinon yon moun fè pitit.* Fètilize, polinize.

**fekondasyon**: *n. Etap nan reprodiksyon kote yon ze ak yon espèmatozoyid rankontre epi ini. 2. Repwodiksyon, melanj ant yon selil mal (espèmatozoyid, polèn, semans) ak yon selil femèl (ovil, gamèt), pou devlope yon selil inik, ki se kòmansman pou yon nouvo bèt osinon yon nouvo moun osinon yon nouvo plant.*

**fèfòje** : *n. Fè ki koupe, dekoupe epi ranje yon jan atistik swa pou fè bèbèl, swa pou fè pòt ak bayè.* Gen anpil fenèt ak pòt ki fèt ak fèfòje nan peyi Ayiti.

**fè fon**. *v fr : Koule, disparèt nan dlo.* Lanmè a te vin sitan move, bato a fè fon.

**fèk**. : *Mo ki kole ak yon vèb pou endike yon aksyon ki fin pase yon ti moman anvan.* Mwen fèk fin manje mwen pa kapab al kouri jwe boul.

**fele**: *a. Ki kòmanse kase. Mak ki montre kote yon vit, yon vè osinon yon bwa pral kase.* Asyèt la fele pa manje ladan l. Ze a fele si ou pa kuit li touswit, li ap gate.

**felisitasyon**: *n. Ankourajman; swete yon moun siksè apre lè li fè yon bèl bagay.*

**felisite**: *v. di yon moun jan ou kontan paske moun nan fè yon bèl bagay. Selebre ak yon moun ki fè bèl bagay.*

**Fèlps Antoni** *(Anthony Phelps): np. Powèt, womansye, chimis, aktè, jounalis, naratè. Li fèt Pòtoprens an 1928. An 1964 li pran ekzil epi li al viv Kanada. Li pibliye Mon pays que Voici, pwezi, Paris 1968; orchidée Nègre, pwezi, Kiba, 1985; Moins l'Infini, woman, Paris 1973; Les Doubles Quatrains Mauves, Editions Mémoires, 1995, Pòtoprens.*

**fèm**: *n. 1. Espas kote ki òganize pou elve bèt, plante danre nan zòn riral.* Mwen renmen al sou fèm granpapa mwen an lè vakans. *2. Sistèm lwe kay pa ane.* Mwen pito fè fèm pase mwen peye lwaye chak mwa; fèm nan koute mwen mwens kòb. *3. a. Pa chanje.* Mwen rete fèm sou desizyon m nan.

**fèmaj**: *n. Pwogram kote agrikiltè kapab lwe tè pou li travay li.* Mwen pito fèmaj pase mwen achte tè pase mwen razè kounye a.

**fèman**: *1 Manchèt pou travay latè.* Prete m yon fèman la a. *2. Levi ki fèmante sik pou fè alkòl osinon ki fèmante farin pou fè pen.* Mwen pral fè pen ak fèman sa a.

**fèmantasyon**: *n. Chanjman chimik ki fèt lè yon mikwòb (bakteri, levi) transfòme resous nan yon solisyon epi fè l tounen yon lòt bagay. Pa ekzanp bakteri fèmante lèt pou fè lèt kaye ak fwomaj; levi fèmante sik pou fè alkòl osinon vinèg, levi fèmante farin pou fè gaz nan pen.*

**fèmante**: *v. 1. Miltiplikasyon fèman, levi osinon mikwòb nan yon likid.* Mwen konn fèmante rezen pou mwen fè diven. *2. Ki dekonpoze.* Ji sa a gen gou fèmante, jete l.

**Fèmat** *(Fermathe): np. Vilaj ant Petyonvil ak Kenskòl, nan depatman Lwès.*

**femèl** *(fèmèl, fenmèl): 1. n. Bèt ki pwodui ovil.* Chyen sa a se yon femèl. *2. a. Ki kalifye yon bèt osinon yon bagay.* Yon femèl chat. *3. Pati nan yon pyès kote yon lòt rantre.* Boulon ak ekwou, youn mal lòt la femèl.

**fèmen**: *v. 1. Bouche yon pasaj, kadnase. Fèmen bayè a.* Fèmen anvlòp la. *2. Boutonnen.* Fèmen kòsaj ou pou lestomak ou pa parèt. Fèmen bouch ou.

**feminen**: *a. 1. Ki konsène fi. 2. Ki gen kalite fi tankou delikatès, feblès fizik, modesti.*

**feminis**: *1. Prensip ki ankouraje chanjman sosyal pou fasilite plis fi jwe wòl politik, sosyal, ekonomik. 2. Mouvman pou reklame plis dwa pou fi.*

**fèmte**: *n. 1. Otorite, rigè, Prensip estrik.* Mwen renmen elve timoun ak fèmte. Yo aplike lalwa a ak fèmte. *2. Detèminasyon, asirans.* Fi a gen yon fèmte nan karaktè li.

**fèmti**: *n. Pòt, zip, kote pou fèmen yon bagay.*

**fèmye**: *n. Moun ki pran yon fèm sou yon pwopriyete. Moun ki anfème yon byen. 2. Agrikiltè, peyizan, kiltivatè.*

**fen**: *n. 1. Dènye pati a.* Sa se fen istwa a. *2. Desizyon final.* M ap fè yon fen avèk ou.

**Fèn, Jil** *(Jules Faine). np. : Yon otè pami moun ki premye ekri tèks an Kreyòl. Li ekri "Filoloji Kreyòl" ki pibliye nan lane 1936.*

**FENATEC** *(FENATEK): Federasyon Nasyonal Travayè Edikasyon ak Kilti.*

**fendane**: *n. 1. Dènye pati nan ane a.* Nou ka wè pou fendane. *2. Peryòd fèt nan mwa desanm ant nwèl ak joud lan.*

**fenèt**: *n. Ouvèti ki nan mi osnon panno yon kay pou kite lè ak limyè pase.* Se nan fenèt sa a vòlè a pase a.

**fenfen**: *1. piti-piti. 2. Ti pwason piti ki pa sèvi ni pou vann ni pou manje.*

**Fennlann** *(Finlande): Peyi nan kontinan Ewòp, kapital Elsinnki.*

**fennen**: *a. 1. Ki pa fre.* Leti yo fennen. *2. Ki pa jenn.* Fi a fin fennen. *3. Premye siy dezitratasyon nan plant.* Pye mayi yo fennen.

**fenomèn**: *n. 1. Evenman ki pa gen esplikasyon.* Gen fenomèn ki pap janm klè pou mwen. *2. Moun inik, nimewo.* Nèg sa a se yon fenomèn, tout sa li fè mache byen.

**fent** : *n. Malis, preparasyon pou twonpe atasyon. Riz.* M ap gade fent ou avèk mwen.

**fente**: *v. Twonpe.* Pa fente m, monchè, mwen pa gaga.

**fentè**: *n. Moun ki ap fente.* Janjan se gwo fentè, fè atansyon avèk li.

**fènwè** *(fènwa): n. 1. Aswè.* Li gen tan fènwè la a. *2. San limyè, blakawout.* Nou nan fènwè, yo pran limyè a.

**fenyan**: *a. Kapon, ki pè fasil.* Mouche sa a fenyan.

**Fekyè Jak** *(Jacques Féquière) : np. Foutbolè ayisyen.*

**feray**: *n. 1. Bataklan.* Poukisa ou kite tout feray sa yo nan lakou a. *2. Bout fè andezòd ki wouye.* Si ou bezwen bon feray, al kot Leyons.

**feraye**: *v Lite, fè efò.* N ap feraye depi maten nan lari a.

**fètdye**: *n. Fèt nan legliz katolik ki rive apre dimanch sent Trinite.* Fètdye rive jou jedi apre dimanch sent Trinite.

**fere**: *1. Mete fè (nan zago chwal).* Al fere zago cheval la. *2. a. Entelijan.* Ti pitit sa a fere nan matematik.

**Feri, Onore** *(Ferry, Honoré). np. : 1. Ansyen minis edikasyon nasyonal Ayiti an 1843. Li te ankouraje fè bati lekòl andeyò yo ak sipò gouvènman an mete ak patisipasyon moun ki ret nan chak vil yo. 2. Non yon lekòl anfas lise pou jèn fi nan ri kapwa.*

**fès**: *n.* Dèyè. Pa montre moun fès ou.

**fese**: *v. 1. Lage atè. 2. Bat yon timoun nan fès.*

**festen**: *n. Gwo fèt kote yo sèvi anpil manje.* Janin fè yon festen pou pitit li a.

**festival**: *n. Selebrasyon, amizman ki fèt nan yon peryòd nan ane.*

**fèt** : *1. n. Anbyans kote moun amize yo.* Mwen pral mete yon bèl rad long pou mwen al nan fèt aswè a. *2. v. Vin sou latè a.* Lè ou te fèt, mwen potko menm fè premyè kominyon mwen. *3. n. Jou ferye.* Jodi a se fèt, magazen pa louvri. *4. Anivèsè yon evenman.* Jodi a se fèt mwen.

**fèt ak kwaf**: *n fr. 1. Ki gen chans.* Tout sa mwen fè byen mache paske mwen fèt ak kwaf. *2. Ki gen don espesyal.* Pitit sa a fèt ak kwaf, ou tou wè sa.

**fèt chanpèt**: *Fèt riral lokal ki baze sou jou fèt sen legliz katolik ki patron pawas lokal la.*

*fèt patwonal: n fr.* Fèt sen patwon nan yon vil. *Fèt patwonal Jakmèl se te yè.*

**fètefouni**: *adv. Konplè, tout depans ansanm.* M ap koud rad sa a pou ou fèt-efouni. *Sa vle di kòb mwen mande a map mete twal, aranjman, akseswa. Ou pa bezwen peye anyen ankò.*

**fètatansyon** *(fè atansyon) : v. Pran prekosyon.* Fètatansyon ak moun ou pa konnen.

**fetay**: *n. Plafon, anwo grénye yon kay.* Lotrejou chat la te koke nan fetay kay la.

**fètdèmò**: *n. Jou nan mwa novanm lè yo fete lèmò.* Mwen pral pase fètdèmò nan peyi mwen.

**fete**: *v. Selebre, fè fèt.* Mwen fete joustan mwen bouke.

**fetich**: *n. 1. Malefis.* Jan se moun ki kwè nan fetich. *2. Yon bagay yo bay yon pouvwa espesyal.*

**fetis**: *n. Ti bebe ki poko fèt, ki nan dènye etap devlopman nan vant manman. Estad ze fekonde nan vant yon fi osnon yon mamifè.* Fetis sa a gen twa mwa.

**fevriye**: *n. Dezyèm mwa nan yon àne.* Mwa fevriye se mwa ki pi kout.

**fewòs**: *a. sovaj, vyolan. 2. Ki fò san mezi.*

**fèy**: *n. Pati nan yon plant ki vèt, plat ki gen klowofil ladan l. Tout fèy se fèy se vre men tout fèy pa sanble. Gen fèy antye, fèy an lòb, fèy dantle, fèy annekay, fèy ki gem fòm zegui. Pozisyon fèy yo sou branch pa menm pou tout plant gen ki nan pozisyon altène, pozisyon opoze, pozisyon an vriy. Gen plizyè pati nan yon fèy; gen lenb, gen petyòl, gen venn. Gen fèy nou ka manje, gen fèy pou dekore, gen fèy pou bati kay, gen fèy medikaman, gen fèy ki danjere. Fèy ka netwaye lè nou respire a. Lè gen limyè solèy, fèy yo retire gaz kabonik nan lè a epi li bay oksijèn.*

**fèy altène**: *Fèy ki pa fas a fas kote yo rankontre nan ne branch lan.*

**fèy konpoze**: *Fèy ki separe an de lòt ti fèy.*

**fèy-planch**: *Planch ki ki fèt lè yo siye tij pye bwa.*

**feyaj**: *n. Ansanm fèy ki sou yon pye bwa.* Pye bwa sa a bay yon bèl feyaj.

**fezan** : *n. Zwazo bèl plim ki gen bon gou.* Gen moun ki konn kuit fezan byen.

**fezab**: *a. Ki ka fèt. Ki posib ak resous ki disponib yo.*

**fèzè**: *a. 1.* Aksyonè. Ou sanble yon fèzè. 2. *Ki ka envante istwa.*

**fi**: *n. Femèl gason. Fi mete wòb, gason pa mete wòb.*

**fib**: *n. 1. Pay. Chèz sa yo fèt ak fib. 2.Diferant kalite idrat kabòn moun jwenn nan manje. Fib bon pou sante. 3. Materyo ki pa pouri ki sèvi pou pwoteje osinon pou izole.*

**fibdevè**: *n. Lenn atifisyèl ki sèvi pou izole.* Atansyon ak fibdevè, lè li kole sou ou, li dezagredyab..

**fibwòm** : *n. Enflamasyon osinon kwasans tisi nan matris yon fi.* Lorèn gen fibwòm.

**FIC / FEK**: *akw. ale nan antre pou Frè Entriksyon Kretyèn*

**fidèl**: *n. 1. Moun ki manm yon legliz katolik.* Fidèl yo ap reyini dimanch Pak. 2. *a. Ki konstan nan yon relasyon eksklizif.* Jan se yon nonm ki fidèl, li pa gen metrès. *3. Ki kenbe pawòl.* Mwen se yon moun ki fidèl a pwomès mwen. *4. Ti non prezidan kiba.*

**fidelite**: *n. Devosyon moun mete nan responsablite osinon nan relasyon osinon nan pwomès. 2. Yon repwodiksyon ki pa gen erè.*

**fig**: *n. Yon kalite bannan, lè li mi moun ka manje l san bouyi. Fwi ki soti nan pye figye, li won.* Mwen renmen fig mi.

**figi**:*n . 1. Pati nan kò yon moun, ant fwon li ak manton li.* Figi fi sa a jenn anpil.

**figye**: *n. Pyebwa ki bay fig won.*

**fiks**: *a. 1. San bouje, san chanjman.* Kouman ou kale je ou nan je mwen fiks konsa a? 2. *Ki pa ka deplase.* Ba fiks.

**fikse**: *v. Gade ak ensistans, san rete.* Mwen fikse msye byen fikse, joustan li bese je l.

**fil arenyen**: *n fr. Twal arenyen fè pou viv epitou pou trape bèt ki ap vole.* Pa kite fil arenyen an kole nan cheve ou.

**fil elektrik**: *n fr. Fil an metal ki fèt pou fè kouran pase.* Atansyon fil elektrik ki dekale yo.

**fil fè.** : *Materyo an metal ki tankou yon kòd.* Fil fè sa a ou kapab fè lantouray avè l.

**fil**: *n. 1. Materyo ou file nan zegui pou moun koud.* Pou mwen kapab koud rad ble sa a, se pou mwen al achte fil ble ak yon zip ble. 2. *Materyo ki kondui kouran elektrik.* Atansyon fil kouran an atè a.

**filalang**: *n. 1. Jès kote ou soti lang ou epi ou antre li byen vit .* Mwen ap fè timoun yo filalang. 2. *Jès pou endike sa ou ap montre a ou pap bay li.* Si ou fè m filalang ak lajan an, mwen ka tòde men ou mwen pran li pafòs.

**filange**: *v. Koupe an timoso fen, fè filè.* Mwen ap filange vyann nan.

**filaplon**: *n. Zouti pou mezire si yon bagay ànivo.* Mwen pral achte yon filaplon.

**file**: *v. 1. Lonje.* File lang. 2. *Kouri, deplase an vitès.* Jòj file ale. *3. Mete fil. File zegui,* file machin. *4. Flate, bay bonjan.* Jera ap file m pou li jwenn lajan nan menm. *5. Kase tibwa nan zòrèy, di yon moun bèl ti pawòl pou li ka konnen ou renmen l.* Andre al file Kamèn toulejou lè yo sot lekòl. *6. Bay fil, kontwole ak yon liy.* File kap la.

**Filipin** *(Philippines): np. Peyi nan kontinan Azi. Se yon pakèt zile ki fòme peyi a. Kapital li se Maniy.*

**filo**: *(filozofi) n. 1. Dènye àne lekòl segondè.* Ane sa a Jan ap desann filo. 2. *Pati nan konesans ki konsène rezonman.* Filo pèmèt moun devlope yon atitid rasyonèl.

**Filojèn Pòl** *(Paul Philogène) : np. Foutbolè ayisyen.*

**Filoktèt Rene** *(René Philoctète) np. (1932 1996). Ekriven, Li ekri yon woman istorik, Le Peuple des terres mêlées 1989*

**filozòf**: *n.1. Moun ki fè filozofi, ki fini lekòl segondè.* Jan se yon filozòf kounye a. 2. *Moun ki fè etid pwofonde sou filozofi.* Montèy te yon filozòf mwen te admire. *3. a. Saj.* Jan se yon filozòf, anyen nan lavi a pa egare l.

**filozofi**: *n. 1. Domèn etid ki chèche laverite, sajès ak konesans nan ekzistans lavi moun. 2. Teyori ak prensip ki analize konduit, panse konesans moun. 3. Etid sou motivasyon moral lèzòm.*

**filt**: *n. Paswa, zouti osinon twal, osinon papye espesyal pou triye, separe osinon netwaye.* Li lè pou chanje filt gaz ou a.

**fim**: *n. 1. Yon woulo plastik ki sansib nan limyè ki sèvi pou pran foto.* Mwen pito achte fim 36 pòz pase sa 24 pòz la. 2. *Seri foto youn dèyè lòt ki fè sinema.* Mwen pral wè yon fim sou lavi Prezidan Estime nan Sine Inyon?

**fimen**: *v. Aspire lafimen nan yon sigarèt (osinon pip, osinon siga) ki limen.*

**Fimen, Jozèf Antenò** *(Firmin, Joseph Anténor). np. : Jounalis, pwofesè, avoka, minis, ekriven, rebèl Ayisyen ki viv nan egzil nan peyi Sentoma. Li fèt Okap an 1850. Li te ekri liv sou enpòtans pou Ayiti pa tonbe nan anachi. Li ekri plizyè dokiman pou monte kijan tout ras egal, pa gen ras ki siperyè, ni enferyè. An 1885 li pibliye nan peyi Lafrans liv* De L'Egalite des Races Humaines. *Li te minis komès epi apresa minis Afè Etranje sou gouvènman Flòvil Ipolit(1889-1896). Kòm Minis Afè Etranje, li te anpeche Ameriken met men sou Mòl Sen-Nikola pou fè yon baz militè. Kifè Ameriken yo ale nan Kiba,* *se la yo fè yon baz nan Gwanntanamo. Li mouri annekzil, nan zile Sen-Toma an 1911.*

**fimye**: *n. Angrè natirèl, ki fèt ak rès plant, zannimo ak poupou bèt ki dekonpoze.* Mwen fè fimye ak tout fatra ki biyodegradab (ki ka pouri) yo.

**finalman** *(finalman): adv. 1. Alafen.* Mwen di li laverite finalman. 2. *Bout pou bout.* Msye reziyen li, li pale finalman.

**finans**. *n. : 1. Afè kòb , afè lajan, sitiyasyon yon ekonomi.* Labank pa prete mwen kòb la yo di finans mwen pa kòdyòm. 2. *Domèn etid ki konsantre sou koze antre ak sòti lajan nan yon sistèm.*

**finanse.** *v. : Resevwa lajan ak kondisyon pou remèt li dapre yon kontra. Enstitisyon osinon moun ki founi lajan, osinon founi kredi pou ekzekite yon pwojè.* Se leta ki finanse pwojè sa a.

**finansman**. *n. : Sitiyasyon kote yon pwojè finanse.* Mwen jwenn finansman an nan Bank Nasyonal la.

**finèb**: *a. 1. Ki tris. 2. Ki gen relasyon ak antèman. 3. Ki fè moun pè.*

**fineray**: *seremoni antèman ak pwosesyon pou moun ki mouri.*

**finès**: *n. Elegans, jan moun konpòte li ak lòt moun, gou yon moun genyen pou bagay ki elegan.* Fi sa a gen yon finès ki raple m marenn mwen.

**fini** *(fin). v. : 1. v. Konplete.* Mwen fini ak devwa sa mwen t ap fè a, kounye, mwen pral pran yon ti repo. 2. *v. Kaba, pa ladan l ankò.* Mwen fini ak Kalo, depi li te fin fè koken an. *3. anyen.* Mwen sot kontre Nikès, msye fini, li tounen zo ak po. *4. Ou sèvi ak fini + vèb pou endike aksyon vèb sa a konplete. Lè prezidan an fin pale tout moun bat bravo. Li senkè tout moun fin travay, yo fèmen tout pòt.*

**finisman**: *n. Fen.* Se nan finisman an ou va resi konprann liv la.

**firè**: *n. raj, Kolè san limit.*

**fiskalize**: *v. Entegre nan sistèm taksasyon jeneral.*

**fisèl**: *n. Kòd fen men ki solid.* Mare bwat la ak yon fisèl.

**Fisi** *(Furcy). : Yon ti vil anwo apre Petyonvil ak Kenskòf ki gen altitid depase 7,000 pye, tanperati a ba, li fè fre.* Chak ane mwen toujou al pase vakans Fisi pandan mwa jiyè.

**fistibal**: *n. Yon ti zam ki fèt ak yon kwòk bwa, de moso elastik epi ak yon ti moso po bèf; Fistibal sèvi pou voye wòch. Gen timoun ki konn tiye zòtolan ak fistibal.* Timoun renmen jwe ak fistibal menmjan yo renmen jwe revòlvè.

**fisyon**: *1. Divizyon (separasyon) an de pati. 2. Nan biyoloji, se yon fòm repwodiksyon asksyèl (san kwazman) kote yon selil divize pou bay de endividi egal e total. Fisyon se yon estrateji repwodiksyon ki fèt nan plant senp, nan mikwòb ak nan plizyè animal envètebre (san zo).*

**fiti**: *n. Demen, lavni, tan ki poko rive.* Depi mwen piti manman mwen toujou ap di fòk mwen prepare fiti mwen.

**fiyansay**: *n. pwomès ak angajman de moun fè youn bay lòt pou yo marye.*

**fiyanse**: *n. Moun ki angaje epi ki ap prepare pou li marye.* Fiyanse Edit la se Jera. 2. *v. Angajman, seremoni kote de moun deside yo ap marye nan lavni.* Jera fiyanse ak Edit.

**fiyèl**: *n. non yo bay relasyon yon timoun gen ak marenn li. 2. Relasyon ant yon moun ak yon lòt ki pwoteje l osinon ki ba l rekòmandasyon favorab.*

**Fiyèt Lalo**: *n fr. Pèsonaj fòlklò Ayiti.* Gen yon chante ki di fiyèt lalo konn manje timoun. 2. *Yon fi ki manm nan ansyen kò paramilitè makout sou prezidan Divalye.* Lilyan gen zam, se yon fiyèt lalo li ye.

**fiyòl** *(fiyèl): n. Non yo bay relasyon ant yon parenn (osnon marenn ) ak yon timoun li batize.* Rejinal se fiyòl Deniz.

**Fiyole Jan Klod** *(Jean-Claude Fignolé): np. Pwofesè literati, ekonomis, jounalis, ekriven, womansye, eseyis, editè jounal, . Li fèt Jeremi an Me 1941. Li pibliyeProses Pour un Homme Seul pwezi, 196?, Oswald Durand, esè, 1968; Etzer Vilaire ce Méconnu , esè 1970, Edisyon Faden; Les Possédés de la Pleine Lune 1987; Aube Tranquille1990; Hokufu 1993; La Dernière Goutte d'Homme, 1999.*

**Fiyole, Pyè Estach Danyèl** *(Fignole, Pierre Eustache Daniel). np. : Politisyen, edikatè, animatè, sendikalis, teyorisyen, ansyen Senatè, ansyen Prezidan pwovizwa. Li fèt Pestèl, li antre Pòtoprens pandan li te ti moun nan lekòl primè. Apre lekòl segondè li, li te vin pwofesè matematik ak syans nan lise Petyon, nan Kolèj Sen-Masyal, nan kolèj Odeyid ak lòt lekòl ankò. Li te marye an 1942 ak Kamèn Jan-Franswa, moun Tomazo, ki te pwofesè lekòl nan Pòtoprens; yo fè uit timoun. Fiyole te vin antre nan politik nan ane 1946. Msye te patisipe pou devlope epi nonmen Mouvman Ouvriye ak Peyizan (MOP) an Me 1946. Msye te gen yon popilarite solid nan mas pèp Pòtoprens lan, li te ka mande mas moun soti vin manifeste nan lari epi yo te obeyi, yo te rele sa woulo konpresè Li pat rive gen eleksyon 1957 alòske li vin prezidan pwovizwa (26 Me 1957) ak responsablite pou òganize eleksyon. Deja nan dat 13 Jen 1957, Lame Dayiti ak Jeneral Kebwo bay Fiyole yon koudeta epi egzile li Ozetazini. Men pandan li* *nan egzil la li te aktif kont gouvènman Franswa Divalye a. Li fòme jounal pou kontinye lit la. Li vin remarye ak Jòjèt Lejèm yon doktè ki patisipe ak anpil dilijans nan travay pati MOP. Yo vin fè de lòt timoun. Apre Franswa Divalye mouri, Janklod Divalye pa t kite Fiyole retounen Ayiti. Se lè Janklod Divalye pati nan ane 1986 Fiyole tounen. Msye te vin granmoun anpil, li te enterese vin kandida men sante li te febli, li mouri 27 Out 1986 Pòtoprens.*

**fize**: *n. Machin espesyal ki vwayaje lwen nan lespas.* Gen yon fize ki ap pati nan lespas demen pou al nan òbit toutotou latè.

**fizi**: *n. Zam ki gen yon kanno byen long ki sèvi pou tire bal.* Met fizi a nan plas li, pa fè mwen menas.

**fizib**: *n. Pyès sekirite nan ekipman elektrik.* Fizib fil kouran an chofe, fizib la koupe kouran nan machin nan.

**fizik**: *n. 1. Kò.* Mwen pa gen fizik pou mwen leve chay lou. *2. Syans ki etidye matyè, fòs ak deplasman.* Mwen renmen kou fizik mwen an. *3. a. Ki regade kò moun.* Al fè egzèsis fizik pou ou ka megri.

**fizisyen**: *n. Moun ki etidye syans fizik.* Klod se yon fizisyen ki ap fè rechèch nan laboratwa.

**fizye** *(fiziye)*: *v. Tire, tiye ak bal.* Yo fizye senk moun yo youn apre lòt.

**fizyoloji**: *n. Branch nan lasyans biyoloji ki etidye ògànis vivan, kijan yo devlope, kijan yo siviv, kijan ògàn yo kolabore youn ak lòt, nan sante kòm nan maladi.*

**fizyoterapi**: *n. Tretman ki sèvi ak remèd ak eleman natirèl (dlo, lè, limyè, masaj eltr) pou trete maladi.*

**flach**: *1. Sous limyè pòtatif ki sèvi ak pil.* Kamera sa a vin ak pwòp flash li. *2. Yon limyè rapid ki limen epi ki disparèt.* Mwen sot wè yon flash pase devan mwen la a.

**flache**: *v. Mete limyè flach sou yon bagay osinon sou yon moun.*

**flagran**: *a. Ki chokan.*

**flajèlòm** *(flajèl)*: *n. Yon fil long ki pouse nan kò plizyè mikwòb (bakteri ak pwotozowè) ak nan kò selil espesyalize (tankou espèmatozoyid) ki sèvi pou deplasman nan likid.*

**flak**: *n. Dlo ki atè ki pa koule.* Gen yon flak dlo atè a, atansyon pou ou pa glise.

**flakon**: *n. Ti boutèy.* Mwen gen pou mwen pran twa flakon siwo.

**flanbe**: *v. Mete nan flanm.* Mwen poko flanbe vyann nan.

**flanbo**: *n. 1. Tòch pòtatif, ki limen; limyè. 2. Pasyon, fòs.*

**flanbwayan**: *n. 1. Pyebwa ki gen bèl flè epi ki bay tyatya.* Gen bèl pye flanbwayan sou wout Petyonvil. *2. a. Koulè flanbwayan dyanm, cho.* Rad flanbwayan.

**flanke** *(flank)*: *v. Bay ak vyolans.* Li flanke moun nan yon kalòt.

**flanèl**: *n. twal an lenn osinon an koton ki trete pou yo ka gen yon tekti espesyal.*

**flanm**: *n. Limyè cho ki sot nan yon dife.* Gade tout flanm dife a fè mezanmi, piga li boule tout katye a.

**flanman**: *n. 1. Ensèk ki sanble ak yon gwo foumi nwa.* Fètatansyon ak flanman yo. *2. Zwazo ki gen pye ak kou long.* Flanman woz sa yo bèl bò lak la.

**flann**: *n. Mache san bi.* Annou al fè yon flan bò dlo a. *2. Zouti pou desann yon kap.*

**flannè**: *n. 1. Moun ki ap flannen.* Te gen anpil flannè sou plas la. *2. Jennjan ki renmen ranse.* Pòl se yon flannè ki rete nan katye lakay mwen an.

**flannen**: *v. Mache san bi, san prese.* Nou sot flannen.

**flate**: *v. Aji ak twòp politès ak espwa pou ou jwenn benefis.* Kalo flate Mirèy anpil.

**flatè**: *n. Moun ki ap flate.* Izidò se gwo flatè.

**flay**: *n. 1. Sitiyasyon lè yon moun rate yon balon li eseye choute.* Mwen fè yon flay nan foutbòl la. *2. Met deyò, pati, pran avyon (Angle).* Jan flay, li pati depi yè.

**flè**: *n. Pati nan plant ki fleri, ki gen bèl koulè.* Mwen renmen tout kalite flè.

**flebit** : *n. Enflamasyon kannal san fonse (venn).*

**flèch**: *n. Mak pou montre yon direksyon.*

**flechisman**: *1. Koubi. 2. bès. 3. chit, tonbe.*

**flègèdèp** *(flègèdèk)* : *n. Mèg zo tankou bagèt legede, mèg tankou yon zomangay.*

**flèm**: *n. 1. Tisi ki gen selil an fòm ti tib nan plant ki ede transpote sik ak lòt fòtifyan toupatou nan plant lan. 2. Sekresyon ki soti nan gòj moun ki gripe.*

**Fleran Gèdès** *(Gerdès Fleurant)*: *np pwofesè mizik nan inivèsite, ougan, mizisyen. li te prezidan Kongrè Santa Babara.*

**fleri**: *v. 1. Ki fè flè. Pye seriz sa a toujou fleri nan prentan. 2. Devlope.* Biznis la fleri

**Fleri Gabriyèl** *(Gabriel Fleury)* : *np. Foutbolè ayisyen*

**flit**: *n. Ponp ki gaye likid nan lè. Vaporizatè* Mwen te gen yon flit pou mwen flite pou tiye pinèz.

**flite**: *v. Ponpe, gaye ensektisid likid. Voye yon likid sou presyon.* Mwen toujou flite lakay mwen chak twa mwa pou ravèt pa vini kache kote mwen rete.

**flewo**: *n. Kalamite, desas natirèl.*

**fliyorize**: *v. Mete fliyò nan dlo osinon nan medikaman.*

**flòch**: *a. Ki byen aliyen.*

**Florid** *(Florida): np. Youn nan eta peyi Etazini kote gen anpil Ayisyen ak Kiben.*

**flote**: *v. Rete sou dlo, ki pa koule.* Mwen pa konnen naje men mwen konn flote.

**floup**: *onom. Son pou make yon bagay osinon yon mouvman ki fèt trè vit.*

**FNCD**: *Fwon Nasyonal pou Chanjman ak Demokrasi. Pati politik.*

**fo**: *a. ki manti, ki pa vre, ki pa reyèl, imitasyon. Bag nan dwèt Jàn an se fo lò li ye.* Fo mamit, fo dan.

**fò**. : *1. n. Konstriksyon pou pwoteje moun pandan lagè.* Gen yon gwo fò ki bati nan zòn Okap la, ou kwè se gran li gran, si ou antre la ou kapab pèdi. *2. a. Entelijan.* Tifrè mwen an tèlman fò, chak mwa li premye nan klas li. *3. a. Ki gen yon odè moun pran fasil, ki andwa pa agreyab.* Jan savon bon mache, kijan yon moun fè santi fò? *4. a. Wo, gwo volim.* Kijan moun sa yo tande mizik fò konsa a? *5. Ki gen anpil fòs. 6. oblije, kontraksyon pou fòk.* Fò ou ale.

**Fò Dimanch**: *Ansyen prizon bò Pòtoprens kote Divalye te konn mete moun ki kont li yo.* Listwa fè konnen gen anpil abi ak anpil krim ki fèt nan Fò Dimanch.

**Fò Dofen** *(Fort Dauphin): Yon fò nan zòn Okap kote esklav yo te revòlte epi yo te touye 800 kolon blan franse an 1794. Jan Franswa te alatèt revòlt la.*

**Fò Senklè**: *Ansyen fò nan Pòtoprens, toupre bisantnè, kounye a, espas la gen bilding USAID.*

**Fòb ak Tòkèmann** *(Forbes and Tuckerman). np. : Biwo Ozetazini ki te eseye enstale esklavaj nan zòn Lilavach , yon zile nan zòn sid Ayiti ki te bandonnen. Yo te voye 431 esklav meriken nan plantasyon nan ti zile sa a ant 1863 ak 1864. Yo pate reyisi reetabli esklavaj.*

**Fòb, Gòdonn** *(Forbes, Gordon). np. : Jeneral peyi Angletè ki te atake Sendomeng an 1796. Popilasyon an te rive met pye sou kou l epi malarya ak lafyèv jòn te fini ak gad li yo tou. Yo te voye yon lòt jeneral ki rele Dyon Simko pou ranplase li nan lane 1797.*

**Fòb, Kamewon** *(Forbes, Cameroun). np. : Chèmann yon gwoup anketè ki te sot Ozetazini pou te vin envestige an 1930 sou kondisyon Ayisyen pandan dominasyon meriken yo.*

**Foblas***(Faublas): np. Lenguis ki kontribiye pou devlope modèl kodifikasyon Kreyòl.*

**Foblas Erik** *(Faublas Eric): np. Foutbolè ayisyen, li te jwe nan ekip foutbòl Viktori*

**fobop** *(fobo, flobop): a. San dan.* Bouch fobop.

**fofile**: *v. 1. Koud tanporèman.* Mwen pral fofile rad la. *2. Deplase san atire atansyon.*

**fofile antre**: *v fr. Antre an kachèt.* Jan fofileantre vit san manman li pa wè.

**fòj**: *n. Atelye kote yo travay metal.* Yon fonn metal pou yon fòm ki itil.

**fòje**: *v. 1. Travay soudi, metal.* Mwen gen anpil atizay an fè fòje. *2. Fòse, envante.* Li fòje yon istwa pou defann tèt li.

**fòjon** *(fòjwon): n. Metye moun ki travay nan fòj.* Fòjon sa a fè bon travay.

**fòk** *(fò): v. 1. oblije; ou pa kapab pa...* Fòk ou vini kanmenm. *2. Non yon gwo bèt lanmè.*

**fokal**: *a. Ki gen avwa ak fwaye nan yon sistèm optik.* Distans fokal, pwen fokal. *2. Sant; pwen fokal. Pwen kote imaj la ofwaye.* Kou ou jwenn pwen fokal la, imaj la te dwe klè.

**fokòl**: *n. Kòl ki tache nan chemiz, ki pa bezwen mare.*

**fòkseli**: *n. Mayi moulen.*

**fòl**: *a. Kondisyon yon fi ki pèdi bon sans li. Madan Edwa fòl.*

**foli** : *n. Kondisyon yon moun ki fou.* Yo di se foli damou li genyen.

**Fòlibète** *(Fort-Liberté). np. : Awondisman ak komin nan depatman Nòdès. Vil ki pre ak fontyè Dominikani an. Jolibwa se moun Fòlibète*

fòlòp: *n. Deplasman rapid epi ki pa dire.* M ap fè yon ti fòlòp la a, nou va wè pita.

**fòm**: *n. 1. Prezantasyon.* Pwofesè a pap pran travay la si ou pa prezante l sou fòm li di a. 2. *Koub kò moun.* Mwen pa renmen fòm fi sa a, li gen gwo dèyè. *3. Estil. Fòm soulye sa a twò pwenti pou mwen, li fè pye mwen fè mwen mal.*

**fòma**: *n. Kalite, prezantasyon, jan yon bagay (tankou yon liv) prezante. Gran fòma, ti fòma,*

**fòmalite**: *n. Seremoni ak operasyon ki fèt dapre lalwa, dapre lèrèg (nan domèn lalwa, relijyon, administrasyon, etikèt eltr.) 2. Ativite moun dwe fè men ki pa toujou gen valè osinon ki pa gen valè.*

**fòmasyon**: *n. 1.Konpozisyon, kreyasyon, devlopman. 2. Posisyon milit, pozisyon eskout, pozisyon foutbol. 3. Groupman militè. Group sendika, group politik, group ògànize pou fòme yon ekip nan espò, nan mizik eltr. 4. Edikasyon entelektyèl ak moral yon moun. 5. Metye, aprantisaj.*

**fòmate**: *v. Mete nan yon fòma ki konni davans.*

**fòme**: *1. a. Ki fè kwasans li.* Jesi fòme ane sa a. *2. Bay fòm, bay prensip.* Papa ou fòme ou byen.

**fòmil** : *n. 1. Manje tibebe.* Mwen bay pitit la fòmil sa yo rele SMA a. *2. Relasyon matematik.* Fòmil sa a konplike anpil, mwen pa konprann li.

**fòmòl**: *n. Pwodui chimik ki sèvi kòm dezenfektan.* Konsève ògàn bèt la nan fòmòl.

Fòmoz: *np. Tayiwan, kapital Tayipe.*

**fon**: *a. Ki gen pwofondè.* Twou sa a fon anpil. *2. n. pati anba.* Nan fon bwat la.

**Fonbren Odèt Wa** *(Odette Roy Fombrun): ekriven*

**fondamantal**: *(fondalnatal): a.* Debaz, esansyèl. Sa se lide fondamantal la.

**fondasyon**: *n. 1. Pati nan yon kay ki pote pwa kay la.* Si fondasyon an solid, ou ka mete yon lòt etaj. *2. Biwo, sant ki fèt ak donasyon epi ki la pou avantaje yon gwoup moun.* Tout moun tande pale de Fondasyon Vensan toupre vil Okap.

**fondepouvwa**: *n. Asistan avoka.*

**fondri**: *n. Izin kote yo fonn fonn metal pou ba li fòm.* Ayiti metal se yon fondri.

**fonetik**: *domèn syans ki etidye son epi sistèm pou ekri son.*

**fongous** *(chanpiyon, dyondyon): Plant parazit ki pa ka pwodui manje pou tèt yo (ki pa fè fotosentèz); yo viv sou lot plant osinon sou matyè ògànik.*

**fonksyon**: *n. aksyon yon ògàn. 2. Responsablite, travay. 3. Seremoni fòmèl nan legliz pou make yon okazyon. 4. Yon bagay ki depann sou yon lòt ki fè youn chanje lè lòt la chanje; nan matematik, se asosiyasyon ant de sèt kote eleman nan yon sèt gen yon ekivalan nan lòt sèt la.*

**fonksyonè**: *n. Anplwaye leta.* Jera se fonksyonè nan biwo finans.

**fonksyonman**: *n. Jan yon machin osinon jan yon sistèm mache.*

**fonn**: *v. Chanjman eta lè yon bagay solid ki ap vin likid; delye yon solid nan yon likid.* Lè glas pran chalè li fonn, li tounen dlo. Si ou retire krèm la lan frizè a, l ap fonn. Fonn sik la nan dlo a.

**fonograf**: *n. Machin pou jwe disk mizik.*

**fopa**: *n. Erè, glise, manke tonbe.*

**fopwen**: *Gwo bag metal ki gen kat twou pou dwèt, li sèvi pou moun goumen.* Depi misye met fo pwen yo mwen konnen li tap genyen batay sa a.

**fonse**: *a. 1 Tent koulè sonm ki absòbe limyè, ki pa klè.* Rad sa a gen yon koulè fonse. *2.v. Sere.* Li fonse sousi li. *3. Defonse, antre an fòs.* Li fonse pòt la.

**fonsye**: *a. Ki konsène byen tè; byen latè.*

**Fontamara**: *Katye ant Pòtoprens ak Kafou.*

**fontenn**: *1. Pati nan tèt yon moun.* Fontenn tèt yon moun nan mitan tèt li. *2. Pati mou, yon jan louvri, nan tèt yon tibebe.* Sa pran detwa mwa pou fontenn tèt tibebe yo fèmen. *3. Tiyo, kote moun al pran dlo.* Chak maten, nan fontenn nan, tout timoun yo al pran dlo ak bokit sou tèt yo. *4. Veso pou met lank.* Fontenn sa a pa gen lank.

**Fontis Fritz** *(Fritz Fontus, Ph.D.): np. Enjenyè sivil, pastè batis, teyolojyen, evanjelis. Li fèt an 1930. Li fè karyè kòm pastè Ayiti, nan plizyè peyi Afrik ak Ozetazini. Li ekri plizyè liv evanjelizasyon. Le Chrétien et la Politique 1982; Martin Luther le Réformateur 1083; Contribution à l'Edification d'une Civilisation de l'Amour 1987; Marxistes, que nous Apportez-vous? 1989; APlus Haut, Plus Loin Avec le Christ, 1997; Encore Plus Haut, Plus Loin Avec le Christ, 1999.*

**Fontis Mod** *(Maude Fontus): np. Edikatris, ekriven, naratè. Madan Fontis fèt Senmak*

**fontyè** *(fwontyè): n. Limit ant de teritwa.* Mwen ale sou fontyè Ayiti ak Dominikani an toutan.

**forè**: *n. Kote ki gen anpil gwo pye bwa.* Gen anpil pye bwa ra nan forèdèpen.

**fòs**: *n. 1. Kouraj fizik.* Mwen pa gen anpil fòs. *2. Rezistans.* Lè m ap kale Edga li fè fòs avèk mwen. *3. Nivo.* Mwen avèk ou nou pa gen menm fòs.

**fosèt**: *n. 1. Twou, anfonsman ki pre ak mòn.* Lè lapli vini, li anvayi fosèt la. *2. Twou bote.* Ti pitit sa a gen de bèl fosèt.

**fosfò**: *n. Eleman chimik ki blan, fosforesan ki vin jòn nan limyè. Li danjere epi li ini fasilman ak oksijèn epi li ka eksploze. Li sèvi nan teknik medikal. Senbòl chimik li se P.*

**fosil**: *Rès zo moun, osinon bèt, osinon plant ki te vivan nan tan lontan, yo jwenn anba tè. Moun ki ap travay ak fosil yo aprann nou anpil bagay sou lavi moun tan lontan.*

**foskouch**: *n. Avòtman envolontè.* Madan Jera fè foskouch, li pèdi timoun nan.

**fòskouray** : *n. Kouray moun ki travay di.* Se sou fòskouray mwen mwen konte.

**Fosten Soulouk Wa** *(Faustin, Soulouque, Roi). np. : Prezidan epi wa Ayiti ant 1847-1859.*

**fòt**: *n. 1. Erè.* Mwen fè yon grenn fòt nan dikte yo bay la. *2. Reskonsabilite.* Se fòt mwen si aksidan an rive.

**fotèy** *(fòtèy): n. Chèz konfòtab ki gen do epi kote pou met bra.* Chita sou fotèy sa a.

**fòtifyan**: *n. Vitamin ak tout lòt eleman nourisan.* Ou dwe pran fòtifyan si ou pa byen manje.

**fòtifye**:: *v. Anrichi.* Lèt sa a fòtifye ak vitamin *D*.

**fòtin**: *n. Richès, Lajan.*Ti kòb sa ou wè la a, se tout fòtin mwen. Moun sa yo gen yon fòtin, se fòpaplis. Liv sa a vo yon fòtin.

**Fòtlòdèdal**: *np. Vil nan eta Florid, onò Miyami.*

**foto**: *n. Imaj, reprezantasyon, imaj yon moun osnon yon bagay.* Mwen pran yon pakèt foto. Yo fè te ak foto dyab.

**fotograf**: *n. Moun ki gen ladrès ak teknik pou pran foto. 2. Metye moun ki pran foto.*

**fotokopi**: *n. Kopi yon papye osinon nenpòt lòt bagay ki sanble tèk pou tap ak orijinal la. Anjeneral gen machin espesyal pou fè fotokopy epi prèske tout machin yo sèvi ak menm metòd la.*

**fotojenik**: *a. Moun ki sanble ki ta ka parèt byen nan foto.*

**fotosentèz** : *n. Aktivite biyochimik lè plant yo pran gaz kabonik nan lè ak reyon solèy ak dlo nan tè a pou yo pwodui sik ak oksijèn. Pa ka gen fotosentèz si pa genyen gaz kabonik ak limyè.*

**fòtrès**: *n. Yon espas fèmen ak bilding byen pwoteje pou mete zam ak militè epi pou òganize defans ak atak.*

**fou.** : *1. n. Moun ki pèdi tèt li.* Nèg sa a pa fou vre, men li te fè yon bon ti tan nan azil la. Ou pa fou, ou byen nan tèt ou. 2. *a. Sa ou ap di la a se bagay moun fou. 3. machin nan kuizin tankou yon recho. Li andwa sèvi ak gaz osnon ak elektriksite.* Mete manje a nan fou tande, li pral lè pou nou manje. Fou pen.

**foub** : *n. Twompri, vòl, mètdam.* Sa ou fè la a, pa onèt, se yon foub li ye.

**foubi**: *v. Fwote pou netwaye.* Vin foubi do m pou mwen.

**fouch**: *n. Zouti agrikòl ki gen fòm fouchèt. 2. Moso bwa ki gen fòm fistibal ki sèvi pou soutni yon bagay.* Mete yo fouch pou soutni pye bannann nan.

**Foucha Jan** *(Jean Fouchard): np. 1912-1990. Istoryen, ekriven, diplomat, papa Klodinèt Foucha.*

**Foucha Kalistèn** *(Calisthene Fouchard): np. Komèsan, ekspòtatè, ansyen minis finans sou gouvènman Salomon, Ipolit, Tirezyas Sam epitou ansyen kandida pou prezidan.*

**Foucha Klodinèt** *(Claudinette Fouchard): np. Rèn bote ayisyen, li te reprezante Ayiti nan konpetisyon bote, (pou chwazi yon bèl fi) nan peyi Kolonbi. Jiska prezan apre prèske karantan moun ki konnen li di se yon michan bèl moun. Non Klodinèt Foucha vin sinonim ak bote nan reyalite ayisyen. Koldinèt foucha se pitit yon ekriven ayisyen ki rele Jan Foucha (Jean Fouchard). Klodinèt te marye ak yon Alman.*

*Fouche Frank: np. Powèt, istoryen, kritik literè. Li fè Senmak an Novanm 1915, li mouri Kanada an 1978.*

**fouchèt**: *n. Zouti pou moun met manje nan bouch. Fouchèt kenbe manje a byen lè pou ou koupe l ak kouto.*

**foufou**: *n. Pwazon ki gen pwazon, ki danjere pou moun manje.*

**foufoun**: *n. Bouboun*

**fouge**: *a. Ki eksite, ki pa pè aktivite.*

**fougonnen**: *v. Toumante, anmède, bay presyon.*

**foujè**: *n. Yon plant vaskilè (tisi ak selil an fòm ti tib) ki pa pwodui ni flè ni grenn. Li genyen fèy epi rasin li gen fòm rizom.* Selil repwodiksyon yo nan do fèy la, se la li gen espò yo.

**fouk** *(Pej) : n. mo ki vilgè pou pati nan kò moun kote de kuis yo kontre.* Pantalon an dechire nan fouk.

**fouke.** : *kenbe yon moun nan do, nan senti pantalon tankou pou rale l nan fouk pantalon li jous tan fouk li sere epitou se zòtèy li sèlman ki touche tè. Lè yo fouke yon moun, se tankou se trennen yo ap trennen l epi li pa kapab mache byen paske fouk pantalon an sere l anpil, li andwa fè l mal. Se yon metòd lapolis pou kontwole yon moun.*

**foul**: *n. Lè anpil moun rasanble, yon kote.* Mwen wè yon foul moun rasanble bò lopital jeneral, kisa ki pase?

**foula**: *n. Pati nan abiyman, gen foula tèt, ki sèvi pou mare tèt, gen foula kou ki sèvi pou pwoteje kou osinon pou fè bèbèl nan kou.* Mare foula a nan tèt mwen pou mwen. Foula eskout.

**foulay**: *n. Doulè moun genyen lè yo vire yon miskilati osinon yon ligaman, jwenti, san pa gen dega nan zo. Foulay anfle epi li bay doulè.*

**foule**: *v. 1. Bat, frape, souke osinon chikin pou kompakte yon bagay.* Yon mamit mayi byen foule. 2. *Anflamasyon yon pati nan kò yon moun apre yon chòk.* Mwen foule nan pye.

**fouli**: *n. Anflamasyon yon pati nan kò yon moun apre yon chòk.*

**foumi**: *n. Ti ensèk piti piti ki gen sis pat. Gen foumi fou, gen foumi pikan. Foumi fou pa mòde, men foumi pikan an menm li mòde rèd.*

**foumilye**: *n. Nich foumi.*

**founen** *(anfounen): v. Mete nan fou.*

**founèz**: *n. 1. Dife wouj. Chalè entans. 2. Lanfè.*

**founi**: *v. 1. Ki vin dri. Cheve founi. 2. Bay, kontribye.* Mwen ap founi materyo, oumenm ou ap bay mendèv.

**founisè**: *n. Machann ki founi machandiz bay kliyan. Sous kote yon antrepriz achete sa li bezwen.*

**founiti**: *n. Materyèl, materyo.* Founiti klasik yo chè.

**founo**: *n. Fou pou fè pen, bonbon osinon pou kuit vyann woti.* Vin met pen an nan founo an pou mwen.

**fouraye**: *n. Pèdi yon bagay tanporèman.*

**foure**: *v. 1. Antre. Foure pen an nan founo a.* Mwen foure kò m nan koze a. *2. Mete youn nan lòt.* Li foure bag la nan dwèt li.

**fouri**: *n. Plim ki kouvri kò yon bèt. Yo sèvi ak fouri pou fè manto pou moun ki rete nan peyi frèt paske fouri a kenbe cho anpil.*

**fout**: *onom. Mo pou montre enpasyans.* Pa mache dèyè m, fout!

**foutbòl** *(foukbol): n. Jwèt balon ògànize an dekan.* Sa se yon bèl jwèt foutbòl.

**foutbolè** *(foukbolè): n. Moun ki jwe foutbòl. Kèk foutbolè ki gen renome... se Fritz Bayòn (Fritz Bayonne), ansyen jwè nan Vyolèt; Filip Vòb (Philippe Vorbes) demi atakan nan Vyolèt; Pelaw Asèn Ogis (Arsène Auguste); Batelemy (Barthelemy) extrèm dwat nan resin; Jil Fòmoz (Gilles Formose) ansyen jwè nan Viktori; Jan Jozèf (Jean Joseph) ansyen jwè nan vyolèt; Tonmpous, Fritz Dezi (Désir) ansyen jwè nan Eglenwa.*

**fouwo**: *n. Pòch pou mete kouto osinon manchèt.* Mete kouto a nan fouwo li.

**fouy**: *n. 1. Enspeksyon. Jandam yo vin la a yo fè fouy nan tout papye papa mwen yo, se pa jis. 2. Twou nan tè.*

**fouyadò**: *n. Kirye.* Moun nan katye yo se fouyadò.

**fouyapòt**. *a. : Kirye, tripòt, moun ki renmen konn sa ki ap pase nan lavi moun.* Kijan ou fè fouyapòt konsa a?

**fouye**: *v. Fè twou, aktivite moun ki ap fè fouy. Kite yo fouye mwen non, sa ya p chache a ya jwenn li. Fè twou nan tè.*

**fowòm**: *n. 1. gwoup ki rasanble pou diskite yon pwoblèm kouran. 2. Pwogram radyo ki analize yon sijè kouran.*

**frajil**: *a. 1. Ki kase fasil. Asyèt la frajil. 2. Ki malad fasil. Andreya frajil. 3. Ki fèb, delika.*

**frajilite**: *n. ki ka kase fasil, ki pa solid, delikatès enstabilite, feblès.*

**fraka**: *n. Gwo bri, vyolan; chòk.*

**frakase**: *v. Kase an miyèt moso.*

**fraksyon**: *n. 1. Pòsyon nan yon nonm antye. Pa egzanp, 2/3 se yon fraksyon ki divize 2 an twa pati egal. 2. Operasyon nan kalkil ki pèmèt kalkile nonm ki pa antye.*

**frakti** : *n. Kote ki kase osinon fele.* Jan gen yon frakti nan men dwat li.

**fraktire** : *v. Kase, fann.* Jan fraktire nan bra dwat li.

fran *(franch) : a. Onèt, ki ba bay manti.* Leyon se yon nonm ki fran.

**franbwaz** : *n. Fwi wouj ki sèvi pou fè konfiti ak jele.* Mwen pa renmen franbwaz.

**franchi**: *v. Janbe, monte, simonte, depase yon difikilte.*

**franchman**: *adv. sensèman, san ezitasyon, onètman.*

**Franketyèn,** *(FRANK, Étienne): Pwofesè, ekriven, aktè, animatè kiltirèl, politisyen, ansyen minis, powèt, romansye, dramatij, atispent. Li fèt Avril 1936 nan vil Senmak. Li te elèv Kolèj Senmasyal ak Lise Petyon. Misye te fondatè epi direktè yon lekòl segondè ki te rele " Collège les Humanités ". Frankétienne se yon gwo ekriven literati ayisyen an. Li ekri an fransè epi kreyòl. Misye se youn nan manm fondatè epi teyorisyen youn lekòl literè yo rele " Espiralis ". Frankétienne ekri anpil liv an fransè. Men tout laglwa misye vin jwenn li pou travay li nan literati kreyòl la. Se li ki ekri premye woman nan literati kreyòl ayisyen an (Dezafi, 1975). Nan domèn teyat misye adapte " Les émigrés " pyèsteyat Slamowir Mrozëk an kreyòl Pèlen Tèt (1978). Pami zèv kreyòl Frankétienne yo nou kab nonmen: Troufoban, teyat, (1978); Zago Loray, pwezi, (1983); Adjanoumelezo, roman; Bobomasouri, teyat, (1984).*

**frankofòn**: *n.1. moun ki pale franse regilyèman menmsi se pa tout tan, kòm premye osinon dezyèm lang. Moun ki rete nan yon kominote ki gen lang Franse kòm lang ofisyèl. 2. a. Ki konsène kose Franse.*

**franmason** *(mason): n. Moun ki patisipe nan prensip ak pratik lòj sekrè.*

**Frans** *(Lafrans)(France) : n p. Peyi nan kontinan Ewòp.* Mwen te ale an Frans ane pase. *Peyi ki te kolonize Ayiti anvan lendepandans.*

**Franse** *(Fransè, Fransèz): n. 1. Lang yo pale nan peyi Frans ak nan plizyè lòt peyi nan kontinan Afrik ak nan Karayib.* Tika pale Franse. *2. Moun ki gen nasyonalite franse.* Janklod ak Mari se Franse yo ye.

**fransè**: *1. n. Moun ki gen nasyonalite peyi Lafrans. 2. a. Ki konsène Lafrans; ki konsène lang franse.*

**fransèz**: *n. Fi ki gen nasyonalite peyi Lafrans.*

**fransik**: *a. varyete mango.* Mango fransik.

**fransisken**: *n. 1. Pè osinon mè katolik ki nan kominote (Lòd relijye) Sen Franswa Dasiz. 2. a. Ki gen konneksyon /relasyon ak prensip Sen Franswa Dasiz*

**Fransiyon Anri** *(Henry Francillon): np. Foutbolè ayisyen, li te jwe nan ekip foutbòl Viktori kòm gadyen.*

**fransize**: *v. Bay yon mo yon pwononsiyasyon osinon yon òtograf ki rapwoche ak lang franse.*

**Franswa, Jan** *(François, Jean). np. : Ansyen esklav ki te alatèt rebelyon nan Sendomeng. Li te kòmande masak 800 blan ki t ap fè abi ak tout fanmi yo ki te fèt nan Fò Dofen an 1794. Li te yon nèg mawon tou.*

**Franswa Michèl** *(Michel François): np. Ansyen chèf polis Pòtoprens (1991-94) pandan yon peryòd koudeta militè. Lè gouvènman militè a tonbe, li pati an 1994. An 1995 yo jije l dèyè do l epi yo kondane l nan prizon pou lavi. Gouvènman Repiblik Dominikèn mete l deyò epi li ale annekzil nan peyi Ondiras.*

**frap**: *n. 1. Kou, pousad.* Nonm nan bay timoun nan yon frap nan do. *2. Gwoup paramilitè ki vyolan.* Andre pa konnen okenn moun ki nan frap.

**frapan**: *ki fè gwo enpresyon.*

**frape bank**: *v fr. Mande.* Li frape bank mwen pou de goud.

**frape**: *v. 1. Bay kou.* Pa frape mwen fò konsa monchè, se jwe n ap jwe. *2. Byen glase. Vann mwen yon kola byen frape tanpri epi ban mwen l ak tout chalimo tou. 3. Touche, fè mal, fè ou sansib.* Lanmò Tidyo a frape tout moun, pa gen moun ki te ap atann a sa. *4. Depoze ak fòs.* Li frape lajan an sou tab la.

**fratènèl**: *a. 1. Ki gen relasyon frè ak sè reyèl osinon kominotè. 2. Mo pou endike de jimo ki devlope apati 2 (de) ze diferan, konsa jimo yo gen diferans jenetik (yo pa idantik). 3. Relasyon ant manm nan yon sosyete.*

**fratènite**: *n. 1. Mo a endike relasyon ki ekziste ant frè reyèl osinon frè annespri. 2. Gwoup moun ki òganize ansanm pou defann menm koz osinon menm enterè.*

**fratènize**: *v. Asosiye an fratènite.*

**fraz**: *1. n. Gwoup mo ki transmèt yon lide.* Mwen sot li yon bèl fraz la a. *2. Radòt, deklarasyon san enpòtans.* Jan renmen ponpe fraz, pa okipe l.

**frazè**: *n. Ransè.* Wolan se yon frazè, annou pa okipe l.

**fre**: *a. 1. Ki pa cho.* Yon van fre. *2. Tou nèf, fèk fèt.* Pen sa yo fre. *3. Ki pa sèch, ki fèk keyi, ki poko gate.* Pwa kongo sa a tou fre.

**frè bra**: *n. Asosye.* Wolan se frè bra Jera.

**frè**: *n. 1. Gason ki menm manman osnon menm papa ak yon moun.* Mwen gen de frè, youn pi gran pase mwen, lòt la pipiti. *2. Manm nan menm legliz ki kwè nan yon sèl Bondye.* Nou menm nan legliz Dikris la nou gen yon sèl papa, se frè nou ye.

**Frè Entriksyon Kretyèn** *[FEK), (FIC): Kominote katolik ki patisipe nan edikasyon primè ak segondè. Yo etabli Ayiti an 1865. Yo gen anpil vwa nan edikasyon nan peyi Ayiti. Gen moun ki di si yo te vle, gen anpil pwoblèm edikasyon ki ta rezoud, paske yo gen prezans toupatou nan peyi a. Yo gen lekòl lavil ak lekòl riral (pawasyal). Nan Pòtoprens, lekòl Jan-Mari Giyou (Jean-Marie Guilloux) ak lekòl Senlui d Gonzag (Saint de Gonzague) se lekòl Frè Enstriksyon Kretyèn.*

**frechè**: *n. 1. Ti van ki ap vante pou kalme chalè.* Vin pran yon ti frechè deyò a. *2. Anbyans kote tanperati a konfòtab epi agreyab.*

**frechi**: *v. Vin pi fre.*

**fredi**: *n. Tanperati kote fè frèt.* Mwen pa renmen fredi.

**fredite**: *n. Maladi moun pran apre li te pran fredi. 2. Kondisyon fè frèt.*

**fredonnen** *(fredone): v. Chante ak bouch fèmen, san pwononse mo.*

**frekan**: *n. 1. Moun ki renmen foure kò sou moun, antre nan koze ki pa regade l.* Jak se yon frekan. *2. a. Ki antre nan sa ki pa regade l.* Mwen pa mele ak moun frekan. *3. adv. Souvan.* Siklòn pa frekan nan zòn Kenskòf. *4. a. Enpètinan, ki pa bay respè.* Ou pa manke pa frekan.

**frekans**: *n. 1. Repetisyon; kantite fwa yon bagay repete nan yon espas tan. (pa sekonn, pa minit, pa anne). Nan syans fizik frekans yon onn se kantite vibrasyon onn sa a fè pa segonn.*

**frekansite**: *n. Enpètinans, ensolans.*

**frekantasyon**: *n. Relasyon, moun ou rankontre souvan.* Mwen pa renmen mòd frekantasyon sa a pou ou.

**frekante**: *v. Vizite souvan, asosye avèk.* Melanje ak, rankontre.Mwen pa frekante moun maledve.

**frèl**: *a. Fèb, delika, frajil.*

**frelikè**: *a. Jennjan ki mèg men ki ap pran pòz enpòtan li.* Kòman pou Anita te ka al nan renmen ak frelikè sa a?

**fremi**: *v. Reyaksyon lè yon moun pè osinon lè yon moun santi fredi.* Istwa a fè m fremi.

**fren**: *n. 1. Kontwòl pou rete yon machin. Pedal ki pèmèt ou ralanti osnon pou kanpe.*

**frenk**: *entj. Entèjeksyon ki vle di Tonnè!*

**frenn**: *n. Pik file, zam ki sèvi pou goumen nan otofonik; epe peyi.* Jan rale frenn li an sou Magarèt. 2. *Mo Anglè ki pase an Kreyòl ki vle di zanmi.*

**frennen**: *v. 1. Atake ak frenn.* Mouche a manke frennen m. 2. *Peze sou pedal fren pou frennen yon machin.* Si ou pat frennen ou tap fè yon gwo aksidan.

**fresko**: *n. Bwason rafrechi ki fèt ak glas graje epi yo mete siwo sou li.* Mwen sonje lè mwen te pitit yo te vann fresko nan kònè. Kounyeya se nan gode yo van yo.

**frèt**: *a. 1. Ki pa cho.* Dlo a frèt. 2. *Moun ki kal, ki pa eksite.* Eliz resevwa m frèt.

**frewo**: *n. Mo familye, amikal pou rele yon zanmi osinon yon ti frè.*

**frèz**: *n. Fwi ki wouj, li pouse kote ki fre.* Mwen pi renmen mango pase frèz, mango pi dous men frèz gen yon bèl ti koulè.

**fri**: *v. 1. Kuit nan luil cho.* Mwen ta manje yon ti pwason fri.

**fridòdòy**: *n. Manje pase nan bouch, sirèt, tito.* Mwen pa manje fridòdòy.

**frijidè**: *n. Aparèy pou konsève manje frèt.* Mwen pral achte yon frijidè.

**frikase**: *v. sote legin osinon vyan nan grès osinon nan bè, san yo pa fri.*

**friksyon**: *n. Masaj ak lwil osinon ak ponmand.* Vini mwen fè yon friksyon viks pou ou. 2. *Fwotman de bagay youn ak lòt.* 3. *Konfli ant moun ki pa gen menm lide.* 4. *Nan domèn fizik se yon fòs ki reziste ak yon lòt fòs.*

**friksyonnen**: *v. Bay friksyon, fè masaj ak ongan.* Mwen te friksyonnen l ak viks.

**frison** : *n. Tranblad lè moun frèt osinon lè moun gen lafyèv.* Mwen gen frison.

**frisonnen**: *v. Tresayi, fremi, tranble.*

**fristrasyon**: *n. Santiman ki fè yon moun fristre.*

**fristre**: *v. Anpeche yon moun rive jwenn satisfaksyon li ap chèche. Ki fè efò pou konbat yon dezi natirèl.*

**fritay**: *n. Manje fri nan grès cho (bannan, vyann eltr).* Nou pral achte fritay.

**frivòl**: *a. Ki pa gen anpil valè, ki pa serye. 2. Ki pa fidèl.*

**friz**: *1. Konjle. 2. Fè cheve vin gen fòm ondile.*

**frize**: *n. Zwazo ki vole lannuit.* Mwen pa janm wè yon frize lè mwen Okay.

**frizè**: *n. Aparèy pou konjle manje solid osinon likid.* Mwen fèk achte yon frizè.

**fwa di**: *Vyann ki soti nan pati fwa yon bèt.*

**fwa mou**: *n. Vyann ki soti nan pati poumon yon bèt.* Mwen rayi manje fwamou.

**fwa**: *n. 1. Yon gwo ògàn nan vètebre (yon ti ògà nan zwazo) ki lokalize nan vant (pati anwo) pi ba kòf lestomak la; li gen koulè fonse, li fè bil pou dijesyon grès. Li jwe yon wòl enpòtan nan trete grès, sik ak pwoteyin nou pran nan manje epi li retire dechè ki nan san. Lè manje nou manje dijere epi antre nan san an, san an vin antre nan fwa nou. Se fwa a ki retire sak ki pa bon tankou pwazon, alkòl ak kèk medikaman epi fwa a kontwole ki kantite pwoteyin ki rete nan san nou. Nan mitan fwa nou jwenn yon ti sak yo rele sak fyèl se li ki pwodui bil. Bil la ale nan ti trip yo pou patisipe nan dijesyon grès ki nan manje nou manje.* Mwen malad nan fwa. *Fwa poul, fwa di, fwa bèf eltr. 2. Fidelite ak kwayans nan Bondye osinon nan yon moun.* Se pa tout moun ki gen fwa nan Bondye. 3. *mo ki make repetisyon.* Twa fwa.

**fware**: *v. Ki pèdi aliyman. Vis la fware.*

**fwase**: *v. Vekse, choke yon moun.*

**fwaye**: *n. 1. Recho dife.* Mezanmi timoun rale kò nou bò kote fwaye dife a non. 2. *Kote yon limyè konsantre.*

**fwenn**: *n. Kouto espesyal, pik.*

**fwenk**: *entèjeksyon pou endike enpasyans ak yon moun, osinon ak yon bèt osinon ak yon sitiyasyon.*

**fwèt kach** *( fwèt pit, fwèt taye) :n fr. 1 Fwèt pou mennen bèf.* Kote fwèt kach mwen an. 2. *Degizman kànaval.* Mwen bezwen yon fwèt kach pou mwen al nan kanaval.

**fwèt**: *n. Zouti pou kale moun.* Lè mwen te piti, mwen te pè fwèt, men manman mwen te konn kale mwen ak matinèt epi papa mwen te konn kale mwen ak rigwaz.

**fwete**: *v. Kale ak fwèt. 2. Bay kontra pou transpòte moun osinon machandiz.*

**fwi**: *n. 1.Pati nan plant moun ka manje.* Mwen renmen manje anpil fwi, sitou mango. 2. *Pati nan plant ki pote grenn.* 3. *Rezilta.* Fwi travay mwen.

**fwidòdòy** *(fridòdòy): n. Manje pou pase nan bouch, ki pa yon repa regilye.*

**fwòd**: *n. Trik, desepsyon, moun ki bay manti pou li ka gen yon benefis. 2. Benefis moun jwenn nan bay manti.*

**fwomaj** *(fwonmaj): n. Manje ki fèt ak lèt kaye.* Mwen renmen fwomaj.

**fwon** : *n. Pati nan figi moun, pi wo sousi yo.* Mwen gen fwon li.

**fwonmi** *(foumi): n. Ensèk ki mache atè, ki gen sis pat.* Mwen pa renmen lè foumi mòde m.

**fwontyè**: *n. Limit ant de teritwa.* Annou ale sou fwontyè Meksik la.

**fwote**: *n. Deplase de bagay ale-vini youn sou lòt.* Fwote do m pou mwen, tanpri.

**fwotman**: *n. Rezilta lè gen fwote.* Se fwotman an ki fè ou brile a. *2. Lè de kò ap deplase epi rete an kontak youn ak lòt, nan domèn fizik fwotman asosye ak rezistans epi rezistans asosye ak pwodiksyon chalè. 3. n. Frekantasyon, relasyon pouvwa ant moun nan yon sosyete.* Li gen gwo fwotman.

**fyasko**: *n. Gwo pwojè ki pote desepsyon ak echèk; ki pa bay okenn rezilta.*

**fye**: *v. Fè konfyans.*Mwen fye mwen sou sa ou di.

**fyè**: *a. Ki kontan ak tèt li osnon ak yon lòt.* Mwen fyè anpil pou peyi mwen.

**fyèl**: *n. 1. Sak nan fwa yon moun osnon bèt kote bil la soti. Pa kite fyèl poul la pete non, sinon tout vyann nan ap anmè. 2. Bil. 3.Gou anmè.* Ji chadèk la anmè kou fyèl.

**fyète**: *n. Asirans kontantman, karaktè moun ki kontan ak tèt yo. Respè epi kwayans nan tèt ou osnon nan yon lòt.*

**fyèv** *(lafyèv)*: *n. sitiyasyon lè kò moun vin cho swa paske li ap ovile, swa paske li fè anpil ekzèsis, swa paske li gen yon enfeksyon. 2. Kondisyon lè gen monte-desann, nèvozite ak eksitasyon.* Kanaval la cho, gen yon lafyèv deyò a.

**fyofyo**: *n.1. Ti bagay piti san valè. 2. Moun ki pa merite atansyon.*

**fyouz**: *n. Fizib ki ka fonn lè li chofe.* Al gade si se pa fyouz la

# G g

**g** : *n. 1. Lèt alfabè. Lèt G vini apre lèt f epi li anvan lèt h. 2. Senbòl ak abreviyasyon pou reprezante gram. 3. Senbòl pou reprezante gravite.*

**ga**: *n. Kote pasaje al pran tren osinon bato osinon kamyon.*

**gabèl**: *n. Avantaj yon jwè ki fò bay yon lòt jwè ki fèb, lè sa ki fò a konnen li ap genyen kanmenm, kèlkeswa avans li bay.*

**gabeji**: *n. Dezòd, move administrasyon.*

**Gabon**: *np. Peyi nan kontinan Afrik (Lafrik). Li pran endepandans kont Lafrans (France) an 1960.*

**gabyon**: *n. Veso an fil fè ki ranpli wòch. Yo sèvi ak gabyon pou anpeche eboulman wòch, pou pwoteje tè kont ewozyon, pou limite pakou yon rivyè eltr.*

**gachèt**: *n. Pati nan yon revòlvè, fizi ki fè bal la pati.* Pa peze gachèt la.

**gad**: *n. 1. Gadyen.* Nou gen yon gad sou teren an. *2. Ran militè.* Antwàn se gad palè. *3. Fòm kontrakte pou vè gade.* Gad lè ou.

**gade**: *v. 1. Wè ak je w. Vin chita gade televizyon, gen yon bon ti pwogram yo pral pase la a. 2. Veye.* Se Lisiyis ki gade kay la pou mwen lè mwen pati. *3. entj. Rete, fè respè w.* Gade tande machè, pa betize avè mwen tande!

**gadenya**: *n. Plant ki fè bèl flè blan, epi ki bay bon odè.*

**gadkò**: *n. Poun ki la pou bay yon lòt sekirite; ki la pou pwoteje yon lòt kont danje.*

**gadkòt**: *1. Branch nan lame ki siveye lanmè.* Mesye gadkòt yo ap pase kounye a.

**gadmanje**: *n. Mèb pou sere manje.* Mete asyèt la nan gadmanje a pou mwen.

**gadmantèg**: *n. moun ki gen ti dyòb raz san itilite.*

**gadò**: *n. Gadyen. Moun ki gen responsablite veye yon bagay osinon pou veye yon ti moun osinon pou veye yon machandiz.*

**gadri**: *n. Kote yo mete ti moun piti pase jounen pandan paran yo al travay.*

**gadwòb**: *n. Bifèt kote yo mete rad pwòp.*

**gadyen**: *n. 1. Moun ki veye kay, lakou, tè.* Mwen pral mete yon gadyen pou veye danre yo pou mwen paske gen twòp volè bò isi a. *2. Moun ki voye je sou timoun pou fanmi l.* Mwen bezwen yon gadyen pou aswè a, pou gade tipitit la pou mwen; sinon, mwen pap kapab sòti.

**gadyennbi**: *n. Nan foutbòl, pozisyon moun ki pwoteje kan an.* Gadyenbi sa a fò.

**gaf**: *n. Erè, fopa.*

**gaga**: *n. Egare, moun ki pèdi tèt li.* Papa mwen fin gaga depi li fè operasyon an.

**gagann**: *n. 1. gòj, zòn kou.* Msye kenbe Antwàn nan gagann, se pa de sabò li bali. 2. *Vwa.* Ou pa gen gagann pou chante monchè, pito ou pe.

**gagannen**: *v. Toufe.*

**gagari**: *v. Netwaye, tranpe gòj ak likid.* Vin gagari yon ti dlo sèl.

**gagè** *(gadjè)*: *n. Plas kote yo fè batay kòk kalite.* Annou al nan gagè.

**gagit**: *a. Piti. Klou gagit.*

**gagòt**: *n. Dezòd.* Gade gagòt mesye yo fè la a.

**gagotay**: *n. Gaspiyaj;* Mete dezòd.

**gagote**: *v. Fè gaspiyaj, mete dezòd.*

**gal**: *n. Gratèl, lagratèl, maladi po ki atrapan; maladi po ki bay pi.* Tretman gal fasil. 2. *Enfeksyon nan plant.*

gala: *n. Gwo selebrasyon piblik kote tout moun abiye bwòdè, fòmèl, elegan epi santi bon.*

**galaksi**: *n. Sistèm edepandan nan lespas ki gen plizyè milyon zetwal.*

**galan**: *a. Byennelve ak fi.* Filip se moun ki galan, tout fi renmen l pou sa.

**galantri**: *n. Politès, konpliman.*

**galata** *(galta)*: *n. 1. Pati nan kay, nan fetay, kote yo fè depo.* Plen mayi nan galata a. 2. *Glasi an beton pou seche danre.*

**Galbo** *(Galbauld). np. : Gouvènè Sendomeng an 1793. Msye te pran pati pou blan yo epi li pat rive kenbe tèt ak Sontonaks, ki te komi-*

*syonnè peyi Lafrans epi ki te pran pati milat ak nwa yo.*

**galè** *: n. Zouti, rabo, ki sèvi pou fè planch vin lis.*Mwen pral achte yon galè.

**galeri**: *n. 1. Pati nan kay, sou deyò.* Annou al chita sou galeri a. 2. *Kote yo ekspoze travay atizan osinon travay atispent.* Mwen pral vizite Galeri Nadè.

**galèt**: *n. Wòch, pil wòch.* Pa janm kite yon ti vagabon ba ou yon kout galèt.

**Galile** *(Galiliée): np. Rejyon nan Izraèl. 2. Astwonòm, matematisyen, fizisyen ki amelyore teknik pou fè teleskòp epi li demontre teyori Kopènik. Yo te kondane li, yo di li fè yon erezi.*

**galimatya**: *n. Dezòd, konfizyon, labou.*

**galipòt** *(galpòt): n. Lougawou.* Madan Chal se yon galipòt, veye zo ou avèk li.

**galize** *(egalize): v.1. Egalize, ajiste, fè yon sifas vin egal.* Mwen pral galize bwa sa a. 2. *Fè de valè vin egal youn ak lòt.* Ou manke de pwen pou ou galize m.

**galon**: *n. 1. grad militè, zepolèt.* Ou pa wè konbyen galon Ejèn gen sou zèpòl li, se grannèg li ye. 2. *veso pou mezire likid.* Veso pou konsève likid. Vin al plen detwa galon pou mwen nan tiyo kay Bòs Alsiyis la.

**galonnen**: *v. 1. Kouri rapid. Lè cheval ap kouri vit, yo di l ap galonnen. 2. Mezire.*

**galòp**: *n. Deplasman rapid cheval.*

**galope**: *v.1. Kouri cheval vit.* Annou al fè yon ti galope. 2. *Pyafe, bat kò san pozisyon.* Poukisa timoun yo ap plede galope nan kay la konsa a?

**galri** *( galeri): n. 1. Pati nan kay, devan osinon dèyè kote moun chita pou pran van.* Mwen renmen chita sou galri lakay mwen an. 2. *Kote atispent ekspoze penti yo.* Mwen ta renmen louvri yon galri anba lavil la.

**galta** *(galata): n. 1. Pati nan fetay kay kote yo fè depo manje.* Galta a plen yon bann bwat. 2. *Depo manje ki bati sou poto epi chak poto yo gen yon pati gonfle osinon moso tòl pou anpeche rat, chat, koulèv ak lòt vèvin al nan galta-a.*

**galvanize**: *v.1. Mete chòk kouran nan yon bagay pou fèl mache. 2. Kouvri yon metal ak zenk pou li pa wouye.*

**galvanomèt**: *n. Zouti pou mezire entansite kouran kontini ki pa fò; anpèmèt.*

**gam**: *1. enteresant, ekzajerasyon. 2. echèl jan yo mete son (mizik) sou yon oktav.*

**gamèl** *(ganmèl): n. Kivèt an bwa.* Lonje ganmèl la pou mwen.

**gamèt**: *n. Selil repwodiksyon seksyèl aployid (aployid vle di ki gen yon grenn nan chak kromozom) Lè gamèt mal (espèmatozoyid) rankontre ak ze (ovil) nan reprodiksyon seksyèl yo fome yon zigot deployid (diployid vle di ki gen yon pè (2) nan chak kromozom, youn soti nan papa lòt la soti nan manman an..*

**gan**: *n. 1. Yon pòch ki gen fòm men ak dwèt pou moun mete nan men yo.* Si mwen pral nan maryaj Tisya a, mwen ap met gan. Moun mete gan pou elegans osnon pou pwoteje men.

**Gana** *(Ghana): np. Peyi nan kontinan Afrik, kapital Akra.*

**Ganbi** *(Gambie): Peyi nan kontinan Afrik ki te vin endepandan an 1965, kapital Banjoul.*

gang: *n. moun ki asosye ansanm pou yon pwojè. 2. Gwoup kriminèl ki ògànize pou fè krim.*

**gangan, ougan.** *n : Moun ki jwe wòl pè nan relijyon vodou. Gen moun, lè yo malad, se kay gangan yo ale.*

**gangans** *(elegans) : n. Bwòdè.* Fi sa a gen yon bèl gangans sou li.

**gangliyon** *(glann) : n. Kafou kote selil nè kontre pou transmèt kominikasyon nè yo. 2. Kafou kote tib sistèm lenfatik kontre.*

**gangozye**: *n. 1. Zwazo, pelikan.* Gen bèl gangozye nan vil Tanmpa. 2. *Gouman, aloufa.* Ou manje tankou yon gangozye. 3. *Vil nan peyi Ayiti.* Ou se moun Gangozye, mwen se moun Ansapit.

**gangrenn** *: n. 1. Maleng ki deteryore epi ki gen odè, sa rive sitou yon kote san pa sikile.* Pye madan Richa fè gangrenn.

**gangrennen**: *v. Deteryore, vin fè gangrenn.*

**gani**: *v. ranpli, mete tout sa ki nesesè; dekore.*

**ganiti**: *n. Dekorasyon nan rad.*

**ganizon**: *n. Militè ki la pou deann yon pozisyon osinon yon peyi.*

**ganmèl**: *n. Veso, kivèt an bwa.*

**ganstè**: *n. Moun ki manm nan yon gwoup kriminèl.*

**gante**: *v. Mete gan.* Madan Chal al nan nòs la byen gante.

**Gànye Edi,** *(Garnier Eddy): Ekriven, administratè, misye fèt Pòtoprens. Li travay kòm administratè nan leta (Kanada). Misye ekri youn liv pwezi an fransè ki rele Plaie Rouillée (1987). Li pibliye tou Yon Bann Ti Kal Boujon, pwezi, (1993), ak Adieu Bordel Bye Bye Vodou (1994).*

**garaj**: *n. 1. Kote devan pòt yon kay ki fèt pou estasyone machin.* Mwen konn moun ki gen garaj yo sitan gran, yo kapab pake menm twa oto ladan l. 2. *Kote yo repare machin ki anpàn.* Depi machin nan ap banm ratman, mwen kouri mennen l nan garaj.

**garanti**: *n. 1. Kosyon.* Mwen mande ou papye kay ou a kòm garanti pou lajan mwen prete ou a. 2. *Asirans*. Fòk ou ban m garanti ou pap chanje lide.

garyon: *n Gravye ak wòch ki akimile lè lapli tonbe*. Lari a plen garyon.

**garyonnen**: *v. Fè chèlbè, fè bwòdè, fè parad.*

**gaskit**: *n. Kawoutchou ki nan kouvèti pou li ka fèmen san fuit.*

**gason kanson** *(gason): n fr. Moun ki gen kran, ki pa pè*. Si ou gason kanson, mache sou mwen.

**gason lakou** *(gason): n fr.1. Gason ki ap pran swen jaden nan lakou yon kay*. Gason lakou sa a fè travay li byen. 2. *n. anplaye ki ap netwaye epi siveye yon lakou.*

**gason**: *n. Moun ki pa fi*. Ti fi ak ti gason. 2. *Moun ki travay nan ba pou sèvi bwason*. Gason, vin pote yon byè pou mwen. 3. *Domestik ki pa fi*. Se gason an ki lave oto yo chak maten. 4. *Jadinye*. Gason lakou.

**gason donè**: *n. ti gason ki fòme kòtèj pou akonpaye lamarye ak lemarye nan yon maryaj.*

**gaspiyay** *(gaspiyaj): n. 1*. Fè *depans aleksè*. Jòj se yon nonm ki ap fè gaspiyay lajan, se toutan li ap fè moun gwo kado. 2. *Sèvi ak twòp lajès*. Men sa se gaspiyay sa pou yon moun ap jete tout manje sa a.

**gaspiyè**: *n. Moun ki renmen gaspiye*. Jòj se yon gaspiyè.

**gaspiye**: *v. Ki pa ekonomize*. Mwen pa janm wè moun tankou Kalo, li renmen gaspiye konsa.

**Gasiya i Moreno, Jwakin** *(Garcia Y Moreno, General Joaquin). np. : Kòmandè ki soti nan peyi Espay ki te alatèt ganizon peyi Dominikani an 1793. Msye te anvayi Sendomeng ak 14 mil moun sou kòmand li. Li te rive anvayi epi kòmande yon bon pati nan nò a eksepte Mòlsennikola, Okap ak Pòdepè. Tousen te anba kòmandman mouche pandan yon ti tan.*

**gate**: *v 1. Dekonpoze*. Manje sa a gate, ou mèt jete l. 2. *Ki jwenn twòp atansyon*. Yo gate timoun nan, se pou sa toutan li vle pou yo kenbe l. 3. *Deranje*. Bal la gate, mesye yo leve koken. 4. *a. Ki renmen kriye*. Timoun nan renmen kriye, li gate.

**gato myèl**: *n fr. Lasi myèl ki gen siwo*. Mwen renmen gato myèl.

**gato**: *n. Manje ki fèt ak farin ak sik ak ze, ki kuit nan fou, gendelè yo dekore l ak sik.*

**gaya**: *a. 1. Refè, geri*. Leyon gaya kounye a.

**Gaya Woje** *(Roger Gaillard): np. Edikatè, ekriven, eseyis, jounalis, kritik literè, istoryen. Li te etidyan nan lekòl Frè Senlui. Li te jounalis nan jounal ALe Soir. Ant 1946 ak 1949, li te etidye nan Inivèsite Sòbòn an Frans, li diplome nan Filozofi. Li te pwofesè Fransè ak Filozofi nan peyi Bilgari. An 1958, li retounen Ayiti. Li te anseye nan divès lekòl epitou li ekri nan plizyè jounal. Li ekri plizyè liv epitou li te vin Rektè nan Inivèsite Dayiti. Li ekri plizyè liv istwa sou Chalmay Peralt ak sou istwa Kako*

**gayak**: *n. Bwa ki sèvi pou fè chabon*. Chabon gayak se bon chabon, li dire anpil epi li pa fè anpil sann tankou chabon tibwa.

gayan: *n.1. Moun ki pote yon pri. 2. Moun ki destene pou li pote premye pri.*

**gaye**: *v. An dezòd, ki pa amonize*. Moun yo gaye nan lari a. Gaye jwèt la.

**Gayo Franswa** *(Francois Gayot): Evèk nan depatman Latibonit.*

**Gawou Ginou**: *np. Gran papa Tousen Louvèti, wa nan peyi Arada (Arada se yon gwoup etnik ki nan pami Fon nan Dawome) nan Lwès Afrik actyèl Benen. Nan tan lontan wayom nan te gen Gana, Togo, Benen, yon pati nan Nigerya.*

**gaz kabonik**: *n fr. Gaz ki gen yon molekil kabòn, de molekil oksijèn ladan. Lè ki sot nan poumon moun gen gaz kabonik.*

**gaz**: *n. 1. Ki nan yon sitiyasyon ki pa ni likid, ni solid ki leje, ki ka melanje ak lè. Gen gaz ki gen sant, genyen ki pa gen sant. Gen yon gaz ki rele oksijèn epi gen idwojèn tou. 2. Pete gaz ki soti nan trip moun osinon nan trip bèt*. Pa vin rann gaz sou moun la a non. 3. *Gazolin, petwòl likid ki sèvi pou fè motè mache*. Nan tan anbago sa a, pa janm gen ase gazolin. 4. *Sous enèji pou fè chalè.*

**Gazèt Sendomeng** *(La Gazette de St Domingue). np. : Jounal nan tan lakoloni , nan dizuityèm syèk, anvan endepandans, ki te konn parèt chak semèn.*

**gazolin**: *n. Sous enèji likid ki fè motè machin mache*. Oto a bezwen gazolin.

**gazon**: *n. Zèb ki pouse sou tè. Gen raje ki sanble gazon men gazon li menm se yon zèb dekoratif ki fè bèbèl sou teren*. Jan koupe gazon an chak mwa.

**gazouye**: *v. Ti bri tou dous ti bebe osinon ti zwazo fè.*

**gazòy**: *n. Sous enèji likid ki fè motè machin dizèl mache*. Yo pa vann gazòy isi a.

gd: *abrv. goud.*

**ge**: *a. Kontan, jwaye*. Selin se yon moun ki ge.

**gè, lagè**: *n. Goumen ak zam ant de gwoup.*

**gè mondyal** *(premye): premye gè mondyal te kòmanse an 1914 li fini an 1918. Se te yon lagè ant de gwoup, youn te rele gwoup alye, li te gen Langletè, Lafrans, Larisi, Itali. Lòt gwoup la te rele pouvwa santral epi li te gen ladan l, Almay, Otrich, Ongri ak anpi Otomann (Tiki). Okòmansman lagè a Etazini te panse Almay te ka* *eseye vin atake l an pasan Ayiti. Etazini donk anvayi Ayiti ak lame. Se youn nan rezon ki fè te gen okipasyon ameriken sou tè Ayiti. An 1917 Etazini ak Prezidan Wilson, antre nan lagè a sou bò alye yo. Alye yo vin genyen lagè a. Yo siyen yon trete ak Almay ki rele trete Vèsay.*

**gè mondyal** *(dezyèm): Yon gwo lagè ki kòmanse an 1939 epi ki te fini an 1945. De gran gwoup ki te lite se te yon bò Aaks pouvwa ki te gen Almay, Itali ak Japon epi lòt bò a te gen Alye yo ki te gen Lafrans, Angletè, Larisi (1941). Etazini antre nan lagè an 1941 apre Japonè te atake yon baz ameriken ki rele Pèlabò. Lagè a te long epi te gen anpil pèt toude bò. Lagè a fini an Septanm 1945 lè Ameriken lage bonm atomik sou de vil nan Japon, (Iwochima ak Nagazaki)*

**gede**: *n. Mistè ki reprezante lespri moun ki mouri. Lwa vodou ki anba kòmand bawon samdi. Dapre kwayans vodou lwa ki manje manje espesyal. Li renmen kleren, lanmori sale, piman pike, kasav ak manje boukannen.*

**Gedevi** : *n. Nan relijyon Vodou, se pitit Gede, moun ki sèvi Gede.*

**gen** *(genyen): 1. Kontraksyon pou vèb genyen, posede.* Mwen gen de pitit. 2. *Benefis.* Mwen genyen nan lotri.

**gèn**: *1. Abreviyasyon pou Agenyen. 2. Benefis.*

**gendelè**: *adv. seten fwa, pa tout lè.*

**genlè**: *n. Sanble Genlè ou pa renmen m ankò.*

**Gengan, Nwèl**. *np. : Kòmandan nwa ki te an rebelyon kont franse yo. Li te fè ekip ak Tousen epi ak Desalin.*

**gengole** *(grengole, degengole): v. Desann rapidman.* Li gengole desann eskalye a.

genn *(gèn): Rad ki pran fòm kò moun ki mete li pou sipòte miskilati li.* Gen fi ki met genn chak jou.

**genon**: *n. Femèl senj.*

**genou**: *n. Espri ki abite nan peyi lanmò, nan peyi san chapo.*

**gentan**: *adv. Deja. Li gentan rive.*

**genyen**: *v. 1. Posede.* Si li di ou li pa genyen senkòb ou mèt kwè l paske msye pa moun ki chich. 2. *Benefisye.* Ou te konnen Marijoze genyen gwolo a?

**gèp** *(djèp): n. Ensèk ki sanble ak myèl men ki pa fè siwo.* Atansyon pou ou pa pran nan yon nich gèp. 2. *Piti, etwat.* Tay gèp.

**Geradi, Bankròf** *(Gherardi, Bancroft). np.: 1832-1903 Yon militè ameriken ki te vini Ayiti an 1891 pou l te vin siveye enterè meriken nan afè lwe Mòlsennikola. Msye te eseye tout kalite teknik, li fè presyon, li fè menas men li pat janm te rive met men sou Mòl la.*

**geri** : *v. Jwenn tretman, trete; vin ansante apre yon maladi.* Kounye a ou geri. 2. *a. pa malad ankò.Solanj al kay doktè a, li preskri l yon remèd, li bwè l epi li geri.*

**gerisè**: *n. Moun ki gen ladrès pou geri maladi. Gen moun ki al kay gerisè, gen lòt ki pito al kay doktè.*

**gerit**: *n. Ti kay pou gad osnon gadyen sekirite.* Ou dwe estope nan gerit la.

**geriya**: *n. Ti lagè ki fèt sou yon echèl piti, ki dire lontan, epi ki ap eseye fatige moral advèsè a.*

**gerizon**: *n. Refè apre yon maladi. Eta yon moun ki jwenn tretman, ki soti nan yon maladi.* Ou ka jwenn gerizon si ou ale kay doktè.

**Gèrye, Jeneral Filip** *(Guerrier, Général Philippe). np. : 1757-1845. Prezidan Ayiti depi 3 Me 1844 jiska 15 Avril 1845. Li mouri pandan l prezidan an, li te gen 87 an lè sa a.*

**gete**: *1. n. jwa, kontantman.* Ou gen yon gete sou ou. 2. *Siveye (rejyon nò)*

**geto**: *n. Seksyon nan yon vil kote yon gwoup moun oblije viv.*

**GHESKIO** *(GAESKEO): Gwoup Ayisyen pou Etid Sakom Kapozi ak Enfeksyon Opòtinis. Ògànizasyon Ayiti ki etidye, fè prevansyon epi trete maladi SIDA. Direktè li se Doktè William Pape.*

**gi**: *1. Fèy plant ki sèvi kòm remèd.* Gen yon pye gi bò lakay la. 2. *Non moun (gason).* Mwen pral kot Gi.

**gichè**: *n. Twou nan yon pòt osinon nan yon pasaj pou pase biyè. Pozisyon pou achte biyè sinema osinon teyat.*

gid: *n. Moun ki ap montre chemen.* Gid sa a pa konn wout la.

**gide**: *v. Akonpaye, kondi, dirije, mennen.*

**gidon**: *n. Pati nan yon bisiklèt osinon yon motosiklèt pou gide, pou bay direksyon. Kenbe gidon an byen.*

**GIEL** *(GIAL): akw. Gwoup inisyativ Anseyan Lise.*

**gigit**: *n. Pijon, penis.*

**gilann**: *n. Kouwòn flè.*

**gildiv**: *n. Izin kote yo fè kleren osinon wonm.*

**gimè**: *n. de siy pou make osinon izole yon mo.*

**Ginen** *(Guinée). : 1. Yon peyi nan kontinan Afrik. (ant Senegal ak Kongo). 2. Kote senbolik yo di lwa vodou yo soti.* Se nan Ginen pou mwen al koresponn avè w.

**gita**: *n. Enstriman mizik ak sis kòd.* Se yon bèl bagay lè yon moun konn jwe gita.

**gitaris**: *n. Moun ki jwe gita.*

**Gitenbèg** *(Gutenberg): Alman ki envante epi devlope machin pou enprime. Teknk enpresyon* *te deja devlope an Chin, Gitennbèg devlope font mobil ak machin pou sèvi ak font yo. Se yon envansyon ki fè kominikasyon ak literati devlope an mas nan lemonn.*

**Giya Mèsedès,** (Guignard *Mercedès) F.(Deyita): Li fèt Pòdpè. Dapre Pòl Larak, Deyita se premye fanm ki ekri youn woman nan lang kreyòl ayisyen an Esperans Dezire (1989). Deyita se youn dramatij, jounalis, etnograf, epi li se youn edikatè tou. Li se manm divès asosyasyon kiltirèl. Pami liv Deyita pibliye nou kab nonmen: Majò dyòl, pwezi; Nanchon, teyat; kont Nan Peyi Ti Toma ak Esperans Dezire.*

**Giyàn, Lagiyàn (Guyanes)**: *np. Peyi nan Ameriksisid. Li vin endepandan kont Angletè an 1966. Li gen yon milyon moun ki ap viv sou 215 mil kilomèt kare. Kapital li se Jòjtawn.*

**Giyanè**: *a. 1. Moun Giyàn. 2. Ki konsène Lagiyàn.*

**Giyòm Ebè** *(Hébert Guillaume): np. Avoka, pwofesè laten nan lise Estenyo Vensan, nan vil Senmak.*

**Giyòm Rawoul** *(Raoul Guillaume): np. Mizisyen*

**giyon**: *n. Move chans, pichon. Moun ki pote move chans.* Ou genlè gen giyon.

**giyonnen**: *v. Mete giyon sou moun. Anmède.* Pa vin giyonnen mwen ak tout kriye ou a.

**giyotin**: *n. Zouti pou koupe kou. 2. Zouti pou koupe papye nan biwo.*

**glann**: *n. 1. yon ògàn osinon yon gwoup selil ki fè sekresyon ki al devèse yon lòt kote. Ògàn tankou pankreyas, fwa ak glann tiwoyid ki pwodui sibstans (òmòn) kò a bezwen. Sans yo voye enfòmasyon bay sèvo a, lè sèvo a deside kisa ki pou fèt, li voye enfòmasyon an swa nan Miskilati yo, swa nan glann yo. Glann yo pwodui diferan kalite pwodui ki al devèse nan san moun. Òmòn yo kontwole divès kalite fonksyon tankou kwasans ti moun, apeti, somèy, swaf eltr. 2. Pati nan kò moun ki gen rapò ak iminite, enfeksyon elatriye. Gangliyon lenfatik ki anfle nan kou nan lenn ak anba zèsèl.* Kou mwen gen lafyèv glann anbabra mwen yo anfle.

**glas**: *n. 1. Dlo ki vin konjle.* Mete glas nan ji a pou li kapab fre. 2. *Miwa.* li ap gade nan glas. *3. moso vit.*

**glasaj**: *n. Sik dekoratif ki sou gato.*

**glase**: *a. Ki gen glas ladan l, ki frèt.* Dlo a glase.

**glasi**: *n. Sifas plat an beton ki sèvi pou seche danre.* Mete mayi a sou glasi a. *Teras.*

**glasiye**: *v. Fè yon espas an beton vin lis.* Yo glasiye pewon kay madan Loran an.

**glasyal**: *a. Konjle, frèt anpil, ki sanble ak glas. 2. Frèt, ki pa akayi moun byen.*

**glasye**: *n. Bwat pou konsève glas; bwat pou konsève manje.*

**glayèl**: *n. Plant dekoratif ki bay flè divès koulè.*

**glè**: *n. Mikis, likid epè ki ka soti nan kò yon moun.* Glè sa gen move odè.

**glikojèn**: *n. Yon kalite sibstans (polisakarid, lanmidon ki gen fòmil chimik C6-H10-O5) ki nan fwa ak miskilati epi ki ap vin tounen glikoz (sik) ofi-amezi kò a bezwen sik.*

**glikoz**: *n. Sik likid, glisid ki gen sis kabòn (fòmil chimik C6-H12-O6), ou ka jwenn li nan myèl, nan rezen nan fwi , nan san ak nan lanmidon.* Sèvo tout moun bezwen glikoz.

**glisad**: *n. 1. Jwèt pou timoun glise.* Timoun toujou renmen al jwe nan glisad la. 2. *Yon kote ki anpant epi moun kapab glise fasil.* Frennen davans nan koub sa a, pou ou pa pati nan glisad la.

**glisan**: *kote moun ka glise fasilmant.*

**glise**: *v. 1. Deplase sou yon sifas ki lis.* Vini pou nou al glise sou palisad la. 2. *Deplase sanzatann.* Po fig la fèm glise. 3. *Fofile.* Mwen glise kòm nan sal la mwen pran daso.

**gliserin**: *glisewòl, yon siwo san odè epi san koulè yo fè nan manifakti lè melanje epi idwolize luil ak grès di. Li sèvi nan izin pafen nan izin manje, nan eksplozif eltr.*

**glisman**: *glise san kontwòl nan direksyon yon bagay.*

**glòb**: *n. Boul ki reprezante latè avèk tout peyi yo epi lanmè ak lòt dlo yo tou. Lè n ap fè jeyografi, nou gade nan glòb la pou nou wè kote peyi yo ye. 2. Boul ki leve sou po moun.*

**global**: *a. 1. Ki gen relasyon ak latè osinon ak fòm latè. 2. Ki gen fòm won tankou yon glòb. 3. Ki konplè ki touche tout pati ki merite touche.*

**globalman**: *adv. An blòk, an gwo.*

**globil**: *n. Selil nan san.* Gen globil wouj gen globil blan.

**globil wouj**: *Selil wouj nan san ki transpote oksijèn soti nan poumon an ale toupatou nan selil yo.*

**glokòm**: *n. Maladi nan zye ki fè presyon nan zye ogmante.*

**glorifye**: *1. v. Bay glwa, onore, lapriyè. 2. fè konpliman plis pase sa ki ta nesesè.*

**glòs**: *n. Boutèy an vè ki sèvi pou mezire volim luil osinon gaz.* Vann mwen demi glòs luil.

**glosè**: *n. pati nan liv ki bay definisyon mo ki nan liv la.*

**glòt**: *n. 1. Pati nan gòj.* Se nan glòt la mwen gen doulè.2. *Onomatope pou vale.* Mwen vale remèd la glòt.

**glouton**: *n. Moun ki manje twòp.*

**glwa**: *n. fè lwanj.* Mwen bay Bondye glwa pou tout sa li fè pou mwen.

**gobe** *(gòbe): v. Vale, bafle, manje vit, vale vit.* Nèg la gobe tout manje a.

**goblè**: *n. Gode, veso pou moun bwè likid.* Mete ji a nan goblè pou mwen.

**gòch**: *a. Kote ki palòtbò dwat la.* a gòch a dwat.

**goche**. *a. : Moun ki sèvi ak men goch yo pou ranplase men dwat yo; moun ki gen plis ladrès ak men goch yo.* Katrin goche, li pa kapab ekri ak men dwat li.

**gochis**: *n. yon moun ki gen pozisyon politik orijinal, liberal osinon radikal; pozisyon ki nouvo.*

**gode**: *n. veso pou moun bwè.* Mwen gen yon gode aliminyòm.

**godèt**: *n. Tenbal, gode. Godèt se yon veso pou moun bwè ki fèt an aliminyòm osnon an plastik.* Chak maten, Tipòl bwè yon gwo godèt akasan.

**godrin** *(goudrin): n. Bwason ki fèt ak po anana fèmante.* Mwen pa vle bwè godrin.

**Gòf Lagonav.** *(Gôlfe de la Gônave) np. : Espas kote lanmè a antre ant pati nò ak pati sid peyi Ayiti a. Se la zile Lagonav ye tou.*

**gòf**: *n. Espas kote lanmè antre nan tè.* Mwen poko janm al nan Gòf Lagonav la.

**gòg-magòg**: *n. dezòd, kote tout bagay melanje san diskresyon.*

**gogo**: *1. Estil rad. 2. Estil dans ak amizman nan dikotèk. 3. Dansè dezabiye osinon mal abiye ki ap gouye sou sèn nan yon ba.*

**gòj**: *n. Gagann. Pati nan kou moun, sou devan kou li.* Tigason an kenbe lòt la nan gòj li, li manke toufe l.

**gòjèt**: *n. Gòj.* Yo koupe gòjèt poul la.

**gòl**: *n. Bi. Nan jwèt foutbòl, se lè ou bay yon gòl, ou fè yon pwen sou lòt ekip la.* Nan match foutbòl yè a, Ayiti bay Trinidad sis gòl.

**gòlgota** *(Golgotha): n. Non yon vil tou pre Jerizalèm, kote yo te kloure Jezi sou lakwa.* Madan Chal pral vizite Gòlgota ane pwochen.

**gòlkipè**: *1. Gadyen nan foutbòl.* Ekip sa a pa gen yon bon gòlkipè.

**gòm**: *1. n. Efas, pati nan kreyon pou efase.* Prete m yon gòm. *2. Chiklèt, pati nan plant moun moulen nan bouch san vale.* Gen moun ki renmen gòm paske li dous.

**gon**: *n. Pati ki soutni panti pòt.* Gon sa a bezwen repare.

**gonad**: *n. Ògàn mal ou femèl (ovè ak testikil) ki pwodui gamèt yo (ovil ak espèmatozoyid) selil seksyèl yo. Gonad yo pwodui plizyè omon seksyèl.*

**Gonayiv**. *(Gonaïves) np. : Vil prensipal depatman Latibonit. Non an soti depi nan lang endyen ki te nan zòn nan anvan Kristòf Kolon te debake. Se la Desalin te pwoklame endepandans Ayiti premye Janvye 1804 apre yo te fin genyen batay kont Lafrans. Gonayiv gen yon gwo izin koton, yon izin luil epitou se yon kote yo fè anpil sèl. Vil ki bay sou gòf Lagonav la, li gen 10, 000 moun konsa ki ret ladan l. Ivwoz se moun Gonayiv.*

**Gonayivyen**: *n. Moun Gonayiv.*

**gonbo**: *n. Kalalou.* Mwen ta manje yon bon gonbo.

**gondole**: *v. Koube, bonbe, ondile.* Imidite a gondole liv yo.

**gonfle**: *v. 1. Mete lè nan yon bagay pou fè l ogmante volim.* Eske ou vle ede nou gonfle balon yo? *2. Endijesyon, balonman ak dyare nan vant yon moun lè li pa byen dijere manje li manje.*

**gonfleman**: *n. Endijesyon.* Lotrejou mwen te gen yon sèl gonfleman.

**gonm**: *1. Lakòl.* Mete plis gonm pou papye a ka kole. *2. Efas, pati nan kreyon pou efase.* Kreyon Bondye pa gen gonm. *3. Chiklèt, pati nan plant moun moulen nan bouch san vale.* Mwen rayi moulen gonm.

**gonmen**: *v. Mete gonm.* Tab la gonmen ak siwo.

**gonokòk**: *n. Bakteri ki bay enfeksyon ak maladi gonore.*

**gonore**: *n. Maladi moun pran nan sèks, ekoulman, chodpis, grann chalè; enfeksyon ak bakteri ki bay moun maladi nan sèks.* Doktè trete gonore ak antibyotik.

**goril**: *n. Gwo senj ki gen anpil kouray yon mal senj ka peze jiska 500 liv. Goril rete nan jeng. An jeneral yo timid, entelijan, kapon; yo renmen manje fwi ak legim (vejetaryen).*

**gou**: *n. 1. Efè yon manje fè nan bouch ou lè ou ap manje l, ki fè yon efè nan lang.* Diri sa a gen bon gou, siman se diri rapsowo. *2. Bon chwa.* Si yon moun kapab bati yon kay konsa li gen bon gou.

**goud**: *1. n. Lajan Ayisyen.* Ofisyèlman, se senk goud ki fè yon dola meriken. *2. Veso an kui eskout sèvi pou mete dlo.*

**gouden**: *n. Vennsenkòb.* Banm de gouden.

**goudwon**: *n. Asfalt, likid epè ki sèvi pou asfalte wout.* Bòs la ap met goudwon. nan lari a.

**goudwonnen**: *v. Mete goudwon.*

**gouf**: *n. falèz.*

**goumandiz**: *n. Manje san kontwòl.* Manje san grangou; manje kòm yon amizman.

**goumen**: *v. 1. Batay ant de moun osinon ak yon sitiyasyon.* M ap goumen avèk ou si ou anmède m. 2. *Lite.* Nan lavi a se nan goumen yon moun fè senkòb.

**goumèt**: *n. Braslè, bijou moun met nan bra.* Goumèt ou a bèl anpil.

**Gourèj Jislen** *(Ghislain Gouraige): np Ekriven, eseyis, kritik literè, jounalis, diplomat, pwofesè. Li fèt Pòtoprens an 1918. Li te elèv Kolèj Sen Masyal. Li te etidye Inivèsite Laval, Kebèk, Kanada ak Inivèsite Sòbòn, Pari, Frans. Li tounen Ayiti, li pwofese nan Afè etranjè ak an ansèyman. An 1966, li kite Ayiti li te vin pwofesè nan Inivèsite Albani, Nouyòk.*

**gous**: *n. Pati nan plant ki pote grenn plant.* Gous pwa sa yo bèl.

**gout** : *n. Titak dlo osnon lòt likid.* Pa lage gout dlo sou mwen. *Pi piti kantite dlo ki ka fòme ak fòs gravite.*

**goute**: *v. 1. Eseye, teste.* Te m goute diri a pou mwen wè si mwen renmen l. 2 *Pran gou ak lang.* Mwen goute diri a, li sale. 3. *Kolasyon.* Se lè goute.

**goutyè**: *n. 1. Kondui nan twati kay pou rasanble dlo lapli.* Nou ranmase dlo lapli ki sot nan goutyè a 2. *Twou nan tòl kay.* Gen yon pakèt goutyè nan tòl la.

**gouvènab**: *a. Sitiyasyon ki fasil pou jere.*

**gouvènant**: *n. Fi ki ap travay nan presbitè. Bòn ki okipe tout koze nan yon kay epi ki gen kontwòl depans lajan.*

**gouvènay**: *1. n. Volan bato ki sèvi pou kontwole direksyon.* Se premye fwa mwen manyen gouvènay yon bato.

**gouvènen**: *v. Jere, dirije.* Mwen pa konprann jan ou gouvènen kay sa a.

**gouvènman**: *n. Sistèm administratif yon pati politik mete anplas pandan tan li opouvwa a. Ayiti, moun ki chèf gouvènman an se premye minis la epi li gen yon gwoup minis ki fòme gouvènman an. Chèfdeta a se prezidan peyi a. Prezidan chwazi premye minis lan epi premye minis lan chwazi minis yo. Tip gouvènman an rele repiblik. Nan sistèm Ayiti a gen de chanm, chanm depite yo ak chanm senatè yo. Se vòt pèp la ki chwazi depite ak senatè yo. Anplis gen sistèm jistis ki gen pi gwo enstans li nan Lakou Kasasyon. Detay ki esplike kijan tout enstitisyon sa yo mache youn ak lòt, nou jwenn yo nan Konstitisyon peyi a. An 1999, se Konstitisyon 1987 la ki an vigè.*

**gouyad**: *n. Mouvman vire ren, dans vilgè nan kananval.* Nan kanaval toujou gen anpil moun ki ap bay gouyad.

**gouyan-gouyan**: *bwate.*

**gouye**: *v. Endesan. Sispann gouye la a, mache pi devan.*

**govi**: *n. Veso an ajil ki sèvi nan seremoni vodou pou konsève lespri.* Ou pa dwe sèvi ak govi a nenpòt kijan.

**goyin**: *n. Zouti pou koupe bwa, planch.* Ou dwe sere goyin nan lwen paske si timoun yo al jwe avè l, li kapab blese yo.

**gozye**: *n. Gòj.*

**gra**: *a. 1. Gwo. Fi sa a gra. 2. Ki gen anpil grès.* Manje a gra. *3. Epè. Liy sa a gra. 4. n. Grès.* Moun pat dwe manje anpil gra.

**graba**: *n. Kabann moun pòv. Povrete.*

**grad**: *n. 1. Nivo, degre.* Li gen yon gwo grad nan lame a. 2. *Enpòtans.* Machin nan ba li grad.

**grade**: *v. Pran grad.* Depi yo grade ou a, ou touche plis kòb.

**graden**: *n. Ban nan estadyòm. Espas popilè.*

**gradoub**: *n. 1. Trip.* Gen moun ki konn kuit gradoub. 2. *Katilaj.*

**gradye**: *v. Diplome, fini yon pwogram.*

**graf** : *n. 1.* Desen ki *reprezante valè nimewo ak chif. Graf an fòm kolòn, an fòm sèk, an fòm liy. 2. Òganizasyon, enfòmasyon osinon chif ki pèmèt konparezon fasil.*

**grafik**: *n. Desen, ilistrasyon.*

**grafit**: *n. Kabòn ki sèvi pou fè min kreyon.*

**grafiti**: *n. Desen sou miray piblik.*

**grafouyen**: *v. Graje po yon moun ak zong ou.* Mwen wè ou grafouyen pitit la. 2. *n. Kote po yon moun graje men ki pa senyen.*

**graj**: *n. 1. Zouti nan kizin ki sèvi pou graje; li fèt an metal, li gen yon pakèt twou pwenti.* Graj sa a pa file. 2. *a. Ki pa lis.* Kijan po ou fè graj konsa a?

**graje**: *v. 1. Enève epi ki pa ka fè anyen.* Kalo graje pou li wè Jan pran tout kòb la. 2. *Fwote yon manje sou graj .* Mwen fin graje kokoye a. *3. Grafouyen, abime.* Madan Wobè graje janm li lè li tonbe *a. 4. a. Eta yon manje apre ou fin fwote l sou graj.* Kokoye graje.

**gram**: *n. Inite mezi pwa. Inite mas nan sistèm metrik lan.* Yon ti kiyè sik peze senk gram.

**gramatikal**: *a. Ki konsène gramè ak sentaks.*

**gramè**: *n. Liv ki gen tout règ kijan yon lang òganize, kijan pou pale li, kijan pou ekri li, kijan pou fè konpozisyon.* Chak lang gen gramè yo.

**grameryen**: *n. Lenguis ki espesyalize nan etid gramè.*

**gran banda**: *n fr. Moun ki ap fè wè.* Mwen pa mele ak gran banda.

**gran dam**: *n fr. 1. Fi ki gen gwo devire, fi ki alèz. Fi ki ap mennen yon vi sosyal agreyab.* Se gran dam, se li ki alatèt resepsyon an.

2. *Fi ki [pran pòz] evolye.* Se pa tout nèg ki antann li ak medam ki ap pran pòz gran dam yo deyò a.

**gran devire**: *n fr. Moun ki gen kontak, ki ka fè gwo demach.* Mwen pral fè yon gwo devire deyò a.

**gran grann** *(grann granmè): n. Manman grann.* Gran grann mwen te rele Likrès.

**gran nèg**: *n fr. 1. Moun ki ap mennen bèl vi.* Se gran nèg tankou ou ki ka leve ta nan kabann. 2. *Moun ki gen lajan.* Se gran nèg tankou ou ki ka achte oto sa a.

**gran panpan**: *n fr. Moun ki renmen fè tout bagay angran pou fè wè.* Ou se yon gran panpan.

**gran van ti lapli**: *n fr. Anpil pale, san aksyon.* Jera se gran van ti lapli, pa okipe l.

**gran**: *a. 1. Ki grandi, ki gen laj.* Mwen pat janm konnen ou te gen gran gason konsa non. 2. *Ki fin grandi, ki pa timoun ankò.* . Mwen gentan gen gran timoun machè, kounye a, se nan inivèsite yo tout ye. 3. *Ki pran espas.* Kay la gran anpil, madanm, mwen pap kapab netwaye tout pyès yo yon sèl kou jodi a.

**granbrenn** *(granbreng): n. 1. Moun ki pa timoun piti, ki fin grandi.* Granbrenn tankou ou, ou pa dwe ap mache pyeyatè. 2. *Ki gen janm long.* Joslin pa piti non, li se yon granbrenn.

**granchire**: *n. 1. Moun ki ap fè wè; ki renmen depanse.* Ou se granchire, ou mèt fè depans yo oumenm.

**Grandans** *(Grande'Anse). : 1.Twazyèm gwo rivyè Ayiti. Li tonbe nan lanmè a nan zòn Jeremi, nan depatman sid. 2. Youn nan depatman ki gen Jeremi kòm chèflye. Li gen 5 awondisman,18 komin, 9 katye ak 79 seksyon kominal.*

**grandè** *(grandèt): n. 1. Wotè; Dimansyon.* Ki grandè Michlin? Ki grandè poto a? Si ou wè grandèt timoun yo vini. 2. *Enpòtans sosyal.* Mari gen foli grandè.

**grandi.** *v. : Pouse, devlope.* Ti moun yo fin grandi, si ou wè grandèt yo.

**grandizè**: *n. Moun ki ap pale ki pa aji; moun ki gen bon bouj pou pale. Moun ki pale angran men ki pa fè sa li pwomèt li ka fè. Chèlbè.* Ou se grandizè.

**grandon**: *n. Moun ki gen anpil tè. Moun ki eritye anpil tè.*

**grandou**: *n. Gwo kap.* Depi mwen piti mwen toujou renmen moute kap pase grandou paske grandou a twò gwo, mwen pa ka kontwole l.

**Grandra**: *Youn nan denominasyon ak estil nan pratik Vodou.*

**grandyoz**: *a. Gran, enpozan, mayifik, granpanpan.*

**granfòma**: *n. Granpanpan.* Ki granfòma ou vin ap fè la a? 2. *Dimansyon ki depase dimansyon regilye.*

**grangou**: *a. 1. Ki bezwen manje.* Lè mwen grangou, si mwen pa manje touswit gaz anpare mwen. 2. *Voryen, akrèk.* Tinonm nan plonje sou byen fi a, li dechèpiye yo tankou yon ti grangou.

**grangozye** *(gangozye): n. 1. Zwazo, pelikan. Gen bèl grangozye nan vil Tanmpa.* 2. *Gouman, aloufa.* Ou manje tankou yon grangozye. 3. *Vil nan peyi Ayiti.* Ou se moun Grangozye, mwen se moun Ansapit.

**granit**: *n. Wòch di ki sanble ak vit.*

**granjan**: *adv. granpanpan, ki bèl epi ki koute chè.*

**granmanjè**: *n. moun ki abize lajan leta.*

**granmaten**: *n. Bonè. M ap tann ou demen granmaten.*

**granmè**: *n. Manman manman ou osinon manman papa w.* Mwen konn al pase vakans kay granmè mwen chak ane.

**granmèsi** : *1. San kòb, gratis.* Mwen pap travay pou granmèsi. 2. *Grasa, ak èd.* Mwen reyisi peye lekòl timoun yo granmèsi Antwàn ki prete mwen di dola.

**granmèt**: *n. Bondye. Granmèt la, ou menm ki konn tout bagay, ede mwen non.*

**granmoun**: *n. 1. Moun ki fin grandi.* Manman ou ak papa ou se granmoun. 2. *Moun ki fin vyeyi.* Granmè Inès granmoun, ou dwe padone l.

**grann** *(granmè): 1. n. Manman manman ou osnon manman papa ou.* Grann mwen soti, li pa la. 2. *Fi ki depase 65 lane.*

**Grann Bretay** (Grande Bretagnes): *np. Zile prensipal nan wayom larèn Angletè (Angletè, Walon, Ekòs) an plis gen Ilann-Dinò.*

**Grann Brijit**: *Espri Vodou ki mache ak Bawon Samdi.*

**Grannrivyèdinò**, *Grantrivyèdinò, grantrivyè (Grande Rivière du Nord). : Vil nan mitan depatman nò.* Rita se moun Grannrivyèdinò.

**Grannsalin** *(Grande Saline): np. Vil kote yo fè anpil sèl bò Gonayiv, nan depatman Latibonit.* Marilisi se moun Grannsalin.

**granpapa** *(granpè): n. Papa papa ou osnon papa manman ou.* Granpapa m te mouri. Mwen te konn toulede granpè mwen yo, yo te toujou konn ap banm kòb pou mwen achte fresko ak pistach.

**granparan**: *n. Granpè ak granmè, granpapa ak granmanman.* Granparan mwen yo renmen m.

**grap**: *n. 1. Fui ki rasanble ansanm nan tij yon plant.* Yon grap rezen. *2. adv. ak grap* *Ak kòlè, san jantiyès; pran ak grap. Pale mal ak yon moun, rele sou yon moun osnon pale avèk li lèd pou endike ou pa kontan osnon ou pa dakò.* Mwen pran l ak grap.

**grapiyaj**: *n. degaje, aktivite ki pa rapòte men moun fè pou siviv. 2. Rekòt ki fèt pa etap.*

**gras lamizèrikòd!**: *interj. Gen pitye! Gras lamizèrikòd, kote nonm sa a soti.*

**gras**: *n. 1. Padon.* Fè mwen gras tanpri. *2. Sipò ki sòti nan yon fòs sinatirèl.*

**grasye**: *v. Fè gras, padone.* Yo grasye akize a.

**grate**: *v. 1. Fwote pou wete kichòy.* Mwen grate tèt li pou li. *2. Disparèt.* Kou li wè m, li grate. *3 .a. Ki lakòz gratèl.* Pwa grate.

**gratèl**: *n. 1. Gratman, gratezon ki fè yon moun grate.* Moun ki gen gratèl konn grate joustan yo senyen po yo. *2. Plant ki grate.* Atansyon, pa mache sou zèb sa a, li plen gratèl la a.

**gratifikasyon**: *n. Rekonpans pou yon travay ki byen fèt; Poubwa.* Si ou jwenn bous mwen an m ap ba ou yon gratifikasyon. Jan se nonm ki bay bèl gratifikasyon lè li al nan restoran.

**gratis**. *adv. : San peye.* Aswè a Tabou ap frape gratis, ou pa gen senkòb ou ap peye?

**gratman**: *n. Bezwen grate.*

**graton** *(graten)*: *n. Kwout nan fon chodyè lè moun kuit yon manje.* Graton diri a bon.

**gratwa**: *n. Zouti pou grate.* Prete m gratwa a pou mwen grate mèb la.

**grav**: *a. 1. Sevè, danjre.* Aksidan grav. *2. Serye, enpòtan.* Msye komèt yon erè grav. *3. Ba.* Vwa grav.

**grave**: *v. 1. Make, difisil pou efase.* Istwa a grave nan memwa m. *2. Grafouyen.* Ou grave tab la.

**gravite**: *n. 1. Sikonstans ki ka pote rezilta ki pa bon. 2. Nan syans fizik, fòs ki atire tout bagay pou fè yo rete kole ak tè. pezantè, atraksyon, gravitasyon.*

**gravwa**: *n. Gravye, ti wòch pou mete nan chemen, wòch pou melanje mòtye.*

**gravye**: *n. 1. Wòch kase ki sèvi nan konstriksyon.* Kamyon an delivre gravye a. *2. Wòch ki akimile lè dlo larivyè desann.*

**grèf** : *n. Yon metod repwodiksyon aseksyèl nan plant kote yo kole pati yon plant nan yon lot plant ki sipòte li, pou rive pwodui fwi ki gen avantaj toude plant yo. 2. Operasyon medikal pou ranplase yon ògàn nan yon moun ki malad ak yon ògàn ki soti nan yon lòt moun. Grèf kè, grèf fwa, grèf po.*

**grefaj**: *n. Rezilta yon grèf.*

**grefe**: *v. Fè grèf.*

**grefye**: *n. Ofisye ki ekri epitou ki klase tout pwosedi nan tribinal sivil.* Grefye yo pran nòt nan reyinyon ofisyèl.

**grèk**: *1. Moun ki fè nan peyi Lagrès. 2. n. Grèp, sak pou koule kafe.*

**grèl** *(lagrèl)*: *n. Ti moso glas fen-fen ki tonbe ak lapli.*

**gremesi** *(Granmèsi ).*: *adv. pou gratis, san kòb.* Mwen ap travay pou gremesi.

**grena**: *1. a. koulè wouj fonse. 2. Pyè espesyal yo mete nan bijou.*

**grenad**: *n. 1. Fwi tropikal.* Grenad gen yon pakèt ti grenn si andedan l. *2. Zam ki ka eksploze.* Yo sèvi ak grenad nan lagè.

**grenadin** *(grennadin)*: *n. Fwi tropikal, gwo tankou yon kowosòl, koulè deyò li jòn, andedan an gen anpil grenn; lè ou plati yo, gen yon ji ki soti ladan yo, ki bay ji grenadin nan.* Grenadin se pami fwi Jeral pi renmen.

**grenadya**: *n. Fwi, pi piti pase yon zorany; li gen yon pakèt ti grenn andedan l, yo gen yon ji ki soti ladan yo, ki bay ji grenadya a.* Gen anpil grenadya Jakmèl.

**grengole**: *v. Glise desann, degrengole, gengole.* Mwen grengole nan pant la.

**grenn**: *n. 1. Pati yon plant, pafwa se avè l yo repwodui plant yo. Si ou plante yon grenn, li ap jèmen, li ka vin yon lòt plant menm jan ak plant kote li te sòti a. 2. Testikil, pati nan ògàn repwodiksyon gason ak mal bèt. 3. inik.* Yon grenn pitit mwen genyen.

**grenna** *(grena)*: *1. Koulè.* Machin sa a wouj grenna. *2. Pyè, wòch koulè wouj.* Bag sa a gen yon bèl grena ak de dyaman.

**grennad**: *ale gade grenad*

**grennen**: *v. 1. Wete nan zepi, degrennen, separe.* Vin grennen mayi a pou mwen. Gaye, separe. Fanmi an fin grennen. *2. Kòmanse deblatere, pale san rete.* Msye grennen betiz la a.

**grennponmennen** *(grennpwomennen)*: *n. Vagabon, ki toujou ap deplase, flannè.* Jan se grennponmennen, si li di ou li ap mennen ou, li konn wout.

**grenouy** *(krapo)*: *n. Bèt ki gen po lis, batrasyen. Li devlope pa etap, yon etap lav kote li devlope kè ak najwa nan dlo (akwatik) ak yon etap adilt (teryen) kote li vin gen pat epi najwa yo tounen poumon.* Gade yon grenouy.

**grenpe**: *v. Monte.* Timoun yo grenpe pyebwa a.

**grenye**: *n. 1. Pati anwo nèt nan yon kay, galata.* Pa gen grenye nan kay sa a. *2. Depo pou grenn.* Grenye a plen mayi.

**grèp**: *n. Ti sak ki fèt ak syanm ki sèvi pou koule kafe.* Kafe nan grèp gen bon gou.

**grès**: *n. 1. Luil di.* Mantèg se grès. *2. Tout kalite matyè ki gra, likid osnon solid, animal osinon vejetal. Luil, bè, magarin, tout se grès. 3. Librifyan.* Grès machin nan sal, li lè pou chanje l. *4. Yon pwodui ki glise ki genyen kabòn, idwojèn ak oksijèn nou jwenn nan plant ak zannimo.*

**gresay**: *n. mete grès osinon luil.*

**grese** *(grèse)*: *v. 1. Mete grès.* Grese diri a, li chèch. *2. Librifye.* Grese motè a. *3. Mete yon ti kòb nan men yon moun.* Grese pat mwen non.

**Gresye** *(Gressier): lokalite nan depatman Lwès ant Kafou ak Leyogàn.*

**grèv**: *n. Lè anplwaye kanpe yon travay an gwoup pandan yon tan pou yo ka pwoteste osinon pou yo fè demann pou jwenn plis kòb, meyè kondisyon, meyè orè, eltr.*

**grevis**: *n. Moun ki ap patisipe nan yon grèv.*

**Grey Kathy**: *np. Manbo ameriken ki pratike relijyon Vodou Ayisyen. Senbòl li se [Bon Mambo Racine Sans Bout Sa Te La Daginen. "Se bon ki ra"]*

**gri**: *a. Koulè ant nwa ak blan. Gen moun ki gen cheve gri ou byen zye gri. Lè lapli pral tonbe nwaj yo vin gri. Gri tankou po silabè.*

**gridap**: *a. Ki woule, lè pwent cheve woule tankou espiral. Cheve kout epi ki woule.*

**grif** : *n.1. Mo pou dekri diferan tent koulè ou jwen kay moun ki melanje ant ras nwa ak lòt ras; grimo.* Jan se yon grif ak tèt grenn, madanm li se yon grifòn ak cheve wouj. *2. Zong ki nan pat yon bèt.* Grif chat.

**grife**: *v. Grifonnen, grafouyen; atake ak zong.* Pa grife m tande.

**grifin**: *n. Koloran pou netwaye soulye blan. 2. likid pou bay koulè blan.*

**grifonn** *(grifòn)*: *n. Moun nwa, koulè klè, tèt grenn.* Ti grifòn sa a bwòdè.

**grifonnen**:*v. 1. Fè madigridi.* Jan poko konn ekri, li konn grifonnen. *2. Ekri an vitès, san pran tan.* Mwen grifonnen lèt sa a pou ou rapidman.

**grigri**: *1. n. Cham moun met sou yo. Dapre kwayans, li gen pouvwa majik.* Si ou vle yon grigri se pou ou ale fè yon vizit kay Kanson Fè. *2. Yon kalite zwazo.*

**grij**: *n. Twou dèyè.*

**griji**: *v. Mete pli nan yon twal, nan yon jip.*

**grimas** : *n. 1. Ekspresyon, santiman dezagreyab ki parèt sou figi. Jès dezagreyab moun fè ak figi.* Pa fè madanm nan grimas, Kawòl. *2. Jouman yo bay yon moun pou denigre l, pou di li pa merite apresyasyon* . Gade lè grimas la, non.

**grimasye**: *n. Ransè, ki ap fè mativi, tenten, enteresan.*

**grimèl**: *n. Fi koulè klè ak tèt grenn.* Ti grimèl sa a timid anpil. *(al gade grimo)*

**grimo**: *n. Moun ki nan ras nwa melange ki koulè klè epi ki gen tèt grenn; pitit yon milat ak yon moun nwa, osnon pitit de milat, osnon pitit yon moun nwa fè ak yon moun blan.* Antwàn se yon nèg klè, yon grimo ki rete nan Ri Dipèp la, èske ou konnen l?

**grinbak**: *n. Lajan meriken, gwo lajan.* Antwàn vin wè mwen la a ak pòch li plen grinbak, li pa menm ban mwen senngoud menm.

**grip**: *n. Maladi ki fè moun touse, rim, maladi anrimen; enfeksyon nan sistèm respiratwa.* Se sezon grip semenn sa a.

**gripe**: *v. Ki gen grip, anrimen.* Mwen gripe, pa bo mwen.

**griy**: *Pati nan recho chabon ki kenbe chabon ak chodyè. 2. Recho pòtatif. 3. Ba an metal ki devan radiyatè otomobil. 4. Tuil an metal ki nan fenèt pou anpeche moustik pase.*

**griyad**: *n. Vyann griye, vyann boukannen.* Mwen ta manje yon ti griyad.

**griyay, griyaj**: *n. Tuil, materyo an metal osinon an plastik ki tankou yon twal an fè ki gen anpil ti twou ladan l pou lè pase men pou moustik ak marengwen pa pase.* Pa gen griyay sou galri madan Chal la, se sa ki fè marengwen anvayi ou konsa a.

**griye**: *v. 1. Kuit nan chalè san dlo. 2. Kuit sou chabon. Vyann griye. 3. Kuit anba chalè, boule, kankannen.* Solèy la ap griye m.

**griyen dan.** : *Ri alèz, san limit, alèz. Sispann griyen dan ou ak timesye yo, yo pa menm zanmi ou menm.*

**griyen**: *a. 1. Blayi, louvri, lage.* Gade kijan zo kou Tichal griyen, msye genlè malad? *2. Ri.* Sispann griyen dan ou la a. *3. Mèg.* Ou pa wè jan tout zo kou Pola vin griyen, li fini pitit.

**griyo**: *n. Manje ki fèt ak vyann kochon fri, yo sèvi griyo souvan ak pikliz epi ak bannann peze.*

**Griyo**: *n. Mo afriken ki soti nan Ginen ki sèvi pou reprezante yon powèt oral. 2. Sèk entelektyèl ki revandike yon nasyonalis nwa epi ki idantifye Vodou kòm sous kote espri ayisyen jwenn enspirasyon li.*

**grizon**: *n. Mab ki pa an bon eta.*

**grizonnen** *(grizònen)*: *v. 1. Ki kòmanse gen cheve blan.* Leyon kòmanse grizonnen. *2. Ki gen yon ti koulè gri abime.* Rad sa a pa blan ankò, li pachiman, li yon jan grizonnen.

**Gwadloup** (Guadeloupe): *np. De zile nan karayib la ki se yon depatman franse.* De zile sa yo ki fòme Gwadloup la se Bastè ak Granntè.

**Gwadloupeyen**: *n Moun ki sot nan Gwadloup.*

**Gwakanagarik**. *np. : Chèf endyen nan sèzyèm syèk ki te nan pati Nòdwès zile Ispayola a. Pati sa a te rele Maryen.* Gwakanagarik te resevwa Kristòf Kolon lè li te rive an 1492.

**gwàn**: *n. 1. Pye palmis ki gen makòn mayi mare sou li. 2. Metòd pou seche ak estoke mayi sou pye palmis.*

**gwano**: *1. Poupou chovsourit; poupou zwazo lanmè ki sèvi kòm angrè natirèl.*

**Gwantanamo** *(Guantanamo): np. Vil nan peyi Kiba kote Ameriken gen yon baz naval.*

**Gwaryonèks**. *np. : Chèf endyen nan wayòm Magwa nan zòn Nòdès ispayola nan sèzyèm syèk.*

**gwat** : *n. Maladi gòj anfle.* Moun ki gen gwat konn bezwen plis yòd.

**Gwatemala** (Guatemala): *1. np. Peyi nan Amerik Santral kote tradisyon endyen an fò anpil.* Gwatemala se yon bèl peyi. 2. *Kapital peyi Gwatemala.*

**Gwatemaltèk**: *n. 1. Non moun ki soti nan peyi Gwatemala.* Anntonyo se yon Gwatemaltèk. *2. a. Ki gen avwa osnon ki pou Gwatemala.* Tikal se yon piramid gwatemaltèk.

**gwayabèl, wayabèl**: *n. chemiz plise pou gason.*

**gwayav**: *n. Fwi twopikal ki gen yon koulè woz ak yon pakèt ti grenn ladan l.* Mwen renmen fè konfiti gwayav, li santi bon.

**gwayil**: *a. Ki pa rafine, ki pa gen manyè.*

**gwevo**: *n. Ti chanm ki sèvi pou sèvis vodou. Anjeneral li gen yon otèl ladan l.* Si ou pa inisye ou pat dwe antre nan gwevo a.

**gwoble**: *n fr. Malvina, twal abako, twal koton koulè ble.* Mwen gen yon pantalon gwo ble.

**gwo bonnanj**. *: Lespri yon moun, dapre kwayans popilè.* Pa janm kite gwo bonnanj ou ak ti bonnanj ou nan kont, se bagay ki pou fè ou fou!

**gwo je** *(gwoje): 1. Ki gen gran je.* Alis se yon tifi gwo je, ti bouch. *2. Akrèk, ki gen jèfò.* Ou gwoje anpil, pitit.

**gwo lo**: *Nimewo ki genyen nan lotri, dyakpòt.* Mwen gen nan gwo lo a.

**gwo soulye** *(gwo sowe): n fr. Moun san manyè, san edikasyon.* Kalo se yon gwo soulye.

**gwo sowe** *( gwo soulye): n fr. Moun san manyè, san edikasyon.* Kalo se yon gwo sowe.

**gwo zo**: *n fr. Kosto, ki pa gen ti kò frajil.* Wobè wo zo, men wotè l, men lajè l.

gwo zotobre *(gwo nèg, gwo popo, gwo bwa, gwo zouzoun) : n fr. Moun enpòtan swa paske li gen lajan, swa paske li gen kontak.* Mwen konn yon gwo zotobre ki ka ban nou yon rekòmandasyon.

**gwo zouzoun**: *n fr. Gran nèg, moun ki gen lajan, ki ap brase gwo aktivite epi ki ka bwòdè tou.* Ou sanble yon gwo zouzoun.

**Gwo abitan**. *: Moun andeyò ki gen mwayen, ki enpòtan nan vil kote li rete. Gwo abitan yo konn gen komès, anpil tè epi pi gwo kay nan katye kote yo rete a. Anpil nan gwo abitan yo konn chèf seksyon epi yo reprezante gouvènman lokal la.*

**gwo**: *a. 1. Ki pa piti, kokenn chenn.* Se nan yon gwo kay Menelas rete. 2. *Grav, enpòtan.* Se yon gwo koze ou di la a. 3. *Anpil.* Mwen pa gen gwo pou mwen ba ou, reziyen ou ak monnen sa a.

**gwobrenn**: *n. Grandèt, gran fi, gran gason.* Gwobrenn tankou ou, pa anmègde timoun yo.

**gwòg**: *n. 1. Bwason ki gen alkòl.* Te gen anpil gwòg nan fèt sa a. 2. *Tafya, kleren.*

**gwògmann**: *n. Moun ki renmen bwè bwason ki gen anpil alkòl osnon tafya.* Woje se gwo gwògmann.

**gwojan**: *n. ki pa byenelve, gwosoulye.* Se pou ou manyè pale ak Ari pou li sispann fè bagay sa a, sa se bagay gwojan monchè.

**gwoje**: *a. gen jèfò, vle tout pou li.* Ala tifi gwoje papa, li pran tout gato a pou li sèl epi li kite yon tikal pou mwen.

**gwo midi**: *n. Lajounen pandan gen solèy.*

**Gwomòn** *(Gros Morne): np. awondisman ak komin nan depatman Latibonit. Vil ki toupre Basenble.* Janka se moun Gwomòn.

**gwonde**: *v. 1. Bwi ki sòti nan gòj moun osnon bèt lè li fache.* Lè papa mwen move, li gen yon jan pou l gwonde se kouri nou kouri al kache. 2. *Bwi ki fèt lè ou tande loraj.* Li pral fè lapli, jan mwen wè loraj ap gwonde la a.

**gwo popo**: *n. gran nèg, gwo chabrak.*

**gwòs**: *n. 1. Douz douzèn (144).* Mwen achte pa gwòs pou mwen revann an detay. 2. *Ansent.* Fi sa a gwòs.

gwosè. *: Espas yon moun pran dapre pwa l ak wotè l.* Si mwen te gwosè w, mwen pa ta achte gwo manman rad sa a, mwen ta mete rad seksi menm jan avè w.

gwosès: *n. 1. Ansent, sitiyasyon yon fi ki ap pote yon pitit nan vant li.* Eva ap krache, siman li an gwosès. 2. *Peryòd tan, nèf mwa pandan yon fi ansent.* Gwosès Eva a byen pase.

**gwosès ektopik** : *nfr. Gwosès ki pa chita nan matris.*

**gwosis**: *n. Komèsan ki vann angwo.* Mwen pa janm renmen achte nan men revandèz, se kay gwosis mwen toujou achte.

**gwosomodo** ( *gwòsomodo): adv. San detay.* Li rakonte m istwa a gwosomodo.

**gwosye**: *a. Gwojan, malelve.* Woje se yon nonm ki gwosye.

**gwòt**: *n. Twou wòch anndan yon mòn.* Gen plizyè gwòt Kenskòf.

**gwoup Labwochèt.** : *Gwoup atis Ayisyen ki te vini ak yon estil nouvo.* Se Liknè Laza ki te alatèt Gwoup Labwochèt la. *(ane)*

**gwoup**: *n. Plizyè, pliske youn,rasanbleman moun.* Gade gwoup timoun sa ki ap jwe nan lakou a, yo pa janm bouke.*2. Kategori. 3. Nan matematik, relasyon asosiyasyon ant divès eleman.*

**gwoupe**: *v. Ransanble, òganize an gwoup.*

**gwoupman**: *n. Rasanbleman, fòmasyon gwoup.*

**gwouye**: *1. Arimen, deplase pou ajanse. 2. Danse ak hanch.*

**gwouyè**: *Moun osinon atis ki ap gwouye.*

# H h

**h**: *Lèt nan alfabè Kreyòl*

**H***a. ent : Son pou fè moun sote.*

**had**: *varyasyon rejyonal pou rad*

**hanch**: *n. 1. Pati nan kò moun ant dèyè ak lenn, kote zo kuis la vin tache. 2. Varyasyon rejyonal pou Aranch*

**hele**: *Varyasyon rejyonal pou Arele*

**hen**. *ent. : Plètil. Son pou reponn. Son pou endike atansyon.*

**hey**. *ent. : Son pou atire atansyon yon moun.* Hey tigason pa pise la a.

**hing-hang**: *n. Kont, diskisyon, chen manje chen.*

**houmfò** *(hounfò): n. Tanp vodou.*

**houn**: *Prefiks ki vle di pisans envizib, nan plizyè lang afriken. Nou jwen li nan mo tankou Hounsi, Houngan, Hounfò.*

**hounsi**: *n. Inisye nan relijyon vodou.*

**houngan**: *n. Pè nan relijyon vodou.*

**houy**: *onom. 1. Son pou ankouraje yon bourik osinon lòt bèt chay pou yo mache. Houy milèt la. 2. Son pou make sezisman.* Houy men pikan antre nan pye m.

# I i

**i**: *lèt nan alfabè kreyòl.*

**Ibè Fènan** *(Fernand Hibbert): np. Ekriven, womansye, dramatij, edikatè, kontab, diplomat. Li koni plis pou woman li ekri. Li fèt Miragwàn nan ane 1873, li vin Pòtoprens nan ane 1883 epi li al lekòl nan Kolèj Senmasyal. Apresa li al kontinye etid li nan peyi Lafrans. Li retounen Ayiti ane 1894, li travay kòm kontab nan Depatman Finans. Li marye ak Mari Peskay an 1896. Nan ane 1904 li travay kòm pwofesè istwa ak literati nan Lise Petyon. Pita li vin diplomat, sekretè deta nan Depatman Edikasyon, dramatij eltr. Nan tout liv li ekri gen yon sijè ki toujou parèt, se jan ayisyen aji lè yo gen pouvwa osinon lè yo ta renmen gen pouvwa... se jan boujwa osinon aspiran boujwa manipile tout moun ak malis epi ipokrizi pou yo ka rive kote yo vle rive. Fènan Ibè mouri nan ane 1928. An 1988 plizyè nan liv li yo te vin re-enprime. An 1998 youn nan woman Ibè yo, Simulacres tradui an Kreyòl. Pami liv li ekri yo gen, Une Mulatresse, Fille de Louis XIV (1901); Sena (1905); Les Thasar (1907); Romulus (1908); Masques et Visages (1910).*

**Ibè Lisyen** *(Lucien Hibbert): np. Minis finans sou gouvènman Estenyo Vensan.*

**ibènasyon**: *n. Estrateji kèk bèt tankou lous devlope pou pase tout peryòd fè frèt (ivè) ap dòmi, pou ekonomize enèji.*

**ibiskis**: *n. Flè ki soti nan yon plant twopikal dekoratif.*

**ibo**: *n. 1. Dans fòlklò ki raple soufrans esklav yo epi efò yo te fè pou yo te kase chenn esklavaj la.* Mwen te toujou anvi danse Ibo byen, men mwen pa fò ladan l. 2. *Non lwa nan relijyon Vodou.* Gen lwa Ibo epi gen dans Ibo tou.

**Ibobich.** *: Plaj prive ki nan yon ti zile yo rele zile Kasik.* Moun kapab pase wikenn yo nan Ibobich alèz, ou kapab lwe apatman pou yon jou osnon pou plizyè jou pou ou kapab rete pran plezi ou bò lanmè a.

**Ibolele**: *espri nan relijyon vodou. 2. Dans pou rele lespri. 3. Dans fòlklorik, gen plizyè mouvman nan dans ibo, gen you kote dansè kole de ponyèt li ansanm, li souke kòl adwat epi agoch, kòm si li ap fè efò pou li libere de men li yo si yo ta mare ak yon chenn, sa se mouvman liberasyon, ak senbòl kase chenn esklavaj. 4. Group etnik ki gen origin nan peyi Nijerya, nan kontinan Afrik. 5. Lele se yon mo nan lang Ibo ki vle di Apuisan*

**Ibon Lenèk** *(Laennec Hurbon): np.Piblikasyon li Dieu dans le Vodou Haitien 1972 Paris, Payot; Ernst Bloch Utopie et Espérance1974 Paris Cerf; Cultures et Pouvoir dans la Caraibe 1975, Paris, Harmattan; Culture et Dictature en Haiti 1979 Paris Harmattan; Le Barbare Imaginaire 1987, Port-au-Prince, Deschamps.*

**ibrid**: *n. Rezilta kwazman ant de tip; kwazman plant osinon bèt ki diferan jenetikman (osinon ki pa menm espès).* Milèt se yon ibrid ki soti nan kwazman bourik ak cheval. "Pomat" se yon ibrid ant pòm ak tomat.

**idantifikasyon**: *n. Demach pou idantifye yon moun. 2. Kat pou idantifye yon moun.*

**idantifye**: *v. Rekonnèt. Li idantifye vòlè a. 2. Fè rekonèt, bay idantifikasyon.* Idantifye ou!

**idantik**: *a. Parèy, sanblab.* De liv yo idantik.

**idantite**: *n. 1. Dokiman ki pèmèt rekonnèt yon moun.* Kat idantite.

**ide**: *n. Panse, refleksyon.* Sa ou di la a, se yon bon ide monchè. 2. *varyasyon pou Aede.*

**ideyal**: *ki teyorik, imajinè, ki pafè, ki nan rèv, ki san fot.*

**idòl**: *1. Imaj, estati moun adore.* Gen moun, sen se idòl yo. 2. *Fetich.* Lwi pa sèvi idòl ni ak imaj taye.

**idolatri**: *n. Lè moun adore yon senbòl ki reprezante Bondye, olye yo adore Bondye dirèkteman.*

**idrat kabon**: *konpoze chimik (òganik) tankou sik, lanmidon, seliloz ki enpòtan kòm manje ki bay fòs pou moun osinon pou bèt, an jeneral yo gen kabon, idwojèn, oksijèn.*

**idravyion**: *n. Avyon espesyal ki ka poze sou dlo epitou ki ka dekole sou dlo.*

**idwoelektrik**: *a. Ki konsène koze fè kouran elektrik lè dlo pase nan yon tibin ki al vire yon jeneratè.*

**idwojèn**: *n. Gaz san koulè san odè, leje, konbistib (ki ka boule), Senbòl idwojèn se AH. Yon pòsyon oksijèn, de pòsyon idwojèn bay dlo, AH2O.*

**idwolik**: *a. Ki mache ak fòs dlo osinon fòs likid. Yon machi ki mache lè yo fòs dlo nan yon kote pou deplase yon pati ki yon lòt kote. Fren idwolik.*

**idwomèt**: *n. Zouti pou mezire densite yon likid.*

**idyòm**: *n. Lang ki idantifye yon rejyon. Varyasyon nan yon lang baze sou rejyon kote moun yo ye.*

**idwosfè**: *n. Ansanm dlo ki sou latè a.* Nan idwosfè a gen lak, rivyè, lanmè elatriye.

**igrèg**: *n. lèt nan alfabè ki vin anvan z.*

**igwann** *(igwàn)*: *n. Gwo reptil pi gwo pase mabouya, men ki pi piti pase kwokodil.* Gen anpil igwann nan peyi Meksik.

**Igwe.** : *I. Wayòm endyen nan zòn lès Ispayola ki te sou kòmand Kotibanama. 2. Non yon vil nan Repiblik Dominikèn.*

**ijan**: *a. Ki merite atansyon imedyatman.*

**ijans** : *n. I. Nesesite moun genyen pou aji vit, san pèdi tan.* Mwen gen yon ijans la a, mwen pa kapab rete. 2. *Seksyon nan lopital kote yo resevwa moun ki fè aksidan osnon ki bezwen swen tousuit.* Mennen timoun nan ijans tousuit.

**ijyèn** *(ijyenn, lijyèn)*: *n. I. Pratik ak prensip pou kenbe sante moun anfòm.* Bon ijyèn se premye fason pou prevni maladi. 2. *Pwòpte. Ijyèn pèsonnèl.*

**ijyenik**: *I. a. ki konsène ijyèn ak pwòte pati entim kò moun.* Papye ijyenik. 2. *Ki bon pou lasante.*

**iks** *(x)*: *n. senbòl pou make yon valè enkoni.*

**Il Lagonav** *(Île de la Gônave) (zile)* : *Il nan Gòf Lagonav la, anfas Pòtoprens. Li apeprè 88 mil kare. Pati ki pi wo nan zile sa a, Mòn Lapyè, mezire 2500 pye de wotè.*

**il.** *(zile) n. : Yon mas tè ki antoure ak dlo.* Lagonav ak Latòti se il yo ye.

**Ilandè** *(Irlandais) (Ilandèz)*: *n. Moun ki gen nasyonalite peyi Ilann.* Pè Mut se yon Ilandè.

**ilan-ilan**: *n. plant ki bay yon flè santi bon.*

**Ilann** *(Irlande)*: *np. Zile nan Ewòp ki gen relasyon ak Grann Bretay. Ilann bat Itali de a en nan match la. Ilann divize an de pati, yon lib ak yon pati ki gen relasyon politik ak Grann Bretay.*

**Ilavach** *(Ile à Vache)*: *np. komin nan awondisman Okay, nan depatman Sid. Dapre listwa, prezidan meriken Abraam Lennkòl te siyen yon kontra ak yon nèg ki rele Bèna Kòk, pou l te enstale 5000 ansyen esklav ameriken sou zile sa a. Yo te voye 430 men vè 1863, yo te oblije pati paske yo pa t ka abitye ak zòn nan.*

**ilegal**: *a. ki pa respekte lalwa.*

**ilegalite**: *n. aksyon ki pa legal.*

**ilegalman**: *adv. yon jan ki pa legal.*

**ilejitim**: *I. a. Timoun ki pa lejitim, ki natirèl. 2. Ki pa konfòm avèl lalwa. 3. Ki pa fonde, ki pa jistifye.*

**iletre**: *a. Ki pa konn li, ki pa konn ekri. Analfabèt.*

**ilistrasyon**: *n. Imaj, senbòl atis fè pou reprezante yon bagay reyèl.*

**ilistre**: *v. Fè ilistrasyon.*

**ilizyon**: *n. Reprezantasyon nan panse ki pa konfòm ak reyalite.*

**ilizyon optik**: *n fr. Enpresyon moun genyen li wè yon bagay ki pa vrèman la.* Sa ou wè la-a se yon ilizyon optik.

**ilsè** : *I. n. Blesi ki pa ka geri.* Pye a pa geri, li devlope yon ilsè. 2. *Maladi nan lestomak.* Lolo soufri ilsè. 3. *Yon blesi (ki pa maleng) oswa yon iritasyon nan po osinon nan manbràn mikez (anndan) ki fè sekresyon (pi) epi ki fè tisi (kote ilsè a ye) a dezentegre..*

**iltra vyolèt** *[reyon]*: *n. Reyon, radiyasyon elektwomayetik.* Gen reyon vizib, gen reyon iltra vyolèt, gen reyon enfra wouj ki pa vizib.

**iltimatòm**: *n. Ekzijans ki pa pèmèt diskisyon.*

im: *n. I. chante legliz.* Im sa a toujou fè mwen sonje manman mwen. 2. *Mizik ki gen yon valè patriyotik.* Tout Ayisyen konnen im nasyonal yo rele Desalinyèn.

**imaj**: *n. Reprezantasyon, repwodiksyon yon bagay reyèl osinon yon lide.* Imaj televizyon an bay la pa sanble ak Rene. 2. *Resanblans.* Nou se imaj Bondye. 3. *Foto, ki raple yon bagay reyèl.* Imaj sa a raple m vil Okap. 3. *Repitasyon, renome.* Jozèf gen bon imaj nan vil Okap.

**imajinasyon**: *n. Talan yon moun genyen pou li konstwi imaj yon bagay li pa wè, li poko wè osinon ki pa ekziste. Kreyativite.*

**imajinè**: *a. Ki soti nan imajinasyon.* Se yon istwa imajinè. 2. *Fiksyon. Liv sa a baze sou yon istwa imajinè.*

**imajine**: *v. Envante. Reve sa ki pa reyalite tankou li ta klè devan je ou.* Istwa Bouki ak Malis yo se istwa ki imajine.

**imakile**: *a. Ki san defo, ki san fot.*

**imanitè**: *a. Ki vize byen pou tout moun san distenksyon.*

**imedyat**: *a. san pèdi tan.*

**imen**: *I. a. ki konsène lèzòm. 2. Ki gen bon kè.*

**imèn**: *n. Yon ti vwal anndan bouboun fi ki fè yo di li vyèj. Vwal, filè.*

**imid**: *a. Ki gen dlo, ki mouye.* Atè a imid.

**imidite**: *n. Eta yon bagay ki kenbe vapè dlo; patikil dlo nan lè.* Imidite a fè m santi m ap toufe.

**imigran**: *n. Moun ki chanje peyi.*

**imigrasyon**: *n. Mouvman moun etranje ki antre nan yon peyi pou li rete.*

**imilite**: *1. n. Santiman feblès ki fè yon moun bese tèt devan lòt li konsidere pi gran pase l. 2. Konpòtman ki pa gen awogans.*

**imilyan**: *a. Degradan; veksan.*

**imilyasyon**: *n. Sitiyasyon ki bay santiman imilyan.*

**imilye**: *v. Abese, degrade, kraze yon moun. Bay yon moun imilyasyon.*

**iminite** : *n. 1. Pwoteksyon kont maladi lè moun pran vaksen.* Si ou pran vaksen kont tetanòs, ou ap gen iminite pou tetanòs. *2. Rezistans osinon pwoteksyon kont yon maladi espesifik paske gen antikò kont mikwòb ki bay maladi a. 3. Pwoteksyon kont sèten lwa nan yon peyi.* Iminite diplomatik.

**iminize**: *v. Bay vaksen pou pwoteje kont maladi. Pwoteje kont maladi.*

**imis**: *n. Tè ki gen matyè òganik ki byen dekonpoze.*

**imitasyon**: *n. Repwodui rezilta yon lòt moun. Repete travay yon lòt moun.*

**imite**: *v. 1. Chare. Fè tout sa yon lòt moun fè ak entansyon pou ou anbete l. 2. Repete, kopye, refè, pran kòm modèl.* Teknik penti sa a imite teknik Loranso a anpil.

**imoralite** *(limoralite): n. Ki pa respekte prensip moral, koripsyon, depravasyon. Ki pa annakò ak prensip moral tout moun konnen.* Vòlè lajan leta se imoralite.

**INAGE**: *akw. Institi nasyonal*

**inè**. : *1. Swasant minit (60 minit).* Sa fè inè depi mwen ap tann ou. *2. Inè di maten osnon apre midi.* Kou li fè inè, klòch legliz la sonnen yon fwa.

**inegal**: *a. Ki pa egal; ki diferan; ki pa lis; ki pa regilye.*

**inegalite** : *n. Ki pa egal, ki pa plat.* Ou nan yon sitiyasyon kote ki gen inegalite. *2. Ekspresyon matematik ki konpare de valè ki pa egal; senbòl inegalite se A.* Gen yon inegalite ant de ekwasyon.

**INESKO** *(UNESCO): akw. Ogànizasyon Nasyonzini pou Edikasyon, Syans ak Kilti.*

**inèsi** *[prensip fizik]: 1. n. Eta yon bagay ki inèt, ki pa bouje. 2. Rezistans kont chanjman.*

**ini**: *v. Mete ansanm; rasanble, mele, reyini, rapwoche, soude.*

**inifòm**: *a. 1. Ki sanble, parèy.* Tout kay yo inifòm. *2. Ki regilye, san defo.* Bwa a inifòm. *3. n. Rad, abiman pou idantifye yon gwoup moun.* Inifòm lekòl.

**inifòmite**: *n. Egalite, resanblans.*

**inifye**: *v. mele, reyini, nòmalize.*

**inik**: *a. Yon sèl.* **Se pitit inik mwen**. *2. Enkonparab.* Se yon eksperyans inik. *3. Iranplasab.* Se yon foto ki inik. *4. Ki pa komen.* Vil sa a inik nan topografi li.

**INISEF** *(UNICEF): akw. Fon Nasyonzini pou timoun*

**inisyal**: *1. n. Premye let nan non ak siyati yon moun.* Inisyal Jera Micho se J.M. *2. a. Nan kòmansman.* Vèsyon inisyal la chanje.

**inisyasyon**: *1. n. Entwodiksyon nan sekrè. 2. Edikasyon; fòmasyon.*

**inisye**. *v. Entwodui yon moun nan sekrè yon relijyon. Admèt yon nouvon manm nan yon relijyon. 2. Bay yon moun enfòmasyon ak eksperyans li ap bezwen pou fonksyone. kondui, enstwi.*

**inite** : *n. 1. Youn, amoni, an konfòmite; ki ale ansanm.* Gen yon inite nan liv la. Mwen wè yon inite nan dekorasyon kay la. *2. Etalon, lajan.* Ki inite lajan peyi ou? *3. Pozisyon chif.* Inite, dizèn, santèn.

**initil**: *a. 1. Ki pa sèvi; san nesesite.* Pa kanpe tankou yon moun initil.Tout vire tounen sa a te initil. *2. n. San itilizasyon.* Ou se yon initil.

**inivè** *(linivè) : n. 1. Tout bagay, tout enèji, tout latè, galaksi ak tout espas ki ant yo. 2. Latè ak tout sa ki ladan l ak tout sa ki sou li. 3. Ras moun. 4. [nan syans estatik] se tout moun ki rete nan yon espas defini ki sèvi kòm baz pou yo pran echantiyon.*

**inivèsèl**: *1. a. Ki konsène lemonn, mondyal; ki konsène tout moun alawonn-badè; konsène tout inivè a. 2. Nan matematik (estatistik) ki etann ni sout tout endividi nan yon popilasyon aletid.*

**inivèsite**: *n. Lekòl nivo siperyè ki vin apre lekòl segondè. Inivèsite gen plizyè fakilte; plizyè depatman, plizyè inite rechèch, plizyè laboratwa. Inivèsite fè fòmasyon elèv epitou fè rechèch ki itil kominote (piblik, komèsyal, enstitisyon ak prive) kote li ye a.*

**Inivèsite Deta Ayiti** *(Université d'Etat d'Haiti). : Inivèsite Ayiti ki sou administrasyon leta. Se an 1944 li te kòmanse fonksyone. Fakilte li te premye egziste yo se Fakilte Agwonomi, Fakilte Syans, Fakilte Medsin, Fakilte Dantis, Fakilte Lèt ak Edikasyon, Fakilte Dwa ak Ad-*

*ministrasyon, Fakilte Jeni ak Fakilte Etnoloji. Kounye a, gen lòt inivèsite ki egziste.*

**inivèsitè**: *1. n. Moun ki diplome nan inivèsite. 2. Pwofesè inivèsite. 3. a. Ki konsène inivèsite; ki gen relasyon ak inivèsite.*

**inòganik**: *a. mineral; ki pa ògànik, ki pa soti nan yon matyè vivan.*

**inogirasyon**: *n. 1. Kòmansman. 2. Seremoni pou kòmanse travay nan yon biwo, nan yon bilding, nan yon legliz, nan yon lokal.*

**inogire**: *v. Konsakre yon bilding, yon biwo, yon fonksyon. Kòmanse yon fonksyon.*

**inòn**: *yon lòn. Inòn twal.*

**inondasyon**: *n. Gwo dlo ki fè lavalas apre lapli fin tonbe, lè larivyè desann.* Gen kote Ayiti ki konn gen gwo inondasyon.

**inonde**: *1. v. Anvayi ak dlo.* Kay la inonde apre lapli a.

**inosan**: *n. 1. San fot; ki pa koupab.* Pa pini li, li se yon inosan. *2. a. Nayif, senp, ki pa koupab.* Li inosan nan tout sa yo akize li a.

**inosans**: *1. n. Moun ki pa gen mal nan kè li, moun ki pwòp andedan kou deyò. 2. Moun ki vyèj. Moun ki pa koupab.*

**inosant**: *a. 1. ki pa koupab. 2. Ki nayif, ki kwè tout sa yo di li. 3. Ki po ko gen eksperyans.*

**inyon** : *n. 1. Asosye, ansanm, gwoup pou defann yon koz osinon yon gwoup.* Inyon travayè nou an solid. *2. Alyans, amoni.* Sa se yon inyon pèsonn moun pap ka kraze. *3. Maryaj.* Pè a beni inyon an.

**Inyon Nasyonal Pwofesè Ayisyen.** : *Inyon ki te fòme nan ane 1946 pou pwofesè lekòl primè, segondè ak inivèsite. Inyon sa a te vle pou edikasyon nan peyi a te pou tout moun, pou pwogram yo te balanse ak tout kalite kou ladan yo, pou lekòl yo te gen kafeterya kote pou timoun yo jwenn manje gratis, pou doktè te konsilte tout timoun ki bezwen san depans pou paran, pou te gen ase pwofesè, plis lekòl epi pou lekòl mè ak lekòl pè yo te vin pou leta. Inyon sa a pat rive dire.*

**inyoran**: *a. ki manke enfòmasyon sou yon sijè. 2. Ki pa konn li ak ekri.*

**inyorans**: *n. Mank nan konesans, enkonpetans.* Se iyorans pa mwen si mwen di sa.

**ipètansyon**: *n. Maladi lè moun gen tansyon yo wo ki depase 140/90 mm/hg (140=sistol/ 90=dyastol).*

**ipnotize**: *v. Mete moun sou kontwòl ak ipnoz.*

**ipnotizè**: *n. Moun ki gen teknik pou mete lòt moun sou ipnoz.*

**ipnoz**: *n. Kondisyon mantal ki sanble ak somèy men ki pwovoke epi ki ka chanje ak volonte yon lòt moun; angoudisman, trans.*

**ipokrit** *(ipòkrit): a. Sounwa, ki ap fe ipokrizi, mantè, fo.* Mwen pa mele ak ipokrit.

**Ipolit, Ektò** *(Hyppolite, Hector): np. 1894-1948. Atis ayisyen rekoni, li fèt Senmak 16 Septanm 1894. Msye te yon pratikan Vodou epi sa te enspire li fè penti mistik. Nan àne 1947, penti li yo te fè sansasyon nan yon ekspozisyon penti Inesko te monte nan Pari, peyi Lafrans. Se pandan l ta p fè pòtre pwòp tèt li li fè yon kriz kè (1948). Zèv li ekspoze nan plizyè mize aletranje.*

**Ipolit, Flòvil** *(Hyppolite, Florvil). np. : Prezidan Ayiti ant 9 Oktòb 1889 jiska 24 Mas 1896. Pandan l te prezidan li bati pon, fè enstale sistèm telegraf ak telefòn epi ak mache piblik.*

**Ipolit Mikèlanj,** *(Hyppolite, Michel-Ange) (Kaptenn Koukourouj): Ekriven, pwofesè, youn nan fondate Sosyete Koukouy Kanada ak Bilten Koukouy. Misye ap viv nan Otawa, kote l'ap anseye syans. Li fè anpil efò pou konvenk Ministè edikasyon nan Ontaryo Kanada rekonnèt lang kreyòl Ayiti a kòm lang entènasyonal ki pou anseye nan lekòl pwovens Ontaryo sou menm pye egalite ak Panyòl, Angle, Alman ... elatriye. Li ekri twa liv: Anba Lakay pwezi, (1984); Atlas Leksik Zo Mouneksik an kat lanng sou zo, (1989); AZile Nou pwezi, (1995); Atlas Kò Moun, (1998).*

**ipopotam**: *n. Gwo gwo bèt sovaj ki gen yon gwo gwo bouch. Li gen janm kout epi li gen yon po epè ki pa gen pwal sou li. Ipopotam se bèt ki renmen dlo.*

**ipotèk**: *n. Garanti yon moun bay sou byen li pou li ka prete lajan, alòske li ka kontinye ap sèvi ak byen an. Men si li ta vin pa kapab renmèt lajan an nan kondisyon kontra a ipotèk la, li ka vin pèdi byen an.*

**ipoteke**: *v. Mete yon byen nan ipotèk. Prete lajan epi bay yon byen kòm garanti.*

**ipotalamis** : *n. Pati nan sèvo ki anba talamis ki sèvi pou kontwole tanperati kò ak pou kontwole lòt aktivite selili pou mentni lavi.*

**ipotèmi**: *n. Lè tanpertati yon bèt desann pi ba pase sa ki nòmal.*

**ipoteniz** : *n. Nan yon triyang rektang, kote ki anfas ang 90 degre a. Nan yon triyang rektang, ipoteniz la egal sòm kare de lòt kote yo.*

**ipotèz**: *1. Pwopozisyon tout moun dakò men ki poko demontre, Konvansyon, sipozisyon.* Ipotèz pa mwen se mari a ki tiye fi a. *2. Pati moun admèt kòm verite nan yon pwoblèm.* Sa se yon ipotèz valab. *3. Eksplikasyon pou yon aktivite lanati ki poko verifye.* Dapre ipotèz syantis yo, fòk se yon mitasyon yon viris ki lakòz maladi sa a.

**iregilarite**: *n. Ki pa fèt dapre lèrèg; Ki anòmal. Ki pa regilye, ki pa lis.*

**iregilye**: *a. Anòmal, dezòdone, ilegal.*

**iresponsab**: *a. Ki pa pran responsabilite li. Ki pa merite konfyans.*

**irèt**: *n. Kanal kote pipi pase lè li soti nan vesi a pou ale deyò, se menm kote semenn pase tou.*

**irigasyon**: *n. Pran dlo soti nan yon pi, yon dig osinon yon rivyè pou kondi li nan jaden osinon nan yon plantasyon. Yon sistèm irigasyon gen dig, kannal prensipal, kannal segondè ak drenaj.*

**irige**: *v. Mete dlo sou yon teren pou fè agrikilti. Mete sistèm irigasyon.*

**irin** *(pipi): n. Dechè likid ki fèt nan ren epi ale devèse nan vesi (blad pipi) anvan pou li soti deyò (elimine). Pipi gen ire, sèl, li gen yon koulè jòn pal. Ren gen yon seri filt (paswa) ki filtre san an pou retire dechè. Dechè metabolik*

**irinè**: *a. Ki konsène pwodiksyon ak eliminasyon pipi.*

**irinwa**: *n. Kote moun pipi.*

**iris**: *1. n. Manbràn (ti vwal) won ki gen koulè ki antoure pipiy je an, li genyen mis ki pèmèt li ajiste (louvri fèmen) gwosè pou louvri iris la pou kontwole kantite limyè ki ap antre nan je a. 2. Yon kalite plant.*

**iritan**: *1. Ki agase, ki enève moun. 2. Ki bay iritasyon.*

**iritasyon**: *n. 1. Kolè; enstab nan karaktè.* Semenn sa a misye gen yon iritasyon sou li, se pa bòde. *2. Gratezon, anflamasyon.* Mwen pran yon konprime pou desann iritasyon an.

**irite**: *v. Agase, kontrarye Pa irite m, tande. 2. Anfle apre yon gratèl.*

**isiprezan**: *Ki prezan kounye a kote moun ki ap pale a ye.*

**isiba**: *Sou latè.*

**isit** *(isi): adv. Kote ou ye la.* Mwen isit la pou de jou. *2. Kote tou pre la. Vin chita isit la-a.*

**islam**: *Relijyon Mizilman ki gen yon pwofèt ki rele Mawomè, fondatè Islam se pwofèt Mawomèt. Manm islam yo sèvi menm Bondye ak kretyen yo, yo rele Bondye Ala. Yo sèvi ak yon liv ki rele Koran kòm bib. Mizilman priye senk fwa pa jou, yo pa manje vyann kochon, yo pa bwè alkòl, legliz yo rele Moske.*

**ispanik**: *1. a. an rapò ak lank espayòl. 2. An rapò ak Lespay.*

**Ispayola.** *: Zile kote Ayiti ak Dominikani ye. Ispayola ant Kiba ak Pòtoriko. Ayiti gen yon tyè zile a epi Dominikani gen lòt detyè a. Se 5 desanm 1492 Kristòf Kolon te debake nan zile Ayiti epi li chanje non Ayiti a pou rele li Ispayola.*

**istorik**: *a. 1. Ki merite pou tout moun sonje. 2. Ki gen rapò ak istwa.*

**istoryen**: *n. Moun ki etidye istwa. Moun ki ekri pou rapòte istwa.*

**istwa** *(Listwa): n. 1. Vèsyon evenman jan yo te pase tout bon. 2. Fiksyon, vèsyon envante pou amize moun. 3. Eksperyans, ensidan. 4. Manti. 5. Vèsyon krondojik istwa reyèl ki pase tout bon nan lavi yon nasyon, yon zòn, yon pèp, yon moun, yon enstitisyon, eltr. 6. Evolisyon yon maladi sou yon pasyan. 7. Domèn konesans ki note, etidye, analize tout evenman ki pase nan yon sosyete.*

**isye**: *n. Moun ki la pou pote papye asiyasyon, pou fè pwosè vèbal.*

**Itali**: *np. Peyi nan Sid kontinan Ewòp. Kapital Itali se Wòm.*

**italik**: *a. Aparans yo bay mo nan yon tèks pou fè li diferan konpare ak lòt tèks toutotou li pou atire atansyon. Definisyon an diksyonè a an italik alòske ekzanp yo regilye.*

**italyen**: *a. Ki konsène Itali, popilasyon Itali, lang yo pale la osinon kilti Itali. 2. n. Moun ki fèt nan peyi Itali. Lang Itayen pale.*

**iteris**: *1. n. Ogàn nan femèl mamifè kote ze fètilize al tache epi kote anbriyon ak fetis yo devlope. 2. Pati nan kò fi kote règ soti, kote ze fètilize al enplante, (kole), kote fetis devlope epi kote tranche kòmanse.*

**itil**: *a. Ki sèvi, nesesè.* Nèg sa a pa itil anyen la a.

**itilite**: *n. Ki gen yon fonksyon itil.*

**itilizasyon**: *n. Jan pou itilize kichòy. A kisa yon bagay sèvi.*

**itilize**: *v. Sèvi ak.* Mwen itilize konpyoutè a chak jou.

**Itlè Adòlf** *(Adolph Hitler): np. Diktatè almay ki fè nan peyi Otrich. Li fèt an 1933 li mouri an 1945. Li te fè anpil krim, li te kondane tout Jwif nan Almay pou yo mouri. Li te tiye anpil Jwif.*

**itopik**: *a. ki imajinè, ki pa reyalis, ki pa fezab.*

**ivè**: *n. Sezon, tan fredi ki vini apre otòn, anvan prentan. Ayiti peryòd ivè a pa fè frèt paske se yon peyi ki nan zòn twopikal.*

**ivwa**: *1. n. Yon pwodui ki di ki nan dan long elefan. 2. a. Koulè krèm.*

**ivwaryen**: *Mou ki fèt nan peyi Kot-Divwa.*

**Iwochima**: *np. Vil nan kot Japon ki te detwi an Out 1946 paske Ameriken te atake ak bonm atomik. Se premye fwa yo te sèvi ak bonm atomik nan lagè.*

**iwoni**: *n. Atitid ak pawòl pou pase moun nan betiz.*

**iwonik**: *a. Ki gen iwoni.*

**iwonikman**: *adv. Yon jan ki gen iwoni.*

**iwonize**: *v. Pase nan tenten, blage, moke.*

**iyòd**: *n. Yon kò chimik senp ki fè yon gaz vyolèt lè li chofe. Yo mete l nan tenti-dyòd pou sèvi kòm desenfektan.*

**iyoran**: *a. Ki pa enfòme, ki pa gen enstriksyon.*

**iyorans**: *n. enkonpetans.*

**ize**: *v. Abime.* Twal sa a fin ize, li tou pachiman kounye a.

**izèd**: *n. dènye lèt nan alfabè. X, Y, Z.* Men izèd la wi manman.

**izin**: *n. kote ki gen anpil machin pou pwodui epi gen anplwaye ki ap fè machin yo mache. Iizin sik Asko.*

**izirye**: *n. Moun ki prete lòt lajan ak gwo enterè.*

**izolan**: *n. 1. Ki pa kite kouran pase.*Kouvèti plastik ki kouvri fil kouran pou pa gen chòk. *2. a. Ki gen karakteristik pou pa kite kouran pase.* Materyèl izolan. *3. Ki pa kite fredi osinon chalè pase.*

**izolasyon**: *n. 1. San kominikasyon ak lòt.* Kote Michèl rete a, li ap viv nan izolasyon. *2. Separasyon.* Yo mete de bèt yo nan izolasyon pou evite kontaminasyon. *3. Pwoteksyon kont chalè osinon kont fredi, osinon kont elektrisite. Kay la gen yon bon izolasyon.*

**izole**: *v. 1. Mete apa.* Maladi a atrapan, izole malad la. 2. *Separe.* Nou ap viv izole youn ak lòt. *3. Pwoteje kont chalè osinon kont fredi, kont elektrisite.* Kay la byen izole.

**izòlman**: *n. Izolasyon, solitid, karantèn.*

**izolwa**: *n. Kabin kote moun izole yo pou yo vote.*

**izosèl**: *Ki gen de kote ki egal.* Triyang izosèl.

# J j

**j.** : *Lèt nan alfabèt kreyòl.*

**ja**: *1. n. Kanari, veso ki fèt ak ajil pou konsève dlo osinon manje. 2. Veso pou konsève lajan ak lò anba tè; dapre kont, lejann ak istwa nan tradisyon Ayiti, ja yo se kanari ki anba tè depi lontan lontan epi ki plen lajan kolon yo ak lòt moun te sere.* Ou pa wè Jan vin rich toudenkou, se yon ja li jwenn nan lakou lakay li a!

**jachè**: *n. Peryòd pou yon tè repoze apre plizyè rekòt.*

**jaden danfan**: *n. Lekòl pou timoun ki debitan ant laj twazan ak senkan.* Alfrèd nan jaden danfan.

**jaden**: *n. 1. Kote abitan plante manje ak danre.* Moun renmen al nan jaden granm maten anvan solèy leve. *2.Kote nan lakou ki gen pye bwa, kote moun plante flè.* Gade kijan jaden an bèl, siman ou fèk fè koupe gazon an.

**jadinay**: *n. 1. Manje ki gen anpil legim. 2. Aktivite fè jaden.*

**jadinye**: *n. Moun ki fè jaden, sitou jaden dekoratif lavil.*

**jagon**: *n. lang espesyalize; langaj pou moun ki inisye sèlman ka konprann.*

**Jak Premye,(** Jean Jacques Dessalines) *(Jacques 1er). np. : Non Desalin te pran lè li te vin anprè nan peyi Ayiti 22 Sektanm 1804. Li te kouwone anprè jou ki te 8 Oktòb. Li mouri nan yon pèlen nan zòn Ponwouj jou ki te 17 Oktòb 1806.*

**Jakmèl**. *(Jacmel) : Vil nan depatman sidès ki bay plizyè powèt (Rene Depès), plizyè atis (Prefèt Difo). Zòn Jakmèl la bay anpil kafe. Jakmèl fonde an 1698 nan yon espas endyen ki te rele Yakimèl (ki vle di dlo). An 1998, Jakmèl te gen 300 ane. Nan ane 1806, Miranda, yon revolisyonè ki soti Venezyela te vin Jakmèl, se pandan li te la li te kreye banyè liberasyon Venezyela. An 1816, Boliva te vin Jakmèl pou li prepare lagè liberasyon. Lè li te ap repati, plizyè sòlda pati ak li pou al ede li epi tou prezidan Petyon te ba li rasyon ak lajan pou ede li. An 1896 te gen yon gwo dife ki detwi vil la. Li vin rekonstwi ak achitekti ki gen kouny e. Premye kote yo enstale sistèm distribisyon elektrik Ayiti osinon sou zile se te Jakmèl an 1908. Premye sal sinema Ayiti se te Jakmèl. An 1990 gen apeprè 15, 000 moun ki rete nan vil Jakmèl.*

**Jakmelyen**: *n. Moun ki fèt osinon ki rete Jakmèl.*

**jako**: *Zwazo ak bèl plim ki pouse son tankou li vle pale.* Jako sa a bèl.

**jakorepèt**: *n. 1. Jako ki toujou ap repete son li tande. 2. Moun ki ap repete sa yon lòt moun di. Ou se yon jakorepèt.*

**jal**: *n. Kontraksyon pou jeneral.*

**jalou**: *a. 1. Ki toujou sispèk gen lòt moun ki ap pataje lanmou li.* Mwen se yon moun ki jalou.

**jalouzi**: *n. Santiman yon moun santi lè li santi moun ki renmen li an renmen lòt moun tou.* Li ap fè jalouzi.

**Jamayik** *(Jamaïque): n p. Zile, peyi nan Karayib la, tou pre Ayiti, kapital Kenston. Yo pale angle.* Se Jamayik moun danse rege.

**Jamayiken** *(Jamayikèn) : 1. n p. Moun ki soti nan peyi Jamayik.* Mwen kontre yon Jamayiken debyen lotrejou. *2. a. Ki pou Jamayik.* Rege se yon dans jamayiken.

**jamè**: *adv. negasyon pou kèlkeswa rezon, kèlkeswa moman;* O gran jamè mwen pa p pale ak ou. *Negasyon pou tan ki te pase deja.* Jamè dodo.

**jamèdodo**: *n. Moun ki gen aktivite nannuit kou lajounen.* Ou se yon jamèdodo.

**Jan Batis Èns** *(Ernst Jean-Baptiste) : np. Foutbolè ayisyen*

**Jan-Batis Poris**, *(Pauris Jean-Baptiste): Ekriven, pastè, edikatè. Li fèt Tènèv. Se li ki te responsab ekip ki te tradui labib an kreyòl la. Li ekri anpil woman ak istwakont. Pami woman yo genyen: Sogo nan kwazman gran chimin (1979), APeyi Zoulout (1979), ANan Lonbray Inosans (1985). Nan istwakont, li ekri AChen Pèdi Chat Genyen (1981), nan ti istwa kout li ekri ATonton Maten (1973). Nan AChouichoui gran chimin (1975) Pauris Jean-Baptiste sèvi ak yon trezò ki nan lanng kreyòl la. Li keyi twasan pwovèb chaje ak bèl leson pou li ekri liv la. Tout pawòl sa yo sòti nan domèn oralti,* *lè tout fèybwa tap pale nan kè powèt la. Se sa ki fè tout pawòl liv sa a se tankou youn sous k'ap chante sèt verite li pou peyi Dayiti. Liv sa a te parèt nan lane 1974. Pauris Jean-Baptiste te ekri anpil atik tou nan jounal sou pwoblèm lang peyi a.*

**Jan Franswa** *(Jean François). np. : Youn nan moun ki te alatèt rebelyon esklav yo nan ane 1791 la. Jan Franswa te ansanm ak Jàno, Byasou epi Boukmann. Se apatide rebelyon sa a ki te mennen anpil lanmò, masak epi ak dife toupatou.*

**jan. n.** : *1. Kalite.* Yon bon jan tè, se yon tè wouze ki kapab fè bon rekòt. 2. *Klasifikasyon yon espès dapre sa li genyen oswa karakteristik espesifik li.* Manihot esculenta se non laten pou manyòk, manihot se jan li epi esculenta se espès li.

**Janbatis Nemou** *(Jean Baptiste, Nemours). np. : Mizisyen ki te moute dyaz ki te rele Konpa Dirèk la. Dyaz sa a te an konpetisyon ak Kadans Ranpa ki te sou direksyon Webè Siko. Nemou te koni anpil pou mereng li yo epi ak bolewo yo. Nan peryòd li te anflèch, li menm ansanm ak Siko te pratikman separe teritwa peyi Ayiti a ande, kote yo chak te genyen apeprè senkant pousan fanatik yo. Nan peryòd kanaval de gwoup sa yo te konn chofe anpil. Lè minidyaz yo vin parèt gwoup Nemou an vin pa alamòd ankò, epi li te vin kraze.*

**janbe** : *v. Travèse. Mwen janbe rivyè a.* Tifi a janbe nou la a, san li pa di nou bonjou.

**janbon**: *n. Vyann trete, chakitri, konsèv.* Janbon se vyann ki koute chè.

**janbyè**: *n. Gèt, rad ki kole sou janm moun.*

**jandam**: *n. Lapolis, moun ki gen zam ak inifòm. Pa kite yon jandam betize avèk ou, li la pou pwoteje ou, li pa la pou fè ou abi.*

**jandamri**: *n. Biwo ak kazèn jandam.*

**janjanbrèt**. *( jenjanbrèt). n. Manje dous ki fèt ak farin, siwo, jenjanm, dlo, epi tou ki kuit nan fou.*

**Janklod Mata** *(Martha Jean-Claude): np. Chantè, aktè, ekriven, aktivis politik, diplomat. Li fèt Pòtoprens an 1919. Li te kòmanse karyè chante li pandan fèt bisantnè endepandans Ayiti, sou gouvènman Lesko. Yo te arete li sou Maglwa apre li te pibliye yon liv (Anriyèt) Li vin ale anekzil Kiba an 1952. Li marye ak yon kiben.Li retounen Ayiti pou vizite apre 1986. Yo ba li yon akèy estra-òdinè Premye plak mizik li pibliye parèt an 1950, li te enpresyone anpil moun ak albòm sa a. Dezyèm plak li soti an 1975.*

**janm**: *n. Pati nan kò ki ant kwis ak pye. Moun ki gen janm long kapab kouri pi vit pase mou ki gen janm kout. 2. Kontraksyon pou Ajamè.*
Li pa janm ale Okap.

**Janpyè Richa** *(Jean-Pierre, Richard). np. : Ansyen Dik nan vil Mamlad nan wayòm Anri Kristòf. Lè Kristòf vin malad, Richa Janpyè te tou pwofite deklare Kristòf lagè.*

**Janpyè Lebè** *(Lebert Jean-Pierre): np. Ansyen minis komès ak endistri nan gouvènman Divalye.*

**Janrabèl** *(Jean-Rabel): np. Vil nan depatman Nòdwès.* Moun Janrabèl.

**jansiv**: *n. Pati nan bouch kote dan yo chita.* Fi sa a gen jansiv vyolèt.

**jant**: *n. Pati nan wou machin ki an metal, ki kenbe kawoutchou a.* Jant lan kolboso.

**jante**: *v. Mete jant.*

**janti**: *a. Ki boule byen ak moun, souriyan, debyen.* Fi sa a janti anpil.

**jantiman**: *a. Ak jantiyès.*

**Janti, Lidya,** *(Lydia Jeanty): np. edikatè feminis, li te plede anpil pou fi vin gen dwa vote, li te pitit Oksid Janti. Veteran nan lit fanm. Lè li mouri 23 sektanm 1998, li te gen 93 lane. Li te yon modèl pou lit Fanm nan nan Ayiti. Li te prezidan Lig Feminin Aksyon Sosyal. Li te nan tèt gwoup medam ki te aktivis pou fanm kapab vote. Se te premye Fanm ki te minis ( depatmman travay) nan lane 1957, premye fanm konseye anbasad nan peyi Angletè. Li te reprezante Ayiti nan plizyè kongrè entènansyonal. Li te envite donè nan premye konferans Lig Ewopeyen pou Devlopman ak Pwogrè Fanm ak pou Pwomosyon Entelektyèl ak kiltirèl. Nan peyi Ayiti nan dat 8 mas lane 1996 madan Jeanty resevwa meday Onè ak Merit nan Villa D'acceuil nan men Minis Kondisyon Fanm ak Dwa Fanm nan epòk la, Ginette Cherubin. Nan yon emisyon sou radyo, apre lanmò madan Jeanty, madan Paulette P. Oriol deklare " Lidya te toujou yon gid pou mwen ak pou rès manm lig la. Dayè jouk nan dènyè tan yo nou pat janm fè yon reyinyon san Lidya paske yon reyinyon san li manke moso". Fanmi ak Zanmi Madan Jeanty prezante l kòm yon Fanm ki te gen anpil moral, kouraj epi ki te briye tout kote l pase. Lidya O. Jeanty fini lekòl nan laj 18 an. Yon ti kras tan apre li te koumanse dirije yon lekòl. Li fè yon karyè pwofesè 58 lane. Preske anvan l mouri, Madan Jeanty te toujou ap mennen aktivite l nan lekòl klasik ak pwofesyonèl li te genyen. Madan L. O. Jeanty te pitit Occide Jeanty ki te konpoze Im Nasyonal la. Li menm bò kote pa l te toujou ap ankouraje jèn ki nan antouraj li renmen epi sèvi peyi yo.*

**Janti, Oksid,** *(Occide Jeanty): np. 1860-1936). Mizisyen konpozè ki fèt Pòtoprens. Li te etidye mizik Pòtoprens ak an Frans. An 1886 li te mizisyen ofisyèl Larepiblik epitou li te kondiktè òkès militè. Li ekri plizyè mach militè ak mizik fòlklò.*

**jantiyès**: *n. Kalite moun ki janti. Aksyon yon moun ki kominike ak politès, ak jenerozite.* Nèg sa a pale ak jantiyès.

**janvye**: *n. Premye mwa nan ane.* Nou fete Endepandans nou premye janvye chak ane.

**jape**: *v. Bwi chyen fè ak bouch li ak gòj li.* Chyen nou an jape lè li grangou, ou byen lè li pè men li pa janm jape moun.

**Japon** : *np. Peyi endistriyèl nan kontinan Azi.* Mwen ta renmen vizite Japon.

**Japonè** *(Japonèz) : n 1. n p. Moun ki fèt nan peyi Japon.* Li-Yu se yon japonè. *2.a. Ki fèt nan peyi Japon.* Machin japonè.

**japwouv**: *Moun ki pa gen opinyon pa epi ki apwouve tout sa yo di li.*

**jarèt** : *n. 1. Pati pa dèyè janm yon moun.* Ou gen gwo jarèt. *2. Pousad, kontak, piston, rekòmandasyon.* Ban m yon ti jarèt tanpri.

**jasmen**: *n. Plant dekoratif ki bay flè ki santi bon.* Jasmen dennuit.

**jasmendenwi**: *n. Plant santi bon ki fè flè blan.* Mwen gen yon pye jasmendenwi nan lakou lakay mwen.

**java**: *n. 1. Maleng.* Pitit la gen yon java ki refize geri.

**javlo**: *n. Zam, lans an metal pou voye ak men. 2. Estil espò pou konpetisyon olenpik.*

**jayi**: *v. likid ki soti ak fòs. 2. Gen kriz.*

**jaze**: *v. Fè ti koze sosyal.*

**je**: *n. 1. Plizyè bagay ki mache ansanm.* Yon je vè se plizyè vè ki mache ansanm, ki gen menm desen, menm koulè. *2. Zye, Pati nan kò moun ki pèmèt li wè.* Sa je pa wè kè pa tounen. Se ak de grenn jem mwen te wè batay la. *je bourik Gwo je.* Fi sa a gen je bourik. *2 Ki iyoran.*

**je chèch**: *n fr. Ki gen odas, ki pa sansib, ki awogan, ki pa pè.* Ou se yon moun ki gen je chèch.

**je chire**: *n fr. Ekspresyon osnon fòm je ki sanble ak je chinwa.* Tifi sa a gen je chire.

**je mouran** : *n fr. Fòm je osnon ekspresyon je dou.* Ti gason sa a gen je mouran.

**je pou je**: *n fr. Fas a fas, tengfas.* Nou resi kontre je pou je.

**je pye** : *1. n fr. Pati nan pye, chevi, zo pye.* Je pye m fè m mal. *2. Bout anba kote tibya ak pewone fini.*

**je vewon**: *n fr. Je lanvè, lè pipiy je yon moun pa simetrik epi yo pa suiv menm direksyon (ezotropi).* Ti pitit sa a gen je vewon.

**jebede**: *n. 1. Gaga.* Ou se yon jebede, monchè. *2. v. Betize, ranse.* Pa vin jebede la a.

**jechalòt** *(echalòt): n. Epis koulè mòv, ki sanble ak zonyon men ki gen yon gou diferan.* Mete yon ti jechalòt nan sòs la pou mwen.

**jedi, lejedi**: *n. Katriyèm jou nan semenn nan. Jou ki vini apre mèkredi.* Jedi maten mwen pral kay doktè.

**jèfò** *(jefò): n. 1. Efò, lite, eseye.* Se anba gwo jèfò Chantal resi remèt mwen liv mwen an. LI fè anpil jefò, men li pa pase paske li pa konprann keksyon yo. *2. Moun ki renmen sa ki pa pou li palafòs.* Kouman ou fè gen jèfò konsa a, si jwèt la pa pou ou, pa goumen pou li, remèt mèt li.

**Jefra, Fab Nikola** *(Geffrard, Fabre Nicolas). np. : Prezidan Ayiti jou ki te 23 desanm 1858 epi li te pran ofis jou ki te 20 janvye 1859. Dapre listwa, msye te negosye kondisyon ak pouvwa legliz katolik tap genyen nan peyi a. Li te louvri anpil lekòl. Msye sanble li te serye anpil epi li te gen pwoblèm ak moun ki pat dakò avè l. Se konsa, dapre listwa, li te degoute epi li te al viv nan peyi Jamayik kote li mouri 31 desanm 1878.*

**jekwa** *(sekwa): Awogan.*

**jelatin**: *n. 1. Tout bagay ki gen menm konsistans ak jelo. 2. Plastik ki ka pliye.*

**jele**: *n. 1. Manje dous ki fèt ak ji fwi epi ak sik. Li bon pou manje ak pen.* Mwen pa renmen jele paske li twò dous. *2. Plaj nan sid, Ayiti.* Ann al fè yon piknik Jele, dlo a fre anpil nan zòn sa a.

**jèm**: *n. 1. Mikwòb. Mikwòb ki ka bay maladi. Jèm yo tèlman piti moun ka wè yo sèlman ak mikwoskòp. Gen mikwòb toupatou, kò moun gen jan pou li pwoteje tèt li kont anpil nan mikwòb yo. 2. Pati nan yon grenn plant ki pou jème. 3. Pati ki destine pou repwodiksyon. Fòm primitif (kòmansman) oswa fòm anbriyonè ki premye pa anvan yon ògànis vivan devlope. 4. Grenn plant ki fèk kòmanse jème. 5. Fòm pou yon bagay kòmanse.*

**jèmen** *( jème): v. Fè jèm, boujonnen; lè yon grenn kòmanse devlope.* Se kounye a pwa kongo a ap jème.

**jemi**: *v. Kriye, plenyen akoz yon soufrans, akoz yon doulè.*

**jèminasyon** : *n. a. Eta, sitiyasyon plant ki ap jèmen.* Se peryòd jèminasyon kounye a.

**jen**: *n. Sizyèm mwa nan ane a.* Timoun yo an vakans nan mwa jen.

**jèn** *(jenn): n. Ki nan kòmansman lavi li, ki poko fin devlope; ki nouvo 2. a. Ki pa granmoun.*Ou kapab travay di, ou jèn. *3. n. Pati anndan nwayo yon selil se yon pati nan kwomozom ki kontwole trè eredite ki soti nan paran pou al nan pitit yo. Asanblaj DNA ak pwoteyin. Selil yo gen yon seri ti fil long ki gen enfòmasyon ki soti nan manman ak papa yon moun. Lè selil la* *ap miltipliye, li sèvi ak enfòmasyon sa yo pou li ka fè menm kalite selil la. Se sa ki fè pitit sanble ak papa li osinon ak manman li osinon ak toulede. Fil long sa yo ki kenbe enfòmasyon yo yo rele yo jèn. (Domèn jenetik). 4. Ki pa manje volontèman (fè jèn).*

**jenan**: *a. Dezagreyab, ki fè moun malalèz.*

**jene**: *v. Rete ajen, rete san manje volontèman; fè jèn.*

**Jeneral Kebwo.** *np. : Jeneral ki te ede Divalye pase nan eleksyon 1957 Ayiti a.*

**jeneral**: *n. 1. Grad militè. 2. a. Kikonsène, ki afekte tout (moun) san eksepsyon, chak moun; ki pa gen limit. 3. Ki konsène pati enpòtan sèlman nan yon agiman.* Règ jeneral.

**jeneralize** : *v.1. Repann toupatou.* Yo jeneralize edikasyon nan lang Kreyòl la. *2. a. Ki rive toupatou.* Grèv jeneralize.

**jeneralman**: *adv. An jeneral; leplisouvan.*

**jenerasyon**: *n. 1. Tan, epòk.* Tan yon òganis pase ant nesans ak repwodiksyon Mizik sa a, se mizik jenerasyon mwen. *2. Gwoup moun ki gen apeprè menm laj.* Jenerasyon sa a fèt sou prezidan Lesko. *3. Seri, gwoup, ansanm.* Kopi sa yo tout se premye jenerasyon an.

**jeneratè** : *1. n. Machin ki fèt pou transfòme enèji mekanik pou fè enèji elektrik epi pwodui kouran. 2. Yon machin ki chanje enèji kinetik pou fè li tounen enèji elektrik.*

**jeneratris**: *1. n. Ekipman, machin ki fèt pou pwodui kouran.* Gen moun ki gen jeneratè elektrik lakay yo. *2. Yon machin ki chanje enèji kinetik pou fè li tounen enèji elektrik.*

**jenere**: *v. 1. Pwodui. Nou jenere tout materyèl edikatif ou ka imajine nan Edika Vizyon. 2. Lakòz, responsab, sous.* Se ou ki jenere tout pwoblèm yo.

**jenès** *(jennès ): n. 1. Tan, epòk nan lavi yon moun kote li jenn, li pa vye.* Jenès se yon bèl peryòd nan lavi. 2. *Tan fou, lè moun fè erè fasil.* Izabèl se te yon foli jenès mwen. *3. Fi ki gen relasyon ak gason pou lajan.* Fè atansyon pou ou pa pran maladi nan men jenès yo deyò a.

**jenetik**: *1. n. Pati lasyans ki etidye eredite, li baze sou resanblans ak diferans ant paran ak timoun yo. 2. a. Ki sot depi nan jèn.* Maladi jenetik.

**jenetisyen** : *n. Moun ki espesyalize nan syans jenetik.* Mesye sa a te al wè yon jenetisyen pou maladi li a.

**Jenèv** *(Genèves): np. Vil nan peyi Lasuis, li gen 160 mil moun.*

**jenewozite**: *n. Bonte, lajès, renmen bay.*

**jeneyaloji**: *n. Yon tablo ki make kòd fanmi yon moun ale jiska plizyè jenerasyon. 2. Domèn syans ki etidye relasyon fanmitaj nan zansèt yon moun.*

**jenèz**: *1. n. Premye liv nan labib ki esplike kijan lavi te kòmanse sou latè. 2. Istwa ki esplike kijan yon bagay fè rive kote li ye jodi a.*

**jeng** *(lajeng) : n. 1. Kote nan lanati se fòs, entelijans ak malis ki kòmande.* Mwen ta renmen konnen kijan lyon ak rena boule nan jeng la. *2. Anbyans dezòganize kote chyen manje chyen san etik.* Nou pa nan jeng, kouman nou fè ap malmennen younalòt konsa?

**jeni**: *1. n. Diferan domèn etid teknik.* Jeni sivil, jeni mekanik, jeni enfòmatik eltr. *2. Kò militè ki anchaje pou fè konstriksyon. 3.Talan, ladrès, entelijans.*

**jenifleksyon**: *n. mouvman pliye jenou pou endike respè, admirasyon, soumisyon.*

**jènjan**: *n. jèn moun, jèn gason ant 15 a 18 ane.*

**jenjanbrèt**: *n. 1. Dous, desè, pase bouch ki fèt ak siwo epi ak jenjanm.* Mwen renmen jenjanbrèt. *2. Estil achitekti.* Kote kay yo gen dantèl nan bwa pou dekore.

**jenjanm**: *n. Epis pike ki sèvi pou bay manje dous bon gou.* Yon timoso jenjanm nan labouyi bali bon gou. Te jenjanm bon pou frison.

**jenn**: *a. Ki poko granmoun.* Jenn moun alèkile yo, yo pa vle gen anpil pitit paske lavi a vin twò di.

**jenni** *(jeni): 1. Ki gen kapasite estwòdinè pou li fè bagay bon osnon move anpil lòt moun pa ka fè.* Gende travay Oska fè ou wè se yon jenni li ye.

**jennen** : *v. 1. Ki nan difikilte, ki pa alèz.* Misye jennen avèk mwen. *2. Ki sou wout.* Ou jennen m la a, al chita laba a. *3. a. Etwat.* La a jennen, pa gen espas pou nou tout. Se nan chemen jennen ou pran chwal malen.

**jennjan**: *n. Fi ak gason ki jèn. Jennjan lontan yo te galan anpil, yo te konn kanpe bay medam yo chita.*

**jennòm**: *1. n. jèn gason. 2. (syans biyoloji) tout ansanm jèn yon ògànis genyen.* Jenòm moun osinon bèt, osinon plant gen enfòmasyon sou kijan ògànis lan pral viv, ki fòm li ap genyen, ki jan li ap devlope eltr.

**jenou**: *n. Atikilasyon, pati nan kò ant kwis ak janm ki pèmèt janm nan pliye epi atikile.* Lè yon moun kouri anpil, jenou l konn fè l mal.

**jent**: *n. Konsèy tanporè pou mennen yon peyi annatandan gen yon gouvènman regilye. Lè Divalye pati, te gen yon jent ki te pou ranplase le, ladan l te gen de militè Avril ak Nanfi epitou te gen yon sivil Jera Goug.*

**jepye**: *n. Pati nan pye kote zo kontre ak talon, de ti zo, ki nan pye moun sou anwo talon yo.*

**jeranyòm**: *n. Plant dekoratif.*

**jere**: *v. Dirije, kontwole yon byen, yon pwojè, yon gouvènman.*

**Jeremi** *(Jérémie): np. Jeremi se vil prensipal depatman Grandans. An 1756 Jeremi se te yon ti vilaj pechè, Jeremi, se kote anpil esklav yo te konn al kache pou yo libere tèt yo soti nan mizè esklavaj. Yo rele Jeremi vil powèt paske plizyè powèt Ayiti yo soti la, Etzè Vilè, Emil Woumè, Jan Briyè, Rene Filoktèt tout fèt Jeremi.*

**Jeremyen**: *n. moun ki fèt (osinon ki ap viv) nan vil Jeremi.*

**jeretyen**: *1. n. nan aritmetik pati nan kolòn dizèn ki rete pou repòte nan pwochèn kolòn adisyon.* Nan douz, mwen poze 2 , jeretyen 1. *2. sa ki rete apre yon operasyon.*

**jeryatri**: *n. Branch medikal ki espesyalize nan trete granmoun ki avanse nan laj.*

**jeryatrik**: *a. Ki konsène jeryatri. Ki konsène domèn tretman granmoun ki avanse nan laj.*

**jès**: *n. Mouvman volontè ak men, osinon ak tèt pou kominike.*

**jesyon**: *1. n. Administrasyon, ògànizasyon. 2. Domèn etid kote moun aprann ònizasyon biznis.*

**jesyonè**: *n. Moun ki ap administre yon biwo, yon ògànizasyon osinon yon pwojè.*

**jete**: *v. Elimine, mete nan fatra.*

**jepye** : *n. Je pye chevi, zo pye.* Mwen gen doulè nan jepye mwen .

**jeran**: *n. Gadyen. Moun ki responsab yon chantye, yon teren osnon yon biznis epi ki andwa rete souplas pou li veye l.* Yon jeran ki gen anpil tè sou kont li konn plante jaden epi lè li rekòlte li pataje danre yo ak mèt tè a.

**jerenòs , jerenons** : *1. ent. Madichon, satan.* Wete kò ou devan m satan jerenòs. *2. Etap nan lavi lè yon moun renonse yon bagay, yon abitid osinon yon pratik.*

**jès** : *n. 1. Jantiyès.* Chal fè yon bèl jès. *2. Atitid, pozisyon, mouvman, aksyon moun ka entèprete.* Mwen pa renmen jès sa a ditou. *3. Mouvman pou kominike.* Ki jès li fè ak men goch li?

**jestasyon**: *n. Nan repwodiksyon, se tan ki pase ant fekondasyon ak akouchman.*

**Jewova**: *np. Non kretyen yo bay Bondye.*

**jeyan**: *n. 1. Moun ki grandi plis pase laplipa moun; Moun osinon bèt ki wo epi ki gwo pa rapò ak bèt ki menm ak yo.* Jeyan yo gran anpil epi yo konn gwo anpil tou. *2. a. Ki gran epi gwo anpil.* Jaklin se yon jeyan, mwen pa janm wè yon fi wo konsa. Dinozò se bèt jeyan ki te viv nan tan lontan.

**jeyograf**: *n. Espesyalis sou koze jeyografi.*

**jeyografi**: *1. n. Syans ki etidye latè ak tout sa ki gen sou latè, pozisyon yo, itilite yo, òganizasyon yo, distribisyon yo epitou devlope senbòl pou reprezante yo sou kat ak ilistrasyon. 2. Liv ki bay enfòmasyon sou domèn jeyografi.*Jeyografi peyi Ayiti.

**jeyològ** : *n. Moun ki espesyalize nan syans jeyoloji.* Kalo se yon jeyològ.

**jeyoloji**: *n. Domèn lasyans ki etidye istwa, evolisyon (chanjman) ak òganizasyon estrikti latè, andedan kou deyò. 2. Liv ki bay enfòmasyon sou jeyoloji. 3. Tout enfòmasyon sou latè nan yon rejyon espesifik.*

**jeyomèt** *(jewomèt): n. Metye apantè, opèratè pou apante teren; metye moun ki etidye epi anseye jewometri.* Nou bezwen yon jeyomèt pou mezire teren an.

**jeyometri** *(jewometri): n. Domèn matematik ki etidye, fòm, liy, espas, sifas, solid ak karakteristik yo, mezi yo, valè yo ak relasyon ant yo.* Mwen fò nan jeyometri.

**jeyometrik** *(jewometrik): a. ki konsène jeyometri.*

**jeyotèmal**: *a. Chalè ki soti nan fon tè.*

**jèze**: *n. Fib atifisyèl pou fè twal.* Twal jèze.

**Jezi** *(Jezikri): np. Dapre kwayans kretyen, se pitit Bondye.* Jezi te vin sou tè a pou sove kretyen yo.

**jezuit**: *n. Pè katolik ki manm kongregasyon AKonpayi de Jezi*

**ji**: *n. Dlo ki soti nan fwi, legim, ou byen vyann.* Lè ou fè ji kowosòl, se pou ou pase l nan paswa a pou ou separe ma a.

**jibile**: *n. Fèt pou selebre senkant ane yon ògànizasyon osinon yon relasyon.*

**jibye**: *n. Vyann bèt yon chasè tiye.* Chasè a pral pote jibye sa a lakay li.

**jida** *(Judas): np. 1. Non youn nan disip Jezi yo, sa ki te trayi li a. 2. Moun ki trayi yon lòt, ki pa sensè.* Fè atansyon, Gaston se jida tande.

**jido**: *n. Espò pou pratike pou yo ka defann tèt yo.*

**jidoka**: *n. Espòtif ki pratike teknik jido.*

**jigo**: *n. Vyann, kwis bèt.* Nou pral kuit yon jigo kabrit jodi a.

**jigote**: *v. Bat kò, pwoteste anplas, deplase san rete.* Sa ou genyen ou jigote kò ou konsa a.

**jij**: *n. Moun ki gen resposablite pou deside nan tribinal osinon nan yon teren.* Jij, jije m byen. Jij de-touch. *2. Majistra, moun ki gen responsabilite pou li aplike lalwa epi fè respekte jistis.*

Pwosè a fèt devan Jij Simon. *3. Moun ki andwa jije osnon bay opinyon li pou abitre yon sitiyasyon.* Janjan sèl jij nan sitiyasyon sa a.

**jijdepè**: *n. Moun ki gen responsabilite legal pou bay jistis.*

**jije**: *v. 1. Pote jijman.* Ou gen tandans jije moun mal. *2. Pran desizyon baze sou pwosedi lajistis.* Avoka a pa ka jije ou, sa se travay jij la. *3. Evalye, tande epi jije yon ka.* Yo ap jije ou dapre zak ou. Jij, jije m byen.

**jijiri**: *n. Wowoli.* Plant ki bay ti grenn plat ki sèvi pou fè luil osinon ki sèvi pou fè desè Jijiri gen bon gou epi li gen anpil lwil ladan l. Gen moun ki rele l wowoli. Tablèt wowoli se tablèt jijiri

**jijman**: *n. 1. Rezilta ki soti lè moun al nan lajistis. Etap, konsiderasyon, santans yon moun nan lajistis.* Rezilta jijman sa a te fè tout moun sezi. *2. Opinyon pèsonèl sou yon sitiyasyon. Jijman pa m di m li antò. 3. Jou règleman, dapre labib.* Nou va kontre nan jou jijman.

**jilèt**: *n. Zouti ki fèt ak metal mens an fèy file ki sèvi pou raze bab osnon koupe bagay fen.* Pa kite jilèt la kote pou timoun yo ka jwenn li.

**jiman**: *n. Femèl cheval.* Jiman sa a sanble li ap bay plizyè pòte.

**jimèl** : *n. 1. Tifi marasa, de sè ki fèt nan menm akouchman.* Mariya ak Malina se de jimèl. Tifi se jimèl ti gason se jimo. *2. Zouti pou rapwoche imaj yon bagay ki lwen pou wè plis detay.*

**Jimel Kleman** *(Clément Jumelle): np. Li te minis sou prezidan Maglwa. Li te vin kandida ala prezidans an 1957. Lè F. Divalye pase li te oblije antre nan kache. Li vin malad grav. Li kite kote li kache a pou li ale nan anbasad. Li mouri nan anbasad la. Pandan antèman li, militè parèt epi yo sezi kadav la devan fanmi ak zanmi ki te nan antèman an.*

**jimnastik**: *n. Egzèsis moun fè pou yo kapab gen bon sikilasyon san osnon pou yo kapab pèdi pwa.* Kote moun al fè jimnastik la yo konn rele l jim.

**jimnospèm**: *n. Yon klas plant ki fè grenn san po. Anpil se konifè takou bwapen, sapen.*

**jimo**: *n. Gason marasa.* Se jimo, ou pa wè jan yo sanble?

**jinekològ** : *n. Doktè ki espesyalize pou trete pati sèks fi ak sitèm repwodiksyon fi.*

**jinekoloji**: *n. Branch nan medsin ki espesyalize nan etid ak tretman aparèy repwodiksyon fi.*

**jinyò**: *a/n.Pi piti.*

**jip**: *n. Rad, abiman fi mete pou kouvri kò l apati senti l andesandan rive sou jenou osinon sou cheviy li. Gen tout kalite jip, gen mini jip, jip long, jip plise, gen pou tout kalite gou.*

**jipitè**: *np. 1. Youn nan bondye nan mitoloji women. 2. n. Senkyèm planèt apatide solèy la, se pi gwo planèt nan sistèm solèy nou an. Yo pa kwè gen moun kap viv sou planèt jipitè.*

**jipon**: *n. Akseswa nan abiman fi, li mete anba rad li, sitou si twal jip la transparan.* Jipon swa sa a bèl.

**jiraf**: *n. Bèt mamifè ki gen kou long, ki soti nan kontinan Afrik. Jiraf gen yon kou ki long anpil epi janm fen.*

**jire**: *v. 1. Fè sèman, pwomèt.* Edwa jire li pap janm fè sa ankò. *2. Manm yon jiri.*

**jiri**: *n. Yon gwoup moun ki prete sèman pou yo tande temwayaj, poze kesyon nan yon pwosè epi ki bay desizyon yo baze sou agiman ki prezante devan yo. 2. Yon gwoup ekspè ki pou deside kilès ki pote laviktwa nan yon konpetisyon.*

**jiridiksyon**: *n. Teritwa kote yon moun osinon yon administrasyon osinon yon tibinal gen otorite..*

**jiris**: *n. Ekspè sou koze lalwa.*

**jis** : *a. 1. Onèt, ki respekte lalwa.* Lora se yon moun ki jis. *2. Etwat.* Lari a jis. *3. Egzak.* Si ou di a jis. *4. adv. Jiskaske, joustan.* Li di sa jis tan mwen fache.

**Jis Fara** *(Farah Juste): Chantè, animatè, aktivis. Li te chante nan Eskacha (Ska Sha), se premye fi ki fè plak mizik konpa. Nan Miyami chak premye janvye li te konn fè konsè pou fete endepandans Ayiti.*

**jiska**. *adv. : Rive nan.* Mwen gentan li liv la depi nan paj en jiska paj 33.

**jiskaske** : *adv. Joustan, jis.* Mwen ap tann jiskaske ou tounen.

**jistan** : *adv. Jouktan, joustan.* M ap tan ou jistan ou tounen.

**jisteman**: *adv. 1. Ekzakteman. 2. Selon lajistis.*

**Jisten Jòjèt** *(Justin Georgette): np. Premye avoka fi ayisyen 1933.*

**jistifye**: *v. defann, esplike.*

**jistis**: *n. 1. Ògànizasyon, sistèm pou aplike la lwa. 2. Rekonesans dwa yon moun. Desizyon ki respekte dwa moun, ki bay moun ki antò a pinisyon li merite. 3. Tribinal (lajistis). Pouvwa pou fè respekte lalwa. Gen anpil moun ki ap lite pou jistis egziste pou tout moun, timoun kou granmoun, pòv kou rich.*

**Jistis Depè**. *n fr : Tribinal. Biwo jistis lokal nan komin yo.*

**jitim** : *a. Lejitim, kòrèk, jistifye.* Sa se yon desizyon ki jitim.

**jiwèt** *: n. 1. Jwèt, amizman ki fè piwèt.* Gade kijan jiwèt la ap vire. 2. *Moun ki ap vire won, pou ou pa pran oserye.* Ou pran m pou yon jiwèt. *3. Zouti pou detekte direksyon van.*

**jiwòf***: n. epis ki gen gou fò, men ki pa pike.* Gen moun ki manje jiwòf antye, mwen pa kapab mwen menm, se pou mwen pile l.

**jiye** *(jiyè): n. Setyèm mwa nan àne a.* Mwa jiyè vini apre mwa jen, anvan mwa out.

**jiwomou** *(joumou): n. Plant jaden bò kay yo kiltive pou yon seri gwo fui li bay.* Yo sèvi ak joumou nan resèt pou fè soup.

jiyè*: n. Setyèm mwa nan kalandriye.*

**jiska***: prep. Prepozisyon ki make limit tan.* jiska demen.

**jistan***: Kon. konjonksyon ki make limit.* Chofe jistan li bouyi.

**jiyè** *: n. Setyèm mwa nan ane a.* Nan mwa jiyè nou pral an vakans.

**jizye** *(zizye): n. Sak ki fè pati nan tib dijestif zwazo.*

**Jòb***: np. Pèsonaj nan labib.*

**Jòdani** *(Jordanie): np. Peyi nan Pwòch-Oryan ki tou pre Izrayèl. Li gen twa milyon moun ki ap viv sou 91 mil kilomèt kare. Kapital li se Amann.*

**jodi***: adv. Jounen nou ye a. Jodi a se samdi.*

**jodi** *a. adv. : Jou ki ap pase kounye a.* Jodi a se fèt mwen, èske ou pote kado pou mwen?

**jòf***: n. 1. Demonstrasyon.* Ban m yon jòf pou mwen wè si machin nan mache. 2. *Montre detay nan kò pou atire atansyon.* Sonnya gen yon kòsaj ki bay ti mesye yo jòf.

**jofre***: v. Fè yon ti gade enterese, pou eksite.*

**Jòj, Pè** *(Père George): np. Prèt katolik ki te akeyi F. Divalye ki te nan kache sou gouvènman Maglwa. Apresa li te vin minis sou F. Divalye.*

**jolye***: n. Gadyen prizon.*

**Jolikè, Oblen** *(Jolicoeur, Aubelin). np. : Jounalis epi ansyen direktè ofis touris Ayiti. Se yon moun ki koni anpil pou estil li (abiye toudeblan ak baton beki l nan men l), li renmen parèt an piblik tou. Greyam Grin (Graham Green) palede msye nan liv "Les Comediens" an.*

**jon** *: n. 1. Plant ki gen tij won epi kre, ki pouse kote ki gen dlo. 2. Baton nan fanfa pou kominike ak mizisyen yo.* Ti gason sa a jwe jon an byen.

**jòn** *(jonn): a. 1. Koulè and vèt ak koulè zoranj. Rad jòn. 2. Bèl, anfòm.* Ti fi a jòn.

**Jonas***: np. 1. Pèsonaj nan labib, pwofèt Ebre yo te jete nan lanmè pandan yon gwo tanpèt, paske li te dezobeyi Bondye. Dapre sa yo di te gen yon gwo pwason ki te vale Jonas epi al vomi li vivan sou la plaj. 2. Liv nan labib ki rakonte istwa Jonas.*

**jòndèf***: n. Fwi tropikal espesyal yo jwenn Ayiti sèlman, li prèske fin disparèt.*

**jongle***: v. 1. Voye plizyè bagay anlè epi atrape yo youn dèyè lòt byen vit.* Nèg sa fò papa, li jongle ak 3 boul epi youn pa tonbe. 2. *Kapab rezoud plizyè pwoblèm alafwa..* Monchè, se jongle mwen ap jongle ak tan an, ak distans pou mwen kouri al travay, okipe timoun yo, al lekòl, mwen pa konn kijan mwen fè. *3. Fèkzibisyon ak baton jon nan fanfa.*

**joni***: v. Vin jòn.*

**jonis** *(lajonis): n. Maladi moun gen nan fwa ki fè zye l vin jòn.*

**jonjòl** *(janjòl): n. Vyann ki soti nan testikil bèf osinon testikil kochon yo kuit epi yo manje kòm afwodizyak.* Se plis Okap mwen tande koze janjòl sa a.

**jònze***: n. Pati jòn anndan ze poul.*

**jou kase***: n fr. Avanjou, douvanjou, moman nan fen nuit la anvan li fè jou.* Nou ap kite Pòtoprens anvan jou kase.

**jou** *: n. 1. Peryòd tan ki dire 24è.* Yon jou se kont pou mwen fè travay sa a. 2. *Yon lè konsa.* Yon jou, nou ka wè. *3. Lè solèy la kòmanse parèt.* Eske li jou deja? *4. Moman, dat, anivèsè.* Jodi a se jou mwen te marye. *5. Pwen kouti, nan bwodri.* M ap fè jou nan woulèt la. *6. Fant. Gade nan jou a pou ou wè si li ap vini.*

**jouda***: a. Tripotèz, fouyapòt, moun ki enterese konnen sa ki ap pase lakay yon lòt moun.* Moun yo jouda, tout lajounen yo ap gade sa ki ap pase lakay mwen.

**joudlan***: Premye Janvye, premye jou nan yon ane.* Gen yon abitid al di moun bonjou pou joudlan, lè sa a, ou tou resevwa zetrenn.

**joujou** *: n. 1. Jwèt.* Alèkile timoun pa jwe ak joujou ankò. 2. *Enbesil, moun yo pa pran oserye.* Se yon joujou, timoun yo ranse avèk li jan lide yo di yo. Joujou griyen dan ou.

**jouk**. *adv. : 1. Jis , jiska.* Nou gen pou nou danse jouk li jou. 2. *kote ou mare bèt. 3. Pati ki rete nan tè apre yo koupe yon pyebwa.*

**jouke***: v. Mare.* Vin ede mwen jouke chay sa a tanpri.

**joul***: n. Inite enèji.* Yon joul se travay yon fòs ki mezire yon nyoutonn pou deplase yon bagay sou yon mèt.

**jouman***: n. 1. Betiz. Sispann di jouman la a. 2. Defo, rezon pou ridikilize yon moun.* Yo ban mwen enfimite mwen an pou jouman.

**joumou***: n. Legim koulè jòn fonse ki nan fanmi kikibitase, tij li kouri atè nan jaden bò kay, li bay gwo legim.* Yo sèvi ak joumou nan resèt pou fè soup. Ayiti tout moun fè bon soup joumou premye janvye.

**jounal**: *n. 1. Nouvèl ki ekri sou papye.* Mwen li nan jounal demen ap gen lapli, pito mwen mache ak padesi mwen. 2. *Kaye pou ekri chak jou kisa ki te pase.*

**jounalis**: *n. Moun ki kolabore pou pibliye yon jounal. redaktè, korektè, repòtè. 2. Moun ki gen kòm metye pou yo bay nouvèl, analize nouvèl, diskite nouvèl. Jounalis radyo, jounalis televizyon.*

**jounalye**: *n. 1. Yon travayè ki pa an pèmanans, ki pa gen vakans peye, jou li travay se jou yo peye l. 2. adv. Ki fèt toulejou. 3. a. Yon bèt ki aktif lajounen epi repoze lannuit.*

**jounèlman**: *adv. Ki fèt toulèjou.*

**jounen**: *n. 1. Tan pandan solèy la klere.* Li fè gwo jounen la a. 2. *Tan depi ou leve joustan ou al kouche.* Mwen pral lave larivyè jounen jodi a. Kijan ou pase jounen an?

**joupa** *(ajoupa): n. Kay anpay nan zòn riral.* Mwen gen yon joupa andeyò.

**joure**: *v. Fè kont, pale fò, di mo ki pa janti.* Lè moun ap joure, yo move epi yo pale fò.

**jous** *(jis): adv. 1. Jiskaske.* Ou fè jous ou pa janm koud rad la pou mwen. 2. *Nan konbyen tan.* Jous kilè n ap wè ankò?

**jouskaske.** *adv. : Jistan, joustan.* Mwen tann jouskaske mwen tounen pwa tann, mwen pa janm wè Kalo.

**joustan** *( jouktan, jistan): adv. Jous, jiskaske.* Ou fè joustan nou pa wè.

**Jozèf, Antonyo** *(Joseph, Antonio). : Atispent ayisyen koni anpil pou kalite tablo li fè. Li fèt an Avril 1921 nan Repiblik Dominikèn alòske paran li yo te imigre Barawona. Li aprann tayè ak mizik. An 1937, lè Twouyiyo te fè yon kanpay pou li touye Ayisyen nan Dominikani, Antonyo Jozèf ak manman li ak sè li pase anpil mizè anvan yo resi chape poul yo epi retounen Ayiti. Lè li rive Pòtoprens, lavi a te difisil pou li paske li pat konnen okenn moun la. Li te vin ouvri yon atelye tayè. An 1944, li antre nan Sant-da (Centre d'Art). Yo vin dekouvri tallan li. Li vin ekspoze nan plizyè peyi.*

**jpp**: *akw. jenès pouvwa popilè, jan l pase l pase.*

**jwa** *(lajwa): n. 1. Kontanman.* Timoun yo fè pwonmnad la ak jwa nan kè yo.

**jwaye**: *a. Ki gen kè kontan, ki ge; ki santi lajwa.*

**jwe lakomedi**: *v fr. Fè teyat, fente.* Pa koute Wolan, misye ap jwe lakomedi avèk ou.

**jwe**: *v. 1. Anmize.* Timoun yo ap jwe foutbòl. 2. *Ranse, pase nan betiz, woule. M ap jwe avèk ou, pa pran m oserye.* Jera jwe m joustan li pa janm ban mwen lajan mwen an. 4. *Achte lotri.*

**jwè** *(jwa): n. 1. Moun ki ap jwe.* Mwen se yon jwè nan ekip la. 2. *Moun ki jwe lotri, pokè....* Misye se yon jwè ki toujou pèdi tout kòb li nan aza.

**jwen** : *n. 1. Espas, fant.* Pa kite yon jwen kote pou bèt pase. 2. *Chans.* Pa ba li jwen pou li betize avèk ou. 3. *Jwenti.* Mwen gen doulè nan jwen mwen yo.

**jwenn**: *v. Twouve, dekouvri, wè.* Mwen pa jwenn sa mwen tap chache a.

**jwenti**: *jwenti se kote plizyè zo kontre.* Se jwenti yo ki fè moun kapab akoupi, pliye bra yo eltr. Eseye ranmase yon bagay atè san ou pa pliye jenou ou pou ka konprann wòl jwenti jenou an.

**jwèt**: *n. Amizman, rekreyasyon, divètisman, pastan, devinèt.* Mwen pral nan jwèt foutbòl. Jwèt oslè, jwèt kat. Jwèt pou ou kanmarad. 2. *Bagay ki sèvi pou jwe. Pope, ti kamyon eltr.* Depi mwen piti mwen gen anpil jwèt.

**jwi**: *v. 1. Pran plezi. Gen plezi pou viv yon bagay.* Jan se yon nèg ki renmen jwi lavi l seryèzman, li renmen banbòch anpil tou. 2. *Pwofite.* Yo di mwen madan Bòs fin jwi tout ti kòb Bòs te mouri kite pou li a.

**jwif**: *n. Moun ki pratike relijyon jidayik. 2. Ras moun desandan Abraram yo te pèsekite nan peyi Almay epi ki te viktim yon olokos. 3. mànken (estati tanporè) yo konstwi jou Vandredisen.*

**jwiferan**: *n. Moun ki pa gen yon adrès fiks, moun ki vwayaje anpil.* 2. *Degizman espesyal nan kanaval.*

**jwisans**: *n. 1. Plezi, fèt kote tout moun ap fete.* Kawòl se levanjil, li pa nan jwisans lavi a. Mwen pa prale nan okenn jwisans paske mwen andèy 2. *Dwa sèvi ak yon bagay.* Kay la pa pou mwen men manman m ban mwen jwisans li.

**jwisè**: *a. Moun ki renmen chèche plezi materyèl ak plezi sansyèl (ki reveye sans).*

# K k

**k.** : *1. Lèt nan alfabèt kreyòl. Premye lèt nan mo kalòj se lèt k. 2. Fòm kout pou ki.*

**ka** *(inite): n. 1. Inite mezi volim ki vo 1.136 lit, ki vo kat tas osinon 2 pent.* Mete yon ka luil pou mwen. *2. Fraksyon. Yon ka (1/4) se mwatye demi 1/2 . 3. Sitiyasyon, ekzanp, reyalite, pwoblèm.* Sa a se yon ka grav, tout moun se men nan bouch. *4. Difikilte, lanmò, malè.* Mwen nan ka. Ou wè byen pwòp nan ki ka mwen ye, kouman fè ou ap vin mande mwen prete lajan kounye a. *5. Jijman, yon sitiyasyon ki merite chache konnen osinon ki merite envestigasyon.* Avoka a pa vle pran ka a. *6. Kontraksyon pou kapab.* Mwen pap ka vini. Si ou ka mache, ou pa bezwen pran taksi. *7. Kontraksyon pou Lakay.* Mwen prale ka madan Viktò ak ka madan Brino. *8. Bay atansyon, jantiyès.* Jinèt pa pran ka mwen.

**Ka Lejèn** *(Le cas Lejeune): n. Lejèn se te yon blan ki te gen esklav nan tan lakoloni. Non l te nonmen paske pandan yo t ap envestige sou abi ki te fèt sous detwa esklav fi, msye te met lopozisyon nan envestigasyon an.*

**kab** *: n. 1. Fil an metal.* Fè kab la pase pi wo. *2. v. Kontraksyon pou kapab.* M ap kab vini demen.

**kaba***: v. Fini, kraze.* Fiyòl mouri, makomè kaba.

**kabann***. n. : 1. Mèb ki fèt pou moun kouche sou li.* Mwen te ranje kabann mwen depi maten. *2. Akomodasyon pou dòmi.* Nenpòt kote mwen jwenn, depi dòmi nan je m, mwen ranje kabann mwen mwen dòmi. *3. Karabann, pyèj zwazo.*

**Kabarè** *(Cabaret). np. : Non yon ti vil tou pre Akayè.* Èske se moun Kabarè ou ye?

**kabare***. n. : Plato pou mete vè osnon asyèt pou sèvi moun.* Ou pa bezwen sèvi mwen nan kabare, mwen pa etranje.

**kabasik** *(kalbasik) : n. Fwi twopikal ki gen fòm kalbas men ki gwosè yon ze poul, li gen po vèt epi po a di anpil.* Kabasik sa yo dous.

**kabès***: n. 1. Tèt, entelijans, imajinasyon.* Li di li pa renmen fòm kabès nèg sa a. *2. De kabès. Genyen doub.*

**kabich***: n. Gwo pen.* Vin al achte yon kabich pou mwen.

**kabicha***. n. : 1. Ti dòmi sou chèz, sanzatann.* Mwen pa te vle deranje ou paske mwen te wè ou te ap fè yon ti kabicha. *2. Dòmi lajounen yon moun al fè nan kabann pou yon tan kout.* Mwen ap vini, mwen pral fè yon ti kabicha la a.

**kabine** *(okabine): n. Poupou.* Jera al kabine.

**kabinè***: n. 1.Biwo avoka, biwo notè.* Chak maten li al louvri kabinè li. *2. Gwoup minis nan yon gouvènman. 3. Plaka.* Gad nan kabinè a wa jwenn asyèt la.

**kabiratè***: n. Pati nan machin ki kontwole kantite gaz nan motè.* Jan oto a mache a ou sanble ou ka gen yon pwoblèm kabiratè.

**kabòch***: n. Kalòt.* Bèta bay jan yon sèl kabòch.

**kabòn***: n. Eleman chimik ki nan tout òganis vivan. Senbòl li se C, ou jwenn li nan chabon, nan flanm dife eltr.* Kò yon moun gen kabòn toupatou, si tout kabòn sa yo te reyini yo ansanm tap gen ase pou fè 9,000 (nèf mil) min kreyon.

**kabose***: v. Kolboso, defonse.* Apa ou kabose machin nan?

**kabotaj** *(gabotaj): n. Navigasyon nan waf. Deplasman, ale vini nan bato.* Gen plizyè bato ki fè kabotaj ant Pòtoprens ak Tigwav.

**kaboulaw** *(kaboulay, kabouya kabouyay): n. Kont, diskisyon an piblik ki gen pouse osnon frape.* Manno te nan yon sèl kabouya ayè. Jozèt lage yon sèl kabouya devan pòt la.

**kabre***: v. Evite, fente.* Depi yon nonm renmen kabouya, kabre l kareman. Aryè a kabre defansè a epi li choute nan gòl la.

**kabrina***: n. Kaprina, jennès, bouzen.* Fi sa a se yon kaprina.

**kabrit***: n. Bèt domestik yo elve pou vyann. Mamifè ongile ak kòn.* Moun ki konn kuit kabrit toujou di se pou ou chode vyann nan pou li pa santi di.

**kabwèt** *(kabrèt): n. 1. Charèt sou de wou, moun ka transpòte chay sou li.* Kabwèt sa a plen chabon. 2. *Jwèt timoun, ti oto yo rale ak yon kòd.* Kou li apremidi, timoun yo al pouse kabwèt.

**kach** : *n. 1. Lajan.* Mwen pa vle chèk, ban mwen kach. 2. *Sèten.* Sa a se kach mwen ap pase fasil. *3. Kote pou kache kichòy.*

**kache**. *v. : Retire sou je.* Kache kòb la.

**kachiman**: *n. Fwi twopikal ki gen po vèt ak anpil ti boul nwa sou po l; li sikre; andedan li sanble tigout ak kowosòl, chè a blan epi li gen ti grenn nwa.* Gen moun ki renmen ji kachiman ak lèt, men ou kapab manje l konsa osinon fè krèm glase ak li.

**kachimbo**: *n. Pip ki fèt ak tè kuit ak moso banbou.* Manzè Woza rale kachimbo li.

**kachkach liben**: *n fr. 1. Jwèt timoun kote yo sere kichòy pou lòt yo al chèche.* Se tifi ki te konn renmen jwe kachkach liben. 2. *Sitiyasyon kote yon moun pa fin di tout laverite.* Fito toujou nan yon kachkach liben ak moun.

**kachkach**: *n. Jwèt sere-kache.* Annou al jwe kachkach liben.

**kacho**: *n. Prizon.* Yo mete de prizonye yo nan kacho.

**kachte**: *v. Fèmen.* Ou mèt kachte lèt la.

**kad**: *n. 1. Ankadreman pou foto osinon pou bisiklèt. 2. Kabann ki ka pliye.* Louvri kad la nan salon an. *3. Pèsonèl wo nivo nan yon antrepriz. 4. Ran, klas.* Li pa nan kad ou.

**kadans**. *n. : Mouvman ki gen repetisyon. Rit ki make mouvman nan mizik, dans, pwezi.* Nan mizik, toujou gen yon kadans, moun ki ap danse renmen suiv kadans sa a pou yo pa pèdi pa yo.

**kadas** : *n. 1. Rejis ki endike tè ak sipèfisi tè nan chak komin.* Tout enfòmasyon an nan kadas la. 2. *Biwo ki gen responsablite pou mete kadas la annòd.* Demen maten mwen pral nan kadas la

**kadav**: *n. Kò yon moun osnon yon bèt ki mouri.* Yo pote kadav la nan mòg.

**kadè** *(ti kadè): 1. Talè konsa, nan yon ti moman.* Jan ap tounen nan yon kadè. 2. *Kenz minit.* Woje prale nan yon kadè.

**Kadè Janwobè** *(Jean-Robert Cadet): np. Pwofesè Ozetazini ki te restavèk Ayiti epi ki vin pati, ale nan inivèsite epi ki ekri yon liv sou lavi li lè li te restavèk Ayiti.*

**Kadè Moris** *(Maurice Cadet): np. Powèt, womansye. Li fèt Jakmèl. Li viv Alma, Kanada, depi 1967.*

**kadejak**: *n. Dappiyanp palafòs, sanzatann, vyòl, fòse moun fè lanmou.* Fè kadejak sou yon moun se fòse l fè sèks palafòs, sa se yon krim.

**kadinal**: *n. 1. Tit yerachik nan legliz katolik.* Se moun ki rive Kadinal ki ka rive Pap. Se monseyè Jera ki kadinal kounye a. 2. *Espès pwason.* Kadinal se pwason Odil pi renmen. *3. a. Pozisyon jeyografik.* Gen kat pwen kadinal, nò, sid, lès ak lwès.

**kadna**. *n. : Kochèt ki fèmen yon bagay akle.* Lè mwen ap pati mwen klete malèt yo ak kadna.

**kado**. *n. : Sa yon moun bay yon lòt san konpansasyon. Sa yon moun resevwa tankou yon rekonpans. Donasyon, kontribisyon.* Tout moun renmen resevwa kado men gen anpil moun ki pa renmen bay.

**kadran**: *n. Ekran.* Kadran mont sa a gran.

**kadre** : *v. 1. Sanble, mache ansanm.* Fi sa a kadre Gaston, li ta ka marye avèk li. 2. *Chita daplon, nan mitan, simetrik.* Foto sa a byen kadre.

**kadyogram**: *n. Desen ki reprezante tès kadyograf ki mezire fonksyonman kè.* Mwen sot fè yon kadyogram.

**kadyograf**: *n. Machin ki mezire mouvman ak fonksyonman kè.*

**kafe** : *n. 1. Bwason cho ki fèt ak grenn kafe griye anpoud.* Terèz ofri m yon ti kafe cho. 2. *Pyebwa ki bay grenn kafe a.* Estefèn gen yon kawo tè plen kafe plante sou li. *3. Bòdèl, kote kliyan ak bouzen rankontre.* Nonm sa a te konn al nan kafe toutan epi li pran nan maladi pongongon.

**kafenòl**: *n. Analjesik, tankou aspirin.* Banm yon ti kafenòl.

**kafetyè** *(kaftyè): n. Veso kizin pou fè kafe.* Pote kafetyè a vini.

**kafeyin** : *n. Pwodui chimik ki nan kafe ak plizyè lòt bwason san alkòl.* Kafeyin eksite sistèm nè moun. Kafeyin konn anpeche moun dòmi.

**kafou** *(kalfou): n. 1.Kwen, kote de wout rankontre.* Kafou danjere. 2. *Kote de sitiyasyon kontre ki mande pou moun chwazi.* Elifèt nan kafou lavi li. *3. Vil nan sid Pòtoprens.* Richa rete Kafou, apre Mawotyè. Nan zòn Kafou gen plizyè seksyon, gen Mawotyè, Fontamara, Mariyani elatriye *4. Kote de liy koupe, entèseksyon*

**kagou**: *a. Tris, chagren.* Ou parèt kagou, sa ou genyen?

**kagoul**: *n. Mask antwal.* Volè a te mete yon kagoul nan figi l.

**kajou** *(akajou): n. 1. Pye bwa.* Gen de pye kajou nan lakou Doris la. *2 a. Kalite bwa ki sèvi pou fè mèb.* Bwa kajou sa a bèl.

**kaka**. *n. : 1. Poupou.* Kaka poul 2. *Sanzave.* Nèg sa a pa moun monchè, msye twonpe mwen, li se yon kaka. *3. Rans.* Bagay sa a se yon kaka. Kaka se yon mo vilgè.

**kakachat**: *n. 1. Sekrè.* Kakachat la soti. *2. Poupou chat.* Netwaye kakachat la.

**kaka san savon**: *n fr. Timoun papa li pa ede manman li pran swen li.*

**kakajako**. *n. : Koulè jòn vèt ki sanble ak koulè zwazo ki rele jako a.* Mwen pa renmen mayo sa a, koulè kakajako a pa ale avèk mwen.

**kakarèl**: *n. Dyare, dyapòt.* Wobè te gen yon kakarèl maten an.

**kakas**: *n. Eskelèt, pati zo ki rete lè pa gen vyann ankò sou yon bèt osinon sou yon moun.* Kèk tan apre lanmò, vyann nan fin pouri, se kakas la ki rete.

**kakatri**. *n. : Rans.* Mwen pa nan kakatri sa a mwen menm.

**kakatwè**: *n. Moun ki abitye poupou sou li.* Pòl, ou pa laj kakatwè ankò.

**kakawo** *(kakao):1. Plant ki bay kakawo.* Gen detwa pye kakawo nan jaden an. *2. Fwi ki soti nan plant kakawo a.* Chokola ki fèt ak kakawo se pi bon bwason. *3. Pwodui ki devlope apre yo fin transfòme fwi kakawo a. Bwason ki fèt ak fwi kakawo.*

**kakaye**: *v. Son poul pouse.* Poul la ap kakaye li bezwen nich li.

**kaki**: *n. 1. Twal koton rèd, koulè bèj.* Kaki sa a sanble li bon kalite. *2. Inifòm jandam lontan.* Misye vini la a, ak kaki li sou li.

**kako**. *n. : Peyizan ki te òganize pou yo te fè lagè kont blan meriken ki te okipe peyi Ayiti.* Kako yo te òganize pou yo te fè dega pandan okipasyon 1915 men gouvènman meriken ki t ap domine peyi a lè sa a te rive kontwole kako yo.

**kakofoni**: *n. Son ki pa gen amoni, ki pa ale ansanm.*

**kakòn jenou**: *n fr. Zo jenou ki kouvri kote zo janm ak zo kwis la kontre.* Sesil gen doulè nan kakòn jenou li.

**kakòn**: *n. Plant (Entada scandens).* Yo di te kakòn se yon antidòt pou pwazon.

**kaktis** : *n. Plant ki pouse kote ki pa gen dlo.* Gen kaktis ki fè flè.

**kal**. *n. : 1. Bat yon moun, bay kou pou pini.* Mwen pral ba ou yon kal. *2. Tiplak ki sou po pwason pou pwoteje l.* Retire kal pwason anvan ou kuit li. *3. Repo nan aktivite yon biznis.* Lè vakans tout aktivite kal. *4. Ki pa gen mouvman.* Lanmè a kal.

**kalalou**: *n. Gonmbo, legim vèt ki glise lè li nan dlo.* Rafrechi kalalou.

**kalanderik**: *n. Bèt imajinè nan tradisyon kont.* Pèsonn moun pa janm wè yon ze kalanderik.

**kalandriye**: *n. Tablo ki montre 12 mwa nan ane yo, semèn yo ak jou yo nan lòd nòmal yo. 2. Tablo ki montre etap pou fè yon travay epi ki montre tan ki ap pase ant chak etap.*

**kalbas tèt**. *n. fr. : 1. Zo tèt.* Tifi a di li santi yon doulè nan kalbas tèt li. *2. Tèt.* Kalbas tèt ou di si ou pa tande manman ou ap rele ou.

**kalbas**. *n. : 1. Fwi ki soti nan pyebwa kalbasye; li sèvi fè kui epi pou fè veso moun bwote dlo; fwi, moun pa manje l. Li gwo, anjeneral, yo fè yon ti twou ladan l pou louvri l, osnon yo koupe l debò. Pati andedan kalbas la yo jete l. Lè pati padeyò a seche, li vin di, yo fè l fè veso pou mete likid osinon grenn. 2. Pyebwa ki fè kalbas. 3. Zo tèt.* Kalbas tèt.

**kalbasik**: *n. Fwi, piti, won, tankou yon sitwon vèt; deyò li vèt, andedan li plen yon pakèt ti grenn.* Kalbasik pa yon fwi ki popilè anpil nan Pòtoprens.

**kalbose** *(kolboso)*: *v. Frape, defonse.* Machin nan fin kalbose.

**kale**: *v. 1. Lè yon ze louvri pou poul la soti.* Poul la fèk kale twa ze la a. *2. Bay kou, bat yon moun osinon yon bèt.* Wozlin kale Richa ak sentiwon. *3. Genyen yon pati nan jwèt.* Mwen kale ou nan jwèt domino a. Èglenwa kale ti Resin. *4. Wete po.* Kale fig sa a pou mwen tan pri, mwen malad nan dwèt.

**kalewès**: *v. Pèdi tan, ranse, pa fè anyen.* Sispann kalewès, chèche yon bagay ou fè.

**kalfou**: *n. Kafou, kote de wout kontre.* Kalfou danjere.

**Kaliks, Demostèn** *(Calixte, Demosthènes). np. : Kòmandan Gad Dayiti apre lè okipasyon meriken an te resi fini nan ane 1934.*

**kalimèt** : *n. Pati nan pip ki fèt ak banbou.* Madan Dyo gen yon gwo kalimèt.

**kalinda**. : *n . Dans rara kote moun yo vire ren yo pandan yo ap sakaje vant yo ak pasyon.* Vin ban mwen yon ti kalinda la a non, mwen ap bat tanbou a, ou ap danse.

**kalite** *(kalte)*: *n. 1. Tip, varyete.* Ki kalite twal sa a. *2. Jan, espès.* Sa se yon kalite plant ki ra. *3. Karaktè pozitif.* Jera gen anpil kalite, li prèske pa gen defo. *4. Siperyè, ki gen valè, ki pa bon mache.* Wonm Babankou se wonm bon kalite.

**kalkil**. *n. : 1. Refleksyon.* Ou sanble yon moun ki nan yon kalkil serye la a. *2. Matematik.* Mwen pa janm te fò nan kalkil.

**kalkilatris** : *n. Zouti elektwonik pou kalkile.* Manno gen de kalkilatris.

**kalkile**. *v. 1. : Reflechi, panse, fè tèt ou travay.* Sa ou genyen ou ap kalkile konsa a, ou sanble yon moun ki gen lapenn anpil. Sispann kalkile tande, sinon tout cheve nan tèt ou va vin tou blan. 2. *Rezoud pwoblèm matematik.*

**kalma**: *v. Kalme, pran san.* Manyè kalma kò ou.

**kalman** *: n. Medikaman ki kalme moun.* Alis se sou kalman li ye.

**kalmason**. *: n. 1. Likid pi ki soti nan yon klou maleng.* Lè klou a te resi pete, se yon gwo kalmason ki te soti ladan l. 2. *Bèt dlo osinon bèt tè ki gen kò mou (molis) ki kache nan yon koki ki gen fòm espiral epi ki deplase.*

**kalme**: *v. Ki desann nè, desann kòlè, fè moun vin kèpòpòz, kal.* Se Pyè ki kalme Jak.

**kalmi**. *n. : 1. Peryòd lè van pa vante.* Deyò a fè cho, van pa vante, konbyen tan kalmi sa a ap dire? 2. *Nan komès, peryòd lè tout aktivite bese.* Semen sa a pa gen afè menm, mwen pa janm wè yon kalmi konsa.

**kalòj** *(kalòch): n. Kay pou bèt.* Kalòj pijon, kalòj lapen, kalòj chen.

**kalonnen** *(kalònen): v. Bonbade ak wòch.* Yo kalonnen vòlè a.

**kalori** *: n. 1. Inite enèji ki konsève kòm grès nan kò moun.* Manje ki gen anpil kalori ka fè moun vin gwo. 2. *Inite pou mezire chalè; yon kalori se kantite chalè ki kapab fè tanperati yon gram dlo monte yon degre santigrad.*

**kalòt**. *n. : Souflèt, kou nan figi, kou nan tèt.* Jozafa bay Andreya de kalòt epi manmzèl remèt li yo lamenm.

**kalote**: *v. Bay kalòt.* Yo kalote Ivèt pou frekansite.

**kalson**. *n. : Rad gason mete pou bouche sèks yo.* Se gason ki met kalson, fi met kilòt.

**kalsyòm** *: n. Yon metal ki gen koulè gri ki pa twò di yo jwenn nan tè, nan plant, nan bèt, eltr.* Yo sèvi ak tè ki gen kalsyòm pou fè siman, pwodui an metal ak anpil pwodui elektwonik. Kò moun bezwen kalsyòm.

**kalvè**: *n. 1. Yon bit tou pre vil Jerizalèm kote Jezikri te mouri sou lakwa.* Yon jou, fòk mwen al lapriyè mòn kalvè. 2. *Anplasman senbolik ki reprezante kote Jezikri te mouri.* Gen yon kalvè tou pre estati Madan Kolo. 3. *Tribilasyon, soufrans, pwoblèm.* Kalo pase kalvè li san plenyen.

**Kalven Jan-Maks** *(Jean Max Calvin): np. Powèt, teknisyen laboratwa. Li fèt Pòtoprens an Jen 1945. Li al lekòl primè nan Jan-Mari Giyou epi lekòl segondè Lise Petyon ak Lise Louvèti. Li te ekzile ale Nouyòk an 1967. Li pibliye A La legende de l'Ombre (1966); Anneau (1976); Déclic (1987); Plis du Sable (1987).*

**kamarad** *(kanmarad): n. 1. Konfrè, kondisip lekòl.* Kamarad lekòl. 2. *Zanmi, non yo bay moun ki egal ak yon lòt.* Ou se kamarad Kalo, li pa bezwen gen sekrè pou ou.

**kamaradri**. *n. : Zanmitay.* Mwen pa nan kamaradri avèk ou tande.

**kamelya** *: 1. Plant ki bay flè blan santi bon.* Kamelya sa a fleri bonè ane sa a. 2. *Flè.* Flè kamelya sa a santi bon anpil.

**kamera** *: n. Zouti pou pran foto.* Jera gen yon bon kamera.

**Kanmfò, Jera** *(Gérard Camfort) np. Pwofesè, ekriven, powèt, eseyis, animatè radyo. Li fèt Pòtoprens an 1942. Li diplome nan Lekòl nòmal siperyè ak nan Fakilte Etnoloji. Li etidye literati ak filozofi an Frans. Li viv Ozetazini, nan Nouyòk ak nan Florida. Li ekri Eaux, Poemes, Pòtoprens, 1964.*

**kamizòl** *(kanmizòl): n. Chemizèt.* Mete kamizòl ou anvan ou soti.

**Kamiy Wousan** *(Roussan Camille): np. Powèt, jounalis, diplomat ki fèt Jakmèl 27 Out 1912. Elèv kay Frè Enstrisyon Kretyèn ak nan Lise Penchina. Li te direktè Ayiti Jounal. Kòm diplomat li te travay nan vil Pari ak nan vil Nouyòk. Li mouri 7 Desanm 1961 nan vil Pòtoprens. Li ekri Assaut à la Nuit pwezi, Pòtoprens 1940; Gerbe pour de Amis an kolaborasyon ak Moriso-Lewa ak Jan Briyè. La Multiple Présence 1958, ki pote pri pou pwezi Dimasè Estime.*

**kamoken** *: n. 1. Moun ki konbat gouvènman ak fòs.* Anpil kamoken pase tan nan prizon. 2. *Medikaman kont malarya.* Kamoken bon pou trete malarya.

**kamouflay** *: n. Pandan lagè, mask osnon makiyaj pou moun ak pou zam pou lenmi pa rekonèt yo nan bwa a.* Lè ou nan lagè, ou konn pa ka wè si lenmi an pre ou paske li mete kamouflay ki menm koulè ak fèy pyebwa yo.

**kamyon bwat**: *n fr. Kamyon transpò ki gen yon gwo bwat an bwa konstwi padèyè li pou li ka pote chay.* Kamyon bwat sa a gen anpil espas.

**kamyon sitèn**: *n fr. Rezèvwa dlo ki mobil.* Men kamyon sitèn nan vin pote dlo a.

**kamyon**. *n. : Oto ki gwo, ki kapab pran anpil pasaje ak anpil machandiz.* Anvan ou monte kamyon an mete machandiz ou yo nan pòtchay la tande.

**kamyonèt**. *n. : Transpò piblik ki popilè anpil Ayiti pou fè wout Kafou, Site, Kafou Fèy ak zòn Dèlma. Yo konn fè kamyonèt yo ak pikòp san dèyè yo. Kamyonèt yo toujou pentire ak koulè byen ge epi yo toujou gen desen ak pwovèb ekri toupatou sou tout kò yo. Gen kamyonèt ki konn gen mesaj relijyon, mesaj kretyen osnon blag. Pou fè yon kamyonèt, yo mete ban chak bò padèyè nan yon machin pikòp epi yo kouvri anlè tèt li ak yon ankadreman anbwa.*

**kan**. *n. : 1. Bò, kote, teritwa.* Gade ekip yo wa wè, se kan pa ekip adwat la ki pi fò. Nan ki kan ou ye, ou pou li osnon ou pou mwen? 2. *Kote yon gwoup reyini pou aktivite espesyal.* Mwen renmen al nan kan eskout.

**kana**, *(kanna) : n. Bèt volay ki gen bouch long, pat li yo pi gwo pase pat poul, li renmen rete bò dlo.* Nou ta ka kuit yon kana demen maten.

**Kanada** *(Canada) : n p. Peyi nan pati nò Amerik Dinò.* Kanada se yon peyi ki kal epi ki pwòp men li frèt anpil pandan ivè.

**Kanadyen** *(Kanadyèn) : np. 1. Moun ki gen nasyonalite peyi Kanada.* Fransin ak Lwi se de Kanadyen. 2. *Sa ki pou peyi Kanada.* Monreyal se yon vil kanadyen.

**Kanal Bwawon** *(Canal, Boisrond). np. : Prezidan Ayisyen pandan peryòd 17 jiyè 1876 jiska 17 jiyè 1879. Li te monte apre prezidan Michèl Domeng. Dapre listwa, yo te akize l dèske li te mele nan koripsyon.*

**kanal** *(kannal): n. Filè dlo.* Gen yon kanal ki pase dèyè ri sa a.

**kanal pipi**: *n. Kanal ki kondi pipi soti nan blad pipi pou soti deyò.* Jan gen doulè nan kanal pipi li.

**kanape**: *n. Chèz long kote plizyè moun ka chita osnon yon sèl moun ka lonje kò l.* Pòl gen kanape sa a depi lontan.

**Kanapevè** : *np. Katye nan Pòtoprens ki nan lwès Bwa Patat.* Jak gen yon randevou ak yon moun Kanapevè.

**kanari**: *n. 1. Ti rezèvwa dlo ki fèt ak ajil, li gen fòm yon gwo krich.* Plen kanari a dlo pou mwen. 2. *Yon kalite zwazo.*

**kanaval**: *n. Twa dènye jou madigra, lè moun ki degize, lamayòt ak chaloska yo soti byen òganize nan yon defile ak plizyè bann ki ap jwe mizik.* Kanaval ane sa a te bon nèt.

**kanbiz**: *n. Fèt ki gen anpil amizman ak manje.* Kalin se sèl chèf kanbiz.

**kanbral**: *a. Ki kwochi. Janm ki gen fòm ak.* Leyona gen pye kanbral.

**kanbre**: *v. 1. Kwochi. Pye timoun nan kanbre lèd.* Tifi a kanbre kò l tankou li pare pou li goumen.

**Kanbwonn, Liknè** *(Cambronne, Luckner). np. : Moun ki te minis enteryè sou Janklod Divalye nan ane 1971. Dapre listwa, se pandan li te egzile yo dekouvri yon seri pwojè li te konn fè anba tab pou l fè lajan. Anpil moun konnen msye kòm yon zotobre ki te konn vann san ak kadav moun.*

**kandelab**: *n. Plant nan fanmi kaktis.* Gen yon pye kandelab devan kay Pyè a.

**kandida**: *n. 1. Moun ki mete l sou lis pou yon pozisyon.* Wobè se youn nan kandida pou pòs la. 2. *Moun ki legalman nonmen pou li antre nan konpetisyon pou yon pòs enpòtan.* Kalito te youn nan kandida prezidan nan peyi Ayiti.

**kanè**: *n. 1. Liv ki bay enfòmasyon sou rezilta lekòl yon elèv.* Bèta al pran kànè jodi a.

**kanè chèk**: *n fr. Liv ki bay enfòmasyon sou depans ak depo lajan labank yon kliyan.* Kanè chèk Terèz pa konplè.

**kanèl** *(kannèl): n. Epis dous tankou ekòs bwa, li santi bon.* Yo konn mete kanèl nan labouyi.

**kanf**: *n. Esans ki gen yon odè fò ki soti nan pye kanf.* Yo konn mete kanf nan alkòl pou fè alkòl kanfre. Kanf repouse ensèk.

**kanfre**: *a. Ki gen kanf.* Alkòl kanfre.

**kangouwou**. *n. : Bèt ki gen anpil fòs nan janm dèyè li yo. Li kouri tankou l ap sote. Kangouwou gen yon pòch nan vant yo, se la yo pote ti bebe yo. Se nan Ostrali ki gen anpil kangouwou.* Kangouwou se èbivò.

**kanif** *(kannif): n. Kouto pòtatif ki ka pliye an de pou pwoteje lam nan.* Prete m kanif ou a.

**kanik** *(kannik, boul kanik): n. Mab.* Kanik sa a kòmanse grizon.

**kanistè** *(kannistè): n. Mamit, veso an metal osinon an tè kuit (plis nan rejyon Sid).* Prete mwen yon kanistè.

**kanivo** *(kannivo): n. Pati nan lari (bò twotwa) kote dlo desann.* Kanivo a genlè bouche.

**Kanje** *(Cangé). np. : Kòmandan nwa ki te an rebelyon ak Franse yo, epi ki te goumen nan menm kan ak Tousen epi Desalin.*

**kankannen**: *v. Boule.* Tout bèt yo kankannen nan dife a.

**kanmarad**. *n. : Fratènite, moun ki nan menm reyalite avè w.* Tout moun panse ou se kanmarad Tisya paske ou toujou avè l.

**Kanmbfò, Jozèf Pòl** *(Camfort, Joseph Paul). np. : Kòmandan franse ki te alatèt rejiman Okap. Sontonaks te depòte l Anfrans kote yo te jije l devan lalwa men yo pat twouve l koupab, kidonk li te vin libere.*

**kanmenm** *(kanmèm): konj. San fot, si.* Rita ap vini kanmenm.

**kanmizòl** *(kamizòl): n. Chemizèt.* Kanmizòl sa a pachiman.

**kann**. *n. : Plant ki gen tij long ki gen dlo ak sik ladan l. Yo sèvi ak kann pou fè sik, siwo, rapadou, kleren, wonm, ak anpil lòt bagay ankò. Gen kann anana epi gen kann blan. Kann se youn nan pwodui agrikòl ki te fè richès lakoloni. Se yon plant ki make lavi Ayisyen ni Ayiti, ni Kiba, ni Repiblik Dominikèn, ni Etazini. Se yon plant ki mande anpil travay di pou plante l, koupe l, pote l nan moulen eltr. Anpil Ayisyen al travay nan lòt peyi pou koupe kann.*

**kanna**. : *n. Zwazo ki renmen naje nan dlo. Li gen pat laj.* Toujou gen kanna ki ap jwe nan rigòl bò lakay mwen an.

**kannal**: *n. Kanal, filè dlo.* Kannal sa a konn debòde lè lapli.

**kannannan**. *n. : 1. Egare.* Kijan ou fè kannannan konsa a, pitit. *2. a. Ki pa aktif ki retade.*

**kannari**. *n. : Veso ki fèt ak tè ajil ki sèvi pou mete dlo.* Dlo nan kannari toujou pi fre pase dlo nan dwoum.

**kannay**: *n. Kanay, Granmoun ki pa konpòte yo ak dekowòm.* Madan Richa se yon kannay, li pa ta ka ap joure ak timoun yo.

**kannèl** *(kanèl): n. Epis dous.* Kannèl bay desè bon gou ak bon sant.

**kanni**. *a. : Mwazi, ki mouye toujou epi ki santi fèmen.* Rad sa a pat byen seche, se sa ki fè li kanni.

**kannik**: *n. Mab.* Se *kannik sa a mwen pi pito.*

**kannistè**: *n. Kanistè, mamit.* Kote ou achte bèl kannistè sa a?

**kannivo**: *n. Kanivo, pati nan lari a, bò twotwa a, kote dlo a desann.* Ri sa a pa gen kannivo.

**kanno**. *n. : Gwo zam ki sanble ak fizi ki monte sou yon sipò.* Yo sèvi anpil ak kanno pandan lagè. *Bwi ki fèt lè yo ape tire zam sa a.* Chak premye janvye yo toujou tire 21 kout kanno Ayiti.

**kannòt**. *n. : Ti bato.* Mwen toujou pè monte kannòt men mwen pa pè monte gwo bato.

**kanntè**. *n. : 1. Ti bato ki pa ekipe. 2. Pran kanntè. monte ti bato ki pa ekipe pou pran direksyon yon lòt peyi.* Gen anpil moun ki pran kanntè depi 1980 pou yo sove kite sitiyasyon difisil ki gen nan peyi Ayiti. *3. Mak kamyon ki pote wòch.*

**kanpe**: *v. 1. Rete sou pye, debou, pa deplase, pa chita.* Tout moun kanpe ap gade. Tout moun oblije ret kanpe la, mouch pa vole. *2. Lè yon moun sispann mache.* Kalo kanpe ap gade kànaval. *3. Rete, sispann.* Nou pap travay ankò, annou kanpe la.

**kanpèch**: *n. Plant ki sèvi pou fè remèd, pou fè chabon.* Yo te konnn ekspòte li pou tenti nan endistri twal. Bwa kanpèch.

**kanpo**:*n. Repo, souf, trankilite.* Banm yon kanpo, mwen fatige.

**kansè** : *n. Maladi lè selil anòmal ap repwodui san rete.* Joslin di li ta renmen lasyans dekouvri yon tretman kont kansè.

**kanson**. *n. : Pantalon.* Mwen san kanson, mwen pap sa soti deyò a.

**kantaloup**: *n. Fwi, varyete melon.* Kantaloup sa a dous anpil.

**kantasa**. : *Kanmenm. fòk se pa ta sa.* Kantasa, ou fò nan kalkil la nèt.

**Kantav, Leyon** *(Léon Cantave). np. : Jeneral ki te kòmande Fòs Ame Dayiti nan peryòd pre 1950. Msye te jwe yon wòl enpòtan pou ede estabilize sitiyasyon peyi a nan peryòd kote Ayiti te pase anpil prezidan. Divalye te revoke msye epi li te al an Dominikani kòm refijye. An 1963 Kantav te ògànize envazyon nan Fòlibète ak Wanament nan kolaborasyon ak kolonèl Rene Leyon.*

**kantik**: *n. Chante legliz.* Annou chante kèk kantik.

**kantin**: *n. 1. Veso pou pote manje.* Mariya pote manje nan kantin. *2. Kafeterya, kote tout moun chita an gwoup pou yo manje.* Lekòl la gen yon kantin pou tout elèv yo.

**kantite**. *n. : Valè, volim, konbyen.* Ki kantite moun ki prale nan fèt sa a?

**kanton**: *n. Katye.* Nan kanton bò isi a, nou pa aksepte vagabon.

**kànva**: *n. Twal ankadre pou atis desine.* Mirèy gen plizyè kànva.

**kanyank** *(kayank-kanyank): a. Fèb, malad, parese, san enèji, ki gen lapipi.*

**kanzo**. *n. : Dezyèm degre nan inisyasyon relijyon vodou. Grad ki pase sou konesans ak metriz dife. Moun ki kanzo kapab manyen chabon dife san yo pa boule.* Jan ou kenbe chabon dife sa a, ou genlè kanzo.

**Kaonabo** *(Caonabo). np. : Wè Kawonabo.*

**kaou** *(kaw): n. Gwo zwazo.* Gen yon pakèt kaou bò isi a.

**kaoutchou** *(kawotchou): n. 1. Materyèl elastik, enpèmeyab, ki fèt ak latèks osnon ki atifisyèl.* Yo fè tout kalite bagay ak kaoutchou. *2. Wou machin.* Kaoutchou sa a plat. *3. Tib kawoutchou.* Prete m kaoutchou a pou mwen pran yon ti dlo anvan tiyo a rete.

**Kap Ayisyen** *(Cap-Haitien). : Dezyèm vil Ayiti, li nan depatman nò. Li gen apeprè 30000 moun konsa. Li te fè yon kout kapital peyi Ayiti tou men kounye a se li ki vil prensipal depatman nò a anmenmtan se la twaka aktivite administratif depatman nò a regle.*

**kap**. *n. : 1. Jwèt timoun ki fèt ak papye fen ankadre nan bwa kòk epi yo file l monte nan syèl la.* File kap. *2. Wout, direksyon.* Mwen pa wè ou menm, ou pran kap ou nan yon lòt zòn. *3. Pwent tè ki antre nan lanmè.* Ou konn al Kap Lamadlèn?. *4. Ti plak blanch ki soti nan po tèt moun.* Vini pou m retire kap pou ou, anvan ou lave cheve ou. *5. Fòm kontrakte pou kapab.*

**kapab** *(kap, kab, ka, sa): v. 1. Kab, gen tan.* M ap kapab vini demen. *2. Teknik, konpetans, konesans.* Mwen pa kapab fè tout travay sa

a. *3. Ka, kab, sa, gen kè.* Mwen pa kapab bay manti. *4. Kab, chwa, opsyon, posibilite, altènativ.* Mwen kapab rete osnon ale. *5. a. Konpetan.* Bondye kapab.

**kapasite**: *n. 1. Posibilite, resous, konpetans.* Ou pa gen kapasite fè fi a pèdi travay li.. Ou gen kapasite pou ou double rannman restoran an. 2. *Espas, mezi.* Sal sa a gen kapasite pou li pran twasan moun.

**kapay**: *n. Gwo sak an pay yo met sou do cheval, bourik ak milèt.*

**Kapèton, Admiral** *(Caperton, Admiral). np. : Kòmandan fòs naval ameriken ki te anvayi Ayiti nan ane1915 pou okipe peyi a. Li te vin nonmen tèt li chèf gouvènman peyi Ayiti.*

**kapilè** *: n. Ti kannal sikilasyon san (ti venn ak ti atè piti); ti tib san ki konekte atè yo ak venn ki pi gwo yo. Kapilè pote manje vitamin ak lòt bagay enpòtan nan selil yo.*

**kapital**. *n. : 1. Lajan, byen, richès ki rapòte enterè. Manman lajan an.* Ou dwe gen anpil kòb kounye a paske se pa jodi a kapital lajan ou lan ap travay. 2. *Vil enpòtan kote biwo gouvènman yon peyi enstale.* Pòtoprens se kapital peyi Ayiti, se la palè nasyonal la ye tou.

**kapitalis**: *n. Moun ki gen lajan ki envesti pou rapòte benefis. Moun ki kwè nan sistèm ekonomik ki baze sou envestisman endividyèl pou fè lajan.*

**kapitèn, kaptenn**. *n. : Grad nan lame.* Papa mwen te kapitèn nan Lame Ayiti.

**kapitile**: *v. Abandone batay.*

**kaplata**. *n. : Mo pou iwonize ti minè ki ap pratike vodou.*

**kapo motè**: *n. Pati devan oto a ki kouvri motè a.* Depi li fin fè aksidan an, kapo motè a pa ka fèmen byen.

**kapo wou**: *n. Kouvèti won, koulè ajan, yo mete nan mitan chak wou machin.* Machin sa a manke yon kapo wou.

**kapon**: *a. 1. Ki pè.* Jera pa moun ki pral soti deyò nan fè nwa, li kapon. 2. *Moun ki pa pran chans.* Yon nonm dwe konnen atansyon pa kapon.

**kaponnay** *(kraponnay, kaponnaj, kraponnaj) : n. Boulòk osnon demakaj yon moun itilize pou li fè yon lòt pè.* Mwen pa pran nan kaponnay.

**kaponnen** *(kraponnen): 1. a. Reyaksyon yon moun ki pran nan kaponnay.* Mwen annik pale fò sèlman, lv gen tan kaponnen. 2. *v. Fè moun pè.*

**kaponyè**: *n. Kapon.*

**kaporal**: *n. 1. Grad nan lame.* Jantilis se kaporal. 2. *Non yon fèy remèd.* Ban mwen yon ti te kaporal, tanpri.

**kapòt** *: n. Kondon, pwoteksyon ki fèt pou pwoteje gason ki ap pran prekosyon lè li ap fè sèks.* Moun ki sèvi ak kapòt ka pwoteje tèt yo kont maladi sida.

**kapote**: *v. Balanse, chavire.* Kamyon an kapote.

**kaprina** *(kabrina): n. Fi ki nan sèks lib, jennès bouzen.* Jan pa nonm ki mele ak kaprina.

**kapris** *: n. Atitid fantezis, rale-mennen-vini.* Gaston toujou nan fè kapris.

**kaprisye**: *a/n. Ki chanje lide fasil. Ki ap fè kapris.*

**kapte**: *v. 1. Pran yon estasyon radyo. 2. Pwoteje yon sous pou moun ka pran dlo. 3. Atire yon moun.*

**kaptenn**. *n. : 1. Chèf batiman.* Mwen renmen wè kapitèn sa a nèt, li mache byen bwòdè ak kepi l sou tèt li. 2. *Grad nan lame.* Ou te konnen Tijan pran yon pwomosyon, kounye a se kaptèn wi li ye papa.

**Kaptenn Koukouwouj**. *np. Non plim Michel-Ange Hyppolyte, pwofesè biyoloji, ekriven, kreyolis, kritik literè. Li fèt Pòtoprens 24 Fevriye 1952. Li viv Kanada, li marye ak Malèn Choulout, li gen twa pitit. Li ekri: Anba Lakay, pwezi, 1984. Atlas Leksik Zo moun (kat lang) 1989. Zile Nou, Pwezi, 1995 (twa lang). Li Konprann Ekri, (kolaborasyon) 1996.*

**Kapwa**: *n. Moun okap. Moun nan nò.*

**Kapwa Lamò** *(Capois La Mort). np. : Moun ki te alatèt kont lame franse nan peryòd 1800 konsa. Istwa rapòte msye pat pè lagè, ni li pat pè mouri. Li mache anba bal ak kanno pou l dechouke lenmi l. Ni Ayisyen, ni Franse ki tap batay avè l te respekte jan msye te vanyan.*

**kara**: *n. Inite mezi ki sèvi nan bijoutri. Yon bijou 18 kara gen plis lò pase yon bijou 14 kara.*

**karabachè**: *n. Flannè ki renmen fi.*

**karabann**. *n. : Pyèj pou kenbe zwazo.* Jan mete karabann pou zòtolan yo.

**karabela**: *n. Twal koton ble.*

**karabin**: *n. Fizi.*

**karaf**: *n. Veso an vit (vè) ki gen anba laj epi kou fen.* Yon karaf diven.

**karako**: *n. Rad kay, konfòtab, tankou moumou.* Depi Eva mete karako li sou li, li pap sòti nan lari ankò. *Rad peyizan.*

**karaktè** *: n. Pèsonalite, fason, jan yon moun ye.* Terèz gen bon karaktè.

**karakteristik** *: n. 1. Espesifikasyon jan yon bagay ye.* Karakteristik latè, sèke li won. 2. *a. Ki espesifye, ki dekri.* Koulè karakteristik syèl la se ble.

**karamèl**: *n. Pwodui bren fonse ki fèt lè moun chofe sik osinon yon manje ki gen anpil sik. Bonbon ki gen sik, ki mou.*

**karang** : *n. 1. Varyete pwason. Gen moun ki konn kuit karang byen. 2. Ti bèt parazit ki kole sou po moun.*

**karant** *(karann): a. Chif ki vini apre trantnèf, anvan karanteyen.* Gen karant jou depi lekòl louvri. Karant jou, karant nwit.

**karantyèm***: a. Pozisyon nonm ki plase apre trantnevyèm epi anvan karanteinyèm.* Sou karantyèm jou lekòl la, timoun yo te gen tan aprann anpil nan matematik. *Chif òdinal.*

**karapas** *: n. Kouch, po di ki sèvi pou pwoteje bèt.* Tòti yo gen yon karapas ki di anpil.

**karate***: n. Espò ki mande volonte epi anpil kontwòl fizik ak mantal.* Fi kou gason ka aprann karate.

**karavèl***: n. Bato ak vwal ki gen plizyè ma.* Kristòf Kolon te vwayaje nan twa karavèl: Pinta, Nina, Santa-Mariya.

**karayib** *(chou karayib): n. Zòn, nan amerik la, kote gen plizyè zile.* Ayiti nan karayib la.

**kare kò***: v fr. 1. Pran dèz kò, pran pozisyon.* Jan ak tout fanmi l kare kò yo pou yo vini rete lakay mwen an san depanse. *2. Pare pou goumen, met bab alatranp.* Timoun yo kare kò yo pou yo batay ak vòlè a.

**kare lajan***: v. Mize, parye.* Se pou ou kare lajan ou si ou vle m kwè ou.

**kare**. *n. : Fòm jeyometrik ki gen kat kote egal. Tout kote yo gen menm longè.*

**karebare***: adv. San virewon, klè.* Antwàn di Jinèt karebare l ap divòse avèk li.

**karèm***: n. Tan ki kòmanse apre kanaval epi ki fini jous dimanch Pak.* Lontan moun pat dwe manje vyann nan tan karèm. Vandredi karèm matant mwen ale nan chemen kwa.

**kareman***: adv. Klè, san diskisyon, san virewon, dirèkteman, franchman.* Manno di Terèz kareman li pap pale avèk li ankò.

**Karenay** *(Carénage): np. Zòn bò lanmè, Okap. Katye lelit Okap.*

**karès***: n. 1. Afeksyon fizik granmoun pataje youn ak lòt.* Janin fè karès pou Jan. *2. Jès fizik ki montre afeksyon, amitye, yon moun osnon yon bèt domestik pou yon lòt.* Chat sa a renmen karès, kou yo grate tèt li, li fèmen zye l.

**karesan***: a. 1. Ki renmen bay afeksyon.* Jànin se yon fi ki karesan. *2. Emab, ki renmen plè moun.* Ti pitit la pase men nan figi manman l, ala timoun karesan papa.

**karese***: v. 1. Manyen, echanj afeksyon ant de moun ki renmen.* Granmoun pa dwe ap karese devan timoun. *2. Miyonnen, bay osnon pran afeksyon.* Yo di lè manman karese tipitit yo, timoun yo santi yo plis an konfyans.

**karèt***: n. Gwo tòti lanmè.* Po karèt tankou yon karapas, li di anpil.

**karibou** *: n. Gwo bèt kat pat ou jwenn nan peyi frèt.* Gen anpil karibou nan pati nò peyi Kanada.

**karismatik***: a. 1. Mouvman katolik ki baze sou zèv ak don Sentespri. 2. Ki gen talan pou kominike lide.*

**kariyon***: n. Son plizyè klòch ki akòde sou plizyè ton.*

**Karye-Polt** *(Carrié-Paultre): np. Edikatè, ekriven, pastè batis. Li te manm komisyon pou revize labib an Kreyòl.*

**karyoka***: n. Sandal ak talon, louvri devan pou zòtèy yo parèt.* Karyoka sa a bèl, se pou ou te mete l dimanch maten.

**karyonnen***: v. Sonnen.* Klòch legliz la ap karyonnen tankou gen yon maryaj ki pral soti kounye a.

**kas**. *n. : 1. Chapo di pou pwoteje tèt moun.* Solda, foutbolè, ak moun ki monte motosiklèt konn mete kas nan tèt yo. *2. Plant.*

**kasav**. *n. : 1. Yon pen sèk yo fè ak manyòk.* Si ou pa janm pran yon ti kasav ak manba ak kreson ladan l, ou poko manje yon bon wayal. 2. *Non yon òkès ki soti Matinik.* Mizik Kasav yo popilè anpil, menm Ayiti yo renmen l.

**Kasayòl***: np. Pèsonalite nan lejann Ayiti.* Men sa Kasayòl te di bèf la...

**Kase fey kouvri sa***: v. Padonne, kache yon enfòmasyon pou pa gen revanj.*

**kase kay***: v. Lè vòlè antre epi vòlè bagay nan yon kay.*

**kase koub***: v fr. Chanje direksyon, vire.* Lè ou ap kase koub, se pou ou ralanti.

**kase lezo***: v fr. Rann dlo anvan akouchman.* Mirèy pral akouche, li gen tan kase lezo deja.

**kase tèt***: v fr. 1. Tounen, chanje direksyon.* Jan te ap vini, li kase tèt tounen. *2. Reflechi anpil pou rezoud yon pwoblèm.*

**kase**. *v. : 1. Kraze, fann.* Vè a sot tonbe, li kase anmiyèt moso. Apa ou kase asyèt mwen an? 2. *Revoke.* Yo kase papa mwen nan travay li te ye a. *3. Anile.* Kase kontra. *4. Mouvman moun fè ak vant yo lè yo ap danse fòlklò.* Timoun, an al kase file.

**kasèt***: n. Bwat espesyal ki gen riban pou anrejistre son osinon imaj.* Odio kasèt, videyo kasèt.

**Kaseyis Frantz** *(Frantz Casséus): np. 1915-1993. Mizisyen, gitaris ki gen renome entènasyonal. Li fèt 15 Desanm 1915, nan vil Pòtoprens pitit Adèle Joseph ak Hugues Casseus. Matant (Andrée Josepf) li te konn jwe mandolin* *epi granpapa li te konn jwe saksofòn, sa te ba l eksperyans ak mizik depi li te gen senkan. Lè li te gen dizan, li fè yon gita tou senp tankou tout ti moun konn fè ak yon bwat ak kèk fil, men msye jwe ti enstriman sa a pandan plizyè mwa. Li devlope talan natirèl li te genyen. Li te adapte anpil mizik tradisyonèl ayisyen yo pou gita klasik. Li ekri plizyè konpozisyon ak lirik ki ale ak yo. Anpli moun konnen Mèsi Bondye, Nan Fon Bwa, Atibon, Asimbi eltr. Li jwe nan plizyè peyi, nan plizyè gran sal konsè tankou Carnegie Hall eltr. Toupatou yo apresye tavay li. Li te kolabore ak Harry Bellafonte. Li mouri Nouyòk an1993, nan Mount Sinai Hospital li ten gen 77 ane.*

**kasik**. *n. : Chèf endyen lontan an Ayiti, anvan Kristòf Kolon te debake.*

**kasika**. *n. : Wayòm endyen lontan lontan Ayiti. Òganizasyon administratif nan sosyete endyen.*

**kaskad** : *n. Chit dlo.* Gen yon bèl kaskad nan zòn Aken.

**kaskamit**: *n. Lakòl espesyal pou kole bwa.*

**kaskèt**: *n. Chapo twal ki gen yon devanti sou devan.* Alèkile fi kou gason mete kaskèt.

**kastò**. *n. : Bèt ki gen yon gwo ke plat epi ki gen dan solid. Li sèvi ak dan l pou li manje bwa. Bèt ki rete andedan ou byen bò yon rivyè.* Kastò sèvi ak bwa epi ak labou pou pwoteje kay yo.

**Kastra Jòj**, *(CASTERA Fils, Georges): ekriven, jounalis, kritik literè. Li fèt Pòtoprens an 1936. Se youn ekriven ki sèvi ak kout plim li pou li denonse tout touman ak tribilasyon peyi Dayiti. Misye ekri an fransè ak an kreyòl. Dapre Paul Laraque, nan prefas Zile Nou, M-A. Hyppolite (1995), Georges Castera Fils ekri youn " pwezi kreyòl revolisyonè nan fon li ak nan fòm li ". Li ekri depase 20 liv. Plizyè se liv pwezi. Pami zèv li yo gen: Bisuit Leta, pwezi, Zèb Atè, pwezi, Trip Fronmi, pwezi, Dan Zorèy, pwezi, Konbèlann, Rèl (1995), eksetera. Li ekri tou plizyè liv pou timoun tankou Alarive Lèzanfan.*

**kastwòl** *(kaswòl): n. Veso ki gen manch, yo sèvi avèk li nan kizin.* Mete yon ti dlo bouyi nan kastwòl la pou mwen.

**kat jeyografik** : *n fr. Kat ki montre anplasman kontinan, peyi ak vil.* Nan kat jeyografik mwen an, mwen wè Ayiti kole ak Dominikani.

**kat**. *n. : 1. Desen ki reprezante wout nan yon vil, yon peyi osnon yon kontinan.* Si ou vle jwenn wout ou fasil, mache ak yon kat. Konsa ou kapab tyeke ki bò pou ou fè si ou pèdi. 2. *Jwèt ki fèt ak yon seri katon rektang ki gen enfòmasyon depi las jiska dis anpasan pa jokè.* Si ou konn jwe kat mwen ap jwe Twasèt avè w. *3. a. Chif ki vini apre twa epi anvan senk.* Manman mwen te fè kat pitit.

**katblanch**: *n fr. Dwa otorite konplèt.* Mwen ba ou katblanch sou vil la.

**katdidantite**: *n fr. Kat ki gen enfòmasyon sou non, adrès ak dat fèt ou, li sèvi pou idantifye ou.* Ou dwe mache ak kat-didantite ou.

**kata** : *n. 1. Rit tanbou rara. Tanbou nan rit rada.* Vin bat yon ti kata pou mwen la a. 2. *Ti tanbou nan rit vodou. 3. a. Ki pa devlope byen. Fèb, retade.*

**katab**: *n. Anvlòp ouvè ki fèt pou mete dokiman.* Mwen ranje tout dosye yo nan katab.

**katafal**. *a. : Gwo kokenn chenn, anpil.* Se yon katafal fèt moun yo te fè pou nòs sa a.

**katalòg**: *n. 1. Liv ki montre modèl rad ak jan pou koud yo.* Lontan koutiryè te toujou gen plizyè katalòg. 2. *Liv ki ap fè pwomosyon machandiz, diferan estil ak pri yo pou moun ka konpare epi chwazi pou achte.* Mwen bezwen yon katalòg soulye.

**kataloge**: *v. Mete nan katalòg dapre kategori osinon dapre lòd alfabetik.*

**kataplas** : *n. Konprès cho yo mete sou yon moun pou tretman.* Pa souke kò w, se pou kataplas la rete sou jenou ou jous demen.

**katapoli**: *n. Papye sable.* Anvan ou pase vèni, se pou ou pase katapoli fen sou bwa a.

**katarat**: *n. 1. Yon maladi ki atake lantiy nan je a (ki fè lantiy la vin opak) ki lakoz moun nan pa wè byen jouk li vin avèg.* Doktè a opere Alis pou katarat. 2. *Yon gwo chit dlo.*

**katastwòf**: *n. Gwo malè, gwo aksidan, boulvèsman, kalamite, desas ki touye plizyè moun.*

**katastwofik**: *a. Ki sanble ak yon katastwòf.*

**katchapika**: *n. Ponya, pwaya.* Li rale katchapika l, li touye nèg la.

**katechèz**: *n. Ansèyman aloral doktrin yon relijyon.*

**katechis**: *n. Prensip lafwa yo anseye dapre metòd keksyon-repons.*

**katedral**: *n. 1. Legliz katolik prensipal nan teritwa yon dyosèz.* Katedral Pòtoprens la nan kwen Ri Bònfwa ak Ri Doktè Obri. 2. *Legliz ki gen yon achitekti espesyal.* Si ou ale nan peyi Lafrans, pa bliye vizite Katedral Nòtredam nan.

**kategori**: *n. Espès, famiy, gwoup, seri yo baze pou fè klasifikasyon; kalite ki pèmèt distenge yon bagay ak yon lòt osinon ki pèmèt klase yon bagay ak yon lòt. Klas osinon divizyon nan yon sistèm klasifikasyon.*

**kategorik**: *a. Ki pa pèmèt diskisyon, ni dout, ni objeksyon.*

**katèl**: *n. Asosiyasyon plizyè gwoup pou defann yon enterè, yon mache osinon pou fè konpetisyon ak lòt gwoup.*

**katetè** : *n. Tib plastik yo mete andedan moun pou fè li pipi.*

**katilay**: *n. Yon tisi epè ki ant zo yo ki anpeche yo fwote youn ak lòt. Zo mou.* Katilaj nen.

**katimini**: *adv. An kachèt.* Estefèn antre an katimini nan estad la.

**katkat** *(ti katkat): n. Timoun piti.* Richa konnen Inès depi li te ti katkat.

**katolik**: *n./a. 1. Moun ki pratikan, nan relijyon katolik.* Ivon ak tout fanmi l se katolik. 2. *Klè, onèt.* Istwa sa a pa katolik. *Pa katolik* vle di ki pa onèt, ki pa klè.

**katon**. *n. : 1. Papye epè ki di.* Katon sa a solid anpil. 2. *Teknik, blòf.* Ou konn katon an monchè, degaje pa peche.

**Katò Silvyo** *(Sylvio Cator): np. (1900-1952) Atlèt ayisyen estraòdinè ki te patisipe nan plizyè konpetisyon olenpik. Li fèt nan vil Kavayon an 1900. Li te gen yon meday Ajan pou pèfòmans li nan Vòltij an Longè nan konpetisyon olenpik Amstèdam. Li te rive sote 7m58. Apresa nan ane 1928 li te patisipe nan chanpyona mondyal nan vil Pari (Paris) nan peyi Lafrans epi, se la li te bat rekò mondyal Vòltij an Longè, lè li sote 7m93. Sa te pran dizan anvan yon moun te resi depase rekò sa a ofisyèlman. An 1932 li genyen meday lò nan konpetisyon olenpik Los Anjèl (Etazini). Msye patisipe nan plizyè espò (foutbòl, tenis, vòltij an longè, Vòltij an wotè) epi li bay bèl pèfòmans nan tout. Non misye nan Guinness Book of Olympic Records. Anplis li te komèsan (li te gen otèl Savwa sou Channmas), politisyen (li te depite Aken). Tout moun te konnen non msye nan peyi a, li te jwe foutbòl nan Resin. Gen yon estad nan Pòtoprens ki pote non Silvyo Katò. Silvyo Katò mouri Pòtoprens 21 Jiyè 1952.*

**katouch**: *n. Anvlòp an metal ki vlope poud ak douy ki nan yon bal.*

**katòz**: *a. Chif ki vini apre trèz, anvan kenz.* Gen katòz restoran sou wout Dèlma a.

**katòzyèm** : *n. 1. Chif òdinal, pozisyon ki vini apre trèzyèm, epi anvan kenzyèm.* Se mwen ki katòzyèm nan.

**katpostal**: *n. Kat ki gen yon foto sou yon bò epi espas pou ou ekri sou lòt bò a, ou ka poste voye bay moun ou vle.* Lè ou pati, voye yon kat postal peyi Itali pou mwen.

**katran**: *n. Ki gen kat làne.*

**katrè**: *n. Lè li ye lè ti egwi yon revèy sou chif kat epi gwo egwi a sou douz.* Depi a katrè m ap tann ou, kote ou te ye?

**katreven**: *a. Chif ki vini apre swasanndiznèf epi anvan katrevenen.* Jan gen katreven kawo tè nan Sid la.

**katrevendis** *(katrevendiz): a. Chif ki vini apre katrevennèf epi anvan katrevenonz.* Gen katrevendis pyebwa kay Jinèt la.

**katrevendizyèm**: *a. Pozisyon apre katrevennevyèm epi anvan katrevenonzyèm.* Ou se katrevendizyèm nan.

**katreventyèm**: *a. Pozisyon ki vini apre swasanndiznevyèm epi anvan katreveninyèm.* Se pa mwen ki kaytreventyèm gayan an.

**katriyèm** : *n. 1. Ki nan pozisyon nimewo 4.* Mwen se katriyèm. *Ki nan pozisyon apre twazyèm, anvan senkyèm.* Se katriyèm fwa ou fè sa.

**Katye Moren (Katyemoren)** *(Quartier Morin). np. : Ti vil nan depatman nò a ki nan awondisman Okap. Monika se moun Katye Moren.*

**katye**. *n. : Pati nan yon komin, seksyon, kote, zòn.* Nan ki katye ou te rete?

**kav** *(kavo): n. 1. Tonm, konstriksyon nan simityè kote yo antere mò.* Gen plizyè fanmi ki bati kav yo davans pou si yo gen yon moun mouri yon jou. 2. *Kavèn, gwòt.* 3. *Kote yo fè depo.*

**kavalye**. *n. : 1. Moun ki monte cheval.* Deniz renmen monte cheval anpil, li se yon bon kavalye. 2. *Non yo bay de moun ki ap danse ansam.* Si ou ap danse ak yon kavalye ki fò, ou kapab rale bon pa san ou pa pile l. 3. *Yon pyon nan jwèt echèk.* Lè ou ap jwe echèk, pa kite yo manje kavalye ou a, se yon pyon ki enpòtan anpil.

**Kave Sito** *(Syto Cavé): np. Aktè, rakontè, powèt, ekriven dramtij. Li fèt Jeremi an 1944. Li jwe plizyè pyès teyat, li ekri plizyè pyès teyat ant 1970 ak 2000, li jwe yon wòl enpozan nan literati Ayiti. Pandan li Nouyòk, li kreye twoup teyat Kuidor. An 1979 li retounen Ayiti. Li prezante Kavalye Pòlka 1980, La fillette couverte de paille 1981". Ant 1970 ak 2000, li jwe yon wòl enpozan nan literati Ayiti*

**kavite** : *n. Twou.* Kavite sa a yo gwo anpil, se pou yo ranbleye yo.

**kavo**: *n. Tonm, tonbo nan simityè kote yo antere mò.*

**kavya**: *n. Ze somon, yo manje kòm manje deliks ki koute chè.*

**kaw**: *n. 1. Kaou, Kòbo, gwo zwazo.* Kaw yo rete sou pye palmis. 2. *Onomatope, son pou endike bri yon fwèt.*

**kawo** : *n. 1. Fòm jewometrik ki gen kat kote egal (kare).* Mwen renmen twal ki gen anpil kawo ladan l. 2. *Desen nan jwèt kat.* Mwen pral jwe las kawo la a, mwen pa fouti pa fè pwen. 3. *Inite pou mezire sifas ki vo 1.29 ekta.* Yon kawo tè gen 125 mèt pa 125 mèt (125m x 125m). 4. *Yon pyès mozayik.*

**kawolin akawo**: *n. Mizik pou dans kongo ak kè kontan, file, zanmitay.* Kawolin Akawo, m danse kongo jistan kò mwen fè mwen mal.

**Kawonabo**: *np. Youn nan chèf endyen ki te opoze espayòl yo nan kòmansman lakoloni. Se te yon gèrye vanyan. Li te chèf Kasika Magwana. Se li ki te detwi fò Lanativite epi ki te touye tout moun ki te nan fò yo. Blan espayòl yo wè msye te di, li te fawouch pou anpeche kolonizasyon an. Yo voye kado pou li, mande li yon antrevi pou siyen lapè. Kòm li te vle lapè, li fè blan yo konfyans. Lè yo rive, yo envite li ale rankontre chèf blan yo. Se konsa yo fè dappiyanp sou li arete li, mete l sou lanmè epi li mouri. Gen moun ki di yo tiye li nan lanmè an 1496.*

**kawosri**: *n. Pati an metal ki sou deyò yon oto.*

**kawòt** : *n. 1. Plant ki sèvi kòm legim, rasin li gen yon fòm alonje li gen yon koulè oranj. Fèy li sanble fèy ti pèsi. 2. a. Yon varyete mango.* Mango kawòt.

**kawotaj**: *n. Aktivite pou mezire yon teren epi make bòn li.*

**kawotchou** *(kaoutchou): n. 1. Materyèl elastik, enpèmeyab, ki fèt ak latèks osnon ki atifisyèl.* Yo fè tout kalite bagay ak kawotchou. 2. *Wou machin.* Kawotchou sa a plat. 3. *Tib kawotchou.* Prete m kawotchou a pou mwen pran yon ti dlo anvan tiyo a rete.

**kawotchoumann**: *n. Moun (atizan) ki repare kawoutchou machin.*

**kawote**: *v. 1. Separe an kawo.* Depi ane pase yo te kawote teren an. 2. *a. Ki gen kawo.* Papye kawote.

**kawotèn**: *n. Pigman ki nan plant ak nan bèt ki devlope pou vin fè vitamin A.*

**kawotid**: *n. Tib ki pote san soti nan kè ale nan tèt.*

**kay chanmòt** *(chanmòt): n fr. Kay ak etaj.* Nou gen yon kay chanmòt nan vil Jakmèl.

**kay mistè** : *n. fr. Kote ki rezève pou sèvi lwa yo.*

**kay pay**: *n fr. Kay ki gen twati a kouvri ak pay.* Kay pay yo toujou kenbe fre.

**kay tòl** : *n fr. Kay ki gen twati a kouvri ak tòl.* A midi, kay tòl yo konn cho anpil.

**kay**: *1. n. Kote moun rete, nenpòt ki konstriksyon osnon bilding kote moun rete.* Se kay mwen li ye, se mwen ki di w, vini lè ou vle. 2. *np. Vil.* wè Okay.

**kaye**. *n. : Fèy papye kole ansanm ak tout kouvèti.* Mwen te toujou sere kaye devwa mwen yo paske mwen te toujou fè bèl nòt.

**kayen** *(kayèn): a. Ki sot Okay. Ki gen relasyon ak lavil Okay. 2. n. p. Dapre la bib, nan liv Lajenèz se youn nan pitit Adan ak Ev ki te koni paske li te tiye frè li Abèl.*

**kayiman**. *n. : Bèt (reptil) ki long ki gen gwo pat, machwa long, ke long ak yon pakèt dan pwenti. Yo rete nan larivyè ak nan ma sitou nan zòn twopikal.* Mabouya, kwokodil ak kayiman tout se reptil.

**kayimit**. *n. : 1. Ti zile ki nan sid peyi Ayiti. 2. Fwi twopikal.*

**kazak**: *n. 1. Rad, flànèl pou tibebe.* Manman Jera fè plizyè kazak pou tibebe a. 2. *Chanje kazak,* chanje lide, chanje opinyon.

**kazanye**: *a. Ki renmen rete lakay; ki pa renmen soti.*

**kaze**: *v. Mete yon moun nan yon sitiyasyon ki bon pou li.*

**kazèk** *(KASEK): akwonim. Konsèy Administrasyon Seksyon Kominal. Konsèy pou jere yon komin osinon yon distrik.*

**kazèn**: *n. Barak kote sòlda rete.* Tout sòlda rantre nan kazèn nan.

**kazimi**: *n. Twal chè, bon kalite.* M ap achte yon rad kazimi kou m touche.

**Kazimi Jan** *(Casimir, Jean): np. Diplomat, edikatè, ekonomis. Ansyen manm epi Sekretè Jeneral Konsèy Elektoral Pèmanan. Li te vin Anbasadè Ayiti nan Wachintonn 1991-1998.*

**Kazimi Limàn** *(Lumane Casimir): np. Chantè, mizisyèn. Li fèt tou pre lavil Okap 14 Oktòb 1922 nan yon fanmi ki te pòv. Depi li te tou piti, li te renmen chante, li te ap chante bò lari. Li pa t ale lekòl lè li te timoun, li vin aprann jwe gita epi kontinye ap chante pou gratis nan lari. Lè li vin gen ventan li ale pòtoprens alòske li pat gen moun li konnen nan kapital la. Men sa pat pran anpil tan pou anpil moun vin konnen li, envite l vin jwe mizik lakay yo. Youn nan moun ki te ede li se Nina Maton Blanchè. Pandan gwo espozisyon entènasyonal nan bisantnè a, Limàn Kazimi te chante nan Teyat Devèdi e te gen gwo sineyas ki sezi wè kalite talan li genyen, yo fè yon fim ak Limàn pou montre sa. Apre, Limàn te pati al reprezante Ayiti nan plizyè peyi, li vin fè plizyè plak ki gen chante tankou Kawolin Akawo, Panama m Tonbe, Papa Gede Bèl Gason eltr. Menmsi Limàn te gen anpil fanatik, lavi prive li te pòv. Lè li te vin malad, (ak tibèkiloz, maladi pwatrinè) Grangou ak chagren te anvayi li. Li te soufri anpil solitid anvan li mouri nan ane 1956. Li te gen 34 an.*

**kazimodo**: *n. Premye dimanch apre Pak.*

**kazino** : *n. Kote moun al amize, jwe, pran plezi, depanse epi genyen lajan.* Se nan ale nan kazino Wozlin pèdi tout kòb li.

**kazwèl** : *n. 1. Blòfè, ki pa gen pawòl si.* Pa koute Jera, li se yon kazwèl. *2. a. Ki fèb, timid.*

**kè grenn**: *n fr. Tris, chagren, chagren damou.* Kou mwen wè de moun renmen tankou nou, kè mwen grenn.

**kè kase**: *n fr. Kè sote, sezisman.* Pitit sa a renmen bay moun kè kase.

**kè nan men**: *n fr. Sansib, renmen bay, renmen fè kado, laj.* Jan se moun ki gen kè nan men, tout sa li genyen, se pou li bay moun.

**kè plen** : *n fr. Anvi vonmi.* Fi ansent konn gen kè plen.

**kè pòpòz** : *n fr. Ki pa prese. Lora se yon fi kè pòpòz.*

**kè sote** : *n fr. Sezisman.* Ou ban m kè sote kou ou lonmen non David la a.

**kè sou biskèt**: *n fr. Kè sote, kè cho.* Li toujou gen kè sou biskèt.

**ke**. *n. : Pati padèyè yon bèt, ki tou long, li nan zòn anwo twou dèyè l.* Chat ak chyen se de bèt ki gen ke. Lè ou fè yon chen wont li antre ke l nan fant janm li.

**Kèbi Jera** *(Kerby Gérard): np. Foutbolè ayisyen, li te jwe nan ekip foutbòl Vyolèt.*

**kè**. *n. : 1. Pati nan kò moun osnon bèt, nan bò poumon goch li. Se ògan enpòtan ki gen kat chanm (kavite). Li kontrakte/dilate selon entèval regilye pou ponpe san toupapou nan kò a. Li resevwa san ki soti nan venn yo epi li ponpe san an nan atè (venn san wouj).* Moun ki fè maladi kè dwe pran anpil prekosyon ak sante l. 2. *Lanmou, cheri, santiman damou.* Tout kè mwen se pou ou, mwen damou ou anpil. *3. Kouraj, pran kè. 4. Refren nan yon chante. 5. Gwoup chantè.* Ak de kè. Fè kè, gen kè. Kè sere. Gwo kè. Kè cho. Kè di. Kè grenn. Kè kase. Kè sote. Kè mare. Kè nan men. Kè plen. Kè pòpòz. Kè sere. Kè tounen.

**Kebèk** *(Québec): np. Youn nan pwovens Kanada kote ki gen anpil Ayisyen epi ki pale Franse alòske lòt provens yo gen plis moun ki pale Angle.*

**Kebekwa**: *n. Moun ki fèt nan pwovens Kebèk Okanada.*

**Kebwo Antonyo Th.** *(Kebreau, Antonio Th.) Militè, manm gouvènman militè pwovizwa an 1957. Li fèt nan àne 1909, li mouri nan àne 1963. Se li ki te bay prezidan Fiyole panzou. Se li tou ki te ede Franswa Divalye pran pouvwa a.*

**Kebwo Emanyèl** *(Père Emmanuel Kébreau) : np. Pè katolik, Ansyen kire Sentàn, Pòtoprens.*

**Kebwo Lwi** *(Kébreau Louis). np. Pè Salezyen, pwofesè teyoloji, sikològ, Evèk Ench (1998). Anvan li te òdone pè, li te etidye Agwonomi veterinè an Repiblik Dominikèn. Li te etidye teyoloji ak sikoloji Kanada.*

**kechat**: *n. Plant ki fè yon ti branch wouj, long tankou ke chat.* Kechat sa a fleri anpil ane sa a.

**kèhèk-kèhèk**: *n fr. Kalite tous ki pa janm ka fini.* Ou te dwe ale wè doktè, ou pa kapab ap kèhèk-kèhèk toutan konsa.

**kèk**: *adv. Detwa, enpe.* Gen kèk moun ki ap tann ou deyò a.

**kèk fwa** : *adv. Pafwa, pa toutan.* Kèk fwa Mirèy konn pa vini.

**keksyon** *(kesyon): n. 1. Entewogasyon sou sa ou pa konnen osnon ou pa konprann.* Fito poze pwofesè a keksyon an. *2. Sijè.* Polèt renmen vini sou keksyon sa a.

**keksyonnen** *(kesyonnen): v. Poze kesyon, chèche konnen.* Linda kesyonnen Odil sou sa li te wè.

**kèlkefwa** *(kèkfwa): adv. Pafwa, pa toutan.* Kèlkefwa Jan deside soti.

**kèlke** *(kèk): a. Yon ti kantite.*

**kèlkeswa**: *adv. Kinenpòt, nenpòt.* Kèlkeswa jou a, Polèt la.

**kèlkilanswa**: *adv. Kèlkeswa, kinenpòt, nenpòt.* Kèlkilanswa moun ki vini an, di li Kalin pa la.

**kèlkonk**: *a. Nenpòt ki.*

**kèmès**: *n. Fèt lajounen, ki gen amizman, manje, jwèt ak mizik.* Lontan Wolan ak Pòl te toujou al nan kèmès.

**kenbe kout** : *v. fr. Veye, swiv pazapa.* Kijan ou kenbe mwen kout konsa a, mwen di ou tann, se pou ou tann, salye la a?

**kenbe**. *v. : 1. Soutni, prezève, sipòte.* Kenbe mwen fò, pa kite mwen tonbe. Kenbe kòb la pou mwen. Kenbe pipi a nou pre rive. 2. *Pote.* Mwen renmen kenbe tifrè m nan, li pa lou ditou. *3. Bare.* Mwen kenbe ou jodi a. Kenbe chen an. *4. Kontinye, pa dekouraje.* Kenbe fèm.

**kenbe tèt** : *Fè wòklò.*

**Kenedi** *(Kennedy): np. 1. Dyonn F. Kenedi (John F. Kennedy) Ansyen prezidan peyi Etazini yo te ansasinen. 2. np. Wobè Kenedi (Robert Kennedy) Kandida pou prezidan ameriken. Yo te ansasinen li tou. 3. n. Pèpè, odeyid, rad dezyèm men yo kòmanse distribye nan peyi Ayiti pandan Dyonn F. Kenedi te prezidan.* Jera pa gen lajan pou li achte rad nèf, se kenedi li mete.

**kenèp** : *n. Fwi twopikal, tou won, koulè vèt ki vini an grap tankou rezen; chak kenèp gen yon gwo grenn andedan li; se pou ou souse grenn nan men se pa pou ou ni kraze l, ni vale l.* Kenèp sa a yo si. Pye kenèp sa a pa bay fwi ane sa a. 2. *Pye bwa ki bay kenèp.*

**kenkay**: *n. Klenklen, plizyè kalite atik itil, bonmache.* Machann kenkay sa a genyen peny, bwòs, savon, glas, mouchwa, pomad cheve, kitèks, tout kalite klenklen.

**kenkayri**: *n. Machandiz enpòte pou dekorasyon ak itilite toulejou.*

**kenken** *(fè kenken): a. 1. Anpil kantite.* Gato fè kenken nan maryaj Edit la. 2. *Mayi moulen.*

**kenn**: *n. Mamit*

**kennèp** : *n. Wè kenèp.*

**Kenskòf** *(Kenscoff) : np. Komin nan awondisman Pòtoprens, nan depatman Lwès. Vil anwo nan mòn depase Petyonvil kote ki fè fre. Yo fè anpil legim nan zòn sa a.* Si ou ale Kenskòf lè vakans, wa sezi wè jan li pa fè cho.

**kente**: *v. Briye, fè yon bon kou, gen bon rezilta.* Jòj kente nan ekzamen an.

**Kenya**: *np. Peyi nan kontinan Afrik. Li pran endepandans li kont Angletè an 1963. Li gen 21 milyon moun ki ap viv sou 583 mil kilomèt kare.*

**kenz**: *a. Chif ki vini apre katòz epi anvan sèz.* Gen kenz jwèt sou tab la.

**kenzèn** *(kenzenn) n: Kantite ki gen kenz inite ladan l, kenz jou.* Nan lekòl la gen yon kenzèn foutbolè kalifye.

**kenzyèm**: *a. Pozisyon ki vini apre katòzyèm, anvan sèzyèm.* Sou kenzyèm jou travay, Leyon bay demisyon li.

**Kepenns Joris** *(Jauris Ceuppens): np. Pè katolik ki soti nan peyi bèljik, li vin yon jounalis ayisyen, li te dirije jounal katolik Bon Nouvèl. Li mouri an Desam 1982.*

**kepi**: *n. Chapo ki sanble ak kaskèt.* Nan peyi Ayiti, jandam yo mete kepi.

**kès** : *n. 1. Bwat.* Wete kès sa a nan wout la. 2. *Kote kesye a ye, kote pou ou al peye.* Vin peye nan kès la. 3. *Biwo peyè kote pou ou al resevwa lajan.*

**kès popilè**: *n. Ti bank lokal (kooperativ) ki la pou sèvi bezwen manm nan kominote kote li tabli a.* Kès popilè sa a prete moun lajan ak yon to enterè pi piti.

**kesye**: *n. Moun ki sou kès pou resevwa lajan.*

**kesyon** : *n. Wè keksyon.*

**kesyone** *(kesyonnen): v. Poze kesyon san rete.*

**kesyonè**: *n. Moun ki ap poze kesyon.*

**kèt** *(lakèt) : n. 1. Koleksyon ranmase lajan pou yon pwojè osnon yon objektif byen klè.* Pè a fè kèt nan chak mès yo. 2. *ent. Kobaba! entèjeksyon ki endike sezisman, admirasyon, entewogasyon.* Kèt! kòman mwen pral fè la a?

**kete**: *v. Fè lakèt.*

**kewozin**: *n. Gaz petwòl pou mete nan lanp. Yo fè kewozin lè yo distile luil lejè ki soti nan petwòl brit. Se kewozin tou yo mete nan avyon areyaksyon.*

**keyi**: *v. Ranmase fwi ki sot nan pye bwa.* Annou al keyi mango.

**kg**: *Senbòl pou kilogram. 1 kg egal 1000 g.*

**ki bò**: *adv. Ki kote, nan ki zòn.* Ki bò ou ye?

**ki fè**: *adv. Konsa, kouman fè, kòman sa fè, donk.* Ki fè ou pa fè mwayèn ou mwa sa a?

**ki kote** *(kote): adv. Kibò, nan ki zòn.* Ki kote ou prale?

**ki lè**: *adv. Nan ki moman.* Ki lè ou ap vini.

**ki mele m**: *fr. Mwen pa enterese, sa pa fè m anyen.* Ki mele m si ou pa pale ak Woje?

**ki moun**: *pwo. Kilès.* Ki moun ki ap vini demen?

**ki nouvèl**: *n fr. Sa ki pase?* Kouman ou ye?

**ki** : *pwo. Kilès, kisa, kimoun.* Ki moun sa a?

**ki sa sa**: *pwo. Sa sa ye?* Ki sa sa ye la a?

**kib** : *n. 1. Bwat ki gen sis kote kare epi ki egal youn ak lòt.* Yon kib gen longè, lajè ak wotè. 2. *Operasyon matematik lè yon valè miltipliye twa fwa* (6x6x6= 63)

**Kiba** : *np. Peyi nan Karayib la, toupre Ayiti, Miyami ak Jamayik.* Nan peyi Kiba yo pale Panyòl.

**Kiben** *(Kibèn) : np. 1. Moun ki fèt osnon ki pote nasyonalite Kiba.* Panncho se Kiben li ye. 2. *a. Ki pou peyi Kiba.* Gwanntanamo sou teritwa kiben.

**kibik** : *a. Ki gen fòm yon kib.* Bwat sa a gen yon fòm kibik.

**kibitis** : *n. Zo nan bra a ki pi long nan.* Jan fè aksidan, li kase kibitis li.

**kibò**. *adv. : Ki kote.* Kibò ou rete kounye a?

**kibòd**: *n. 1. Enstriman mizik elektwonik. 2. Touch nan enstriman mizik tankou pyano, òg, amonyòm, akòdeyon eltr. mizisyen pese osinon frape pou fè son. 3. Touch ki bay lèt ak chif pou tape enfòmasyon nan yon machin a ekri osinon nan yon òdinatè.*

**kichòy**. *n. : 1. Yon bagay, pa gwo, tou piti.* Mwen pa sa ba ou gwo, men mwen ap ba ou kichòy kan menm. 2. *Kraze, monnen.* Banm yon ti kichòy la a non, mwen grangou, mwen bezwen al achte yon ti akasan.

**KID** : *np. Konferans Inite Demokratik.*

**kijan**. *adv. : Kouman? Kesyon ki vle di, kouman sa fè fèt.* Kijan ou fè rive jous anndan lakay mwen an, mwen pat otorize ou rive jous la monchè!

**kijodi** *(sijodi) : adv. Dat, depi lontan.* Kijodi Jera pati.

**kikonk**: *pwo. Kèlkilanswa, nenpòtki, pèsòn.* Kikonk foure bouch nan koze sa a antrave.

**kil**: *n. Nan jwèt volebòl se lè yon jwè frape balon an ak fòs soti nan kan pa li ale nan lòt kan an pou li fè yon pwen.*

**kilakyèl**: *pwo. Kilès, ki, kisa? De ki prevyen.* Kilakyèl de pati?

**kilbite**: *v. Bite, manke tonbe.* Nou kilbite men nou pa tonbe.

**kildesak**. *n. : 1. Zòn plat (plenn) nan depatman Lwès ant Chèndèmate ak Masif Lasèl. 2. Limit kote yon wout fini.* Ou pa bezwen kontinwe avanse, pa gen wout oto ankò, se yon kildesak ou antre la a.

**kilè**. *adv. : Nan ki moman, tan, nan konbyen tan.* Kilè ou ap tounen ankò? Mwen ta kontan wè ou ankò.

**kilès** *(kiyès): pr. Ki moun.* Kilès nan medam yo ou pi renmen an, tipiti a osnon sa ki anfòm nan?

**kilo** *(kilogram): n. Mil gram, inite mezi pwa.* Yon kilo sik te vann digoud lontan. (Senbòl= kg)

**kilomèt** *: n. Mil mèt, inite mezi longè.* Ou mache de kilomèt. (Senbòl = km)

**kilòt**. *n. : Rad fi mete pou kouvri sèks yo.* Mwen pa renmen kilòt laylonn, mwen pito kilòt koton.

**kilowat** *(kW): Inite pou mezire pisans yon sistèm. 1 kilowat egal 1000 wat.*

**kilowatè**: *n. Inite pou mezire travay yon machin. Travay yon motè ki gen yon pisans 1 kW (1000 wat) fè apre inèdtan depi li ap mache.*

**kilpabilite**: *n. Santiman ak sitiyasyon yon moun ki koupab.*

**kilt**: *n. Respè ak omaj yo bay Bondye, yo bay yon sen, osinon yo bay yon bagay yo panse ki gen valè bondye. Adorasyon, venerasyon, devouman. 2. Sèvis ak pratik relijye yo fè nan legliz, nan tanp, nan chapèl osinon nan hounfò. 3. Admirasyon fanatik.*

**kilti** *: n. 1. Edikasyon, fòmasyon.* Jan se yon nonm ki gen kilti. *2. Ansanm abitid, tradisyon, prensip ak valè nan yon sosyete.* Kilti ayisyen. *3. Plantasyon, danre, aktivite agrikòl.* Kilti bò isi a rapòte anpil.

**kiltirèl**: *a. Ki konekte ak yon pèp, pratik li genyen nan relijyon, nan manje, nan boza, nan atizana, nan aktivite entelektyèl, konpòtman kolektif li eltr. ki fè idantite l ak orijinalite l.*

**kiltivatè**. *n. : Peyizan, abitan, moun ki ap travay latè.* Lotrejou kiltivatè nan zòn nan reyini, yo deside yo pap plante pit ankò.

**kim**: *n. Yon kalite mous blanch ki fèt apatid fwotman ant dlo ak savon.* Lè madan jan ap fè lesiv, bokit lesiv la plen kim.

**kimen** *(tchimen): v. Fè kim.* Bouch madanm nan kimen lè li endispoze a.

**kimono**: *n. Yon kalite rad long moun mete nan kay.* Gade bèl kimono ou genyen.

**kina** *(kinan): pwo. Pa. Li endike posesif.* Sa se pa m, kote kina w?

**Kinam**: *np. Non yon otèl nan Petyonvil.*

**Kinan** m *: pwo. Pa mwen.*

**Kinan w** *: pwo. Pa ou.*

**kindègadenn**. *n. : Jaden danfan. Klas timoun piti.* Nan kindègadenn yo fè timoun yo aprann jwe anpil jwèt, yo rakonte yo istwa, yo montre yo chante, epi yo fè yon pakèt lòt bagay avè yo ankò.

**Kinn, Maten Litè** *(Martin Luther King): np. Pastè epi lidè politik ameriken. Li fèt an Janvye 1929, li mouri asasine an 1968. Li lite anpil pou Ameriken nwa gen dwa sivil ak dwa politik tankou tout moun san diskriminasyon. Kinn te koni anpil pandan ane 1950-1968. Li te ankouraje nwa yo pou yo pwoteste kont segregasyon, men pou yo te pwoteste san yo pa te fè vyolans. Anpil moun apran pa kè yon seri bèl diskou Kinn te konn bay. Gen youn ki rele Mwen gen yon rèv.*

**kipay** *(ekipay): n. 1. Moun ki fè ekip.* Pilòt la ak ekipay li yo monte nan avyon an. *2. Pakèt, machandiz.* Vin anrejistre ekipay ou. *3. Tout materyèl pou sele bèt.*

**KIPKAA**: *Komite Inisyativ pou Kore Alfabetizasyon ann Ayiti.*

**Kiraso** *(Curaçao) : Youn nan zile Antiy Neyèlanndè, nan Karayib la, tou pre kot Venezyela. Li gen 165 mil moun ki ap viv sou 444 kilomèt kare. Kapital li se Wilenmstad.*

**kirye** *(kiryèz): n. 1. Ki vle konnen.* Gen yon bann kirye kanpe deyò a. *2. a. Ki gen kiryozite, enterè.* Sa se atitid yon moun kirye.

**kis**: *n. Boul ki pouse andedan kò yon moun.* Jan gen yon kis nan do l.

**kisa**. *ent. : Ki bagay.* Kisa ou di la a?

**kisasa** *(kisakwèt): n. Yon moun enkoni, entèl.* Se yon kisasa ki fèk vin rete nan katye a.

**Kiskeya**. *(Quisqueya) : np. 1. Mo endyen ki vle di Ayiti. Se konsa zile a te rele anvan li te rele Ispayola. Gen moun ki konn rele peyi a Ayiti, Boyo osinon Kiskeya. 2. Non yon inivèsite prive nan Pòtoprens. 3. Non yon manje pou timoun ki fèt ak farin bannann.*

**kit**: *n. 1. Zwazo.* Gade yon kit ki vin poze sou pye mango a. *2. Je, ansanm ki fè yon pake, pake.* Bwat sa a gen kit medikal ladan l. *3. v. Pa dwe younalòt.* Nou kit alèkile.

**kite kantik pran priyè**: *v fr. Annou chanje koze.* Kite kantik pran priyè, ban mwen nouvèl sante ou?

**kite koze pran pawòl** *(kite kantik pran priyè) : v fr. Annou chanje koze.* Kite koze pran pawòl; apa mwen tande ou pral marye?

**kite**. *v. : 1. Deplase.* Nou kite kay la granmaten pou n al lekòl, nou tounen jous byen ta. *2. Separe.* Madan Bòs pa abite ak Bòs ankò, li kite ak li. *3. Pa mele.* Kite mwen anrepo. *4. Bay pèmisyon.* Pwofesè mwen an kite mwen al nan rekreyasyon san mwen poko resite leson mwen.

**kitès** *(kitèks): n. 1. Penti fi mete sou zong pye ak zong men yo.* Jànin toujou mete kitès. *2. Mak penti moun mete sou zong yo.* Li pito achte mak kitès pase revlon.

**kitkit** *(kikit): a. Pwenti, piti piti.* Kalin mete talon kitkit.

**Kito** *(Quito) : np. Kapital peyi Ekwatè*

**kivèt**: *n. 1. Veso laj, an metal osnon an plastik, ou ka met dlo pou ou benyen.* Chak moun gen kivèt pa yo lakay Jera. *2. Twou nan tè. Depresyon nan tè kote dlo chita.*

**kiyè**. *n. : Zouti ou pran manje pou ou met nan bouch ou.* Ou mèt manje ak kiyè sa a, mwen fèk lave l, li pwòp.

**kizin**: *n. Kote nan yon kay, moun fè manje.* Gen chodyè nan kizin nan.

**kizinyè** *(kizinyèz, krizinyèz): n. Non yo bay moun ki ap fè kizin.* Madan Edga anplwaye yon kizinyè jodi a.

**klaksonn**: *n. 1. Son pou avize moun pou li evite danje.* Chofè a peze klaksonn nan. *2. Pyès ki bay son pou avize moun pou li evite danje.* Oto sa a pa gen klaksonn. *3. Avètisman.* Lanmò pa gen klaksonn.

**klaksonnen**: *v. Sèvi ak klaksonn pou atire atansyon moun kont danje.* Chofè a klaksonnen.

**klan** : *n. Klas, ekip, klik.* Mwen pa nan klan ni youn ni lòt.

**klarinèt**: *n. Enstriman mizik ki mache ak van.* Lizèt konn jwe klarinèt.

**klas**: *n. 1. Nivo nan lekòl.* Nan ki klas ou ye? *2. Kou, nan lekòl.* Inès pa nan klas matematik la jodi a. *3. Gwoup.* Mirèy nan klas matmwazèl Joslin nan. *4. Gwoupman sosyal.* Klas mwayèn. *5. Degre solanite lontan nan legliz katolik.* Antèman premye klas. *6. Dapre sèvis.* Tikè premye klas.

**klase** : *v. 1. Gwoupe, ògànize dapre resanblans.* Yo klase elèv yo dapre laj yo. *2. Ranje dapre yon seri kritè.* Yo klase yo pa kategori. *3. Jije.* Edwa klase Fito pou sa li ye.

**klasifikasyon** : *n. 1. Rezilta lè yo klase, gwoupe dapre resanblans.* Gen yon klasifikasyon dapre laj. *2. Gwoupamn, kategori, klas. 3. Nan biyoloji se gwoupman sistematik tout bèt ak plant.*

**klasifye**: *v. Mete (klase) dapre yon lòd.*

**klasik**: *a. 1. Ki gen avwa ak klas nan lekòl.* Founiti klasik. *2. Ki gen avwa ak epòk epi otè ki suiv yon seri règ pou yo ekri.* Otè klasik. *3. Ki debyen, ki gen yon rafinman tradisyonèl, ki pa woywoy.* Vànya abiye klasik. *4. Ki kouran, ki toujou fèt konsa.* Sa se yon repons klasik.

**klasman** : *n. Gwoupman, klasifikasyon.* Klasman sa a fèt dapre lòd alfabetik.

**klate**: *n. 1. Limyè, ekleraj.* Kay sa a gen anpil klate akòz lajè fenèt li yo. *2. Klè, pa difisil pou konprann.* Tèks sa a ekri ak klate. *3. Eklate, eksploze.* Bonm nan klate sou laplas la.

**klavikil** : *n. Zo ki nan pati zèpòl.* Inès kase klavikil li nan fè espò.

**klavye** : *n. 1. Touch pou ou fè son soti, nan yon enstriman.* Klavye pyano sa a fèk repare. *2. Touch pou kominike ak yon machin.* Klavye konpyoutè.

**kle**. *n. : Zouti pou ouvri.* Kle pòt, kle kola. *2. Senbòl nan lekti (notasyon) mizik.* Kle sol, kle fa. *3. Zouti mekanik.* Kle anglèz, kle tiyo.

**klè**. *a. : 1. Transparan, ki gen klate, klere, ki gen limyè.* Nou kapab soti a setè, li gentan fè klè lè sa a. *2. Ki pa fonse.* Nèg sa a, li klè, li wo epi li gen moustach. *3. Ki pa difisil pou konprann. 4. Ki reveye. Je klè.*

**klèman**: *adv. Kareman, san kache.* Li di Jinèt klèman li pap travay demen.

**klere**. *v. : Ki gen limyè bay sou li. Lè yon bagay klere, se paske anpil limyè bay sou li osnon paske li bay limyè limenm.* Solèy la klere chak maten byen bonè. *2.Enfòme.* Klere je m sou kesyon privatizasyon an. *3. a. Ki pwòp, byen netwaye.* Mèb la klere.

**kleren tranpe**: *n fr. Kleren ki melanje ak fèy epi ak epis dous.* Gen moun ki bwè kleren tranpe swa pou plezi, swa kòm remèd.

**kleren**. *n. : Alkòl ki fèt nan gildiv ak ji kann fèmante. Pou fè kleren, yo moulen kann, yo pran ji a epi yo mete levi pou li ka fèmante. Nan fèmantasyon an, bon mikwòb yo pran sik nan ji a pou fè alkòl; kòm alkòl sa a mele ak dlo, yo distile li. Nan distilasyon an, yo chofe melanj lan pou fè alkòl la evapore kite dlo a* dèyè. *Vapè alkòl la vin kondanse epi tonbe nan yon lòt veso.* Gen moun ki di kleren se wonm pèp la.

**klèsi**: *n. 1. Sitiyasyon kote tan an fè pi klè apre fè nwa osnon apre anpil bouya.* Terèz pwofite klèsi a pou li fè yon ti soti. *2. v. Klarifye.* Dlo a twoub, kite li poze pou li ka klèsi.

**klète** *(klate): v. Eklere.* Li fè klète jodi a. *n. 2. Limyè, ekleraj.* Kay sa a gen anpil klète akòz lajè fenèt li yo. *3. a. Ki Klè, ki pa difisil pou konprann.* Tèks sa a ekri ak klète.

**Klèvo** *(Clerveaux). np. : Yonn nan moun alatèt rebelyon kont Lafrans nan peryòd 1800 yo.*

**klewon**: *n. Enstriman mizik ki mache ak van, li sanble ak twonpèt.* Elifèt konn jwe klewon nan fanfa lekòl la.

**klima** : *n. Sitiyasyon meteyo ki ale ak yon zòn. Ansanm lapli, tanperati, imidite, van, presyon bawomèt elatriye fòme klima yon zòn.*

**klimatoloji**: *n. Syans ki etidye klima.* Olivye al etidye klimatoloji.

**klimatolojis** : *n. Moun ki etidye chanjman nan klima.* Olivye se yon klimatolojis.

**klinik** : *n. Biwo kote doktè konsilte pasyan.* Alis ap travay nan klinik doktè Biwon an.

**klips**. *n. : Zepeng pou tache papye ansanm.* Prete mwen yon klips pou mwen tache de dosye sa yo.

**klipse** : *v. Tache yon bagay ak klips.* Lè ou fin klipse tout papye yo ou mèt pote yo ban mwen.

**klis**: *n. 1. Eklis, ti moso bwa fen.* Pa kite klis yo antre nan men ou. 2. *Moso bwa palmis ki sèvi pou klise kay.*

**klisad** *(klisay): n. Estrikti pou fè panno kay ak klis; kloti, baraj ak poto osnon ak pyebwa.* Wolan mete yon klisad toutotou teren an pou moun pa antre nan lakou li. Lè li fin fè klisad panno a li masonnen l.

**klisay** *(klisad): n. Òganizasyon planch palmis osinon planch kokoye pou fèmen yon panno.*

**klise**: *v. Mete klisad (klisay).* Lè ou fin klise nou ka mete mòtye.

**klitoris**: *n. Pati nan kò fi, nan sèks li.* Klitoris la pre vajen an.

**kliyan**: *n. Moun ki abitye achte nan men yon vandè.* Kalo se yon kliyan espesyal nan restoran sa a.

**klò** : *n. Eleman chimik, cl.*

**klòch**. *n. : Zouti an metal ki sèvi pou sonnen. Li sèvi tou pou make kòmansman osinon pou make finisman yon aktivite.* Lè nou tande klòch lekòl la sonnen, nou konnen nou an reta. *2. a. Ki gen fòm klòch.* Jip klòch.

**klorat**: *n. 1. Sèl asid klorik.* Yo vann klorat nan fanmasi. *2. Poud chimik ki ka fè bwi osnon eksploze.* Gen yon seri woulo peta timoun konn mete nan revolvè jwèt, yo gen yon ti kantite klorat ladan yo.

**klòtch**: *n. Pati, nan yon machin ki pèmèt anbreye osnon chanje vitès.* Machin Wozmon an otomatik, li pa gen klòtch.

**kloti**: *n. Baraj alantou yon pwopriyete.* Mete kloti pou moun pa pase sou teren ou.

**klou gagit**: *n fr. Ti tij metal, pwenti yon bò, plat nan lòt bò a, ki sèvi pou klouwe de bagay ki pa epè.* Kòdonye sèvi ak klou gagit pou kole semèl nan soulye.

**klou jiwòf** : *n. Epis ki gen fòm klou.* Gen moun ki mete klou jiwòf nan janbon.

**klou** : *n. Tij metal, pwenti yon bò, plat nan lòt bò ou ka klouwe pou tache de moso bwa ansanm.* Klou sa a bon pou klouwe bwa sou beton.

**kloure** : *v. Mete yon klou nan yon bagay.* Pou ou ka kloure byen, fòk ou gen yon mato.

**klowofil**: *n. Pwodui nan plant ki bay koulè vèt. Pwodui vèt (pigman vèt) nan plant ki jwe yon wol enpotan nan fotosentèz, li trape limyè solèy, konsa enèji limyè ka transfòme pou tounen enèji chimik. Yo sèvi ak klowofil tou pou mete koulè nan medikaman ak nan manje.*

**klowòks** *(klowòs): n. Pwodui ki gen klò ladan l, yo itilize l kòm dezenfektan osnon pou blanchi rad pachiman.* Pa mete klowòks nan rad koulè.

**klwazon** : *n. Separasyon ant de pyès.* Gen klwazon selotèks, gen klwazon planch.

**ko**: *deja* (M po ko)

**kò**. *n. : 1. Ansanm tout ògan ak tout sistèm reyini ansanm ak lespri a ki fè yon moun.* Mwen santi kò mwen pa bon menm semèn sa a. Rale kò ou la a tande, si ou pa vle bourèt la frape ou. 2. *Kadav, sa ki rete lè moun mouri.* Se devan mwen anbilans vin pran kò a. *3. Pati nan po pye osinon men ki vin di.* Soulye a ban m kò.

**kòb**. *n. : Lajan.* Kòb fèt ak papye ou byen ak metal. Mwen sere tout kòb mwen genyen pou mwen achte yon bèl poupe pou Solanj.

**kobay**. *n. : Moun osnon bèt yo fè esperyans sou li.* Mwen pap kite moun fè mwen fè kobay paske mwen pè pou mwen pa mouri mal.

**kòbòy**: *n. 1. Moun ki te konn okipe bèf lontan; kounye a se yon estil tipik nan zòn lwès nan peyi Etazini.* Gen abiman espesyal pou kòbòy mete. *2. n fr. Vire an kòbòy, gate, kont met pye.* Ti moun yo te ap pale epi sanzatann jwèt la vire an kòbòy. *3. Ti liv ak anpil desen.*

**kòche** : *v. Blese.* Ti gason an kòche janm li nan filfè a.

**kochèt**. *n. : Manch an metal ki kenbe yon pòt pou li pa louvri.* Mwen paka antre si pa gen yon moun ki pou vin wete kochèt la nan bayè a.

**kochma**: *n. 1. Move rèv, rèv kote evenman ki ap pase yo dezagreyab.* Yèreswa Bòb fè yon kochma, li reve li manke nwaye. *2. Eksperyans difisil, dezagreyab.* Diskisyon sa a met tout fanmi an nan kont, sa se yon veritab kochma.

**kochon sale** : *n fr. Vyann kochon ki konsève ak sèl, ti sale.* Mete yon ti kochon sale nan legim nan.

**kochon**. *n. : Bèt domestik moun manje.* Kochon gen janm kout, yo gra epi yo gen bouch long. Kochon Ayiti yo te nwa te gen anpil rezistans kont maladi jouskaske teknisyen yo te idantifye yon maladi viris ki te atake kèk kochon. Olye yo te trete osinon touye kochon ki te malad yo Ameriken yo te konvenk moun touye tout kochon nwa yo epi ranplase yo ak kochon wòz pou evite yon epidemi. Vyann kochon sèvi pou fè griyo, janbon, la, grès, andui eltr.

**kochondenn** : *n. Bèt ki sanble ak yon gwo rat epi ki gen ke.*

**kochte** : *v. Mete kochèt.* Mwen kochte bayè a anvan mwen al dòmi men kounye a mwen jwenn li dekochte.

**kòd lonbrit** : *n fr. Kòd ki tache yon tibebe ak mannan l pandan li nan vant.* Kou pitit la fèt, yo koupe kòd lonbrit li la menm.

**Kòd Anri** *(Code Henri) : Yon seri lwa sou wa Anri Kristòf ki gen avwa ak komès, lapolis, agrikilti, afè militè epi afè sivil nan peryòd 1811.*

**kòd lonbrik** *(lonbrit): n fr. Wè kòd lonbrit*

**Kòd nwa** *(Black Code, Code Noir). : Lwa Franse ki te parèt an 1685. Li te dekri kijan relasyon blan ak nwa te dwe ye nan tan koloni a. Li te gen anpil pinisyon epi anpil diskriminasyon kont nwa yo.*

**Kòd riral** *(Code rural) : Pati nan Kòd wa Anri Kristòf te fè a ki konsène agrikilti. Se kòd sa a ki bay kondisyon travay travayè latè yo.*

**kòd vokal** : *n fr. Aparèy nan vwa ki fè son, kòd vwa moun.* Moun ki pa gen kòd vokal pa ka pouse son.

**kòd**. *n. :1. Fil yo konn fè ak pit, koton osnon ak lòt fil.* Kòd sèvi pou mare bagay. Timoun sèvi ak kòd pou yo sote. Ayiti, lè yo pa vle poul sove yo konn mare yon pye l nan kòd. *2. Inite pou mezire kantite bwa.* Yon kòd bwa. *3. Koleksyon lwa.* Kòd sivil. *4. Senbòl kominikasyon sekrè.* Kòd mòs. Kòd daki.

**kodak**. *n. : Kamera.* Zouti pou moun pran foto. *2. Mak kamera.* Mwen pati tankou yon touris ak kamera kodak mwen sou do mwen.

**kòdase**: *v. Kakaye, son poul fè.* Poul la ap kòdase.

**kòde** : *v. Tòde, makonnen.* Pa kòde de fil sa yo ansanm.

**kodenn** : *n. Gwo zwazo domestik.* Gen moun ki renmen kodenn kuit antye men mwen pito l dekoupe.

**kòdon**: *n. Wè kòdwon*

**kòdonnye**: *n. Moun ki fè osinon repare soulye.* Parenn Jesi se kòdonye.

**kòdwon** *(kòdon): n. 1. Kòd epè, sentiwon.* Mete kòdwon ble sa a pito. *2. Gwoup moun ki òganize pou travay nan jaden.*

**Madan Kolo**: *Fontèn dlo potab nan Pòtoprens, nan katye Bèlè prezidan Jefra te konstwi. Sou fontèn nan te gen yon estati ki rele estati Madan Kolo. Kimoun Madan Kolo te ye epi poukisa yo bay estati a non li, se yon sekrè pou anpil moun.*

**kòf** : *n. 1.* Kès. Mwen gen yon kòf, se jous labank mwen al mete l. *2. Lestomak.* Kòf lestomak. *3. Pati nan machin pou mete machandiz.*

**kòf lestomak**. *n. : Zòn lestomak, bò kote poumon yo.* Tout kòf lestomak mwen ap fè mwen mal.

**kofray**: *n. Nan konstriksyon, estrikti an bwa ki prepare chantye a anvan yo koule beton.* Bwa kofray.

**kofre** : *v. 1. Bat, gonfle, plen.* Yo kofre Estefèn anba travay. *2. Kokobe.* Timoun sa a sanble li kofre, gade jan kou l antre nan zèpòl li.

**kòfrefò**: *n. Mèb osnon plaka espesyal an beton ak fè ki fèt pou moun sere lajan osnon bagay ki gen anpil valè.* Jidit sere tout bijou li yo nan kòfrefò.

**kòk** : *n. Zwazo domestik, mal poul.* Chak maten kòk sa a chante. *2. Kokoye (fwi osinon pyebwa). 3. Pati sèks gason. 4. Matyo.*

**kòk graje** : *n fr. Desè ki fèt ak lèt, kokoye epi sik; yo koupe li an ti moso piti longè ak lajè dwèt yon moun; yo vann li nan boutik toupatou kote yo vann dous lèt, ponmkèt.* Eske ou renmen kòk graje?

**kòk lakou** : *n fr. Moun, gason ki abitye antre soti ap file medam yo yon kote.* Jera se kòk lakou isi a.

**Kòk, Bèna** *(Cock, Bernard ). np. : Yon moun Nyou-òleyan ki te ankouraje prezidan meriken ki te rele Abraam Lennkòl siyen yon kontra avè l pou l te kapab enstale 5. 000 ansyen esklav* *ameriken nan zile ki rele Ilavach la. Msye te mande prezidan an 250 mil dola pou sa. Msye te koni pou nèg mètdam.*

**kòk san bèk** : *Mazora, moun ki pa gen dan devan.*

**kokad**: *n. Riban, ne yo mete nan tèt tifi.* Al chèche kokad wouj la.

**kokayin** : *n fr. Pwodui chimik yo ekstrè nan plant koka ki sèvi nan medikaman.* Medikaman ki gen kokayin yo pa bon pou Fito. 2. *Dwòg ki bay moun depandans.* Kalo pa timoun ki nan kokayin ni tafya.

**koke**: *v. 1. Pandye.* Li koke rad li. 2. *Anbrase.* Jan koke Alis. 3. *Lage nan kòsaj.* Pa koke tèt chaje sa a nan kòsaj mwen.

**koken** : *a. Ki pa serye, visye, mètdam, bandi, voryen.* Depi jou Ti Chal te fin pran kòb mwen, mwen fini avè l, mwen pa mele ak koken.

**kokenn chenn**. : *Ki gwo anpil.* Gade kokenn chenn valiz ou non, ou dwe plen lajan ladan l.

**koki, kokiyaj**. *n. : Pòch byen di ki pwoteje kò bèt tankou molisk, ensèk, tòti ak lòt bèt dlo.* Chak lanbi soti nan yon koki. Gen ti koki piti moun konn koleksyone paske yo bèl anpil.

**koklich** : *n. 1. Maladi kontajye nan sistèm respiratwa timoun ki fè l touse anpil epi respire fò.* Lè Woz te gen koklich la, se toutan li te konn ap vonmi.

**kòkòb**: *n. 1. Kreten, ki pa fò nan yon bagay, ki pa maton.* Se kòkòb ou ye, mwen ap genyen ou kanmenm. 2. *Ki enfim.* Masèl kòkòb men chalan dèyè ou.

**kokobe** : *n. 1. Ki enfim.* Jan kokobe, li pa fouti leve mache. 2. *Gaga, egare, san reyaksyon.* Ou se yon kokobe si ou kite timoun piti sa a ap fè ou kriye. 3. *Fatige, kò kraze.* Mwen gen yon lafyèv ki ap fin kokobe mwen la a, ban mwen yon ti remèd non.

**kokodil**: *n. Wè kayiman.*

**kokolo**: *a. Kwòt, san cheve.* Tèt kokolo.

**kokomakak**. *n. : Baton ki fèt ak bwa kokoye jandam sèvi pou kontwole, pouse epi bat moun.* Si nou pa deplase la a, jandam nan ap rale kokomakak li sou nou.

**kokon** : *n. 1. Anvlòp ki fèt an fil swa, ki vlope ti bèt ensèk nan yon etap nan lavi yo.* Cheni sa a te vlope nan yon kokon. 2. *Espas imajinè kote yon moun ka fèmen tèt li.* Si ou fèmen nan kokon ou, kijan mwen ka fè konprann ou?

**kokonèt**. *n. : Bonbon ki fèt ak kokoye, farin ak kanèl.* Mwen te konn achte kokonèt nan boutik ka madan Aman an.

**kokorat**: *n. Ti bèt ki gen anpil pye ki viv nan tè imid.* Fè atansyon, men yon kokorat.

**kokoriko**. *ent. : Son kòk fè lematen.* Chak maten kòk nan vwazinaj yo fè kokoriko!

**kòkòt** *(koukout): n. 1. Zanmi, bon zanmi.* Terèz ak Kalin se kòkòt ak figawo. 2. *Ti non afektye yo bay fi.* Pran sa a pou mwen, tanpri kòkòt.

**Kòkòt ak Figawo**: *n fr. Ekspresyon pou endike de moun ki antann yo byen, youn ap pwoteje lòt.* Jozèt ak Kalin se kòkòt ak Figawo.

**kòkòtò** : *a. 1. Chich, peng.* Jera se yon kòkòtò. 2. *Pa ka deside, yenyen.* Joslin se yon kòkòtò.

**kokoye**. *n. : Plant ki gen fòm palmis, li gen yon fwi ki bay dlo, ji, luil.* Dlo kokoye. Ji kokoye. Po kokoye. Pye kokoye. Luil kokoye.

**kòkraz**: *n. Fatig.* Mwen gen yon kò kraz la a.

**kòksis** : *n. Yon ti zo ki gen fòm triyang ki nan baz kolòn vètebral moun ak senj.*

**kòktèl**: *n. Bwason alkòl ki gen plizyè lòt engredyan.* Li pa bwè kòktèl pa li a.

**kòl matris** : *n fr. Pati kote vajen an tache ak matris la, antre matris la.* Kawòl gen kansè nan kòl matris li.

**kòl**: *n. 1. Kole, pati nan rad, arebò kou.* Kòl rad la bèl. 2. *Kravat.* Nèg sa a pa mete kòl.

**kola**. *n. : Bwason ki fèt ak dlo, sik, gaz epi koulè.* Yo vann kola nan boutèy epi ou kapab achte l nan nenpòt boutik.

**kolan** : *a. 1. Ki pa bay moun souf, toujou dèyè moun.* Ti gason sa a kolan, depi maten li chita la a. 2. *Rad fi mete ki kole sou kò l.*

**kòlangit** *(kolangèt): entj, pej. Son pou endike sezisman.* Kòlangit, mwen antrave.

**kolboso** *(kalbose, kabose): v. Frape, pran bòs; abime yon fèy metay .* Machin nan kolboso.

**kole** : *v. 1. Tache ansanm.* De paj liv la kole. 2. *Mete lakòl pou tache.* 3. *Pa vle lage, kolan.* Misye kole sou nou toutan. 4. *Toupre.* Li rete kole ak legliz la. 5. *Pati nan rad, bò kou, kòl.* Ranje kole rad la. 6. *Ki difisil pou kase.* Tiyo a byen kole.

**kòlè**: *n. Movesan, fache.* Pa fè kòlè.

**kolèj**. *n. : 1. Lekòl layik prive.* Sè m ak frè mwen an te al nan Kolèj Senpyè. 2. *Nivo lekòl apre segondè nan sistèm meriken an.* Touledè pitit mwen yo nan kolèj kounye a, talè konsa yo pral diplome.

**kolekte** : *v. Ranmase.* Nou ap kolekte lajan pou zèv.

**kolepyese**: *v fr. Koud osinon kloure san elegans.* Koutiryè a kole pyese rad la.

**kolerin** *(kolorin): n. Anflamasyon nan gwo trip, enfeksyon bakteri osinon lòt parazit nan gwo trip ki bay lafyèv, dyare ak poupou ki gen glè ak san.*

**kòlèt** : *n. 1. Kou.* Kenbe nan kòlèt. *2. Kole.* Ranje kòlèt rad la. *3. Fal, lestomak.* Pa gonfle kòlèt ou sou granmoun.

**kòlgat**: *n. 1. Dantifris.* Tout moun te dwe bwose dan yo chak maten ak kòlgat. *2. Non youn nan premye mak dantifris konni nan peyi Ayiti.* Gen kòlgat, gen Akwafrèch.

**kolik**. *n. : 1. Vant fè mal.* Tibebe a genlè gen kolik, li kriye twòp. *2. Règ, doulè règ.* Gen tifi ki gen kolik chak mwa, se remèd yo bayo.

**kolin**: *n. Ti mòn.*

**kolizyon**: *n. Aksidan, chòk ant de oto.*

**kòlkrèm**: *n. Krèm moun pase nan figi ak sou kò.*

**kòmann**: *n. Acha, fè yon demann pou achte kichòy. 2. Bay lòd.*

**kòlòk**: *n. Konferans, seminè, senpozyòm pou diskite yon sijè teyorik*

**kolokent**: *a. Akrèk, ki vle tout pou li, chich.*

**kolon** : *n. 1. Pati nan entesten.* Li malad nan kolon. *2. Moun ki mèt koloni.* Kolon yo debake vin etabli esklavaj. *3. Non yon maren ewopeyen ki te debake nan kontinan Amerik ane 1492..* Kristòf Kolon. *4. Non lajan Kosta Rika.*

**Kolon, Kristòf** *(Colomb, Christophe). np.: Kaptenn bato, navigatè, eksplorè ki fèt nan peyi Itali an 1451. Li te renmen vwayaje sou bato epi te renmen tande istwa lòt maren rakonte. Istwa yo nouri imajinasyon li epi pouse li ale chèche sipò pou li travèse lanmè atlantik la. Apre anpil peripesi, li te debake nan kontinan Amerik la an 1492. Baze sou enfòmasyon li te genyen ak sou kalkil pa l, li kòmanse yon ekspedisyon nan peyi Espay ki pou te mennenl Ozenn men li ateri nan kontinan Amerik, li te konprann li te rive nan peyi End. Li debake Ayiti jou ki te 5 desanm 1492 pandan premye vwayaj li a. Nan ekspedisyon an te gen twa bato (Nina, Pinta ak Santa-Mariya). Pandan li nan zòn Omòl youn nan bato li yo (Santa Mariya) fè nofraj. Kòm li pat ka repare l, li pran planch ki te nan bato a li fè bati yon fò nan zòn nò peyi a. Se sa ki konsidere tankou premye ladesant moun ki soti nan peyi ewòp yo te fè nan kontinan amerik. Kolon mouri 20 Me 1506.*

**kolòn vètebral** : *n fr. Pati rèl do kote tout vètèb yo tache.* Li gen doulè nan kolòn vètebral li.

**Kolonbi** *(Colombie) : np. Peyi nan Amerik Disid.* Kapital Kolonbi se Bogota.

**Kolonbyen** *(Kolonbyèn) : n p. 1. Moun ki gen nasyonalite peyi Kolonbi.* Edwardo ak Wanita se kolonbyen. *2. a. Ki pou peyi Kolonbi.* Kafe kolonbyen.

**kolonèl**: *n. Grad nan lame; ofisye.* Kolonèl la resevwa sali ofisyèl.

**koloni**: *n. 1. Kote ki sou dominasyon kolon.* Ayiti te koloni peyi Lafrans lontan. *2. Pakèt.* Gen yon koloni moun ki fèk rantre.

**kolonn (kolòn)**: *n. 1. Pakèt, koloni.* Kolonn moun sa yo mwen pa konnen yo. *2. Liy vètikal.* Premye kolonn. *3. Poto.* Pa apiye sou kolonn nan. *4. Liy ekriti vètikal nan jounal. 5. Eskwad militè. 6. Gwoup travayè.*

**kolostròm (kolostwòm)** : *n. Premye lèt ki soti nan tete yon fi ki tinouris.*

**kòlte** : *v. 1. Fèmen kòl, fèmen nan kou.* Rad sa a kòlte. *2. Mete kòl, mete kravat.* Jan pati byen kòlte.

**kolye**: *n. 1. Bijou moun met nan kou.* Kolye sa a bèl. *2. Idantifikasyon nan kou bèt.*

**kòm ki dire**: *n fr. Ki sanble, kòmkwa.* Ou pale kòm ki dire ou prese.

**kòm** : *konj. Tankou, pwiske.* Kòm ou pa renmen diri, mwen pa ba ou.

**kòm nou dizon**: *Pa gen chanjman, nou dakò.* Nou va wè pita, kòm nou dizon.

**koma** : *n. Eta yon moun ki pa gen konesans.* Madan Lwi nan koma depi yè.

**komabo**: *entj. Tonnè, komatiboulout, entèjeksyon ki endike kontraryete osnon eblouyisman.* Komabo, gade kijan ou gate tout travay mwen sot fè a.

**kòman** *(kouman): pwo. Pwonon pou poze kesyon.* Kouman, kòman, kijan sa fè. Kòman sa pase? Kòman ou fè rive la?

**kòmandan** *(konmandan): n. 1. Moun ki ap kòmande.* Se Jan ki kòmandan isi a. *2. Grad nan lame.* Jera se kòmandan. *3. Chèf seksyon.*

**kòmandè** *(konmandè): n. Bòs, moun ki renmen kòmande. Moun ki gen responsablite pou kòmande.*

**kòmande**. *v. : 1.Dirije, bay lòd.* Pa vin kòmande mwen lakay mwen an non, isit la se mwen ki bòs. *2. a. Anpwazonnen.* Yon manje kòmande touye li frèt.

**kòmandman**. *n. : Règleman pou moun swiv.* Mwen pa renmen mache sou kòmandman moun, se sa ki fè mwen fè boutik pa mwen.

**komanman** *(koumanman): entj. Kobaba, komatiboulout, entèjeksyon ki endike kontraryete osnon eblouyisman.* Kòmanman, mwen antrave.

**kòmann**: *n. 1. Lòd.* Se direktè a ki bay kòmann isi a. *2. Rekizisyon, lis atik pou kòmande.* Kòmann la poko rive.

**kòmanse** *(koumanse) : v. 1. Fè premye pati nan yon bagay.* Chapant yo pral kòmanse bati kay la lòt mwa. Eske ou kòmanse travay lekòl la?. Sa ki pi difisil nan yon bagay se kòmanse l, apresa, rès la fasil. *2. Pati ki tache ak yon vèb pou montre aksyon vèb la fèk tanmen.* Prezidan an kòmanse pale.

**kòmansman**. *n. : Premye pati yon bagay.* Lè mwen te fèk ap aprann ekri Kreyòl mwen te twouve kòmansman an difisil men kounye a mwen fò nèt. Kòmansman istwa a te pi bon pase fen an.

**kòmantè**: *1. Eksplikasyon osnon opinyon yon moun bay sou yon sitiyasyon, yon dokiman osnon yon evenman.* Kalin pat fè ankenn kòmantè sou desizyon madan Chal la.

**komapiston**: *ent. Komabo, kolangit, komatiboulout, entèjeksyon ki endike eblouyisman osnon kontraryete.* Komapiston, sa mwen ta fè la a?

**komatiboulout** : *ent. Komabo, kobaba, entèjeksyon ki endike kontraryete osnon eblouyisman.* Komatiboulout, men nèg la vin touche lajan li epi mwen pa gen senkòb.

**kòmè**. *n. : 1. Marenn. Moun ki batize pitit yon moun.* Madan Franswa se kòmè m, li batize ti gason m nan, Ti Andre. *2. Moun ou batize pitit li.* Madan Bòs se kòmè m, mwen batize pi gran pitit li a. *Moun ou batize pitit ou maryaj ak li.*

**komedi** *(konmedi): n. 1. Pyès teyat pou amize, pou fè moun ri, tout kalite pyès teyat.* Sa se yon bèl komedi, men ou pa bezwen pran l oserye. *2. Odyans pou fè ri, sitiyasyon ridikil.* Timoun yo pase pwofesè a nan komedi.

**komedyen** *(konmedyen): n. 1. Aktè, aktris, moun ki konn jwe komedi.* Janjan se bon jan komedyen. *2. Moun pou ou pa pran oserye.* Pa gen anyen serye ki ap soti nan bouch Kalo, li se yon komedyen, l ap jwe yon teyat pou tout moun.

**Komè Silven, Sizàn** *(Suzanne Comhaire-Sylvain): Lengwi, edikatè*

**komès**. *n. : Biznis. Aktivite achte ak vann machandiz.* Madan Lewa te gen yon gwo kòmès nan pent kafou a.

**kòmèsan**: *n. Moun ki ap fè kòmès.* Edwa se youn nan komèsan anba lavil la.

**komèt**: *n. Kò nan lespas. Lè yon komèt rive pre latè (nan kouch atmosfè a) li chofe, li vin tou wouj nan syèl al li vin parèt tankou yon etwal filant... men, se pa yon etwal tout bon. 2. v. Fè yon zak.* Jak komèt yon krim grav.

**komi**: *n. Anplwaye, moun ki ap travay nan biwo, nan ba nivo.* Jan se yon komi labank.

**komik**. *a. : 1. Ki fè moun ri.* Mwen renmen rete bò kote ou paske ou toujou ap fè mwen ri, pa gen moun pi komik pase ou. *2. Ti liv ki gen blag ladan l.* Mwen pap sòti jodi a, mwen ap ret li detwa komik pito.

**Kòmilfo**: *np. Mak sigarèt.*

**komin**. *n. : Gouvènman lokal rejyonal. Peyi a separe dabò an depatman epi an awondisman ki separe an komin yo menm. Chak komin gen bouk pa yo ak seksyon riral yo.*

**kominikasyon** : *n. 1. Enfòmasyon.* Rita gen yon kominikasyon pou nou. *2. Kontak.* Li antre an kominikasyon ak laba. *3. Echanj kote de osnon plizyè moun ap pataje lide.* Pa gen kominikasyon posib ant Jera ak Joslin ankò. *4. Branch nan etid enfòmasyon.* Lizèt ap etidye kominikasyon.

**kominikasyon vèbal** : *n fr. Sa ki pale ant de osnon plizyè moun, kominikasyon ki pa ekri.* Nou te gen yon kominikasyon vèbal sou kesyon sa a.

**kominike** : *n. 1. Enfòmasyon ofisyèl.* Kominike: direktè a deklare jodi a se chomaj. *2. Enfòmasyon pou gaye bay tout moun ki konsène.* Yo te li kominike sa a nan reyinyon an. *3. v. Enfòme ofisyèlman.* Bòs la kominike desizyon yo bay anplwaye yo. *4. Pataje enfòmasyon, echanje nouvèl.* Sa fè lontan nou pa kominike.

**kominote** : *n. 1. Gwoup moun ki viv ansanm osnon ki pataje anpil bagay ansanm.* Gen yon ti kominote ayisyen nan vilaj sa a. *2. Kouvan, kongregasyon.* Mè Woz ap viv nan yon kominote salezyen kounye a. *3. Inite, ekip.* Jan ak madanm li gen byen yo an kominote.

**kominyen**: *v. 1. Resevwa kominyon.* Timoun yo kominyen chak dimanch. *2. Asosye an pwofondè, kominike.* De moun sa yo, lide yo kominye toutan.

**kominyon** *(konminyon): n. 1. Nan katolik, sakreman kote ou resevwa losti.* Pòl pral fè premye kominyon. *2. Fèt, banbòch yo fè apre yon moun fin fè premyè kominyon li.* Tout moun pral nan kominyon. *3. Kominikasyon.* Yon kominyon lide.

**komisè**: *n. Nan tribinal se avoka ki reprezante pati ki ap pousuiv akize a.* Manno se komisè.

**Komisyon Fòb** *(Commission Forbes). : Konvwa moun prezidan meriken Ebè Ouvè (Herbert Hoover) te voye an 1930 pou te fè rekòmandasyon sou kijan pou yo fini ak dominasyon meriken nan peyi Ayiti. Kamewon Fòb (Cameroun Forbes) te alatèt konvwa sa a.*

**komisyon**. *n. : 1. Rapò, al chache osnon al pote yon bagay.* Mwen voye Chal al fè yon komisyon pou mwen la a. 2. *Sa ou al chache a osnon sa ou pote a.* Mwen vin pote komisyon madan Brino a. 3. *Ekip moun ki sou yon dosye.* Yo di mwen Janjan nan komisyon ki ap analize pwoblèm nan, men mwen pa konn si se vre.

**komisyonnè** *(konmisyonnè): n. Moun ki pote komisyon.* Jera se komisyonè Andre.

**komite** *(konmite): n. 1. Moun pou reprezante yon gwoup pou rezoud osinon etidye yon pwoblèm.* Komite dakèy. 2. *Detwa moun ki gen responsabilite travay sou yon dosye.* Aleksi nan komite ki ap revize dosye a.

**kòmkidire**. : *Tankou, konmsi m ta di.* Kay msye a nan pwent kafou a, kòmkidire ou ta prale nan restoran Lelanbi a.

**komòd**: *n. 1. Mèb an bwa.* Al mete bwat sa a nan komòd la. 2. *Twalèt, watè, latrin.* Lizèt al nan komòd.

**kòmòkòy** : *n. Kannannan, lan, egare, karaktè moun ki pa ankouraje.* Joubè se yon kòmòkòy.

**komokyèl**. *n. : Rans, radòt pawòl ki pa gen sans.* Mwen pa janm nan komokyèl a moun.

**komsi** *(konmsi, konsi, kòmsi ): konj. Kòmkidire, kòmkwa.* Se komsi ou te la.

**kòn lanbi**: *n fr. 1. Koki lanbi.* Gen moun ki fè bèl bijou ak kòn lanbi. 2. *Lapawòl.* Jan pase Kalo kòn lanbi a.

**kòn** *(konn): n. 1. Kone, veso ki gen yon fòm triyang, laj epi ouvè nan yon bò, fèmen epi etwat nan lòt bò a.* Yon kòn krèm. 2. *Figi jeyometrik, solid ki gen yon bò won tankou yon sèk laj epi ki gen lòt bò a fèmen nan yon pwen.* Nan jeyometri, yon kòn gen yon liy dwat ki pase lanmitan l, liy sa a rive nan pwen fiks ki nan bout la epi li desann nan sèk la. 3. *Pati di, pre zòrèy bèt tankou kabrit, bèf, mouton eltr.* Kòn kabrit... 4. *Yon varyete mango.*

**Konadèp** *(CONADEP). : Biwo Konsèy Nasyonal pou Devlopman ak Planifikasyon Ayiti.* Biwo sa a te gen responsabilite pou li planifye bidjè peyi a. Se prezidan peyi a ki alatèt li men nan ekip la gen plizyè sekretè deta, pami yo, sa Finans ak Afè Ekonomik la, sa Travo Piblik ak Kominikasyon, sa Komès ak Endistri, sa Agrikilti epi ak prezidan Bank Nasyonal tou.

**konba**: *n. Goumen, batay.* Konba kòk.

**konbat**: *v. Al goumen, batay.* Li konbat joustan li mouri.

**konbèlann** : *n. Koneksyon elektrik ilegal.* Moun yo pa vle peye elektrisite, yo pito pran konbèlann. 2. *Brikolaj tanporè.*

**konben** *(konbyen) : adv. Ki kantite.* Konbyen moun ki vini?

**konbinezon**: *n. 1. Ranje yon bagay dapre yon plan .* Konbinezon koulè sa a byen bèl. 2. *Nan matematik, gwoupman pou fè kalkil.* Ou ka sèvi ak parantèz osnon kwochè osnon akolad pou ou ranje konbinezon yo. 3. *Manigans, mànèv.* Jànin fè konbinezon ak Jan pou mete Jak deyò nan asosyasyon an.

**konbit**. *n. : 1. Rasanbleman moun ki reyini pou fè yon travay, pi souvan se travay latè. Travay ki òganize tankou yon fèt. Vwazen osnon zanmi reyini pou met tèt ansanm pou fè yon travay. Travay sa a pa peye men moun ki patisipe ladan l ap jwenn manje ak bwason. Anjeneral, pandan travay la moun yo bwè, yo chante yo danse epi konn gen moun ki ap bat tanbou. Travay la anjeneral fini nan apremidi konsa men amizman an andwa kontinye jous byen ta.*

**konble** : *v. 1. Plen.* Yo konble twou a ak wòch. 2. *Bay an kantite.* Konble yon moun ak kado. 3. *a. Resevwa anpil.* Madan Richa santi li konble tèlman pitit li yo pran ka li.

**konbyen**: *adv. 1. Ki kantite.* Konbyen moun ki ap vini? 2. *Pakèt.* Sa ki konnen konbyen fwa li fè sa deja.

**kondanasyon**. *n. : 1. Sitiyasyon yon moun ki kondane.* Jij la bay Kalo kondanasyon l. 2. *Mo fatal.* Se sa li al di a ki vin sèvi kondanasyon l.

**kondane**. *v.: 1. Bay jijman, vèdik, desizyon lajistis ki kondane yon moun.* Yo kondane vòlè a amò. 2. *n. Moun ki resevwa santans, pinisyon an.*

**kondansasyon**: *n. Fenomèn ki fè yon gaz osinon yon vapè vin likid.* Lè Sesil ap fè manje nan kizin li an, gen anpil kondansasyon ki fèt anndan kouvèti chodyè li yo.

**kondanse** : *v. Konsantre.* Lèt kondanse. 2. *Rezime.* Ban m yon kondanse diskou a.

**kondi** *(kondui): v. 1. Mennen, akonpaye, dirije.* Papa l kondi l lekòl chak jou. 2. *Fè mache.* Kondi machin. 3. *Jere, alatèt.* Se li ki kondi ekip la. 4. *Konpòte.* Timoun yo kondi yo trèbyen.

**kondiktè** *(metal): Materyo ki lese kouran elektrik pase. 2. Ki transmèt chalè. 3. Moun ki ap dirije.*

**kondiktivite** : *n. Ki pa rezistan, ki gen kapasite kondi chalè osnon elektrisite.* Aliminyòm gen yon bon kondiktivite pou chalè.

**kondisyon**: *n. 1. Antant.* Nou fè kondisyon pou nou separe tout sa nou genyen an de. 2. *Ran, sitiyasyon, eta.* Mwen pa ka achte yon oto ki nan kondisyon sa a.

**kondò**: *n. Gwo zwazo rapas ki gen plim nwa.* Gen anpil kondò nan peyi Pewou.

**kondoleyans**: *n. Mo amikal pou endike youn pataje doulè lòt, lè gen lanmò.*

**kondui** : *v. 1. Wè kondi.*

**konduit**: *n. Konpòtman, mànyè, ajisman.*

**kòne**: *1. v. Sonnen.* Zòrèy mwen kòne. *2. n. Veso ki gen fòm kòn.* Kòne krèm.

**koneksyon**. *n. : 1. Ki sèvi pou ini de pati; Kontak ant de fil elektrik.* Mwen pa konn kijan pou mwen fè koneksyon an, pito ou vin fè l. *2. Piston, relasyon.* Si ou vle mwen fè ou antre nan lekòl la, mwen kapab ba ou yon koneksyon ak Mèt Kalo.

**Konektikèt** *(Connecticut): np. Youn nan 13 eta orijinal ki te fòme Etazini. Li gen twa milyon moun sou 13 mil kilomèt kare. Kapital li se Atfòd.*

**kònen** :*v. Sonnen, kòne, fè bri.* Zòrèy mwen kònen.

**konesans**. *n. : 1. Konpetans, savwa, syans, edikasyon, enfòmasyon dapre sa ou aprann.* Ki konesans ou genyen nan fè kòmès? *2. Moun ou konnen men ki pa zanmi ou.* Mwen fè konesans madan Jan kay Joslin men mwen pa kwè si li wè mwen nan lari, l ap rekonèt mwen. *3. Enpresyon, sansasyon, santiman. 4. Eksperyans, entelijans. 5. Konsyans, konesans, lisidite, espri.* Li pèdi konesans.

**kònèt** : *n. Veso ki gen fòm kòn.* Kònèt krèm.

**konfederasyon**: *n. Gwoupman plizyè asosiyasyon osinon gwoupman plizyè peyi.*

**konferans**: *n. Reyinyon ofisyèl pou debat yon sijè; diskou akademik nan inivèsite; reyinyon pou bay enfòmasyon.* Konferans pou laprès. Inès fè yon konferans sou lang Kreyòl. *2. Asanble.*

**konferansye**: *n. Moun ki ap bay yon konferans.*

**konfese**: *v. 1. Deklare peche ou fè bay yon prèt.* Jan konfese nan men pè Jera. *2. Tande konfesyon yon moun. 3.* Fè *yon moun avwe.* Vini mwen konfese ou. *4. Avwe, rekonnèt, pwoklame yon erè.*

**konfesyon**: *n. 1. Aksyon kote yon moun al rakonte yon pè peche li fè.* Vandredi se jou konfesyon. *2. Aksyon kote yon moun fè yon lòt avwe.* Sa pat fasil pou kriminèl la fè konfesyon sa a.

**konfidan**: *n. 1. Moun ki resevwa konfidans ak sekrè yon lòt moun. 2. Bon zanmi.*

**Konfidan Lidnè** *(Ludner Confident): np. Atispent, medsen anestezyolojis, mizisyen saksofonis. Li fèt nan vil Tigwav, Ayiti, 24 Mas 1949. Li te al lekòl demedsin ak nan akademi boza. Li pratike medsin nan Nouyòk (New York), Nyouòleyan (New Orleans) ak Sent-Pitèsbèg (Saint Petersberg FL). Msye entegre karyè medikal ak karyè atis ak yon senplisite ki touche moun ki konnen li.*

**konfidans**: *n. Di yon sekrè ki konsène tèt ou bay yon moun ou fè konfyans; konfesyon.*

**konfidansyèl**: *a. Ki fèt pou rete an sekrè.*

**konfimasyon**: *n. Garanti yon bagay osinon yon enfòmasyon pou fè li vin pi fyab. 2. Sakreman nan legliz katolik.*

**konfimen** *(konfime): v. 1. Ranfòse yon enfòmasyon; ankouraje. 2. Resevwa (osinon bay) sakreman konfimasyon.*

**konfiske**: *v. Sezi byen yon moun.*

**konfiti**. *n. : Manje dous ki fèt ak fwi epi sik.* Diferans ki genyen ant jele ak konfiti sèke konfiti a gen ma fwi a ladan l, jele a menm li fèt ak ji fwi a sèlman, li pa gen ma. *2. Manje ki bouyi epi konsève nan sik.*

**konfizyon**: *n. Twoub moun santi lè li wont osinon anbarase, jennen. 2. Dezòd, boulvèsman, meli-melo.*

**kònflèks**: *n. Manje endistriyèl enpòte ki fèt ak mayi yo manje lematen ak lèt ak sik.*

**konfli**: *n. Kontradiksyon, lit, konba.*

**konfò**: *n. Alèz; tout bagay materyèl ki fè yon moun santi li byen.* Jan se nonm ki renmen konfò.

**konfòm**: *a. Ki sanble avèk; ki gen menm fòm avèk; ki fèt dapre yon plan ki te deside davans.*

**konfòme**: *v. Mache dapre sèten prensip.* Se pou ou konfòme ou. *2. Obeyi, obsève prensip.*

**konfòmeman**: *adv. Dapre, selon, suivan.*

**konfonn**: *v. Twouble, fè yon moun pèdi lapawòl.*

**konfòtab**: *a. Ki fè yon moun santi li byen. Mennen yo vi ki pa gen sousi, ki pa razè, ki gen kòb.*

**konfòte**: *v. Soulaje yon moun ak bèl pawòl.*

**konfrè**: *n. Moun ki gen menm metye, osinon ki ap travay ansanm, osinon ki mache nan menm sosyete.*

**konfreri**: *n. Gwoup, asosiyasyon, kominote.*

**konfwonte**: *v. Mete youn devan lòt; konpare.*

**konfyan**: *a. Ki mete konfyans nan...*

**konfyans**: *n. Espwa yon moun genyen pou li konte sou yon lòt, osinon sou tèt li; fwa; kwayans; kredi.* Doris fè Ejèn konfyans. *2. Santiman moun gen sou tèt li ki fè li pa ezite.*

**konfye**: *v. Mete konfyans sou yon lòt moun; bay yon moun ou gen konfyans sou li kenbe yon bagay enpòtan, rakonte l yon sekrè.*

**konfyòl**: *n. Patnè nan move zak; konplis.*

**konfyolo**: *n. Konspirasyon, konplo, move zak.*

**kong**: *n. Angi, pwason ki gen po glise, ki gen fòm long, ki repwodui nan lanmè men ki grandi nan dlo dous.* Kong se yon pwason dlo dous.

**kongo** : *1. n. Dans fòlklò ki rapid kote moun ki ap danse yo souke lestomak yo epi danse detanzantan sou yon pye.* Ou konn chante ki di Kawolin Akawo, m danse kongo jous tan kò mwen fè mwen mal la? *2. Peyi nan kontinan Afrik.* Mwen pako janm vizite peyi ki rele Kongo a, ou konnen l ou menm? *3. Yon varyete pwa.*

**Kongo**: *peyi Zayi*

**Kongrè Santa Babara**: *np. Asosiyasyon entelektyèl, pratikan ak akademisyen ozetazini ki etidye relijyon vodou epi pibliye enfòmasyon pou relijyon an ka devlope.*

**kongrè**: *n. 1. Reyinyon wodpòte ki rasanble reprezantan diferan asosiyasyon. 2. Kò lejislatif yon peyi. 3. Fowòm.*

**kongreganis**: *a. Ki konsène yon kongregasyon.* Lekòl kongreganis.

**kongregasyon**: *n. Gwoup (relijye) pè, mè, pastè eltr, ki ògànize ansanm epi ki dedye tèt yo pou pousuiv zèv yon sen osinon yon lidè.* Kongregasyon salezyen devwe pou zèv Sen Franswa Lasal ak Sen Jan Bosko.

**konifè** : *n. Plant ki sot nan fanmi jimnospèm.* Gen nan konifè yo ki gen anpil rezin.

**konje**: *n. Jou lib, jou vakans.* Pa gen travay, jodi a se konje.

**konjelatè** : *n. Pati nan yon frijidè ki ka jele, fè glas.* Konjelatè sa a pa travay.

**konjenital** : *a. Ki gen avwa ak peryòd depi nan vant manman. ki la depi jou moun nan fèt; ki ereditè.* Maladi konjenital.

**konjige**: *v. Di vèb yo ak sijè yo nan diferan tan.* Konjige vèb avwa nan tan prezan.

**konjonksyon**: *n. Mo ki konekte mo, fraz ak lòt pati nan fraz ki gen menm valè gramatikal.* Epitou, ak, men, se konjonksyon. Nan fraz AJan ak Jak ale lekòl ak se konjonksyon.

**Konjonksyon** *(conjonction): n. Non yon revi an Franse ki pibliye Ayiti. (La Revue Franco-Haitienne de l'Institut Francais d'Haiti). An 1999 redaktè an chèf li se Gi Maksimilyen (Guy Maximilien).*

**konkav** : *a. Ki gen fòm bonbe sou andedan.* Lantiy konkav.

**konkeran**: *n. Moun osinon gwoup ki fè yon konkèt swa ak zam, swa ak bèl pawòl.*

**konkeri**: *v. Domine, anvayi, jwenn ak fòs ponyèt, jwenn ak fòs bèl pawòl.*

**konkèt**: *n. Rezilta pozitif apre yon lit. dominasyon. Rezilta emosyonèl osinon materyèl moun jwenn apre yon efò.*

**konkibinay**: *n. Inyon lib ant yon gason ak yon fi, san maryaj alòske yo ap viv nan menm kay, kòmsi yo te marye fòmèlman.* Andre ak Mari ap viv nan konkibinay.

**konkidire**: *Tankou, kòmsi. Kòmsi ou ta di.*

**konkiran**: *n. Moun ki ap fè konpetisyon pou menm bagay. Kandida, rival.*

**konkirans**: *n. Konpetisyon pou wè kilès ki ap gen plis osnon ki ap rive pi vit.* Jera ak Woje ap fè konkirans.

**konklizyon** : *n. Pati final yon prezantasyon.* Konklizyon sa a pa ale ak entwodiksyon an ditou.

**konkòda**: *n. Antant, kontra, agreman sou relasyon ant yon peyi ak Vatikan.* Ayiti te gen yon Konkòda ak Vatikan, li te siyen nan peyi Itali, nan vil Wòm jou ki te 28 mas 1860, sou prezidan Jefra.

**konkonm** : *n. 1. Legim vèt nan fanmi kikibitase, plant grenpant yo manje kri osinon bouyi.* Gen moun ki pa renmen manje konkonm. *2. Boul, enflamasyon apre ou frape, san ki chita yon kote ki gen yon blesi pa andedan.* Li gen yon konkonm sou fwon l.

**konkonnèt** *(kokonèt): n. Bonbon dous ki gen kokoye graje ladan l.* Mirèy al achte kokonèt.

**konkou** : *n. 1. Patisipasyon, èd, sekou.* Tout moun bay konkou yo. *2. Konpetisyon.* Li te patisipe nan konkou a.

**konkrè**: *a. Ki pratik, ki reyèl, ki reyalis. Yon bagay ki aksesib pou youn osinon plis sans. Yon bagay ki pa imajinè.*

**konmande**: *v. Kòmande, pase lòd, dirije.* Se Jan ki konmande isi a.

**konmandè**: *n. Kòmandè, moun ki ap konmande.* Jan se kòmandè.

**konmanse**: *v. Kòmanse. koumanse.* Pa konmanse pale la a.

**konmè**: *n. 1. Wè kòmè.*

**konmedi**: *n. 1. Komedi, rans, blag pou fè moun ri.* Sa se yon komedi. *2. Tenten, istwa ridikil.* Mwen pa nan komedi ak moun.

**konmedyen**: *n. 1. Moun ki konn fè konmedi.* Janjan se bon jan konmedyen. *2. Moun pou ou pa pran oserye.* Pa gen anyen serye ki ap soti nan bouch Kalo, li se yon konmedyen, l ap jwe yon teyat pou tout moun.

**konmès** *(kòmès): n. Boutik, magazen, kote yo vann.* Nan ri sa a, gen anpil konmès.

**konmèsan** *(kòmèsan): n. Moun ki gen konmès.* Odil se yon konmèsan sou Granri a.

**konminyon**: *n. 1. Kominyon, sakreman kote yo resevwa losti.* Dimanch ap gen konminyon. *2. Fèt ki fèt alokazyon yon moun konminye premye fwa.* Jak al nan konminyon. *3. Kominikasyon.* Kominyon lide.

**konmite**: *n. 1. Komite, reprezantan, detwa moun ki ap reprezante yon gwoup.* Konmite dakèy. *2. Moun ki delege pou yo travay sou yon dosye.* Polèt nan komite ki ap revize pwojè a.

**konmsi**: *konj. Kòmsi, komsi, tankou mwen ta di ou.* Fè konmsi mwen pat la.

**konn dlo**: *v fr. Abitye ak dlo fon, konn naje.* Jak konn dlo byen.

**konn** : *v. 1. Gen konesans.* Li konn sa. *2. Rekonèt.* Jan konn Woz trèbyen. *3. Gen abitid.* Jan konn al kay Woz.

**konnekte** *(konekte): v. Mete kontak ant de plòg. Mete plòg nan priz elektrik.* Pa konnekte radyo a.

**konnen**. *v. : 1. Posede konesans sou yon bagay.* Sa ou konnen nan fè manje? *2. Vodou, ale chache konprann sa ki ap pase.* Ti pitit li a te si tan malad se nan konnen li te oblije ale.

**konnesans** : *n. 1. Edikasyon, kilti.* Edga gen anpil konesans, li pase menm ventan sou ban lekòl. 2. *Sajès.* Ivwoz se yon fi ki gen anpil savwa, anpil konesans sou li, anyen pa ebranle l.

**konngout**: *n. Tib an vit osinon an plastik ki sèvi pou konte gout.*

**konpa** : *n. 1. Estil mizik, kadans. 2. Selon règ, ès ès.* Iv oblije mache sou konpa pou Ivwoz pa mete l deyò. *3. Estil mizik Ayisyen danse.* Konpa Dirèk. *4. Zouti pou trase sèk. 5. Zouti pou oryante nan lanmè ak nan lespas.*

**konpany** *(konpayi) : n. 1. Prezans.* Wozmon te nan konpany yon bann zanmi. *2. Antrepriz.* Bèta ap travay nan menm konpany avèk mwen. *3. Anbyans.* Fito renmen konpany ti vagabon sa yo.

**konpare**: *v. 1. Gade plizyè posibilite, youn parapò ak lòt.* Li konpare de dyòb yo. 2. *Mezire.* Elèv yo konpare fòs yo.

**konparèt** : *n. 1. Bonbon kokoye ki se yon espesyalite nan zòn vil Jeremi.* Konparèt se youn nan pi bon bonbon mwen goute. 2. *Parèt devan jij.*

**konpatiman**: *n. Separasyon nan yon espas pou kreye lòt espas endepandan. Klwazon.*

**konpayi** *(konpany): n. 1. Prezans.* Wozmon te nan konpayi yon bann zanmi. *2. Antrepriz.* Bèta ap travay nan menm konpayi avèk mwen. *3. Anbyans.* Fito renmen konpayi ti vagabon sa yo.

**konpayon** *(konpayèl, konpay): n. 1. Moun ki akonpaye yon lòt.* Tout elèv nan klas la se konpayon mwen. *2. Moun ou chwazi fè vi ou avèk li.* Jan se konpayon madan Jan.

**konpè** *(monkonpè): n. 1. Moun ou batize pitit li.* Jan se konpè Jera. *2. Moun ou batize yon timoun avèk li.* Jera se konpè Mirèy.

**konpetisyon**: *n. Chanpyona, koup, match, konkou. Sitiyasyon lè plizyè moun ap fè efò pou youn pote premye lo. 2. Nan syans anvironnman se lè plizyè ògànis ap lite pou pwofite sa ki genyen nan lanati kote yo ap viv la.*

**konpleman** : *n. Sa ou ajoute pou konplete yon bagay.* Liv sa a se konpleman tòm en an.

**konplemantè** : *a. Ki konplemante osnon konplete sa ki pa konplè.* Sa se yon travay konplemantè sou sa ki te planifye a.

**konplikasyon**: *n. Sitiyasyon ki konplike. Sitiyasyon ki anpire yon pwoblèm.*

**konplike**: *a. Difisil, antòtiye, konplèks. Difisil pou konprann.*

**konpliman**. *n. : Pawòl dous pou fè konnen ou renmen osnon ou satisfè ak yon bagay.* Gen moun ki renmen di "mwen fè ou konpliman ak anpil piman". Sa se yon konpliman ki vin ak tout epis li!

**konplo**. *n. : Move kou, antant ant plizyè moun kont yon lòt.* Se yon konplo yo te fè pou yo te sasinen Desalin.

**konplotaj**: *n. Konplo, konspirasyon.* Yo fè konplo sou do Jan.

**konplote**: *v. Fè konplo.* Jinèt renmen konplote sou do moun.

**konpòs**: *n. Angrè natirèl.* Pyè fè konpòs nan lakou lakay li.

**konpòte**. *v. : Jan yon moun aji.* Pwofesè a di nou konpòte nou byen nan klas la, se sa kifè l ap ban nou vakans.

**konpòtman** : *n. Atitid.* Mari gen yon konpòtman dwòl jodi a.

**konpozan** : *n. Pati, moso, ki fè yon bagay.* Kokoye se yon konpozan enpòtan nan kremas.

**konpoze** : *1. v. Melanj ki gen plizyè konpozan.* Mwen konpoze yon bwason ki gen kannèl ak jenjanm ladan l. 2. *Ale nan egzamen.* Eske ou byen konpoze. 3. *Prepare yon posyon.* Jera konn konpoze bon remèd fèy.

**konpozisyon**: *n. 1. Egzamen.* Wobè fè konpozisyon li a byen. *2. Melanj.* Konpoziyson sa a gen bon gou. *3. Medsin fèy.* Ou goute konpozisyon Jera a? *4 Redaksyon.* Mwen poko ekri konpozisyon an.

**konprann**. *v. : Reyalize sans yon bagay.* Mwen reyisi konprann matematik apre twazan depi mwen ap aprann li.

**konprès**: *n. Moso twal moun mare sou yon kote ki malad.* Mete konprès sou tèt madanm nan.

**konprese** : *v. 1. Peze.* Malèt sa a ka pete paske yo konprese li anpil. *2. Met presyon.* Yo konprese bidjè a.

**konpresè**: *n. 1. Aparèy pou konprese gaz osinon pou konprese vapè.*

**konpresè** *(woulo): 1. Gwo foul ki reyini espontaneman pou fè demonstrasyon politik. 2. Machin ki gen yon wou trè lou ki sèvi pou fè wout.*

**konpreyansyon** : *n. 1. Kapasite pou konprann.* Jan se yon moun ki gen anpil konpreyansyon, l ap chita tande ou. *2. Tolerans.* Si Edit pat yon fi ki te gen anpil konpreyansyon li te ka divòse ak Jera deja.

**konprime** : *n. 1. Medikaman an grenn.* Pa pran plis pase de konprime pa jou. *2. v. Peze, mete presyon.* Sitiyasyon an konprime nèt.

**konpyoutè** *(òdinatè) : n. Machin elektwonik pou kalkile, ògànize epi transfòme enfòmasyon.* Jak achte yon konpyoutè pou li ekri, fè kontablite, fè mizik, fè desen epi pou ede l nan etid li. Pou chak aplikasyon sa yo li sèvi ak yon pwogram òdinatè espesyal. Gen plizyè kalite pwogram pou esplwate konpyoutè, gen program pou manipile mo... se program pou ede moun ekri tèks ak dokiman. Depi se lèt, devwa, liv, tout sa ki gen lèt ak chif ka fèt ak tip pwogram sa yo. Pwogram pou manipile mo ede yon moun pou li tape, korije, reògànize dokiman. Sa ki ekri a parèt sou ekran konpyoutè a epi ou ka enprime li lè ou kòmande konpyoutè a pou voye dokiman an bay enprimant. Gen pwogram ki pèmèt ou ajoute desen ak foto nan dokiman an. ekzanp, Word, WordPerfect. Gen pwogram pou manipile epi kalkile chif... yo sèvi pou fè tout kalite kalkil senp ak kalkil konplike. Kèk ekzanp pwogram se Excel, Lotus. Gen pwogram pou manipile lis (lis mo, lis moun, lis machin), ekzanp, Access, Dbase eltr. Gen pwogram pou manipile imaj ak desen, tankou Corel Draw, Ilistratè, Photoshop.. eltr. Gen plizyè aparèy ki ka konekte ak bwat elektwonik (sèvo) yon konpyoutè. Chak aparèy sa yo gen fonksyon pa yo. Gen ki la pou antre enfòmasyon alòske genyen ki la pou soti enfòmasyon. Pa ekzanp, klavye a ka konekte pou antre mo ak chif ak kòmann (antre enfòmasyon). Monitè a konekte pou pèmèt nou wè tout chanjman nou ap fè nan yon dokiman (soti enfòmasyon). Printè a la pou pèmèt nou soti enfòmasyon, mete li sou papye. Gen divès kalite enfòmasyon moun ta renmen mete sou konpyoutè. Yon mizisyen ta renmen mete mizik li, yon ekriven ta remen mete dokiman li, yon aviyatè ta renmen mete enfòmasyon vwayaj li, yon komèsan ta renmen mete envantè ak kontablite. Kòm gen diferan bezwen gen diferan aparèy pou satisfè itilizatè yo. Lè yon moun fin mete enfòmasyon pa li sou konpyoutè a, li ta renmen jwenn li apre pou li kapab fè chanjman ladan l. Se sa ki fè konpyoutè bezwen epi gen memwa. Gen plizyè jan pou konsève enfòmasyon. Ou ka kite li nan memwa konpyoutè a, men tou ou ka retire l mete nan yon diskèt regilye osinon nan yon diskèt konpak (CD). An rezime konpyoutè se yon zouti pou transfòme enfòmasyon. Enfòmasyon se lèt ak chif ki anndan konpyoutè. Pou li transfòme enfòmasyon, li melanje, kalkile, deplase, klase, konsève, efase, ajoute, selon kòmann yo ba li. Gen konpyoutè ki fèt pou yon sèl moun sèvi alafwa. Se konpyoutè pèsonèl (PC). Li tou vini ak yon klavye, yon monitè (ekran) ak yon sourit.

**konsa** : *adv. 1. Jan ou wè li a.* Se konsa mwen vle li. *2. Menm jan.* Kite l konsa. *3. Poutèt sa.* Ou al pote manman ou plent konsa li va vin kale mwen?

**Konsa konsa**: *1. Pa pi mal. 2. San konviksyon.*

**konsanti**: *v. Dakò, Aksepte.* Li konsanti pou li fè travay la.

**konsantman** *(konsantiman): n. Akò, apwobasyon.* Sesil bay konsantman li pou li kuit vyann nan.

**konsantrasyon**: *n. 1. Akimilasyon.* Gen yon konsantrasyon foumi nan ti twou sa a. *2. Anpil atansyon.* Manno mete tout konsantrasyon li sou egzamen li pral pase a.

**konsantre**. *v. : Fikse atansyon.* Konsantre ou sou sa ou ap fè a tande.

**konsekan**: *a. 1. Ajisman responsab.* Sa se yon desizyon konsekan. *2. Konfòm.* Jan se yon nonm ki konsekan ak tèt li.

**konsekans**: *1. Lakoz, rezilta.* Ou pat etidye, kounye a ou ap peye konsekans la. *2. Dediksyon, kidonk.* Si pòt la fèmen an konsekans misye pa la.

**konsekitif**: *a. Ki vini youn apre lòt.* Pandan de jou konsekitif.

**konsèp**: *n. Ide, nosyon, jan yon moun reprezante yon bagay nan lespri li.*

**konsepsyon** : *n. 1. Fòmasyon yon ti bebe anndan vant.* Se depi nan konsepsyon an sèks yon timoun detèmine. *2. Fekondasyon.* Konsepsyon yon timoun se yon evenman natirèl estwòdinè. 3. *Fòmasyon yon lide nan lespri yon moun.* Dapre konsepsyon Rita se pou mwen ta telefone l chak jou. 4. *Opinyon.* Ki konsepsyon ou genyen sou pwoblèm sa a?

**konsèvasyon**: *n. 1. Prezèvasyon, swen, mentni, kenbe yon bagay entak osinon nan menm eta li te ye anvan.* Konsèvasyon Sitadèl Kristòf. 2. *Teknik pou konsève yon bagay ki ka pouri, ki ka gate, ki ka ale. Transfòmasyon pou fè yon bagay dire.* Gen moun ki fè konsèvasyon fwi ak sik, tankou jele ak konfiti. Konsèvasyon fwi. Konsèvasyon dlo, konsèvasyon tè. 3. *Pwoteksyon ak itilizasyon san gaspiyaj resous natirèl nou genyen pou prezève pou noumenm ak pou lòt jenerasyon.*

**konsève**: *v. 1. Mentni nan bon eta.* Jera konsève kay la byen. 2. *Prezève.* Se pou nou konsève moniman istorik nou yo. 3. *Trete, transfòme.* Konsève pwason ak sèl. 4. *Rete jèn.* Madan Lawoz byen konsève.

**konsèy deta.** : *Gwoup moun ki nonmen pou bay prezidan an konsèy.* Moun ki nan konsèy deta kabinè sa a pa dakò pou prezidan an fè amnisti pou prizonye yo.

**konsèy**: *n. 1. Sijesyon.* Konsèy mwen ta ba ou, pa mache ta nan lari. 2. *Komite, asanble.* Te gen yon konsèy ki te reyini sou pwoblèm sa a.

**konseye** : *v. 1. Bay konsèy, sijesyon.* Jan konseye Jera pa kite lekòl. 2. *n. Konsiltan.* Konseye prezidan.

**konsi** *(kòmsi): Kon, tankou, kòmkwa.* Ou pale konsi ou ap di verite.

**konsidere**. *v. : 1. Reflechi sou yon bagay pou kapab deside.* Mwen konsidere achte kay sa a men mwen poko si. 2. *Gen santiman pou yon moun osnon yon bagay.* Ou se yon moun mwen konsidere anpil, mwen pa ta janm renmen wè malè rive w.

**konsiltasyon**: *n. 1. Evaliyasyon doktè fè pou tyeke sante yon moun.* Madan Estefèn sot fè yon konsiltasyon. 2. *Vizit kay yon avoka osinon yon Oungan pou chèche enfòmasyon.* Leyon sot nan yon konsiltasyon kay yon avoka. 3. *Sèvis yon ekspè bay.* Kalo bay konsiltasyon nan plizyè òganizasyon entènasyonal.

**konsilte**: *v. 1. Al kay doktè.* Odil sot konsilte. 2. *Evalye sante yon moun.* Doktè a konsilte Jan. 3. *Al nan biwo avoka osinon kay oungan.* Jak konsilte bòkò a, li di l yon malè ka rive l demen. 4. *Verifye enfòmasyon nan yon liv.* Konsilte yon diksyonè.

**konsiy**: *n. Lòd, règleman yo bay yon militè osnon nenpòt ki moun pou eksplike kisa li gen pou li fè, kijan li dew fè li.*

**konsole**: *v. 1. Bay kouraj, soulaje.* Jan konsole Mirèy. 2. *Pran kouray.* Madan Jan konsole lè li tande ka pa madan Jera pi grav.

**konsonmen**: *n. Bouyon, manje ki fèt ak viv, vyann ak legim.* Kalin konn fè bon konsonmen pye bèf.

**konsta**: *n. Pwosevèbal yon uisye fè, dapre lòd tribinal, pou li ka rapòte yon sitiyasyon.* Se lè yo fin fè konsta yo ka leve kadav la.

**konstan**: *a. Menm jan, ki pa chanje.* Pwoblèm sa a konstan.

**konstelasyon**: *n. Gwoup zetwal.* Aswè a ou ka wè konstelasyon yo byen fasil.

**konstipasyon**: *n. Difikilte pou moun poupou.* Li gen yon konstipasyon ki ap fatige l.

**konstipe**: *v. Difikilte pou poupou.* Pitit la konstipe.

**konstitisyon 1801** : *Premye konstitisyon peyi Ayiti ki te mete sou pye sou direksyon Tousen Louvèti aprezavwa li te vin gen kontwòl peyi Sendomeng. Konstitisyon an te pwoklame Tousen Gouvènè Jeneral Avi ak plen pouvwa pou l deside ki moun ki ap vin apre l. Li te elimine esklavaj epi li te egzije tout gason ki gen ant laj 14 an jiska laj 55 an pou yo te aprann militè. Konstitisyon sa a rekonèt katolik kòm relijyon ofisyèl peyi a.*

**konstitisyon 1805** : *Konstitisyon ki te fèt sou anprè Desalin. Li fè konnen tout ayisyen se "nwa" epi li te met pinga pou etranje pa vin posede tè nan peyi a eksepte fi etranje ki te marye ak Ayisyen epi ak Polonè ak Alman ki te kolabore ak ayisyen yo nan lagè pou endepandans la. Konstitisyon sa a garanti ke Ayiti pap janm al eseye pwovoke ankenn lòt peyi. Li rekonèt dwa yon moun pou ou lib chwazi relijyon ou vle.*

**konstitisyon 1843** : *Konstitisyon ki bay peyizan an dwa pou l vote, li wete afè pou yon moun vin prezidan avi, li bay lachanm plis responsabilite, li mete soupye jijman avèk yon jiri epi li mete militè yo anba kontwòl sivil. Prezidan Era te iyore konstitisyon sa a, li te pito chwazi gouvène pa lafòs.*

**konstitisyon 1987** : *Konstitisyon ki te fèt apre Prezidan Divalye te ale. Yo te pran prekosyon pou pa kite plas pou yon lòt diktatè tounen ankò nan peyi Ayiti. Men apre eleksyon militè yo pa respekte konstitisyon an, yo bay prezidan ki eli a yon panzou.*

**konstitisyon**. *n. : Prensip, règleman enpòtan ki ekri sou kijan pou sa ki ap pase nan peyi a deside.* Konstitisyon se tankou batistè yon peyi li ye.

**konstriksyon**: *n. 1. Bilding.* Ala yon bèl konstriksyon se kay sa a. 2. *Chantye.* Li lè pou konstriksyon sa a fini.

**konstwi**. *v. : Bati.* Mwen pral bati yon gwo kokenn chenn kay sou teren m nan.

**kont** *: 1. adv. Anfas, palòtbò, lenmi.* Youn kont lòt. *2. n. Diskisyon.* Gen yon sèl kont ki pete lòtrejou ant Michèl ak Kawòl, sa te grav nèt. *3. n. Fab ak Istwa ki nan fòlklò.* Lè ou ap tire kont se pou ou di "Tim tim", pou lòt moun reponn ou "Bwa chèch".

**kont chante**: *n fr. Fab ak Istwa ki nan fòlklò ki gen sekans chante.*

**kontab**: *n. Metye moun ki konte antre ak sòti lajan nan yon biznis osinon yon bank.* Masèl se yon kontab.

**kontak**: *n. 1. Touche.* Kou li santi kontak la, li reyaji lamenm. *2. Relasyon.* Moun dwe pran prekosyon nan kontak sèks. *3. Kominikasyon.* Kenbe kontak.

**kontaminasyon** *: n. 1. Move kontak.* Pitit sa a pat konsa, kontaminasyon timoun madan Chal yo pa bon pou li. *2. Kontak ak yon bagay ki sal.* Ka gen kontaminasyon grav si yon manje enfekte ak sèten mikwòb. *3. Polisyon.* Gen plizyè pwodui ki ap kontamine lè a.

**kontamine**: *1. v. Ki gen mikwòb. Ki pran mikwòb.* Manje sa a kontamine, jete l. Pitit sa a kontamine, li pran viris la nan lekòl li a. *2. Ki gen kichòy li pat dwe genyen.* Dlo an kontamine.

**kontan**. *a. : 1. Ki pa fache.* Lè kè mwen kontan mwen renmen chante. *2. Kach, ki pa nan kredi.* Si ou vin achte isi a se pou ou peye lajan kontan.

**kontantman**: *n. Satisfaksyon.* Jera pase nan bakaloreya, sa fè yon gwo kontantman nan fanmi an.

**konte sou**: *v fr. Mete konfyans sou, espere.* Fanmi ayisyen yo konte sou timoun yo pou yo ale nan inivèsite.

**konte**: *v. 1. Tabli sa ki nesesè.* Edwa konte sou de moun ki ap vin ede l. *2. Fe resansman.* Yo konte gen pase sèt similyon Ayisyen kounye a. *3. Kalkile.*

**kontè**. *n. : Zouti pou mezire dlo elektrisite, vitès, eltr.* Nan tout kay gen kontè pou mezire ki kantite kouran, osnon dlo ki sèvi chak mwa. Kontè dlo an pa t mache lakay la ki fè nou pa konnen konbyen nou pral gen pou nou peye mwa sa a.

**kontgout, konngout** *: n. 1. Zouti pou konte gout.* Kontgout la kraze. *2. Delivre ak kontwòl, ak mezi.* Se nan kontgout yo bay dlo a, mezanmi.

**kontinan**. *n. : Jan latè separe, gen senk gwo moso, chak moso sa yo se yon kontinan.* Gen kontinan Lafrik, Lewòp, Lazi, Lamerik, Loseyani. Peyi Ayiti nan kontinan Lamerik. Nan kontinan Lamerik nou jwenn: Brezil, Ajantin, Meksik, Ayiti, Dominikani, Etazini, Kanada , ak anpil lòt peyi ankò.

**kontinye**. *v. : Pwolonje, pa sispann.* Mwen kontinwe rete menm kote a toujou.

**kontou** *: n. Alantou, arebò.* Yo sèkle tout kontou kay la.

**kontra**. *n. : Antant. Lè moun antann yo sou yon bagay.* Mwen pat gen kontra pou mwen te travay dòmi leve avèk ou.

**kontradiksyon**: *n. Demanti, kontestasyon, opozisyon.* Jera denonse kontradiksyon ant sa ki pase ak sa radyo a di. *2. Relasyon ant de lide ki opoze.* Gen yon kontradiksyon ant opinyon Polèt ak opinyon Jizèl.

**kontrarye**: *v. Fache, anbete.* Odil kontrarye paske li pa ka vini.

**kontraryete** *(kontraryezon): n. Anpechman, enprevi, desepsyon.* Kontraryete sa a deranje tout pwogram nou.

**kontravansyon**: *n. 1.Enfraksyon kont yon lwa osinon kont yon regleman.* Sa ou fè a an kontravansyon ak lalwa peyi a. *2. Amann.* Yo bay Richa kontravansyon.

**kontrè**: *a. Enkonpatib, opoze, depaman.* Nouvèl sa a kontrè ak sa ki te di anvan an.

**kontre**. *v. : Jwenn ak.* Kat je kontre, manti kaba.

**kontredans**: *n. 1. Yon tip mizik ki sèvi pou moun danse.* Kontredans fè pati fòlklò ayisyen an. *2. Yon tip dans lè de kavalye fè mouvman amonize.* Annou al danse kontredans sa a.

**kontredi**: *v. 1. Demanti tèt ou oubyen yon lòt.* Apa ou ap kontredi sa ou sot di a? *2. Di lekontrè.* radyo kontredi nouvèl televizyon an bay lan.

**kontremèt**: *n. Moun ki vin apre enjenyè a osnon gwobwa a.* Jera te yon kontremèt.

**kontribisyon**: *n. 1. Kotizasyon.* Yo mande tout moun pou yo bay yon kontribisyon. *2. Taks.* Tout moun te dwe peye kontribisyon yo nòmalman.

**kontwa**: *n. 1. Tab, planch ki separe vandè a ak achtè a.* Se mèt boutik ki konn chita dèyè kontwa. *2. Kès, kote yo touche lajan nan men kliyan.* Mari al peye nan kontwa a.

**kontwòl**: *n. 1. Mezi, règleman.* Se enpòtan pou yon moun gen kontwòl sou sa li manje. *2. Siveyans.* Pwofesè sa a gen bon kontwòl sou timoun yo pou yo pa fè dezòd. *3. Resansman.* Chak maten, gadyen prizon an fè kontwòl prizonye yo.

**kontwole**: *v. 1. Regle.* Vini kontwole lajan an. *2. Fè resansman.* Gadyen an kontwole konbyen prizonye ki la a. *3. Siveye.* Pwofesè a kontwole timoun yo pou yo pa fè dezòd.

**kontwolè** : *n. 1. Moun ki ap kontwole.* Wolan se kontwolè ladwann. *2. Ki renmen mete lòd nan dezòd menm nan sa ki pa gade l.* Ou kontwolè twòp, Ivon, mele nan sa ki gade ou.

**konvèks**: *a. Fòm won sou deyò.* Lantiy konvèks.

**konvèti**: *v. 1. Chanje, bay ekivalans.* Konvèti montan lajan sa a nan lajan ameriken pou mwen. *2. Antre nan pwotestan.* Jera konvèti, mwa sa a li ap batize.

**konvoke**: *v. Fè chèche, fè konparèt.* Direktè a konvoke tout anplwaye.

**Kooperasyon**: *n. Patisipasyon nan yon travay ak lòt moun pou jwenn rezilta tout moun yo dakò sou yo davans.*

**kowòdone** : *v. Aranje, òganize, sipèvize.* Se li ki kowòdone fèt la.

**kopen**: *n. Zanmi kanmarad, moun ou alèz avèk li.* Mesye sa a yo se de kopen enseparab.

**kopi**: *n. 1. Repwodiksyon ki fèt apatid orijinal la.* Tifrè gen kopi devwa a. 2. *Ki pa orijinal, ki kopye.* Pwofesè a panse devwa Chal la se yon kopi devwa Wobè a.

**kopilasyon**: *n. Aktivite sèks ant de bèt ki nan menm espès pou yo kapab repwodui.*

**konpilasyon**: *n. Rasanble dokiman; ògànize plizyè eleman pou fè yon rapò.*

**kopye sou**: *v fr. Repwodui apatid orijinal yon lòt moun.* Si ou kopye sou yon elèv, ou merite zewo.

**kopye**: *v. 1. Repwodui alamen osnon alamachin.* Jànin kopye chante a deja. 2. *Fè kopi.* Jànin te al kopye chante a nan machin ki fè kopi a. *3. Pran poul.* Jànin pa kopye sou Jizèl. *4. Imite sa lòt ap fè.*

**koral**: *n. Gwoup moun ki antrene pou chante ansanm nan amoni.* Kalin nan koral legliz batis la.

**koralen**. *n. : Ti bato.* Gade yon koralen sou lanm a. 2. *Non atis (non plim) yon atis ki rele Janklod Matino (Jean-Claude Martineau).*

**Koran**: *Liv sakre nan relijyon mizilman ki gen doktrin Islam.*

**koray**: *n. 1. Yon fòm ògànis ki viv nan lanmè sitou nan zòn twopikal (cho).* Gen koray wouj, gen blan. 2. *Pyè, wòch, koulè woz somon, ki sèvi pou dekore bijou.* Bijou an koray.

**kore** : *v. 1. Kofre, kontwole.* Yo kore Ti Chal, yo bat li byen bat. 2. *Manje vant plen.* Tout moun te kore apre bifè a. *3. Bare, antrave, kenbe men nan sak.* Yo kore Jera.

**kòrèd** : *a. Moun ki pa kapab bay kò yo mouvman alèz.* Kijan nou fè kòrèd konsa a?

**kòrèk**. *a. : Byen. Tout bagay kòrèk, tout moun fè travay yo.* Sa ou fè a pa kòrèk ditou.

**kòrèkteman**: *adv. Nòmalman, san mank.* Yo pini Jera kòrèkteman.

**korespondan**: *n. 1. Moun ou gen korespondans avèk li.* Linda gen yon korespondan ki rete jous nan peyi Lafrans. 2. *Moun ki ap travay pou yon estasyon radyo osnon televizyon epi ki baze yon kote byen lwen.* Se korespondan Radyo Ayiti nan vil Okap la ki ap pale la a.

**korespondans** : *n. 1. Relasyon estab, pa ekri, pa faks osnon pa telefòn ki egziste ant de moun ki lwen youn ak lòt osnon ant plizyè moun.* Jak gen korespondans ak yon fi ki rete nan peyi Lasuis. 2. *An korespondans, relasyon yon timoun pwovens ki desann kay yon moun Pòtoprens pou li kontinye fè etid li.* Joslin an korespondans kay madan Benwa.

**koresponn** : *v. 1. Kenbe korespondans.* Nou gen lontan depi nou ap koresponn ak yon zanmi ki rete nan peyi Almay. 2. *Fè eksplikasyon.* Adlin vin koresponn ak Richa.

**Koreyen** *(Koreyèn) : np. 1. Moun ki gen nasyonalite peyi Kore yo.* Gen Koreyen ki soti nan Kore Dinò, genyen ki soti nan Kore Disid. 2. *a. Ki pou Kore.* Lang koreyen osnon atizana koreyen.

**koridò**. *n. : 1. Koulwa.* Pou ou antre nan salon an se pou ou pase pa koridò a anvan. *2. Lakou.* Koridò Foumi se yon lakou kote ki gen anpil kay, wout pou ale nan kay sa yo tou piti, tankou yon koulwa. *3. Wout ki etwat.* Pa gen plas nan koridò a pou mwen mete anyen, se yon ti pasaj tou piti li ye.

**Korigòl, Chal** *(Corrigoles, Charles). np. : Yon kòmandan nwa ki te kenbe tèt ak peyi Lafrans. Li te nan ekip Tousen ak Desalin.*

**korije**: *v. 1. Retounen sou fot ou epi ekri yo kòmsadwa.* Korije dikte a. 2. *Chanje, amelyore.* Kilè pitit sa a ap korije. *3. Kale.* Papa a sot korije l ak matinèt.

**Kòs Dyonn** *(John Kauss): np. Powèt, ekriven, kritik literè, biyolojis. Li pibliye depase 15 liv pwezi ant 1979 a 1999. Li viv Kanada.*

**kòsaj**. *n. : Rad fi mete pou kouvri bout anwo yo.* Mwen renmen met jip ak kòsaj lè mwen pral travay.

**Kostarika** *(Costa Rica): np. Peyi nan Amerik Santral.* Kostarika se yon bèl peyi, moun ki rete la yo pale Panyòl.

**Kostariken** *(Kostarikèn) : np. 1. Nasyonalite moun ki fèt nan peyi Kostarika.* Anntonyo se Kostariken. 2. *a. Ki pou Kostarika.* Gen yon liy avyon kostariken ki vini Miyami chak jou.

**kostim**: *n. 1. Rad konplè, ansanm pantalon ak vès ki fèt ak menm twal. Konplè fi jip ak levit ki ale ansanm.* Nèg sa a gen yon bèl kostim sou li. Madan Richa te mete yon kostim anplimdepan.

**kostimdeben**. *n. : Teni dekòlte moun mete pou yo al benyen osnon naje.* Gen kostimdeben depyès yo rele yo bikini.

**kostime**: *v. Mete kostim.* Jak te byen kostime maten an.

**kosyan** : *n. Rezilta ant dividann ak divizè, rezilta yon divizyon.* Si ou divize uit pa kat, kosyan an se de.

**kòt** : *n. 1. Zo sou kote moun (osinon bèt) nan kòf lestomak.* Chak moun gen tranntwa kòt. *2. Lakòt, zòn plaj, arebò yon teritwa, pre lanmè a.* Pòtoprens gen anpil kòt.

**Kòtdefè** *(Côtes de Fer). np : Vil ki nan depatman sidès Ayiti, bò vil Jakmèl.* Mwen te konn al benyen nan dlo Kòtdefè, ou kwè se bèl kote!

**kote** : *1. adv. Kibò?* Kote ou sòti la a, dat mwen ap tann ou? *2. Nan ki kondisyon.* Kote ou ta wè Jan marye ak Pola, sa pap janm fèt. *3. n. Toupre, nan vwazinaj.* Mwen ta renmen rete bò kote ou toutan.

**kotèks**. *n. : Sèvyèt ijyenik, twal lenj osinon ti zorye fi mete lè yo gen règ yo.* Yo toujou vann kotèks pa bwat, yo pa vann sa andetay.

**Kotibanama**. *(Cotubanama): np. Chèf endyen nan wayòm Igwe, nan zòn lès Ispayola nan kòmansman sèzyèm syèk.*

**kotizasyon**: *n. Kèt, kontribisyon.* Nou fè yon kotizasyon pou nou achte yon kado pou Jak.

**kòtizòn** : *n. 1. Omòn ki soti nan glann sirenal yo.* Doktè a teste nivo kòtizòn Denni. *2. Medikaman.* Mirèy ap pran kòtizòn.

**koton**. *n. : Fib blan ki sòti nan yon ti pyebwa, li sèvi pou fè matla, pou fè pansman, pou fè fil ak pou fè twal.* Ban mwen yon ti koton ak alkòl pou mwen panse yon blesi tanpri.

**Kou kasasyon**. : *np. Pi wo nivo tribinal Ayiti.* Biwo kou kasasyon gen yon prezidan, yon vis-prezidan ak 10 jij ki fè ekip tribinal sa a. Kou Kasasyon divize an de chanm ki gen 5 jij a yo chak men lè l ap fonksyone annapèl, tout jij yo travay ansanm.

**kou**. *n. : Pati nan kò ki kole tèt ak kòf lestomak.* Lè mwen bese tèt mwen anpil, kou mwen fè mwen mal. *2. Pèlen, sa yon moun mètdam fè.* Mwen pa ta panse ou ta fè mwen yon kou konsa. *3. Frape.* Pa ba l kou nan tèt, sa kapab fè l malad. *Bay kou bliye, pote mak sonje. 4. Opòtinite.* Jwèt kat la mongonmen, kounye a se kou pa m.

**koub**: *n. 1. Viray, lè ou ap kondui.* Jesi fè yon koub rapid. *2. Fòm yon liy.* Liy koub.

**koubabi** *(koubaba): entj. Komatiboulout, entèjeksyon ki endike eksitasyon osnon pànik.* Koubabi, mwen pèdi bous mwen.

**koube**: *v. 1. Pliye, Bese do, panche.* Jan ou koube a, do ou ka fè ou mal. *2. Kalme, batba.* Jan refize koube li devan manman l.

**kouch**: *n. 1. Nivo, klas.* Plizyè kouch nan popilasyon an pa dakò. Kouch ekonomik peyi a. Mete plizyè kouch manba sou pen an. *2. Kouchèt tibebe.* Li lè pou ou chanje kouch timoun nan. *3. Akouchman.* Madan Chal fè bòn kouch. *4. Klas.*

**kouchadò**: *n. Moun ki renmen dòmi.* Ou se yon kouchadò.

**kouche**. *v. : 1. Lonje kò ou plat yon kote.* Al fè yon ti kouche non, ou sanble ou byen fatige la a. *2. Dòmi.* Depi yèreswa li kouche li poko janm leve, mwen ap pral tyeke pou mwen wè si li pa malad. *3. Fè sèks.* Tifi a di toutotan li pa marye li pap kouche ak menaj li a.

**kouche-yanm**: *selebrasyon nan relijyon vodou ki fèt nan fen mwa desanm. Se yon seremoni epi se yon selebrasyon. Gen plizyè etap nan selebrasyon an. Moun yo fouye epi rekòte rasin yon pye yanm nan yon jaden yo idantifye davans. Apresa, yo mete yanm nan kouche atè epi yo resite priyè remèsiman pou di lespri yo mèsi pou rekòt osinon divès siksè ki fèt nan ane a.*

**kouchèt** : *n. Twal yo mete sou tibebe pou kenbe poupou ak pipi.* Kouchèt la mouye.

**kouchkouch**: *n. Manje ki fèt ak manyòk griye, li gen menm gou ak kasav epi yo manje li lematen ak lèt, le midi ak sòs pwa.*

**koud**. *v. : Kole de moso twal ansanm ak egui ak fil. Fè kouti.* Mwen pral aprann koud paske rad alèkile koute twò chè.

**koudèy**: *n. Apèsi, gade rapidman. Te mwen fè yon koudèy.*

**koudyay**: *n. Anbyans kote moun ap banbile.* Gaston pa janm renmen al nan koudyay.

**koukou**: *n. Ibou, zwazo ki renmen grenpe bwa.* Je koukou a byen klere.

**koukout**: *n. Dyakoukout, cheri, ekspresyon afeksyon vèbal.* Fè sa pou mwen tanpri koukout.

**koukouy**. *n. : Bèt ki bay yon ti limyè leswa.* Koukouy yo fè tankou yo gen yon flach nan kò yo.

**Koukouy** *(Sosyete): (ale gade nan Sosyete Koukouy)*

**koulangèt** *(kòlangit): entj. Kobaba, entèjeksyon ki endike kontantman osnon panik.* Koulangèt, mwen pèdi kle mwen.

**koule beton***: v fr. Prepare epi vide melanj mòtye nan kofray la lè yo ap bati yon kay.* Se jodi a yo ap koule beton an.

**koule tèt***: v fr. Vide dlo fèy sou tèt yon moun pou trete l.* Gen moun ki konn koule tèt yo lè yo gen maltèt.

**koule**. *v. : 1. Deplasman dlo.* Depi ou wè dlo a ap koule, konnen bonm nan gen twou ladan l. 2. *Chape, Soti anba men.* Pandan mwen ap pale avèk ou la a, li gentan koule, li ale. *3. Ki pa pase lekòl.* Laza al nan bakaloreya senk fwa, li toujou koule. *4. Separe, pase nan paswa.* Si ou pa koule ji a, ap gen twòp ma ladan l.

**koulè**. *n. : Varyasyon nan ton ou wè ak je w.* Rad sou ou a koulè wouj.

**koulè primè***: nfr. Nan fizik, koulè prensipal, twa koulè debaz, wouj, vèt ak ble. Si twa koulè sa yo melanje nan pwopòsyon ki kòrèk ou ap gen koulè blan; twa koulè sa yo rele koulè primè paske ou pa ka reyisi fè yo si ou melanje lòt koulè ansanm.*

**koulèv**. *n. : Bèt long ki ranpe.* Gen koulèv pwazonnen, genyen ki pa pwazonnen.

**koulin***: n. Manchèt long epi mens.* Abitan toujou gen koulin nan kay yo.

**koulis***: n. 1. Anba-anba, anba chal.* Koze a pale nan koulis. 2. *Ti twou ki nan aranjman rad.* Pase riban an nan koulis dantèl la.

**koulout** *(tikoulout): n. Peng, kras, ki pa renmen depanse.* Jera se yon tikoulout.

**koulyeya** *(kounye a): adv. Moman sa a, tan sa a, alèkile.* Koulyeya se toutbon.

**koumabo***: entèj. Li sèvi pou make sezisman, sipriz, admirasyon ak kè sote.*

**kouman**. *adv. : Kòman, kijan, pa ki mwayen.* Kouman sa fè rive la?

**koumanman***: ent. Kobaba, komanman, entèjeksyon ki endike sipriz, panik, sezisman osnon kontantman.* Koumanman, ki fè Richa gen nan gwolo a?

**koumanse** *(kòmanse). v. : Fè premye pati nan yon bagay.* Chapant yo pral kòmanse bati kay la lòt mwa. Eske ou kòmanse travay lekòl la?. Sa ki pi difisil nan yon bagay se kòmanse l, apresa, rès la fasil. 2. *Pati ki tache ak yon vèb pou montre aksyon vèb la fèk tanmen.* Prezidan an kòmanse pale.

**koumbit***: n. Travay latè an ekip.* Nou pral fè yon konbit.

**kounan***: a. Kwochi. 1.* Leyon mache kounan. 2. *Mal fèt, san gou.* Kay sa a bati kounan, siman se pa yon enjenyè ki fè l.

**kounouk***: n. 1. Ti kay ki pa gen anpil espas.* Lora rete nan yon kounouk 2. *a. Tikounouk Chich, kras.* Pa gen nèg tikounouk pase Ivon.

**kounye a**. *adv. : Alèkile; nan moman sa a.* Kounye a ou pa di moun bonjou ankò, ou fin alèz.

**koup** *: n. 1. Pri final nan yon konpetisyon; konpetisyon tout ekip ansanm.* Koup mondyal. 2. *Tyas, estil jan cheve yon moun pare.* Kilès ki bay Jera koup sa a. *3. Estil kouti.* Rad sa a gen yon bèl koup. *4. Vè ki kanpe sou pye.* Nou pran yon koup chanpay.

**koupab***: n. 1. Moun ki fè yon zak.* Koupab la ap peye sa kanmenm. 2. *a. Moun ki lakòz zak la.* Se yon fi ki koupab la.

**koupe dwèt***: v fr. Manje ki bon anpil.* Lanbi sa a se koupe dwèt.

**koupe lalwèt***: v fr. Koupe yon moun lapawòl.* Kou mwen pral mete koze a deyò, Jan koupe lalwèt mwen.

**Koupe Kloure**. *: np. 1. Gwoup mizisyen, ki koni anpil, men se sitou chantè a ki plis koni. Koupe Kloure gen yon estil mizik mereng. Li koni anpil aletranje epi sitou nan peyi afrik yo. Mizik li yo konn fè alizyon a sèks.* 2. *Malfèt, makwali.* Bòs kòdonye sa a, se koupe kloure sèlman li konn fè. *3. Sèkèy ki fèt rapid.*

**koupe**. *v. : 1. Dekoupe, fè plis moso ak yon bagay.* Mwen pa konn koupe vyann, se toujou manman mwen ki koupe l pou mwen. 2. *Fè sèks.* Tifi a pat janm nan koupe ak tigason anvan li te marye.

**koupè***: n. Aktivite moun ki koupe, metye moun ki ap koupe.* Nan atelye kouti gen koupè, gen repasè, gen presè.

**koupi***: v. 1. Akoupi, bese, plwaye jenou.* Li koupi devan machann nan. 2. *Viv mal.* L ap koupi nan mizè

**kouplay***: n. De ansanm pou fè koup.*

**kouple** *(akouple): v. fòme koup, mete yon mal ak yon femèl pou yo ka repwodui.*

**kouplè***: n. 1. Ti pyès metal nan pòt pou louvri fèmen.* Mete de kouplè nan pòt sa a. 2. *Pati nan yon chante, anjeneral ki menm longè.* Kite kouplè, pran refren.

**koupon** *: n. 1. Moso twal.* Twal la pat anpil, se yon koupon mwen te achte. 2. *Rabè ekri sou papye.* Koupon sa a ban mwen yon rabè kenz pousan.

**koupye** *: n. 1. Plant, Fèy legim, fèy te ki fè moun dòmi byen.* Jera renmen legim koupye. 2. *Pozisyon anba ke cheval, milèt ak bourik kote yo pase kòd pou soutni sèl.* Koupye chwal la fè maleng.

**koupyon***: n. (Zo koupyon) Dènye vètèb.* Gen moun ki renmen koupyon poul.

**kouraj** *(kouray): n. 1. Fòs fizik, kran.* Jan pa gen kouray ankò, li bouke. Moun sa yo gen kouraj, yo leve granmaten bonè epi li leswa byen ta yo poko al dòmi. *2. Fòs moral, konsyans.* Ou gen kouray ou trayi zanmi ou? *3. Kran.* Leyon se yon nonm ki te gen kouray, li pat pè lagè. Pitit la pran doulè a ak kouray, li pa menm plenn. *4. Odas.* Ou gen kouray vin bay manti la a.

**kouraman**: *adv. souvan, ki ka rive touttan.*

**kouran altènatif**: *Kouran elektrik ki chanje direksyon ale-vini (pa peryòd).*

**kouran elektrik** : *n fr. Enèji elektrik moun ka itilize pou limyè osnon pou fè aparèy elektrik mache. 2. Deplasman elektwon nan yon fil osinon nan yon sikui.*

**kouran** : *n. 1. Wout dlo.* Kouran dlo sa a rive jous nan rivyè a. *2. Elektrisite.* Yo pran kouran an. *3. Tandans.* Sa se yon nouvo kouran nan literati peyi a. *4. Komen, ki ap fèt toutan.* Sa ou ap di la a se yon evenman kouran.

**kourandè**: *n. Van fre ki sikile.* Atansyon pou timoun nan pa pran kourandè, sa ka fè l gripe.

**kouray**: *(ale nan kouraj).*

**koure**: *n. Mal kochon ki sèvi pou repwodiksyon.* Koure kochon.

**kouri** : *v. 1. Deplase ak vitès, fè kous, prese.* Mirèy kouri anvan lapli a. Kouri al pran sa ou bliye a, mwen ap tann ou la a. Bouch li kouri dlo. *2. a. Sentom maladi mantal kifè moun pèdi kontwol kote li prale. 3. n. Dyare.*

**kourye**: *n. Komisyon alekri, lèt, dokiman osinon ti pake ki soti jwenn yon moun ale jwenn yon lòt.*

**kourye elektwonik**: *n. Metòd pou kominike alekri, san plim, san papye. Kominikasyon ant de moun ki sèvi ak konpyoutè kòm medyòm.*

**kous**: *n. 1. Konpetisyon.* Se Jaklin ki genyen nan kous la. *2. Komisyon.* Mwen fin fè tout kous mwen yo. *3. Deplasman.* Taksi a fè anpil kous anvan li depoze mwen.

**kousen**: *n. Sak ranboure ou ka mete sou chèz.* Kousen sa yo bèl.

**kousikui** : *n. 1. Kontak dirèk ant fil negatif ak pozitif. Chòk elektrik ki fè kouran pa pase nan yon sikui.* Kousikui a lakòz nou nan blakawout. *2. Detou.* Enfòmasyon an fè yon konsikui rive vin jwenn nou dirèk.

**kout ba**: *n fr. 1. Twonpe.* Manno pa marye ak Eva, li ba li kout ba. *2. Fè yon moun tann pou gremesi.* Mwen tann Jera, li pa vini, li ban mwen kout ba.

**kout foule**. : *Kout epi gwo.* Tout timoun madan Masyal yo kout foule, se kot papa yo yo pran sa.

**kout lang**: *n fr. Pale mal, di mal sou moun.* Kawòl bay Eva yon kout lang.

**kout men**: *n fr. Ede.* Jera te vin bannou yon kout men.

**kout peny**: *n fr. Kwafi, bèl kwafi.* Gade kout peny matant ou ba ou.

**kout pitit**: *n fr. Bay gason pote non papa pou pitit ki pa pou li.* Jan pran nan yon kout pitit.

**kout ponya** *(pran ponya): n fr. Prete lajan alenterè.* Gen de kout ponya ou pran, se touye tèlman enterè a wo.

**kout san**: *n fr. Move san.* Kout san pa bon pou ou.

**Kout je**: *n fr. Gade ak mepri.* Sa pitit la fè ou, ou ba li gwosè kout je sa a?

**kout tèt**: *n fr. 1. Kabicha, ti dòmi kout.* Jànin ap bay kout tèt sou dodin nan. *2. Pwotestasyon san zatann.*

**kout**. *a. : 1. Piti, ki pa wo.* Msye se yon nèg kout foule. *2. Frape, kou.* Li bay timoun nan yon sèl kout pye. *3. Mize (nan jwèt).* Jan bannou yon sèl kout kat.

**koutay**. *n. : Bay mwens pase sa ou dwe bay. Benefis.* Mwen bay Kalin achte di goud vyann pou mwen epi li fè koutay, l achte pou si goud sèlman.

**koute**. *v. : 1. Pote atansyon pou tande.* Timoun yo t ap koute istwa, mwen tap koute mizik nan chanm mwen an. *2. Pri pou achte yon bagay.* Konbyen rad sa a koute ou?

**kouti**: *n. 1. Kote yon bagay koud.* Pa defèt kouti a. *2. Kote moun al aprann koud.* Joslin al nan kouti. *3. Kay koutiryè.* Rad yo nan kouti depi semenn pase. *4. Kote yo koud yon moun apre yon operasyon.* Apre operasyon an, madan Chal te gen yon gwo kouti sou vant li.

**koutim**: *n. Tradisyon, abitid.* Se koutim yo pou yo al nan restoran chak vandredi.

**koutiryè** *(koutiryèz, koutriyè, koutriyèz) : n. Metye moun ki konn koud rad.* Koutiryè sa a konn koud byen.

**koutmen**: *n. Èd. Vin ban mwen yon koutmen.*

**kouto de bò** *(kouto fanmasi): n fr. Ipokrit, moun ki ap pote ale, pote vini.* Ejenni se kouto de bò, pa pale devan l.

**kouto digo**. : *Zouti abitan pou travay latè, li gen yon fòm an demi sèk.* Prete mwen kouto digo ou la pou mwen al nan yon konbit.

**kouto famasi**: *n fr. Kouto de bò, ipokrit.* Se kouto fanmasi.

**kouto**. *n. : Zouti ki fèt pou koupe. Yon kouto gen yon bò ki file ak yon manch.* Manman mwen pran kouto a pou koupe vyann men li pa file ase.

**koutwazi**: *n. 1. Jantiyès.* Yo resevwa mwen ak koutwazi. 2. *Sèvis san touche.* Yo te fè travay nan oto mwen an gratis, kòm yon koutwazi.

**koutye**: *n. Moun ki sèvi entèmedyè, li chèche lokatè pou moun ki ap lwe kay epi li chèche kay pou moun ki bezwen lwe.* Koutye sa a cheran anpil.

**kouve**: *v. Chita sou ze, chofe ze.* Dat poul sa a ap kouve ze yo. 2. *Preparasyon an sekrè.*

**kouvè**: *n. Ranje tab pou moun vin manje. Dispozisyon asyèt, kiyè, fouchèt, kouto, vè sou tab pou prepare anvan moun manje.* Jeral mete kouvè a.

**kouvèti**. *n. : 1. Bouchon.* Mete kouvèti a sou bokal la, ou pa dwe kite konfiti a dekouvri. 2. *Paravan, moun ou itilize pou kache yon bagay.* Michèl fin fè zak li epi l ap pran mwen fè kouvèti.

**kouvez** : *n. Kote ki tyèd pou mete tibebe ki fèt anvan lè. 2. Aparèy pou mete ze pou fè yo kale.*

**kouvreli**: *n. Dra ki fèt pou kouvri kabann, ou mete l anwo lòt dra yo.* Kouvreli sa a ale ak rido yo.

**kouvri** : *v. 1. Bouche, mete kouvèti.* Kouvri chodyè a. 2. *Mete dra sou ou.* Mwen kouvri paske mwen frèt. 3. *Plen, mete anpil.* Yo kouvri kav la ak flè.

**kouwa**: *n. Senti ki ini de pati nan yon machin.* Sa se yon kouwa nèf.

**kouwè**: *konj. Tankou, konsi, kòmsi.* Ou fè kouwè ou pè m vre.

**kouwòn**: *n. 1. Sèk ki fèt ak flè ak fèy ki gen fòm won tankou yon bag yo mete sou tèt yon moun, yon sen osnon yon wa.* Kouwòn wa a sot tonbe. 2. *Aranjanman flè pou mete sou tonb moun mouri.* Lè madan Vensan te mouri, li te resevwa anpil kouwòn.

**kouzen** *(kouzin)*: *n. Relasyon ant pitit de frè, de sè, osnon pitit yon sè ak pitit frè l; pitit de kouzen konsidere kòm kouzen tou.* Janjan se kouzen ak Kalo.

**kouzen jèmen**: *n fr. Kouzen pitit de frè, de sè, osnon pitit yon frè ak yon sè.* Pitit de kouzen pa kouzen jèmen.

**kòve**. *n. : Travay fòse. An 1915, sou dominasyon meriken, travay fòse te vin rekòmanse. Peyizan yo te oblije travay 3 jou pa ane nan wout ki nan distri kote yo rete a. Sa te vin aboli premye oktòb 1918. 2. Travay an gwoup volontè, kolaborasyon ant peyizan. 3. Travay ki difisil.*

**kow!**: *onom. Son pou endike bri yon bagay te fè.*

**kowonpi**: *v. 1. Gate, pouri, ki gen move abitid.* Pitit la fin kowonpi ak vye zanmitay li ap fè yo. 2. *Move odè.* Dlo kowonpi plen limon vèt.

**kowosòl**: *n. 1. Fwi twopikal ki sèvi pou fè ji. Andedan li blan, deyò, li vèt, li gen ti pikan sou tout kò l.* Yo sèvi ak fèy kowosòl pou fè te pou moun ki pa sa dòmi. 2. *Plant ki bay fwi kowosòl.*

**kowozyon** : *n. Wouy, oksidasyon.* Lapli a fè kowozyon nan tiyo yo.

**koyefisyan** : *n. Chif ki miltipliye yon varyab.* Sis (6x) se koyefisyan an nan egzanp sa a.

**koyo**: *n. Moun, sitou gason ki rete lakay ki pa ap fè anyen ki itil, ki ap kalbende, alòske madanm li ap byen mennen deyò.* Koyo veye kay.

**kòz** *(lakòz)*: *n. 1. Rezon, motif, orijin, sous.* Lapli a lakòz anpil dega. Se ou menm ki kòz madanm nan fè movesan, li mouri. 2. *Pwosè, sitiyasyon ki merite al nan tribinal.*

**koze**. *n. : Konvèsasyon, pale, sijè.* Vin nou fè yon ti koze. 2. *v. Pwovoke.* Mikwòb koze maladi.

**kozman**: *n. 1. Pawòl.* Kozman sa a ou pa dwe repete l. 2. *Tripotay.* Vin tande yon ti kozman sou lapèsònn. 3. *Konvèsasyon, koze, chita tande.* Nou toujou fè ti kozman nou.

**krab arenyen** *(krab ariyen)*: *n. Bèt, arenyen, atwopòd, li gen uit pat epi li ka fè twal pou kenbe ensèk ki ap vole..* Gade yon krab arenyen.

**krab**. *n. : Bèt dlo ki gen dis pat epi ki gen yon kakas sou deyò pou pwoteje kò li.* Bouyon krab se koupe dwèt.

**krabinay**: *n. Gravye, fatra, debri.* Mete krabinay yo nan mòtye a.

**krabinen**: *v. Kraze an miyèt mòso.*

**krabmalzòrèy**. *n. : Yon kalite krab ki konn anpwazonnen.* Pa kite krabmalzòrèy mòde w.

**krache** : *n. 1. Likid ki sot nan bouch yon moun li voye jete.* Bouch madan Jan plen krache. 2. *v. jete likid ki sot nan bouch.* Madanm nan krache atè a.

**krake** : *v. Fann.* Mi an krake pa apiye.

**kran**: *n. Kouray.* Jan gen kran. Mete kran, Almonò men pa w.

**kranp** *(lakranp)* : *n. Kontraksyon envolontè yon seri mis pandan yon tan kout.* Toutan Odil gen kranp.

**kranpon**: *n. Pyès metal ki fèt pou tache osnon agrafe de bagay ansanm.* Pote kranpon an vini. 2. *Zepon kavalye.*

**krapo**. *n. : Bèt san ke, batrasyen, anfibyen, yo renmen sote, kò yo toujou frèt epi po yo glise.*

**kraponnaj** *(kraponnay, kaponnay): n. Manèv pou enpresyone yon moun, pou fè li pè. Entimidasyon.* Jak pa pran nan kraponnay.

**kraponnen** *: v. Fè pè.* Pa vin kraponnen mwen la a non, mwen pa kapon.

**kras**. *n. : 1. salte.* Pa kite kras manje sal rad ou. 2. *Tigout.* Se yon kras labouyi Mat kite pou nou. *3. a. Chich, ki pa renmen depanse.* Mwen pa konn ankenn moun ki pi kras pase ou.

**kravat**. *n. : Òneman gason mete, ki pase anba kole chemiz yo epi li vin mare padevan pou l pandye devan bouton chemiz yo.* Kote ou ap bay la a monchè, ak bèl kravat wouj sa a, ou pral file yon dam osnon ou pral chache yon travay?

**kraze rak**: *v fr. Kouri, pran rak, al kache.* Janklod kraze rak.

**kre**. *n. : Yon kote, yon bò nan jwèt zo oslè.* Depi mwen fin bay do, kre, i ak ès, pati a fini. 2. *Fant, espas ant de bagay.* 3. *Vid.* Andedan bwa a kre.

**krebete**. *n. : Kokobe, egare.* Kouman ou ret ap gade mwen tankou yon krebete a, ou pa gen anyen pou ou fè.

**krèch** *: n. 1. Reprezantasyon lavyèj, sen Jozèf ak Jezi nan etab la.* Pou nwèl, Woz ap fè krèch. 2. *Kabann kote ti Jezi kouche a.* Jezi kouche nan krèch li. 3. *Ofelina.* Li pat gen fanmi, yo te voye l nan krèch. 4. *Ti bèso pou tibebe.* Krèch pitit madan Wolan an gen tan pare depi anvan timoun nan fèt.

**kredi** *: n. Konfyans, avans, vann pou touche yon lòt jou. Konfyans nan karaktè ak repitasyon yon moun.* Madan Richa vann moun kredi. 2. *Enfliyans yon moun genyen sou lòt moun akoz konfyans yo fè li. 3. Depo lajan ki pral nan kont labank yon moun. Mo nan kontablite ki di gen yon operasyon lajan pozitif ki fèt. 4. Nan inivèsite se konfimasyon yon moun pase yon kou.*

**krèm**. *n. : Manje konjle ki fèt ak lèt, krèm lèt epi sik.* Moun ki pa renmen bwè krèm pa konn sa yo pèdi.

**kremas**. *n. : Bwason ki fèt ak lèt, ji kokoye, sik, alkòl epi esans.* Kremas se tankou yon kòktèl, gen moun ki renmen l ak gato. Kremas mapou se yon resèt kremas ki popilè nan Miyami, yo vann li nan Libreri Mapou.

**kremòl** *: Rans, komokyèl, radòt.* Se ou ki nan kremòl ak Jan pase li se mari ou men mwen, mwen pa p ranse avè l!

**krepi**: *n. 1. Melanj siman ki yon jan graj pou fè finisyon sou yon mi.* Mete krepi a sou mi an. *2. v. Mete melanj siman graj sou yon mi.* Jan ap krepi mi an.

**krepisay** *(krepisaj): n. Aktivite pou mete krepi.* Jodi a Aliks ap fè krepisay la.

**kreson** *: n. Legim fèy vèt.* Kreson bay bouyon bon gou.

**krèt**: *n. Vyann wouj sou tèt kòk kalite.* Krèt kòk la blese nan batay la.

**Krètapyewo** *(Crête-à-Pierrot). : Yon gwo depo kote ki te genyen zam pou lame revolisyonè. Ansyen esklav yo ki te 1200, te fè lagè a kont 12, 000 blan franse; franse yo te pèdi 2000 moun tou.*

**kreten**. *n. : Moun sòt, moun ki gen difikilte pou yo aprann.*

**kretòn**: *n. Kalite twal koton.* Twal kretòn sa a bon kalite.

**kretyen**: *n. 1. Moun ki kwè, ki gen lafwa.* Janin se kretyen. 2. *a. Ki swiv prensip Kris.* Lavi kretyen. 3. *Tout moun ki vivan.*

**kretyenvivan**. *n. : Moun.* Se pa de kretyen-vivan ki debake vin nan lantèman sa a.

**kreve**. *v. : Pete, eklate.* Bagay sa a kapab kreve je w, kite l nan plas li. Li kreve balon an. 2. *Kuit.* Pwa a kreve ou mèt fri andui a.

**krevèt**. *n. : Bèt lanmè, kristase ki gen 10 pat (dekapòd, 5 pè pat). Kribich.* Diri ak krevèt se manje mwen renmen anpil.

**kreyati**: *n. 1. Zèv Bondye.* Nou tout se kreyati Letènèl. 2. *Sa ki kreye.* Bèt yo se kreyati Bondye yo ye tou. 3. *Mèvèy, bèlte.* Gade yon dam, sa se yon kreyati!

**kreyativite**: *n. Talan pou kreye, pou envante.*

**kreye**. *v. : Fè yon bagay ki pa te la anvan sa. Panse yon bagay ki nouvo. Envante.* Si ou se kretyen, ou panse se Bondye ki kreye syèl la ak tè a. Atis la kreye yon estil penti nouvo.

**kreyòl**. *n. : 1. Lang tout Ayisyen. Pandan lontan, franse te konsidere tankou lang ofisyèl peyi a. Anpil obsèvatè pa janm kapab eksplike kouman yon ti gwoup moun tou piti ki pale franse fè kenbe rès moun yo ki pa konn franse anba yon ilizyon peyi yo a frankofòn. Jodi a Kreyòl la se yon lang ofisyèl tou epitou lekòl kapab montre timoun li ak ekri ak konpreyansyon tèks nan lang Kreyòl. Men pa gen ase liv pou timoun aprann kòrèkteman. Gen anpil travay ki pou fèt pou timoun yo kapab pwofite e devlope nan lang yo pale tout bon vre a. Lang Kreyòl te kòmanse devlope lè afriken, franse, espayòl, angle, amerendyen ak pòtigè ap kominike youn ak lòt depi nan tan lontan sou tè peyi Ayiti. Kounye a se yon lang ki fòme, ki majè epi ki gen gramè, òtograf ak literati li. Gen kèk lòt peyi ki pale Kreyòl. Matiniken ak moun ki soti nan Lwizyàn pale yon lang ki rele Kreyòl ki sanble ak Kreyòl ayisyen an. 2. Estil kreyòl.* Gen manje kreyòl, gen kwafi kreyòl, gen zanno kreyòl tou.

**kreyon**: *n. Bagèt an bwa ki gen yon min pou ekri.* Kreyon sa a pa gen gòm.

**kri**: *n. 1. Rèl, son ki soti nan gòj.* Li tande yon kri. 2. *Eskandal.* Aksidan sa a fè yon kri. *3. a. Ki pa kuit.* Patat kri.

**kribich**. *n. : Krevèt. Bèt lanmè.* Mwen pito kribich pase krab.

**krible**: *v. Kouvri ak twou.*

**krich**: *n. Veso ki fèt ak ajil ki sèvi pou konsève dlo.* Dlo nan krich toujou fre.

**krik**: *enterj. Entèjeksyon ki mande pou moun reponn Krak.* Krik? Krak!

**krik! krak!**: *enterj. Kesyon, repons nan tradisyon kont ak istwa nan peyi Ayiti.* Krik? Krak! sanble ak Tim-tim? Bwa chèch.

**krikèt**: *n. Gwo ensèk ki fè bwi leswa.* Mwen tande bwi krikèt yo deyò a.

**krim**. *n. : Aksyon moun poze ki merite pini dapre lalwa. Asasina, zak ilegal.* Vòlè ak vyolans se de krim.

**kriminalite**: *n. Kantite zak kriminèl ki rive pandan yon tan defini.*

**kriminèl** : *1. n. Moun ki fè move zak tankou tiye moun san rezon. Malfetè, asasen.* Tout kriminèl te dwe jije epi pini dapre lalwa. 2. *a.* Sovè te pase de jou nan rechèch kriminèl, se pakèt lajan mwen peye pou lage l.

**krinyè** : *n. Cheve, pwèl cheval, bourik osinon milèt.* Chwal sa a gen yon bèl krinyè.

**kriptogam**: *n. Plant ki pa fè flè. Plant ki gen fekondasyon kache.*

**kripya**: *a. Moun ki fè anpil efò pou yo pa depanse. Kras.* Gason kripya.

**krisifi**: *n. 1. Kwa, senbòl kondanasyon Jezi. Kwa ki ekspoze pou moun lapriyè.* Woje gen yon krisifi nan chenn li an.

**krisifiksyon**: *n. Siplis, pinisyon lè yo mete yon moun sou lakwa.*

**krisifye**: *Kondane, pini sou lakwa.*

**kristal** : *n. 1. Vè, glas, materyo transparan.* Kristal sa yo koute chè. 2. *a. Mineral transparan, yo fè glas, vè avèk li.* Asyèt kristal. *3. Pwodui chimik solid ki pa gen kontaminan.*

**kristalize** : *v. 1. Fè kristal, konsantre.* Dlo sikre a bouyi joustan sik la kristalize. 2. *Reyisi.* Jaklin kristalize rèv li.

**kristase**: *n. Bèt dlo ki gen yon karapas di divize an seksyon.* Krab, krevèt, oma tout se kristase.

**Kristòf, Fèdinan** *(Christophe, Ferdinand). np. : Prens Ayisyen. Pi gran pitit Anri Kristòf. Dapre listwa, papa l te vle li te ale etidye Anfrans pou l ta gen yon gwo nivo edikasyon. Papa l te remèt li bay yon ofisye jeneral franse epi li te depanse anpil kòb pou elevasyon l. Apre kèk tan, Anri Kristòf te vin aprann pitit la pat janm te al nan ankenn gwo lekòl, se nan yon azil pou timoun san manman san papa yo te lage l. Epi se la tou pitit la te mouri abandonnen.*

**krisyanis**: *n. Relijyon ki baze sou lavi Jezikris.*

**kritè**: *n. Agiman ki sèvi kòm baz pou bay yon opinyon, pou chwazi, fè seleksyon.*

**kritik**. *n. : Opinyon ki eksplike yon bagay osinon ki dekri yon moun dapre yon analiz.* Kritik toujou di pou moun yo ap kritike a; men gen kritik ki itil. 2. *Ki enpòtan.* Peryòd eleksyon se yon moman kritik nan politik yon peyi.

**kritike**: *v. 1. Fè kòmantè ekilibre sou yon liv, sou yon moun osinon sou yon evennman.* Edwa toujou kritike liv ki soti chak ane yo. 2. *Dekouraje.* Ivon toujou ap kritike tout sa m fè.

**kriye**. *v. : Rele, dlo nan je, gen lapenn.* Lè moun ap kriye, dlo soti nan je yo. Moun ki tris konn anvi kriye men moun ki kontan anpil konn kriye tou tèlman kontantman an twòp pou yo.

**kriyèl**: *a. Moun ki gen plezi pou fè lòt moun soufri. Mechan, fewòs, sovaj, pèsekitè. Ki ka tiye san nesesite.*

**kriyote**: *n. Zak mechanste, tandans pou fè moun soufri.*

**kriz kadyak**: *n f. Kriz kè, maladi grav ki fè kè yon moun pa kapab fè travay li nòmalman.* Fito sot fè yon kriz kadyak.

**kriz**: *n. 1. Faz difisil nan devlopman yon sitiyasyon.* Peyi a ap pase yon kriz kounye a. 2. *Atak nè.* Pran kriz. *3. Difikilte, tansyon konfli.* Jan ak madanm li ap viv yon kriz. *4. Maladi kè.* Kriz kadyak.

**kriz nè** : *nf. Atak nè.* Tifi a gen yon kriz nè.

**krizokal** *(krizo): a. 1. Karakteristik yon metal koulè lò, ki pa lò epi ki bon mache.* Bijou krizokal.

**kwachaf**: *n. Jwen inivèsèl nan kamyon ki konekte transmisyon ak wou.*

**kui** *(kwi) : n. Po bèt ki prepare pou fè soulye osnon valiz.* Kui sa a di. 2. *Veso ki fèt ak mwatye yon kalbas.*

**kuis, kwis**. *n. : Pati anwo nan janm yon moun.* Gen moun ki renmen fè egzèsis pou yo megri nan kuis yo.

**kuit**. *v. : Mete yon manje kri nan dife joustan li pare pou moun manje l.* Ou kapab kuit manje nan recho osnon nan fou. Gato ak pen patat se nan fou yo fè sa pran koulè.

**kuiv**. *n. : Metal ki yon jan koulè wouj tire sou mawon.* Mwen renmen eskilti ki fèt ak kuiv yo, yo fè sa anpil nan peyi ki rele End la.

**kuizin**. *n. : Pati nan kay ki anmenaje pou kuit manje la.* Anpil moun Ayiti gen kuizin yo nan lakou, yo sèvi ak chabon, ak bwa osnon ak gaz.

**kwa**. *n. :1. Lè de liy osinon de poto kwaze. 2. Kote yo te kloure Jezi nan mòn kalvè.3. Senbòl nan relijyon katolik ki raple lanmò Jezikri.*

**Kwabosal** *(mache) (Marche Croix des Bossales): Mache popilè nan Pòtoprens kote (yo di) moun ka jwen prèske tout sa li bezwen, plant medikaman, medikaman enpòte, ale sou, cham osinon pouvwa majik.*

**Kwadèboukè** *(Croix des Bouquets): np. Awondisman ak komin nan depatman Lwès.*

**kwadrilatè**: *n. Desen jeyometrik ki gen kat kote.* Kare, rektang, lozanj gen kat kote, se quadrilatè yo ye.

**kwadripèd** *: n. Bèt ki gen kat pye.* Chen se kwadripèd, poul se bipèd.

**kwafe**: *Penyen, ranje cheve yon moun yon jan ki bèl.*

**kwafè**. *n. : Moun ki koupe cheve.* Kwafè a banm yon move tyas.

**kwafèz**: *n. Fi ki pran swen cheve kòm metye, estetisyèn.* Kwafèz mwen an cheran.

**kwafi**: *n. Koup cheve, jan cheve yon moun ranje.*

**kwak** *(kwake): konj. Konjonksyon ki pote yon rezèv osinon ki anonse yon refleksyon ki vin apre yon premye refleksyon.*

**Kwakou, Masiyon** *(Massillon Coicou): np. Powèt, ekriven, li fèt Pòtoprens 17 Oktòb 1867. Li te fè karyè li kòm pwofesè lekòl epitou li te vin sekretè Legation pour Haiti nan peyi Lafrans. Li monte Teyat Nasyonal Ayisyen. Li te monte yon bibliyotèk piblik ak liv li te pote soti nan peyi Lafrans. Prezidan Nò Aleksi te fè tiye misye jou ki te 15 mas 1908. Kwakou ekri plizyè liv, pami yo: Poésies Nationales, Paris, 1892; Passions, Paris, 1903; Impressions, Paris, 1903; L'Oracle, poème dramatique; Liberté, théatre, 1894; Les Fils de Toussaint, 1895; L'Empereur Dessalines, Pòtoprens, 1906; Féfé Candidat, komedi, 1906; Féfé Ministre, komedi, 1906; L'Art Triomphe, 1895; Faute d'Actrice, 1895; L'Ecole Mutuelle, 1896; L'Ecole des Proverbes, l'Alphabet, 1905; St Vincent de Paul, 1907; La Noire, woman, Pari, 1905. Le Génie Français et l'Ame Haitienne, disètasyon, Paris, 1904. Masisyon Kwakou pami ekriven nan tan li ki te antre Kreyòl la nan literati ekri.*

**kwape**: *v. Repouse ak mepri.* Ou kwape timoun nan lèd.

**kwaryann** *: n. Min wòch.* Gen yon kwaryann Miragwàn.

**kwasans**: *n. 1. Grandi.* Moun dwe manje byen pou yo pa fè malnitrisyon pandan peryòd kwasans yo. *2. Fòme.* Janin gen douzan men li poko fè kwasans li.

**kwayan**: *n. / a. Moun ki kwè, ki gen lafwa nan yon relijyon. Fidèl.*

**kwayans**: *n. Lè yon moun kwè yon bagay vre osinon posib. 2. Konfyans, fwa, konviksyon.*

**kwazad**: *n. Ekspedisyon kretyen nan tan lontan (mwayenaj) te konn fè pou al libere legliz nan men Mizilman.*

**kwaze**. *v. : Lè de liy rankontre. 2. Lè de moun rankontre.* Mwen kwaze ak Jan chak maten lè mwen pral nan travay.

**kwazman**: *n. Pozisyon an kwa. 2. Pase youn akote lòt nan direksyon opoze. 3. Kafou kote de wout kontre. 4. Metòd pou repwodui bèt ak plant.*

**kwazyè**: *n. Vwayaj nan bato pou fè touris.*

**kwè**. *v. : Gen lafwa nan yon bagay.* Bondye, nou kwè ou kapab fè yon mirak.

**kwen**: *n. 1. Kote de mi rankontre pou fòme yon ang.* Kwen sa a pa dwat. *2. Espas kote yo mete yon elèv an pinisyon.* Pwofesè a voye elèv la al kanpe nan kwen an.

**kwenn** *(kwann): n. Po kochon fri.* Kwenn gen anpil grès.

**kwense**: *a. 1. Etwat, sere, ki pa gen ase espas.* Se nan kwense nou ye lakay la, mwen pap kapab envite ou vin dòmi. 2. *v. Razè, bare, pa gen lajan.* Monchè mwen kwense anpil, èske ou kapab prete mwen yon degouden? *3. Demonte yon agiman.* Mwen kwense Andre li bije admèt li antò.

**kwi**. *n. : 1. Veso ki fèt ak kalbas ki separe an de moso.* Pote kwi a vini pou mwen pou mwen lave vyann nan. 2. *Po bèt tankou bèf.* Valiz an kwi pa janm chire, yo dire anpil.

**kwis** *(kuis): n. Pati nan kò moun osinon bèt ki ini janm ak rès kò a.* Moun ki gwo konn gen gwo kwis.

**kwit** *(kuit): v. 1. Sèvi ak chalè pou transfòme yon manje ki te kri joustan li pare pou moun manje l.* Pwa a kwit. *3. Fè manje.* Se Woza ki ap kuit manje jodi a.

**kwiv** *(kuiv): n. Metal wouj ki sèvi pou fè fil elektrik.* Yo di gen min kwiv nan peyi Ayiti.

**kwizin** *(kizin, kuizin) : n. Kote moun fè manje.* Pati nan kay kote yo fè manje a rele kwizin.

**kwizinyè** *(kwizinyèz, kizinèz, kuizinyè): n. Moun ki fè manje nan kwizin.* Bèta se kwizinyè nan restoran an.

**kwochè**: *n. Nan mizik se senbòl ki make 1/8 tan.*

**kwochèt** *(kòchèt) : n. Kwòk an fè pou fèmen pòt.* Mete kwochèt la pou mwen.

**kwochi** *: a. 1. Ki pa dwat , ki pa nan liy.* Mi sa a kwochi. Chemen kwochi. *2. Ki gen* *move entansyon.* Nèg sa a gen lespri kwochi.

**kwochte**: *v. Fèmen ak kwochèt.* Kwochte bayè a.

**kwòk** : *n. 1. Kwochèt pou pandye rad.* Kwòk sa a pa ase pou tout rad mwen yo. *2. Fouch, zouti ki gen fòm y.* Soutni pyebwa a ak yon kwòk.

**kwoke**. *v. : 1. Pase de bra dèyè kou yon moun.* Lè manman mwen tounen sot nan vwayaj, mwen kwoke l paske mwen kontan wè l. *2. Pandye.* Vin kwoke rad sa yo pou mwen tanpri pou yo gen tan seche. *3. Lage, enpoze.* Vwazin nan vin kwoke yon kouti banm fè la a epi mwen pa menm gen tan menm.

**kwòkmò**: *n. Moun ki prepare mò pou lanteman.*

**kwokodil**: *n. Gwo reptil ki rete nan dlo rivyè.* Gade yon kwokodil.

**kwòm**: *n. Metal ki byen klere ki dekore oto.*

**kwome**: *v. Mete kwom, kouvri ak kwòm.*

**kwomozòm** : *n. Pati ki nan nwayo yon selil ki gen DNA epi ki transfere eredite, ki fè pitit sanble ak paran.* Chak espès gen yon kantite kwomozom ki menm pou tout bèt nan espès sa a. Moun gen 23 pè kwomozom osinon 46 kwomozom.

**kwonik**: *n. Atik jounal osinon televizyon ki vin regilyèman epi ki devlope menm sijè a. 2. a. Ki dire lontan, ki devlope lantman.* Maladi kwonik.

**kwonomèt**: *n. Zouti pou mezire tan avèk presizyon.*

**kwonometre**: *v. Mezire ak kwonomèt.*

**kwòt** *(tèt kwòt).* : *a. Ki woule, ki gen fòm grenn pwav.* Tifi sa a gen tèt kwòt, li pa gen cheve menm pou l penyen.

**kwoup**: *n. Pati sou deye cheval.*

**kwoupyon**: *pati zo nan dèyè poul osinon lòt bèt.*

**kwout** : *n. 1. Kouch tisi yon blesi osnon yon maleng fè.* Blesi a vanse geri, li fè yon kwout. *2. Pati yon pen sou deyò, ki dore.* Jak pa renmen kwout pen.

**kyòs**: *n. Espas kote yo ekspoze epi vann machandiz tankou flè osinon liv. Espas pou divèti, fè konsa, teyat elatr.* Kyòs Oksid Janti.

# L1

**l**. : *lèt nan alfabèt Kreyòl.* L se premye lèt nan mo lapen.

**la**. : *1. adv. Bò laba.* Mwen la a nan kwizin nan. *2. Atik defini.* Tas la ak asyèt la te menm koulè. *3. Grès ki soti anba po kochon. 4. Ki pa mouri, ki poko mouri.* Papa m la, se manman m ki mouri. *5. Kounye a .* Mwen ap manje la a. *6. Entèjeksyon.* La! bourik. *7. Nòt mizik ki vin apre sòl, anvan si.*

**La Avàn** *(La Havane): np. Vil kapital peyi Kiba, li gen yon pò sou gòlf Meksik.* Gen 2 milyon moun ki ap viv La-Avàn

**laba**: *1. adv. Ki pa pre isit.* Se jous laba madan Leyon rete. *2. adv. Peyi etranje.* Mwen pral laba demen maten. *3. ent. Vouzan.* Ale ou laba.

**labab** *(bab): n. 1. Bab, plim nan figi gason.* Fè labab. *2. Raze, fè labab.* Chak maten jan fè labab.

**labalenn** *(balèn): n. Gwo bèt dlo lanmè, mamifè maren, setase, li ka mezire 20 mèt longè.* Lasirèn labalenn chapo m tonbe nan lanmè.

**labank**. *n. : Biwo kote moun fè tranzaksyon depoze epi al chache lajan.* Ou plen lajan labank monchè, pa vin plenyen la a.

**labanyè** *(bànyè): n. 1. Drapo, pankat.* Jinèt ap pot labanyè pou liberasyon fanm. *2. Pote labanyè, defann yon opinyon avèk pasyon, cho devan bann.* Se Jaklin ki pote labanyè nan koze sa a.

**labapen**: *n. 1. Fwi ki soti nan pye labapen.* Labapen bouyi, labapen boukannen. *2. Pye bwa ki bay fwi labapen an.*

**labatwa**. *n. : Kote yo touye bèt.* Pito ou al achte vyann nan labatwa pito, yo vann vyann fre la.

**labenediksyon** *(benediksyon): n. Sipò, pwoteksyon espirityèl.* Pè a bay fidèl yo labenediksyon.

**Labib**: *n. Liv ki gen ansèyman kretyen, ki rankonte istwa evolisyon sou latè.* Timoun yo li labib chak jou.

**Labichen Rasoul** *(Rassoul Labuchin): np. Sinematograf, ekriven, aktè li fèt Pòtoprens 3 mas 1939. Li ekri epi fè yon fim 16 milimèt ki rele Anita. Li te direktè Teyat Nasyonal.*

**labim**: *n. Espas ki fon, ki gen pwofondè.* Li fè yon aksidan, li tonbe nan yon gwo labim.

**laboratwa**: *n. 1. Espas espesyalize kote yo fè esperyans, analiz, tès ak envestigasyon syantifik osinon teknik. Espas pou prepare pwodui chimik, medikaman, kosmetik, manje espesyal. 2. Tan espesyal pou timoun lekòl pase nan laboratwa pou pratike teknik syans.*

**Laboratwa medikal**: *n fr. Kote yo fè analiz, tès sou sante moun.* Gen plizyè laboratwa medikal nan Pòtoprens lan.

**labou**. *n. : Melanj dlo ak tè ki mou.* Mwen pa vle timoun yo jwe nan labou a, yo ka pran mikwòb.

**labouraj**: *n. Travay pou laboure latè*

**laboure**: *v. Louvri epi vire tè ak zouti agrikòl tankou wou, traktè eltr.*

**labouyi** : *n. Manje sikre ki fèt ak sereyal kuit nan lèt ak sik epi ak lòt engredyan ankò.* Gen moun ki renmen labouyi lematen men mwen pito li leswa.

**labrin** *(labrenn): n. Aswè lè fènwa fèk parèt* Kou li labrin diswa, moustik yo ale.

**labriz** *(briz) : n. Ti van leje ki ap vante.* Aswè a gen yon bon labriz.

**lach** : *a. Ki pa gen kran, ki pa gen kouraj devan difikilte.* Jozèt se yon lach.

**lachanm**: *n. Biwo kote depite osinon senatè reyini pou fè deba.* Lachanm ap travay semenn sa a. Chanm depite, chanm senatè. *2. Pati nan kay kote moun dòmi. 3. Tib kawoutchou yo mete anndan wou machin.*

**lacharite** *(lacharit): n. Zèv, kado, pataj.*

**lachas**. *n. : Aktivite pou al chase bèt sovaj pou vyann nan osnon pou po.* Mwen pa janm al lachas, paske mwen pa gen kè pou mwen touye okenn bèt.

**Lachin** *(Chine) : np. Peyi nan kontinan Azi.* Lachin se yon peyi kominis.

**lacho** : *n. Materyo konstriksyon pou bati ki fèt ak wòch epi ak tif ki kuit nan fou.* Pa gen lacho pou prepare mòtye a.

**lachòy**: *n. Plant pou fè te.*

**ladan** *(ladann): adv. Anndan, ki pa deyò.* Se ladan bwat la mwen jwenn li.

**ladelivrans** *(delivrans): n. Amelyorasyon yon sitiyasyon, soti nan enpas, nan pwoblèm ki debouche sou yon solisyon.* Pola lapriyè, li mande ladelivrans pou pechè yo. 2. *Akouchman.*

**lademann**. *n. : Lèt yon gason ekri fanmi yon fi pou mande lapèmisyon pou marye avè fi a. Lademand la ka fèt fasafas kote gason an al pale ak fanmi fi a.* Lontan, toutotan fanmi fi a pat reponn lademann nan, renmen an potko konsidere ofisyèl.

**ladennyè**: *n. Moun ki fè dènye men nan jwèt.* Jan fè ladènyè.

**ladesant** : *n. Sitiyasyon kote yon moun vin rete tanporèman lakay yon lòt.* Kalin fè ladesant kay Kawòl.

**ladrès** : *n. 1. Talan, teknik.* Jera gen ladrès nan fè penti.

**lafanmi** *(lafami, fanmi): n. Moun ki gen relasyon jenetik antre yo.* Sè m ak frè m yo, nou se fanmi.

**Lafanmi Bonplezi**: *np. Tit yon woman nan lang kreyòl.* Otè la fanmi Bonplezi se Mod Ètelou.

**lafen**: *n. Dènye pati, fen.* Sa se lafen fim nan.

**Laferyè, Dani Winzò Klebè** *(Winzor Klébert Laferriere Fils): np. Ekriven (womansye, jounalis) animatè radyo, animatè televizyon, konferansye. Li fèt Pòtoprens 13 Avril 1953. Li al lekòl primè Tigwav kay Frè Enstriksyon Kretyèn epi lekòl segondè nan Pòtoprens. Li te jounalis nan jounal Ti Samdi Swa, Nouvelis ak nan Radyo Ayiti Entè 1972-1976. Lè yo asasine kolaboratè li Gasnè Remon pou rezon politik, Laferyè pati kite Ayiti pou ale Monreyal, Kanada an 1976. An 1985 li pibliye premye woman li Comment Faire l'Amour Avec un Nègre sans se Fatiguer. Premye woman sa a tradui nan plis pase dis lang epitou yo te fè yon fim ak li. Fim nan pase nan 60 peyi. Laferyè ekri depase 9 woman, plizyè tradui nan lòt lang (Anglè, Koreyen, Espayòl, Italyen Suedwa eltr. Laferyè ak fanmi li rete Miami Ozetazini epi li vwayaje souvan pou ale Ayiti ak Kanada. Li ekri Comment Faire l'Amour Avec un Nègre sans se Fatiguer, 1985; Eroshima 1987; L'odeur du café 1991, ki resevwa Pri Carbet, Caraibe; Le goût des Jeunes Filles, 1991 ki resevwa pri Edgar-L'esperance; Cette Grenade dans la Main du Jeune Nègre est-elle une arme ou un Fruit?, 1993, ki resevwa pri Gouverneur-Général de la Traduction gran pri literè Okanada; Chronique de la Dérive Douce, 1994; Pays sans Chapeau, 1996; La Chair du Maître, 1997; Le Charme des Aprés-Midi sans Fin 1997.*

**lafimen**. *n. : Nwaj cho ki sòti nan yon bagay ki ap boule.* Lafimen pa janm sot san dife, sa ou tande a ka pa manti.

**lafliksyon** *(afliksyon): n. Lapenn.* Moun yo nan lafliksyon.

**Lafon** *(Lafonds). np : Ti vil nan sant Ayiti, nan depatman Latibonit, bò Latibonit.* Jera se moun Lafon.

**Lafontan Jozèf** *[pè] (Père Joseph Lafontant): np. Pè katolik, pwofesè gran seminè apostolik. Li fèt Jakmèl. Li te kire pawas Sakrekè.*

**Lafontan Woje** *(Roger Lafontant): np. Politisyen, medsen, ansyen konsil nan Monreyal, ansyen minis sou gouvènman J.C. Divalye, ansyen dirijan VSN. Li te tòtire plizyè moun ki te opozan rejim Divalye. Apre eleksyon Aristid, li te eseye fè yon koudeta ki pa t reyisi. Li mouri nan prizon pandan yon pwotestasyon.*

**Lafosèt** (La Fosette): *katye popilè nan vil Okap.*

**Lafòtin** *(Lafortune). np. : Kòmandan nwa ki te kenbe tèt kont Lafrans. Li te nan menm ekip ak Tousen epi Desalin tou.*

**Lafrans** *(La France) : np.* Peyi nan kontinan *Ewòp.* Yo pale Franse nan peyi Lafrans.

**lafrechè**: *n. Fi lib, ki nan sèks lib, bouzen.* Fi sa a se yon lafrechè.

**Lafrik** *(Afrique) (Afrik): np. Youn nan kontinan yo.* Nan kontinan Lafrik gen anpil moun ras nwa.

**lafwa dènye** *(lafwa pase): Sa pa fè lontan, dènye fwa a.* Lafwa dènye ou te di m ou ta ba mwen digoud.

**lafwa**: *n. 1. Santiman konfyans moun gen pou lòt osinon pou yon reprezantan Bondye osinon pou Bondye.* Mirèy gen lafwa. 2. *Konfyans.* Jak gen lafwa nan Mirèy.

**lafwa pase** *(lafwa dènye): n fr. Sa pa fè lontan, dènye fwa a.* Lafwa pase ou te di m ou ta ba mwen digoud.

**lafwontyè**: *1. Fwontyè. 2. Fwontyè ant Ayiti ak Sendomeng. 3. Katye nan kafou kote ki gen anpil Dominikèn ki ap bay sèvis lachè.*

**lafyant**: *n. Poupou bèt.*

**lafyèv frison**: *n fr. Lafyèv ki bay moun frison, ki enfektyez.* Malarya bay lafyèv frison.

**lafyèv jòn**: *n fr. Lajonis, lafyèv kote moun nan vin gen yon koulè jòn, se yon maladi twopikal enfektye.* Kalo gen lafyèv jòn.

**lafyèv** : *n. Reyaksyon kò yon moun ki fè tanperati kò yon moun vin pi wo (depase 38 degre santigrad akòz yon enfeksyon osinon yon maladi.* Pitit la sanble li gen lafyèv. 2. *Eksitasyon, kontantman ki depase nivo nòmal, chalè, pasyon, dife.*

**lafyèv tifoyid** *(tifoyid): n fr. Maladi enfektye (ki gen enfeksyon) kontajye (atrapan). Li bay lafyèv, li fè moun nan egare epi li fè li pa ka dijere manje byen. Mikwòb ki bay li a se yon basiy.* Jera pat janm te fè lafyèv tifoyid.

**lagad**: *n. 1. Jandam, polisye, militè ki ap veye yon pozisyon.* Gad prezidansyèl. *2. Kò militè osinon kò polis.* Jou fèt lagad. *3. Fè lagad, veye kichòy.*

**lage de gidon dèyè**: *v fr. Ensiste, anmède yon moun.* Li lage de gidon dèyè manman l pou li achte bisiklèt la pou li.

**lage kò nan**: *v fr. Abandonne tèt ou nan. Adopte yon abitid osinon yon estil.* Nèg la lage kò l nan bwè.

**lage** : *v. 1. Bandonnen.* Li lage tout rad li yo la a. *2. Kite yon moun trankil, wete men ou sou li.* Lage tifi a. *3. Jete.* Yo lage yon bonm. *4. a. Lib.* Timoun sa yo lage nan lari a.

**lagè**. *n. : Goumen, konpetisyon zam ak fòs ki genyen ant de lame osnon ant de peyi.* Mwen pa ta janm renmen al nan lagè paske mwen pa vle touye moun pou kèlkeswa rezon an.

**Lagè Fedya** *(Fedia Laguerre) np. Atis angaje, chantè.*

**lago** *(lago kache): n. Jwèt timoun, youn kouri dèyè lòt, gen youn ki kache pou lòt yo jwenn li.* Annou al fè lago.

**Lagonav** *(La Gonave): np. Awondisman nan depatman Lwès. Yon zile anfas Pòtoprens.*

**lagoni. agoni.** *n. : dènye moman anvan yon moun fè dènye soupi, tikras tan anvan l mouri.*

**lagratèl** *(gratèl): n. Maladi grate, gal.* Asefi gen lagratèl.

**lagrèl**. *n. : Gwo grenn lapli ki tonbe tou konjle.* Timoun yo renmen al benyen nan lapli pou yo wè lè lagrèl ap tonbe.

**lagrikilti** *(agrikilti): n. Ansanm aktivite ki fèt sou yon tè pou fè l pwodwi manje pou moun ak bèt.* Yo fè agrikilti nan peyi Ayiti.

**laj**. *: 1. Kantite ane depi yon bagay kòmanse, depi yon moun fèt; dire yon vi; tan ki pase depi yon moun te fèt.* Ki laj ou? *2. Peryòd nan listwa.* Laj bwonz. *3. Ki pran anpil espas.* Bagay ki laj pran anpil plas. *4. Ki pa sere.* Jip la laj. *5. A. Lespri yon moun ki konpreyansif, ki ouvè, ki gen jenewozite.*

**Laj Kamiy** *(Camille Large): np. Li fèt an 1898 nan vil Jakmèl, Ayiti. Ekriven, avoka, pwofesè Fransè nan Lise Petyon, Lise Nò Aleksi. Li te vin enspektè depatman di-travay nan Jeremi. Li ekri plizyè atik sou edikasyon nan plizyè jounal ak revi. An 1969 li pibliye yon woman kout an kolaborasyon ak Alfrèd Ika (Alfred Icart) Carrefour Sans Visage Nouyòk, Société Haitienne de Publication.*

**Laj Jozafa**, *( Robert Josaphat Large): np. Ekriven, atis teyat, fotograf, komèsan, kontab. Li fèt nan vil Jeremi an Novanm 1942. Li te lekòl kay Frè katolik Jeremi ak Nan Kolèj Sen Masyal. Nan Nouyòk, Josaphat Large te manm fondatè teyat " Kuidor" avèk Sito Cavé, Hervé Denis, Jacques Charlier epi Jean-Marie Roumer. Li pibliye plizyè liv pwezi ak woman, Nerfs du vent 1974, Chutes de mots 1989; woman Les sentiers de l'enfer 1990; Pè Sèt pwezi (1994).*

**lajan**: *n. 1. Ajan, metal koulè aliminyòm, ki sèvi pou fè bijou, senbòl li se Ag.* Bijou lajan, bijou ajan. *2. Espès, kapital, an monnen osnon an papye.* Pou achte, fòk ou gen lajan. *3. Richès.* Yo plen lajan.

**lajè** : *n. 1. Gwosè.* Men lajè madan Edwa. *2. Mezi longè.* Ki lajè bwat la.

**lajeng**: *n. Teritwa ki pa devlope kote gen anpil bèt sovaj.* Ou ka jwenn lyon nan lajeng.

**laji**: *v. Etann, etale, vin pi laj, ogmante nan lajè.* Pa laji rad la, li deja twò gwo pou mwen.

**lajistis**: *n. sistèm kote yo aplike lwa; òganizasyon sistèm jistis; legalite; kote yo rekonnèt dwa moun epi rann jistis. 2. Tribinal.* Li rele l lajistis.

**lajonis** : *n. Lafyèv jòn, maladi ki fè moun vin jòn.* Jera gen lajonis.

**lajounen** : *n. Pandan li fè klè, pandan solèy klere latè.* Lajounen li byen, kou li aswè, li pa bon.

**lajwa**: *n. Kontantman.* Tout moun gen lajwa.

**lak Pelig**. *(Lac Péligre) : Rezèvwa dlo nan wo Latibonit kote Montay nwa ak Chèn Mate rankontre.* Lak Pelig sèvi pou irigasyon ak pou jenere elektrisite.

**lak**. *n. : Gwo basen dlo ki fòme poukò l ak dlo lapli osinon ak dlo rivyè.* Lak yo konn laj anpil men gen ti lak tou. Dlo lak pa gen sèl tankou dlo lanmè, se dlo dous ki nan lak.

**lakal**. *n. : Fon batiman.* Tout machandiz yo nan lakal la.

**lakansyèl**: *n. Koub, sèk ki parèt nan syèl la an fòm liy 7 koulè apre lapli, lè solèy la retounen klere. Solèy la klere gout dlo ki nan lè a, se sa ki fè lakansyèl la.*

**lakay**. *: Kote yon moun rete. Kay.* Depi lè manje mwen rive mwen pa rete deyò, fòk mwen al lakay.

**lakèt, kèt**: *n. Kotizasyon, sa ou mete nan panyen kòm kado pou legliz.* Sakristen an fè lakèt chak jou.

**lakilti** *(kilti): n. 1. Edikasyon, fòmasyon.* Jan se yon nonm ki gen lakilti. *2. Ansanm tradisyon, abitid, kwayans ak mannyè yon pèp.* Lakilti se yon eritaj li ye pou yon pèp. *3. Konesans.* Se paske ou gen lakilti ki fè ou konnen sou lavi tout gran entelektyèl sa yo. 4. *Agrikilti.* Li pa fasil pou fè lakilti nan tè bò isit la.

**lakizin**: *n. Kizin, kote yo fè manje nan yon kay.* Lakizin nan pa gen plas.

**lakochon** : *n. 1. Pati anba po kochon ki gen anpil grès.* Lakochon bay manje gou, men li pa bon pou lasante. 2. *Grès kaye ki soti nan vyann kochon.*

**lakòl**. *n. : 1. Pwodui pou kole papye osinon pou kole bwa. Gòm, siman.* Semèl soulye sa a ap dekole si ou pa kole l ak lakòl.

**lakolèt**: *n. Lakèt, kèt, kotizasyon pou yon rezon espesyal.* Tifrè te ap fè lakòlèt pou nou ka achte yon kado pou Jera.

**lakoloni**: *n. Koloni, tan lè te gen esklavaj.* Nan tan lakoloni, Ayiti te konn pwodui anpil kann.

**lakomedi**: *n. Komedi, fè tenten, fè bagay ridikil.* Joslin ap pran pòz joujou lakomedi.

**lakòt**: *n. Kòt, kote tè kontre ak lanmè, plaj.* Nou pral lakòt jodi a.

**lakou**. *n. : Teren alantou yon kay.* Marya plante legim nan lakou l la. 2. *Òganizasyon sosyal andeyò kote gen yon chèf lakou ki responsab tout moun ki ap viv nan lakou-a. Yo se madanm li, fanmi li ak moun ki depannde li. Li ba yo travay, manje responsablite epi yo sipòte l, obeyi li epi defann li.* 3. *File yon fi.*

**lakranp** *(kranp): n. Pwoblèm tanporè ki fè miskilati (vyann) nan kò yon moun redi epitou fè l mal.* Wozita gen lakranp.

**lakre** *(lakrè): n. Kreyon tif pou ekri sou tablo; kalkè yo moulen epi mete l nan moul pou bal fòm yon gwo kreyon ki sèvi pou ekri sou tableau.* Lakrè tout koulè.

**laksatif** : *n. Medsin, pwodui ki konbat konstipasyon.* Demen m ap pran yon laksatif.

**lakwa**: *n. 1. Kwa.* Fè siy lakwa. 2. *Kalvè, kote yo ekspoze senbòl lanmò Jezi.* Vandredi sen mwen pral lakwa.

**lalèdè** *(lèdè): n. Jouman pou moun ki lèd.* Fi sa a se yon lalèdè.

**lalin** : *n. 1. Yon kò nan lespas ki se yon satelit ki ap vire toutotou planèt tè.* Lalin nan klere. 2. *Règ, peryòd.* Janèt gen lalin li.

**laliy** *(laling, liy, ling): n. Taksi, oto piblik.* Laliy nan pa rete.

**Lalo, Leyon** *(Laleau, Léon). np. : Ekriven ki te kont dominasyon meriken nan ane 1915-1934 la. Li te blije kite peyi a pa fòs, dapre listwa. Li ekri plizyè liv, pami yo gen yonn ki rele "Le Choc" ki te pibliye nan ane 1932.*

**lalo**: *n. Fèy vèt, legim moun kuit nan jadinaj, li sèvi tou kòm remèd.* Beny lalo. Mare yon lalo.

**lalwa**. *n. : 1. Règleman pou sitwayen yon peyi suiv pou li ka konfòm ak prensip peyi a.* Dapre lalwa, ou pa andwa touye yon moun, se pa ou ki pou fè pwòp jistis ou. 2. *Plant anmè ki gen fèy epè, ki leve kote ki pa genyen anpil dlo.* Timoun ki te konn souse dwèt yo te konn tranpe dwèt yo nan lalwa. Yo sèvi ak fèy lalwa pou fè remèd.

**lalwèt**: *n. Pati nan gòj yon moun pa anwo ki pèmèt farenks la fèmen lè ou ap vale, konsa manje pa desann nan wout poumon ou.* Lalwèt li anfle.

**Lamagwa**. *(La Magua) : Wayòm endyen ki te nan zòn nòdès nan Ispayola. Zòn sa a vin rele Vega Reyal apresa.*

**lamare desann**: *n fr. Lanm lanmè desann.* Talè konsa se pral lè lamare desann.

**lamare monte** : *n fr. Lanm lanmè monte.* Talè se pral lè lamare monte.

**lamare** : *n. Lanm lanmè, mare.* Gen lè lamare a wo, gen lè li ba.

**lamarye**: *n. Fi ki pral osnon sot marye.* Lamarye a bèl.

**Lamatinyè**. *(Lamartinière) np. : Nan ane 1802, Lamatinyè te youn nan moun ki te sou kòmandman Desalin. Ansanm ak Mayi misye te devan nan batay Lakrètapyewo a. Ganizon li an te rive kontwole twoup Leklè yo alòske Desalin pat menm la. Madanm Lamatinyè, Marijàn, te aktif nan batay la tou.*

**lamayòt**: *n. Nan tan kànaval, moun degize, ki mache ak yon bwat, lè ou peye yo, yo montre ou sak ladan l.* Lamayòt mwen pa pè ou, se moun ou ye.

**lamè, lanmè**: *n. Gwo espas dlo sale ki kouvri plizyè pati glòb latè.* Lamè a fon anpil. Lanmè kouvri twaka espas sou latè.

**lame**. *n. : Militè. Gwoup moun ki antrene, ame epi prepare pou defann yon peyi.* Mwen pa ta renmen nan lame paske mwen pa renmen lagè.

**lamès** *(lanmès): n. Seremoni relijye katolik.* Nou pral lamès.

**lamitye** : *n. Relasyon ant de moun ki zanmi.* Lamitye pap trayi. 2. *Plant medisinal.*

**lamò, lanmò**: *n. 1. Lè yon moun sispann viv, li pa respire ankò.* Jodi a se annivèsè lamò Kalo. 2. *Gen moun mouri.* Madan Wobè gen lamò.

**lamòd**: *n. 1. Mòd, sa ki fèt nan tan sa a.* Lamòd alèkile pa menm ak lontan. 2. *Alamòd, suiv estil tan kounye a.* Joslin alamòd.

**Lamòt, Lidovik** *(Lamothe, Ludovic). np. : Mizisyen, konpozitè, li fèt Pòtoprens an 1882. Li etidye mizik pyano Pòtoprens ak an Frans. Li fè anpil rechèch nan mizik fòlklorik, li konpoze* *mizik fòlklorik epi pibliye plizyè kont tou.* Gen moun ki rele Lamòt Chopen nwa.

**Lamou Nekita** *(Nekita Lamour): np. pwofesè, ekriven, jounalis, kritik. Li viv nan vil Boston.*

**Lamou Ivon** *(Lamour) : np. Pwofesè, atis, ekriven, animatè radyo nan vil Boston, Ozetazini.*

**lamveritab**. *n. : Fwi ki gen anpil lanmidon ladan l. Yo manje l bouyi osnon fri; gen moun ki fè tonmtonm avè l.* Lontan lavi te sitan bonmache, ou pat bezwen al achte lamveritab, ou te annik keyi l.

**lan**. *adv. : Nan, anndan.* Mwen mete zwazo a lan kalòj la.

**lanbe**: *v. 1. Niche ak lang.* Lanbe asyèt. 2. *Miyonnen, achte figi.* Jak lanbe Janèt.

**lanbè**: *n. 1. Moun ki ap lanbe.* Jan se lanbè, li renmen achte figi moun. 2. *Non yon moun.* Gen yon elèv nan klas la ki rele Richa Lanbè.

**lanbi**. *n. : 1. Bèt lanmè moun manje. Molis. Lanbi viv nan lanmè andedan yon koki ki gen fòm espiral.* Mwen ta renmen manje yon bon lanbi ak berejèn. 2. *Koki.* Gen moun ki renmen koki lanbi a, yo fè lanp osnon lòt bagay dekoratif avè l. 3. *Enstriman pou fè son.* Nan tan esklavay, esklav yo te konn sèvi ak lanbi pou sonnen rasanbleman; se konsa revolisyon an te prepare.

**landmen** *(landemen): adv. Nan demen, jou ki vin apre jou sa a.* Machann nan ap tounen nan landmen.

**landwat**. *: Kote kouti a pwòp.* Pa andedan yon rad se lanvè l men sou deyò l se landwat li.

**lane** *(àne, lanne): n. Peryòd ki dire 365 jou.* Nan yon lane, Jak touche douz chèk.

**lanèj**. *n. : Ti moso glas fenfen ki sot nan syèl la lè fè frèt anpil. Patikil vapè dlo ki konjle anlè epi ki tonbe atè tankou ti kristal fen, koulè blan.* Nan peyi tankou Kanada ak Etazini gen anpil nèj pafwa nan sezon ivè. Pa gen nèj Ayiti.

**lanfè**. *n. : 1. Kote moun sipoze al pase soufrans ak penitans nan flanm dife pou peye pou peche li fè sou latè a. 2. Kote ki fè cho.* Isi a fè cho sou ou konn lanfè.

**lang bèf**: *n fr. 1. Pati nan bouch bèf.* Lang bèf la long. 2 *Resèt jan yo kuit lang bèf.* Kalo konn kuit lang bèf. *3. Desè ki gen fòm lang bèf.* Chak tan Kalin ale nan patisri a, li toujou achte yon lang bèf.

**lang long**: *n fr. 1. Moun ki renmen fè tripotaj.* Bèta gen lang long. 2. *Ki pale moun mal fasil.* Pa di anyen devan Bèta, se moun ki gen lang long.

**lang lou** : *n fr. Ki pale ak difikilte.* Depi apre kriz kadyak la, lang li lou.

**lang**. *n. : 1. Kòd osnon langaj moun itilize pou kominike ak lòt moun.* ki lang ou pale? *2. Pati nan kò moun, andedan bouch li, ki pèmèt li pale, moulen, pran gou epi vale manje. Pati ki pi sansib nan kò yon moun se lang li. Pandan dijesyon, manje a kraze ak dan epi melanje ak saliv. Lang nan kage manje a desann nan ezofaj la ki gide manje kraze a nan lestomak. Lang se ògàn pou pran gou. Lang moun gen depase 10,000 papiy (nè-reseptè-detektè lang) pou pran gou. Gen kèk papiy tou nan gòj ak nan palè a (anlè lang nan). Gen kat gou prensipal nou ka rekonèt; se dous (sikre), se anmè, se si (asid) se sale. Chak gou sa yo gen seksyon pa yo nan lang nan ki pou detekte yo. Gou anmè nou pran l nan zòn sou kote lang nan; gou dous nou pran l nan pwent lang nan, gou si nou pran l nan seksyon pa dèyè lang nan.*

**langaj**. *n. : Jan yon moun pale.* Se langaj moun byen elve ou ap pale la a, sa fè mwen plezi anpil.

**langèt**. *n. : Klitoris, pati nan kò fi.*

**langèz**. *a. : Fi ki ap pale moun mal, ki renmen tripotaj.* Maryàn se moun ki langèz anpil, si ou wè l ap vini, se pou ou pran prekosyon pou ou pa pale devan l, sinon li pral pale ou mal.

**Langichat** *(Teyodò Bobren) (Théodore Beaubrun) : np. Komedyen, atis teyat, dramatij. Li fèt Pòtoprens an Avril 1918. Li te al lekòl nan kolèj Sen masyal, Lise Petyon ak kolèj Tipennawa. Kòm komedyen se moun ki konni toupatou nan peyi a kòm aletranje, kote gen ayisyen. Karyè li dire pase 50 ane. Li mouri an Jen 1998, li te 80 ane.*

**langlichat** *(langchat): n. 1. Fèy pou fè te medikaman pou trete rim ak malgòj ak gagari.* Te langlichat. 2. *Non teyat atis ki rele Teodò Bobren.* Langichat Debòdis.

**lanj gadyen** *(zanj gadyen): Nan kwayans katolik, pèsonaj nan syèl ki ap pwoteje kretyen sou latè a.* Chak moun gen yon lanj gadyen.

**lanj**: *n. Zanj, pèsonaj nan syèl, dapre relijyon katolik.* Chak lanj gen zèl chak bò.

**lanjelis**: *1. tan ki kòmanse a sizè diswa, lè solèy kouche. 2. Priyè espesyal moun ki katolik resite leswa pou pwoteje pandan lanuit kont move lespri. Son klòch nan legliz ki anonse li lè pou fè priyè lanjelis.* Chak swa, kou li lanjelis, mè ak pè yo lapriyè.

**lank**. *n. : Dlo ble maren osnon nwa ou tranpe pwent plim ladan l pou ou sa ekri.* Plim alèkile yo vini ak tout lank la anndan yo nan yon ti tib ki kole ak pwent plim nan konsa ou pa bezwen sal men w.

**lanm** *: n. Vag lanmè.* Lanm lanmè a monte epi li desann tou.

**lanman**: *n. Plant vèt moun manje kòm legim.* Legim lanman.

**lanmè**. *n. : Gran espas dlo sale ki sou latè.* Gen menm twa fwa plis dlo lanmè ke gen tè.

**lanmèd**. *ent. : jouman, vouzan.* Machè ale ou lanmèd!

**lanmen**: *n. 1. De men kontre pou moun salye younalòt.* Jak bay Wobè lanmen. *2. Annaksyon.* Yo kenbe Antwàn lanmen, se pou sa yo arete l.

**lanmidon**: *n. 1. Farin ki soti nan manyòk.* Lanmidon sa a poko fin seche. *2. Pwodwi ki fèt ak farin manyòk, yo mete nan rad pou li ka rèd.* Kalin fin pral pase men se pou li mete lanmidon anvan.

**lanmitan**. *adv. : 1. mitan, nan nannan, pami.* Anayiz chita lanmitan zanmi l yo. *2. Nan kè, omilye, nan nannan.* Mwen te lanmitan estad la lè goumen an pete. Mwen mete chak jennjan yo sou kote mwen epi mwen derape lanmitan yo.

**lanmò**: *n. 1. Moun mouri.* Gen lanmò kay vwazen yo. *2. Lè yon moun pèdi lavi.* Jou lanmò madan Estefèn, li te abiye an ble.

**lanmori** *(mori): n. Pwason sale seche.* Lanmori ak bannann se bon manje.

**lanmou**. *n. : 1. Santiman yon moun santi pou yon lòt moun.* Gende moun ki gen anvi viv ansanm tout vi yo paske yo gen anpil lanmou youn pou lòt. *2. Aksyon yon moun poze lè li ap fè sèks.* Gen moun ki fè sèks sèlman ak moun yo gen anpil lanmou pou li.

**lannwit** *(lannuit, nannwit, nannuit) : n. Peryòd apre solèy kouche ale jiska solèy leve.* Vòlè a vini lannwit.

**lanouriti**: *n. Manje.* Moun yo manke lanouriti.

**lanp bòbèch** *(lanp tèt bòbèch): n fr. Lanp ki fèt ak vit ki gen yon mèch koton, yon vè lanp pou pwoteje flanm nan epi ki mache ak gaz.* Lanp bòbèch la pi gwo pase lanp tèt gridap la.

**lanp**: *n. Aparèy pou klere.* Limen lanp la.

**lanp tèt gridap**: *n fr. Lanp ki fèt ak bwat lèt ki gen yon mèch koton epi ki boule gaz.* Limen lanp tèt gridap la.

**lanpèrè** *(anperè, anprè): n. Moun ki alatèt yon anpi.* Soulouk te lanperè nan peyi Ayiti.

**lans**: *n. Manch.* Kenbe chodyè a nan lans.

**lansan**. *n. : Pwodui moun brile pou odè li bay osinon pou enspirasyon li pote nan seremoni.* Gen moun ki renmen brile lansan lè yo ap lapriyè.

**lanse**. *v. : 1. Voye yon kòd pou rale yon bagay, yon moun ou byen yon zannimo. 2. Doulè ki mòde lage.* Mwen santi kote mwen te fè operasyon an ap fè mwen mal, li ap lanse mwen fò.

**lantèman**. *n. : Sèvis pou yon moun ki mouri, anvan yo antere kò a.*

**lantikite** *(antikite): Tan ki pase lontan. Nan tan lontan*

**lantiray** *(lantouray): n. Separasyon pou bare yon kote osinon yon bagay.* Pa janbe lantiray la.

**lantiy** : *n. 1. Moso glas transparan ki gen de sifas koube osinon youn plat youn koube. Lè yon reyon limyè antre nan yon lantiy, li rapwoche reyon (lantiy konvèks [konsantre]) osinon li separe reyon yo (lantiy konkav).* Gen lantiy konkav, lantiy konvèks, lantiy bikonkav, lantiy bikonvèks, plan-konvèks, plan-konkav, lantiy konvèjan, lantiy divèjan. *2. Youn osinon plizyè lantiy ansanm fè Zouti optik ki ka fè yon bagay parèt pi gwo osinon pi piti. Tankou mikwoskòp, kamera, teleskòp, linèt.. 3. Linèt.* Doktè di lantiy sa yo twò fèb. *4. Pati nan zye moun ak bèt lantiy nan zye konsantre reyon ki antre nan pipy zye a epi li fòme yon imaj sou retin zye a. 5. Yon kalite pwa moun ka manje.* Kalo sot manje yon bòl lantiy.

**lantman** : *a. San vitès, dousman.* Mache lantman.

**lantouraj** *(lantouray, antouray): n. Separasyon pou bare yon kote osinon yon bagay.* Pa janbe lantouraj la.

**lanvè**. *adv. : Ki pa landwat.* Rad la lanvè sou ou, kijan ou fè pa wè sa?

**laparans**: *n. Aparans, sa ki parèt.* Pa gade moun sou laparans.

**lapè** : *n. 1. Tan kal, lè pa gen dezòd.* Nou gen lapè isi a. *2. Fen lagè.* Apre lagè, se tan lapè. *3. Silans.* Ban nou lapè. *4. Laperèz.* Janin gen lapè.

**lapèch**: *n. Aktivite peche pwason.* Jak ale lapèch.

**lapen**. *n. : Bèt ki gen zòrèy long, yon ti ke tou kout, epi plim sou kò l yo dri epi yo bèl.*

**lapèsonn**: *n. Yon moun kèlkonk. Entèl, moun ou pa vle nonmen non li.* Lapèsonn te fèk la a.

**laplanch**: *flopte*

**laplas**: *n. Plas piblik.* Moun yo al sou laplas.

**Laplenn Dinò**. *(Plaine du Nord) : Plenn ki nan depatman dinò, bò Okap.*

**laplenn**. *n. : 1. Espas tè plat nan nivo lanmè ki ka fè agrikilti.* Manman mwen te konn mennen mwen al pase vakans laplenn chak ane. *2. Katye plat nan zòn nèwès Pòtoprens.* Moun ri rete Laplenn gen anpil lakou epi yo gen anpil dlo.

**lapli**: *n. Dlo ki tonbe sot nan syèl la. Dlo ki fòme lè vapè kondanse epi ki tonbe sou tè a gout pa gout.* Gen ti lapli ki fè farinay , gen gwo lapli ki fè lavalas desann.

**lapolis**. *n. : Gwoup gad òganize ki gen responsabilite kontwole lapè epi lòd nan yon vil.* Lotrejou mwen pase devan biwo lapolis la mwen wè plen gad ogadavou.

**lapòs**: *n. Kote yo vann tenm epitou distribiye lèt ak pake.* Jak ale lapòs.

**lapriyè**. *n. : 1. Konvèsasyon yon moun fè ak Bondye osnon ak Sen.* Mwen pral legliz la a pou mwen al lapriyè pou mwen ka pase egzamen mwen an. *2. Seri litani osnon literati ki ekri pou lwanje Bondye.* An nou resite priyè sa a, li bon pou moun ki pèdi espwa.

**Lapyè Bòb** *(Lapierre Bòb): Li fèt Pòtoprens. Kounye a misye ap viv nan Nouyòk. Li se atispent epitou li se aktè. Misye jwe nan plizyè fim ayisyen. Younn ladan yo se " Lavi Ayisyen nan Nouyòk ". Bòb Lapierre te responsab youn ribrik nan jounal Ayiti Ekran kote li te konn pibliye anpil ti istwa sou fòm bann desine. Liv misye ekri se: The Haitian poet in North America (1984); Malfini-Byenfini, pwezi, (1986);* eksetera.

**laraj** *: n. 1. Maladi kontajye mòtèl ki pase soti nan yon bèt enfekte ale sou yon moun (osinon yon lòt bèt) lè sa ki enfekte a mòde sa ki pa enfekte a. Se yon viris ki responsab enfeksyon an.* Chyen sa a gen laraj. 2. *Kolè ki vini ak agresyon, ak vyolans fizik osinon vèbal.*

**Larak Ivon** *(Yvon Laraque): np. Militan nan lit ame kont F. Divalye. Yo tiye l pandan yon envazyon Jèn Ayiti nan Jeremi. Apre yo tiye li, Divalye fè ekspoze kadav li Pòtoprens tou pre ayewopò a pandan 2 jou.*

**Larak Pòl**, *(Pauk Laraque) alyas Jacques Lenoir: Li fèt Jeremi 21 Septanm 1920. Powèt, eseyis, li te fè etid li Pòtoprens. Li te al lekòl militè epi li fè karyè militè Ayiti. Li kite Ayiti ak lavi militè epi li al viv Ozetazini. Non ekriven li se Jacques Lenoir. Li pibliye Ce qui Demeure 1973 Monreyal, Kanada ak Fistibal an 1974. Liv sa a te tradui an angle. Li ekri yon lòt liv an fransè ak an kreyòl ki rele Sòlda mawon.*

**larat** *: n. Ogàn, nan sistèm lenfatik, li patisipe pou pwodui selil blan (lenfosit) ki nan san yo.* Doktè retire larat madan Wolan.

**larèn**: *n. 1. Rèn, femèl wa.* Wa se mari larèn nan. 2. *Non yo bay yon fi ki pran anpil espas.* Men larèn nan.

**larenks**: *n. Yon ògàn ki gen miskilati ak katilaj ki sou anwo trache-a epi ki gen kòd vokal yo.* Moun ki malad nan larenks konn pa ka pale.

**larezonnen**: *n. Salitasyon pou joudlan.* Jak al swete larezonnen.

**lari**. *n. : 1. Espas piblik pou machin sikile, poun moun mache. Ki pa andedan kay.* Antre anndan pou ou manje, ou pa dwe manje nan lari a konsa a. Fè atansyon lè ou ap travèse lari a.

**larim**: *n. Flèm ki soti nan gòj epi ki pase nan nen.* Siye nen ou, li plen larim.

**larivyè**. *n. : Rivyè. Dlo dous ki an mouvman, ki pase nan yon zòn epi ki al tonbe nan lanmè osinon nan yon lak.* Lè gen anpil lapli larivyè desann epi kamyon paka pase.

**las** *: 1. Kat.* Nan jwèt twasèt, las vo yon pwen. 2. *Opresyon, maladi ki fè moun pa kapab respire nòmalman.* Ti gason mwen an pap kapab al nan pwonmnad la paske li gen las.

**lasal**: *n. Salon.* Yo envite Edit chita nan lasal la.

**lase**: *v. Mare lasèt nan soulye, fè ne.*

**Lassegue, Marie-Laurence**: *np. Jounalis, edikatè, feminis, politisyen. Li fèt nan àne 1955. Li te direktris jounal "Haiti Libérée", direktris lekòl jounalis, direktris enfòmasyon nan Televizyon Nasyonal Ayiti (TNH), apresa li te vin Minis enfòmasyon ak ko-òdinasyon. Se yon moun ki renmen, ki pouse epitou ki respekte kilti Ayiti. Se yon feminis ki vle wè plis fi patisipe nan aktivite politik ak ekonomik peyi Ayiti.*

**Lasèl**. *(La Selle) : 1. Mòn ki pi wo Ayiti.* Yon jou mwen va al fè yon vwayaj nan mòn Lasèl. 2. *poupou.* Timoun nan pa al lasèl depi de jou

**lasent jounen**: *n fr. Toutan, san rete, souvan.* Se tout lasent jounen li ap kriye.

**lasentsèn**: *n. Seremoni nan relijyon kretyen lè fidèl yo al manje pen epitou bwè diven; pen an raple kò Jezikri epi diven an raple san Jezikri ki te koule.* Jak pran lasentsèn.

**lasèt**: *n. Kòd ki kenbe soulye.* Mare lasèt ou.

**lasi** *: n. 1. Parafin ki fè bouji.* Bouji a fonn, li tounen lasi nèt. 2. *Sekresyon ki soti nan zye.* Je li plen lasi.

**lasibab**: *n. Rès manje.* Kalo pa renmen manje lasibab moun.

**lasigal**: *n. Sigal, ensèk ki konn fè son pike.* Plen lasigal nan Dèlma pandan mwa vakans yo.

**lasini**: *n. Pwazon vyolan.*

**Lasiri** *( Syrie): np. Peyi Siri.* Moun ki soti nan peyi Lasiri yo rele siryen.

**lasisin** *(fè lasisin): v fr. Manje tikras pa tikras, lantman.* Kalin ap fè lasisin ak yon ti bout fwonmaj.

**Laskawobas** *(Lascahobas): n p. Vil peyi Ayiti ki nan zòn Repiblik Dominikèn.*

**Laskasas Batelemi** *(Barthélémy Las Casas): np. Prèt katolik ki rive nan zile Ayiti pandan twazyèm vwayaj Kristòf Kolon. Li te vle pwoteje endyen yo blan yo te ap maltrete, li konseye yo ale chèche moun nwa nan kontinan Afrik pou blan yo ka eksplwate. Li te di yo nwa yo pat moun. Gen moun ki mande l poukisa, yo te batize nwa yo si yo pat moun.*

**lasnal**: *n. 1. Kote tout pyès lagè yo ye.* Annou pase devan lasnal la. *2. Fyèl, kouray.* Kalo se yon nonm ki gen lasnal.

**lasosyete**: *n. 1. Sosyete, gwoup moun ki gen apeprè menm abitid, prensip, tradisyon epi ak mannyè.* Sosyete Ayisyen an. *2. Lelit yon peyi.* Ou pa ka fè bagay lèd devan lasosyete.

**lasoudorèy**: *ki pa vle tande. Ki fè tankou li pa tande. Ki refize reyaji apre yon konsèy.*

**lasous** *(sous): n. 1. Kote ki gen dlo ki ap soti nan tè. 2. Orijin kote yo bagay kòmanse.*

**Lasuis** *(Suisse) : n p. Peyi ki nan kontinan Ewòp.* Lasuis se yon peyi tou piti men ki rich anpil.

**lasyans**: *n. Metòd pou etidye, chèche konnen epi pou devlope konesans.*

**lasye** *(asye): n. Metal, melanj fè ak kabòn ki trete pou li ka vin trè di.*

**Lasyèd** *: np. Peyi ki nan kontinan Ewòp.* Moun ki soti nan peyi Lasyèd rele syedwa.

**lasyès**: *repo moun pran vè midi, apre manje.*

**latànye** *(latanyen): n. Fèy plant ki sèvi pou atizana ak pou kontriksyon tanporè.* Pànye latànye.

**latè** *: n. 1. Glòb tèrès, planèt nou ap vin ladan l lan.* Latè a won kou yon boul. *2. Monn sa-a ki diferan de paradi ak lanfè. 3. Espas ki diferan de lanmè ak anlè. 4. Ki gen relasyon ak tè.* Travay latè.

**latèks**: *n. Pwodui ki sanble ak lèt epè nou jwenn nan kèt plant tankou plant kawoutchou yo te konn itilize pou fè pwodui an kawotchou ak plastik. Kounye a yo itilize pwodui sentetik.*

**lateras**: *n. Teras, galeri.* Annou al pran yon ti likè sou lateras la.

**laterè**: *n. lapè ki boulvèse moun ki fè li pa ka deplase. Kondisyon kote ki gen anpil krim ak teworis. Sitiyasyon ki fè tout moun pè.*

**latètopye**: *depi nan tèt rive nan pye. Tout kò.* Li mouye latèt-opye.

**Latibonit** *(Artibonite): np. Depatman ki gen Gonayiv kòm vil prensipal ak chèflye. Li gen 5 awondisman, 15 komin, 6 katye ak 62 seksyon kominal. Zòn jeyografik ki mezire apeprè 300 kilomèt kare. Depatman kote tè a rich, li pwodui anpil. Gen yon rivyè tou ki rele rivyè Latibonit. Rivyè sa a wouze anpil tè pou fè diri. 2. Non yon gwo rivyè nan Depatman Latibonit. Li gen debi ant 20-34 mètkib pa segonn. Li ta kapab irige dimil ekta tè.*

**latitid** *: n. Liy imajinè sou glòb la ki paralèl ak liy ekwatè.* Eske ou konn nan ki latitid Ayiti ye? *2. Degre libète ki genyen nan sitiyasyon.* Mwen pa gen anpil latitid nan travay la jodi a, nou pap ka rankontre.

**latonm** *(tonm): n. Kote yo mete moun mouri pou li dekonpoze san li pa enfekte moun ki vivan. Kote yo mete moun mouri pou ba li respè li merite. Moniman pou moun ki mouri.*

**Latòti** *(L'île de la Tortue): np. komin nan awondisman Pòdepè nan depatman Nòdwès. Zile anfas Pòdpè.* Okòmansman lè Fransè yo te vin etabli kòm kolon nan zile Ayiti, se Latòti yo te ale an premye. Se te Flibistye ak boukànye te konn al kache la.

**Latortue, Francois** *(Franswa Latòti): np. Ansyen minis jistis, fondatè MODELH, ansyen kandida pou prezidan.*

**Latortue, Gerard** *(Jera Latòti): np. Ansyen minis afè etranjè sou gouvènman Maniga, anvan sa li te direktè divizyon aktivite espesyal nan ONUDI, yon seksyon espesyalize nan Nasyonzini.*

**Latòti, Paul** *(Pòl Latòti): np. Politisyen, komèsan. Ansyen Minis Afè etranjè, li te direktè biwo touris nan Monreyal, Kanada. Li se/te pwopriyetè Hotèl Zaragwa.*

**latous**: *n. Maladi ki fè moun touse.*

**Latousen**: *np. Fèt pou onore sen nan legliz katolik.* Jou latousen se premye novanm.

**latranblad**: *n. Souke san kontwòl.* Jera gen latranblad.

**latrin**: *n. Kote pou moun al poupou.* Latrin lan nan lakou a.

**latriye**. *adv. : Yon bann , yon pakèt, anpil.* Kote latriye moun sa yo prale, mwen pa gen plas pou tout moun sa yo.

**Gladis Loti** *(Lauture, Gladys) : np. Komèsan, politisyèn. Pwopriyetè famasi, laboratwa medikal ak lòt aktivite komèsyal nan Pòtoprens. Li patisipe ak anpil enterè pou Ayiti soti nan kriz apre Divalye ale. Li se/te konseye Prezidan Aristid.*

**latya**: *n. 1. Dèyè, bounda, fyèl, nanm.*

**lav**: *n. 1. Wòch fonn ki soti nan vòlkan.* Gen lav ki ap soti nan vòlkan an kounye a. *2. Etap nan lavi ensèk.* Lav sa a pral tounen yon papiyon.

**lavabo**: *n. Kivèt fiks pou lave men.* Pa gen dlo nan tiyo lavabo a.

**lavaj** *(lavay): n. Netwayaj, lesiv, lavman.*

**lavalas**: *n. 1. Dlo ki desann lè lapli tonbe anpil epi ki pote sab ak tè.* Pral gen yon gwo lapli ki pral vini, li pral fè yon lavalas la a. 2. *Pati politik ki prezante Jean-Bertrand Aristide kòm kandida nan eleksyon pou prezidan nan kolaborasyon ak FNCD ( Fwon Nasyonal pou Chanjman ak Demokrasi). Pati politik Lafanmi Lavalas vin ranplase Pati Lavalas.*

**Lavan**: *fèt katolik*

**lavangad**: *pati nan yon gwoup ki mache devan pou pwoteje gwoup la.*

**lavant**: *n. 1. Aktivite komès kote moun ap vann lòt ap achte.* Kijan lavant la ye jodi a.

**lavaris** *(avaris): n. pasyon ak atachman moun gen pou akimile lajan ak byen materyèl.*

**lave men** : *v fr. 1. Netwaye men ak dlo epi savon.* Lave men ou anvan ou al manje. 2. *Abandonen.* Mwen lave men mwen nan bagay sa a.

**lave**. *v. : 1. netwaye salte ak dlo e savon.* Si ou konn lave tifi, kouman rad la fè sal sou ou konsa a, men savon, al lave l. 2. *Joure.* Monkonpè mwen lave m poutèt yon senk goud mwen dwe l.

**lave-pase** : *v fr. Fè tout travay ki pèmèt ou netwaye epi pase rad.* Madanm sa a lave-pase isi a.

**laverite**. *n. : Di yon enfòmasyon jan li te pase vrèman, san wete, san mete.* Laverite, machè, sèke mwen pa renmen ou ankò.

**lavetèt**. *n. : 1. Lave cheve ak savon osinon ak fèy. 2. Premye etap nan inisyasyon nan vodou.* Se konsa apre lavetèt la, moun nan ki vin inisye a vin pwòp tout move zespri soti nan tèt li.

**lavèy**: *n. Jou ki vin anvan jou ou ap palede li a.* Lavèy maryaj Monik, li te al danse.

**lavi**. *n. : 1. Ki pa mouri, ki ap evolye, ki ap grandi, gwosi, ki gen nanm.2. Tan moun pase ant nesans ak lamò.*

**laviktwa**: *n. Genyen yon batay, pote bon rezilta.* Ekip nou an pote laviktwa.

**lavil**. *n. : 1. Pati ki gen komès nan yon vil.* Mwen gen pou mwen desann lavil al fè kèk komisyon endsèjou, mwen poko gen tan. 2. *Ki pa riral.* Mwen pa moun lavil mwen menm, se peyisan mwen ye, mwen pa abitwe ak tout bagay sa yo. 3. *Oganizasyon sosyal moun mete sou pye avèk yon majistra pou mennen, moun yo peye taks epi òganizasyon an bay sèvis tankou ranmase fatra, dlo potab, sekirite ak amizman.*

**laviwonn dede**: *n fr. Jwèt timoun kote yo vire won anpil, jistan tèt yo vire, yo toudi.* Pa vin fè laviwonn dede andedan kay la.

**laviwonn**. *n. : vire won.* Mwen pa gen tan pou mwen pèdi, sispann fè mwen fè laviwonn.

**lavman**: *n. Tretman pou netwaye trip, ki bay dyare.* Yo ka pran lavman ak bòk.

**lavni**: *n. Tan ki ap vini pi devan.* Moun yo ap prepare lavni yo.

**Lavo, Etyèn** *(Lavaud, Etienne). np. : Kòmandan franse ki te anba kòmandman Sontonaks. Dapre listwa, Tousen te sove l jis anvan yon milat te manke touye l. Li te vin fè Tousen Lyetnan Jeneral poutèt sa.*

**Lavout** *(La Voûte) (mòn): Mòn Lavout se yon sit akeyolojik Ayiti kote genyen yon seri gwòt estra-òdinè nan Sid Ayiti, toupre Pòtapiman.* Yo klase gwòt Lavout yo kòm nimewo de nan zòn karayib la. Annayiti se nimewo en.

**lavwa**: *n. enstalasyon kote moun lave rad. Li gen dlo tiyo ak kote pou moun savonnen, blayi epi seche.*

**Lawòch Maksimilyen** *(Maximilien Laroche): np. Ekriven, kritik literè, profesè literati nan inivèsite Laval, Kebèk, Kanada. Li resevwa dekorasyon grad chevalye nan men prezidan Preval pou kontibisyon li nan devlopman ak pwopagasyon literati ayisyen nan peyi etranje.*

**Lawòch Monseyè Leyona-Petyon** *(Leonard-Petion Laroche). Pè katolik, li te Evèk nan dyosèz Hench. Li fèt nan Lavale Jakmèl.*

**lawon**: *n. Brigan, vòlè.* Gen bon lawon, gen move lawon.

**Lawonn** *(La Ronde) : np. Jounal entelektyèl ki soti premye fwa an 1898. Se Masiyon Kwakou ki te alatèt Lawonn.*

**lawonte** : *Wont, pa alèz, jennen.* Ou te dwe gen lawonte pou sa ou fè a, gwo granmoun tankou w!

**lawoujòl**: *n. Maladi moun pran lè yo gen yon enfeksyon ak yon viris. Li kontajye anpil epi li ka touye moun.* Lè yon moun genyen lawoujol li gen la fyèv epi yon bann bouton wouj leve sou po l. Gen vaksen pou pwoteje moun kont lawoujòl.

**lawouze**. *n. : Dlo ki soti nan lè a (vapè dlo) lannuit epi ki kondanse sou fèy plant.* Lè ou jwenn tè a mouye lematen , se lawouze ki fè sa.

**lay**: *n. Epis ki gen odè fò pou met nan manje sale.* Lay òganize an plizyè dan ki kole ansanm pou fè yon gous. Po lay.

**laye**. *n. : 1. Pànye plat, laj, san manch ki gen rebò won ki sèvi pou vannen epi separe pay ak sa ki bon.* Vannen diri a nan laye, konsa tout pay yo ap sòti pi fasil. 2. *Layite.*

**Laye kongo**: *Dans kongo ki gen yon mouvman ralanti.*

**Layens Yanik** *(Layens Yanick) : np. Ecriven, pwofesè literati ayisyèn. Li fèt Ayiti nan ane 1953. Li te etidye Ayiti ak an Frans (Sòbòn). Li pibliye L'Exil, Entre l'Ancrage et la Fuite,* *l'écrivain haitien yon analiz, 1990, Edisyon Deschamps, Pòtoprens. Tante Résia et les Dieux yon woman kout 1994, edisyon L'Harmatan, Frans.*

**layite**: *v. Pran dèz kò, layite kò.* Jera vin layite kò l anba tonèl la.

**Laza, Adriyen** *(Lazard, Adrien). np. : Yon sitwayen meriken ki te gen yon kontra ak gouvènman Ayisyen an pou l louvri yon bank nan peyi a. Laza t ap mete yon milyon, gouvènman Ayisyen an t ap mete 500 mil an kapital. Kòm gouvènman an pat kapab jwenn lajan an pou l te met atè, kontra a pat kenbe. Laza rele gouvènman an nan tribinal pou sa. Bagay sa a te koze kont pwoblèm.*

**Lazi** *(Azi) (Asie): youn nan kontinan, se pi gwo kontinan, li antoure ak oseyan aktik, oseyan endyen ak oseyan pasifik.*

**lè**. *n. : 1. melanj gaz ki envizib, ki antoure latè epi ki sèvi pou moun ak bèt respire. Gaz sa nou respire a.* Lè a tou patou menm si nou pa wè l; si pa gen lè, yon moun ap toufe. 2. *Pandan, omoman.* Lè mwen di ou sa a, mwen gentan kouri byen vit al rele ponpye. 3. *Aparans.* Gade lè ou non! 4. *Melodi yon mizik.* Ban mwen lè mizik batèm nan. 5. *Epòk.* Nan lè pa mwen pat gen minijip.

**lebra**: *n. 1. Bay sipò.* Bay grann lebra pou l monte eskalye a. 2. *Akonpaye.* Parenn nan bay lamarye lebra.

**lèd**. *a. : Ki pa bèl.* Kay sa a lèd papa, ki moun ki bati l?

**lèdè**: *n. Aparans, eta sa ki lèd.* Bagay sa a se yon lèdè nan figi moun la a.

**ledikasyon** *(edikasyon) : n. 1. Ansèyman.* Lekòl sa a bay timoun yo bon ledikasyon. 2. *Mannyè, savwaviv.* Timoun sa yo gen bon ledikasyon. 3. *Fòmasyon.* Ledikasyon elèv yo resevwa isi a ap fòme yo pou lavi.

**lèfini**: *adv. Apre, apresa.* Jan ale lèfini li tounen.

**lèg** : *n. Zwazo bèk kwochi ki vole nannuit.* Lèg la ateri nan lakou nou an.

**legal**: *a. 1. Ofisyèl.* Dokiman legal. 2. *Ki fèt dapre sa lalwa mande.* Pwosedi sa a legal.

**Legayè, Sèj** *(Serge Legagneur): np. Powèt, anseyan. Li fèt Jeremi an Janvye 1937, manm ko-fondatè gwoup Ayiti Literè Haiti Littéraire. An 1965 li al viv Canada. Li pibliye Textes interdits, 1966; Textes en Croix, 1978; Le Crabe, 1981; Inaltérable, 19883; Textes Muets, 1987; Glyphes, 1989.*

**legba**: *np. Dapre kwayans vodou, se lwa ki louvri pòt. Li veye wout ant mond natirèl ak mond espirityèl. (Li ta vle raple Sen Pyè nan legliz katolik). Se li yo envoke an premye nan yon seremoni Vodou. Se li ki responsab pou louvri baryè osinon pou tabli kominikasyon ant moun latè ak lwa lòtbò. Legba reprezante tankou yon gason ki mèg, vye granmoun, ki bwate, ki mache ak yon baton epi ki ap fimen yon pip. Yo rele l papa Legba tou.*

**legen** *(bay legen): v. Abandonne.* Bay legen.

**legim vèt** : *n fr. Manje fèy.* Manje legim vèt, l ap bon pou ou.

**legim**. *n. : Plant moun manje. Gen legim vèt, jòn osnon wouj. Yo gen anpil vitamin ladan yo epi yo pa fè moun gwosi.* Mwen pral kwit yon bon toufe la a ak bonkou legim ladan l, ou vle?

**legliz** : *n. Bilding kote kretyen al lapriyè.* Legliz Senjan.

**Lègriyo** *(Les Griots). : Gwoup Ayisyen ki te fè pwomosyon ras nwa. Te gen yon jounal ki te rele konsa tou.* Franswa Divalye te manm nan gwoup sa a.

**lejè**. *a. : 1. Ki pa lou.* Malèt sa a lejè paske li pa gen anyen ladan l. 2. *Ki fasil pou atake moun.* Men ou lejè papa, mwen di ou rete trankil, si ou kontinye ap ban mwen kou mwen ap goumen avè w.

**lejèman**: *adv. Pa anpil, tou piti.* Li fè mye lejèman.

**Lejèn Ayiti** *(Le Jeune Haiti). : Se piblikasyon ki te premye parèt an 1894. Se Jisten Lerison ki te alatèt plizyè entelektyèl ansyen elèv Lise Petyon sa yo. Revi sa a te fè pwomosyon lafami Ayisyen.*

**Lejip** *(Ejip)(Egypte): np. Peyi nan kontinan Afrik ki bay sou lamè Mediterane. Lejip se yon ansyen kilti ki gen depase 4500 ane anvan Lekris. Langletè te vin okipe Lejip ant 1882 ak1922. Lejip gen 51 milyon mou sou yon teritwa yon milyon kilomèt kare. Kapital li se Lekè (Le Caire).*

**lejitim**: *a. 1. Ki rekonni devan lalwa, ki legal.* Tit pwopriyete sa yo lejitim. 2. *Ki fèt andedan relasyon maryaj.* Pitit lejitim.

**Lejitim, Franswa Deni** *(Légitime, François Denis). np. : Prezidan Ayiti depi 16 desanm 1888 rive jous 22 out 1989. Msye te toujou nan hingjang ak jeneral Flòvil Ipolit.*

**lekipay, ekipay**: *n. 1. Tout sa ki nesesè pou sele bourik, cheval ak milèt.* Lekipay la fin pare, annou ale. 2. *Tout sa yon vwayajè bezwen pou yon ekspedisyon.* Lekipay la te pare depi yè. 3. *Ekip moun ki ap pati ansanm nan.* Ekipay la gen eksperyans.

**Leklè, Franswa** *(Leclerc, François). np. : Pirat franse ki te detwi vil ki te rele Yagwana a an 1553. Se vil sa a ki rele Pòtoprens jodi a.*

**Leklè, Jeneral Chal Viktò** *(Leclerc, Général Charles Victor). np. : 1772-1802. Bòfrè Napoleyon Bonapat. Li te alatèt 45 mil nan* *sòlda lame franse. Men a tout sa, li pat rive genyen kontwòl koloni an. Nèg yo kraze lame mouche.*

**lekòl lage** *: n fr. San kontwòl.* Kounye a manman Solanj pa la, se lekòl lage.

**lekòl leta** *: Lekòl ki fonksyone ak lajan leta epi timoun ki al la pa gen pou peye lajan pa mwa.*

**lekòl prive** *: Lekòl ki gen administrasyon prive, etidyan yo peye chak mwa konpare ak lekòl leta kote moun pa bezwen peye.*

**lekòl***: n. Bilding kote yo aprann moun li, ekri, metye, ladrès, teknik, analiz ak konsyans sosyal. Kote yo bay enstriksyon ak fòmasyon.* Lekòl matènèl, lekòl diswa, lekòl primè, lekòl segondè, lekòl kouti, lekòl kuizin, lekò agikilti, lekòl riral, lekòl jeni, lekòl militè. 2. *Gwoup ekriven atis osinon filozòf ki suiv menm teyori, men mouvman.*

**Lekont, Sensinatis** *(Leconte, Cincinatus). np. : Prezidan Ayiti depi 14 Out 1911 jiska 8 Out 1912. Msye te mouri nan yon gwo eksplozyon ki te gen nan palè nasyonal la.*

**lekontrè***: n. Opoze.* Wo se lekontrè ak ba.

**lekti***: n. 1. Aktivite lè yon moun ap li yon bagay ki ekri.* Chak jou elèv yo fè lekti. 2. *Tèks pou elèv yo li.* Lekti sa a gen anpil mo nouvo

**lelit***: n. 1. Moun nan sosyete a ki pi devan nan lajan osinon nan panse ak ideyoloji.* Lelit entelektyèl. 2. *Moun ki ap fè chemen pou lòt suiv, lidè.* Zansèt nou yo se yon lelit nan goumen kont lesklavaj. 3. *Fiksyon sosyal, ilizyon siperyorite ki egziste baze sou yon seri valè ki fo.* Jan se moun lelit, li pa enterese nan pwoblèm lamas.

**leman**. *n. : Yo moso fè ki gen kapasite pou l atire fè kole avè l.* Mari ranmase klou li te jete yo ak yon leman.

**lematen** *: n. 1. Nan maten.* Li pran kafe lematen sèlman. 2. *Toulejou nan maten.* Lematen li toujou ale a setè.

**lèmò**. *: Jou ki premye novanm se jou lèmò.* Jou lèmò sa a se gwo fèt, gen anpil gede nan lari a.

**lemond** *(lemonn). n. : Latè, tout moun ki ap viv sou latè a.* Nouvèl la gaye lemond.

**Lemwàn Bòb** *(Bob Lemoine): np. Sinematograf, ekriven, animatè radyo. Li fè monte premye estidyo fim 35 milimèt Ayiti, estidyo Klèrimaj. Li pwodui Olivia (1977), Echec au Silence (1985), Gabèl seri televize. Li te koni anpil Ayiti kòm yon animatè dinamik ak yon vwa orijinal. Li kòmanse nan radyo nan Radyo Ayiti an 1964. An 1969 li patisipe nan fondasyon Radyo Metwopòl. An 1994 li ale rete Ozetazini, la, li kontinye ekri, fè radyo nan vil Nouyòk, an 1999, li te vin korespondan pou Lavwa De-Lamerik.*

**Lenbe** *(Limbé): np. Awondisman ak komin nan depatman Nò.*

**lendèks** *: n. Dwèt ki ant pous ak lemajè.* Fito frape lendèks li.

**lendepandans** *(endepandans): n. Lib, mèt tèt li, ki pa depann.* Peyi Ayiti pran lendepandans li depi nan ane 1804.

**lendi, lelendi**. *n. : jou ki vini apre dimanch.* Chak lendi mwen al fè lesiv.

**lengratitid** = *engratitid*

**lenguis***: espesyalis nan lenguistik*

**lenguistik***: n. Syans ki etidye fòmasyon, fonksyonman ak evolisyon lang.* Jera ap fè etid lengwistik.

**lenj**. *n. : Twal fi mete sou yo lè yo gen règ yo.* Kounye a gen anpil moun ki pito sèvi ak kotèks pase yo sèvi ak lenj.

**lenjistis** *(enjistis): n. Sitiyasyon ki pa jis osinon ki enjis.* Pa fè lenjistis.

**lenkonduit** *(enkonduit) : n. Konduit ki pa kòrèk.* Jak fè anpil lenkonduit, se pousa yo mete l atè nan travay li a.

**lenn** *(lèn): n. 1. Dra epè pou kouvri, pou pwoteje kont fredi.* Lenn sa a cho. 2. *Materyèl, tip twal cho ki fèt ak po mouton osnon lòt ovide.* Twal pantalon sa a se lenn. 3. *Pati nan kò moun kote kuis kontre ak anbativant.* Li gen doulè nan lenn.

**lennmi***: n. 1. Moun ki pa zanmi ou.* Li pat konnen Jera te yon lennmi pou li. 2. *Nan lagè, ekip nan kan advèsè a.* Sòlda yo pare pou lennmi an.

**lenpresyon** *(enpresyon): n. 1. Opinyon, panse, lide.* Enpresyon Evlin sèke yo pap pran l nan travay la. 2. *Imaj, aparans, efè.* Jaklin fè bon enpresyon sou bòs la. 3. *Jan yon tèks enprime.* Yo ba ou yon bon kalite lenpresyon.

**lenprimri***: enprimri*

**lensètitid***: ensètitid*

**lensten***: ensten*

**lenstriksyon***: enstriksyon*

**lentansyon***: entansyon*

**lentèmedyè***: entèmedyè*

**lenterè***: enterè*

**lenteresan***: enteresan*

**lenteryè***: enteryè*

**lèp***: n. Maladi po atrapan moun pran nan basiy Hannsenn.* Lèp se yon maladi ki wonyen vyann moun.

**lepè***: n. Gason ki gen anpil laj.* Lepè sa a gen katrevendizan.

**lepèdan***: n. Moun ki pèdi nan yon jwèt.* Jodi a, se ou ki lepèdan.

**Lerison Jisten** *(Justin Lhérisson): np. Ecriven, jounalis, pwofesè, avoka. Li fèt 10 Fevriye 1873. Li te etidye nan Lise Petyon epi li te enfliyanse kontanporen li depi li te jenn gason. Li se yon ekriven enpòtan an jenerasyon Lawonn nan literati Ayiti. Li fonde plizyè jounal ak revi (La Jeune Haiti, Le Soir). Se Lerison ki ekri tèks "La Desalinyèn" im nasyonal la. Li ekri plizyè woman, "La famille des Pitite Caille" ak "Zoune Chez sa Ninnaine". Li mouri an 1907, li te gen 34 an.*

**Lestè** *(Lestère): np. Komin nan awondisman Gonayiv nan depatman Latibonit.* Gen anpil plantasyon ak komès diri nan Lestè.

**Leyogàn** *(Léogane) : np. Awondisman ak komin nan depatman Lwès. Li toupre ak Pòtoprens.* Leyogàn pwodui anpil kann.

**Leyontis Adan** *(Leontus, Adam). np. : Atis Ayisyen ki fèt Pòtoprens. Youn nan penti li yo reprezante Anonsyasyon, li ekspoze nan Katedral Episkopal Pòtoprens la.*

**leyopa**. *n. : 1. Gwo bèt sovaj moun jwenn nan lanati.* Leopa pòtre ak gwo chat epi pwal li jòn ak tach nwa. *2. Lame espesyal ki vin egziste sou Divalye yo.* Leopa yo te anba ministè defans. Gwoup sa a te gen zam, yo te gen antrénman, yo te la pou konsève diktati Divalye a.

**leritay** *(eritaj) : n. 1. Tout sa yon moun kite lè li mouri.* Lè Woje te mouri, se pou Asefi li te kite tout eritay li. *2. Tout sa yon moun resevwa lè li gen yon fanmi ki mouri.* Asefi resevwa tout eritay Woje.

**Lès** : *Pwen kadinal kote solèy la leve lematen.* Solèy la leve nan lès epi li kouche nan lwès.

**lesansyèl**: *a. Ki enpòtan, prensipal.*

**lese**: *v. Kite, pa deranje, pa okipe, pa pran, pa fè, lage.* Lese m trankil.

**lese-pase**: *n. Pèmi ki otorize yon moun antre soti yon kote.* Si ou pa gen lese-pase, ou pap ka antre la a.

**lesiv**. *n. : 1. Travay ou fè lè ou mete rad nan savon ak dlo epi ou fwote l pou wete kras ladan l.* Ayiti moun fè lesiv ak men yo men Ozetazini moun kapab lave rad yo nan machin. *2. Pil rad ki pral lave osnon ki sot lave.* Nou pliye tout lesiv la anvan nou mete l nan tiwa.

**lesivyè**: *n. Moun ki gen metye fè lesiv.* Madan Chal se lesivyè pou monpè.

**lesklavaj** *(esklavaj): n. sitiyasyon esklav. Soumisyon, depandans. Travay san touche.*

**Lesko, Eli** *(Lescot, Eli). np. : Prezidan Ayiti ant 1941 a 1946. Dapre listwa, msye te antann li ak meriken yo anpil. Msye te deklare Japon lagè apre Japonè yo te atake Pèlabò. Msye te deklare Almay, Itali, Ongri, Bilgari ak Woumani lagè tou, pou menm rezon an. Msye te vin tounen yon diktatè. Revolisyon 1946 la vin mete l atè. Lescot te gen prejije kont moun ki nwa epitou li te kont relijyon popilè tankou Vodou. Li te entèdi rara, entèdi seremoni lwa.*

**leskotit** : *n. Se konsa yo te rele boksit ayisyen an, an memwa prezidan Lesko ki te siyen premye kontra ak konpayi Renòl.*

**leson**. *n. : 1. Pati nan yon liv osnon plizyè liv pwofesè a bay elèv yo al etidye.* Tout timoun dwe konn leson yo anvan yo al jwe. *2. Egzanp.* Mwen pran sa pou leson, mwen pap janm pale ak moun mwen pa konnen nan lari ankò. *3. Kou yon pwofesè bay apa pou elèv ki bezwen plis esplikasyon.* Mwen pral pran leson nan men mèt Jozèf pandan vakans la.

**lespas** : *n. Kote vid san fwontyè ki anwo epi alantou latè a.* Gen plànèt nan lespas la ki poko esplore.

**Lespès Antoni** *(Anthony Lespès): np. Powèt, womansye, jounalis, agwonòm, politisyen. Li fèt Okay 7 Fevriye 1907. Li te elèv Senlui De Gonzag epi li etidye agwonomi nan Damyen. Li te yon espesyalis konsèvasyon ak pwoteksyon teren. Li te redaktè an chèf jounal "La Nasyon". Li te manm Pati Sosyalis Ayisyen. Li mouri 26 Desanm 1978 Pòtoprens. Li ekri, "Quelques Poêmes", "Quelques Poêtes" "Les Clés de la Lumière" pwezi, Pòtoprens, 1955; "Les Semences de la Colère", woman 1949.*

**Lespinas Rawoul** *(Raoul Lespinasse): np. Ansyen minis travo-piblik nan gouvènman Divalye.*

**lespri**: *n. 1. Pati yon moun ki pa vizib, nanm.* Kò a ka mouri men lespri a ap rete. *2. Panse.* Lespri nou kominike. *3. Pouvwa mistik.* Yo voye yon move lespri sou pitit la. *4. Fantòm, zonbi, nanm moun mouri.* Lespri Bèta te vin vizite fanmi l apre lantèman l. *5. Enspirasyon Bondye bay yon moun.* Lespri a desann sou Jan. *6. Tèt, memwa.* Lespri madan Jan pa la.

**lespwa** *(espwa): n. Esperans, tann ak esperans, ak konviksyon.*

**lestomak**. *n. : Pati nan kò moun ki ant bouch li ak trip li kote manje li manje a desann pou l dijere.* Se yon bagay ki di lè yon moun gen doulè lestomak.

**leswa** : *1. Aswè.* Se leswa lapli konn vini. *2. Touleswa.* Leswa, tout moun al dòmi.

**lesyèl** *(syèl): espas imajinè kote Bondye, lèzanj ak espri yo rete.*

**lèt sinistre**: *n fr. Lèt anpoud yo bay gratis lè gen siklòn osinon dezas.* Lèt sinistre sa a gen lè ban m vantmennen.

**lèt**. *n. : 1. Seri desen ki vle di yon bagay tankou yon kòd epi ki fè alfabèt a.* A, B, C, jiska Z. Anvan yon moun konn ekri se pou l konnen tout lèt li yo. 2. *Komisyon pa ekri yon moun voye bay yon lòt.* Mwen resevwa yon lèt ki sot Nouyòk jodi a. 3. *Dlo blanch ki soti nan femèl bèf la, osnon nan kò moun ki fin akouche.* Tibebe se lèt sèlman yo bwè lè yo fèk fèt.

**leta**. *n. : Estrikti fondasyon yon peyi.* Lè yon gouvènman monte, li dirije peyi a epitou li jere byen leta.

**letan** *: n. Gwo basen dlo dous (osinon brak) natirèl.* Letan Somat toupre kay grann mwen. 2. *Time*

**letanp** *: n. Tanp, pati chak bò figi, sou anwo zòrèy.* Li pase yon ti viks sou letanp li.

**lete**: *n. Sezon chalè.* Lè lete rive, se lè vakans.

**Letènèl**: *np. Bondye, papa Jezikri.* Letènèl, nou konte sou ou.

**letènite** *(etènite): n. Espas tan enfini, ki pa gen ni kòmansman ni fen.*

**leti**. *n. : Legim vèt ki gen gwo fèy.* Leti fè bon salad, sitou ak tomat ak kreson.

**letranje** *(aletranje): Peyi etranje.*

**letre**: *a. Ki konn li, ki kiltive.*

**lèv**: *n. Pati nan kò ki bòde bouch.*

**levanjelizasyon**: *n. Preche pou konvèti moun nan relijyon kretyen.*

**levanjil** *(evanjil): n. 1. Pawòl Bondye, liv ki rakonte istwa lavi Jezi epi ki montre prensip pou kretyen suiv; liv ki prezante doktrin kretyen; Nouvo Testaman.* Leve kanpe pou tande levanjil la. 2. *Relijyon pwotestan.* Oska se levanjil.

**levasyon** *(elevasyon): n. 1. Edikasyon.* Moun sa yo gen levasyon, se pa tout bagay yo ap fè. 2. *Mannyè, prensip, savwaviv.* Pitit sa a maledve tankou li pa gen levasyon. 3. *Fòmasyon.* Jisten plen diplòm, se yon nonm ki gen anpil levasyon. 4. *Respè pou tradisyon, abitid epi kwayans nan yon fanmi.* Kou ou wè tifi sa a, ou wè se moun ki gen levasyon, li pa ta ka al fè fanmi li wont.

**leve pye**: *1. v fr. Fè aktivite, chèche lavi, chèche travay.* Jak al leve pye li, talè li ap tounen. 2. *Mache pi vit.* Leve pye ou non, ou pa wè li fin ta?

**leve**. *v. : 1. Kanpe.* Msye te chita, kou yo di men machin nan, li gentan leve. 2. *Reveye nan dòmi.* Depi yè swa mwen ap plede dòmi, se kounye a mwen resi leve. 3. *Parèt tèt li.* Solèy la leve byen bonè maten an. 4. *Ranmase yon bagay, pa kite l atè.* Mwen te renmen lè papa mwen te konn leve mwen anlè lè mwen te piti. 5. *Kontinye, pousuiv.* Se limenm nan tout fanmi a ki leve non papa l. 6. *Retounen, revni, resisite.* Jezi leve sou twazyèm jou.

**leve goumen** *: n fr. Pete kabouya.* Ivon pete goumen.

**leveche** *(eveche): n. Bilding kote kay ak biwo evèk la ye.* Nou gen randevou nan leveche a.

**leven**: *n. Mikwòb yo mete nan pat farin pou fè pen osinon nan ji pou fè diven, byè osinon kleren.* Ou ka achte leven nan boutik osnon nan fanmasi.

**levit**. *n. : Kostim. Rad gason mete.* Kote levit ou, Anòl, ou pa konnen se yon gwo kote nou prale la a?

**levye** *: n. Pyès ki pèmèt ou leve yon chay lou san difikilte.* Pouli se yon levye.

**Lèwa** *(Lewa): np. Jou ki fete twa wa maj ki te vin adore Jezi yo.* Nou fete lèwa jou ki sis janvye.

**Lewa Feliks Moriso**: *np. Al gade nan Moriso.*

**lewouj**: *n. Jwèt aza.* Yo di se vagabon ki jwe lewouj.

**leyèt**: *n. Lenj ak rad ti bebe.* Madan Pòl konn fè bèl leyèt.

**Leyogàn**. *: Yon vil ki pre Pòtoprens, nan depatman Lwès.*

**Leyopa** *: n. 1. Bèt sovaj, pantè ki sot nan fanmi felide yo.* Gen anpil leyopa nan kontinan Afrik. *Gwoup paramilitè Janklod te mete soupye pandan gouvènman li an.* Aliks se te yon manm nan kò leyopa a.

**lèz** *: n. Moso Li mete plizyè lèz twal nan jip la.*

**leza** *: n. Mabouya, reptil ki gen kò ak ke long ki viv plis nan peyi cho.* Gade longè yon leza.

**lèzemilatè** *(Les émulateurs). : Klib entelektyèl nan fen 19 syèk ki te vin gen yon jounal entelektyèl yo te rele Lawonn (La Ronde).*

**Lèzetazini**. *(Etats-Unis) : Etazini, Ozetazini. Peyi ki gwo anpil ki ant Kanada ak Meksik.* Lèzetazini se peyi ki gen anpil pouvwa, moun ki rete la yo rele meriken.

**lèzo**: *n. Sak dlo ki bay likid anvan yon fi akouche.* Kase lezo.

**lèzòm** *(lezòm): n. 1. Tout moun.* Lèzòm dwe repanti anvan jou jijman an rive. 2. *Tout gason.* Lèzòm egoyis.

**lèzòt** *(lezòt): n. Lòt moun yo.* Kouman lèzòt yo ye?

**li** *: 1. pwonon pèsonèl ki reprezante yon moun osinon yon bèt.* Li di konsa se pa atè isit li sòti. Li pat konn ki wout pou l te pran pou li te dekoupe chemen an. Li konnen kounye a. Se pa li ki di sa, se lòt moun ki t ap pase la a ki di sa, li ale, men mwen pa rekonèt li. 2. *Dechifre yon mesaj ki ekri.* Mwen pa konn li, ki sa papye sa-a di la-a.

**lib**: *a. 1. Lage.* Chyen an lage, li pa nan kòd. *2. Ki pa rete ak moun.* Jera lib, li di sa li pito. *3. Ki pa marye.* Toutotan Jak pa marye, li se yon nonm lib. *4. Alèz, ki pa pè.* Se nèg ki pale lib, li pa nan voye wòch kache men. *5. Ki gen dwa, ki pa sou presyon.* Konstitisyon an di moun lib pale sa yo pi pito.

**libera**: *n. Priyè espesyal nan legliz katolik.* Se pè savann nan ki te di libera a.

**libète**: *n. 1. Dwa pou moun fonksyone san li pa bezwen pè.* Moun gen libète lapawòl nan peyi isit. *2. Chwa.* Ou gen libète chwazi rete osnon ale. *3. Liberasyon.* Yo mete prizonye yo an libète.

**libido**: *n. Dezi ak ensten seksyèl.* Nan sikoloji se enèji sichik ki pòte moun renmen epi fè bèl bagay.

**libreri**. *n. : Magazen ki gen yon liv disponib pou moun achte an detay.*

**lide** *(ide): n. 1. Panse.* Jozèf gen lide vini rete Florida. *2. Konsèy.* Ban m yon lide sou sa ou ta fè si ou pa pase nan bakaloreya. *3. Pwojè.* Sa se yon bon lide. *4. Imajinasyon, envansyon.* Pent sa a gen anpil lide, tablo li yo rich. *5. Lespri.* Lide m frape sou ou.

**lidè**. *n. : Chèf. Moun ki toujou devan, alatèt.* Yon lidè se moun ki pran devan epi ki ap montre moun ki ap suiv li yo ki wout pou yo fè.

**Lig feminen Daksyon Sosyal** *(Ligue féminine d'action sociale) : Asosiyasyon ki fòme an 1934 pou defann dwa ekonomik, politik ak sosyal fi nan sosyete a. Te gen ladan l Madlèn Silven Bouchwo. Lig la te louvri biwo nan plizyè vil nan peyi a epitou li te vin gen yon jounal ki rele AVwa Fanm Yo. Lig la te kreye kou diswa pou fi te ka al aprann li ak aprann metye, li fè konferans toupatou, li fè petisyon nan biwo leta, nan lachanm ak tout lòt kote ki nesesè pou yo bay fi menm opòtinite lekòl ak travay yo bay gason, epitou pou fi yo ka vote osinon pou yo ka kandida.*

**Lig pou Aksyon Sosyal** *(Ligue pour l'Action Sociale). : Asosyasyon ki te fòme an 1929 pou l te konbat dominasyon meriken, fè pwomosyon wòl lachanm epi anpeche prezidan reeli plis ke defwa.*

**ligaman**: *n. Yon gwoup tisi epè ki konekte zo yo ansanm osinon zo yo ak miskilati osinon tou ki sipòte yon ògàn.* Nan fè espò, Jaklin dechire yon ligaman.

**Monseyè Franswa Wòf Ligonde (***Ligonde, Francois-Wolf) : np. Achevèk Pòtoprens. Li fèt Okay.*

**lijyèn**: *n. Aktivite pwòpte pou kenbe moun an sante.* Tout moun te dwe suiv bon prensip lijyèn.

**likè**. *n. : Bweson ki fèt ak sik, dlo alkòl epi esans.* Likè sa a bon anpil ak bonbon, li fè mwen sonje lè premye janvye Ayiti.

**likid**. *n. : Ki kapab vide fasilman, ki sanble ak dlo, ji, siwo eltr..* Likid vin solid lè li konjle, tankou lè ou mete dlo nan frizè pou fè glas. Likid vin tounen gaz lè li chofe, dlo tounen vapè lè li bouyi.

**likid amnyotik** *: nfr. Likid ki nan vant manman an toutotou yon fetis, kote fetis la devlope.*

**likide**. *v. : Vann pi bon mache.* Magazen kay Tibòs la ap likide tout soulye yo pou bonmache, mwen sot achte de pè la a.

**Lil Latòti** *: Zile ki anwo nò peyi Ayiti. Li mezire 70 mil kare. Li te bati an 1625.*

**lim**: *n. 1. Zouti pou file kouto, pou file goyin.* Prete m yon lim pou mwen al file kouto mwen an. *2. Graj fen ki fèt pou limen zong.* Mwen pral achte yon lim pou limen zong mwen.

**limen** *: 1. Mete dife pou klere.* Limen lanp. *2. Mete yon machin nan pozisyon pou l opere.* Limen motè a. *3. Peze osnon vire bouton ki pou limen limyè yo.* Limen limyè a pou mwen.

**liminen**: *v. Limen lanp pou lapriyè.* Jodi a Jera ap liminen pou sen Pyè.

**limit**: *n. Pozisyon pou pa depase.* Limit ou se kat jou, apresa, mwen pa responsab ou. *2. Fwontyè.*

**limon** *: n. Mikwòb vèt osinon alg ki pouse lè gen dlo kouche osinon lè gen imidite.* Rigòl la plen limon. *2. Ti tè fen ki desan ak dlo lè lapli fin tonbe.*

**limonad** *(limonnad): n. Ji sitwon.* Vin sèvi moun yo yon ti limonad.

**Limonad, Kont de** *(Limonade, Comte de). np. :* Non yon moun ki te rele *Jilyen Prevo te pran aprezavwa li t ap gouvène zòn ki rele Limonad la. Msye te sekretè deta epi li te minis Afè Etranjè nan wayòm Anri Kristòf la. Msye te bay Kristòf konsèy. Li te al lekòl nan peyi Lafrans.*

**limoralite**: *n. Sitiyasyon kote pa gen moral.* Nan biwo sa a, se limoralite nèt.

**limyè lalin** *: n fr. Limyè natirèl aswè.* Limyè lalin nan voye klate sou pyebwa yo.

**limyè solèy** *: n fr. Limyè natirèl lajounen.* Limyè solèy la klere toupatou.

**limyè**. *n. : Klate ki soti swa nan solèy la ki klere lajounen osnon anpoul ki limen leswa.* Pase limyè a pou mwen tanpri, pou mwen wè kote kle mwen yo ye.

**linèt sekirite** *: n fr. Linèt pou pwoteje zye.* Gende travay ou ap fè, fòk ou mete linèt sekirite ou.

**Linesko**: *al gade INESKO.*

**linèt**. *n. : Zouti yon moun mete devan je l pou l wè pi byen.* Linèt gen yon pati ki an vè epi yon lòt pati ki andwa an metal osnon an plastik.

**Lirak**: *al gade Irak*

**Liran** *(Iran): Peyi nan kontinan Azi li gen 47 milyon moun ki ap viv sou 1.6 milyon kilomèt kare. Kapital li se Teheran.*

**lis**. *n. : mo ki ekri nan lòd youn apre lòt.* Sara fè lis moun l ap envite nan fèt li. Maryo al fè makèt; fò l achte tout sa ki sou lis la.

**lise**. *n. : Lekòl segondè piblik.* Mwen konn anpil moun ki te lekòl lise Petyon.

**Lise Petyon** *(Lycée Pétion): Premye lekòl segondè Ayiti. Li la depi kòmansman disnevyèm syèk, sou Prezidan Aleksann Petyon.*

**Lise Penchina** (Lycée Pinchinat)*: nfr. Lise nan vil Jakmèl. Li te konstwi nan ane 1860.*

**Lisifè**: *n. Satan, nan teyoloji kretyen, se lidè zanj dechi ki revòlte kont Bondye. Kòm pinisyon Bondye ekzile li nan lanfè.*

**listre**: *v. Klere, briye.* Soulye Jan byen listre.

**listwa**: *n. 1. Istwa tèks ki rakonte osinon eksplike aktivite nan tan pase.* Dapre listwa, se pwòp patizan li yo ki vann li. 2. *Kont.* Pwofesè a rakonte timoun yo yon listwa.

**lit**: *n. 1. Goumen, debat.* Chak jou se yon lit. 2. *Espò.* Vini gade yon match lit. *3. Inite nan sistèm metrik ki sèvi pou mezire likid, pou mezire kapasite likid.* Veso ki mezire yon lit.

**lit-lit**: *a. Fasil, rapid, san difikilte.* Manman Wobè ba li ti kòb lit-lit.

**litani**: *n. Repetisyon.* Sispann litani sa a nan zòrèy moun.

**lite**: *v. 1. Debat.* Mirèy ap lite pou li jwenn yon ti travay. 2. *Goumen nan espò.* De mesye sa yo lite byen.

**Litè Maten** *(Martin Luther): np. 1483-1546. Teyolojyen Alman, li te tradui labib epi kòmanse yon refòm nan legliz Katolik Alman ki fè pwotestan devlope.*

**Litèl-Ayiti** *(Little Haiti): Katye nan Miyami kote gen anpil Ayisyen ak anpil komès, legliz Ayisyen. Nan lekòl piblik yo gen anpil elèv Ayisyen tou. Lekòl Tousen Louvèti ak Lekòl Edison se de nan lekòl ki pi koni yo.*

**liten**. *: Dapre kwayans vodou, se lespri timoun ki mouri anvan yo batize.* Tipitit madan Kantav la ki mouri san batize a, kounye a li dwe yon ti liten nan syèl la.

**literati**: *Tout sa ki ekri nan yon domèn. Tout liv ki ekri sou yon sijè. Tout ladrè, talan ak estetik ekriven mete pou li ekri kilti yon pèp.*

**literè**: *a. Ki gen avwa ak literati.*

**litiji**: *liv, Doktrin ak kilt ki devlope nan yon legliz.*

**litijik**: *a. Ki gen avwa ak litiji.*

**litosfè** *: n. Pati solid latè a.* Plen min tout kalite nan litosfè a.

**liv**: *n. 1. Fèy papye ekri ògànize pou moun li. Ansanm enfòmasyon ekri ki reyini nan yon pakèt fèy papye ki kole sou yon bò Paj liv yo gen mo osnon foto ki vle di yon bagay.* Gen anpil liv nan libreri lekòl la. Sa se yon liv sou jeyografi. 2. *Inite pwa.* De liv sik.

**livè** *(ivè): n. Peryòd fredi.* Ivon pa vle rete nan peyi Kanada pandan livè.

**livrab**: *a. Tout sa yon machann oblije osinon kapab livre bay yon achtè.*

**livre**: *v. 1. Remèt.* Anplwaye a livre machandiz yo. *2. Bay, trayi.* Se pwòp zanmi l ki livre l bay lapolis.

**livrè**: *n. Moun ki gen responsabilite pou fè livrezon.*

**livrezon** *: n. Remèt, delivre.* Yo fèk vin fè livrezon yon estòk la a.

**liy koub** *: n fr. Liy ki pa dwat.* Liy koub sa a se yon demisèk.

**liy paralèl** *: n fr. De liy ki gen menm direksyon.* De ri sa yo an liy paralèl.

**liy simetri** *: n fr. Liy ki separe yon desen an de pati ki sanble epi egal.* Liy simetri sa a separe kare a an de.

**liy**. *n. : 1. Tras ki long epi fen.* Mwen fè yon bèl liy ak kreyon wouj mwen an. 2. *Annòd.* Tout moun kanpe youn dèyè lòt sou twa liy pou y al peye nan kès la. *3. Taksi.* Rete liy sa a pou mwen tanpri, mwen bezwen rive lakay mwen byen vit.

**liyen** *: v. Suiv, pare pou yon moun pi devan.* Gaston ap liyen Tika, se sa ki fè li pa di li anyen.

**liyin**: *Fib ki nan bwa plant, se li ak seliloz ki fè pyebwa solid.*

**liyit**: *n. Chabon tè.* Liyit se yon chabon natirèl.

**liyorans**: *n. Lyorans, sitiyasyon pa konnen.* Liyorans se danje.

**lizaj**. *n. : Mannyè, fason.* Timoun ki malelve konsa yo andire fanmi yo pat bayo lizaj.

**lizib**: *a. Ki posib pou moun li, ki fasil pou dechifre.*

**lizin** *(izin): n. Endistri kote ki gen gwo ekipman epi kote yo fabrike diferant kalite pwodui.* Jak ap travay nan lizin pre lakay li a.

**lizre**: *n. Ti riban yo mete toutotou bòdi yon rad pou dekore li.*

**lizyè**: *n. Bò. Kalo plante sou tout lizyè teren li an.*

**lo**: *n. 1. Nimewo lotri.* Ki lo ki ap soti jodi a? 2. *Pil.* Lo mango, lo chabon.

**lò**: *n. 1. Metal lou, jòn ki gen valè ki sèvi pou fè bijou ak pyès lajan.* Zanno lò. 2. *A. Ki endike yon koulè tire sou jòn. 3. Varyete pou lè.* Lò li rive.

**lobedyans**: *n. 1. Depandans.* Pè sa a sou lobedyans dyosèz la. 2. *Dominasyon.* Fi sa a pa ta ka aksepte rete sou lobedyans nèg sa a.

**lòbèy**. *n. : eskandal.* Franswa se moun ki pa renmen lòbèy menm.

**lobo**: *n. Diskisyon, pawòl anpil.* Yon sèl lobo gaye.

**lòd**: *n. 1. Ògànizasyon.* Tout liv yo nan lòd sou etajè a. 2. *Kòmann.* Li banm lòd. 3. *Nan plas.* Tout bagay nan lòd.

**lògèy** : *n. Opinyon ekzajere yon moun gen sou tèt li, konpare ak sa li panse pou lòt moun. Awogans. ensolans.*

**lòj** : *n. Kote moun kontre pou fè seremoni mason osinon wozkwa.* Chak dimanch Janwobè al nan lòj.

**loje**: *v. Rete, abite, demere, fè ladesant.*

**lojik**: *a. Ki ale ak bon sans. Ki konfòm ak bon sans. Ki rezone byen.*

**lojisyèl**: *n. Pwogram òdinatè.*

**lojman**: *n. Kote moun rete. Kay, apatman, chanm, abitasyon, rezidans, chanm gason.*

**lòk**: *n. Medsin fèy melanje ak luil pou netwaye trip.* Demen madan Richa ap pran yon lòk.

**lokal**. *n. : 1. Ki fèt sou plas.* Kounye a se nouvèl lokal yo ap bay. 2. *Espas, pyès kay, kay.* Si mwen te gen yon bon lokal, mwen ta kraze yon gwo fèt pou nwèl la.

**lokalite**: *n. Yon vil, yon vilaj, yon kote.*

**lokalize**: *v. Idantifye ki kote yon bagay osinon yon kote ye.*

**loke**: *n. Tèt pa byen.* Madanm sa a se yon loke. 2. *a. Tèt pa byen.* Fi sa a loke. 3. *v. Fèmen ak kle.* Jak loke tout pòt yo.

**Loko**: *np. Lwa gerizon, patwon doktè fèy. Li reprezante tankou yon gason enganm ki gen yon baton nan men li epi ki ap fimen yon pip.* Loko atibon. Loko Ayizan

**lolo** : *v. Liyen, pete pou ou ka jwenn kichòy.* Pa vin lolo m la a.

**lòlòj** *(lòlòy)*: *n. 1. Bonnanj.* Pa vire lòlòj fi a. 2. *Vire lòlòj, pran tèt.* Jak vire lòlòj Melani.

**lòm**: *n. 1. Lezòm, limanite.* Lòm pa bon. 2. *Gason.* Lòm pa konprann fanm.

**lòn**: *n. Inite mezi longè ki sèvi nan domèn tekstil; mezi pou twal.* Konbyen lòn twal ou vle?

**lonbraj**. *n. : Lonb, kote ki pa gen gwo solèy.* Mwen renmen chita nan lonbraj pou mwen ap li yon bon liv. Pa gen gwo solèy nan lonbraj, toujou gen yon bon ti van.

**lonbrik** *(lonbrit)*: *n. Pati kote tibebe nan vant konnekte ak manman l.* Lè tibebe a fèt, yo koupe lonbrik la. 2. *Mak nan vant moun.* Fi sa a gen gwo lonbrit.

**lònen**: *1. Mezire twal ak yon lòn.* Machann nan lònen twa lòn twal. 2. *Efase memwa yon chen pou li pa tounen kay premye mèt li.* Depi yo lònen chyen madan Benwa a, li pa janm sove ankò.

**long**. *a. : Longè ki pa kout.* Gen moun ki pito mete jip long pase minijip.

**longan**: *n. Pomad.* Longan gri se yon pomad ki bon.

**longè**. *n. : Distans ki mezire depi yon pwent rive nan yon lòt pwent.* Plis bagay la long, plis li gen longè.

**longvi** *(lonnvi)* : *n. Zouti pou moun wè bagay ki lwen.* Prete m longvi ou a.

**lonje**: *v. Alonje, ralonje.* Lonje kiyè a ban mwen.

**lonjitid** : *n. Distans ant yon pwen ak yon meridyen.* Sou ki lonjitid Ayiti ye parapò a meridyen Grennwich la?

**lonmen**: *v. Nonmen, site non.* Kilès ki lonmen non Jak la a?

**lonnen**: *v. Mezire.* Machann nan lonnen twal la. *(Al nan lònen)*

**lontan** : *adv. Tan ki pase deja, kèk tan.* Sa fè lontan nou pa wè.

**lopital**. *n. : Lokal ekipe kote gen moun espesyalize ak resous nesesè pou trete moun malad.* Gen moun ki pa janm al lopital depi yo piti paske yo ansante.

**loray** *(loraj)*: *n. Gwo bri tonnè ki vin apre yon zèklè.* Loray la ap gwonde.

**loray kale**: *n fr. Moun ki gen move karaktè, osnon ki pa kite moun betize avèk yo.* Jinèt se yon loray kale.

**lorye**: *n. Plant ki fè flè ki dekore lakou ak lantouraj.* gen lorye wòz, gen lorye blan tou.

**losti**: *n. 1. Pen ki fèt san leven, ki sèvi pou lakominyon nan mès katolik.* Lè ou al kominyen, pè a ba ou losti. 2. *Pen konsakre ki reprezante Bondye.* Losti se senbòl kò Jezikri.

**Lostrali** *(Australie)*: *Youn nan gran espas kontinan yo. Youn nan kontinan, se pi piti kontinan, li ant oseyan pasifik ak oseyan endyen.*

**lòstyè** *(lòsyè)* : *n. Ti moso piti.* Ba li yon ti lòstyè.

**lòsyè**: *n. ti kras (plis nan nò).* Banm yo ti lòsyè nan manje ou a.

**losyon**: *n. 1. Pafen.* Andre se nonm ki renmen mete losyon. 2. *Krèm pou po.* Losyon sa a bon pou po.

**lòt** : *n. 1. Se pa moun sa a.* Se pa li, se yon lòt. *2. Se pa sa ou wè a.* Yon lòt liv. *3. Se pa sa a.* Lòt la vini epi li fè tout travay la.

**lota**. *n. : tach nan figi.* Adriyen plen lota dèyè kou l.

**lòtbò dlo**: *1. Peyi etranje.* Jera al lòtbò dlo. *2. Lòtbò yon rivyè.* Kay la pa pre, li jous lòtbò dlo.

**lòtbò**. *adv. : 1. laba.* Mwen pral lòtbò mwa pwochen. *2. Peyi etranje.*

**lote**: *v. Fè lo.* Lote mango.

**lotè** *(lòtè): n. 1. Moun ki ekri liv.* Woje se lotè liv istwa a. *2. Ki responsab, ki lakoz.* Se ou ki lotè dega sa a?

**lotèl**. *n. : Konstriksyon ki fèt pou resevwa vizitè ki bezwen rete la pou detwa jou.* Gen lotèl ki gen anpil liks, ak bèl salon depi annantran epi chanm yo konn bèl tou. Anjeneral Ayiti se plis touris ki al nan lotèl.

**lotri**: *n. Jwèt aza.* Odil pa janm jwe lotri.

**lou**. : *1. a. Ki peze anpil.* Lè yon bagay lou, li pa fasil pou leve. Sachè pwovizyon an twò lou pou nou pote l. *2. n. Bèt.* Lou se yon bèt sovaj ki nan menm fanmi ak chyen men li konn manje moun.

**lougal** : *n. Apèsi, avangou.* Pou jan yo di m fim nan bon an, ban m yon ti lougal.

**lougawou**. *n. : Dapre kwayans, moun ki fè malefis epi ki manje moun, sitou timoun.* Mo lougawou a siman soti nan mo lou ki vle di bèt sovaj ki konn manje moun. Gen moun ki di lougawou vole nan nuit pou yo al chèche vyann.

**louk**: *n. Douk.* Kò li fè yon pakèt louk.

**loup**. *n. : Zouti ki pèmèt ou wè yon bagay pi gwo ke jan li ye.* Nou pran loup la pou nou te kapab li sa ki te ekri sou ti bwat la tèlman lèt yo te piti.

**loupin**: *n. Mouvman jimnastik.* Janin fò nan fè loupin nan.

**lous**. *n. : 1. Gwo bèt avèk bèl pwal mawon, nwa, ou byen blan.* Gen moun ki renmen lous paske pwal yo bèl. *2. a. Mare lach, ki pa sere.* Mwen pa renmen jan ou mare chyen an, li yon ti jan twò lous pou mwen, mwen pè pou l pa mòde mwen.

**Louvèti, Pòl** *(Louverture, Paul). np. : Frè Tousen Louvèti ki te mouri anba bal Wochanbo.*

**Louvèti, Tousen** *(Louverture, Toussaint). np. : Nèg vanyan, yon ansyen esklav ki òganize aktivite militè pou libere lòt esklav sou tè peyi Ayiti. Li fèt an 1743. An 1794, msye te vin kòmandan alatèt 4000 solda sou dominasyon peyi Espay. Msye se moun ki kanpe premye konstitisyon Ayiti, anvan endepandans, epi li nonmen tèt li gouvènè jeneral avi. Tousen mouri Anfrans, nan yon fò ki rele Fòdejou, kote Napoleyon te fèmen l. Yo te resi arete l paske Leklè twonpe msye, fè dappiyanp sou li epi voye l Anfrans. Lè yo ap depòte msye li di: Menm si nou voye mwen ale lit pèp la pap janm fini, paske libète se tankou yon pye bwa ki gen rasin li fon nan tè. Lè ou koupe pye bwa a, rasin yo repouse pi vanyan.* Msye te gen rezon. Nèg yo leve *pi vanyan jis yo rive libere Ayiti epitou aboli lesklavaj. Jodi a Ayisen ap lite toujou, men lit la se pa kont esklavaj, se kont diktati ak kont abi yon gwoup ap fè sou lòt gwo gwoup.*

**louvri** *(ouvri): v. 1. Etale.* Machan nan louvri tout machandiz li yo pou montre nou. *2. Fè plas pou antre soti.* Mèt magazen an louvri pòt li yo. *3. Kòmanse.* Enskripsyon louvri. *4. Ekspoze.* Ou louvri lestomak ou nan van an. *5. Disponib, fleksib.* Jak se yon moun ki louvri pou diskisyon.

**louvto**: *n. Grad nan eskout.* Tifrè se louvto.

**lozanj**. *n. : Desen jeyometrik ki gen kat kote egal epi chak kwen gen yon fòm pwenti.* Lè ou gade nan yon jwèt kat, seri kawo yo gen desen lozanj la sou yo.

**luil** *(lwil): n. Likid epè, gra, ki pa melanje ak dlo.* Luil doliv.

**luil esansyèl**: *n fr. Esans, luil ki soti nan plant.* Luil esansyèl mant.

**luijan-boje**: *Entrazijan siseptib, brav*

**lwa achte**. : *Lwa ki enpòtan nan relijyon vodou a, dapre kwayans, moun kapab achte l.*

**lwa nan kanari**. : *Lwa yon moun al chache nan fon dlo epi ou mete l nan kanari.*

**lwa**. *n. : 1. Regleman ekri ki di ki jan bagay dwe fèt nan yon sosyete.* Fòk tout moun respekte lwa peyi a. *2. Mistè, espri zansèt, fòs envizib siperyè, nan relijyon vodou.* Lè lwa antre sou yon moun, yo trete moun sa a ak anpil respè.

**lwanj**: *n. Konpliman.* Pwofesè yo fè lwanj elèv sa a.

**lwanje**: *v. Fè lwanj.* Sispann lwanje Jera, ou va fè m fè jalouzi.

**lwanjè**: *n. Moun ki ap lwanje.* Jak se lwanjè.

**lwaye**. *n. : 1. Lajan ou peye regilyèman pou yon kay ou lwe.* Lwaye kay manman mwen an se sandola pa mwa. *2. Sitiyasyon yon moun ki ap peye pou l rete nan yon kay ki pa pou li.* Mwen pa nan lwaye mwenmenm, si jodi mwen achte kay pa m!

**lwe**: *1. Peye pa mwa osinon pa jou pou sèvi ak yon bagay.* Lwe kay. *2. Fè lwanj.* Lwe bonte Bondye.

**lwen**. *adv. : 1. Ki pa pre.* Depi ou al rete lwen an, nou pa wè menm. *2. a. Ki ap panse epi ki pa pote atansyon.* Kijan ou fè lwen konsa a? mwen ap pale ou pa reponn.

**Lwès**: *np. Depatman ki gen Pòtoprens kòm chèflye. Li gen 5 awondisman, 18 komin, 6 katye ak 111* seksyon kominal. 2. Direksyon ki *agoch yon moun ki bay direksyo nò lafas. Direksyon kote solèy kouche. Pwen kadinal.*

**lwijanboje**. : *Non yo bay moun ki fè sa li pipito lè lide l di l. Moun ki otoritè epi kontestatè alafwa.* Kifè ou pap peye kay la, mouche, ou genlè konprann se Lwijan Boje ou ye!

**lwil**: *n. Likid gra, pwès ki pa melanje ak dlo.* Lwil doliv.

**lyann** : *n. Pati nan plant ki grenpe pou pran api sou lòt plant.* Lyann panyen.

**lye**: *l. Kote.* Nan ki lye aksidan sa a pase? *2. Kole, fè relasyon.* Pa gen anyen ki lye de moun sa yo.

**lyèj**: *n. Materyo ki fèt ak ekòs bwa.* Bouchon lyèj.

**lyetnan**. *n. : Grad nan lame.* Si ou te lyetnan ou ta touche plis kòb.

**lyezon chimik**: *n fr. Fòs ki kenbe atòm ansanm.* Gen lyezon chimik doub.

**lyon** : *l. n. Gwo bèt sovaj. Mamifè kanivò (manjèd vyann) ki viv nan kontinan Afrik ak kontinan Azi. Lyon yo jòn ou byen mawon epi yo gen anpil fòs tou.* Nan fòlklò kèk peyi, yo konsidere lyon tankou wa tout lòt bèt yo. 2. *Moun ki gen anpil kouraj ak fòs pou goumen osinon pou debat.. 3. np. Vil nan peyi Lafrans.* Mwen gen yon bòfrè mwen ki rete Lyon. *4.Gwoup etwal ki nan syèl la (konstelasyon lyon). 5. Siy owoskòp.*

# M m

**m**: *n. Lèt nan alfabè.* Lèt "m" se premye lèt nan mo "manman".

**ma dlo** : *n fr. 1. Dlo ki rete atè, ki pap dire.* Kivèt la tonbe, li fè yon ma dlo atè a. *2. Dlo ki pa drene.* Lè lapli tonbe li fè yon ma dlo devan pòt la.

**ma**. *n. : 1. Solid ki rete lè ou pase yon melanj nan paswa.* Mwen fin fè sòspwa a, mwen pral jete ma a kounye a. *2. Pil dlo sal ak labou.* Apre lapli toujou gen yon ma labou nan ri sa a. *3. pr. Mwen (mwen ap).* Si ou pa sot devan mwen la a ma gade ou ma ba ou yon sèl kalòt.

**mab**. *n. : Jwèt ki tankou ti boul kristal ki fèt pou teke.* Gwo mab yo rele bika. Se tigason ki plis jwe jwèt mab.

**mabi**: *n. Bwason ki fèt ak ekòs bwa, siwo ak fèy melanje, bouyi epitou fèmante.* Trinidadyen renmen mabi anpil.

**maboul**: *a. Moun ki gen tèt vire. Moun ki toke, moun ki fou. Efemis pou moun ki fou.*

**mabouya**. *n. : Bèt (reptil) alonje ki gen 4 pat ak yon ke epi ki kapab fofile kò l nenpòt ki kote menm si se yon ti twou piti.* Mabouya, koulèv, kayiman, se menm klas bèt yo ye.

**mabyal**: *a. Move, tyak.* Msye mabyal maten an, pa pwoche.

**mach**. *n. : Rasanbleman pou yon rezon.* Moun ki al fè mach konn gen pankat ki di pou ki rezon mach la epi si yo ap pwoteste, pou ki sa osnon kont kisa yo ap pwoteste.

**machande**: *v. Diskite pri.* Nan mache fòk ou machande.

**machandiz**. *n. : Komès, pwodui pou vann, pou moun achte.* Mwen toujou pote bon machandiz nan mache a se sa ki fè mwen fin vann byen vit tou.

**machann**: *n. Komèsan, revandè.* Rele machann krèm nan pou mwen.

**Machatè** *(Marche-à-Terre). : Ti vil pre Okay kote marin meriken yo te touye anpil peyizan Ayisyen an 1929. Non masak sa a.*

**mache** : *1. v. Deplase ak pye, met yon pye youn devan lòt pou avanse. Deplase san prese. Avanse.* Ann al fè yon ti mache deyò a, fè fre. *2. n. Kote komèsan al vann, kote kliyan al achete.* Nan ki mache ou prale la a, Mache Salomon osnon Mache Fè? *3. Reyisi; bay bon rezilta.* Mwen pa ta janm panse pwojè sa a ta mache byen konsa. *4. Nan ekonomi se ansanm tout sa ki pou vann ak tout sa moun ap chèche pou yo achte; tout kondisyon ki kontwole aha-e-vant yon pwodui. Pwen kote liy demann kontre ak liy òf.*

**mache Ès-ès**: *v fr. Fè tout bagay kòmilfo, san foub.* Wozlin fè Janwobè mache ès-ès.

**machin konpoze**: *n fr. Machin ki fòme ak plizyè machin senp.*

**machin senp** : *n fr. Youn nan zouti senp ki fòme yon machin konpoze.* Gen sis machin senp, pouli, levye, vis, plan enkline, aks-wou ak rachòt.

**machin**. *n. : 1. Oto, otomobil.* Mwen pito al apye pase machin mwen anpàn. *2. Zouti elektrik pou ranplase travay manwèl.* Se ak yon machin yo te koupe bwa a yo, moun pate kapab fè sa ak manchèt. Gen machin-akoud, machinalave, machin pou seche tou.

**machòkèt** : *a. 1. Moun ki pa fè bon travay.* Koutiryè sa a machòkèt. *2. Moun ki travay fè.* Mwen pral bay yon machòkèt fè travay la pou mwen.

**machwa** *(machwè): n. Pati nan figi moun ki pote dan yo.* Machwè won.

**Madan**: *n. Madanm, madam, fi.* Madan Jozèf.

**Madan Sara:** *n fr. Machann ki achte machandiz nan yon vil poul al vann nan yon lòt.* Madan sara yo poko antre. *2. Zwazo perich.* Gade kijan madan sara sa a vole wo.

**madanm, madan**. *n. : 1. Fi ki marye ak yon nèg.* Mwen se madanm Kal, pitit pitit madan Antwàn. *2. Fi ki pi gran ke demwazèl, ki granmoun.* Men yon madanm ap mande pou ou nan telefòn nan, ou vle pale avè l?

**Madè Sèj**, *(Madhère, Serge): np. Li ap viv Wachintonn. Li se pwofesè sikoloji nan " Howard University ". Li kolabore ak anpil jounal nan domèn edikasyon ak sikoloji. Misye pibliye twa liv kreyòl: Piti Piti Plen Kay, pwezi, (1987);*

*Tezen, teyat (1988); Silo Sajès, pwovèb, (1992). Tout liv sa yo ap sèvi nan lekòl Nouyòk Siti ak nan lekòl Boston.*

**madi, lemadi**. *n. : jou ki vini apre lendi. Twazyèm jou nan semenn nan.* Gen yon bon fim ki ap pase nan televizyon lòt madi.

**madichon**. *n. : Malediksyon, pinisyon Bondye pou yon bagay mal moun fè.* Anjeneral se timoun ki gen madichon epi se granmoun ki bay madichon. Timoun sa a gen madichon wi, pou sa mwen wè l ap fè.

**madichonnen**: *v. Bay madichon.* Pa pale avè m ak bouch ou san lave pou ou pa madichonnen m.

**madigra**: *n. 1. Peryòd kànaval.* Madigra soti. *2. Moun ki maske nan kànaval.* Madigra m pa pè ou, se moun ou ye! *3. Enbesil.* Rale kò ou la a, madigra.

**madmwazèl**: *n. 1. Jèn fi ki poko marye.* Madmwazèl sa a se pitit mesye Lwijan. *2. Ensèk.* Gade yon demwazèl poze sou flè a.

**madre**. *: Entelijan, ki konn soti nan antrav.* Ou se nèg madre, mwen te tou konnen ou pa tap pèdi pari a.

**madriye**: *n. 1. Poto osinon travès bwa.* Mwen achte madriye yo deja. *2. Pye bwa.* Pye madriye. *3. Poto ki fèt ak bwa madriye.* Poto sa yo se madriye yo ye.

**mafweze**: *n. Ki lèd, ki mal fèt.* Gade mafweze a!

**mafya**: *n. Moun san konsyans ki ògànize pou fè lajan.* Jak pa nan mafya.

**magarin** *: n. Bè ki pa fèt ak grès bèt, ki fèt ak luil vejetal.* Gen magarin ki gen gou pen.

**magazen**. *n. : Kote ki fèt pou enstale machandiz ki pou vann.* Si ou pa jwenn twal ou bezwen an nan magazen sa a, ale nan magazen ki nan lòt kafou a.

**Maglwa, Pòl Ejèn** *(Magloire, Paul Eugène). np. :Militè, ansyen Prezidan Aiyiti. Li fèt Pòtoprens 19 Jiye 1907. Papa li Eugène Magloire te militè. Manman li te Philomène Mathieu. Li te gen sèt frè ak sè ki nan menm kay avèl epitou papa l te gen senk pitit deyò. Paul Eugène Magloire te fè etid primè li Okap lakay frè katolik. Li al lekòl segondè nan Lise Filip Gèrye. Apresa li te ale lekòl militè. Li marye ak Yolette Leconte epi yo fè senk pitit. Lè gouvènman Lescot tonbe an Janvye 1946, li te nan yon jent militè epi li te minis delenteryè nan jent lan. Lè Estime vin prezidan, li te vin pi enpòtan toujou nan lame. Li rive vin prezidan Ayiti le 6 Desanm 1950. Li te vin prezidan apre yon koudeta militè kont Estime, kòm li manm yon gouvènman pwovizwa, lè vin gen eleksyon li pote tèt li kandida epi li vin prezidan. Li pati kite Ayiti 13 desanm 1956 apre li te gen anpil presyon ak yon grèv jeneral pou pwoteste kont enjistis gouvènman li. Dabò li te ale Jamayik. Apresa, li te ale Ozetazini.*

**magma**: *n. 1. Wòch likid cho ki sòti nan vòlkan. 2. Melanj dezòdone.* Ou melanje tout bwason yo, ou fè yon magma kounye a.

**magoul**: *n. 1. Figi.* Nèg sa a gen yon magoul mwen wè deja. *2. Tèt, aparans.* Mwen pa renmen magoul nonm sa a ditou.

**maji**. *n. : Ladrès pou sèvi ak aktivite sekrè pou reyalize bagay ki parèt enposib, pou fè moun mal.* Gen moun ki pratike maji nwa, gen moun ki pratike maji blanch. *2. Aktivite yon moun fè ak konviksyon si li fè sèten jès epi pwononse sèten son ak mo, li ap rive enfliyanse fòs sinatirèl yo.*

**majigridi** *(madigriji): n. Ekriti, desen ki pa gen sans.* Pitit la poko konn ekri men li konn fè majigridi.

**majik**. *a. : 1. Ki gen avwa ak maji.* Lamèsi se ak pouvwa majik li marye ak Antwàn, ou tou wè msye pa renmen dam nan se palafòs li rete avè l. *2. Ki pa parèt posib.* Kay la tèlman bèl ou ta di se nan yon rèv majik ou ye lè ou ap vizite l.

**majistra kominal**. *: Moun ki alatèt gwoup moun ki ap jere yon vil.*

**majistra**: *n. 1. Fonksyonè nan administrasyon piblik ki responsab pati nan jistis nan pakè (opakè).* Jera te majistra nan seksyon nò a. *2. Fonksyonè ki jere la komin.* Majistra kominal.

**majisyen**. *n. : Moun ki fè maji.* Majisyen an fè yon zwazo soti nan chapo a, kijan li dwe fè sa?.

**majò jon**: *n fr. Moun ki devan òkès ki ap bay kadans, li ak yon baton nan men l.* Edga te majò jon lontan.

**Majò Domo** *(Major Domo). : Wa kanaval.* Dapre kwayans, Majò Domo se gwoup rara senmenn sent.

**majò**. *n. : Grad nan lame.* Kalo majò depi sou prezidan Vensan.

**majorite**: *n. 1. Valè ki pi wo sou yon echèl 100.* Si ou depase senkant pousan, ou gen majorite. *2. Plis pase 50 pousan.* Ou gen majorite. *3. Prèske tout.* Majorite moun yo te satisfè

**mak**. *n. : 1. Sikatris ki sou po yon moun aprezavwa moun nan te gen yon blesi ki geri.* Monchè mwen pap janm bliye mak sa a, se nan travèse yon lantouraj mwen pran l. *2. Pwen osnon yon kòd kèlkonk ou mete pou rekonèt osnon sonje yon bagay.* Mwen fè yon mak sou mi an pou ou ka wè kote pou ou kloure foto a.

**makak**. *n. : 1. Senj ki soti nan kontinan Lazi.* Yo fè anpil rechèch sou makak. Mwen sezi wè kijan makak la manje fig la, li manje tankou yon moun. 2. *Moun ki lèd, degoutan osnon repiyan.* Gade lè makak la non, rale kò ou wou mwen.

**makakri**: *n. 1. Konpòtman ki pa fè sans.* Pa fè makakri la a, moun ap gade ou. 2. *Moun ki ap konpòte l yon jan dwòl.* Ou se yon makakri monchè.

**Makandal, Franswa** *(Mackandal, François). np. : Esklav ki te mawon. Msye te òganize anpwazonman blan yo nan dlo tiyo a. Men kòm li te konn bwè, pandan l te sou, yo te kenbe l, yo boule msye an 1758. Lè l mouri, te gen anpil nan moun ki te avè l yo ki te kontinye lit la.*

**makawon**: *n. 1. Ki sou move san l.* Matant mwen makawon kounye a, mwen pap al mande l lapèmisyon. 2. *Move karaktè.* Sentaniz se moun ki makawon. 3. *Lèd.* Plen fatra la a, mwen pa ka rete kote makawon sa a.

**make**: *v. 1. Ekri.* Make pou mwen pou ou pa bliye. 2. *Sonje.* Make sa ou fè a. 3. *Pran mezi.* Bòs la make kote li pral klouwe a. 4. *Pran nòt.* Li make dat la pou li pa bliye. 5. *Bat lamezi.* Jandam yo ap make pa. 6. *Kite sikatris, kite mak.* Ou make kò timoun nan ak rigwaz.

**makèt**. *n. : Mo angle ki vle di magazen manje.* Chak tan mwen al nan makèt fòk mwen toujou sonje achte lèt, ze ak savon.

**makiyaj**: *n. Sèvi ak poud, fa, krèm ak lòt pwodui pou fè chanjman nan vizaj, pou vin parèt pi bèl.*

**makiye**: *v. Mete makiyaj.*

**maklouklou**: *n. Anflamasyon nan testikil.* Woje gen maklouklou.

**makòn**. *n. : Anpil, yon pakèt, plizyè, yon rejim.* Kote ou jwen ak makòn bannann sa a, ban mwen enpe non.

**Makonèl** *(Mac Connel): Pastè metodis wesleyen, li te enterese anpil nan devlopan ak estandadizasyon lang Kreyòl.* Li te envite yon lenguis entènasyonal vini Ayiti pou patisipe nan yon sistèm kodifikasyon.

**makonnen**. *v. : Mare.* Tout fil yo makonnen, mwen pa fouti demare yo.

**makou**: *n. Mal chat.*

**makout**. *n. : 1. Dyakout. Valiz peyizan ki fèt an pit.* Mwen gen yon bèl makout yo te fè mwen kado depi lontan. 2. *Lòt non pou tonton makout, VSN.* Pa pale tout bagay ak Pòl tande, yo di mwen li se makout.

**makpye** : *n. 1. Anprent plaplye.* Kilès ki kite makpye l sou tapi a. 2. *Mak fòm pla soulye.* Sa se makpye Jòj, se li ki mete monkasen.

**makrèl**: *1. Zanmitay pou kalbende. 2. Ti otèl bon mache san ijyèn. 3. Kote ki gen granmoun ki sitire timoun fè sa ki pa moral. 4. Yon espès pwason.*

**maksilè** : *n. Zo machwa.* Gen maksilè anwo epi ak maksilè anba.

**Maksimilyen Gi** *(Guy Maximilien): np. Editè, ekriven, redaktè an chèf jounal Konjonksyon (Conjonction).*

**makwali**. *a. : Ki pa konn abiye.* Kijan ou fè makwali konsa a, nenpòt ki sa ou mete sou ou pa bon.

**makwo**: *n. Espès pwason yo manje plis jou vandredisen.*

**mal damou**: *n fr. Ki renmen tout moun li wè.* Fi sa a gen mal damou.

**mal dan**: *n fr. Doulè nan dan.* Si ou gen mal dan, al kay dantis.

**mal gòj** : *n fr. Doulè nan gòj.* Tikam gen malgòj, doktè ba li medikaman.

**mal makak** : *n fr. Malad san kouche. Ki pa anfòm paske li te bwè twòp alkòl lavèy.* Jak toujou an mal makak chak dimanch maten.

**mal mouton**: *n fr. Maladi kontajye ki anfle glann pawotid yo, se yon viris ki lakòz li.* Jaklin ak Kawòl gen mal mouton.

**mal tèt** *(tèt fè mal): n fr. Doulè nan tèt.* Edga gen maltèt.

**mal**. : *1. n. Ki pa femèl. Mal chat.* 2. *Mechanste, sa ki pa bon.* Mwen pa renmen fè moun mal. 3. *Maladi, doulè.* Mal tèt. 4. *Malèt, kès.* Mete rad la nan mal la. 5. *Gwo.* Mal chat, mal bourik.

**malad** : *Ki pa ansante.* Depi nan eta mwen wè Tisya a, mwen wè li sanble yon moun malad.

**maladi**: *n. Kondisyon lè sante yon moun pa anfòm; lè pa gen sante. Gen maladi moun pran an mikwòb, gen maladi moun pran nan pwazon gen maladi kò a devlope tankou kansè, gen maladi moun devlope akoz estil lavi li; moun ki fimen devlope maladi nan sistèm respiratwa. Moun ki manje anpil epi ki vin obèz ta ka vin devlope maladi kè.*

**maladi doktè**: *n fr. Maladi doktè ka geri an konparezon ak maladi lezòm ki se maladi doktè pa kapab geri, osinon ki sinatirèl.*

**maladi lezòm**: *n fr. Maladi sinatirèl doktè pa kapab geri an konparezon ak maladi doktè ki se maladi doktè kapab geri, osinon ki natirèl.*

**maladi Pakinnson** : *nfr. maladi sèvo ki fè moun tranble, epi rete rèd.*

**maladwat**: *a. Ki manke ko-òdinasyon. Men pòk, ki pa ka fè anyen san li pa fè dega.* Pa manyen asyèt yo, moun maladwat tankou ou, ou ka kraze yo tout pou mwen.

**malagòch**: *a. Maladwat, ki fè tankou se ak men gòch li fè sa li gen pou li fè.* Moun malagòch tankou ou pa bezwen vin ede m nan kizin nan.

**malandren**: *n. Vagabon, moun ki pa pè fè move zak, sanzave.* Fito se yon malandren.

**malanga**. *n. : Rasin ki donnen anba tè.* Pou ou manje malanga, fòk ou bouyi l; li nan menm fanmi ak yanm men li pi glise.

**malarya**: *n. Maladi twopikal enfektye (gen enfeksyon ak yon mikwòb) ki bay lafyèv frison, yon moun pran l lè moustik enfekte pike moun nan. Malarya transmisib (ak marengwen). Se moustik ki pwopaje mikwòb la. Malarya se yon maladi entèmitan (sa vle di li ale vini). Li bay lafyèv, frison ak swe frèt. Mikwòb ki pwopaje malarya a se yon parazit (plasmodyòm) mikwoskopik ki enfekte yon marengwen epi marengwen an enfekte moun.*

**malatyong**: *n. 1. Mak yon ensektisid ki vann ka Dabouko.* 2. *Nan lotri ak bòlèt, se nimewo tout moun ap jwe men ki pap sòti. Move boul.*

**malchans**: *n. Devenn.* Moun sa yo gen malchans, tout sa yo fè pa reyisi.

**maldyòk, maldjòk**: *n. Devenn, malchans.* Yo mete maldyòk sou Tiwoz. 2. *Rad, kolye osinon amilèt pou repouse move sò.* Chemiz maldyòk, kolye maldyòk.

**malè**: *n. 1. Aksidan.* Malè rive m, tout lèt la tonbe. 2. *Devenn.* Malè pou li, yo kenbe l yo mete l nan prizon. *3. Lapenn.* Gade yon malè ki rive moun yo, de moun mouri nan aksidan an.

**malè pa mal**: *n fr. Malchans ka parèt sou moun nenpòt kilè.* Malè pa mal, pa pran chans.

**malediksyon**. *n. : Madichon.* Si ou joure granmoun, malediksyon ap pran sou ou.

**malefik**: *a. Ki pote move sò, move chans.* Rankont malefik.

**malefis**: *n. Mechanste, operasyon majik ki fèt pou fè moun mal.*

**malen**. *a. : Mètdam.* Jòj se moun ki malen, pa bali lajan ou kenbe.

**maleng**. *n. : kote yon moun blese ki anvlimen.* Pa jwe nan maleng nan tande, kite l seche. Maleng sa a pat konsa semen pase a, se anvlimen li vin anvlimen.

**malere**: *n. 1. Moun ki pòv.* Se malere li ye, kote li pran lajan pou li depanse. 2. *a. Ki gen lapenn.* Jak se yon nonm ki malere. *3. Regretab.* Sa se yon sitiyasyon malere.

**malerèz**: *n. 1. Moun ki pòv.* Janin se yon malerèz ki rete nan kafou a. 2. *a. Ki pou moun pòv.* Lavi malerèz.

**malèt**. *n. : Depi mwen te wè msye rantre ak tout malèt sa yo mwen te konnen li pa tap retounen ankò.*

**maleyab** : *a. Ki pa di, ki fleksib.* Jera se yon nonm maleyab, pale avèk li.

**malfèktè**: *n. Moun ki konn fè moun mal pou danri.* Gaston se yon malfektè.

**malfezan** : *n. 1. Ki renmen fè sa ki pa bon.* Ti gason sa a se yon malfezan, gade li gate ti radyo a. *2.a. Ki gen move entansyon.* Abitid malfezan.

**malfini**: *n. Zwazo entelijan, epèvye.* Pa kite malfini jwenn avèk ou.

**malgre**: *prep. Menmsi.* Malgre tout sa li fè, manman l toujou renmen l.

**malis**: *n. 1. Teknik ki pa fin onèt.* Janjan di sa ak malis. *2. Movèzfwa, mechanste kalkile.* Ti nonm sa gen malis, li fè ou konprann yon bagay epi li fè yon lòt. *3. Kout entelijans, kouba.* Mwen pa renmen boule ak moun ki gen malis. *4. np. Non yon pèsonaj enpòtan nan tradisyon kont ak istwa ayisyen.* Bouki ak Malis.

**maliy**: *a. Ki gen yon move enfliyans, ki danjere, ki ka pote lanmò, mo pou dekri selil kansè ki ka pwopaje al enflyanse lòt selil.*

**malkadi**. *n. : Maladi epilepsi, maladi nan nè ki fè moun pèdi konesans epitou fè li fè mouvman brisk, san kontwòl.* Moun ki fè malkadi konn gen kriz.

**malman**: *adv. Ak difikilte.* Malad la pale malman.

**malmennen**: *v. Maltrete, boule mal avèk.* Moun yo malmennen timoun nan.

**malmouton**. *n. : Enfeksyon timoun konn fè epi ki fè glann anba kou yo anfle.* Lè konsa yo mare machwa timoun ki fè malmouton an ak yon twal ki gen medikaman.

**malnitrisyon**: *n. Sitiyasyon bèt osinon moun pa resevwa kantite nouriti li bezwen pou l grandi, devlope ak viv nòmalman. maladi mal manje.* Gad kijan Kawòl fini, siman se malnitrisyon li fè.

**maloje** : *n. Malozye, maladi nan je ki bay lasi.* Te gen yon maloje yo te rele azoumounou paske toutan fòk moun nan te ap netwaye je a pou li wete lasi ladan l.

**malonnèkte** *(malonnètte ): n. Mechanste.* Pa trete timoun ak malonnèkte.

**malonnèt** : *a. Mechan, san kè.* Ala yon moun malonnèt, se ou.

**malouk**. *a. :* Depi maten lapli ap tonbe, ala yon tan ki malouk papa.

**malozye**: *n. Maloje, maladi nan je ki bay lasi.* Te gen yon malozye yo te rele azoumounou paske toutan fòk moun nan te ap netwaye je a pou li wete lasi ladan l.

**malpwòp**. *a. : Salòp.* Depi maten ou leve la a, ou te dwe bale, siye epi lave kay la, monchè, ou pa ka malpwòp konsa pitit!

**malpwòpte**: *n. 1. Salte.* Moun yo jete malpwòpte nan lari a. *2. Tenten, tentennad, rans.* Li pa nan malpwòpte ak moun.

**malswen**: *n. Moun chèch, ki pa ansante.* Jak pa bon menm, jan li tankou yon malswen la a, pito li al wè doktè.

**maltaye**: *a. Malfèt, lèd.* Bifèt la maltaye, mwen pa renmen l.

**maltrete**: *v. 1. Trete ak mechanste.* Madan Wobè maltrete tifi ki rete avèk li a. *2. Pa pran swen.* Jan te maltrete fi a anpil, li degoute, se pou sa li divòse. *3. Abime, sèvi ak yon bagay san prekosyon.* Timoun yo, pa maltrete liv nou yo.

**Wobè Malval** *(Malval, Robert) np. Komèsan, politisyen, Premye Minis Ayisyen.*

**malvèyan**: *a. Ki konn fè move kou.* Ti nonm nan malveyan, monchè, li vòlè sakit lajan machann nan.

**malvini**: *n. Mèg, zo mangaj, piti.* Timoun sa a malvini.

**mamè** *(manmè): n. Mè, fi ki antre nan mè.* Mamè sa a toujou ap lapriyè.

**mamifè** *: n. Ki gen tete. Yon gwoup vètebre ki gen san cho ki gen cheve oswa pwal. Yo bay pitit yo lèt ki soti nan glann mamè (tete).*

**mamit**. *n. : Manmit, veso ki mezire de tas.* Si yon mamit pwa vann trèz goud kounye a, lavi a vin chè anpil.

**mamòte**: *v. Bege, ezite.* Pitit la ap mamòte leson an.

**manba**. *n. : Manje, pat ki fèt ak pistach griye yo moulen osnon yo pile.* Manba ak kasav se yon bagay mwen renmen manje.

**manbo**. *n. : Fi ki jwe wòl prèt nan relijyon vodou.* Madan Sovè se gwo manbo nan vil Titwou.

**manbràn**: *n. Yon kouch tisi mens, fleksib ki kouvri tisi animal ak vejetal epi tou ki vlope ògàn yo.* Gen plizyè kalite manbràn.

**manbràn selil** *: n fr. Manbràn ki fèt pou pwoteje selil.* Gen manbràn selil ki elastik.

**manbre**: *a. Ki kosto, ki gen gwo ponyèt, ki fè espò.* Jak se yon nonm manbre.

**manch**. *n. : Pati nan yon bagay ki fèt pou ou kapab kenbe l.* Jan pran malèt la nan manch pou li te kapab pote l.

**manche** *: v. Manchte, pran kichòy.* Kou ou sot lekòl, manche liv ou.

**manchèt**. *n. : Gwo kouto peyizan yo sèvi pou yo koupe.* Mwen pral achte yon manchèt demen maten.

**manda**. *n. : Pouvwa pèp la ou byen reprezantan pèp la bay yon moun pou dirije.* Gen moun ki pran pouvwa a avi men manda a se pou katran li ye.

**mandarin**: *n. Fwi, sitris ki gen yon koulè jònabriko, li sanble ak zoranj.* Timoun yo renmen manje mandarin.

**mandate**: *v. Delege, ki resevwa lòd ak pouvwa pou li akonpli yon misyon.* Direktè a mandate yon moun pou rezoud pwoblèm yo.

**mande anraje**: *v fr. Fache, gen anpil kòlè.* Nèg la mande anraje paske paspò l pa fèt.

**mande padon**. *: mande eskiz pou yon bagay ou di ou byen fè.* Mwen mande ti frè mwen an padon paske mwen kase jwèt li a.

**mande**. *v. : Poze kesyon, enfòme sou yon bagay, chèche yon favè.* Mwen ap mande Erik si li wè ti chapo m lan. Mwen ap mande ki wout pou mwen fè. Mande mwen si ou vle yon lòt sandwich. Marya mande pou ede l louvri fenèt la. Pòv la mande yon ti manje.

**mandibil** *: n. Machwa.* Li pran yon kout pwen nan mandibil li.

**mandrinen**: *v. Abize, maspinen, maltrete.*

**mandyan**: *n. Moun ki ap mande lacharite.* Simòn bay mandyan an tout monnen li te rete.

**manèv**: *n. anplwaye ki ap travay ak men yo pou konplete yon travay. Koutirye, mason eltr.*

**manfouben**: *n. 1. Kèpòpòz, ki pa reyaji, ki pa okipe sa ki enpòtan.* Jera se yon manfouben. *2. a. Karakteristik sa ki kèpòpòz.* Atitid manfouben.

**mango merilan**: *n fr. Mango ki pa bon kalite, ki pouri.* Pa achte mango merilan tande.

**mango** *: n. Fwi twopikal, koulè po a ka jòn, wouj osnon vèt men andedan an jònabriko.* Gen plizyè kalite mango nan peyi Ayiti.

**Mangonè, Albè** *(Albert Mangones): np. Youn nan achitèk ayisyen ki dirije reparasyon nan sitadèl Laferyè.*

**mangonmen**: *v. 1. Badijonnen.* Li mangonmen kò l nan siwo a. *2. Makonnen, antrave.* Jak al mangonnen kò l nan yon pwojè la a.

**mani**: *n. 1. Abitid.* Li gen mani etidye chak apre midi anba pye zaboka a. *2. Move abitid.* Li gen mani pran sa ki pa pou li.

**Maniga, Lesli** *(Leslie Saint-Roc Francois Manigat): np. Politisyen, pwofesè. Li fèt 16 Out 1930. Li pati nan ekzil sou gouvènman F. Divalye an 1963; yo kondàne li amò pa kontimas nan àne 1968. Li te pwofesè Etazini, Frans, Venezyela ak Trinidad. Li fonde Rasanbleman Demokrat Pwogresis Nasyonal. Li tounen Ayiti nan àne 1986. Li te vin Prezidan Ayiti pou 3 mwa. Listwa rapòte Maniga te antann li ak* *lame pou li te kapab pase nan yon eleksyon anba tab 17 Janvye 1988.Li prete sèman 7 fevriye 1988 Apre li te vin prezidan, li te vle korije erè li, epi li kòmanse vle dirije, men moun lame yo pat dakò, Anri Nanfi fè yon koudeta, mete l atè 19 Jen 1988.*

**maniki**: *n. Swen zong ak men.*

**manipile** : *v. Twonpe, vire bagay yo nan avanjou.* Woje manipile tout zanmi li yo.

**manje** : *n. 1. Tout sa moun osinon bèt ka vale pou nouri kò li.* Diri ak pwa se manje Edwa renmen. *2. v. Moulen kichòy ak dan epi vale li pou apeze grangou. Mete nouriti nan kò.* Li manje de fwa chak jou. *3. Depanse san lòd.* Jan manje kòb magazen an.

**manje aswè**: *n fr. Soupe.* Nan peyi m se labouyi yo pran pou manje aswè.

**manje dan**: *v fr. 1. Fè kòlè san pale.* Nan tout diskisyon an, Jera manje dan l. *2. Fwote de ranje dan yo.* Gen moun ki manje dan nan dòmi.

**manje lwa**: *n fr. Seremoni pou bay lwa manje.*

**manje marasa**. : *Nan vodou, manje espesyal pou lwa marasa.*

**manje maten**: *n fr. Dejene, dejne, manje moun pran nan maten.* Jak renmen kasav ak manba kòm manje maten.

**manje mò**. : *Sèvis manje pou moun ki mouri yo.*

**manje moun**. : *Kwayans ki di gen aktivite sekrè pou tiye moun.* Yo di lougawou konn manje moun men mwen poko janm wè sa ak de je m, e oumenm?

**manje ranvwa**: *Manje sakrifis pou repouse move espri.*

**manje sèk**. : *Manje ki pa gen vyann ladan l.*

**mank** : *n. 1. Ratman, ezitasyon.* Irèn fè yon bon diskou men li te fè detwa mank. *2. Erè, aksyon osnon atitid ki pa akseptab.* Si Jànin leve nan kay la li pa di manman l bonjou, se yon mank grav.

**manke dega**: *v fr. Derespekte, joure.* Timoun pa manke granmoun dega.

**manke fèy**: *v.fr. Tèt pa byen, yon jan loke.* Leyons gen lè manke fèy.

**manke**. *v. : 1. Rate, mal vize.* Mwen manke kase tèt tigason an. *2. Pèdi, ki pa la ankò.* Mwen manke de mango nan sa mwen achte yo, ki moun ki pran yo? Wòb mwen an manke yon bouton.

**manm initil**: *n fr. Moun ki pa sèvi anyen.* Bèta se yon manm initil nan kay la.

**manm**. *n. : 1. Pati nan kò pou mache epi kenbe, tankou bra ak janm.* Bra yo se manm siperyè, janm yo se manm enferyè. Kou mwen pran sezisman, tout manm mwen yo kraze. *2. Moun ki nan menm pati, menm asosyasyon.* Nou tout se manm fanmi Bondye a.

**manman bèf** : *n fr. Gwo fi.* Madan Richa vin tounen yon manman bèf.

**manman chat**: *n fr. Visye, moun ki gen dwèt long, ki pran sa ki pa pou li san mande.* Jennya se yon manman chat.

**manman penba**: *n fr. 1. Gwo.* Madan Elifèt se yon manman penba ki pa ka pase nan pòt sa a. *2. Mètdam.* Fè atansyon ak Mariwoz, se yon manman penba li ye.

**manman vant** : *n fr. Plasenta, sak ki soti apre akouchman.* Apre akouchman Wozita a, manman vant la te pran tan pou li te soti.

**manman**. *n. : 1. Moun ki pote yon pitit.* Enfòmasyon sa a se pou tout manman pitit. *2. Pi gwo tanbou vodou a.* Kounye a, nou pral bat manman tanbou a.

**manmanlwa**. *n. : 1. Lwa fanm. Yo rele yo manbo tou. 2. Konstitisyon.*

**manmzèl**: *n. 1. Tit ki rezève pou jennfi.* Manmzèl Silòt. *2. Tit degradan pou yon fi yo pa respekte, manzè, kòmè.* Fè atansyon ak manmzèl sa a.

**mann**: *sifiks, mo pou kole apre yon lò mo pou endike yon metye.* Radyomann, kawoutchoumann, dukomann, eltr.

**mannan**: *a. Blan pòv.* Blan mannan.

**Manndela Nèlsonn** *(Nelson Mandela): np. Prezidan Afrik-disid. Lidè mouvman anti separasyon nwa ak blan.*

**mannèv** : *n. 1. Travayè san metye.* Li pa touche anpil, se mannèv li ye. *2. Ladrès pou soti nan difikilte.* Li fè mannèv pou retire machin-nan nan twou a.

**manniboula**: *n. Zouti mizik pou fè bas epitou bay kadans.* Nèg sa a jwe manniboula a byen.

**mannigèt**. *n. : 1. Piston.* Si ou pa gen mannigèt, ou pap sa vin travay nan biwo sa a. *2. Debwouya.* Madan Oben se moun ki gen mannigèt sou li, depi li vle yon bagay, l ap jwenn li.

**Mansikatoèks**. *np. : Frè Kaonabo, yon endyen ki te an rebelyon ak kolon panyòl yo.*

**manstriyasyon** *(règ): n. Peryòd regilye nan mwa (sik mansyèl) lè yon fi ap bay san ki soti nan matris li. Si fi a gen yon ze ki fètilize, manstriyasyon an pa vini chak mwa ankò. Apre akouchman règ la retounen nòmal ankò.*

**mant**: *n. 1. Plant ki gen luil esansyel.* Jera gen yon pye mant nan lakou li a. *2. Sirèt ki gen gou mant.* Timoun yo al achte mant. *3. Esans moun met nan manje dous.* Kalin gen esans mant.

**mantal** : *a. Ki gen relasyon ak sèvo moun.* Maladi mantal.

**mantè**. *n. : Ki pa di laverite.* Jan se gwo mantè, li renmen bay manti konsa.

**mantèg**: *n. Grès blan, ki sot nan kochon, li pa likid, yo kuit manje avèk li.* Al achte diskòb mantèg pou mwen.

**manti**. *n. : Ki pa laverite.* Sispann bay manti la a non, mwen pa renmen moun ban mwen blòf.

**mantò** *(manti): v. ki pa di laverite.* Jak mantò si li di ou li te vini isi a.

**manto**. *n. : Rad fi tankou gason mete sou yo apre yo fin abiye pou pwoteje yo kont fredi.* Mwen gen twa manto, yon kout ak de long.

**manyè** : *1. Kòmanse, li lè, kontinye.* Manyè fè travay nan kay la non. *2. Konpòtman.* Mwen pa renmen manyè Tisya ditou ditou, li pa di silvouplè, ni li pa di mèsi lè yon moun fè l yon politès.

**manyen**. *v. : Touche.* Si ou pap achte pa manyen, ou ap sal machandiz mwen an mouche!

**Manyifikat** *(màyifikat) : 1. Seremoni nan legliz katolik.* Apre vèp, Joslin rete pou manyifikat. *2. Chan gregoryen pou Lavyèj.* Ala yon bèl chan se manyifikat.

**manyòk**. *n. : Rasin ki donnen anba tè.* Gen moun ki renmen manje manyòk bouyi, gen moun ki pito fè manyòk avè l.

**manzè**: *n. 1. Tit pou jennfi.* Manzè Jozèt. *2. Tit pejoratif pou tifi ki yon jan twòp pou mesye yo.* Ti dam sa a se pa tout manzè non. *3. Tit pou fi ki fè pitit men ki pa marye.* Manzè Rita voye di ou mèsi.

**m ap**: *mwen ap*

**m pe**: *varyasyon rejyonal nan depatman Sid pou "mwen ap"*

**mapotcho** *(mapotyo): n. Moun ki gwo, yon jan gwo soulye epi ki pa gen koòdinasyon.* Kalo se yon gwo mapotcho.

**mapou**: *n. Gwo pye bwa ki pouse kote ki gen dlo anba tè.* Gen yon pye mapou nan ri Sentonore a.

**Mapou Jan** *(Jean Mapou): non plim Jean-Marie Denis, dramatij, aktè, kontab, komèsan, animatè radyo, animatè kiltirèl, manm Sosyete Koukouy.Youn nan fondatè Mouvman Kreyòl Ayiti a. Younn nan twa manm pèmanan biwo santral Sosyete Koukouy la. Li devlope yon estil pwezi ki rele pwezigram. Li pibliye "Bajou Kase" pwezi Kreyòl (1974); Pwezigram (1981); "Tatalolo", Teyat (1983); DPM Kanntè Teyat (1974). "Anba Mapou a" Istwa kout, 1999.*

**marabou**: *n. Moun nwa ak cheve swa , ki sanble ak endou.* Elid se yon marabou, kout, entelijan epi timid.

**marasa**. *n. : 1. Ki fèt ansanm, jimo.* Jan ak Jàn se jimo yo ye. *2. Espri osnon lwa jimo nan relijyon vodou.*

**mare min**: *v fr. Move, fwonse sousi.* Inès mare min li sou mwen.

**mare pye**: *v fr. Jennen, anpetre.* Pitit sa a marye pye m.

**mare ren**: *mete tou kouraj pou pase yon move sitiyasyon. Reziye.*

**mare batay**: *goumen.*

**mare**. *v. : 1. Kore, kwense, tache ak kòd.* Jan ou mare bwat sa a li pa fouti louvri san yo pa koupe kòd la. *2. Anpetre, gaga.* Fò ou pran yon desizyon ak sitiyasyon sa a monchè ou pa ka mare konsa, nèg lespri tankou ou. *3. Ki anpeche yon moun fè yon bagay, ki dodinen yon lòt.* Jozefa konn mare moun, ou konnen se marasa li ye. *4. Lamare, nivo dlo lanmè sou lakòt.* Mare-ot, mare-bas. *5. Ki move, ki pral chanje.* Tan-an mare, lapli pral vini. Li fache, li mare min li. Kou Andreya mare twa pli nan fwon li, mouch pa vole.

**marekay**. *n. : Kote ki gen labou, moustik paske dlo sal chita la.* Pa al jwe nan marekay la tande, gen twòp moustik, ya pike w.

**marèl**. *n. : jwèt timoun kote yo sote sou yon pye jous tan yo rive nan fen jwèt la.* Mwen pral trase yon marèl la a, ki moun ki vle jwe?

**maren**. *n. : Moun ki ap travay sou bato.* Depi bato yo debake, plen maren nan vil la.

**marengwen**. *n. : Moustik (ensèk) pi konn pike moun. Gen moustik ki pwopaje mikwòb, tankou mikwòb ki bay malarya ak maladi gwopye.* Gen marengwen tout anba lavil la.

**marenn**. *n. : Fi ki batize ou la.* Pwotestan pa gen marenn.

**mari**. *n. : Sa yon nèg ye pou madanm li, tit gason nan yon koup .* Si Jan se mari m, tout byen mwen se pou li, tout byen pa l se pou mwen tou.

**Mari** (Marie): *np. Non manman Jezi.* Lasent-vyèj Mari. *Non fi.* Mari-Andre.

**Marigo** *(Marigot): np. komin nan awondisman Jakmèl nan depatman Sidès.* Togiram se moun Marigo.

**Mariluiz Dayiti** *(Marie Louise D'Haiti): np. Rèn Ayiti soti 1811 rive 1820. Se te madanm Rwa Henri Christophe, li te fè 4 pitit ak li.Marie Louise te fèt 8 me 1778. Li soti nan yon fanmi nwa lib Coidavid. Kòm manman pitit, Marie Louise te sibi anpil. Napoleyon touye premye pitit li lè l te gen 9 lane. Yo touye dènye a sou Bwaye lè l te gen 16 lane. Marie louise D'Haiti* *mouri nan yon chato fanmi l te genyen nan pise (peyi Itali) ansanm ak 2 pitit fi l.*

**marin**. *n. : Lame meriken ki debake sou bato.* Sou okipasyon, te gen anpil marin nan lari Pòtoprens.

**marinad**: *n. Pat farin fri ki gen epis, sèl ak bikabonat.* Gen moun ki renmen marinad ak pen.

**marinen**: *v. Tranpe vyann nan ji zoranj si ak epis.* Vin marinen vyann nan.

**marisalòp** : *n. Fi ki pa gen bòn konduit nan relasyon ak gason. 2. Rad mekanisyen ki plen tach luil.*

**mariwana** : *n. Fèy plant moun fimen kòm dwòg.* Pa fimen mariwana, tande.

**maryaj**. *n. : Seremoni kote de moun marye.* Mwen pral nan maryaj sè mwen an demen swa.

**Maryani** *(Mariani): Katye tou pre Pòtoprens, sou kote sid.* Pran kamyonèt Pòtoprens, desann Maryani.

**marye sivil**: *v fr. Marye devan ofisye deta sivil.* Maryaj ki pa fèt legliz se maryaj sivil.

**marye** : *v. 1. Selebre nan yon legliz osnon devan yon ofisye deta sivil inyon yon fi ak yon gason.* Iv ak Jaklin ap marye demen. *2. a. Sitiyasyon legal yon gason ki gen madanm osinon yon fi ki gen mari.* Jan se yon nonm marye.

**Maryen** (Marien) : *Wayòm ki te sou kòmandman Guakanagarik. Se nan zòn nò peyi a li te ye, tou pre Okap.*

**mas**. *n. : 1. Anpil moun, anpil bagay.* Se pa de moun non ki te nan legliz la, se yon mas moun tande. *2. Moun ki nan nivo ki pi ba nan peyi a osnon nan kominote a.* Se pa tout moun ki konsène nan pwoblèm mas pèp la. *3. Mwa nan yon ane ki vin apre fevriye epi anvan avril.* Manman mwen fèt nan mwa mas. *4. Boul.* Mas farin, mas vyan, mas nan tete. *5. Dekorasyon moun met nan figi nan madigra.* Mas bèf. *6. Planèt.*

**Mas Jan Pras** *(Jean Price Mars): np. Entelektyèl, senatè, ekriven, oratè, jounalis, medsen, teyorisyen, diplomat. Li fet 15 oktòb 1876 nan komin Grann-Rivyèdinò, nan depatman nò, sou gouvènman Bwawon Kanal. Papa l (Jan E. Mas) te yon komèsan epitou li te depite. Non Pras la soti pou leve non yon bon zanmi papa l ki te rele Anibal Pras (Hannibal Price). Manman li te rele Fòtina Dèlkou Michèl (Fortuna Delcourt Michel).*

**Mas Jan Eleyomon** *(Jean Eléomont Mars): Komèsan (espòtatè kafe ak mawogani) depite, politisyen, se papa Jan Pras Mas.*

**masaj** *(masay): n. Bay friksyon, petri kò yon moun ak men.* Do li fè li mal, li bezwen yon masaj.

**masakre** : *v. 1. Detwi, elimine, tiye ak vyolans.* Kolon yo masakre endyen yo. *2. Defigire, gate.* Li masakre pyès teyat la.

**mase**: *v. 1. Bay masaj. 2. Rasanble.* Yon foul vin mase bò lakomin.

**masè**: *n. Moun ki bay masaj.*

**masèl kòkòb**: *n fr. Pèsonalite fou ki te konn pwomennen nan Pòtoprens nan àne swasant yo.* Masèl kòkòb men chalan dèyè ou.

**Masif Dinò**. *: Mòn ki pi gwo, ki pran plis plas pase tout lòt mòn Ayiti.*

**Masif Lahòt**. *: Mòn ki nan lwès yon gwo mòn ki pran prèske tout longè pati sid peyi Ayiti.*

**Masif Lasèl**. *: Mòn ki nan pati lès yon gwo mòn byen long. Gen pati nan mòn sa yo ki mezire plis pase 7000 pye. Pati ki pi wo a, Mòn Lasèl, mezire 8889 pye.*

**masif**. *n. : Yon ranje mòn.* Ayiti gen sa yo rele Masif Lahòt la.

**maskarad**: *n. 1. Degizman.* Maskarad sa a dyanmdyanm. *2. Ipokrizi.* Pa vin fè maskarad devan moun la a.

**maske**: *1. Degize, mete mas.* Elifèt ap maske ane sa a. *2. Moun ki pote mas nan figi yo.* Volè a te maske.

**maskilen**: *a. Ki konsène gason osinon bèt ki pa femèl.*

**maskriti** *(maskreti, palma kristi): n. 1. Plant ki fè grenn yo sèvi pou fè luil.* Pye maskreti. *2. Luil ki fèt ak grenn maskriti.* Luil maskriti bon pou cheve.

**Maslen, Filip Tobi** *(Marcellin, Phillip Thobbi). np. : Ekriven. Ansanm ak frè l Pyè Maslen, li te ekri woman sou lavi peyizan Ayisyen. Pami yo, genyen "Le crayon de Dieu", Canapé Vert", epi ak "La Bète de Musseau". Gen nan liv mesye sa yo ki tradui nan lang Angle.*

**masòkò**: *a. Ki mal fèt. 2. Yon kalite yanm ki pouse nan mòn.*

**mason**: *n. 1. Metye moun ki fè travay masonnri. 2. Gwoup mistik, franmason.* Jera gen gwo grad nan mason.

**masonn**: *n. Travay mason, chantye mason, krepisaj.* Jodi a m ap fè yon masonn sou chantye.

**masonnen**: *v. Repare yon travay beton.* Bòs la ap masonnen mi an pou mwen.

**maspinaj**: *n. Move tretman vyolan*

**maspinen**: *v. Maltrete, abize.* Jak maspinen Jera joustan li endispoze.

**mastè**: *n. Tit moun ki etidye nan nivo metriz, nan inivèsite.*

**mastik**: *n. Pat mou pou bouche twou.*

**mastike**: *v. Mete mastik.*

**mastòk**: *a. 1. Ki gwo, jeyan, kosto.* Elifèt se yon nonm mastòk. *2. Ki pa elegan, ki gwosye, ki pa byen fini.* Amwa a mastòk.

**maswen** : *n. Kochon lanmè.* Gade yon maswen!

**maswife** *(masuife): n. 1. Poto ki gen suif ak grès sou tout longè li epi sou tèt li gen yon lajan ak manje pou rekonpans.* Moun fè konpetisyon grenpe maswife a pou rive jwenn mayòl la. *2. Tray, difikilte.* Madan Jan ap pase yon maswife ak tifi li a.

**masyal**: *a. Ki konsène militè.* Lakou masyal.

**matant** *(tant) n. : 1. Sè papa ou ou byen sè manman w.* Madanm monnonk ou se matant ou pa alyans. *2. Non yon restavèk bay fi li rete avè l la.* Mwen pa kapab kite ou antre nan kay la, matant mwen pala. *Non yon enkoni bay yon fi ki pi gran pase l, pou make respè.*

**match**: *n. Konpetisyon ant de moun osinon ant de gwoup.* Annou al jwe yon match foutbòl.

**matcho** *(matyo): n. 1. Gason ki gen bon jan ak fi pou li ka atire yo. 2. Gason ki panse li miyò pase fi nan tout bagay.*

**mate**. *v. : 1. Rebondi.* Si ou frape boul la fò, l ap mate. *2. Donte, domine.* Ou twò maledve, fòk mwen mate w.

**matematik**: *n. Syans ki sèvi ak kantite chif òdonne, klase yo pou retire enfòmasyon ki itil.* Jisten fò nan matematik.

**matamatisyen**: *n. Metye moun ki travay nan domèn matematik.*

**maten**. *n. : Pati nan jounen an ki anvan midi.* Mwen leve bonè lematen pou mwen al lekòl.

**matènèl**: *a. Ki gen bon santiman manman ak pitit. 2. n. Nivo lekòl pou timoun piti ki poko gen sizan.*

**matènite**: *n. Peryòd anvan ak apre akouchman. 2. Ki gen relasyon ak manman ti bebe. 3. Seksyon nan lopital ki rezève pou akouchman.*

**materyo**: *n. Tout bagay ki nesesè pou konstriksyon.* Yo vann materyo konstriksyon kay Flanbè. *Sa ki nesesè pou fè yon bagay.* Materyo kouti, materyo konstriksyon.

**mati**: *n. 1. Gwo soufrans, mizè.* Pase mati. *2. Etap nan kànonizasyon nan legliz katolik.* Sen sa a te yon mati. *3. Tray, pwoblèm, difikilte.* Li pase yon mati. *4. a. Ki soufri anpil.* Pèp mati.

**matinal**: *a. Ki fèt nan maten byen bonè.* Jan renmen fè ti mach matinal li. *2. Ki leve bonè.* Jan se yon nonm ki matinal.

**matine** *(matinen): n. Peryòd nan jounen, anvan midi.* Mwen pap la apremidi a, vini nan matine a pito. *2. Peryòd sinema pou timoun.* Timoun yo pral nan sinema matine, yo pa ka ale aswè.

**matinèt**. *n. : Fwèt yo sèvi pou kale timoun; li fèt ak kwi epi li gen de osnon twa branch ki kloure sou yon moso bwa won.*

**Matinik** *(Martinique). : 1. np. Zile nan karayib la ki yon depatman peyi Lafrans.* Nan Matinik gen yon ansanm ki rele Malavwa ki jwe bèl mizik. *2. Dans afriken pou lèmò.*

**Matinikè**: *n. moun ki fèt Matinik.*

**Matino Jan-Klod,** *Martineau, Jean-Claude (Koralen): Atis ki fèt Kwa-Dè-Boukè, 27 Janvye 1937. Non ekriven li se Koralen. Li se powèt popilè nan dyaspora, sitou Boston ak Ayiti. Li te viv Plezans lè li te timoun. An 1962, li pati kite Ayiti ale Ozetazini. Se yon atis angaje ki sèvi ak plim, chante ak kont pou konbat lenjistis osinon pou sèvi nan lopozisyon. Li ekri yon liv pwezi ki rele Flè Dizè (1982), plizyè pyèsteyat nan lang kreyòl, angle ak fransè. Koralen se yon aktè, se yon dizè, yon bon mizisyen, yon sanba. Lè li ap di yon pwezi, lè li ap chante, lè li ap jwe teyat, tout pawòl, tout son ki sòti nan bouch li tankou yon boukè lespwa. Menm jan ak chante li konpoze yo, pwezi nan Flè Dizè louvri pòt rèv sou peyi Dayiti. Li retounen al viv Ayiti nan lane 90 yo. Li kontinye aktivite kiltirèl nan radyo, nan televizyon.*

**matirite**: *n. Etap lè yon moun gen sajès, jijman ak eksperyans.* Liz pa timoun piti ankò, li gen matirite.

**matirize** : *v. Fè pase mizè.* Timoun yo matirize poupe a jwèt la joustan li gate.

**Matisan** *(Martissant): np. Katye sou kote sid Pòtoprens.*

**matla**: *n. Gwo kousen pou moun dòmi, lajè yon kabann, ki chita daplon sou yon somye.* Matla sa a epè.

**matlasye**: *n. Moun ki fè matla.* Se yon matlasye ki refè matla a pou Edwa.

**matlo**. *n. : 1. Moun ki ap travay sou bato.* Gen moun ki renmen rele matlo yo maren. *2. Kole kòsaj ki kare nan do.* Lontan, kole matlo te alamòd anpil.

**matlòt**. *n. : 1. De fi ki gen menm mari.* Kifè Lovana, se matlòt mwen ou ye? Yo pa di mwen ou soti pou pran Richa nan menm? *2. Kanmarad.* Machè, mwen pa matlòt ou, pa betize avèk mwen.

**matmwazèl**: *n. Jèn tifi ant douz e ventan.* Matmwazèl entèl. *2. Tit respè pou yon fi ki pa marye (kèlkeswa laj li) epi ki pa aktif. 3. Ensèk ki long (2 a 3 pous) ki gen kat zèl transparan.*

**mato**. *n. : Zouti pou klouwe.* Lè ou fin sèvi ak mato an mete l nan bwat.

**maton**. *a. : Moun ki fò nan yon bagay.* Mwen pa renmen jwe ak Edwa, msye se maton, li toujou genyen.

**matris** *(lteris): n. ògàn nan kò fi ak mamifè, kote ze fi a depoze, kote tou anbriyon ak fetis devlope anndan manman an.* Madan Kalo pote matris li ba. 2. *Moul.*

**matyè fekal** *(matyè): n fr. Poupou. Dechè ki soti nan ko moun, lè li al poupou.* Men moun pa dwe touche ak matyè fekal.

**matyè** *: n. 1. Eta, prezantasyon sa ki egziste sou latè a.* Gen matyè eta likid, eta solid osnon eta gaz. 2. *Pati ou ka manyen nan kò yon moun.* Gen matyè a epi gen lespri a. *3. Sijè, nan yon klas.* Kalo ap pran twa matyè nouvo ane sa a: aljèb, jeyometri ak trigonometri. *4. Poupou.* Matyè fekal.

**matyè vivan** *: n fr. Tout sa ki gen lavi, ki vivan:* Moun, bèt, plant ak mikwòb se matyè vivan.

**mawode**: *v. Ki rete ozalantou, ap tann yon okazyon.* Taksi a rete ap mawode bò ayewopò a.

**mawogani**: *n. Bwa di ki sèvi pou fè mèb ak eskilti.*

**Mawòk** *(Maroc) : n p. Peyi, nan kontinan Afrik.* Mawòk se kote ki gen bon kwi.

**mawoka**: *n. Lav ensèk, cheni.* Mawoka yo fini ak plantasyon an.

**Mawoken** *(èn) : np. 1. Moun ki gen nasyonalite peyi Mawòk.* Abdala se yon mawoken ki janti. 2. *a. Ki pou Mawòk.* Kwi mawoken.

**mawon**. *a. : Koulè ki tire sou bren ak wouj.* Gen moun ki gen koulè po ak koulè zye mawon; 2. *ki pa ret nan kay, ki sovaj.* Gen bèt mawon, bèt sovaj. *3. Nan tan lakoloni se Afriken ki te abandonnen plantasyon pou yo al devlope espas pa yo nan mòn pou chape anba abi esklavaj se nan mawon tou yo te prepare revanj yo. 4. a. Ki pa gen fòmasyon regilye, ki pa otorize ni konpetan.* Avoka mawon.

**mawonaj**: *n. Teknik afriken ki te esklav nan tan koloni Sendomeng yo te devlope pou yo chape anba abi nan plantasyon yo.*

**mawoule**: *n. Non yo bay moun ki vwayaje ak bèf soti nan yon vil pwovens mennen l labatwa Pòtoprens.* Mawoule yo konn fè plizyè jou sou wout ap mache ak bèf yo.

**Mawoule Kawòl** *(Carole Demesmin): atis chante.*

**Mayami** *(Miyami), (Miami): np. Vil nan eta Florid nan peyi Etazini. Li gen yon pò sou oseyan atlantik. Li gen 400 mil moun nan yon metwopòl twa milyon.* Gen anpil Ayisyen ak Kiben ki viv Mayami.

**mayanba**: *n. Son moun fè ak men nan dlo rivyè osinon nan dlo lanmè pou amizman osinon pou kominikasyon.*

**mayas**: *a. Ki santi move.* Chosèt mayas, pye mayas.

**mayestwo**: *n. Chèf òkès, moun ki alatèt.* Nemou Janbatis ak Webè Siko te de bon mayestwo.

**mayèt**: *n. 1. Pouvwa.* Depi yon moun se gran bwa, li gen mayèt li nan men l. 2. *Mato.* Frape mayèt la. *3. Kou.* Ba li yon sèl mayèt ou lage l atè.

**mayetis**: *n. Atraksyon tankou ant leman ak fè. Prensip ki gouvène atraksyon ant de bagay.*

**mayezi**: *n. Medikaman ki fèt ak sèl mayezyòm.* Lèt mayezi.

**mayi** *: n. Sereyal moun manje bouyi osinon boukannen, dous osnon sale.* Mwen renmen mayi ak pwa, mwen pito l ak sòs pwason. Mayi boukannen, kè mayi, farin mayi, mayi moulen, mayi agren, zepi mayi, bab mayi, kase mayi. 2. *Plant ki bay mayi.* Jaden mayi.

**mayi moulen**. *n. : Mayi ki moulen osinon ki pile nan pilon. Plis mayi a fen, plis li lakòl.* Mayi moulen konn bon ak sòs pwa ak kokoye ladan l.

**mayilò**: *n. 1. Sirèt timoun renmen nan rekreyasyon. 2. Jwèt vire timoun renmen fè epi ki ba yo tèt vire.*

**Mayisad** *(Maïssade): np. Vil nan depatman sant.*

**mayizena**: *n. Farin sereyal pou fè manje pou ti bebe.*

**maymay**: *n. Gwoup timoun ki ap fè bwi. Timoun piti.* Mwen voye maymay la al jwe nan lakou a.

**mayo**. *n. : Kòsaj osnon chemiz ki fèt ak yon kalite twal yon jan elastik.* Jan fè cho sa a, kijan ou fè mete mayo cho sa a sou ou.

**mayodeben**: *n. Kostimdeben, rad espesyal moun mete pou yo al benyen nan pisin osnon nan lanmè.* Mayodeben sa a twò dekòlte.

**mayòl** *(lamayòl): n. Gwo pri, premye pri.*

**mazanga**: *n. Lougawou.*

**mazenga**: *n. Kowoperativ travay.*

**mazèt**: *n. Moun maladwat ki pa konn vize.* Kalo se yon mazèt.

**mazi**: *n. Kay ki fin kraze.*

**mazonbèl** *(mazoumbèl): n. Rasin, tankou yanm ak malanga, moun manje bouyi.* Mazonbèl ak aran se bon manje.

**mazora**: *n. Moun ki san dan.* Kalin pa gen dan devan, li se mazora.

**me**: *n. Senkyèm mwa nan ane a.* Mwa me se mwa lapli.

**mè** *(mamè): n. Fi ki ale nan kouvan.* Antre nan mè, al fè mè. Mè siperyè. Mè sa a se li ki direktè lekòl la. *2. Lanmè.*

**mèb**. *n. : Founiti ki nan yon kay tankou tab, chèz, kabann.* Mwen konn yon moun ki di li pap marye toutotan li pa fin achte tout mèb li bezwen yo. Kabann, chèz salon, salamanje elatriye tout se mèb.

**meble**: *v. Mete mèb.* Jak meble kay la ak bon gou.

**mèch** : *n. 1. Branch cheve.* Li jwenn yon mèch cheve nan manje a. *2. Koton trese tankou yon kòd ki tranpe nan gaz; lè yo pase alimèt ladan l, li limen pou klere yon sal.* Kalin pa kapab limen lanp la paske li pa gen mèch.

**mechan**. *a. : Ki gen move kè, ki kapab fè mechanste.* Kijan ou fè mechan konsa a, ou san kè.

**mechanste**: *v. Malveyans, kè di.* Kawòl se yon fi ki gen mechanste nan kè l.

**mèd**: *n. 1. Salopri, malpwòpte.* Wete mèd sa a nan figi moun la a. *2. ent. Vouzan, jouman, move mo ki endike mekontantman.* Rale kò ou devan m nan, mèd!

**medam**: *n. 1. Fi, anjeneral.* Medam alèkile yo pa nan rans. *2. Plizyè fi ansanm.* Bonjou medam.

**meday**. *n. : Senbòl an metal ki ka gen yon sans relijye tankou li ta ka gen foto lasentvyèj ladan l.* Gen moun ki renmen meday annò. *2. Senbòl pou rekonèt yon moun ki pote premye pri.*

**medaye**: *v. Bay meday, dekore ak meday.* Depi yo medaye li a, li pa janm manke yon jou travay.

**medikal**: *a. Ki konsène domèn medsin.*

**medikaman**. *n. : Remèd.* Mwen poko pran medikaman doktè a preskri m nan, mwen ap tann pita.

**medite**: *v. Reflechi sou yon bagay. 2. Lapriyè.*

**medizan**: *n. Ki pale moun mal.* Jera se yon medizan.

**medsen**: *n. Doktè.*

**medsin** : *n. 1. Medikaman luil osnon fèy ki netwaye trip moun.* Madan Klod bay timoun yo medsin maten an. *2. Lamedsin. syans ki prepare doktè yo pou yo aprann swaye moun malad Branch pou aprann vin doktè.* Jislèn ale nan fakilte medsin nan.

**medsiyen**. *n. : Fèy te, plant medisinal. Fèy ki sèvi pou medikaman.* Se yon ti te medsiyen sèl ki kapab geri w.

**medyàn** : *n. Nan estatistik, valè ki separe yon gwoup an de pati egal.* Medyàn nan konn pa egal ak mwayèn nan.

**medyòk**: *a. Ki mal fèt. Ki fèt san prensip.*

**medyòm** : *n. 1. Mwayen, teknik.* Ki medyòm yo itilize pou ou kominike ak Jak? *2. n. Tay, gwosè.* Li pa mete ni gwo ni piti, li mete medyòm.

**mefyan**: *a. Ki pa fè konfyans fasil.* Pòl se yon nonm ki mefyan.

**mefye**: *v. Ki gen mefyans.*

**mèg**. *a. : Ki pa gwo.* Monkonpè, apa ou vin mèg kou yon kann, sa ou genyen?

**megri**: *a. Ki pèdi pwa.* Jera megri.

**mekanik**: *n. 1. Jan yon bagay fonksyone.* Li pa konn mekanik radyo sa a ditou. *2. Branch mekanisyen etidye.* Ivon ap diplome nan mekanik. *3. Travay manyèl ki mande pou yon moun eksplore fonksyonman yon ekipman.* Pòl toujou ap fè mekanik nan tout sa li jwenn.

**mekanisyen**: *n. Moun ki aprann mekanik oto, ki konn ranje machin.* Jera ak Filip se mekanisyen.

**mèki** *(Mercure) : n. 1. Planèt.* Planèt mèki a lwen. *2. Metal blan metalik, koulè ajan, ki likid.* Yo sèvi ak mèki pou endike nivo tanperati nan tèmomèt.

**mèkondoleyans** *(kondoleyans): eksp. Ekspresyon yon moun di fanmi ki gen moun mouri pou endike lapenn li epi solidarite nan sikonstans la.* Mèkondoleyans, Gaston, mwen aprann marenn ou mouri.

**mekontan** : *a. : Ki pa kontan.* Sa ou genyen ou mekontan konsa a, mwen fè ou yon bagay?

**mekontantman**: *n. Deplezi, fache, kontraryete.* Se pou Kristòf konnen mekontantman li lakòz la.

**mèkredi, lemèkredi**. *n. : jou ki vini apre madi.* Se yon jou mèkredi madan Bòs te marye ak Bòs.

**Meksik** *(Mexique) : n p. Peyi ki nan sid Amerik Dinò, ant Etazini ak Gwatemala.* Meksik se kote ki te genyen anpil Aztèk.

**Meksiken** *(Meksikèn) : 1. n.p. Non moun ki gen nasyonalite peyi Meksik.* Meksiken yo konn jwe rannchera byen. *2. a. Ki pou Meksik.* Dans meksiken.

**mèl**: *n. 1. Wòch pou file kouto, manchèt.* Al file fè a sou mèl la. *2. Zwazo.* Gen yon mèl ki fè nich li nan wòch pa dèyè kay la.

**melanj**: *n. 1. Brasay de osnon plizyè bagay ansanm.* Si ou mete ji grenadya ak ji zoranj, li ap ba ou yon bon melanj. *2. Meli melo, istwa konplike.* Pa gen moun ki konprann melanj sa a.

**melanje**. *v. : Mele, mete diferan bagay ansanm.* Pa melanje biznis ak santiman monchè.

**melas**: *n. Siwo kann ki rete apre sik fin kristalize.* Gen moun se ak melas yo sikre kafe.

**mele** : *v. 1. Antrave.* Jaklin mele nan yon zen ki twòp pou li. *2. Melanje, foure kò, gen avwa.* Li pa mele nan tout koze. *3. Patisipe.* Franswa te mele nan pwojè sa a tou. *4. Melanje, mete ansanm.* Poukisa ou mele pwa a ak diri a? *5. Bat, brase.* Si ou mele ze a nan lèt la a byen, li pap fè boul.

**melimelo**. *n. : mezondafè. Kote ou kapab vann osnon achte plizyè kalite bagay.* Gen melimelo ki prete moun lajan alenterè.

**melis**: *n. Fèy te ki gen bon sant.* Te melis.

**melodi**: *n. Ton mizik, mizik san pawòl.*

**melon dlo**: *n fr. Melon, fwi nan fanmi kikibitase, deyò li vèt, andedan li wouj ak ti grenn nwa.* Melon dlo donnen byen nan peyi Ayiti.

**melon frans**: *n fr. Fui, nan fanmi kikibitase, ki nan fanmi melon.* Melon frans se yon fwi ki chè.

**melon**: *n. melon dlo, fwi, nan fanmi kikibitase, deyò li vèt, andedan li wouj ak ti grenn nwa.* Melon sa a dous.

**memwa**. *n. : 1. Kapasite sonje yon bagay.* Si ou sonje mwen sa vle di ou gen memwa. 2. *Kapasite sere enfòmasyon andedan yon konpyoutè.* Konpyoutè sa a gen plis pase katsan kilobit espas nan memwa l.

**men**. *n. : Pati nan kò moun ki nan fen chak bra l.* Mwen gen de men de pye, mwen kapab al fè afè mwen pou kont mwen. 2. *Konjonksyon, Sepandan.* Mwen ta ede ou men mwen pa gen tan. 3. *Ògànizasyon yon gwoup moun fè pou yo mete lajan yo ansanm pou yo prete youn ak lòt.* Prete mwen san dola, mwen nan yon men, kou tou pa m rive, m ap touche, mwen va remèt ou li. *Bay kout men* = ede. *De men nan tèt* = pèdi espwa., mande sekou. *Fè men* = pratike.

**menaj**: *n. 1. Netwayaj, netwayay.* Jodi a se jou menaj. *2. Peryòd kote de moun renmen, anvan yo fiyanse.* Menaj pa vle di maryaj. *3. Relasyon ant de moun ki renmen.* Jilbèt ak Janjan se menaj. *4. Fwaye, lavi yon koup.* Gen moun ki panse yon menaj dwe pwoteje entimite li.

**menaje**: *v. 1. Itilize san eksè.* Ou travay twòp, se pou manyè menaje kouraj ou. 2. *Pwoteje.* Se ou ki pou menaje enterè ou.

**Mendel Gregor** *( 1822 1884): Yon mwàn (pè katolik) ki te yon syantis. Se li ki devlope teyori modèn sou eredite epi fonde syans jenetik.* Gen kat lwa jenetik yo rele lwa Mendèl. 1. Premye lwa a di karakteristik you moun genyen tankou koulè, wotè elt.. li yo erite epi transfere yo separeman. 2. Dezyèm lwa a di / pou chak antite ki transfere gen yon pè jèn, men lè yo repwodui (seksyèlman) yo transfere yon grenn nan pè a, konsa chak paran ka bay youn pou vin fè pitit la gen de tou. 3. Twazyèm lwa a se lwa dominans ki di menm si pitit la gen de jèn pou chak antite, gen yon jèn ki domine lòt la; sa ki pa domine a li resesif, li parèt sèlman lè dominan-a pa la. 4. Katriyèm lwa a di tout karaktè yo transfere separeman menm si plizyè karaktè yo ta rete tèlkèl.

**mendèv**: *n. Travayè, anplaye. Resous pwodiksyon yon òganizasyon ki pa ekipman.*

**menenj** : *n. Tisi ki vlope sèvo.*

**menenjit** : *n. Enflamasyon tisi ki vlope sèvo.*

**Mengi** *(Mainguy). : Blan ki te posede esklav. Yo te akize l epi kondane l paske li te maltrete esklav li yo anpil. Yo te fè l peyi 10, 000 liv amann pou sa epi li pat gen dwa janm posede esklav ankò.*

**menm** : *Egal.* Si de bagay se menm, yo egal.

**menmman parèyman**: *adv fr. San chanjman, jan sa konn ye a.* Kouman nou ye la a? Menmman, parèyman.

**menmwa**: *n. 1. Sonje.* Edga pa gen memwa. 2. *Dokiman ekri alafen yon kou inivèsite.* Klod pral prezante memwa li. *3. Kapasite sonje.* Leyon pa gen memwa ditou.

**mennen**. *v. : 1. Kondui, dirije.* Eske ou kapab mennen mwen kay papa mwen aswè a 2. *Kondwi.* Se wout sa a ki mennen lakay mwen. 3. *Alatèt, dirije.* Se Jan ki devan ki ap mennen kous la.

**mennen** *(byen mennen): moun ki nan pozisyon ki ba li avantaj.*

**menopoz**: *n. Peryòd nan lavi fi lè manstriyasyon (règ) li rete epi li pa fètil anko; Li pa ka fè timoun. Menopoz kòmanse an general apre laj karant ane.* Madan Pòl fè menopoz.

**Menòs** *(Atelye): Atelye kote yo fabrike mèb ak materyèl atizana tradisyonèl, melanje ak fè ak bwa.*

**menòt**: *n. Zouti osnon kòd ki sèvi pou mare de men yon moun yo arete.* Yo mete menòt pou Elifèt.

**menote**: *v. Mete menòt.* Jandam nan menote Elifèt.

**mens**: *a. Ki pa gwo.* Tifi sa a mens men li pa mèg.

**menwizye**: *n. Moun ki espesyalize nan fè mèb an bwa.* Jak se menwizye.

**mepriz**: *n. Mepri, gade ak degou.* Pito ou fè l yon mepriz pase ou al nan diskite avèk li.

**meprize**: *Gade ak degou.* Bòs Kristòf meprize Jera kou chen.

**mera**: *n. Pwoblèm, difikilte.* Li nan mera.

**mereng**: *n. Mizik, estil mizik nan rejyon karayib.* Mereng sa a fè m sonje lontan.

**meri** *(Lameri): Biwo majistra yon vil.*

**Meriken**. *: Ameriken.* Moun ki fèt Ozetazini rele meriken.

**merilan**: *a. Ki kòmanse pouri, gate.* Mango merilan sa yo pa bon.

**merite**: *v. 1. Dwa. Li merite digoud pou tout travay sa a. 2. Valè.* Liv sa a pa merite tout konpliman sa yo. *3. Rekonpans.* Timoun yo merite al pase yon jounen sou plaj la apre egzamen yo.

**mès** *(lamès): n. 1. Nan legliz katolik, seremoni kote pè a ak fidèl yo lapriyè epi yo kominyen.* Annou ale mès katrè. *2. Seremoni pou sonje yon moun ki mouri.* Fanmi Woje te bay fè yon mès pou li. *3. Abitid.* Move mès.

**mesaj**. *n. : Komisyon.* Mwen pa janm renmen pran mesaj pou moun paske mwen pa vle bliye bay li.

**mèsi**. *n. : Mo yon moun di lè li apresye yon bagay.* Gen moun ki toujou di mèsi paske yo byennelve.

**mesye**: *n. Non yo bay gason ki pa timoun.* Te gen yon mesye ki tap mande pou ou la a.

**mesyedam**: *n. Non pou yon gwoup fi ak gason ansanm.* Mesyedam lasosyete, bonjou.

**met ansanm** *: 1. Adisyonnen, rasanble.* Si nou vle achte kay la se pou nou mete lajan nou ansanm. *2. Antann.* Si nou pa met ansanm, peyi a pap janm ranje. *3. Abiye rad youn ak lòt.* Mwen achte rad sa a pou nou toulede paske mwen konnen nou met ansanm.

**met** *(mete): [al gade mete]*

**mèt** *: 1. Moun ki posede yon bagay.* Se ou ki mèt kay la se ou ki pou deside. *2. Pwofesè, avoka. 3. Moun ki te gen esklav nan tan lakoloni.* Esklav yo pat kapab fè yon pa si mèt yo pat kite yo ale. *3. Inite longè.* Li mezire de mèt. *4. Zouti pou mezire longè.* Prete m mèt ou a.

**mèt kafou**. *: Lwa ki kòmande trafik osnon wout lwa yo.*

**mèt mò**: *n fr. Moun ki pi pre nan san ak moun ki mouri a.* Madanm sa a se li ki mèt mò a, se manman l li ye.

**mèt tèt**. *: Lwa osnon lespri ki antre nan tèt yon moun.*

**metabolis**: *n. Aktivite chimik ak fizik san rete yon ògànis genyen kote enèji transmèt pou aktivite vital yo kab fèt.* Nan metabolis, gen katabolis ak anabolis.

**metafaz**: *n. (nan biyoloji) Etap nan repwodiksyon selil mitoz lè kwomozom yo separe epi deplase ale nan de ekstrèm (nan de pol).*

**metakap**: *n. Zo men ki konekte ak zo ponyèt ak zo dwèt.*

*metal: n. 1. Materyo ki di ki sèvi nan anpil endistri. 2. Non jenerik pou tout materyo ki kondi elektrisite ak chalè, ki di epi ki ka gen ekla.* Fè, aliminyòm lò, ajan se metal. Gen metal ki solid anpil, ou kapab fè pyès machin avè yo.

**metalik**: *a. Ki an metal ki konsène bagay ki fèt ak metal.* Chèz metalik.

**metamòfoz** *: n. Chanjman nan fòm, nan aparans osinon nan estrikti lakay kèk bèt pandan devlopman yo.* Cheni transfòme pou tounen yon papiyon, sa se yon metamòfoz.

**metàn** *: n. Gaz ki pa gen koulè ni odè men ki fè flanm fasil.* Gaz metàn.

**mètdam**: *n. Rize, ki pa onèt.* Jozèf mètdam.

**mete abò**: *v fr. Anpeche yon bagay fèt.* Yo ta pral marye men papa fi a mete abò.

**mete alatranp**: *v fr. Tou pa ou ap vini, pran prekosyon ou, veye zo ou.* Depi yo arete Jak la, Jan mete bab li alatranp lamenm.

**mete apse (abse) sou klou**: *v fr. Ajoute plis pwoblèm sou yon sitiyasyon ki deja grav.* Vòlè pase nan kay la epi menm jou a, mwen pèdi bous mwen mete sou li; sa se yon apse sou klou.

**mete atè** *: v fr. Revoke.* Yo mete direktè a atè.

**mete ba**: *v fr. Akouche.* Kilè madanm nan ap mete ba?

**mete bonnanj sou**: *v fr. Reveye, mete nanm sou ou, louvri je ou.* Mete bonnanj sou ou pou ou ka regle zafè ou.

**mete bouch nan**: *v fr. Foure bouch, pale nan koze.* Jak al mete bouch li nan zafè moun yo.

**mete bouch sou**: *v fr. Predi malè.* Granmoun nan mete bouch sou timoun nan.

**mete chat veye bè**: *v fr. Bay yon moun yon responsabilite li tap chèche yon okazyon pou li abize.* Bòs la fè yon erè, li met Èmàn responsab depo a, se tankou li met chat veye bè.

**mete deyò** *: v fr. 1. Soti.* Jak mete deyò depi m maten. *2. Kouri.* Lè li wè lapolis rive, li met deyò.

**mete fanm sou**: *v fr. Mete kouraj.* Wozita, mete fanm sou ou pou ou pase egzamen bakaloreya a.

**mete gason sou**: *v fr. Mete kouraj.* Wozmon, mete gason sou ou pou ou antere manman ou.

**mete nanm sou ou** *: v fr. Reveye, mete gason sou ou.* Manyè mete nanm sou ou pou ou ka koresponn ak Wozita.

**mete ola**: *v fr. 1. Kalme tansyon ant de moun.* Jera vin mete ola ant Jan ak madan Jan. *2. Fini ak yon sitiyasyon, rete yon dezagreman.* Erezman Jera te la pou li te mete ola.

**mete pye nan dlo**: *v fr. 1. Ki pa pè avanse.* Jera al pase egzamen nan medsin epi nan agwonomi, se pa nèg ki pè mete pye l nan dlo. *2. Al nan konnen.* Simòn te al mete pye l nan dlo pou li konnen dekiprevyen.

**mete**. *v. : 1. Ajoute, depoze.* Mete senk goud sou twa goud li ba ou ui goud. *2. Abiye.* Ki rad ou pral mete sou ou jodi a. *3. Twouve ou nan yon sitiyasyon.* Se ou ki mete mwen nan sa tande, mwen pat dwe janm pran konsèy nan men ou.

**Metelis Jan** *(Jean Metellus): np. Ekriven, womansye, powèt, medsen, pwofesè, lenguis. Li fèt Jakmèl 30 Avril 1937. Li te etidye Jakmèl ak Pòtoprens. Li te pwofesè matematik nan lise Penchina apresa li ale nan peyi Lafrans. La li etidye medsin epi li vin espesyalize nan Newoloji ak maladi ki fè moun pèdi lapawòl. Metelis se yon ekriven ki gen anpil talan. Li ekri plizyè woman ak liv pwezi an Fransè. Li di nan domèn edikasyon moun pa ka fè anpil an Kreyòl... se pou Kreyòl rete nan fè ti pwezi. Men gen lòt lenguis edikatè ki di gen eksperyans nan edikasyon ak lang matènèl ki demontre Metelis twonpe tèt li sou koze Kreyòl la. Mete lis pibliye "Au Pipirite Chantan" Pari Edisyon R. Laffont, 1978. "Anacaona", "La Famille Vortex"*

**meteyò**: *n. Sèk klere ki ap deplase nan syèl la leswa. Sèk sa yo fèt lè yon wòch osinon lòt bagay solid soti nan lespas epi antre nan atmosfè tè a, a tout boulin. Gen anpil friksyon ki fè wòch yo vin chofe epi yo pran dife.*

**meteyoloji** : *n. Etid syans ki gen avwa ak fenomèn nan atmosfè a.* Pa egzanp, se meteyoloji ki pèmèt nou ki tanperati li ap fè demen.

**meteyolojis** : *n. Moun ki etidye meteyoloji.* Jera se yon meteyolojis.

**meteyorit** : *n. Moso nan matyè solid ki nan atmosfè a ki ateri sou latè.* Bonbadman meteyorit.

**metis**: *n. Melanj.*

**Metlan, Jeneral Toma** *(Maitland, General Thomas). : Dènye kòmandan peyi Angletè te voye. Se li ki te siyen yon antant sekrè ak Tousen an 1798 pou fini dominasyon angle a.*

**metòd syantifik**: *Apwòch sistematik syantis yo respekte lè yo ap chèche jwenn solisyon pou yon pwoblèm. Gwoup règ moun suiv pou planifye egzekite epi evalye yon eksperyans lasyans.*

**metòd**: *n. Etap ki nesesè pou fè yon bagay. Lòd rezonnman, systèm pou rive jwen yon rezilta.*

**Metodis**: *n. Doktrin kretyen pwotestan ki soti nan prensip anglikan.*

**metodoloji**: *n. Metòd, etap jan yon moun abòde yon pwoblèm.*

**metrès**. *n. : 1. Fi ki ap viv ak yon nèg sou kote pandan msye gen madanm marye l.* Yon metrès pa gen ankenn dwa legal menm si se li nèg la pi renmen. *2. Pwopriyetè, Moun ki posede yon bagay.* Kay sa a se mwen ki chè mèt, chè metrès li. *3. Fi ki pwofesè lekòl.*

**metsin** *(medsin): n. 1. lametsin, syans ki prepare doktè yo pou yo ka konn okipe afè swaye moun malad.* Jera nan twazyèm ane metsin. *2. Medikaman, luil osnon fèy ki netwaye trip moun.* Demen granmè ap bay tout timoun yo yon metsin.

**metsiyen**: *n. Fèy ki gen pwopriyete trete moun malad.* Gen de kalite fèy metsiyen, gwo metsiyen ak ti metsiyen

**metye**. *n. : 1. Sa yon moun aprann kòm travay.* Metye kòdonye pa rapòte anpil paske moun pa achte soulye chak jou. *2. Okipasyon.* Metye li se mekanisyen.

**mèvèy**. *n. : Bèl bagay ki depase sa yon moun ta espere.* Sitadèl Laferyè se mèvèy peyi Ayiti.

**mèyè**: *1. a. Konparatif siperyorite, pi bon.* Kay sa a meyè pase pa Inès la. *2. Vil nan zòn Jakmèl, nan peyi Ayiti.* Meyè se kote ki gen anpil fwi.

**mezi**. *n. : Kantite.* Mezi lajan w, mezi wanga w.

**Mezidò Jak** *(Jacques Mésidor): np pè katolik, Salezyen. Li te prezidan Konferans Katolik relijye yo. Li te denonse represyon politik ki fèt 28 Nov. 1980 ak nan plizyè lòt okazyon.*

**mezire**. *v. : Pran dimansyon.* Jozèt ede papa l mezire lakou a anvan yo kòmanse plante pye bwa yo. Si ou mezire tab la, ou ap gen yon ide si l ap antre nan kòf machin nan. *2. Konpare.* Pa mezire mwen ak vakabòn sa a, mwen avè l se de bagay diferan.

**mezondafè**: *n. Kote yon moun al depoze yon bagay ki gen valè kòm garanti pou yo ka prete l lajan.* Gen mezondafè ki bay gwo ponya.

**mi**: *n. 1. Pati nan kay ki fè separasyon ant diferan pyès yo.* Mi kay sa a solid. *2 . Anvlòp yon kay ki fèt an beton.* Kay sa a an mi, li pa an bwa. *3. Ki pare pou manje, li pa vèt ankò.* Mango a mi. *4. Nòt mizik ki apre re epi ki anvan fa.* Do re mi fa sòl la si do. *5. Ki pare pou l pete.* Klou an mi kounye a, se pou nou pete l pou nou wete kalmason an ladan l.

**Mibalè** *(Mirebalais): np. Awondisman ak komin nan depatman Sant.* Moun Mibalè gen kouran elektrik 24 sou 24.

**Michèl Emlin** *(Emeline Michel): np. Chantè, atis chante ki popilè Ayiti ak aletranje. Li pibliye plizyè CD. Li gen anpil talan pou anime.*

**MIDH**: *Mouvman Enstorasyon Demokrasi Ayiti. (Mouvement pour l'Instauration de la Démocracie en Haiti.)*

**midi**. *: Lè li fè inèdtan apre onzè dimaten.* Apa li gentan midi epi mwen poko fin pare manje a.

**midonnen**. *v. : Mete lanmidon, ki gen lanmidon ladan l.* Chemiz sa a byen midonnen papa.

**migrasyon**: *n. Deplasman moun osinon bèt.* Gen yon migrasyon moun ki soti lakanpay pou al rete Pòtoprens.

**migrèn** *: n. Mal tèt, tèt fè mal.* Li pran yon aspirin pou migrèn nan.

**mikis**: *n. Likid kò moun sekrete. Sekresyon likid selil ki nan manbràn yo pwodui. Lestomak, nen, bouch tout ka fè mikis.* Larim se yon mikis.

**mikwòb**: *n. Bèt moun pa kapab wè ak je, moun ka wè ak mikwoskòp.* Gen plizyè mikwòb ki ka fè moun malad.

**mikwo-biyoloji**: *n. Domèn lasyans ki etidye mikwòb piti-piti moun pa kapab wè ak je, moun ka wè ak zouti tankou mikwoskòp.*

**mikwo-biyolojis**: *n. Espesyalis nan mikwo-biyoloji.*

**mikwo-ògànis** *: n. Mikwòb; Mikwo-òganis (mikwo [piti-piti] ak òganis [plant, bèt, moun]) se yon seri ti ògànis nou pa kapab wè ak je nou. Nou jwenn mikwòb tou patou, nan lè a, nan manje, nan bouch nou, nan nen nou, nan lestomak nou, nan trip nou, nan poupou nou, sou po nou. Nou jwenn yo nan tè, nan dlo, sou bèt, sou rad nou, sou zouti nou ap manyen. Mikwòb ki bay enfeksyon yo se patojèn. Mikwòb ki pa bay enfeksyon se mikwòb non-patojèn. Gen kat tip mikwo-òganis:* Bakteri *(jèm); Fonji (dyondyon kileve sou plant ak sou po moun [mayas, bòkyè]; Pwotozowè [tankou mikwo-ògànis ki nan san moun ki gen malarya]; viris [tankou viris ki nan san moun ki gen sida]. Moun pa ka wè mikwo-òganis yo san mikwoskòp.*

**mikwoskòp**: *n. Zouti, enstriman, aparèy yo itilize pou wè bagay ki twò piti pou wè ak je. Yon mikwoskòp gen yon seri lantiy ki ògànize pou moun ka fè bagay ki piti anpil tankou bakteri, fè yo parèt gwo, konsa moun ka wè yo epi etidye yo.* Nan klas la nou aprann kijan pou nou sèvi ak yon mikwoskòp.

**mil**: *a. 1. 1000, (10x100) Kantite.* Mil moun. 2. *n. Inite pou mezire distans.* Gen senk mil ant lakay ou ak lakay Jan.

**milat**. *n. : Moun ki se melanj nwa ak blan. Milat yo te gen kèk avantaj pase nwa yo nan tan koloni an. Dapre listwa, milat yo te vle gen menm sitiyasyon "gwo blan" yo, yo te nan hinghang ak "ti blan" yo epi yo te kwè yo pat kanmarad nwa yo. Anpil ladan yo te libere nan esklavaj, yo te vin lib. Yo te rele yo afranchi tou. Yo te vin gendwa posede bagay esklav nwa yo pat gen dwa posede epi se konsa anpil milat yo te vin rich tou. An 1791, yo te vin posede yon tyè teritwa Sendomeng la, yo te posede yon ka esklav yo. Anpil ladan yo te al lekòl Anfrans. Jodi a nan peyi Ayiti, se plis milat ki kontwole anpil nan aktivite ekonomik Ayiti. Gen anpil moun ki panse te gen anpil diskriminasyon ki baze sou koulè nan peyi Ayiti; se sa ki fè yo kapab eksplike premyèman milat yo te kontwole ekonomi ak politik peyi a, epi, dezyèmman sistèm lekòl yo pa janm fè efò pou tout moun aprann li pou yo patisipe nan zafè ekonomik ak politik peyi a kòmilfo. Gen lòt moun ki panse tou pwoblèm nan, se pa yon pwoblèm pi nwa ak pi klè, (milat) men se yon pwoblèm klas ak yon pwoblèm pouvwa lajan ak pouvwa zam. Moun ki genyen pouvwa yo vle kenbe pouvwa yo, tout jan, tout fason. Se ta yon erè jodi a pou nou panse se milat yo sèlman ki responsab tout pwoblèm peyi a epitou se ta yon erè tou pou analize pwoblèm yo sou kritè koulè sèlman.*

**milatrès**: *n. Fi milat, melanj ant nwa ak blan ki gen koulè klè epi ak cheve swa osnon ki pa grenn.* Jera pral marye ak yon milatrès.

**milèt**: *n. 1. Bèt ki pote chaj, li se yon kwazman ant bourik ak cheval.* Gen anpil chay sou do milèt sa a. 2. *Jouman pou fi ki pa fè pitit.* Fi sa a se yon milèt.

**miligram** *(mg) : n. Inite pou mezire pwa.* Katòz miligram egal 0,014 gram.

**mililit** *(ml) : n. Inite pou mezire volim likid.* Egzanp: 2 mililit egal 0,002 lit.

**milimèt** *(mm) : n. Inite pou mezire distans.* Egzanp: 4 milimèt egal 0,004 mèt.

**milisyen**: *n. 1. Manm nan yon gwoup ame ki pa militè.* Gwoup milisyen. 2. *Tonton makout.* Nèg sa a se milisyen, li gen inifòm makout sou li.

**militè**: *n. Fòs ame, solda, ofisye.* Janwobè se militè.

**militon**. *n. :Legim.* Yon bon toufe ak militon toujou bon sou yon diri blan ak pwa bè.

**milpat** *(milpye): n. Ti bèt long ki viv nan tè, kò li divize an plizyè segman.* Gade yon milpat.

**miltiplikasyon**. *n. : 1. Operasyon aritmetik ki bay yon rezilta lè yon chif repete.* Mwen poko konn fè miltiplikasyon paske mwen fèk kòmanse ane lekòl la. 2. *Repetisyon yon bagay plizyè fwa.* Mwen pa konprann kijan Jezi te fè miltiplikasyon pen yo.

**miltiplye**. *v. : 1. Repwodui, refè plizyè fwa.* Li miltipliye rekòt la depi l kòmanse sèvi ak traktè a. 2. *Fè operasyon aritmetik ki repwodui yon chif plizyè fwa.*

**milya** : *n. 1. Kantite ki mil fwa plis pase milyon.* Yon milya foumi se anpil foumi. 2. *Anpil lajan.* Gaston se nonm ki chita sou milya kote ou wè li ye la a.

**milyèm** : *n. Kantite ki mil fwa pi piti pase yon inite.* Yon milyèm piti anpil.

**milyon-ven**: *n. Anpil, kantite egzajere.* Li mande milyon-ven pou kay li a.

**mimi**: *n. Chat.* Gade yon mimi sou fenèt la.

**mimik**: *n. Imitasyon san pawòl.* Jozèt fè mimik Andreya byen.

**min** : *n. 1. Ekspresyon figi.* Fi sa a gen move min. 2. *Pati santral nan kreyon.* Kreyon ak min. 3. *Teren kote yo kapab jwenn metal.* Min aliminyòm. 4. *Bonm ki kache anba tè.* Nan tan lagè, lennmi an konn mete min pou touye advèsè li yo.

**minab**: *a. An move eta, ki merite pitye.* Sitiyasyon minab.

**minè** : *n. 1. Moun ki ap travay nan min.* Minè yo touche anpil lajan. 2. *Moun ki poko gen dizuitan.* Timoun se minè.

**minen**: *v. Febli, wonje.* Maladi a minen Joslin.

**mineral** : *n. Matyè inòganik tankou wòch.* Moun ki nan jeyoloji travay ak anpil mineral.

**mini djaz** *(djaz)*: *n fr. Dyaz ki pa gen anpil enstriman.* Lontan, te gen yon mini dyaz ki te rele Jipsi.

**minijip**: *n. Jip kout ki rive pi wo pase jenou.* Minijip bèl ak ba gogo.

**minis**: *n. Nan peyi Ayiti, moun ki gen responsabilite jere yon depatman.* Minis ledikasyon an responsab depatman ledikasyon.

**minisipalite**: *n. Biwo ak tout moun ki ap dirije yon vil osinon yon komin.*

**miniskil**: *a. 1. piti piti. 2. Lèt ki pa majiskil.*

**ministè**: *n. 1. Fonksyon yon pè dwe fè. 2. Tout minis ansanm ki fòme yon gouvènman. 3. Biwo kote yon minis ak tout estaf travay. Biwo kote tout minis ak estaf yo travay.*

**ministeryèl**: *a. Ki konsène yon minis ak biwo ak estaf li.*

**minisyon**: *n. Estòk, sipò ak mwayen pou lame viv. Tout bal ak bonm yon lame genyen pou sèvi pandan yon batay.*

**minit**. *n. : Tan ki pase apre chak swasant segond.* Sa pran swasant minit pou fè inèdtan.

**minòt** *(menòt)*: *n. Zouti pou minote yon moun.* Yo mete minòt pou vòlè a.

**minote** *(menote)*: *v. Mare de men yon moun pou limite mouvman li.* Yo minote vòlè a.

**minwi**. *n. : Lè li fè inèdtan apre li te onzè diswa.* Kou minwi fin sonnen se yon lòt jou ki kòmanse.

**Miragàn** *(Miragoâne)*: *np. Awondisman ak komin nan depatman Grandans.* Miragwàn gen yon pò entènasyonal, tè a gen boksit.

**miraj** : *n. 1. Ilizyon.* Nan fotografi sa a, vi sa ou ap gade la a se yon miraj. 2. *Manti, blòf.* Nèg la vire tèt tifi a ak miraj.

**mirak**: *n. Yon bagay estwòdinè ki fèt ak èd, fòs, osnon bonte Bondye.* Sen konn fè mirak tou. 2. *Mèvèy, reyisit estwòdinè.* Ale wè doktè sa a, li geri anpil moun, li konn fè mirak.

**miray**: *n. Mi.* Pa apiye sou miray la.

**miraye**: *v. Monte yon mi.*

**Mirvil, Ernst**: *np. Non plim li se Pyè Banbou. Doktè, lengwis, ekriven, animatè kiltirèl, antwopològ.*

**mis** *(miskilati)*: *n. Tisi ki ògànize pou kontraksyon ak ekspansyon pou fè mouvman, pou deplase diferan pati nan kò a. An jeneral selil yo gwoupe tankou yo kòd pit ki gen anpil fil landan. Vyann ki ka kontrakte, ki kontwole mouvman. Gen 656 diferan miskilati nan kò moun. 200 ladan yo patisipe lè moun ap mache.* Mis bra Edwa yo fè l mal. 2. *Matmwazèl, tit fòmèl pou adrese jennfi.* Mis Mari. 3. *Enfimyè.* Mis Jera diplome depi lontan.

**mis volontè** : *n fr. Vyann (miskilati) moun ka kontwole.* Bibit se mis volontè.

**mis envolontè** : *n fr. Vyann (miskilati) ki gen kontwòl endepandan, volonte moun pa ka kontwole yo, gen kontwol otonòm, sèvo a pa kontwole aksyon yo dirèteman.* Se mis envolontè ki gide mouvman trip yo.

**miskad**: *n. Epis pou met nan manje sikre.* Miskad bon nan diri ak lèt.

**miskilè**: *a. Ki gen rapo ak tisi miskilati ki la pou deplasman.*

**Miso (Musseau)**: *np. Zòn rezidans nan delma*

**mistifikasyon**: *n. mistifye yon moun, pwofite pou eksplwate nayivte yon yon moun. Mansonj entelektyèl mansonj moral.*

**mistifye**: *twompe, eksplate nayivte yon moun.*

**mistik**: *a. Ki kole ak yon kwayans kache. Ki pa rasyonèl, ki pa nan domèn rezon. Domèn relijyon. 2. n. Moun ki sèvi ak entuisyon pou deside.*

**misyon** : *n. 1. Chaj, fonksyon.* Misyon nèg sa a se diskite ak ekip nou an. 2. *Komisyon.* Elifèt vin al fè yon misyon pou mwen la a. 3. *Delegasyon, gwoup moun ki pati pou al fè yon bagay nan yon kote.* Gen yon misyon ki soti nan peyi Lachin. 4. *Anbasad, kò diplo-*

*mat. 5. Vokasyon.* Misyon pè sa yo se pou yo ede moun pòv. *6. Destinasyon.* Misyon nan planèt Mas. *7. Operasyon militè.*

**Misyon Alfa** *(Mission Alfa): pwojè alfabetizasyon legliz katolik Ayiti.*

**misyonè**: *n. Moun ki gen misyon pou pwopaje lide relijyon.* Gen detwa misyonè ki fèk rantre sot laba.

**mit** : *n. I. Pati mou nan pen.* Li pa gen dan se mit pen li manje. *2. Ensèk ki viv nan farin.* Farin sa a plen mit.

**mitan** : *n. I. Nan sant.* Nan mitan kay la. *2. Pami.* Nan mitan moun yo li louvri lòbèy. *3. Mwatye tan.* Li travay mitan. *4. Nan jwèt, mwatye yon peryòd.* Premye mitan, dezyèm mitan.

**mitasyon**: *n. Nan domèn jenetik se chanjman inatandi (espontane); nan yon endividi ki fè li diferan lè yo konpare l ak lòt endividi nan menm popilasyon an.* Mitasyon selil.

**mitin** *(miting): n. I. Reyinyon.* Gen mitin chak vandredi. *2. Rankont politik.* Jera pral nan mitin.

**mitokondri**: *n. Nan selil, se yon seri estrikti (ti baton) ki nan sitoplas la. Se la anpil reyaksyon anzim fèt pou bay seli la enèji (ATP).*

**mitoz** *(mitosis): n. metòd divizyon nan selil. Nòmalman mitoz gen kat faz (etap) profaz, metafaz, anafaz ak telofaz. Nan mitoz, kromozom yo double (vin fè de) epi separe an de direksyon. Chak branch idandik ak lòt la. Chak branch vin ògànize pou tounen yon selil idantik youn ak lòt epi tou ki sanble ak manman selil ki te kòmanse yo a. An rezime, nan mitoz yon selil (manman) vin divize an de pou bay de selil idantik.*

**mitrayèz** *(mitrayèt): n. Zam ki tire plizyè bal youn dèyè lòt san rete.* Oska gen yon mitrayèz.

**Mivil Èns** *(Ernst Mirville alyas Pyè Banbou): np. Lenguis, sikyat, etnològ, pwofesè, ekriven. Manm fondatè Mouvman Kreyòl. Manm pèmanan biwo santral Sosyete Koukouy.*

**miwa**. *n. : Glas ki genyen yon kouch pwodui padèyè l ki pèmèt ou wè desen kò ou jan ou ye a.* Gen moun ki renmen kwoke miwa nan saldeben yo.

**miyèt**. *n. : Ti moso, ti kal fen fen.* Asyèt fayans la tonbe, li kraze an miyèt mòso.

**miyò**.*(mye) a. : I. Pi bon pase yon lòt.* Natali naje byen men Lisi miyò, li pi bon pase l. 2. *Ki pi byen pase yon lòt.* Mwen pap okipe w, ou miyò pase mwen.

**miyonnen**: *v. Karese, pran swen ak delikatès.* Pitit sa a miyonnen manman l anpil.

**miz**: *n. Valè moun parye.* Konbyen kòb miz la ye?

**mizadò**: *n. Ki mize, ki pèdi tan nan wout.* Lizèt se yon mizadò.

**Mize Da Ayisyen**. *(Musée d'Art Haïtien): Mize kote gen anpil tablo ak travay atistik atis Ayisyen fè.* Mize Da Ayisyen an nan Kolèj Senpyè a, sou Channmas.

**mizè** *(lanmizè): n. I. Advèsite, nan bezwen.* Jaklin nan mizè. 2. *Yon ti bagay ki pa gen valè.* Yo ba li yon ti mizè pou l ka degaje l.

**mize**. : *I. v. Pèdi tan, avanse san prese, pase anpil tan deyò ap fè aktivite san enpòtans.* Ale vit, pa mize non mwen ap tann ou. 2. *n. Kote yo koleksyone, rasanble epi etale bagay pou moun vin admire, apresye tou. Gen mize syans, mize istwa eltr.* Klas mwen an te al vizite yon mize ki gen zo ansyen bèt ak ansyen wòch, li te enteresan anpil.

**mizerab**: *n. I. n. Ki nan mizè.* Jak se yon mizerab. 2. *a. Ki nan yon move eta.* Kondisyon mizerab.

**mizèrikòd**: *n. I. Sansiblite pou moun ki nan malè, padon, pitye.* Jan gen mizèrikòd pou Andre. 2. *ent. Bondye papa; entèjeksyon ki endike siplikasyon osnon sezisman.* Mizèrikòd, men timoun nan jete tout chodyè manje a.

**mizik**. *n. : Se son ki soti nan gòj ou byen nan enstriman mizik sou yon ton ki agreyab.* Pyano se yonn nan enstriman mizik mwen renmen anpil.

**Mizilman**: *I. Relijyon Islam ki gen yon pwofèt ki rele Mawomè, ki gen Koran kòm bib, ki sèvi Ala, ki priye nan tanp ki rele Moske. 2. Moun ki pratike relijyon Mawomè.*

**mizisyen**. *n. : Moun ki fè mizik ou byen ki chante.* Jil se gran mizisyen, li jwe akòdeyon epi li bat tanbou. Yo te envite yon gwoup mizisyen pou jwe nan maryaj la.

**mizo**: *n. I. Senti an kui yo met nan bouch chen pou li pa manje osinon pou li pa jape.* Mizo chyen. 2. *Anpechman pou moun pale.* Yo met mizo pou Pòl.

**mm**.: *abrv. Milimèt*

**mò** : *n. I. Ki pa gen lavi ankò.* Ti moun nan rete san vire, rèd kou yon mò. 2. *Kadav.* Yo pral antere mò a.

**mò rèd**: *I. Kadav ki depase vennkatrè san konsève ki vin gonfle.* Yo tann twò lontan, kounye a, mò a rèd. 2. *Nan jwèt mab, lè boulpik la rete nan wonn nan.* Ou mò rèd.

**mo**. *n. : Pawòl.* Se pa tout mo ou tande pou ou repete.

**mòd**: *n. I. Jan moun viv osinon panse, gou.* Se estil sa a ki mòd kounye a. 2. *Koutim, abitid.* Yo gen yon mòd yo voye mande ou lajan.

**mòde** : *v. Kenbe ak dan, atake ak dan, blese ak dan.* Chen mòde l.

**mòde**. *v. : Koke dan nan yon bagay.* Si ou pap manje pòm nan, pa mòde l.

**mòde-soufle** : *V fr. Atitid trèt, ipokrit.* Mari pa nan mòde-soufle ak moun.

**modèl**. *n. : 1. Egzanp.* Se desen sa a mwen te pran pou modèl pou mwen te kapab fè desen pa m nan. *2. Moun ki ap fè pwopagann ak reklam pou bagay ki gen avwa ak abiye osnon makiye.* Fi sa a bèl anpil, li ta kapab fè modèl pou nenpòt ki gwo konpayi.

**mòdelage**. *: Ki pa kenbe fèm tout tan, pa pran bagay oserye.* Ou pap janm rive gen diplòm sa a si ou nan mòdelage ak etid ou.

**modèm**: *pyès Ki nan konpyoutè ki pèmèt konpyoutè a pase nan fil telefòn pou kominike ak lòt konpyoutè.* Pou yon konpyoutè ki isit ka kominike ak yon lòt ki ta Ayiti, fò toulede gen modèm epi fò toulede konekte ak liy telefòn.

**modèn**. *a. : Ki ale ak tan kounye a, ki alamòd.* Sa ou ap di la a se koze moun modèn yo, mwen menm se granmoun mwen ye, mwen pa alamòd.

**moderasyon**: *n. konpòtman ki pa abize, ki rezonab, ki modere.*

**moderatè**: *n. Moun ki la pou ògànize epi mete lòd nan yon rankont osinon yon konferans. Konpòtman ki mennen konsilyasyon.*

**modere**: *v. Tanpere, adousi.*

**modès**: *a. Senp, limite, modere.*

**modesti**: *n. Karaktè senp, modere, desans.*

**modi**: *a. 1. Ki pa gen lagras.* Timoun sa a modi devan fanmi l. *2. Ki kondàne pou al nan lanfè.* Dapre relijyon katolik, moun modi pral nan lanfè lè yo mouri.

**modil**: *n. Pati ki repete plizyè fwa pou fòme yon inite.*

**mòfoloji**: *n. Domèn nan syans ki etidye fòm ak ògànizasyon eksteryè yon bagay.*

**mòg**: *n. Espas frèt kote yo konsève mò anvan antèman.* Yo mete mò yo nan mòg deja.

**moke**: *v. Pase nan betiz.* Sispann moke tifi a.

**molè**: *n. 1. Gwo dan dèyè nan macha mamifè yo ki adapte pou moulen manje. Moun gen douz dan molè, sis nan chak machwa (twa chak bò). 2. Molèt, pati posteryè nan janm yon moun, ant jenou ak cheviy.* Lè li kouri, molè li fè l mal. *3. a. Nan domèn chimi li vle di ki gen relasyon ak mol (yon solisyon ki gen yon mol solite dilye pou bay yon lit solisyon)*

**molekil**: *n. Gwoup atòm ki tache youn ak lòt.* Atòm yo asosye youn ak lòt pou bay molekil.

**molisk** : *n. Bèt ki viv nan dlo, ki pa gen vètèb (eskelèt), ki gen yon kokiy.* Lanbi se yon molisk.

**Mòl Sen Nikola***(Môle Saint Nicoleas): non yon vil nan depatman Nòdwès. Se nan Mòl Sen Nikola Kristòf Kolon te ateri an 1492, li te rete pou pase nuit nan mòl la. Te gen akadyen ki te vin kache nan zòn nan an 1765. Se nan Mòl Sen Nikola jeneral Lama mouri 10 Jiyè 1810.*

**moman**: *n. 1. Yon entèval tan ki kout.* Aksidan an fèt nan yon moman. *2. Tan.* Lè moman pa ou rive.

**mòn**. *n. : Pati nan tè a ki monte wo anpil anpil.* Gen anpil mòn. Gen moun ki di fè fre nan mòn yo epi pa gen marengwen nonplis tou.

**Mòn Ekil** *(Morne Hercule): Katye nan Petyonvil.*

**monachi**: *n. Sistèm gouvènman ki mete tout pouvwa nan men yon sèl moun. Rejim politik ki tabli pouvwa nan men yon wa ki ka pase pouvwa a bay pitit li.*

**monastè**: *n. Kouvan kote pè osinon mè ap viv san kontak regilye ak lòt moun deyò.*

**monchè**: *n. Tit zanmitay pou gason.* Monchè, nou se zanmi men nou pa fanmi.

**mond** *(monn): n. 1. Lemonn, tout sa ki ap viv sou latè a.* Mond alèkile a mechan. *2. Moun ki pa kretyen.* Jera se levanjil, li pa nan mond nan menm.

**monden**: *Pwofàn, ki renmen vanite, ki renmen byen latè.*

**mondyal**: *a. Ki konsène toupatou sou latè.*

**mondyalizasyon**: *n. demach pou gaye yon lide toupatou sou latè.*

**mòne**: *n. Yon timoun ki fèt tou mouri lè li soti nan vant manman l.*

**monetè**: *a. Ki gen relasyon ak lajan ki an sikilasyon nan yon peyi.*

**mongonmen**. *a. : 1. Konplike.* Bagay la pa senp ankò tande, li mangonmen seryèzman. *2. Ki bonbade ak lakòl.* Poukisa ou mangonmen kò ou nan lanmidon an konsa a, ou sal tout rad ou.

**moniman**: *n. Gwo bilding osinon travay achitekti pou raple yon moun osinon pou raple yon evenman ki pase.* Katedral, Palè, estati, fò, sitadèl tout se moniman.

**monitè**: *1. Antrenè, moun ki la pou gide lòt moun. 2. Ekran konpouytè.*

**monitris**: *n. Fi antrenè, ki la pou gide lòt moun.*

**monkonpè**. *n. : 1. Parenn. Non gason ki batize pitit yon moun.* Chal se konpè m, se li ki batize Jera. *2. Gason ki akonpaye fi ki batize yon timoun avè l.* Montas se monkonpè m, se avè l mwen batize pitit madan Kal la.

**monnen**. *n. : 1. Lajan ki pa lajan papye, ki an metal epi ki pa anpil.* Mwen pa gen anpil kòb sou mwen la a, se yon monnen mwen jwenn nan pòch mwen. 2. *Sa ki rete nan lajan ou bay yon moun touche.* Ban mwen monnen non madanm, mwen ba ou yon biye senk dola.

**monnonk** *(nonk): n. Tonton, frè papa osinon frè manman yon moun.* Monnonk Kalo se frè papa m.

**monpè**: *n. Pè, tit pou prèt katolik.* Monpè konfese m.

**mons** : *n. 1. Bèt imajinè.* Pa gen moun ki janm wè mons vre. 2. *Moun osnon bèt ki defòme.* Nèg sa a sanble yon mons.

**monseyè** *(monsiyè): n. Tit pou diyitè nan legliz katolik.* Evèk, Kadinal tout gen tit monseyè.

**mont**: *n. Zouti pou mezire tan, pou bay lè, moun pote nan bra.* Mont ou a bèl.

**montay** : *n. Mòn, pati ki wo nan yon teren. Elevasyon natirèl nan yon teren, ki pi wo pase tern ki toutotou li a.* Montay sa a apik.

**monte**. *v.* : *1. Mete ansanm, ranje.* Monte pye tab yo pou mwen tanpri. 2. *Ki prale anwo.* Mwen rayi monte eskalye sa a, li fè janm mwen fè mwen mal. 3. *Ki gen pouvwa malefik.* Sa se yon manje monte tande, pa manje l. 4. *Avanse, pran pye.* Se gras a mwen Tijan monte rive kote l ye jodi a. 5. *(Moute) Soti anba ale anwo.* Mwen bouke monte mòn, zo do mwen pa kapab ankò.

**monte desann**: *1. Ale-vini.* Pandan maryaj la te gen anpil monte-desann, tout moun te sou tansyon. 2. *Anpil aktivite.* Poukisa tout monte desann sa a nan kay la, nou ap bwote?

**montre**: *v. Prezante, etale, mete pou moun wè.*

**Monwi** *(Montrouis): np. Seksyon kominal nan awondisman Akayè nan depatman Lwès.*

**mònye**: *n. Moun mòn, moun ki pa gen elegans.* Aliks se yon mònye.

**MOP**: *Mouvman Ouvriye Peyizan*

**mop**: *mon anglè pou bale.*

**mòpyon**: *n. Jwèt ti pwen ti kwa.* Timoun yo ap jwe mòpyon. 2. *Ti bèt parazit ki viv sou moun ki pa gen bon lijyèn.* Chal gen mòpyon.

**moral**: *n. 1. Ki gade règ konduit nan yon sosyete.* Moun sa yo gen moral. 2. *Pati nan filozofi.* Moral se syans lwa natirèl, lòd ideyal lavi a. 3. *Onèt, jis.* Jak se yon nonm ki gen moral, li pap fè tout bagay. 4. *Dispozisyon ki fè moun pa pè danje.* Malad la gen bon moral. 5. *a. Ki respekte lwa epi ki suiv bon konduit.* Konduit moral.

**moralite**: *n. Atitid, konduit ki gen moral.*

**moralize**: *v. Bay leson moral, preche.*

**mori**: *n. 1. Gwo pwason ki renmen rete kote lanmè a frèt. Se avèk li yo fè luil fwadmori.* Gen anpil mori nan peyi Kanada 2. *Pwason sale, lanmori.* Gen yon manje ayisyen ki fèt ak mori desale yo rele l chiktay.

**moribon**: *a. ki nan agoni, ki pral mouri.*

**Moriso-Lewa Feliks,** *(Morisseau Leroy Felix): np. 1912-1998.* Ekriven, edikatè, jounalis, li fèt Grangozye 13 Mas 1912. Li etidye nan lise Penchina (Jakmèl) ak lise Petyon (Pòtoprens). Li etidye dwa Ayiti apresa li pati ale Ozetazini. Li diplome nan edikasyon nan inivèsite Koloumbya Ozetazini. Li te retounen Ayiti. Li te chèf Divizyon nan Ministè Edikasyon Piblik an 1941. Pita li te vin direktè jeneral nan ministè-a. Li te pran lekzil kite Ayiti nan ane 1958 epi travay nan plizyè peyi Afriken pandan pase ventan. Li te travay pou UNESCO nan peyi Ghana apresa li te travay pou Ministè Lakilti nan peyi Senegal. Li te vinn viv Ozetazini, nan Miyami an 1981. Misye te louvri vàn literati kreyòl la lè li te parèt ak Dyakout (1951). Li retire monopòl literati ayisyen nan lang Franse. Detèminasyon Morisseau-Leroy pou pouse lanng kreyòl la pa gen parèy. Se sa tou ki lakòz misye vin tounen yon lejann vivan pou literati kreyòl ayisyen an. Li ekri an Kreyòl an Fransè epi travay li yo tradui nan lòt lang, men se travay misye fè nan lang kreyòl la ki ba li tout glwa li. Lis zèv Moriso Leroy long anpil. Moriso mouri Miyami, Ozetazini, 5 Septanm 1998, li te gen 86 zan. Pami liv li yo gen: Recolte, (1946), Jaden kreyòl, pwezi; Wa Kreon (Kreyon), teyat; Antigòn, teyat; Ravinodyab, kont (1982 Lamatan); Vilbonè, kont, 1982; Dyakout 1-2-3, pwezi (1983).*

**mosad**: *a. akaryat, boude, rechiya, pesimis.*

**Moske**: *Bilding konsakre pou lapriyè nan relijyon Islam.*

**moso**. *n.* : *1. Tikal, tizing, yon pati ki soti nan yon pi gwo pati.* Li manje sou tout moun li pa bay pa menm yon moso nan manje l la. 2. *Mizik.* Vin n al danse moso sa a, se yon bolewo.

**mòtadèl**: *n. Chakitri, sosison mou yo manje frèt.*

**mòtalite enfantil**. : *Kalkil sou kantite timoun ki mouri pandan yo piti piti parapò a kantite timoun nan menm gwoup laj la. Ayiti, mòtalite enfantil 190 pou mil, sa vle di sou chak 1000 timoun ki fèt, gen 190 ki mouri anvan yo vin pi gran. Gen plis moun jenn pase moun vye. Fi viv jiska yon mwayèn laj 47 an men gason viv jiska yon mwayèn 49 an; enfòmasyon sa a endike gen anpil moun ki mouri jèn, sitou timoun piti.*

**mòtalite**. *n.* : *1. Sitiyasyon lè yon moun gen moun mouri.* Nan ka mòtalite mwen sot ye la a, mwen pa gen senk kòb. 2. *Se kantite moun ki mouri nan yon peryòd, osinon nan yon gwoup moun.* Mòtalite Ayiti wo anpil.

**motè**. *n. : Ponp osnon machin ki fè yon aparèy mache.* Gen moun ki di motè se tankou kè yon aparèy. Se motè yon machin ki pèmèt li deplase.

**motèl**. *n. : 1. Lotèl ki pa gen liks, ki ofri minimòm sa yon moun bezwen pou li pase yon tan kout pandan li anvwayaj.* Anjeneral, motèl koute pi bon mache pase lotèl. *2. Bòdèl. Kote fi a gason ale pou yon tan kout. Nan sans sa a, gen anpil moun ki panse tout motèl se bòdèl men se pa vre.*

**Mòtèl Wodrig** *(Rodrigue Mortel): np. Doktè nan medsin, espesyalis nan rechèch sou kansè matris, jinekològ, administratè, dyak katolik, ekriven. Li fèt Senmak epi li etidye medsin nan lekòl-de-Medsin Ayiti. Li te pati al fè espesyalizasyon Okanada ak Ozetazini. Li travay nan Inivèsite Ozetazini nan domèn jinekoloji, rechèch ak ansèyman. Li devlope yon metòd pou trete moun ki gen kansè iteris (matris) ak òmòn alòske tout moun ap sèvi ak radyoterapi osinon chimyoterapi. Gen anpil chèchè nan domèn kansè matris ki panse metòd doktè Mòtèl devlope a ap vin adopte toupatou sou latè kote gen teknoloji pou trete kansè. Lè metòd la rive la Doktè Mòtèl ap vin elijib pou resevwa nominasyon pou Pri Nobèl, paske travay li ap gen yon enpak sou lavi tout moun, toupatou. Doktè Mòtèl pibliye anpil atik akdemik nan plizyè jounal. Li ekri tou yon otobiyografi. Doktè Mòtèl resevwa plizyè meday entènasyonal nan domèn li. Li al Ayiti souvan pou patisipe nan fòmasyon doktè ak etidyan medsin. Li ap fè demach pou li jwenn resous pou li bati yon lekòl Senmak konsa jèn ki sot nan vil la ka gen chans pou aprann li ekri epitou aprann yon metye.*

**motif**: *Rezon ki jistifye yon zak. Eksplikasyon, pretèks.*

**mòtifye**: *v. Imilye, vekse, soufri andedan.*

**motivasyon**: *n. Fòs enteryè ki fè yon moun aji.*

**motive**: *v. Ankouraje, bay yon moun rezon pou pouse l aji.*

**motokiltè**: *n. Machin agrikòl ki gen motè agaz epi ki ka pran diferan zouti pou fè diferan travay nan jaden.*

**motosiklèt**. *n. : Machin a de wou tankou yon bisiklèt men ki gen motè.* Motosiklèt pi kout pase bisiklèt men motosiklèt pi lou epi pi rapid.

**motosiklis**: *n. Moun ki ap kondui yon motosiklèt.*

**mòtsezon**: *n. Peryòd ki pa gen aktivite.* Nan mòtsezon nou pa fè kòb.

**mòtye**: *n. Melanj sab, lacho, siman ak dlo.* Brase mòtye.

**mou**: *a. Ki pa di.* Fwa mou. Chèz la di, mete plis koton pou boure li, pou li ka vin mou.

**mouch**: *n. Ensèk ki gen de zèl ki klase nan fanmi diptè.* Kote mouch sa yo sòti.

**mouche** (misye) : *n. 1. Non yo bay gason.* Mouche a di li poko ap vini. *2. Non pa si tèlman janti pou gason.* Mouche sa a mwen pa renmen binèt li menm.

**mouchwa**: *n. 1. Moso twal pou siye swe nan figi.* Fè Jan kado yon bwat mouchwa. *2. Foula pou mare tèt, madra.* Mouchwa sa a ale ak sentiwon fi a.

**moul**: *n. Fòm, matris pou koule yon pyès.* Moul bouji.

**moule**: *v. 1. Met nan moul.* Bouji sa yo byen moule. *2. Plake, ki kole byen sou yon fi ki pran fòm moun nan byen.* Rad sa a moule tifi a.

**moulen**. *n. : 1. Machin ki kraze bagay an moso fen fen tankou kann, mayi konsa.* Chak maten, moun nan pwovens yo al bay moulen kafe pou yo nan moulen nan kafou a. *2. Jan yon bagay fen.*

**moumou**: *n. Rad laj pou fi.* Pa soti nan lari ak moumou.

**moun kay** *(moun lakou): n fr. Abitye, ki pa etranje.* Jozèf se moun kay, li mèt antre lè ou vle.

**moun**. *n. : Yon gason, yon fi osinon yon timoun.* Gen trant moun nan otobis la, men se yon sèl moun ki kapab kondui.

**mouran**: *a. 1. Lantman, ki pa ale vit, ki pa apik.* Koub sa a mouran. *2. Ak cham.* Je mouran.

**mouri**: *a. 1. Ki pa gen lavi.* Papa li mouri. *2. Ki fèmen.* Je mouri.

**mouri kò**: *v fr. Mouri poul, rete dousman pou pa atire atansyon.* Mouri kò ou la a joustan ou jwenn yon chans.

**mouri poul** *(mouri kò): v fr. Rete dousman pou pa atire atansyon.* Si ou mouri poul ou nan travay sa a, pèsonn moun pap anmède ou.

**mous**: *n. Ti plant vèt ki kouvri tè ak wòch kote ki imid.*

**moustach**. *n. : Pwal ki pouse anba nen yon gason, ant nen ak tèt bouch li.* Gen moun ki renmen kite bab ak moustach yo pouse.

**moustik**. *(Marengwen)n. : Ti bèt piti ki vole epi ki pike fò.* Gen kote bò marekay ki gen anpil moustik. Moustik transmèt maladi tankou malarya (palidis), ak maladi gwopye. An jeneral, moustik gen de pè zèl.

**moustikè**: *n. Twal fen pou pwoteje moun kont moustik.* Lakay Woje, gen moustikè pou chak kabann yo.

**moutad**. *n. : Epis. Likid jòn epè ki bay sandwich ak manje gou.* Moun pa si tan manje moutad Ayiti.

**mouton**. *n. : Bèt ki dou, mamifè ki gen kat pat, ki sanble ak kabrit.* Yo fè manto ak pwal mouton.

**mouvman**: *n. 1. Chanjman pozisyon, deplasman.* Lè li ap dòmi li fè anpil mouvman. *2. Endikasyon pou make kadans yon misik.* chèf òkès la ap gide chanjman mouvman yo. *3. Sikilasyon.* Nèg sa gen anpil mouvman. *4. Mobilizasyon.* Mouvman sendika. *5. Tandans.* Mouvman refòm, mouvman literati. *6. Evolisyon.* Ki mouvman ou tande. Anyen, sitiyasyon an pa chanje, pa gen mouvman, mouch pa vole. *6. Elan, batman.* Mouvman kè.

**mouvmante**: *a. 1. Ki gen mouvman ak aksyon, ki pa kal. 2. Ajite, danjre.* Sitiyasyon politik mouvmante. *v. Ki pa rete anplas, ki chanje souvan.* Pitit sa a mouvmante kò l toutan.

**Mouvnan Kreyòl** *(Mouvement Créole): np. Gwoup literè ki te fòme nan komansman ane 1950. Bi manm yo se travay pou vansman lang kreyòl la te fet kòmilfo nan literati, kominikasyon eltr. Se avèk kreyasyon MOUVMAN KREYOL jou 18 desanm 1965 lan nou te vin gen premye kolaborasyon ant gwoup òganize pou fe pwomosyon lang kreyol la ak kilti natif natal la. Mouvman Kreyòl te vin sispann fonksyone jou 6 avril1969 la, paske gouvenman Franswa Divalye a te fè arete manm fondate yo, doktè Ernst Mirville, Henry Claude Daniel, Jean Marie W. Denis, elatrye.*

**mouye**. *v. : Ki gen dlo sou li.* Lapli a tonbe, van an voye lapli a sou rad yo, li mouye yo antranp.

**mòv**: *a. Ki gen koulè vyolèt.* Rad mòv.

**move grenn**: *n fr. Move moun, koken, moun ki renmen fè sa ki pa bon.* Kalo se yon move grenn.

**move je** *(move grenn): n fr. Moun ki mechan, koken.* Pitit sa a se yon move je.

**move kou**. *: Mechanste, move bagay.* Monchè ou fè mwen yon move kou wi, ou gentan kouri al pran kado a anvan m, se pou mwen li te ye.

**move kout kat**: *n fr 1. Move jwèt lè moun ap jwe kat.* Si ou pat fè yon move kout kat, se ou ki tap genyen. *2. Move desizyon.* Nan egzamen an Jera fè yon move kout kat, li bay move repons.

**move san**: *n fr.* Kòlè. Pa fè move san.

**move zèb**: *n fr. Raje, zèb ki pa itil, ki ap fè konpetisyon ak plant ki itil.* Rache move zèb.

**move**. *v. : 1. Tyak, pa kontan. Lè moun move, oubyen yo pa kontan ak yon moun ou byen yo gen yon bagay pèsonèl ki fè yo fache.* Sa ou genyen ou move konsa a, ou poko touche? *2. Ki mechan, ki kapab fè moun pè.* Chyen sa a move papa, piga lage l pou li pa al mòde moun. *3. Grav, dezas.* Pral gen yon move tan la a, pito nou kouri al achte manje pou nou sere.

**movèz fwa**: *n fr. 1. Pa vle wè bagay yo nan sans tout lòt moun wè yo, ki pa vle kolabore.* Jan se yon nonm ki gen movèz fwa. *2. Ki pa sensè.* Pa koute Jera, li gen movèz fwa.

**Moyiz** *(Moise). np. : 1. Youn nan jeneral Tousen yo ki te konpetan anpil. Tousen te adopte l pou neve li. Tousen te vin fè l kòmandan nan zòn nò a. 2. Youn nan pèsonaj nan labib.* Moyiz sove nan dlo.

**mòyòkòy**: *n. 1. Moun lou, anpetre, san aktivite.* Ivon se yon mòyòkòy. *2. Eta yon moun loudo.* Gason mòyòkòy.

**mozayik**: *n. Materyo konstriksyon an beton, pou dekore atè anndan kay.* Kay ak mozayik kenbe pi fre pase kay planche.

**mozole**: *n. Gwo moniman kote yo mete moun mouri ki te enpòtan lè yo te vivan.* Mozole Desalin.

**msye** *(misye, mouche): n. Tit respektab yo bay gason ki pa timoun piti.* Misye Jan voye komisyon sa a pou ou.

**mwa**. *n. : Se pati nan yon ane ki gen 28, 29 30 osnon 31 jou. Gen 12 mwa nan yon ane.* Matant mwen fèt nan mwa jen.

**mwàn**: *n. Pè relijye ki viv nan kouvan ak nan monastè.*

**mwason**: *n. Rekòt, travay pou keyi reziltan agrikòl.*

**mwatye**. *n. :* Debò. *Lè ou koupe yon bagay pou fè 2 bout egal ego, yo rele chak moso yo yon mwatye.* Manman mwen manje mwatye chadèk la.

**mwaye**: *n. Pati santral yon wou ki konekte ak aks.*

**mwayen de**: *n fr. Nan sistèm lekòl primè nan peyi Ayiti, dènye àne nan lekòl primè.* Sesil ap fè mwayen de.

**mwayen en**: *n fr. Nan sistèm lekòl primè nan peyi Ayiti, avan dènye àne nan klas primè.* Jan nan mwayen en, ane pwochen li pral nan mwayen de.

**mwayèn** *: n. 1. Nòt nesesè pou pase.* Kalin fè mwayèn li. *2. Total plizyè vale divize pa kantite valè ki genyen an.* Mwayèn klas la.

**mwayen**. *n. : 1. Fason.* Pa ki mwayen n ap rive janbe lari sa a? *2. Lajan, resous.* Kote moun sa yo gen mwayen pou yo bati gwosè kay sa a?

**mwazi**. *a. : Ki santi kanni, mwikmwik.* Chanm sa a te fèmen lontan, li santi mwazi anpil.

**mwèl** *(mwal) : n. 1. Pati anndan zo, ki mou. Tisi mou ki gen grès nou jwenn nan kavite (twou) zo yo. 2. Pati enpòtan nan yon gwoup.* Majò jon an se mwèl gwoup la.

**mwen**. *pr. : Premye pwonon pèsonèl pou yon grenn moun, moun ki ap pale a osnon ki ap fè aksyon.* Mwen pa konnen w. Mwen pa rekonèt ankenn nan moun sa yo, se dwe zanmi pa ou yo ye. Mwen gen sizan jodi a. Mwen pral nan makèt talè konsa.

**mwen menm**: *pwo. Mwen, tèt mwen.* Se mwen menm ki di ou.

**mwennka**: *adv. Kenz minit anvan lè.* Katrè mwenka.

**mwens, anmwens**. *adv. : 1. Manke; konparatif enferyorite.* Kay sa a vo mwens kòb. Kòb la pa rive fè senk goud, li mwens pase kat goud. Lajan an manke, ou ban mwen I anmwens. *2. Soustraksyon.* karant mwens dis egal trant. *3. Pipiti.* Li gen mwens bonbon pase ti frè a.

**mwèt** *: n. Zwazo ki rete bò lanmè.* Gade yon mwèt!

**mwezi** *(mwazi): ale gade mwazi*

**mwik**. *a. : Ki mwazi. Sitiyasyon yon bagay ki imid epi ki gen yon odè dezagreyab.* Kay sa a sal li gen yon odè mwik.

**myaw** *(miyaou): n. Son chat fè.* Chat la di myaw.

**mye**: *adv. Miyò, amelyore.* Li fè mye depi yè.

**myèl**. *n. : 1. Ensèk jòn e nwa ki gen 4 zèl epi ki pwodui siwo myèl. 2. Siwo ensèk myèl la fè.* Mete yon ti myèl nan te a pou mwen.

**myèt**: *ti moso manje, kras manje.*

**myezanmye**: *adv. amelyorasyon ki kontinye.*

**myezèt**: *amelyorasyon nan sitiyasyon.*

**Myo Antenò** *(Anthénor Miot): np. 1906-1994. Medsen, espesyalis nan òtopedi, pwofesè nan lekòl Demedsin. Li fèt Okay 5 Novanm 1906. Papa li se te Veri Myo (Verrus Miot) manman li se te Emilya Polen (Emilia Paulin). Manman li mouri lè li te gen dezan. Papa li re-marye ak Nefil Montana-Badou ki elve Antenò. Li fè etid primè kay frè Okay epi etid sekondè nan lise Filip Gèrye Okay ak Lise Petyon Pòtoprens. Li soti loreya nan promosyon filozofi epitou li resevwa meday ofisyèl kòm loreya epitou pwofesè li, Lorimè Deni pote li sou zèpòl soti depi nan biwo edikasyon nasyonal rive nan lakou lise Petyon. Apresa li te al nan lekòl Demedsin, li diplome 31 Jiyè 1931 kòm loreya pwomosyon 1931 an, prezidan Estenyo Vensan ba li yon pri espesyal kòm loreya. Li travay nan plizyè lopital nan peyi a, apre, li te al etidye an Frans ak Ozetazini pou espesyalizasyon nan òtopedi. Li marye nan ane 1938 ak Kamèn Larak, yo fè nèf pitit. Li pran retrèt li an 1984. Li mouri Pòtoprens, an Jen 1994.*

**Myo Sèj** *[Monseyè] (Serge Miot): np. Achevèk ko-adjitè plena sede nan pòtoprens apatide 12 Oktòb 1998.*

**myòp**: *a. Yon kondisyon anòmal kote je yon moun pa wè lwen byen, men li ka wè imaj ki pre yo byen. Nan ka moun myòp reyon limyè ki soti lwen yo vin fè imaj sou devan retin nan alòske yo te dwe fè imaj la sou retin lan menm, se sa ki fè moun nan wè imaj la twoub. 2. Karaktè moun ki pa gen jijman, ki pa gen rèv.*

# N n

**n**: *1. Lèt alfabè. N se premye lèt nan mo naje. 2. pr. : kontraksyon pou nou, pwonon pèsonèl pou plizyè moun.* N a gentan konnen grenn nan ak po a sa ki pi pike. N a fè ou konnen ki entansyon nou genyen.

**na**: *kontraksyon pou nou a*

**naftalèn. (naftalin)** : *n. Pwodui chimik pou repouse tibèt nan rad, nan liv ak nan lòt bagay ki nan depo.* Pa met naftalèn bò kote manje.

**naj** *(alanaj): n. Mouvman nan dlo pou deplase san touche tè.* Travèse pisin nan alanaj.

**najè**: *n. Moun ki konn naje.* Edga se gwo najè.

**naje**. *v. : Deplase nan dlo san pye ou pa touche tè.* Si ou pa konn naje, pa al nan fon lanmè a, wa nwaye.

**najwa** : *n. Manm, pati plat nan bèt akwatik (sitou pwason) ki pèmèt yo naje nan dlo.* Najwa yo sou kò pwason yo.

**nak**: *n. Pèl, materyèl blan ki soti nan kèk bèt lanmè (molis).* Gen moun ki konn fè bèl atizana an nak.

**nakotik**: *Medikaman ki fè moun dòmi. 2. Dwòg.*

**Namphy, Henry** (Jeneral Anri Nanfi): *np. Militè, Chèf-Deta defakto. Li fèt 2 Oktòb 1932. Lè Janklod Divalye pati, Nanfi te vin prezidan KNG (Konsèy Nasyonal Gouvènman). Li pase gouvènman an bay Maniga, apresa li fè yon koudeta pou reprann li. Apre masak nan legliz Senjan Bosko yo ranvèse gouvènman li a.*

**nan bab**: *prep fr. Anba bouch, tou pre.* Kle a nan bab ou la a.

**nan dan (anba dan)**: *prep fr. Pawòl ki di avwa bas, san bouch pa gran louvri pou li ka pa klè pou tout moun.* Kolèt di m sa nan dan.

**nan dengon (nan deng)**: *prep fr. Ensiste san rete, nan ke, nan dèyè.* Nèg la nan degon mwen depi m maten.

**nan lye verite (nan pye verite)**: *n fr. Mouri, ki rive kote li tap prale a, ki pa sou latè a ankò.* Madan Jisten nan lye verite l kounye a.

**nan mitan.** *adv. Nan sant, omilye.* Kamisil chita nan mitan zanmi l yo.

**nan**. *pr. : Lan, anndan.* Ti moun yo t ap jwe nan dlo a.

**nandeng**: *n. Tengfas, san lage, ak pèsistans.* Ou se yon ti nandeng, ou konnen?

**nandemen (nanlandmen)**: *Demen, jou ki vin apre a.* Nandemen misye tou ale lakay li.

**nandòmi**: *n. Pandan w ap dòmi, nan mitan somèy.* Yo pote yon boul bòlèt bay Inès nan dòmi.

**nanm.** *n. : 1. Lespri.* Moun ki mouri pa gen nanm. *2. Kouraj.* Kouman ou ap mache san nanm konsa a, ou malad?

**nannan**: *n. Pati anndan.* Nannan kokoye.

**nannò**: *prep. Nan zòn nò, Bò Okap.* Kalo se moun nannò.

**nannwit (nannuit, nuit)**: *n. Peryòd ki pa lajounen, lè gen fènwa, paske solèy la ap klere pa lòtbò fas tè a parapò ak kote nou ye a.* Li rantre nannwit la.

**nanpwen**: *adv. Pa genyen.* Nanpwen luil pou fè manje.

**nansid**: *prep. Nan zòn sid, Bò Okay osinon bò Jeremi.* Dodo se moun nansid.

**nap**: *n. 1. Twal pou dekore tab.* Ala yon bèl nap. *2. Nou ap, n-ap, n ap. Kontraksyon pou nou ap, ki vle aksyon an sou kous li.*

**napkin**. *n. : Napwon papye ou byen twal pou siye bouch ou.* Pandan ou ap mete kouvè a, tou mete napkin yo tou.

**napwon**: *n. Twal ki sou tab osnon pou siye bouch.* Napwon sa yo ale ak nap la.

**nas**: *n. Zouti, pèlen pou pran pwason.* Pwason an pran nan nas.

**nasyon:** *n. Teritwa kote gwoup moun ki gen menm drapo ak menm nasyonalite rete.* Nasyon ayisyen.

**nasyonal**:*a. Ki gen relasyon ak nasyon an.* Konje nasyonal.

**nasyonalis:** *1. Patriotis. 2. doktrin endepandatis.*

**nasyonalite**: *n. Sitwayènte.*

**nasyonalize**: *v. Transfere yon entrepriz prive pou li vin yon antrepriz leta.*

**Nasyon-zini**:*(Nations-Unies)Ògànizasyon entènasyonal ki la pou pwomouvwa lapè ak sekirite ant peyi yo sou latè yo. Li te fòme an 1945 nan vil Sann-Fransisko, nan eta Kalifònya, Ozetazini. Gen 181 nasyon ki manm ògànizasyon an.*

**nat**. *n. : Atèmiyò. Kabann latànye pou moun kouche atè.* Prete mwen yon nat pou mwen lage kò mwen pou mwen dòmi.

**nati, lanati**. *n. : 1. Volonte bondye, se konsa sa dwe ye, ansanm tout bagay Bondye kreye nan lòd li kreye yo a.* Ou pa kapab chanje nati a, se konsa pou sa pase. 2. *Karaktè yon moun.* Se nati l menm ki konsa, li gen kè di. *3. Sèks fi.* Li te malad nan nati li se sa ki fè li pa janm fè pitit.

**natifnatal (natif)**: *n. Moun ki fèt nan peyi osnon nan zòn sa yo ap palede li a.* Fanmi Bontan se natifnatal Pòdepè.

**natiralis**: *n. Byolojis ki espesyalize nan etid lanati ak obsèvasyon bèt ak plant.*

**natirèl** : *a. 1. Ki nan lanati.* Gen moun ki renmen rete nan mòn paske anbyans la natirèl. 2. *Ki pa atifisyèl, ki pa fòse.* Li gen yon ton natirèl. *3. Fre, ki pa transfòme nan endistri.* Ji zorany sa a natirèl, se pa ji konjle li ye.

**natirèlman** : *adv. Nòmalman, san fòse.* Li se yon timoun ki renmen lekòl natirèlman.

**naval**: *a. Ki konsènen koze vwayaje sou lanmè ak anban lanmè; ki konsènen lamarin sivil osinon lamarin militè.*

**Navaz (Lanavaz)**: *Zile nan sid Ayiti Ameriken mete la men sou li epi ki an konfli ant de nasyon yo. Gen anpil gwano la ki sèvi kòm angrè natirèl.*

**nave (navè)**: *n. Legim nan fanmi krisifè.* Nave bon nan soup joumou.

**navèt**: *n. 1. Machin ki vole ale nan lalin osnon nan lòt planèt.* Navèt espasyal. 2. *Fè lanavèt, deplase ale-vini.* Jak fè lanavèt chak jou ant Jakmèl ak Pòtoprens.

**navigasyon**: *n.1. Deplasman nan bato, trafik sou dlo. Domèn syans ki etidye teknik ak ladrès deplasman nan bato. 2. Trafik nan espas ak nan dlo.* Navigasyon ayeryèn ak maritim.

**navigatè**: *n. Manm ekipaj ki pilote avyon osinon bato.*

**navige**: *v. 1. Deplase sou dlo, nan bato. 2. Pilote avyon.*

**nayif**: *1. a. Natirèl, senp, inosan, sensè, ki pa kache enfòmasyon, san malis, iyoran, mal enfòme. 2. Estil pwodiksyon estetik. Penti nayif.*

**nayilòn** : *n. Twal, bib atifisyèl (ki fèt nan izin).* Pa gen plant ki fè nayilòn

**nayklib (nayklèb)**: *n. Mo, ki soti nan lang angle nightclub, plas amizman pou granmoun leswa.* Annou al nan nayklib aswè a.

**Nazon**: *np.Katye nan pòtoprens.*

**nè**: *n. Seri selil espesyalize ki tache ansanm epi ki konekte ògàn yo ak sistèm nè a ak sèvo a. Li pote siyal soti nan sèvo a ale nan tisi ak ògàn yo, li pran enfòmasyon soti nan ògàn yo ale nan sèvo a.*

**nè optik** : *n fr.* Nè nan je. *Nè ki konekte retin je a ak sèvo a.* Jak bat je l toutan paske li gen yon pwoblèm nan nè optik li yo.

**ne**. *n. : 1. Kokad. Jan riban mare.* Mwen pral koud yon rad ak ne mare padèyè pou pitit fi mwen an. 2. *Makonnaj.* Bay kòd la de ne pou li pa kase. *3. pati nan branch plant kote fèy yo tache.*

**nechèl**. *n. : Eskalye anbwa. Zouti an bwa osnon an metal ki gen plizyè etaj pou moun monte anlè. Nechèl sanble ak yon eskalye pòtatif.*

**nèf** : *a. 1. Ki poko sèvi, ki fèk achte.* Bwòsadan sa a nèf. Oto sa a nèf. 2. *Chif ant uit ak dis.* Nèf vach ak de towo. *3. n. Nan yon legliz, espas ant lotèl la epi ak kote fidèl yo vin kominye a.* Pa gen moun ki chita nan nèf la.

**nèg**: *n. 1. Moun, fi kou gason.* Lavi a di pou nèg bò isit. 2. *Gason.* Nèg sa a sanble mari fi sa a.

**negatif** : *n. 1. Ki pa pozitif.* Rezilta tès yo negatif. 2. *Ki pi piti pase zewo.* Chif negatif. *3. Senbòl soustraksyon, mwens.* Kat mwens youn egal twa. 4. *Fim yo devlope pou yo ka enprime foto yo.* Negatif yo pa byen soti.

**nègès**: *n. Fi. gade yon nègès!*

**neglijan**: *a. Ki pa pran prekosyon nesesè.* Timoun neglijan.

**neglijans**: *n. 1. Sitiyasyon kote moun pa pran prekosyon.* Andre fè neglijans, li kite recho dife a limen, se sa ki met dife a. 2. *Parès.* Neglijans fè li bliye enskri pou li al pase egzamen an.

**neglije**: *v. 1. Pa pran swen.* Ou neglije kay la. 2. *Bliye.* Ou neglije Woje, ou pa menm ba li yon ti kout fil. 3. *Iyore, met sou kote.* Si yon moun ap pale avèk ou, ou pa kapab neglije l konsa. 4. *a. San swen, pa anteni, an delala.* Pa mache nan lari a an neglije konsa. 5. *n. Dezabiye.* Alè sa a ou gen neglije ou sou ou toujou?

**negosyab**: *a. Ki ka negosye, ki ka debat, ki pa definitif.*

**negosyan:** *n. Moun ki ap fè kòmès.* Wolan se youn nan negosyan lavil yo.

**negosiyasyon**: *n. Demach ant de gwoup pou rive nan yon akò.*

**negosiyatè**: *moun ki ap negosye.*

**negosye**: *v. Diskite, fè komès, fè demach pou debouche sou yon antant, yon kontra osinon yon akò.*

**negriye**: *n.1. Moun ki te mele nan afè achte ak vann moun nwa. 2. Bato ki te transpòte moun nwa pou yo al vann kòm esklav.*

**nèj, lanèj**. *n. : 1. Ti glas fenfen ki tonbe tankou lapli nan peyi kote ki genyen kat sezon yo.* Okanada, moun yo renmen lè nèj la tonbe jou ki 25 desanm, yo rele sa "Nwèl blan". *2. Glas ki fèt nan frizè frijidè.* Dekonekte frijidè a non, ou pa wè li fè twòp nèj! *3. Glas, glasaj. Melanj ki fèt ak sik yo mete sou bonbon.* Mwen pa renmen manje gato ki gen anpil nèj sou li, li twò dous.

**nekta** : *n. Ji fwi natirèl ki gen bon gou.* Gen moun, lè yo ap pale de ji grenadin, yo renmen di nekta grenadin.

**nektarin**: *n. Yon varyete pèch, li gen po lis epi grenn nan pa rete kole ak chè a.*

**nemoni**: *n. maladi, enfeksyon nan poumon kote tisi alveyòl yo anfle paske gen efeksyon mikwòb (bakteri osinon viris).* Joslen fè nemoni.

**Nemou Janbatis** *(Nemours Jean-Baptiste): np. mizisyen, saksofonis ki te jwe epi popilarize mizik estil konpa.*

**nen bouche**: *n fr. Konjesyon ki fè moun ka kapab respire nan nen.* Tibebe a gen nen bouche.

**nen** : *n. 1. Pati nan figi moun ki sèvi pou antre lè.* Nen plat. *2. Gen nen nan figi, respekte tèt ou.*Jantilis pa yon nonm ki gen nen nan figi l.

**nen senyen**: *n fr. Emoraji nan nen.* Pitit sa a soufri nen senyen.

**nenf** : *n. 1. Nan mitoloji, deyès ki kouri nan bwa, bò rivyè.* Gen yon istwa yon nenf toutouni ki pèdi bò yon dlo. *2. Fi ki gen bèl kò.* Dam sa a se yon nenf.

**nennenn**: *n. Marenn.* Nennenn mwen rele Kawòl.

**nenpòt kisa**. : *San preferans.* Nenpòt ki sa ou vle, ou mèt mande mwen.

**nenpòt**. *adv. : San preferans. Kèlkilanswa.* Mwen pa gen pwoblèm, mwen ap pran nenpòt sa ou ban mwen.

**nenpòtki**. : *1. Enkoni, moun ou pa twò konnen, ou pa abitwe avè l. 2. Moun ki pa enpòtan.* Ou kite nenpòtki antre nan chanm ou an?

**Neptin-Anglad,Mirèy** *(Mireille Neptune-Anglade): np. ekriven, sosyològ, edikatè, fàm-dafè. Li ekri dokiman sou lavi fanm ak patisipasyon fanm nan sosyete Ayiti. Li te gen yon mezon-dedisyon ki pibliye liv li ekri. Li viv anpil ane nan vil Monreyal, Kanada. Mari li se Jòj Anglad.*

**Nere Bòb** (*Bob Nere*): *np. Pastè, jounalis, medsen. Li fonde plizyè revi, Hebdo Jounal Presse,(-1977) Haitiens Aujourd'hui (1997-) nan Miyami*

**Nere, Lik (Luc Nérée) Pastè Nere**: *np. Pastè batis konni nan Pòtoprens pandan anne 70 yo. Li te pastè nan ALeliz Batis Dèsite@ (L=église Baptiste des Cités) epi chak dimanch li te gen emisyon nan radyo. An 1978 Gouvènman an panse Pastè Nere te louvri je moun yo twòp ak analiz sosyal li te ap fè. Apre yon atik li te ekri ALa Milice au Pouvoir@ pou li te ka sispann, yo te arete li yo te bat li pou opinyon li.*

**nesans**: *n. Soti nan vant manman, fèt.* Jou nesans li se de janvye.

**nesesè** : *a. Itil, enpòtan, endispansab.* Li nesesè pou ou etidye chak jou.

**nesesite** : *n. Bezwen.* Ki nesesite ou genyen pou ou ap pale fò konsa.

**net** : *a. 1. Ki pa pozitif ni negatif.* Rezilta net. *2. Ki pa gen opinyon.* Pozisyon net.

**nèt** : *adv. Total, anpil.* Li renmen sa nèt.

**nètalkole**: *adv. Nèt, total, anpil.* Nou travay tout nwit la nètalkole.

**netwaye**. *v. : Pwòpte.* Wete rad sal la sou ou, al netwaye tach ki sou li a.

**netwon** : *n. Pati nan atòm ki pa gen ni chaj pozitif, ni chaj negatif, ki net.* Netwon se yon patikil elektrik ki nan tout nwayo.

**nèvan**: *a. 1. Ki fè moun nève.* Sitiyasyon sa a nèvan, li pa ka kontinye konsa. *2. Ki fè moun pèdi pasyans.* Timoun yo nèvan.

**neve**: *n. Ti gason, pitit frè ou osnon pitit sè ou.* Kalo se neve madan Jak.

**nevè** : *n. Lè nan maten osinon apre uitè lè ti egwi a sou chif nèf epitou gwo egwi a sou douz.* Kou li nevè, pwofesè a bay rekreyasyon.

**nève (enève)**: *v. 1. Ki pèdi pasyans.* Madan kalo nève. *2. Ki fè moun pèdi pasyans.* Madan kalo fè m nève.

**nevèn**. : *Sèvis lapriyè ki dire nèf jou. Se katolik ki pratike l.* Moun kapab fè nevèn pou sen epi pou mò tou.

**nevyèm (nevyèm)**: *a. 1. Pozisyon nimewo nèf ki vini apre uityèm, anvan dizyèm.* Nevyèm elèv ki remèt devwa l. *2. n. Ki nan nevyèm pozisyon an.* Se mwen ki nevyèm nan klas la.

**newòn**: *n. selil nè espesyalize, ki genyen lòt pati pou kominike tankou dandrit, aksonn eltr.*

**neye (nwaye)** : *v. Ki koule anba dlo san kontwòl.* Bato a neye. *2. Ki mouri nan dlo.* Tifrè te neye nan dlo ane pase.

**neyo-liberalis**: *Doktrin ekonomik kapitalis ki limite patisipasyon leta.*

**ni**: *kon. Yo youn.* Se pa ni youn, ni lòt.

**nich** : *n. 1. Kay zwazo bati ak pay pou ponn ze.* Gen yon nich sou pyebwa a. *2. Kay yon bèt.* Chyen an gen nich li nan lakou a. *3. Anviwonman, teritwa ki kòrèk pou yon bèt osinon yon gwoup bèt.* Nich foumi. *4. Pakèt, plizyè.* Gen yon nich timedam ki rete nan kafou a.

**niche**. *v. : Netwaye ak lang ou.* Chat la niche tout kò l. *2. Enstale nich.*

**Nijerya** : *n p. Peyi nan kontinan Afrik.* Kapital Nijerya se Lagòs.

**Nijeryen** *(èn) : np. 1. Non yo bay moun ki gen nasyonalite peyi Nijerya. Jak gen de zanmi nijeryen. 2. a. Ki pou peyi Nijerya.* Teritwa nijeryen.

**nik**: *adv. Annik, sèlman.* Li nik di l ap vini, tout moun te gentan pare ap tann li.

**Nikaragwa** : *n p. Peyi nan Amerik Santral ki pre ak Gwatemala epi Kostarika.* Nikaragwa gen bèl plaj.

**Nikaragweyen (èn)** : *np. I Moun ki gen nasyonalite peyi Nikaragwa.* Kalos se nikaragweyen. *2. a. Ki pou peyi Nikaragwa.* Teritwa nikaragweyen.

**nikèl** : *n. Metal ki koulè ajan, li bon pou kouvri lòt metal paske li pa okside.* Yo konn melanje nikèl ak kwòm.

**nikotin** : *n. Pwodui chimik ki nan sigarèt ki fè moun devlope vis (adiksyon) pou sigarèt.* Nikotin pa bon pou sante moun.

**nil** : *a. 1. Ki pa vo anyen. Rezilta nil. 2. Ki pa pote rezilta.* Mouvman nil. *3. Ki egal zewo.* Total nil.

**nimeratè** : *n. Pati anwo yon fraksyon.* Nan fraksyon, nimeratè anwo, denominatè anba.

**nimewo (limewo)**: *n. Chif.* Ki nimewo ki nan men ou la a.

**nitou**: *konj. Nonplis.* Ou pa enterese lekòl nitou fanmi ou yo pa enterese ou.

**nitrisyon** : *n. Syans ki okipe zafè manje ak mal-manje, fòtifyan ki nan manje yo epi bezwen moun genyen pou fòtifyan sa yo. Syans ki etidye dyèt balanse pou moun ka gen lasante.* Moun ki fè espò dwe manje dapre prensip bon nitrisyon.

**nitritif** : *a. Ki gen fòtifyan ladan l.* Lèt se yon bwason nitritif.

**nitriyan** : *n. Fòtifyan, engredyan nan manje.* Tout moun bezwen nitriyan chak jou nan manje yo.

**nitwojèn** *(N) : n. Azòt, gaz san koulè, san odè ki nan atmosfè a epi ki nan kò moun, bèt ak plant.* Azòt se yon gaz ki jwe yon wòl enpòtan nan lavi moun.

**nivo** : *n. 1. Wotè.* Ki nivo dlo a nan basen an? 2. *Degre, klas.* Jak nan nivo preparatwa. *3. Ran, gwoup.* Timoun piti sa yo pa nan nivo gran fi tankou ou.. *4. Enstriman ki verifye liy orizontal.* Prete m nivo ou a. *5. Byen chita nan liy orizontal.* Eske mi sa-a a nivo.

**Nò**, *Aleksi (Nord, Alexis). np. : Prezidan Ayiti depi 1902 rive jiska 1908. Msye te depase 80 zan lè li te vin prezidan.*

**nò**: *Direksyon ki agòch ou lè ou gade solèy la ap leve, ki adwat lè ou ap gade solèy la kouche.* Moun nan nò yo renmen manje poul ak nwa. 2. *np. Depatman ki gen Okap kòm chèflye. Li gen 7 awondisman, 19 komin, 10 katye, 82 seksyon kominal*

**nòb**: *a. Ki depase tout lòt. 2. n. Ki merite repè.*

**noble**: *1. Joure yon moun san rete.*

**Nòdès**: *Depatman ki gen Fòlibète kòm chèflye. Li gen 4 awondisman, 13 komin, 5 katye ak 36 seksyon kominal.*

**nodozite**: *Ti boul, ti bouton.*

**Nòdwès**: *np. Depatman ki gen Pòdepè kòm chèflye. Li gen 3 awondisman, 10 komin, 3 katye ak 39 seksyon kominal.*

**nofraj**. *n. : Koule nan lanmè, fè fon.* Bato a fè nofraj, menm senk moun mouri.

**nomad**. *n. : Moun ki pa gen yon kote fiks pou yo rete.* Moun sa yo se nomad, yo pa menm gen yon adrès menm.

**nòmal**: *a. 1. Ki akseptab dapre valè ak prensip.* Atitid nòmal. *2. Akseptab.* Kondisyon nòmal. *3. Òdinè.* Li pase yon jounen nòmal.

**nòmalyen**: *n. Elèv lekòl nòmal. 2. Moun ki diplome nan lekòl nòmal.*

**Nòmil, Andre (Normil, Andre)**. *np. : Li te fèt Pòtoprens nan àne 1934. Li se yon atis rekoni pou estil penti li ki gen anpil bèt. Koulè tablo li yo ge anjeneral.*

**non gate**: *n fr. Ti non.* Dodo se non gate Dominik.

**non jwèt (non gate)**: *n fr. Ti non.* Dodo se non jwèt Dominik.

**non sèlman**: *konj. Sa pa ase.* Non sèlman li pa vini men li pa rele nonplis.

**non**. *n. : Mo pou distenge yon moun.* Jan ou rele osinon jan yon bagay rele. *Mo ki reprezante yon moun, yon kote, yon bagay. Yon non ka sèvi kòm sijè osinon konpleman. Kijan ou rele? Non mwen se Antwàn. 2. Repons negatif.* Eske ou te manje? Non. *3. Pati yo ajoute nan fen yon fraz ki ranplase èske se pa vre osinon nèspa osinon pou konvenk san fòse. Vini non.*

**nonagòn** : *n. Figi osinon desen jeyometrik ki gen nèf kote ak nèf ang.* Desen sa a se yon nonagòn.

**nonbrit (lonbrit)**: *n. Pati nan kò moun kote ou te makònen ak manman ou lè ou te tibebe nan vant.* Jerad gen gwo lonbrit.

**nonk**: *n. Gason ki frè manman ou osnon frè papa ou.* Nonk sa a rete Kànada.

**nonm antye** : *n fr. Chif ki pa gen desimal.* En, de twa, kat elatriye se nonm antye.

**nonm negatif** *n fr.* : *Nonm ki gen mwens devan yo, sa vle di yo pi piti pase zewo.* Egzanp: -1, -2, -3.

**nonm**. *n.* : *1. Gason ki fin grandi. Gason ki pa timoun ankò.* Nèg mwen ap pale ou la se yon nonm bèl wotè, ki byen kanpe. *2. Mouche. Non yo bay yon gason yo pa respekte.* Nonm sa a pa sanble li konn sa li ap fè. Gade tande nonm, mwen pa nan rans avè ou tande. *3. Mari yon fi.* Gaston se nonm mwen, mwen marye avè l depi twazan. *4. Gason ki plase ak yon fi san marye.* Jozèf pa marye avè mwen men li se nonm mwen. *4. Valè nimerik.* nonm antye.

**nonmen**. *v.* : *Site, di non yon moun.* Pa nonmen non mwen, mwen pa byen avè w.

**nòs**: *n. 1. Maryaj, sakreman maryaj.* Mesyedam yo ap prepare nòs yo. *2. Seremoni ak resepsyon maryaj la.* Ala te bèl nòs!

**nòt** : *n. 1. Nan mizik, son do re mi fa sòl.* Ki nòt mizik ki vini apre re? *2. Akò, nan mizik.* Nòt sa yo ap ba ou la majè. *3. Total sa ou dwe, nan restoran.* Sèvè a pote nòt la tousuit. *4. Detay, enfòmasyon.* Nou tout pran nòt. *5. Fè atansyon.* Pran nòt pou nou pa bliye.

**notab** : *n. 1. moun ki enpòtan nan yon kominote.* Mesye sa a se yon notab nan vil la. *2. a. Ki fasil pou ou wè.* Moniman sa a notab.

**notè (nòtè)**: *n. Ofisye sivil ki ka asire si yon papye otantik.* Yo te al pote papye tè yo kay notè.

**note**. *v.* : *Ekri, pran nòt.* Si ou pa note sa mwen di ou la, ou gen pou ou bliye tout bagay.

**nou**. *pr.* : *Premye epi dezyèm pwonon pèsonèl pou plizyè moun.* Se pa afè pa mwen sèlman ki ap regle la a, se afè pa nou tout ki ap regle tande. Nou pa ta kapab di Jan pa bon moun. Se nou ki di, se pa mwen.

**noumenm**: *Pwo. Nou, mwen ak lèzòt yo ansanm.* Nou ap soti.

**nouri**: *v. Pran nouriti.* Yo nouri timoun yo ak bon jan fèy.

**nouris**: *n. Moun ki sot akouche.* Fi sa a nouris, li akouche yè.

**nourisan**: *a. Ki gen fòtifyan ladan l.* Manje nourisan.

**nouriti (lanouriti)**: *n. Manje.* Fi sa a mèg, li manke nouriti.

**nouvèl**: *n. 1. Enfòmasyon.* Radyo bay nouvèl la. *2. Eta, kondisyon.* Ban m ti nouvèl ou? *3. Rapò.* Nouvèl yo pa bon, rezilta tès la pozitif. *4. Ki fèk rive.* Fi sa a se yon nouvèl li ye, li pa konn travay la. *5. a. Ki fèk rive.* Nouvèl anplwaye a pa konn travay la.

**Nouvelis (Le Nouvelliste)**: *Jounal ayisyen ki fonde nan ane 1898 epi ki fete santan nan ane 1998.*

**nouvo**: *a. 1. Ki fèk rive.* Nèg sa a se yon nouvo, li pa konn travay la. *2. a. Ki fèk rive.* Nouvo anplwaye yo te dwe gen antrenman.

**Nouyòk (Nyouyòk)**: *np.1. Vil nan eta Nouyòk, nan peyi Etazini kote gen pase 7 milyon moun . Metwopòl la gen pase 16 milyon moun. Vil Nouyòk genyen 5 seksyon (yo rele yo "bowo"), yo rele Bwouklin, Manatann, Bwonks, Kuins ak Richmon. Nouyòk se yon vil ki gen anpil aktivite ekonomik, aktivite endistri ak aktivite kiltirèl. Se nan Nouyòk ou jwenn pi gwo popilasyon ayisyen andeyò peyi Ayiti. Jakòb al Nouyòk. 2. Youn nan senkant eta nan peyi Etazini. Eta Nouyòk gen depase 17 milyon moun. Se yon eta ki nan pati nòdès peyi Etazini. Kapital li se Albani men se vil Nouyòk (ki pote menm non ak eta a) ki vil kote gen plis aktivite. Eta Nouyòk se yon eta ki avanse anpil nan endistri fè rad, fè papye, enprime liv, konsève manje, travay metal, fè ekipman lou elatriye. Eta Nouyòk gen anpil mòn ki raple Ayiti.*

**novanm**: *n. Mwa, nan ane a.* Novanm se onzyèm mwa nan ane a.

**now!**: *Adv. Non.* Now, mwen pap ale ankenn kote.

**nui**. *v.* : *1. Deranje enève.* Lè radyo a ouvè fò, sa toujou nui mwen paske mwen bezwen etidye. *2. Takinen, anbete.* Sispann nui tifi a, Gaston, si li joure w, se ou ki chache sa.

**nuit (nannuit, nannwit)**: *n. Peryòd ki pa lajounen, lè gen fènwa, paske solèy la ap klere pa lòtbò fas tè a parapò ak kote nou ye a.* Li rantre nannwit la.

**nuit blanch**: *n fr. Pa dòmi, pa ka dòmi.* Pitit la pase nuit blanch.

**nuizans (nwizans)**: *n. Touman, anmèdman.* Ki nuizans sa a mezanmi!.

**nuizib**. *a.* : *1. Ki enève osnon deranje yon moun.* Tigason sa a gentan nuizib papa. 2. Kontraryan. Nouvèl sa a nuizib, li gate tout pwojè mwen yo.

**nwa** : *1. n. Fwi ki nan menm gwoup ak pistach ki gen pwoteyin tankou pwa tankou pwa sèk. Mwen renmen manje nwa griye san sèl. 2. a. Koulè. Mwen gen yon bèl rad nwa mwen fèk achte. 3. n. Ras moun pou laplipa koulè fonse. Moun ras nwa yo soti nan kontinan Afriken, men ou kapab jwenn yo tou patou sou latè.*

**nwa je** : *n fr. Pipiy, prinèl, boul nwa ki lanmitan je.* Doktè a mete yon medikaman nan nwa je Wozita.

**nwaris**: *a. kouran panse, mouvman sosyal ki ankouraje devlopman epi revandike eritaj afriken epi nèg, kont valè klas lelit la ki frankofil epi blankofil.*

**nwasi**: *v. Mete koulè nwa sou yon bagay ki pat nwa anvan.* Nwasi cheve.

**nway**. *n. : 1. Yon kout fimen.* Ban mwen pran yon nway la a. 2. *Kondansasyon ki fè tankou yon koton blan nan syèl la.* Mwen wè gen anpil nway nan syèl la, siman li pral fè lapli.

**nwaye**. *v. : koule nan dlo fon.* Mwen te manke nwaye nan yon pisin lè mwen te piti.

**nwayo**: *n. 1.Pati nan selil plant ak bèt, nan sitoplas yo. Li genyen tout enfòmasyon jenetik yo pou repwodiksyon, kwasans eltr. Se pati kòmann santral pou anpil fonksyon. 2. Nan fizik, se pati santral yon atom. 3. Nan botanik se pati di (grenn) ki anndan yon seri fwi. Grenn, pati andedan yon fwi ki di, anjeneral moun pa manje l.*

**Nwèl**: *n. 1. Tan ki raple lè Jezikri te fèt.* Nou pral fete nwèl. 2. *Jou 25 desanm. Lavèy nwèl nou ap fè reveyon.*

**nyaj** : *n. Vapè dlo (ak ti gout dlo) ki rete sispann nan atmosfè a (nan lè a). Nwaj yo lou, lapli pral tonbe.*

**nye** : *v. 1. Dedi.* Li nye li te janm di pawòl konsa. 2. *Renonse, abandone dwa.* Papa a nye l. *3. Refize aksepte sa yo di ou konnen osnon sa yo di ou fè.* Li nye li te janm te konnen m.

**nyè**: *n. 1. Ridikil, ransè.* Yon nyè tankou Edga pat dwe gen gwo responsabilite sou do l. 2. *a. Ki aji an ridikil, an ransè.* Nèg sa a nyè.

**nyès**: *n. Moun, fi, ki se pitit sè ou osnon frè ou.* Kalin gen twa nyès.

**nyouwann**: *n. 1. Mo ki sot nan lang angle pou di nouvo, fèk vini.* Jera se yon nyouwann. 2. *a. Ki fèk vini, nouvo.* Soulye nyouwann yo vann chè.

**Nyouyòk, Nouyòk**: *np. 1. Vil nan eta Nyouyòk, nan peyi Etazini kote gen pase 7 milyon moun. Metwopòl la genyen pase 16 milyon moun. Vil Nyouyòk genyen 5 seksyon (yo rele yo "bowo"). Non yo se Bwouklin, Manatann, Bwonks, Kuins ak Richmon. Nyouyòk se yon vil ki gen anpil aktivite ekonomik, aktivite endistri ak aktivite kiltirèl. Se nan Nyouyòk ou jwenn pi gwo popilasyon ayisyen andeyò peyi Ayiti. Jakòb al Nyouyòk. 2. Youn nan senkant eta nan peyi Etazini. Se yon eta ki nan pati nòdès peyi Etazini. Kapital li se Albani men se vil Nouyòk (ki pote menm non ak eta a) ki vil kote gen plis aktivite. Eta Nouyòk se yon eta ki avanse anpil nan endistri fè rad, fè papye, enprime liv, konsève manje, travay metal, fè ekipman lou elatriye.*

*nyouz: n. Nouvèl, mo ki soti nan lang angle (news).* Ban m ti nyouz ou?

# O o

**o**: *n. Lèt nan alfabè. O tankou nan oto. 2. o! entj.*

**ò** *(lò) n: n. Metal ki gen anpil valè.* Bag an ò

*ob:*

**Oben, Filome** *(Obin, Philomé): np. (1892-1986). Atispent ki fèt nan ane 1892 nan Balenbe. Li te gen plizyè aktivite lavi li, li te kwafè, li te kontab, li te komèsan. Li se frè Senèk Oben, yon atispent. Dapre kritik, penti li yo montre reyalite a jan li ye. Yo di Oben pa renmen suiv règ lòt moun suiv. Li koni anpil pou estil renesans li. Li gen miral ki ekspoze nan Katedral Episkopal la epi nan Mize Atizay Modèn nan vil Nouyòk. Oben konsidere tankou yon zetwal pami pent ayisyen yo.*

**Oben, Senèk** *( Obin Senèque). np. : 1893-1977. Frè Filome Oben, Senèk fèt nan ane 1893 nan vil Okap. Senèk kòmanse fè penti apre li te fin gen senkantan. Msye te elèv Filome Oben. Senèk te yon atis pent ak yon estil renesans rekoni. Msye te pwofesè penti nan vil Okap.*

**obeyi**. *v. : Fè sa yo di ou fè, san poze keksyon.*

**obeyisan**. *a. : Moun ki koute sa lòt moun di yo epi yo fè li san poze keksyon.* Pòl se yon moun ki obeyisan. Mwen swete moun yo pa-p fè l abi.

**obezite**: *n. Kondisyon lè yon bèt osinon yon moun twò gra (gen twòp pwa) paske li manje twòp oubyen paske li gen maladi nan glann andokrin yo.*

**òbit** *: n. Nan domèn lespas, koub, trajektwa yon planèt, yon lalin, yon satelit osnon yon fize parapò ak yon lòt planèt.* Planèt latè nan òbit toutotou solèy la.

**objektif** *: n. 1. Bi.* Ki objektif ou lè ou fin desann bakaloreya? 2. *Lantiy, sistèm optik ki santre sou yon imaj. Objektif nan yon kamera.*

**obligasyon**: *n. 1. Devwa.* li gen obligasyon pou li vin di manman l "Bònnane". 2. *Responsabilite.* Li gen obligasyon pou li peye lekòl timoun yo.

**oblije** *(blije, bije): v. 1. Gen responsabilite pou fè yon bagay.* Li oblije bay timoun yo manje twa fwa pa jou. 2. *Gen devwa fè yon bagay.* Li oblije pote bon nòt paske nou ba li tout sa li bezwen pou li ka aprann byen lekòl.

**oblik** *: a. Enkline, anbye, endirèk, ki pa ni orizontal ni vètikal, ni pèpandikilè.* Mete twal la oblik.

**Obòy** *(Au Borgne): np. Awondisman ak komin nan depatman Nò.*

**obsèvasyon**: *n. 1. gade avèk enterè avèk atansyon pou yon etid osinon pou fè yon rapò. Kòmantè ki baze sou yon obsèvasyon.Konsta.* Dapre obsèvasyon syantis yo, si yon moun fè egzèsis chak jou li ka viv pi lontan. 2. *Repwòch.* Madanm nan fè bòn nan obsèvasyon. 3. *Siveyans.* Doktè a mete pasyan an sou obsèvasyon.

**obsève**. *v. : 1. Gade byen.* Si ou obsève l byen, ou ap kapab fè menm jan avè l. 2. *Fè obsèvasyon.* Si ou pa vle moun obsève w, fè travay ou byen.

**obstetrisyen** *: n. doktè ki espesyalize nan swen ak tretman pou fi pandan gwosès, akouchman ak pandan peryòd yo ti-nouris.*

**ochan**. *n. : Mizik espesyal yo bay pou gran nèg osnon pou lwa.* Yo bay ochan nan kanaval lè de bann madigra rankontre. Lè konsa moun yo wete chapo yo epi yo balanse l ak men yo pandan yo ap chante.

**odas**. *n. : riz.* Ou gen odas pou ou plede toujou!

**odasye**: *a. Moun ki ap defann yon manti ak je l byen chèch. 2. Temerè, ki pa pè, enpètinan.*

**odè**. *n. : 1. Sant.* Mwen pran odè yon bon manje la a. 2. *Pafen.* Mwen se moun ki toujou renmen achte ti odè pou mwen met sou mwen. *3. movèzodè.* Mwen pran yon move sant la a, ki odè sa a.

**odeyid**: *n. Rad dezyèm men ki soti nan peyi etranje Apre okipayon e sitou apre dezyèm gè mondyal, Ameriken te voye rès inifòm sòlda vin Aiyiti. Gen moun ki te konn vann yo nan lari, pou bon mache. Kòm inifòm yo te gen menm* *koulè ak inifòm elèv lekòl Odeyid nan Pòtoprens non an vin parèt epi rete. Lè sou prezidans Kenedi rad dezyèm men vini Ayiti kòm don, yo vin rele rad sa yo kenedi. Odeyid ak kennedi ak pèpè tout se menm.*

**òdinatè** *: n. Machin, gwo kalkilatris elektwonik ki gen memwa epi ki kapab rezoud pwoblèm aritmetik osnon fè chanjman nan dokiman apatid yon seri pwogram.* Jak konn sèvi ak òdinatè.

**òdinè**: *a. 1. Ki nòmal, regilye, komen, jan li ye toulejou.* Yon jounen òdinè. *2. Woywoy, eskandalè, eskandalèz.* Moun òdinè. *3. adv. Dòdinè, anjeneral.* Dòdinè Jak toujou pase isi a chak apremidi.

**oditè**: *Moun ki ap koute yon konferans osinon yon estasyon radyon, televizyon eltr.*

**òdone**: *v. Mete nan lòd. 2. Bay lòd.*

*ODVA: Ògànizasyon pou Devlopman Vale Latibonit*

**odyans**: *n. Lodyans, blag, konvèsasyon pou amize moun.* Kou li aswè yo tout ap bay odyans sou pewon an.

**odyansè**: *n. 1. Moun ki gon bay odyans.* Jak se bon odyansè. *2. Moun ki ap ranse.* Mwen pa gentan pou mwen ap pèdi ak odyansè.

**odyo**: *a. Ki konsène anrejistreman son.*

**odyovizyèl**: *a. Ki gen son ak imaj. 2. Metòd ki sèvi ak son epi imaj ansanm.*

**òf**: *n. Pwopozisyon. 2. Sa ki disponib pou moun achte.*

**òfelen**: *n. 1. San manman, san fanmi.* Pitit sa a se yon ti òfelen li ye. *2. a. Ki pa gen manman osnon fanmi.* Timoun sa yo òfelen.

**òfèv**: *n. Moun ki konn ranje mont.* Al pot mont sa a kay òfèv la pou mwen.

**ofiks**: *san chanjman.*

**ofis**: *n. Biwo.*

**ofiskan**: *a. Chokan.*

**ofiske**: *v. Choke, blese nan santiman.*

**ofisye**. *n. : Militè ki anchaj lòt sòlda, grad nan lame.* Jan Jozèf se yonn nan ofisye deta ki te nan konplo a.

**ofisyèl**: *n. 1. Otorite.* Se yon ofisyèl ki ap pale avèk ou la a. *2. a. Ki pou yon otorite nan gouvènman an.* Machin ofisyèl. *3. Chwazi pou reprezante.* Kandida ofisyèl pati a. *4. Ki gen sipò otorite yo.* Vèsyon ofisyèl yon evenman.

**ofri**: *v. 1. Pwopoze, bay.* Li ofri madanm nan yon kay men li te pito yon oto. *2. Pwopoze pou achte.* Li ofri I teren an pou senk mil dola. *3. Fè kado.* Kalin ofri Woje yon bèl kravat.

**òg**: *n. Enstriman mizik ak klavye ki gen aparans pyano men ki sèvi ak van.* Aliks konn jwe òg.

**ògàn** *: n. Pati nan yon sistèm vivan. Plizyè selil fòme yon tisi, plizyè tisi ka fòme yon ògàn, plizyè ògàn ka fòme yon sistèm, plizyè sistèm ka fòme yon ògànis.*

**ògànèl**: *n. Yon patikil anndan selil ògànis vivan ki ranpli fonksyon espesifik nan selil la tankou mitokondri, klowoplas, santriyòl. Yo gen aktivite pwòp pa yo.*

**ògàn sans** *: n fr. Tout ògàn ki pèmèt enfòmasyon ki deyò antre al nan sèvo yon moun. Gen senk ògàn sans: touche, vizyon (wè), tande, santi(pran odè) ak gou.*

**ògànis** *: n. Sa ki vivan, bèt, plant, mikwòb. Ògànizasyon ak kolaborasyon ant plizyè ògàn pou fòme yon bèt ki vivan.*

**òganize**. *v. : Ranje, fè plan. Si se mwen ki ap òganize fèt la, mwen pap fè l konsa.*

**ogatwa (wogatwa)**: *n. Espas espesyal pou moun lapriyè.* Vwazin nan gen yon ogatwa.

**ògèy**: *n. 1. Opinyon egzajere yon moun genyen pou tèt li ki ka fè li pa konn koube devan sitiyasyon.* Kalo se yon nonm ki gen ògèy, li pap janm aksepte tounen pale ak Jera. *2. Ki pa ka aksepte yo fè l obsèvasyon.* Pitit la gen ògèy, paske yo kale li a, li pase tout apremidi a ap kriye. *3. Anfle, awogan.* Moun sa yo gen yon ògèy sou yo, yo pa mele ak nenpòt ki moun.

**Ogis, Tankrèd** *(Auguste, Tancrède). np. : Ansyen prezidan Ayiti depi 8 Out 1912 jiska 2 Me 1913. Li mouri anpwazonnen.*

**Ogisten Almi** *(Almir Augustin): np Pè katolik, rektè nan Gran Seminè Notre-dam-di-Sakre-Kè. Li fèt Sent Sizàn nan depatman Nò an 1944. Li te òdone prèt an 1974.*

**Ogisten Fritznè** *(Fritzner Augustin): np. Tanbourinè ki pote pri Ozetazini pou teknik li nan bat tanbou. Li fèt Pòtoprens an 1948. Li te ansye tanbou nan Nouyòk epi li fè CD (sede) ki montre estil ak talan nan tanbou.*

**Ogisten Jozèf** *(Joseph Augustin): np. Ekriven, edikatè, jounalis, mizisyen, konpozitè. Li te òdone prèt katolik an 1944. Li te patisipe pou renouvle chante legliz an Kreyòl lè li konpoze plizyè chante epi pibliye liv Tanboula. Li kite pè epi li marye an 1969, men aktivite edikatè li anndan legliz katolik pa chanje. Li ak madanm li te animatè nan radyo Solèy. Li fè anpil demach ak piblikasyon pou valorize tout eleman nan kilti ayisyen. Li ekri ALe Vodou Libérateur, 1999.*

**Ogisten Remi** *(Rémy Augustin): (1910-1986) Prèt, evèk Katolik. Premye evèk ayisyen. Li fèt Petyonvil 30 Septanm 1913.*

**ogou** : *np. Lwa lagè ak espri lagè nan relijyon vodou .Patwon fòjon ak fèblantye. Dapre kwayans vodou, lwa sa a renmen koulè wouj. Li renmen kòk wouj ak pwa wouj. Yo di lwa Ogou yo te patisipe nan lagè endepandans. Gen plizyè manm nan fanmi lwa Ogou, gen Ogou Badagri ki chèf la, Ogou feray ki se pitit Badagri Ogou Balindyo Ogou Shango, Ogou Jewouj, Ogou Ozany . Lotrejou, Ogou te monte Edga.*

**Oje, Vensan** *(Ogé, Vincent). np. : 1755-1791. Yonn nan komisyonnè orijin afriken ki te al reprezante afranchi Sendomeng yo nan vil Pari nan peyi Lafrans pou mande amelyorasyon kondisyon yo epi pou yo ba yo plis dwa. Li te tounen ak bon nouvèl men gen blan ki pa-t dakò ak dwa sa yo epi yo te matirize msye joustan yo te touye l. Listwa rapòte yo te kraze zo l epi ekspoze l an piblik joustan li mouri ak doulè. Janbatis Chavànn te pase menm jan an tou.*

**ojis**: *adv. 1. Alaverite.* Ojis, kilès ki gen rezon? *2. Egzakteman, reyèlman.* Pa gen moun ki ka di ojis ki sa ki pase a.

**Okap**: *Cap Haïtien np. Vil prensipal nan depatman nò. Okap se dezyèm vil peyi Ayiti. Li te kapital peyi a sou gouvènman Lwi Pyewo (16 Avril 1845-1 Mas 1846). Okap te rele Cap Français pandan Ayiti te yon koloni franse, li te vin rele Cap Henri sou wayom Anri Kristòf. Cap-Haitien se non franse pou lavil Okap.*

**Okay, Kay** *(Aux Cayes). : Vil nan depatman sid peyi Ayiti ki jwe yon wòl enpòtan nan zòn nan. Okay se yonn nan pi gwo vil nan zòn sid la.*

**okazyon**. *n. : 1. Opòtinite, moun ki ap pati.* Mwen pa jwenn yon okazyon pou mwen ta voye yon ti komisyon pou manman mwen. *2. Tranpòtasyon kamyon ki mennen nan pwovens.* Mwen pral okazyon la a vè sizè konsa, mwen vle pran yon bon plas, mwen pral bonè.

**oke: ok**. *Dakò.* Pa gen pwoblèm, oke.

**Okenn**. *pr. : Pa youn ladan yo, pèsònn.* Okenn moun pa vin pale avè mwen la.

**òkès**: *n. Gwoup mizisyen ki ap jwe nan amoni.* Okès sa a jwe byen.

**òkèt** *(wòkèt, hòkèt): n. Sekous, kontraksyon ki fèt nan dyafram yon moun epi ki ka reponn li nan kòd vwa l.* Tibebe sa a gen òkèt souvan.

**oki**. *n. : jwèt ki fèt sou glas. Gen 2 ekip ki fè 6 jwè ladan l.* Jwè yo montre paten epi yo gen yon baton pou yo frape boul la.

**okipasyon**: *n. 1. Aktivite.* Odil plen okipasyon, li pa janm gen tan. *2. Travay.* Ki okipasyon mari ou? *3. Sitiyasyon kote yon peyi pran dwa jere yon lòt.* Ayiti te sou okipasyon peyi Etazini pandan kenzan.

**okipasyon amerikèn**: *Lanmò Vilbren Giyòm Sam, ?? 28 Jiye 1915 marin ameriken antre epi okipe ak aplikasyon doktrin Monro. Toupatou gen mouvman rezistans. Pyè Sili (Pierre Sully), Chalmay Peralt, yo touye 31 Oktòb 1919). Te gen pase 3,000 moun ki mouri. An 1934, marin ameriken yo kite peyi a.*

**okipe**. *v. : Si yon moun okipe se paske li ap fè yon bagay.* Wobèta pa kapab vini jwe avè nou paske l okipe ap fè devwa li.

**oklè** *(mete oklè) : pote eksplikasyon. Klarifye yon sijè.*

**okontrè**: *konj. opoze.* Li pa fache, okontrè, li ap vin wè ou demen.

**okouran**: *a. Konnen, enfòme.* Avoka a okouran tout sitiyasyon an.

**oksidasyon** : *n. 1. Konbinezon ak oksijèn pou bay yon oksid. 2. Wouy.* Fèfòje a sibi yon oksidasyon.

**oksijèn**: *n. 1. Gaz, san koulè, san odè ki reprezante ven pousan lè nan atmosfè a.* Nou pa ka viv san oksijèn. *2. Gaz nan tank yo ka bay yon moun ki an danje pou ede l respire.* Malad la sou oksijèn kounye a.

**oksijene**: *1. Ki resevwa oksijèn.* Poumon ou oksijene. *2. Ki satire ak oksijèn.* Dlo oksijene.

**oktagòn** : *n. Desen osinon figi jeyometrik ki gen uit kote ak uit ang.* Desen sa a gen fòm yon oktagòn.

**oktòb**: *np. Dizyèm mwa nan àne.* Mwa oktòb la gen tan rive.

**ola**: *n. Estòp, fren.* Gad la mete ola nan batay la.

**Olandè** *(Olandèz) : np. 1. Non yo bay moun ki soti nan peyi Oland.* Pòl se yon olandè. *2. a. Ki pou peyi Oland.* Teritwa olandè.

**ole**. *ent. : Bravo, bayo.* Mwen wè ou ap fè debon monkonpè, ole. *2. Wòwòt, mou, swa.* Mwen ta manje yon ti kokoye ole. Mayi sa a ole, ou mèt boukannen l.

**Oli, Teyodò** *(Holly, Theodore). np. : Ansyen monseyè Ayiti. Li te mouri an 1874. Msye te fèt Ozetazini, nan Wachintonn Disi, manman l ak papa l te nwa epi yo te katolik.*

**oliv** *: n. Grenn vèt osnon nwa ki soti nan pye oliv, yo gen anpil luil. Luil ki fèt ak oliv rele luil doliv.*

**òlòj** *: n. Revèy, aparèy ki gen zegui pou endike lè, minit ak segonn.* Òlòj sa a an avans.

**ololoy**. *ent. : gwo zafè.* Antèman Jera se bagay ololoy wi.

**òltègèt**: *n fr. Ekspresyon ki soti nan lang angle ki vle di "rale kò ou!".* Tout moun, ban m lakou a, òltègèt!

**olye**: *kon. Alaplas.* Vini pito olye mwen ale.

**oma**. *n. : Bèt lanmè ki gen yon kouvèti tankou yon karapas ki di anpil. Li gen 5 pè janm epi sa devan yo se pens yo ye.* Mwen renmen manje oma.

**omaj**: *n. Konpliman, respè, temwayaj pou travay yon moun.*

**omeli**: *n. Prèch, sèmon, diskou prèt katolik.*

**omnivò** : *n. Ki manje tout bagay.*

**Omòl Sen-Nikola** *(Môle St.Nicholas): np. awondisman ak komin nan depatman Nòdwès.*

**òmòn** : *n. 1. Sibstans chimik yon glann moun pwodui epi ale vide nan san pou fonksyon espesyal. Ensilin pankreyas nou pwodui a se yon òmòn li ye. 2. Medikaman ki gen òmòn prepare nan laboratwa doktè ka preskri yo bay moun.* Elifèt ap pran òmòn paske tiwoyid li pa travay byen.

**Omo sapyens**: *Non syantifik pou moun. Omo se non jan-an epi sapyens se non espèsla. Jan ak espès se de non ki defini bèt ki nan menm kategori osinon ki kapab repwodui. Gen yon sèl espès ki rele Omo sapyens.*

**omoplat** : *n. Zo ki nan toraks.* Li gen doulè zèpòl depi li kase omoplat li a.

**omwen** *(omwens): adv. Sèlman.* Omwen tout moun yo pa mouri.

**ONAAK**: *Ofis Nasyonal Alfabetizasyon Aksyon Kominotè.*

**Ondiras** : *np. Peyi nan Amerik Santral ki pre ak Elsalvadò ak Gwatemala.* Yo di Ondiras sanble ak Ayiti nan estatistik li yo.

**Ondiryen** *(Ondiryèn) : np. 1. Non yo bay moun ki gen nasyonalite peyi Ondiras. Wolanndo se yon ondiryen. 2. a. Ki pou Ondiras.* Teritwa Ondiryen.

**onè**. *ent. : Bonjou, ak respè.* Onè, èske se kay madan Richa tanpri souple? *òneman:*

**onèt** *(onnèt): a. 1. Jis, san pati pri.* Jij sa a onèt. 2. *Ki pa bay manti osnon fè zak malonèt ni ki pa nan koripsyon.* Jan se yon nonm onèt, depi li di yon bagay, se sa.

**ònitoloji** : *n. Syans ki etidye zwazo.* Edga etidye onitoloji.

**onivo**: *a. Ki byen balanse, nan nivo pou li ye a.* Mi sa a onivo. 2. *Pozisyon yon bagay kifè, lè ou mete zouti yo rele nivo a sou li, gen yon boul lè nan zouti nivo a ki deplase vin nan mitan. 3. n. Ki nan yon pozisyon elve nan yon gwoup osnon yon sosyete.* Jera nan yon onivo kounye a, li gen chofè ak oto ofisyèl.

**onnè**: *n. 1. Diyite moral.* Se pou nou sove onnè nou. 2. *Repitasyon.* Onnè konpayi-an an danje. 3. *Favè, omaj.* Yo fè Kalo onnè, yo envite l nan nòs la.

**onèt** *(onèt): a. 1. Jis, san pati pri.* Jij sa a onnèt. 2. *Ki pa bay manti osnon fè zak malonèt ni ki pa nan koripsyon.* Jan se yon nonm onnèt, depi li di yon bagay, se sa.

**onondipè**: *n. Siy lapriyè katolik. Onondipè, e difis e disentespri.*

**ons**: *n. Inite pou mezire volim.* Senk ons.

**onz**: *a. Chif ki vin apre dis.* Gen onz moun la a.

**onzè** : *n. Lè li ye lè ti zegui yon revèy sou onz epitou gwo egwi a sou douz.* Nou prale kou li onzè.

**onzyèm**: *n. 1. Pozisyon nimewo onz.* Mwen onzyèm nan klas la. 2. *a.* Onzyèm elèv la pa vini jodi a.

**opa** : *n. 1. Pa regilye ki pa ale vit.* Jandam yo ap mache opa men cheval yo pral ogalo. 2. *S-s, suiv direksyon.* Yo fè Tifrè mache opa san li pa konnen.

**opak** : *a. Ki pa kite limyè pase.* Twal sa a opak.

**opalè**: *n. 1. Aparèy ki fèt pou transfòme kouran elektrik an son.* Opalè sa yo pisan anpil. 2. *Nan palè.* Prezidan an konvoke minis yo opalè.

**operasyon**: *n. 1. Kalkil.* Gen kat operasyon, adisyon, soustraksyon, miltiplikasyon ak divizyon. 2. *Entèvansyon yon chirijyen fè pou swaye yon malad.* Kalin sot fè yon operasyon nan pye dwat. 3. *Ansanm demach òganize pou abouti nan yon rezilta.* Rebèl yo planifye plizyè operasyon ki pa reyisi.

**operatè**: *n. Moun ki nan santral telefonik epi ki ap fasilite moun antre an kominikasyon youn ak lòt.* Le Jan ap rele Ayiti, li pase pa operatè.

**opere** : *v. 1. Nan chiriji, koupe kò yon moun. Doktè a ap opere Jezila demen. 2. Ki sibi yon operasyon. Manno ap opere demen. 3. Fonksyone. Eske machin nan opere byen?*

**opinyon**: *n. Panse.* Opinyon pa medam yo sèke mesye yo te dwe ede yo plis.

**opipiritchantan**. *adv. : kou solèy leve.* Demen maten, opipiritchantan n ap pran wout Leogann tande.

**opouvwa**. : *Ki gen responsabilite ak otorite pou li jere.* Gen prezidan ki konn fè abi lè yo opouvwa.

**opoze**: *v. Mete fas-a-fas pou yon deba osinon pou yon batay. Bare wout pou anpeche yon moun yon pwojè, yon lide vanse.*

**opozisyon**: *n. Rapò opoze ant de moun osinon ant de gwoup osinon ant de lide.*

**opresyon**: *n. 1. Yon maladi poumon kwonik ki fè yon moun gen difikilte lè li ap respire, li fè li touse ak estènye. Souvan se alèji respiratwa ki deklanche lè li respire yon pwodui ki nan lè a. Maladi as, etoufman. Pitit la fè opresyon, pafwa li pa ka respire byen. 2. Abi, anpechman pou moun viv lib. Gen peyi kote gen anpil opresyon.*

**opsyon**: *n. Chwa, altènativ.*

**optik**: *a. ki gen relasyon ak sans vizyon. 2. Domèn nan syans fizik ki etidye mouvman akkonpòtman limyè. 2. Jan yon moun adrese yon pwoblèm, pèspektiv li.*

**optimis**: *n. / a. Karaktè moun ki wè sa ki bon nan tout sitiyasyon epi ki neglije sa ki pa bon. 3. Santiman kè kontan.*

**optometris**: *Metye moun ki mezire kijan moun wè pou preskri linèt.*

**opyòm**: *n. Medikaman ki fè moun kagou. 2. Dwòg ki fè moun san kouraj epi ki bay kè kontan, menm nan lamizè. Kal Mas di relijyon se opyòm pou pèp, men gen moun ki pa dakò avè l.*

**oral**: *a. Ki fèt ak pawòl, ki transmèt ak lapawòl, ki pa ekri.*

**oralman**: *adv. Ak lapawòl, ak vwa. San sèvi ak ekriti.*

**oralti**: *n. Pati nan literati ki transmèt oralman.*

**oran**: *Nivo, plas, ran.*

**oranjad**: *n. Ji zoranj.*

**oranwoutan**: *n. Senj ki gen pwal long.*

**oratè**: *n. Predikatè, konferansye, moun ki ap fè yon diskou.*

**oratwa**: *n. Kote ki rezève pou lapriyè piblik osinon prive; chapèl.*

**orè**: *n. lis sa ki ap pase pandan chak è, osinan chak tan nan yon jounen.*

**Orès, Michèl** *(Oreste, Michel). Prezidan Ayiti 1913-1914. Anvan sa, li te yon senatè, avoka epi pwofesè lekòl. Li te ret prezidan pandan 8 mwa sèlman, li te bay demisyon aprezavwa te gen yon revòl san kontwòl nan peyi a.*

*orevwa. n. : Na wè yon jou konsa ankò. Pawòl ou di lè ou prale kite yon kote. Lè mwen ap tounen soti Kanada mwen di tout pwofesè mwen yo orevwa.*

**orezon**: *n. Lapriyè.* pè a fin di orezon an.

**orifè**: *a. ki gen anpil lò.*

**orijin** : *n. 1. Kòmansman.* Ki orijin lide sa a? *2. Kote yon bagay osnon yon moun soti.* Ki orijin ou, siman ou se moun Okay. *3. Sous.* Orijin pwojè sa a soti nan reyinyon nou fè yè a.

**orikilè**: *n.1. Oreyèt, pati nan kè ki resevwa san; kè yon moun genyen kat seksyon de (2) orikilè osinon oreyèt ki sou anwo ak 2 vantrikil ki sou anba. 2. Pati nan zòrèy. 3. a. ki gen relasyon ak sans tande ak zòrèy.*

**orizontal**. : *Liy plat , ki anivo.* Kouman ou ap mezire glasi a konsa a, ou pa wè ekè a pa orizontal? *2. Liy ki pèpandikilè parapò ak yon liy vètikal. Liy ki sot agoch ale adwat.*

**Oryan**: *n. Bò kote solèy leve. Kote ès.*

**oryantal**: *a. 1.Ki plase sou kote ès pa rapò ak yon kote. 2. Ki soti nan oryan. Ki pa soti nan oksidan.*

**oryantasyon**: *n. kapasite pou yon moun sitye tèt li kote li ye a (Tan ak lespas). 2. Direksyon kat pwen kadino (Nò, Sid, Lè, Lwès). 3. pozisyon, tandans, direksyon.*

**oserye**: *adv. Kwè, bay valè.* Joslin pran tout sa Jozèt di oserye.

**oseyan**: *n. Gran espas dlo sale, lanmè. Gen kat oseyan, oseyan atlantik, oseyan pasifik, oseyan endyen ak oseyan aktik.*

**osijè**. : *Apwopode.* Osijè timoun yo, mwen pap kite yo ale Nouyòk ane sa a.

**oslè**. *n. : Jwèt ki fèt ak zo kabrit.* Ann al jwe oslè, timoun.

**osmoz** : *n. Fenomèn difizyon ant de likid ak yon manbràn ki separe yo. Nan ekzanp osmoz, yon likid travèse manbràn nan pou li ale nan lòt likid pa lòtbò manbràn nan.*

**osnon** *(osinon): kon. Oubyen.* Limenm osnon oumenm.

**ost** : *n. Bèt/plant ki kite yon lòt viv sou li.*

**ostanswa**: *n. veso an metal ki fèt espesyalman pou depoze losti konsakre epi ekspoze li pou fidèl yo ka adore.*

**ostil**: *a.ki konpòte l tankou yon enmi. Malveyan, dezoblijan.*

**ostilite**: *n. konpòtman malveyan.*

**Ostrali** *(Lostrali): Youn nan gran espas kontinan yo. Youn nan kontinan, se pi piti kontinan, li ant oseyan pasifik ak oseyan endyen.*

**oswa**: *kon. Osnon, oubyen.* Limenm oswa oumenm.

**osyèl**: *Anlè kote espri yo rete.* Mwen santim osyèl.

**otaj**: *n. Moun yo sezi osinon yo livre pou sèvi kòm garanti pou yon pwomès osinon pou ekzije yon kichòy.*

**otan**: *adv. Ase*

**otanp**: *n. Nan tanp.* Yo prezante timoun nan otanp jodi a.

**otantik**: *a. Ki ateste konfòm dapre yon orijinal; enkontestab; sensè, natirèl; veridik.*

**òtdòg**: *n.Sosis cho yo manje ak pen.*

**otè**: *n.1.(wotè) Grandèt, longè. Gade otè timoun yo. 2. Ekriven, moun ki ekri yon dokiman yon liv, yon istwa, yon powèm; moun ki fè kichòy.* Kilès ki otè desen sa a? Gen kritik ki andezakò ak otè a.

**otèl** *(lotèl): n. Kote moun peye pou ou al desann, al rete pandan yon tan kout.* Yo tout desann nan otèl Olofsonn.

**òtikilti**: *n. Ladrès pou kiltive plant pou manje ak plant pou dekorasyon tankou flè, boukè, plant dekoratf eltr.*

**otit**. *n. : Enfeksyon nan zòrèy.* Mis la te vin wè Janjan li di se otit li fè.

**oto**: *n. Machin.* Oto sa a se yon bogota.

**otobis**: *n. Bis, kamyonèt, gwo machin transpò piblik ki ka pran anpil moun.* Otobis la pa rete.

**otobiyografi**: *n. Estil literè kote yon moun ekri sa ki te pase nan lavi li. (oto = tèt pa ou; biyo= lavi, grafi=ekri.*

**otofonik**: *a. domèn tretman ki espesyalize nan idantifikasyon ak tretman maladi nan kòd vokal (ak nan sèvo) ki fè moun pa ka pale (ak ekri) byen.*

**òtograf**: *n. Jan yo ekri yon mo tout moun konsidere kòm kòrèk, epitou ki respekte règ gramè ak lòt konvansyon ki etabli. 2. Sistèm ki defini ki senbòl ki dwe sèvi pou ekri chak son ki nan lang nan. Gendelè gen varyasyon toudepan nan ki peryòd yon otè te ekri. Òtograf lang Kreyòl Ayisyen defini nan yon dekrè Depatman Edikasyon Nasyonal Ayiti ki parèt nan jounal "Le Nouveau Monde", jedi 6 mas 1980.*

**otoklav**: *n. aparèy ki sèvi pou esterilize, li devlope vapè ak presyon ki tiye mikwòb.*

**otomatik**: *a. ki fèt regilyèman mekànikman.*

**otomatikman**: *adv. dapre yon metòd otomatik prepare epitou konni davans.*

**otomobil**. *n. : Machin ak motè ki kapab pran pasaje, ou kapab kondui l nan lari. Otomobil yo gen kat osnon de pòt, si yo piti yo gen yon kat osnon twa motè.*

**otònn**. *n. : Sezon ki rive apre ete, anvan ivè. Mwen renmen otònn anpil poutèt lè sa a tout fèy pye bwa a yo chanje koulè.*

**otonòm**: *a. ki jere pwòp tèt li; endepandan.* KAMEP (CAMEP) se yon santral otonòm.

**otonomi**:*n. 1. Endepandans, dwa pou gouvène pwòp tèt li; libète politik. 2. Distans yon avyon ka vole san li pa poze pou mete gaz.*

**òtopedi**: *n. Branch nan medsin ki repare pwoblèm nan eskelèt (zo), nan miskilati ak nan tandon.*

**otopsi**: *n. Egzaminasyon yon kadav. Ekzaminasyon epi diseksyon sou yon kò mò pou idantifye koz lanmò a. Mò a nan mòg toujou paske yo poko fè otopsi li.*

**otorite**: *n. 1. Moun ki gen pouvwa. Direktè a se yon gwo otorite isi a. 2. Chèf, moun ki pote zam.* Kaporal la panse li se gwo otorite. *3. Moun ki gen dwa.* Manman ak papa timoun yo gen otorite pou yo pini timoun yo. *4. Moun ki konnen, epi moun rekonnèt savwa li.* Fizisyen sa a se yon gwo otorite nan inivèsite sa a.

**otorizasyon**: *n. 1. Dwa.* Se manman l ki ba li otorizasyon soti alè sa a. *2. Pèmisyon.* Ou pa ka pase la a san otorizasyon.

**otorize**: *v. Resevwa otorite pou fè yon travay. 2. Bay otorite pou yon moun fè yon travay.*

**oto-sine**: *Sinema kote kliyan yo antre ak oto yo pou gade yon fim.*

**otou**: *adv. Alantou, toutotou.* Yo mete fildefè otou teren an.

**otowout**: *n. Wout ki laj epi ki rezève pou trafik oto ak kamyon, kote pyeton pa dwe pase. Li gen de seksyon, ki separe nan mitan, chak seksyon ale nan yon direksyon opoze epitou pa gen kafou pou lòt machin kwaze.* Otowout Dèlma se pa yon otowout.

**otrefwa**: *Nan tan pase; nan tan lontan.*

**otreman**: *adv. Yon lòt fason, nan ka kontrè.*

**Otrich** : *np. 1. Peyi nan Ewòp Santral.* Kapital Otrich se Vyèn. *2. Zwazo.* Gen anpil otrich nan kontinan Amerik.

**Otrichyen** *(Otrichyèn) : np.1. Non moun ki gen nasyonalite peyi Otrich.* Jak konnen de otrichyen nan inivèsite kote li ye a. *2. a. Ki pou Otrich.* Teritwa otrichyen.

**Otwou** *(Trou du Nord): np. Awondisman ak komin nan depatman Nòdès.*

**ou**. *pr. : 1. Dezyèm pwonon pèsonèl. Pwonon pèsonèl ki endike moun sa ou ap pale avè l la.* Ki sa ou di la a? Ou pa konnen mwen kapab fè kale w? *2. Osnon, oubyen.* Se mwen ou Chantal ki pou ale nan maryaj la, nou toulede pa kapab ale.

**oubli**: *n. 1. Pa sonje.*

**oubyen**: *konj. Oswa, osnon.* Se oumenm oubyen limenm.

**oun**: *Varyasyon yon, you,*

**ounfò**. *n. : Tanp, kay, kote seremoni vodou yo fèt.* Mwen pa janm antre nan yon ounfò, e oumenm?

**oungan** *(gangan): n. Pè vodou. Moun ki fè seremoni, ki kondui seremoni vodou, ki fè sèvis. Sèvis yo pa menm, yo chanje dapre moun ki ap kondwi yo a epi pouki lwa. Yon oungan andwa konn trete moun epi li andwa yon divinò tou.*

**ounsi kanzo** *(ousi kanzo) : 1. Yon moun ki rive nan dezièm nivo nan konesans vodou. 2. Moun ki pa pè kenbe dife chabon nan pla men yo. Dapre kwayans vodou moun ki kanzo manyen dife san yo pa boule*

**ounsi** *(ousi): n. Youn nan premye grad nan vodou. Se moun ki konn yon apèsi jeneral sou sèvis yo, se tankou asistan oungan an li ye. Ounsi yo chante epi yo pote bànyè nan seremoni yo.*

**oup!**: *ent. entèjeksyon pou make sezisman.*

**out** *(dawou). : uityèm mwa nan ane.* Si ou fèt an septanm sa vle di mwen gen yon mwa anplis ou paske mwen fèt nan mwa out.

**outraj**: *n. ofans grav ki fè moun fache osinon ki merite pinisyon sevè.*

**ouvè** *: v. 1. Ki pa fèmen.* Pòt la ouvè. *2. Ki ka pale, ki ka diskite.* Janjan se yon moun ki ouvè, ou ka pale tout koze avèk li. *3. Kòmanse.* Lekòl ap ouvè demen.

**ouvèti**: *n. 1. Kòmansman.* Se demen jou ouvèti Je olenpik la. 2. *Twou, espas.* Pa ki ouvèti sourit sa a dwe pase?

**ouvètman**: *adv. san kache, yon jan pou lòt moun ka wè; transparan.*

**ouvrab**: *a.jou nan semèn ki pa jou konje.*

**ouvre-bwat**: *zouti pou louvri bwat konsèv.*

**ouvri**: *v. 1. Louvri, ki pa fèmen.* Pòt la louvri. *2. Kòmanse.* Deba a louvri. *3. Deklete.* Louvri bwat la. *4. Gaye, pale fò.* Li louvri gagann li pou li rele anmwe.

**ouvriye**. *n. : Travayè, anplwaye, moun ki travay, ki ap touche alè, pa jou, pa semèn osinon pa mwa. 2. Gwoup sosyal. Ouvriye ak peyizan peyi Ayiti travay pi di, touche mwens kòb, yo pa gen bon lekòl, yo pa gen sèvis doktè kòm sa dwa.*

**ouy!**:*entèjeksyon pou make doulè.*

**oval**. *a. : Fòm yon ze.* Mwen renmen tab oval yo, yo gen yon bèl fòm.

**Ovando, Nikola** *(Ovando, Nicholas). np. : Gouvènè ki soti nan peyi Lespay ki te vin ranplase Bobadiya nan Ispayola nan mwa avril 1502. Ovando te di anpil. Pou li te ka atenn objektif li ki te devlope Ispayola leplis posib, li te pran kontwòl tout kasika yo, sitou Zaragwa ak Igwe ki te endepandan toujou. Se sou Ovando tout moun ki te alatèt òganizasyon endyen nan Ispayola, tankou Anakawona ak Kotibana vin pèdi lavi yo. Tout endyen ki rete yo vin mouri, swa akòz travofòse a ki te twòp pou yo osnon akòz yon epidemi varyòl ki te vin anvayi koloni an. Se sou Ovando premye nwa yo kòmanse debake nan Ispayola kòm esklav pou ranplase endyen yo.*

**ovè** *(pòch ze) : n. pòch ze, glann fi ki gen ovil (jèm fi) ki pwodui òmòn sèks. Glann nan sistèm repwodiksyon femèl. Nòmalman, fi gen de ovè. 2. Pati nan plant ki gen ovè yo.*

**ovètay**: *tan travay ki anplis lè travay regilye.*

**ovèwòl**: *reparasyon an pwofondè. Refè yon motè otomobil.*

**ovil**: *n. 1. Nan moun ak bèt se gamèt femèl ki devlope nan ovè. Fekondasyon lè ovil ini ak espèmatozoyid. Semans fi. Nòmalman yon fi fèt ak apeprè 500000 (senksan mil) ovil nan ovè 2. Nan plant (botanik) se gamèt femèl plant ki vin tounen yon grenn apre fekondasyon. 3. Medikamn glisan ki fèt pou mete nan vajen.*

**ovilasyon** *: n. lè ze fi deplase soti nan ovè ale nan twonp falòp epi desann nan matris li.*

**ovòl**: *adv. pandan deplasman; pandan vòl anlè.*

**owò** *: n. Klate anvan solèy leve.* Owò boreyal.

**owoskòp**: *n. prediksyon lavni yon moun baze sou pozisyon planèt yo lè moun nan te fèt, baze sou prensip maji.*

**oyoyoy**: *entèjeksyon pou make admirasyon osinon enpasyans.*

**ozabwa**: *sitiyasyon ki fè yon moun dezespere.*

**ozalantou**: *adv. pa lwen, toutotou.*

**ozanchè**: *teknik pou vann kote achtè yo ap fè konpetisyon pou wè kiyès ki ka ofri plis pou yon machandiz.*

**ozanviwon**: *adv. apeprè 2. Ki pa lwen.*

**ozany**: *Nan kè kontan.* Li ozany, li pase ekzamen an.

**oze**: *v. pran chans, pran ris. 2. Odas.*

**Ozenn**: *Nan peyi Enn (Lèzenn).*

**Ozetazini** *(Aux Etats Unis), Etazini. np. : Etazini. Peyi ki gwo anpil ki nan kontinan amerik la, li nan Amerik Dinò, ant Kanada ak Meksiko. Ozetazini, yo pale angle men gen anpil moun ki pale panyòl tou. Genyen 50 eta Ozetazini. Popilasyon an apeprè 250 milyon moun konsa. 51% ladan yo se pwotestan, 22% katolik women, 3% jwif, 2% òtodòks. San konte Awayi ak Alaska, Etazini genyen 36% nan tè li ki sèvi pou bèt viv ak manje, 25% se forè epi 24% sèvi pou plante manje pou moun. Etazini se yon repiblik federal. Kapital li se Wachintonn.*

# P p

**p**: *Lèt nan alfabèt.*

**pa**: *1. Siy negasyon.* Li pa vini jodi a. *2. Distans ant de pye lè moun ap mache.* Fè de pa.

**pa aksidan**: *adv fr. San atann, san plànifye.* Yo rive lakay nou pa aksidan, se kay vwazin nan yo tap chèche.

**pa anba**. *adv. : Ki pa sou anwo.* Nou mete bale a nan plaka ki pa anba eskalye an.

**pa bak**: *adv fr. Pa dèyè, annaryè.* Kouri machin nan pa bak.

**pa chita sou sa**: *adv fr. Pa konsidere rezilta ou genyen an sifi pou ou kanpe.* Menm si doktè sa a di ou se kansè ou genyen, pa chita sou sa, ale wè yon lòt espesyalis.

**pa ekzanp** *(pa egzanp): adv fr. Tankou, kòm.* Mo ki kòmanse pa p, pa ekzanp papa.

**pa gen bonjou avèk**: *adv fr. Pa pale avèk.* Jantilis pa gen bonjou ak Jera.

**pa janm**: *adv fr. Pa fè ditou.* Li pa janm telefone m.

**pa m pi bon** : *n fr. Sa ki pou mwen pi bon.* Pa m pi bon, pa m pi dous.

**pa nan be pa nan se**: *adv fr. Pa nan ni youn ni lòt.* Jan se yon moun ki pa nan *be ni li pa nan se, se yon nonm apa.*

**pa woutin**: *adv fr. Tankou yon reflèks, san aprann ak metòd.* Li jwe piyano pa woutin.

**pa**: *1. n. Espas ant de pye yon moun lè la p mache.* Depi msye fin fè aksidan an, se tipa pa tipa la p mache. 2. *Negatif.* Pa di mwen anyen monchè, ou pran afè-m, se pa pou ou li ye, remèt mwen li. *3. Sa ou posede.* Men pa w, men pa m.

**pa-mwen** *(pa m). a. : Adjektif posesif. Sa ki pou mwen.* Liv sa se pou mwen, se pa mwen li ye. Rad sa se pa m.

**pa-nou**. *a. : Adjektif posesif. Sa ki pou nou tout.* Koze sa a, se pwoblèm pa-nou, nou pa kapab iyore l.

**pa-w** *(pa-w). a. : Adjektif demonstratif. Sa ki pou ou.* Si se pa-w li ye, ou di se pou ou li ye, pran l. Kay la se pa-w, se pou ou li ye, fè sa ou pito avè l.

**pa-yo** : *1. Adjektif posesif. Ki pou yo, ki pa pou ou, ni pou mwen.* Se pa pwoblèm pa-mwen, se pwoblèm pa-yo, ya degaje yo san mwen. *2. negasyon (se pa yo).* Wete responsabilite a sou "yo". Nye se pa moun sa yo osnon bagay sa yo ki akòz. Se pa yo ki vòlè bisiklèt la, se timoun anfas yo.

**pabak**. *adv. : Lè yon bagay prale pabak, se tankou li prale pa do, pa dèyè.* Jozèf mete oto a sou bak epi li pran ale pabak, li tou tonbe nan twou a.

**pabon** : *1. Ki pa sa. Ki pa apwopriye.* Medikaman mwen pran an pabon pou doulè a, li pa fè anyen pou mwen. 2. *Pa gen bon gou.* Manje sa a pabon ankò, li sanble li gentan gate. *3. Pa reyisi.* Misye pa bon nan bakaloreya. *4. Pa ansante.* Mwen pa bon menm, tout kò mwen ap fè mwen mal. *5. Razè.* Mwen pa bon menm non, ou gen yon ti kraze ban mwen la a?

**pacha**: *n. Bacha, moun ki gen lajan, gwo zouzoun.* Ivon se yon pacha.

**pachat**: *n. Fòlòp, aktivite prese-prese san moun pa konnen.* Jak te fè yon pachat semenn pase a, li te fè yon rive Miyami.

**pachiman:** *a. Koulè blan ki pèdi blanchè l.* Rad sa a fin pachiman, se blayi pou mwen blije blayi l.

**pachmen**: *n. Po kabrit osinon mouton yo trete espesyalman pou moun ka ekri dokiman enpòtan.*

**padkwa**: *Pa fatige ou; avèk plezi.*

**padèyè**. *adv. 1. Pabak, pa do, dèyèdo.* Jozèf toujou pè chita sou chèz padèyè kay la depi li te fin fè aksidan an. 2. *Pa lakou.* Pase padèyè pou ou pote chabon an, madanm.

**padon**: *n. Eskiz, retire fot.* Pòl te mande manman l padon.

**padonab**: *a. Ki merite padone.*

**padone** *(padonnen): v. 1. Eskize, retire fot.* Padone m mezanmi si mwen ap deranje nou. 2. *Mande osnon resevwa absolisyon.* Bondye padone peche nou.

**Padre Jan**. *np. : Pè Jan. An 1678, msye te alatèt yon rebelyon esklav nan Sendomeng. Msye te rive mouri men anvan sa, dapre listwa, li te touye anpil franse.*

**padsi** *(padesi): n. Rad plastik ki fèt pou mete nan tan lapli pou ou pa mouye.* Lapli pral vini, mache ak padsi ou.

**paf**. *ent. : Bwi lè yon bagay sot tonbe.* Se tande mwen tande paf epi bòl la kraze.

**pafen**: *n. Likid santi bon moun mete sou yo pou yo ka gen bon odè.* Moun pat dwe mete pafen pou kouvri odè santi fò.

**pafètman**: *adv.1. Ki fèt totalman san erè. 2. Wi.*

**pafouten**. *n. : Cheve ki antoure chak bò figi yon gason, nan zòn tanp li.* Chantal te toujou di fòk li marye ak yon nèg ki gen bèl pafouten.

**pafwa**. *adv. : Gendefwa, pa toutan. Se pa toutan mwen sou san mwen.* Pafwa mwen pito ret nan kabann mwen.

**paj**: *n. Fèy nan liv.* Nan ki paj ou ye nan lekti a?

**pak an pak**: *adv fr. Toupatou.* Yo sal kay la pak an pak.

**pak** : *n. 1. (Pak) Annivèsè jou Jezi resisite.* Dimanch Pak.2. *Plas, kote ki gen anpil pyebwa moun ka al layite kò yo.* Gen yon pak bò legliz la. *3. Mèb pou mete ti bebe. Yo mete tibebe a nan pak li. 4. Espas pou bèt rete.* Pak kochon. *5. (pakt) Akò sekrè. 6. Akò ofisyèl ant de peyi.*

**pake kongo**. *: Yon ti pake toupiti ki fèt pou pwoteje moun kont move lespri epi move maladi tou.* Ou konnen Jera toujou mache ak pake kongo li?

**pake**: *v. 1. Mete na bwat. 2. Mete nan pak.*

**pakè**: *adv. Sèvi ak memwa pou aprann yon leson, menmsi ou pa konprann.* Kalo se yon pakèman, li itidye pakè, men li pa kapab eksplike sa li resite a.

**pakèmann**: *Metòd aprantisaj ki baze sou retni tout bagay nan memwa, san konpreyansyon.*

**pakè**: *1. Pake. 2. Kenbe nan memwa. 3. Espas nan Palèd-Jistis kote jij yo reyini.*

**pakèt**. *adv. : Anpil, plizyè. Pil bagay ki ansanm.* Manman mwen keyi yon pakèt flè nan jaden a.

**pakin**: *n. Kote moun estasyone oto yo.* Pakin sa a fèmen leswa.

**pako**: *adv. 1. Poko, tann.* Pako di I anyen, gade pou ou wè sa li ap di w. 2. *np. Katye nan Pòtoprens.* Mwen konn yon nèg ki ret Pako.

**pakoti**. *n. : 1. bagay ki fèt ak retay twal.* Mwen fè yon pakoti met sou mwen, mwen pa gen kòb pou mwen al achte bèl rad. *2. rad bon mache, san gou.* Mwen pap janm met pakoti sou pitit mwen, mwen pito travay di pou mwen achte bon rad pou yo.

**pakou**: *trajè, chemen pou soti yon kote ale nan yon lòt kote.*

**pal**. *a. : Ki pa fonse ditou.* Mwen renmen mete ble pal, se yon koulè ki ale avèk mwen.

**pala**: *Absan*

**palab**: *n. Pawòl san enpòtans. Palab anpil.*

**paladò**: *n. Moun ki renmen pale anpil.* Woje se yon paladò.

**palan**: *n. Abatwa, kote yo touye bèt epi yo ka vann vyann la tou.* Annou al achte vyann nan palan.

**palaso**: *n. Kalòt.* Alis bay Bèta yon palaso, manmzèl tonbe lamenm.

**palavire**: *n. Kalòt, palaso.* Rale kò ou la a anvan mwen ba ou yon palavire.

**pale pwenti**: *v fr. Pale bwòdè, pale ak yon estil egzajere.* Fi sa a pale pwenti.

**pale sou lang**: *v fr. Defòmasyon anba lang ki fè yon moun pwononse mo yon jan amòti ak lang li deyò.* Kalin pale sou lang depi li piti.

**pale**. *v. :1. Pwononse son ki vle di kichòy. Se pa tout timoun ki pale bonè.* Manman mwen chita la a, ou pa menm tande vwa I menm. Mwen pa janm wè yon moun pale anpil konsa pase konpè Dyo. 2. *Esprime, di bèl mo yon jan pou moun kontan.* Jak se moun ki konn pale, ou konnen se avoka li ye.

**Palè Prezidansyèl** *: np. Kote prezidan an gen biwo li. Nan peyi Ayiti, palè a nan vil Pòtoprens. Li sèvi pou biwo lame epi pou depo zam tou.*

**palè**. *n. : 1. Gwo kay ki sèvi pou biwo yon prezidan.* Se andwa kay prezidan an tou. 2. *Gwo konstriksyon ki elegan.* Lotrejou mwen al kay Kawòl, mwen sezi wè se nan yon palè li rete.

**palendwòm**: *n. Yon chif moun kapab li devan deyè. Pa egzanp, 1991 se yon palendwòm.*

**palèt** : *n. 1. Klwazon ant bouch ak nen ki anwo lang yon moun.* Jako fèt ak yon defòmasyon nan palèt li. *2. Plak mens atispent sèvi pou mete epi melanje diferant koulè lè l ap fè yon penti.*

**palidis**: *n. Malarya, maladi ki bay lafyèv frison, moun pran lè moustik enfekte pike yo.* Tifrè fè palidis.

**palisad**: *n. kloti ki fèt ak bwa osinon ak plant.*

**palman**: *Asanble lejislatif, chanm depite ak chanm senatè.*

**palmantè**: *1. n. Manm palman (depite ak senatè). 2. a. Ki gen rapò ak palman.*

**palmipèd**: *Zwazo akwatik ki gen pat an fòm fèy palma-kristi.* Kanna se yo palmipèd.

**palmis**. *n. : Pye bwa ki pouse nan peyi cho. Anpil palmis wo epi yo gen yon pakèt fèy laj. Pye palmis sanble ak pye kokoye.*

**palmye**. *n. : Pye palmis. Palmye sanble anpil ak pye kokoye men li pa donnen ankenn fwi.*

**paloud** : *n. Bèt ki viv nan dlo, ki gen kokiy de bò,molis.* Odil ta manje paloud jodi a.

**palpitasyon** : *n. 1. Batman kè rapid.* Kalo gen palpitasyon, pito nou rele doktè pou li. *2. Kontraksyon, fremisman ki altène.* Gende jou, Jak kontanple palpitasyon zetwal yo tankou yon powèt ap kontanple vag lanmè.

**palto**. *n. : Levit, manto.* Prete mwen palto ou la non, mwen gen pou mwen ale nan yon ti bal aswè a, mwen ta mete l.

**palwa**: *n.* **s***eksyon nan lopital, nan pansyon osinon nan prizon kote pansyonè chita pale ak vizitè.*

**pami** *(nan pami): pre. Lanmitan, ant, antwòt.* Pami tout moun sa yo.

**Pan** : *n. 1. Zwazo ki gen bèl plim.* Plim pan sa yo bèl. *2. Bwòdè, an plimdepan.* Gaston abiye an plimdepan pou li al vizite menaj li a. *3. Pati, moso, panno.* Yon pan mi.

**pàn**: *Ki pa ka mache.*

**Panama** : *np. 1. Peyi, nan Amerik Santral, ki ant Kostarika ak Kolonbi.* Nan peyi Pànama moun pale panyòl. *2. Chapo pay.* Pànama mwen tonbe, van an bwote l ale.

**Panameyen** *(Pànameyèn) : np. 1. Non yo bay moun ki gen nasyonalite peyi Pànama.* Wobèto se yon panameyen. *2. a. Ki pou peyi Pànama.* Teritwa pànameyen.

**panche**: *v. 1. Pwoche sou yon kote.* Jak panche pou li pale ak Bèta. *2. Kwochi.* Mi sa a panche. *3. Pran pozisyon.* Doris plis panche pou li ta retounen Ayiti.

**pandan** : *Pre. Alòske, diran.* Pandan li ap dòmi, li rele anmwe.

**pandanstan**. *adv. : Antretan.* Al pase nan makèt la pandanstan an mwen pral nan drayklining nan la a.

**pandil**: *n. Revèy, òlòj ki gen yon tij ki pann, ki balanse adwat agòch epi ki gen yon klòch ki sonnen chak inèdtan.* Pandil la bèl sou mi an.

**pandye**. *v. : Pann. Ki koke anlè men ki pa touche tè. Sispann pandye kò ou sou balkon an konsa non, wa tonbe.*

**pandri**: *n. espas kote pou mete rad.*

**pankat**: *n. Afich ki gen yon mesaj ekri sou li.* Pankat madanm sa a di "Se pou tout moun respekte lalwa".

**panko** *(pankò): Adv. Poko, pako.* Panko di l mwen rive.

**pankreya** : *n. Glann ki pa dèyè lestomak la ki sekrete ensilin. Pankreya a se yon glann ki fè yon seri pwodui ki al devèse nan ti trip pou fè dijesyon an mache. Nan pwodui sa yo gen anzim pou fè manje yo tounen pire, pankreya-a fè yon seri lò pwodui tou yo rele òmòn. Youn nan yo rele ensilin. Ensilin nan la pou kontwole ki kantite sik ki gen nan san an. Gen yon sik espesyal yo rele glikoz, ki enpòtan anpil paske se li ki bay selil yo gazolin yo bezwen pou travay. Se glikoz sitou ki gazolin sèvo a.*Doktè di pankreyas Fito pa fonksyone byen.

**panm!**: *ent. Onomatope ki endike bwi yon evenman sanzatann.* Yo mete Jera atè nan travay li a Panm! epi madanm li tou kite l.

**panmen**. *v. : Debat.* Se pa jodi a Alisya ap panmen ak yon doulè tranche non.

**pann**. *v. : 1. Pandye.* Sispann pann kò ou sou balkon an konsa, wa tonbe. *2. Mare kou yon moun ak yon kòd epi pandye l pou li pa touche tè pou li kapab toufe epi li mouri.* Lontan yo te konn pann moun men kounye a yo pa sitan fè sa ankò.

**pannari, panari** : *n. Anflamasyon anba zong dwèt osnon pye.* Pyè gen yon pannari depi semenn pase.

**pannkot**: *n. Fèt kretyen ki selebre setyèm dimanch apre Pak, li reprezante ànivèsè jou Sentespri desann sou apot yo.* Jodi a se Pannkot.

**panno** : *n. 1. Separasyon andedan yon kay.* Gen panno mi gen panno bwa, gen panno selotèks.

**panpan**: *n. Estravagans, gran chire.* Leyon renmen gran panpan.

**pans**. *n. : Vant osnon lestomak yon moun.* Kounye a ou ap pale anpil, pans ou fin plen.

**panse**. *v. : 1. Fè tèt ou travay, reflechi, kalkile.* Mwen rete detanzantan mwen ap panse, se pa de reflechi mwen reflechi. 2. *Pran swen.* Netwaye yon maleng pou l pa enfekte. Panse maleng timoun nan non, fòk nou pa kite l enfekte.

**pansman** : *n. Tretman yon blesi ak antiseptik, adezif, twal gaz elatriye.* Yo mete yon pansman sou maleng Jak la.

**pansyon**. *n. : 1. Kote yon moun rete an korespondans.* Mwen pral nan pansyon kay Mè Lali yo. 2. *Lajan ou resevwa aprezavwa ou travay lontan yon kote.* Mwen te travay nan leta men yo pa janm peye mwen pansyon m, mwen pa konn poukisa.

**pansyonè**. *n. : Moun ki al rete nan pansyon.* Mwen te pansyonè kay madan Dibwa.

**pant**: *n. 1. Direksyon, teren ki pa apla, ki monte tankou yon ti mòn. Sifas ki enkline .* Gen yon pant rèd nan Premye Avni Bòlòs. *2. Oryantasyon.* Timoun ki sou move pant. *3. Deviyasyon ki ant vètikal ak orizontal.*

**pantalèt**: *n. Kilòt.* Tifi a pral lave pantalèt li.

**pantalon abako**. *n. : Pantalon ki fèt ak yon twal ble koton. Pantalon abako yo solid anpil epi yo kapab pran pousyè.* Lè nou pral pentire kay la, nou mete vye pantalon abako nou sou nou pou nou pa sal bon pantalon nou.

**pantalon**: *n. Rad gason mete, li kouvri depi senti yo rive nan pye yo.* Ti gason nan peyi m mete pantalon kout.

**pantan**: *a. Sezi, rankontre bab pou bab, gen reyaksyon moun ki pat atann.* Li pantan lè li wè Jozèt.

**pantan sou**: *v fr. Tonbe sou, rankontre sanzatann.* Jera pantan sou Jozèt.

**panten**: *n. Pope twal.* Fi a fè Jera tounen yon panten.

**panti**: *n. Bann fè ki soutni yon pòt.* Panti pòt la dekole.

**pàntyè**: *n. Mèb, nan salamanje ki sèvi pou mete vesèl.* Tas ak soukoup yon byen aliyen nan pàntyè a.

**pànye** *(panyen): n. Veso ki fèt ak wozo, pay osnon vantrès bannann ki fèt pou pote machandiz osnon pwovizyon.* Machann nan mete pànye a sou tèt li.*2. n. : Veso tankou yon sak osnon yon gwo valiz ki konn fèt ak latànye oubyen ak pit.* Nou mete manje piknik la nan yon gwo pànye.

**panyen**: *n. Pànye, veso an pay, an wozo osnon an vantrès bannann ki sèvi pou pote chay osnon machandiz.* Yon Panyen mango.

**panyòl** *: n. 1. Peyi Dominikani.* Jeraldo soti nan Panyòl. *2. Lang.* Li konn pale Panyòl.

**panzou**. *n. : 1. Tap ki jete sa ki nan men yon moun pafòs.* Ou fè tout manje a tonbe, poukisa ou ban mwen panzou sa a? *2. Koudeta. Yon koudeta se yon panzou paske yon pati osnon yon moun pran pouvwa a nan men yon moun ki te genyen l nan men l legalman. Anjeneral, se militè ki bay panzou.*

**panzouyis**. *n. : Moun ki bay panzou osnon koudeta.*

**pap** *: 1. Negasyon, non.* Li pap vini jodi a. *2. Otorite nan legliz katolik.* Pap la bay benediksyon.

**pap sis**: *v. Ou pap janm rive.* Si ou konprann ou ap pran poul sou mwen epi pou ou al fè pi bon nòt pase m, ou pap sis.

**papa** *: n. Gason ki fè ou ak manman ou.* Gaston se papa Elifèt.

**Papadòk**. *: Tinonjwèt yo te bay Franswa Divalye. Msye te prezidan diktatè Ayiti soti 1957 ale rive nan ane 1971. Papa l te rele Dival Divalye, li te yon pwofesè lekòl primè. Manman l te rele Irisya Abraam, li te travay nan boulanjri. Lè msye mouri, pitit li Jan Klod te ranplase l.*

**papalwa**. *n. : Pè vodou. Moun ki trete moun malad ak senp osnon ak remèd fèy. Yo rele yo oungan tou.*

**papay**: *n. Fwi twopikal ki gen anpil chè koulè jonnabriko.* Ji papay bon ak lèt evapore.

**papazaka**.*: Lwa agrikiltè nan kwayans vodou.*

**papiy** *: n. Pati nan po yo moun ki gen kapasite resevwa mesaj tankou gou pa egzanp. Papiy gou pèmèt moun pran gou manje.*

**papiyon**. *n. : Bèt ki gen 4 zèl avèk anpil koulè.* Kò papiyon yo gen bèl koulè, tankou vitray nan mi legliz Sentrinite.

**papiyon denuit**: *n fr. Papiyon ki aktif nannuit.* Gade yon papiyon denuit.

**Papiyon Magarèt** *(Margareth Papillon): np. Ekriven, atis-pent ki fèt Pòtoprens an 1958. Li ekri plizyè nouvèl ki pibliye Pòtoprens, La Marginale 1987; Martin Thomas, 1991; Passion Composée 1997; La Saison du Pardon, 1997; Mamzelle Natacha 1997.Terre Sauvage (1998);La Legende de Quisqueya (1998)*

**papòt**: *n. Devan pòt, nan antre yon kay.* Ou rive nan papòt kay Edwa.

**papye** : *n. Fèy mens ki fèt ak fib vejetal tankou bwa, ou ka ekri sou yo. Papye trase, papye blan, ou ka ekri sou tout.*

**papye sable** *: n fr. Papye ki gen sab fen kole sou li, ki sèvi pou sable osnon netwaye bwa ak lòt materyo.* Papye sable sa a fen anpil.

**papye tenbre**: *n fr. Papye tribinal ki mande yon moun konparèt nan lajistis.* Leyon resevwa yon papye tenbre.

**Paquin, Lyonel** *(Lyonèl Paken). np. Komèsan, politisyen, diplomat, ekriven. Li fèt Gonayiv, li etidye syans politik ak ekonomik. Li te anbasadè Ayiti nan.Ògànizasyon Nasyonzini, sou gouvènman. Èta Paskal Twouyo. Li mouri nan vil Tampa, nan Eta Florida, nan peyi Etazini an Fevriye 1998.*

**parabòl**: *n. 1. Koze ki gen yon mesaj ladan l men ki pa klè pou tout moun konprann fasilman.* Jak renmen pale an parabòl. *2. Pawòl labib ki gen yon mesaj.* Jezikri te konn pale an parabòl ak disip li yo.

**parachit** *: n. Aparèy ki fèt pou amòti desant yon moun ki ap soti anlè tankou nan yon avyon.* Pilòt la sove paske li te gen parachit.

**parad**: *n. 1. Defile.* Li al gade parad. 2. *Egzibisyon, bwòdè, cho, fè wè.* Madan Jan ap fè parad tout bijou li yo.

**paradi**. *n. : 1. Syèl. Dapre relijyon katolik, kote moun ki pa fè peche yo ale lè yo mouri.* Yo di gen anpil zanj nan paradi, ou kwè se vre? 2. *Kote ki agreyab pou moun pase yon moman.* Mwen renmen vin sou laplas sa a, li bèl epi fè bon tankou se nan paradi ou ye.

**paradòks**: *n. Opinyon ki pa ale annakò ak sa tout moun aksepte kòm verite.* Opinyon ak panse ki pa ale ak bon sans men ki pa fo epitou ki pa fin vre.

**paraf**: *n. Siyati. Senbòl ekriti pou reprezante non yon moun.*

**Paragwe** : *np. Peyi nan Amerik Disid kote yo pale Panyòl.* Gen bon jwè foutbòl ki sot nan peyi Paragwe.

**Paragweyen** *(Paragweyèn) : np. 1. Non yo bay moun ki gen nasyonalite peyi Paragwe.* Alfredo se paragweyen. 2. *a. Ki pou peyi Paragwe.* Teritwa paragweyen.

**paralèl** : *n. Liy ki pa ka kontre, tout pwen nan youn liy gen menm distans ak liy sa ki anfas li a.* Ray tren yo paralèl youn ak lòt.

**paralelogram** : *n. Yon kwadrilatè (ki gen kat kote) ki gen kote fas-a-fas yo egal.* Kay sa a sanble ak yon paralelogram.

**paralezi** : *n. 1. Ki paralize, ki pèdi kontwòl nè manm li yo.* Jak se yon paralezi. 2. *Maladi, eta moun ki paralize a.* Jak fè paralezi.

**paralize** : *v. 1. Ki pèdi kontwòl nè manm li yo, pye osnon men. Kawòl paralize, li sou chèzwoulant.* 2. *Kanpe rèd, san bouje, sezi.* Kou Jera wè Jan, li sezi. li rete kanpe rèd, tankou li paralize.

**paran**: *n. 1. Fanmi.* Wozmari rete isit poukont li, li pa gen paran. 2. *Manman ak papa.* Timoun sa a òfelen, li pa gen paran.

**paranoya**: *n. Sitiyasyon espesyal lè yon moun santi li yon jan sispèk san rezon osnon li panse gen moun ki dèyè ou pou fè ou mal alòske se pa vre.* Maladi mantal ki bay lapè ak kè sote.

**parantèz**: *1. n. Senbòl nan matematik pou montre gwoup ki ale ansanm osinon pou make miltiplikasyon. 2. Senbòl nan yon fraz ki endepandan men ki pote enfòmasyon.*

**parapli**. *n. : Onbrèl. Kouvèti pliyab moun sèvi pou kouvri tèt yo pou yo pa mouye anba lapli.* Lapli a ap farinen, prete mwen yon parapli.

**parapò** *(parapò a): Pre. Konsideran yon lòt.* Jera pi wo parapò ak Jan.

**parasòl** *(paresòl, voumtak): n. Zouti pou pare solèy.* Solèy la cho, louvri parasòl ou.

**paravan**. *n. : Baraj ki fèt ak yon ankadreman anbwa ki gen twal lanmitan l.* Louvri paravan an pou mwen pou mwen kapab wete rad sou mwen san vwazinay pa gade mwen.

**parazit**. *n. : 1. Ògànis (bèt, plant) ki pwofite sou yon lòt pou li kapab viv.* Si yon moun kenbe kò li pwòp, gen anpil chans pou li pa gen parazit antre sou li. 2. *visye ki ap apiye sou moun.* Mwen pap kapab peye pou ou monchè, degaje w, peye poukont ou, ou pa parazit.

**pare** : *v. 1. Pre, prepare,* fè tout sa ki te pou fèt. Li pare pou li soti. 2. *Kuit.* Manje pare. 3. *Ap tann pou atake.* Ti vagabon yo te pare pou yo te vòlè bous mwen. 4. *Eskive.* Li pare tout atak yo.

**parenn** : *n. Moun ki batize yon timoun.* Jak se parenn Michou.

**parès**: *n. 1. Eta yon moun ki pa gen enèji.* Jan gen parès. 2. *Neglijans.* Twaka travay la fèt, se parès ki fè mwen pa fini l.

**parese**. *a. : 1. Ki pa mete kouray pou l travay.* Gen moun ki sitan parese, yo pa vle fè anyen. 2. *Plant pou bèbèl nan jaden.* Yo rele plant sa a parese paske li pran anpil tan pou l grandi.

**parèt tèt**: *v fr. 1. Pwente tèt, pa kite tout kò ou parèt.* Ejèn parèt tèt li nan fenèt la. 2. *Vizit kout.* Fito annik parèt tèt li nan fèt la, li pa rete.

**parèt**. *v. : 1. Vizib.* Solèy la fèk kòmanse ap parèt la a, mwen te konprann li pa tap leve ankò. 2. *Konpare.* Kolèt pa kapab parèt devan Deniz, ou tou wè Deniz pi bèl lontan.

**parèy**. *a. : Ki sanble ak yon lòt.* Soulye sa a parèy ak lòt sa mwen achte lòt jou a.

**pari**: *n. Paryaj.* Nou fè yon pari, se mwen ki genyen.

**Parizo Jan Pè** *(Jean Pariseau R.P.): np. (29 Avril 1918-18 Avril1999). Pè Parizo te yon pwofesè, edikatè, animatè devlopman, mizisyen, ekriven, istoryen, pè katolik ki te kire Benè. Pè Parizo fèt Pòtoprens 29 Avril 1918 li al lekòl Senlwi te òdone pè katolik nan vil Wòm (Itali) an 1941. Menm si li te pè katolik li te gen anpil enterè pou devlopman kominote kote li te ap viv, li te pran konnesans nan agrikilti ak nan jeni riral. Li pase majorite karyè li kòm prèt nan pawas Benè (1949-1996), li te patisipe nan aktivite agrikòl ak nan aktivite edikasyon ak devlopman.*

**paryay** *(paryaj): n. Pari, sitiyasyon kote de moun chwazi de rezilta diferan anvan yo verifye kilès ki gen rezon osnon ki genyen.* Simòn fè yon paryaj avèk mwen epi se mwen ki genyen.

**parye**: *v. Fè pari osnon paryaj.* Jera parye lapli ap vini apremidi a men Silòt di lapli pap vini.

**pas**. *n. : 1. Nan jwèt boul, voye balon an bay yon lòt moun nan ekip ou a.* Si Franswa te fè pas la bay Tichal, ekip li a tap genyen pati a. *2. Fè yon jès pou fè yon moun konnen ou enterese nan li.* Ti dam sa a gentan fè mwen yon pas la a, men malerezman mwen te akonpaye deja ak yon lòt dam.

**pasab**: *a. Ki ka pase pou bon, pa pi mal.* Rad sa a pasab men lòt la pi bon.

**pasajè**: *a.1. Ki pa dire.* Yon sitiyasyon pasajè.

**pasan**: *n. Moun ki ap pase.* Pasan yo ap gade Lora ki ap pale fò.

**pasay**: *n. Traka, pwoblèm.* Ala pasay, papa!

**Paskal Twouyo Èta***(Pascal-Trouillot,Ertha): np. Avoka, jij, politisyen, feminis, ekriven, prezidan pwovizwa. Li fèt 13 Out 1943 nan vil Gonayiv. Li etidye nan lekòl Dedwa Pòto prens. Avoka nan Bawo Potoprens, jij nan Lakou Kasasyon, li te vin prezidan pwovizwa 13 Mas 1990. Sou prezidans li te vin gen eleksyon prezidansyèl, lè Jan Bètran Aristid pote viktwa pou vin prezidan.*

**pase ivè** *: v fr. Viv tan ivè a.* Li pase ivè a nan kabann.

**pase kondisyon**: *v fr. Fè antant davans.* Nou te pase kondisyon nou tap jwe foutbòl jodi a.

**pase mati**: *v fr. Viv nan difikilte.* Ti pitit sa a pase mati anvan li resi rive kote li ye a.

**pase mizè** *(pase traka, pase mati): v fr.* Viv nan difikilte. Moun sa yo pase anpil mizè anvan yo rive kote yo ye a.

**pase nan betiz** *(mete nan betiz): v fr. Pa pran oserye, pase nan ridikil.* Ou pa andwa pase granmoun nan betiz.

**pase nan jwèt**: *v fr. Pa pran oserye.* Timoun pa dwe pase granmoun nan jwèt.

**pase nan tenten**: *v fr. Pa pran oserye.*Yo pase Inès nan tenten.

**pase papye** *: v fr. Fòmalize yon antant.* Nou pase papye devan notè depi yè.

**pase raj sou**: *v fr. Pase kòlè ou.*Pa pase raj ou sou timoun yo.

**pase randevou**: *v fr. Fikse yon dat, yon lè pou rankontre.* Annou pase yon randevou pou demen maten.

**pase traka:** *v fr. Sibi difikilte.*Nou pase traka sou wout la.

**pase**. *v. : 1. Fè wout; mache.* Se toutan mwen pase la a. Pase tan, pase vakans; pase yon fim. *2. Olyede, alaplas.* Mwen pito mayi pase diri. Konparatitif, plis...pase; depase. *3. Ki fini.* Kont la fin pase, sispann pale sou sa. *4. Reyisi.* L ap pase egzamen an kanmenm. *5. Atravè.* Msye se yon nèg ki pase anpil peripesi nan lavi a. Koule, pase nan paswa. *6. Glise yon fè cho sou yon twal pou retire pli. Dechifonnen.* Mwen paka met rad san pase *7. Fòm kontrakte pou di paske. 8. Limen.* Pase limyè a pou mwen.

**pasifik**: *a. ki renmen lapè, ki ap chèche lapè. 2. n. Youn nan gwo oseyan sou latè.* Oseyan pasifik.

**pasifikman**: *adv. Yon jan ki pasifik.*

**pasifye**: *v. mete lapè; mete lò, apeze, kalme.*

**pasipala**: *adv. Bò isit ak bò lòtbò.* Fanmi an gaye pasipala.

**Paskal Twouyo, Eta** *(Pascal Trouillot, Ertha). np. : Li fèt jou ki te 13 Out 1943. Kòm jij nan Lakou Kasasyon, li te vin nonmen prezidan pwovizwa nan peyi a jou ki te 13 mas 1990. Se premye fi ki prezidan peyi Ayiti. Li remèt pouvwa a apre eleksyon ki pote Jan Bètran Aristid opouvwa.*

**paske**. *: 1. Poutèt.* Se paske ou ap vini ki fè mwen pa soti. *2. Akoz.* Se paske mwen konnen ou se yon moun ki serye ki fè mwen ret tann ou. *3. Kòm.* Paske mwen te achte ak tout kòb mwen an, mwen te oblije mande kredi.

**Paskèt** *(pasquet): np. Ofisye nan lame ki te eseye jete Gouvènman Divalye pandan yon envazyon militè, an 1958 an kolaborasyon ak Pèpiyan ak Dominik.*

**paspò**: *n.Idantifikasyon sèvis imigrasyon bay yon moun ki bezwen pati ale lòtbò.* Janklod al fè paspò l .

**paspouki:** *n. Moun pa.*Terèz pa nan paspouki ak moun.

**pastè**: *n. 1. Yon moun ki gen responsablite pou dirije legliz ak fidèl yo; gid espirityèl, gid kominotè, chèf kongregasyon. 2. Moun ki gen konesans teyolojik pou li gide yon gwoup pwotestan.* Legliz pastè Jan an gen anpil fidèl.

**Pastè Nere**: *(al gade nan Nere.)*

**paswa**: *n. Zouti kizin pou koule likid ki gen ma.* Pase dlo kokoye a nan paswa a.

**pasyans**: *n. Kapasite yon moun genyen pou li kapab tann san li pa nève.* Pa pèdi pasyans.

pasyans

**pasyon**: *n. Santiman, anpil emosyon yon moun mete pou osnon kont kichòy.*Li gen pasyon pou matematik.

**pat elefan**: *n fr. Estil pantalon ki sere nan jenou epi laj nan pye.* Pantalon pat elefan.

**pat tomat**: *n fr. Tomat konsantre yo mete nan bwat konsèv; li sèvi pou bay vyann gou ak koulè wouj.* Mete pat tomat nan sòs la.

**pat**. *: 1. n. Melanj yon solid fenfen ak dlo.* Yon moun kapab fè pat ak lanmidon. *2. n. Manje dous ki fèt lè ou kite ji fwi ak sik bouyi anpil.*

Mwen pa renmen pat gwayav, li twò dous. 3. *Negatif.* Ou pat dwe janm di sa konsa. 4. *n. Pye bèt.* Chyen an mete pat li sou chèz salon an.

**pataj**. *n. :Separasyon.* Nou te oblije vann paske frè mwen an te mande pataj.

**pataje**. *v. : Separe.* Ann pataje moso poul sa a, li bon anpil, goute wa wè.

**patant**: *n. Taks komèsan peye leta.* Pou fè enpò-ekspò fòk ou peye patant.

**pataswèl**: *n. 1. Souflèt.* Jak bay Jera yon pataswèl. 2. *Tit yon liv nan literati ayisyen.*

**patat**: *n. Rasin ki gen anpil lanmidon, li yon jan dous.* Gen moun ki renmen patat bouyi, patat fri osnon patat ak lèt.

**patat si**: *n fr. Gwo, gra.* Fi sa a se yon patat si.

**patati, patati-patata**: *onom. Pale anpil.*

**patatis**: *n. Moun ki ap chèche ti okazyon pou fè yon ti kòb, menmsi se pa onèt.* Moun ki ap defann yon patat pou de jou.

**patatsi**: *n. Moun ki gwo, ki obèz.*

**patch**: *n. Reparasyon ki pap dire. 2. Metòd pou delivre medikaman nan po.*

**patche**: *v. Reparasyon tanporè. Bouche yon twou (tanporè) nan yon veso.* Tib koutchou a kreve eske ou ka patche l pou mwen.

**pate**. *n. : Manje ki fèt ak yon pat rale epi ki gen vyann nan mitan l.* Mwen pito pate vyann moulen pase pate poul.

**patekwè**: *n. Patespere,arivis. Moun ki gen kondisyon materyèl ki amelyore epi ki ap fè wè.* Jera se yon patekwè, li toujou ap fè lwanj tèt li.

**pati prive** : *n fr. Ògàn sèks sou deyò.* Pa montre pati prive ou.

**pati** : *v. 1. Ale.* Se jodi moun yo pati. 2. *Vwayaje.* Nou ap pati demen. 3. *Pèdi kontwòl.* Tèt Janjan pati. 4. *Asosye ak.* Nou fè pati moun ki pa dakò yo. 5. *n. Gwoup, ekip.* Nan ki pati politik ou ye? 6. *Seri, nan jwèt.* Apre premye pati a nou ap pran rekreyasyon. 7. *Chwa, kandida.* Wobè se yon bon pati pou Magarèt.

**pati**. : *1. v. Deplase kite yon kote pou ale yon lòt kote.* Ou leve, ou pati, ou ale, ki moun ki pou okipe pitit ou yo pou ou? 2. *n. Yon moso.* Tèt se pati nan kò moun. 3. *n. Gwoup politik òganize.* Pati repibliken pèdi pati demokrat monte.

**Pati Kominis Ayisyen Inifye**. : *Pati kominis Ayisyen ki fòme an 1969 apati inyon ant pati ki te rele Antant Popilè a ak pati sa ki te rele Pati Popilè Liberasyon Nasyonal.*

**Pati Ouvriye Peyizan**. *n. : Pati Danyèl Fiyole te fè nan ane 1946. Franswa Divalye te sekretè jeneral pati sa a.* Lè Divalye vin prezidan li kraze pati a.

**patikil** : *n. Ti moso, tikal fenfen.* Gen yon pakèt patikil pousyè sou tab la.

**patinaj** *(patinay): n. 1. Jwèt, glisad.* Timoun yo ap fè patinaj deyò a. 2. *Bouje san avanse, pale san di anyen.* Nèg la ap fè patinaj nan prezantasyon an.

**patinen**: *v. 1. Glise, monte paten.* Timoun yo ap patinen. 2. *Pale san di anyen, bouje san avanse.* Nèg sa a gen lontan depi li ap patinen sou pwojè sa a.

**patiray** *(patiraj): n. 1. Kote ki gen zèb pou bèt manje.* Gade bourik yo nan patiraj la. 2. *Espas pou chak moun.* Chak bourik rann yo nan patiray yo.

**patisipe**: *v. 1. Jwe yon wòl anmenmtan ak lòt moun.* Filip te patisipe nan konpetisyon an. 2. *Kontribye ak lòt moun.* Mwen te patisipe nan travay la tou. 3. *Pataje.* Si gen lajan, se pou tout moun patisipe.

**patisri**. *n. : Kote yo fè gato, bonbon. Gen yon patisri bò lakay la, yo fè bon gato la.*

**patizan**: *n. Moun ki pran pati.* Mari se patizan pwotestan yo.

**patojèn**: *n. Nenpòt kisa, espesyalman mikwòb (òganis mikwoskopik) ki kapab bay maladi. Bakteri, viris, fongis, ak pwotozoya se kèk ekzanp patojèn.*

**patou** *(toupatou): adv. Tout kote, toupatou.* Ou pran sant pafen an patou nan kay la.

**patriotik**. *a. : Ki montre ki jan yon moun renmen peyi li.* Gen anpil ayisyen ki pa konn chante patriotik ayisyen yo, se byen domaj.

**patripòch**: *n. Politisyen ki renmen lajan, ki ap pran dezisyon ki ale ak enterè l, menmsi desizyon an pa nan enterè patri a.* Nèg sa a se yon patripòch.

**patriyòt**. *n. : Moun ki renmen peyi l anpil epi ki poze zak pou montre sa epi ki kontribye pou fè l avanse.* Mwen konnen ou se patriyòt, ou toujou defann peyi w.

**patriotikman**: *adv. Nan respè ak solidarite pou lapatri.*

**patwon** : *n. Bòs, moun ki alatèt.* Patwon mwen an rele Kalo.

**patwonal**: *a. 1. Ki gen avwa ak yon sen patwon.* Fèt patwonal Leyogàn se jou fèt Sentwoz. 2. *Ki regade sektè direksyon yon antrepriz an konparezon ak sektè anplwaye yo.* Delegasyon patwonal.

**patwouy**: *n. Siveyans polis pou mentni lòd.* Polis fè patwouy chak jou bò lakay la.

**Paul, Evans** *(Evans Pòl): np. Ansyen Majistra Pòtoprens, animatè KID.*

**paveni** *(pavni): n. Moun ki vin arive sosyalman epi byen vit, san li poko gen tan korije move mès.*

**pawas***: n. Espas jeyografik kote fidèl yo rete epi ki atache ak yon legliz.* Estefèn nan pawas Sentàn.

**pawòl***: n. 1. Mo. Chak pawòl gen sans li. 2. Koze, istwa.* Ki pawòl sa a, mezanmi. *3. Konvèsasyon.* Jera di li gen yon pawòl pou l di m. *4. Afè, pwoblèm.* Sa ou di la a, se pawòl pa ou.

**pay**. *n. : 1. Fèy osnon zèb ki seche.* Plen pay nan lakou a, al bale yo non. *2. Ki lejè.* Msye pa lou non, li peze tankou yon pay. *3. Move kat.* Mwen pa kapab manje las ou a, se pay sèlman mwen genyen la a, kat la mal bat.

**payas***: n. 1. Payèt.* Pa vin bay moun payas la a. *2. Matla pay.* Li dòmi sou payas la.

**paydefè***: n. Boul fil fè fen ki ka foubi chodyè byen.* Chodyè ki foubi ak paydefè pi pwòp .

**paye***: v. Parye. M ap paye senkantkòb ou pa konn fè travay nan kay.* Nou parye degoud epi se men ki genyen.

**payen***: n. 1. Moun ki pa kretyen.* Payen yo pa kwè nan Jezikri. *2. Moun ki ap adore idòl, ki ap komèt idolatri.* Nèg sa a se yon payen. *3. Ki pa gen relijyon.* Jera se payen.

**payèt***: n. Payas, cho, fè wè.* Jaklin ap bay Janjan payèt.

**PDCH**: *Pati Demokrat Kretyen Ayisyen Lidè li se te Pastè Silvyo Klod 1979 Jounal li se te Verite Sou Tanbou*

**pè Lebren**: *Pè Lebren se Klod Lebren, (Claude Lebrun) ki te mèt yon magazen ki vann kawotchou machin. Li te konn fè reklam nan televizyon pou kawotchou. Non msye te vin sèvi pou nonmen yon siplis. 2. yon siplis terib lè yo mete yon kawoutchou nan kou yon lennmi epi yo mete dife nan kawoutchou a.*

**pè savann**. *np. : Moun ki koni epi ki deklare li pè men ki pa etidye pou sa epi ki ap bay sèvis relijye (chante lamès, fè lantèman pa egzanp) andeyò a.* Antwàn se pè savann, li kapab chante lantèman an pou ou.

**pe**. *v. : 1. Pa pale. Pe bouch ou, ou pa konn sa ou ap di la a. M pe, ou mèt pale.* pe bouch, pe dan, pe dyòl. *2. Lèt nan alfabè; p se premye ak dènye lèt nan mo pap. 3.patikil pwogresif rejyonal ki ranplase [ap]* m pe di ou yon sekrè.

**pè**. *: 1. v. Enkyete, gen krentif. Santiman ki fè yon moun santi l pa an sekirite.* Lè ou pè, ou panse yon move bagay pral rive. Chyen an pè loraj. Lili pè naje nan gwo dlo. *Li pè kou chat. Pa vin fè m pè la a.* Neye-papè. *2. n. Moun ki etidye labib epi ki resevwa sakreman pou l kapab pran responsabilite nan relijyon katolik (tankou di lamès).* Pè Jan monte sou lotèl kisa ou kwè-l di ? Fòk youn renmen lòt. *3. n. De bagay ki ale ansanm.* Yon pè soulye, pè gan, pè kabrit, pè poul.

**pèch**: *n.1. Lapèch, aktivite kote moun al peche pwason, al pran bèt nan lanmè osnon nan dlo dous.* Mesye yo pote gwo pwason sot nan pèch la. *2. Fwi won jòn ki gen yon grenn ki di anpil ki sèvi pou fè konfiti. 3. Onomatope, son pou endike yon kalòt.* Li pèch pou mwen, mwen pèch pou li.

**pechè** *: n. 1. Moun ki fè fot relijyon li kondane.* Pechè te dwe repanti. *2. Moun ki konn peche bèt nan lanmè osnon dlo dous, kòm metye osinon pou plezi.* Kou li maten byen bonè pechè yo derape sou kannòt yo.

**peche**. *n. : 1. Kenbe bèt nan dlo.* Mwen renmen al peche pwason epi pou mwen tounen lakay mwen ak pwason pou mwen manje pou tout semèn nan *2. Fè sa ki pa sa dapre kòmandman kretyen.* Si ou fè peche, fòk ou al konfese sinon ou pa kapab kominyen.

**Rawoul Pèk**: *(Peck, Raoul) np. ekriven, sineyas ayisyen. Li fèt Ayiti nan àne 1953. Li te gen uitan lè pati ak paran li al nan peyi Zayi, nan kontinan Afrik. Apresa, li te ale nan kontinan Ewòp (Frans ak Almay). Apresa li tounen Ayiti epi li te vin Minis Kilti, sou gouvènman Preval. Zèv li: Sinema: Haitian Corner (1998); Lumumba: Death of a prophet (1992); L'Homme sur le quai, elatriye.*

**pedagòg**: *n.Pwofesè ki byen prepare epi ki maton nan teknik pou anseye elèv lekòl.*

**pedagoji**: *n. Syans ak ladrès pou prepare elèv epi pou fòme espri moun.*

**pedal**: *n. Pati nan yon machin ou peze ak pye ou pou ou ka fè chanjman.* Pedal fren, pedal akseleratè, pedal bisiklèt.

**pedale**: *v. 1. Peze pedal.* Li pedale òg la byen. *2. Aktivite ou fè pou deplase bisiklèt. Lè ou sou mòn, ou pa ka pedale vit ak bisiklèt sa a. 3. Kouri.* Li annik tande men polis, misye pedale.

**pedan**: *a. Frekan, pale ak fyète, san rezon pou atire atansyon.* Jak renmen fè pedan ak timedam yo.

**pèdan** *(lepèdan): n. moun ki pèdi nan yon jwèt osinon nan komès.*

**pèdefami**: *1. Papa, moun ki gen tout responsablite moral ak finansye nan yon fanmi.*M se yon pèdefami, se pa tout bagay mwen kapab fè. *2. Gason ki gen sans responsablite moral.* Andre se yon bon pèdefami, mwen fè l konfyans ak de ti medam yo.

**pèdi**: *v. 1. Lè ou pa ka jwenn yon bagay ou te genyen anvan.* Li pèdi bous li. *2. lè ou mize* *lajan sou yon lotri osinon nan yon komès ki pa rapòte.* M pèdi lajan nan bòlèt. *3. Gaspiye.* pèdi tan. *4. Batba nan yon jwèt osinon nan yon konpetisyon.* Li pèdi match la. *5. Mouri.* M pèdi matant mwen depi ane pase. *6. Konfizyon.* M pèdi wout mwen. Li pèdi tèt li, li pèdi fèy, pèdi lakat. *7. Fè bak, regrese.* Li pèdi fil. *8. Endispoze.* Pèdi konsyans.

**pèdi konnesans**: *v fr. Endispoze, sitiyasyon kote yon moun pa gen kontwòl sans li yo tanporèman akòz yon chòk ki anrejistre nan sèvo l.* Madanm nan pran nouvèl lanmò mari l epi li pèdi konesans lamenm.

**pèdisyon**: *Kondisyon moun ki nan peche. 2. Moun ki soufri yon gwosès (ki ka imajinè) ki depase nèf mwa.*

**pèdiyèm**: *n. Kantite lajan yo pèmèt yon anplwaye depanse lè li pati pou travay li.*

**pèdri**: *n. Ti zwazo ki sanble poul, ki gen yon ti koulè wouj-sann moun renmen manje.* Gen moun ki renmen pèdri boukannen.

**pedyat**: *n. Doktè, ki espesyalize pou trete timoun.* Mennen pitit la wè yon pedyat.

**pedyatri**: *n. Branch medikal ki espesyalize nan trete timoun.* Li espesyalize nan pedyatri, donk se yon pedyat.

**pedyatrik**: *a. Ki konsène domèn pedyatri, domèn pou tretman timoun.*

**pèfeksyon**: *n. Degre avanse nan yon domèn etid. 2. Kalite yon bagay ki pa gen defo.* Kalite moral yon moun ki pafè.

**pèfeksyone**: *v. Fè yon bagay osinon yon moun vin pi bon, pi bèl, pi pafè. 2. Elimine defo. 3. Etidye pou amelyore konesans.* Se yon agwonòm, li pèfeksyone nan pwodiksyon bannann.

**pèfeksyonman**: *n. Amelyorasyon, avansman, pwogrès, etid avanse.*

**pèfeksyonis**: *n., a. Kalite yon moun ki ap chèche pwogrès san limit, ki ap chèche pèfeksyon nan tout bagay.*

**pèfid**: *a. 1. Move, movèz, mechan.* Maryàn se yon fi pèfid. *2. Moun ki twonpe konfyans moun, trèt.* Jak se yon nonm ki pèfid, pa fè l konfyans.

**pèforatè**: *n. Zouti pou fè twou.*

**Pegivil**:*(Peguy-sville) np. Yon ti lokalite nan Petyonvil. Li fè fre epi gen anpil kay ki chè.*

**pèkal**: *n. Kalite twal koton.* Koutiryè konn fè doubli rad ak pèkal.

**Peken**: *(Pékin)np. non kapital peyi Lachin.* Peken gen depase dimilyon moun.

**pektowo** *(pekto): n. Mis nan zòn pwatrin.* Men gwosè pektowo Wobè.

**pèl**. *n. : 1. Zouti ki fèt ak metal; li genyen fòm yo gwo kiyè li sèvi pou travay latè.* Pèl sa a bon pou pèlte tè. *2. a. ki gwo.* Gade pèl dan Gari.

**pela!**: *Ent. Sispann pale, pe bouch ou.* Pela, ou pa wè granmoun ap pale.

**pelag**: *n. Maladi po moun ki pa gen vitamin.*

**pèlen**. *n. : Pyèj. Anbiskad.* Atansyon pou ou pa pran nan pèlen tande paske jodi a se premye avril.

**pèlentèt**: *Pyès teyat ki trè popilè nan ane 1980 yo. Otè a se Frank Etyèn. Pandan ennan yo fè depase 30 reprezantasyon. Leta te deside fèmen pyès la paske li te gen kritik ak refleksyon sosyal louvri-je ladan l.*

**pelren**: *n. 1. Moun ki ap fè pelerinaj. 2. Ti vil tou pre Petyonvil.*

**pelerinay** *(pelerinaj): n. Vwayaj pou ale yon kote ki asosye ak mirak osnon lavi yon sen.* Gen moun ki toujou ale nan pelerinay Sodo.

**Pelig**. *(Péligre): 1. np. Non yon vilaj nan depatman sant. 2. Non yon estasyon idwoelektrik ki tou pre vilaj pelig la. Yo fè yon gwo dig (baraj) pou akimile dlo nan yon gwo basen. Yo sèvi ak baraj dlo a pou vire tibin ak jeneratè elektrik pou pwodui elektrisite. Anplis, dlo baraj la sèvi tou pou wouze jaden nan zòn nan. Yo te planifye li pou baraj la te kapab kenbe 328 milyon mèt kib dlo. Li te koute 30 milyon pou yo te bati l. Kapasite izin nan se 50 megawat MW. Izin sa a sèvi pou bay kouran nan zòn nan men li sèvi sitou pou bay kouran nan Pòtoprens. Izin nan gen pwoblèm ki fè yo oblije fèmen plizyè fwa nan yon ane. Yon pwoblèm ki difisil pou yo rezoud se kantite sab ki antre nan basen an depi izin nan te koumanse mache. Pat gen yon pwogram pou yo netwaye l regilyèman.*

**pelikan**: *n. Zwazo ki gen pat laj tankou kanna, ki gen bèk long ki gen yon pòch anban machwa li pou konsève manje pou pitit li.*

**pelisilin** *(penisilin): n. Youn nan medikaman antibyotik pou trete enfeksyon.* Doktè preskri madan Richa pelisilin pou enfeksyon li an.

**pèlmèl**: *adv. an dezòd, konfizyon.*

**pelouz**: *n. 1. gazon, teren ki gen zèb òdone. 2. Pozisyon chèz nan sal teyat, nan oditoryòm osinon nan estadyòm.*

**peman**: *n. Pèy.*

**pèmanan**: *a. Ki la tout tan.*

**pèmanans**: *n. Ki kontinye san rete, ki rekòmanse san poze.*

**pèmanant**: *n. Tretman pou cheve ki fè li chanje aparans.*

**pèmanganat**: *n. Pwodui chimik ki sèvi pou tiye mikwòb.*

**pèmèt**. *v. : 1. Pèmisyon pou kite yon moun fè yon bagay.* Papa ak manman Teri pèmèt li gade televizyon ta le samdi swa. 2. *Oze, pran chans.* Ou byen pèmèt ou pou ou vin antre nan lavi prive mwen.

**pèmeyab**: *a. 1. Tapi osinon twal ki kite dlo pase. 2. Karaktè yon moun ki pa antete sou pozisyon l.*

**pèmeyabilite** : *n. Karakteristik yon materyèl ki kite likid travèse l.* Gen twal ki gen pèmeyabilite pou dlo men ki pa genyen l pou luil.

**pèmi**: *n. Otorizasyon pou fè yon aktivite.* Li pran pèmi espòtasyon.

**pèmisyon:** *n. 1. Otorizasyon, konsantman.* Pwofesè a bay elèv yo pèmisyon pou yo soti nan klas la. 2. *Akò. Asosye a te gen pèmisyon m pou li pran desizyon sa a.*

**pen bagèt.** : *Pen ki kwit nan fòm yon baton.* Nou achte de pen bagèt nan patisri men yo te rasi.

**pen**. *n. : Biskwit. Manje ki fèt ak farin, dlo epi leven, ki kuit nan fou.* Pi bon pen mwen manje se pen kay madan Gaston yo, li fè bon pen rale. pen gwo mit, pen rale, pen aticho, pen manchèt, pen obè.

**penalite** *(, pennalite, penalti): n. Nan foutbòl (osninon lòt okazyon), dezavantaj yo bay yon ekip poutèt li an kontravansyon.* Yo bay ekip mwen an yon penalite.

**penba**: *a. Manman penba, rize, mètdam, malisye.* Fi sa a se yon manman penba. 2. *Gwo, kout epi epè. 3. Gwo tanbou.*

**penbèch**: *n. Fi ki pa gen bon prensip moral.* Manman penbèch.

**pench** : *n. Jwèt timoun ki sanble ak jwèt oslè, men ki jwe ak senk ti wòch.* Annou al jwe pench.

**penchen** *(pencheng): v. Penchkennen, tòde po yon moun ak de dwèt pou fè li mal.* Tifi a penchen tigason sa a.

**Penchina Maks** *(Max Pinchinat): np. Militè, Atis-pent, kritik boza. Li fèt Pòtoprens 24 Jen 1925, li mouri nan Peyi Lafrans an Novanm 1985.*

**penda**: *n. Fi ki lejè.*

**pendou**: *n. Pen epè tankou bobori ki fèt ak manyòk.*

**penetwo**: *n. Sirèt ki gen mant mous souse pou soulaje gòj.*

**Mariz Penèt**: *(Penette, Maryse) np. Diplomat, politisyen. Li fèt ane 1953. Li patisipe pou Ayiti ka vin manm nan Konvansyon Lome. Li te Minis Touris.*

**peng**: *a. Moun ki chich, ki ti kounouk.* Jera peng, li pa p depanse senk kòb.

**pengwen** : *n. Zwazo palmipèd ki gen plim blan ak nwa.* Gen anpil pengwen nan rejyon atik yo.

**penetre**: *v. Antre anndan.* Mwen frape pòt la madanm nan di penetre, epi mwen antre.

**penich**. *n. : Santim koulè wouj. Pyès lajan ki vo senk kòb.* Mwen pa gen yon penich nan pòch mwen la a, ou vle peye pou mwen?

**penis** : *n. Sèks gason, pati repwodiktif ekstèn.* Ti gason sa a vire pou moun pa wè penis li.

**penitans**. *n. : 1. Santiman kretyen ki regrèt peche yo epi ki mande padon.* Pè a voye mwen al fè penitans mwen apre mwen fin konfese a. 2. *Eta yon moun ki regrèt peche l yo epi ki vle montre Bondye li regrèt yo.* Mwen pap manje gato jodi a paske mwen ap fè penitans. 3. *Travay di ki twòp pou yon moun.* Travay sa a se yon penitans li ye mwen pa konn kilè mwen ap resi kapab kite l.

**penn**: *v. 1. Fè penti, fè travay atispent.* Nèg sa a penn byen. 2. *Pentire, mete penti sou.* Lè ou ap penn kay ou a mwen ap vin ede ou.

**penpan** *(anpenpan): adv. Anfòm, byen fèt, an plimdepan, bwòdè.* Tifi a anpenpan.

**penpennen**: *v. Pap fè anyen, ap flannen.* Jera ap penpennen.

**penpenp**: *n. Blòf, istwa san valè.* se menm penpenp lan.

**pens** : *n. 1. Akseswa pou soutni cheve.* Prete m yon pens pou tache cheve m. 2. *Zouti elektrisyen koupe fil kouran.* Pens pou koupe. 3. *Pli nan rad.* Mete de pens nan kòsaj la. 4. *Zouti an fè pou mason pou fouye tè.*

**pense**: *v. 1. Penchen, pichkennen.* Jozèt pense Joslin nan bra. 2. *Sere, peze.* Li pense bouch li pou li pa pran remèd la. 3. *n. Priz, tikras.* Yon pense sèl.

**pensèt**: *n. Zouti pou ranmase osnon kenbe yon bagay ou pa vle manyen.* Pran dife a ak pensèt la.

**penso**: *n. Zouti atispent osnon bòs pent sèvi pou mete penti.* Achte de penso pou mwen. pensò

**pent** : *n. 1. Moun, atis ki gen talan pou fè penti.* Jak se yon gran pent. 2. *Bòs pent, moun ki konn pentire.* Gen yon pent ki ap vin pentire kay la demen. 3. *Inite mezi kouran nan sistèm anglè ki vo 2 tas.*

**pentad** : *n. Zwazo nan fanmi galinase ki soti nan kontinan Afrik.* Mwen ta manje yon ti pentad mawon. 2. *a. Karaktè moun ki timid, ki rezève.*

**pentagòn** : *n. 1. Poligòn ki gen senk ang epi senk kote.* Bwat sa a gen fòm yon pentagòn. 2. *Bilding santral depatman defans peyi Etazi-*

*ni.* Pentagòn-nan nan vil Alinntonn nan eta Vijinya.

**penti**: *n. 1. Tablo.* Sa se yon bèl penti. 2. *Likid koulè ki sèvi pou pentire.* Ki koulè penti ou vle. *3. Aksyon pentire.* Mwen gen pou mwen fè yon travay penti semenn pwochen.

**pentire:** *v. 1. Penn, mete penti sou mi.* Nèg sa a pentire byen.

**peny**. *n. : Zouti pou demele cheve.* Mwen sèvi ak peny gwo dan paske cheve mwen rèd anpil. Yo pase l nan peny fen.

**penyen**: *v. Pase peny nan cheve epi trese cheve a.* Vini mwen penyen ou, pitit.

**penyenlage** : *v. Mennen vi lib, san kontwòl.* Depi papa l mouri a, li penyen-lage.

**pèp**: *n. Gwoup moun ki ap viv nan yon peyi epi ki gen abitid ki sanble.* Pèp ayisyen an pale Kreyòl.2. *Mas, lamas.* Koze sa a pa enterese lelit la, se koze pèp la li ye. *3. Popilasyon.* pèp la renmen kànaval. *4. a. Popilè, ki pou pèp la.* Se chwa pèp la, se sa tout moun vle.

**PEPADEP**: *(Pwojè pou eradike pès pòsin afrikèn ak devlopman elvaj pòsin Ayiti).*

**pèpandikilè** : *n. Pozisyon yon liy ki nan vètikal parapò ak yon lòt liy ki nan orizontal.* Si de liy pèpandikilè youn ak lòt yo ap fè yon ang katrevendis degre.

**pèpap**: *n. Moun ki gen pouvwa, ki pa rapòte bay okenn lòt.*

**pèpè**: *n. [rejyonalis] Rad dezyèm men, rad odeyid, rad kenedi ki soti nan peyi etranje.*

**pèpètmayi:** *n. Mayi griye ki eklate, pòpkòn.*

**pèpetyèl**: *1. a. Ki pa janm fini. 2. n. Leglis Notredam ki dedye pou Lavyèj Mari.*

**pepinyè**: *n. Kote yo fè jenn ti plant yo pran anvan yo al plante yo.* Chak maten Wolan al nan pepinyè a.

**Pèpiyan** *(Perpignant) : np. Ofisye nan lame ki te eseye jete Gouvènman Divalye pandan yon envazyon militè, an 1958 an kolaborasyon ak Paskè ak Dominik*

**peple**: *v. Pwodui, repwodui.* Madan Jak ap plede peple latè a ak ti gason, li pa janm fè yon tifi menm.

**Peralt Chalmay** *(Peralte, Charlemagne).: np. 1885-1919. Chèf kako ki te kont dominasyon meriken, li te òganize gwoup moun ki al andeyò epi ki lite pou konbat Ameriken yo. Yo te rive touye l 31 Oktòb 1919. Chalmay Peralt fèt nan vil Ench (Hinche) 7 Oktòb 1885. Li te pitit yon nèg ki te gen anpil tè. Peralt te al lekòl segondè nan lekòl Senlui Degonzag. Chalmay se bòfrè Orès Zamò. Li te antre nan lame, apresa li te kòmandan nan lavil Leyogàn epi nan Pòdpè. Lè lame ameriken debake Ayiti 28 Jiye 1915, Chalmay refize renmèt pòs li epi li antre nan rebelyon ame. Ameriken yo te jije l epi kondane li pou fè travay fòse. Se konsa li te vin ap fè kòve bale lari. Yon jou li sove epi li òganize ak yon gwoup yo rele kako pou lite kont lame ameriken ki te okipe tè Ayiti. Li te vle mete lame ameriken an deyò nan peyi a. Ameriken yo peye yon espyon pou enfiltre kako yo. Se konsa yo vin konnen tout pozisyon ak deplasman Peralt. Yo pran l nan yon pyèj epi yo tire l 31 Oktòb 1919. Ayisyen konsidere Peralt kòm senbòl rezistans kont okipasyon militè etranje.*

**pèrèz**: *n. Moun ki pè, ki timid.* Joslin gen pèrèz, li pa vle soti nan fènwa.

**peri**: *v. Mouri nan yon aksidan.* Bato a koule, tout moun peri.

**perik**: *n. Fo cheve.* Madan Benwa mete perik.

**perime**: *v. Ki pase nan li.* medikaman perime.

**perimèt**: *n. Toutotou; liy ki pase toutotou yon sifas.*

**peripesi**.*n. : Tray, traka, difikilte.* Se pa de peripesi Pyè pase anvan li te resi gen rezidans.

**peristaltis**: *n. Mouvman kontraksyon ki fèt nan trip ak nan plizyè lòt ògàn. Kontraksyon peristaltik yo pa kontwole ak volonte, yo envolontè.*

**peristil**. *n. : Tanp vodou kote seremoni yo ak dans yo fèt. Anjeneral, li gen plafon men li pa gen mi, li gen yon poto nan mitan.*

**Perivyen** (Perivyèn) : *1. np.* Non yo bay moun *ki gen nasyonalite peyi Pewou.* Alfredo se yon perivyen. 2. *a. Ki pou peyi Pewou.* Teritwa perivyen.

**peryòd**: *n. 1. Tan, epòk, espas tan.* Nan ki peryòd sa te pase? 2. *Tan nan mwa lè fi gen règ.* Li gen peryòd li.

**Peryòd nan istwa Ayiti**: *Peryòd endyen (anvan kolonizasyon). Peryòd kolonizasyon espayòl (1492-1625). Peryòd kolonizasyon fransè (1625-1789). Peryòd revolisyonè (1789-1803) Peryòd nasyonal (1804-1915). Peryòd okipasyon ameriken (1915-1934). Peryòd kontanporen (1934-).*

**peryodik** : *n.1. Jounal ki soti regilyèman.* Nou gen abonman ak yon peryodik. 2. *a. Ki soti regilyèman, nan yon peryòd espesifik.* Move tan sa a peryodik, li vini chak ane nan menm mwa a.

**pès:** *a. 1. Moun ensipòtab.* Woland se yon fi ki pès. *2. n. Ensèk ki fè anpil dega nan jaden.* Pès yo fini ak danre madan Chal yo. *3. a. Ki gen relasyon ak kilti pèsik osinon pozisyon* *jwografik* Pès. *4. Ki gen malis.* Se yon ti pès ti fi sa a ye.

**pès-pòsin***: n. Maladi ki atake kochon.*

**pèse** *: v.1. Fè yon twou.* Pèse zòrèy. *2. Rive byen vit.* Moun yo pèse sou nou sanzatann.

**pèsekisyon***: n. Move tretman enjis yo fè plizyè fwa sou yon moun. Pongongon.*

**pèsekite***: v. Toumante san rete, fè move tretman sou yon moun san rezon valab.*

**pèseverans***: n. Konduit yon moun ki pèsevere, ki gen pasyans, ki pa dekouraje fasil.*

**pèsevere***: v. Kontinye fè sa ki te deside pou fèt, san pèdi pasyans.*

**pèsi***: n. Plant ki sèvi kòm epis.*

**pesmekè***: n. Machin pou fè kè moun bat regilyèmanl.*

**pèseptè***: n. Moun ki kolekte lajan taks.* Se monkonpè m ki pèseptè a.

**pèsevere***: v. Kontinye, pèsiste fè yon bagay ki gen difikilte.*

**pèsi***: n. Epis ki sèvi nan sezonnen manje sale.* Pa pile pèsi a ak siv la, mete l bouyi nan manje a pito.

**pesimis***: n, a. Moun ki (an jeneral) pa kontan ak sa ki ap pase kounye a epitou ki gen enkyetid pou lavni.*

**pèsistan***: a. Moun ki dire nan yon aktivite menmsi gen difikilte.*

**pèsiste***: v. Ki pa branle nan opinyon li osinon nan aktivite li.*

**pèsòn** *(pèsonn): Pwo. Mo pou make negatif, okenn moun.* Pèsòn pa vini.

**pèsonaj***: n. 1. Moun ki avanse nan laj.* Se yon pèsonaj se vre men li gen karaktè ak fòs pou li travay. *2. Moun ki enpòtan nan yon kominote, lidè.*

**pèsonalite***: n. 1. Moun ki enpòtan, lidè. 2. Karaktè ki defini yon moun,serye, onèt.*

**pèsonèl***: n. 1. Tout moun ki ap travay yon kote.* Manm nan pèsonèl estasyon radyo a. *2. Ki regade lavi prive yon moun. Afè pèsonèl.*

**pèsonnay** *(pèsonnaj): n. 1. Moun ki nan laj avanse. Grann mwen se yon pèsonnay. 2. Moun ki gen estati enpòtan. Lè ou pral rankontre yon pèsonnay, ou dwe abiye kòrèk.*

**pèspektiv***: n. Teknik pou reprezante yon bagay ki gen twa dimansyon sou yon fèy papye plat (ki gen dedimansyon). 2. Jan yon moun konsidere epi analize yon opinyon osinon yon bagay ki te pase.*

**Pestèl***: (Pestel) np. Komin nan awondisman Korail nan depatman Grandans.*

**pestisid***: n. Pwodui chimik ki sèvi pou tiye ti bèt dezagreyab tankou ensèk (ensektisid) ki ka fè dega nan jaden osinon nan depo osinon nan kay.*

**pèsyèn***: n. Plizyè fant orizontal ki nan pòt pou vantile osinon pou fè limyè pase.* Fèmen pèsyèn nan.

**pèt** *: n. Sa ki pèdi, lè pa gen benefis nan komès.* Matant mwen fè yon gwo pèt nan lavant jodi a. *2. Likid ki soti anndan kò moun.*

**peta**. *n. : Klorat. Jwèt timoun ki frape klorat sou wòch pou fè l fè bri.*

**petadò***: n. Moun ki pete san kontwòl.*

**petal** *: n. Pati nan kowòl flè ki gen bèl koulè epi ki ka gen odè.* Petal woz.

**pete**. *n. : 1. Gaz ki soti andedan vant yon moun epi ki konn fè bwi, gendelè li konn gen odè.* Moun pat dwe pete sou moun, yo te dwe al pete an prive. 2 *v. Eklate, kase, kraze, fann.* Plat la rete konsa li pete epi li fè miyèt moso. Blad la pete. Li pete tèt ti gason an. *3. Twonpe, bay manti.* Li panse li te ka pete m. *4. Pwovoke.* Pete goumen.

**pete fyèl***: v fr. Fatige, kraze kò.* Sa se yon travay pete fyèl.

**pete-goumen** *: v fr. Mande goumen, soulve kont.* Jak pete goumen ak Antwàn.

**petèt** *(pètèt): adv. Mo pou make yo bagay osinon yon sitiyasyon ki pa sèten; ki make dout.* Petèt nou ka ale petèt nou ka rete tou.

**petetèt***: n. [rejyonalis]. Fè frekan, fè granpanpan.*

**petevi***: n. Timoun ki pa byen devlope ni nan lespri ni nan kò.* Pitit sa a petevi.

**Petitwoudenip, Titwou, Titwoudenip** *(Petit Trou de Nippes). : Ti vil ki nan depatman Grandans peyi Ayiti, toupre Ansavo.* Lorèt se moun Petitwoudenip.

**pètpèt**. *n. : Mayi griye. Gen moun ki pa renmen pètpèt mayi paske gen de grenn mayi ki konn pa pete epi li di anba dan yo. Pi bon pètpèt se pòpkòn.*

**petri***: v. Melanje, brase nan tout sans.* Petri pat pou fè pen. *2. Manyen di, prije pou wete ji.* Petri mango.

**Petwo***:n. 1. Kategori lwa nan relijyon vodou.* Lwa petwo. *2. Dans ak misik ki gen kadans rapid asosye ak lwa Petwo.* Dans petwo.

**Petyon, Aleksann** *(Petion, Alexandre). np. : 1770-1818. Li te prezidan pati lwès Ayiti a ant 1807 jiska 1818. Dapre listwa, li te vle tout esklav tout kote libere, se sa ki fè li te bay Simon Boliva zam pou l te kapab elimine esklavaj nan Amerik disid la. Manman l te nwa, papa l te yon blan franse. Li te al lekòl nan vil Pari, nan peyi Lafrans. Msye te vin pran defans kòz nwa yo lè Napoleyon t ap fè rasis ak milat yo. Msye te mouri jou ki te 29 Mas 1918.*

**Petyonvil** *(Petion Ville): np. Vil ki gen apeprè 17 kilomèt sou direksyon lès Pòtoprens, li anwo yon mòn apeprè 500 mèt wotè. Fè fre la sitou leswa. Gen plis pase 10.000 moun ki rete Petyonvil. Genyen anpil moun nan klas ekonomik mwayen ki rete nan vil sa a. Gen plizyè otèl ak bèl restoran nan Petyonvil ak zanviwon. Petyonvil te kòmanse devlope sou abitasyon Chabonyè, Serizye, Chalimo ak abitasyon Nerèt. Se yon apantè Lwi Rigo ki te desine plan vil la epitou li te genyen plas piblik (Plas Petyon, plas Bwaye) ak simityè ak mache piblik.*

**pevese** *n.(PVC): materyo plastik mens yo bay diferan fòm, tiyo, boutèy, plak eltr.*

**pèwokèt**: *n. Jako, zwazo ki gen plim bèl koulè, li grenpe sou bwa epitou li kapab imite pawòl moun.* Gade yon bèl pèwokèt.

**pewòl**: *n. Lis anplwaye ak kantite lajan yo touche.* Se direktè a ki gen pewòl la.

**pewon** : *n. Platfòm anwo eskalye devan kay. Bout mi devan pòt yon kay ki pi wo pase atè a, ki sanble ak yon ti galeri.* Machann nan moute pewon an pou li montre machandiz li.

**pewone**: *n.Zo long ki bò kote tibya a nan janm moun.*Foutbolè sa a sot kase pewone l.

**Pewou** : *(Pérou)np. Peyi ki nan Amerik Disid. Lontan te gen endyen nan Pewou ki te rele enka.*

**pèy**: *n. 1. Apwentman yon moun resevwa pou travay li fè. 2. Kantite lajan moun resevwa regilyèman nan travay li.3. Bon pèy.* Ki peye dèt li. *4. Move pèy.* ki pa peye dèt li alè.

**Peyan Lesli** *(Lesly Pean): Li ap viv Wachintonn, li ap travay nan Bank Mondyal. Li ekri Economie de la Corruption.*

**peye**: *v. 1. Bay lajan pou sa ou achte.* Jak peye machann nan sigoud. 2. *Rann kont, remèt.* Jàno peye pou sa li fè.

**peyi**: *n. Teritwa jeyografik endepandan ki gen pwòp gouvènman li kote pèp yo gen lang yo, abitid, valè ak tradisyon pa yo.* Ayiti se peyi Kalin pi renmen.

**peyizan** *(peyizàn): n. 1. Agrikiltè, kiltivatè, abitan, moun andeyò; sitwayen ki aktif nan pwodiksyon agrikòl.* Peyizan an konn tè li pase yon agwonòm.

**pèz** : *n. 1. Balans.* Espekilatè a mete kafe a sou pèz la. 2. *Pwa.* Doktè a mande malad la ki pèz li. *3. Pèz bannann.* Zouti pou plati bannann pou fè bannann peze.*4. Pwa yon moun, sa li peze sou balans.* ki pèz ou madanm?. 2. *Kapasite yon moun pou l reyaji.* Ou kwè ou konn pèz mwen?

**pezantè** : *n. Atraksyon ki rale tout pwa nan direksyon tè a.* Lè yon mango sot tonbe sou pye li ou ka di pezantè a atire l tonbe.

**pezape**: *adv. Ofiyamezi, lantman.* Li pat konsa, se pezape maladi a vin antre fò sou li.

**peze souse** : *v fr. 1. Jwi yon bagay san prese.* Timoun yo ap peze souse mango a. 2. *Esplwate.*

**peze**. *v. : 1. Mezire pwa, pran pèz.* Mwen peze sankarant liv men mwen ta renmen pèdi pwa, menm dis liv konsa. 2. *Kraze, manyen twò fò.* Sispann peze fig la, wa fè l vin twò mou.

**pezib**. *a. : Kal, ki rete dousman.* Kouman ou fè pezib konsa a, monkonpè, kò ou pabon?

**pi**: *adv. Konparezon ki endike sijè depase konpleman an ( plis pase).* Jànin pi kontan pase Jaklin. Pi piti pi rèd. 2. *Twou nan tè kote moun tire dlo osinon lòt likid. 3. Likid ki soti kote ki enfekte nan kò moun osinon nan kò bèt.* Maleng nan fè pi. *4. Ki soti nan non laten Pius. Pap Pi douz. 5. Valè nan jewometri ki tabli relasyon ant sikonferans yon sèk ak dyamèt sèk la.*

**pi mal** : *a. 1. Pi move, pa bon.* Ou pi mal pase sè ou a. 2. *Pi grav.* Li vin pi mal depi lè ou te wè li a.

**pibète** : *n. Peryòd nan lavi yon moun, ant laj nevan jiska kenzan, kote li devlope, li fòme.* Tifi sa a nan laj pibète l.

**pibis** : *n. Zòn anwo sèks, ki gen pwal.*

**piblik** : *1. n. Asistans. Gwoup moun ki sanble yon kote pou tande ou byen gade yon bagay.* Se pa de piblik ki reyini sou deran pou gade bagay sa a. 2. *Popilè.* Pwogram sa a louvri pou tout piblik ki vle al patisipe. 3. *a.Ki pa kache.* Mwen pa renmen eskandal piblik.

**piblikasyon**: *n. 1. Annonsman.* Yo fè piblikasyon ban maryaj la deja. 2. *Pwopaje enfòmasyon.* Yo te fè piblikasyon pou bal la nan tout estasyon radyo. *3. Liv, dokiman.* Jera di li pa janm te okouran piblikasyon sa yo te disponib.

**piblisite:** *n. Reklam.* Eske ou tande piblisite sou magarin Maryàn nan?

**pibliye**: *v. 1. Fè tout moun konnen.* Li mache pibliye toupatou se li sèl ki milyonè isit. 2. *Fè enprime yon liv osnon yon dokiman pou ou ka mete l disponib pou piblik la.* Jak pibliye liv li a depi ane pase.

**pibon** : *a. 1. Ki gen gou moun pito.* Manje mwen an pibon pase pa ou la. 2. *Ki gen pibon kè.* Jan pibon moun pase Ketli. *3. Ki preferab.* Chwa sa a pibon, ou ap pi renmen l. *Ki pifò.* Mwen pibon nan dikte pase w.

**pich-pich** : *a. 1. Chire, ki fann piti (je).* Pitit sa a gen je pich-pich. 2. *Fèmen je pou pwoteje l nan solèy.*

**pichkannen**: *v. Pense, penchenn, penchen, penchkennen; tòde po yon moun ant de dwèt ou ak entansyon pou ou fèl mal.* Pa pichkannen timoun yo.

**pichon** : *n. Malchans, devenn, giyon.* Pa lage pichon sou mwen.

**pidè**: *n. 1. Ki abiye san estrvagans. 2. Ki gen konpòtman kòmilfo.*

**pidetwal**: *n. Limyè ki fè ti zetwal timoun limen nan epòk nwèl.*

**pifò**. *1.a. Devan, konnen plis.* Se mwen ki pi fò nan klas kalkil la. *2. pr. Laplipa.* Pifò nan timoun yo ale benyen nan pisin lan.

**piga** *(pinga): 1. n. Limit.* Li ba ou piga ou pou ou pa ale devan pòt li, pa ale. *2. ent. Lòd pou ou pa fè yon bagay, entèdiksyon.* Piga ou janm di betiz devan granmoun.

**piga seren**: *n fr. Pwazon ki aktif nan seren.* Fè atansyon pou yo pa ba ou yon piga seren.

**pigman**: *n. Pwodui kolore nou jwenn nan ògàn, tisi bèt osinon plant.* Nan moun gen yon pigman ki fè san wouj, nan plant gen yon pigman ki fè fèy yo vèt.. *2. Pwodui natirèl osinon atifisyèl ki sèvi bou bay koulè, tankou nan manje, medikaman, penti eltr.*

**pijama**: *n. Chemizdenuit pou gason, li gen pati chemiz ak pati pantalon.* Dòmi nan je ou, al mete pijama ou.

**pije** *(prije)* : *v. Fè presyon pou ou ka wete ji nan yon bagay.* Vin pije zorany yo.

**pijon** : *n. Zwazo zèl kout, yo popilè nan peyi Ayiti.* Madan Kal gen yon kalòj pijon nan lakou lakay li. *2. Pati nan kò gason ki sèvi pou pipi epitou pou repwodui.*

**pik**. *n. : Zouti ki tankou yon bout fè pwenti epi ki long ki gen yon manch anbwa.* Gen pikaglas epi gen pikwa men pik la diferan.

**pikaglas**. *n. : Pik ki sèvi pou kase glas.* Pote pikaglas la vini pou mwen kapab kase glas la.

**pikan**: *n. Zegi pwenti ou jwenn nan tij plant tankou woz konsa.* Polèt pa renmen al nan jaden an poutèt pou pikan pa pike l.

**pike**. *v. : 1. Ki bay yon iritasyon tankou yon demanjezon nan bouch osnon sou po.* Kounye a, tout kò mwen ap pike mwen. *2.Bay yon kout kouto. 3. Bay piki. 4. Di yon bagay pou fè yon moun choke. 5. Transplante.* Pike diri. Pike pitimi. *6. Volè yon bagay ki pa gen anpil valè. 7. a. Epis ki fò.* Piman-an pike anpil. *8. Pouri.* Dan pike.

**pikè**. *1. Moun nan sid ki te souvan an rebelyon.* Chèf pikè yo te rele Akawo. *2. Pinisyon.* Pè Jonas mete tout moun ki pa konnen leson yo o pikè. Gen yon jwèt ki di "Twòp enteresant sa ki fè sa, pikè!"

**pikèt**. *n. : Bòn, moso bwa ki pike nan tè pou make yon limit.*

**piki**: *n. 1. Medikaman ki vini sou yon fòm likid moun pran ak sereng.* Fanmasyen an di pa gen ni grenn nan, ni siwo a, se piki a ki genyen. Pran piki, bay piki, piki antibyotik. *2. An plasman kote moun te pran yon piki.* Piki a ap fè mwen mal toujou.

**pikiris**: *n. Moun ki bay piki men ki pa ni doktè, ni enfimyè.* Yo aprann bay piki epi yo ale kote ki pa gen sèvis medikal pou ofri sèvis.

**pikliz**: *n. Sòs espesyal, preparasyon ki gen piman pike, zorany si, vinèg, zechalòt, kawòt, chou ak tandòt legim yo kite tranpe ansanm pou yo ka wouze l sou fritay osnon lòt manje.* Elifèt renmen mete pikliz sou fritay li.

**piknik**: *n. Gwoup moun ki ransanble ansanm pou kuit manje epi manje deyò.* Jou fèt travay, premye Me, tout elèv yo al fè piknik Sayira.

**pikòp**: *n.1.Ti kamyon pou pote chay. 2. Machin pou jwe plak.*

**pikotman** : *n. Sansayon yon pakèt ti zegi ap pike ou nan po ou. Pikotman kapab yon reyaksyon alèji.*

**pikwa**. *n. : Zouti pou travay latè. Pikwa gen yon manch anbwa epi yon pati anfè ki fè l vin gen yon fòm T.* Pikwa bon pou dige tè.

**Pikyon Rene** *(René Piquion): n.p. Doktè, diplomat, ekriven ayisyen. Li ekri plizyè liv ... li mouri Pòtoprens nan mwa Out 2001, li te gen 92 ane.*

**pil sou pil**: *adv fr. Youn sou lòt, osnon youn tou pre lòt, san lòd.* Moun yo pil sou pil nan ayewopò a.

**pil**. *n. : Ti batri. Sistèm ki konsève epi ki itilize kouran pou fè bagay elektrik mache.* Gen moun ki sèvi ak pil (pou mete nan flach) lè pa gen kouran konsa yo pa nan blakawout. *2. Plizyè bagay ki plase youn sou lòt.* Yon pil chabon. pil sou pil. *3. Anpil. Yon pil moun.* Sa fè m yon pil plezi. *4. Ekzat.* Dezè pil.

**Pilat**: *np. Pèsonalite nan Nouvo Testaman.* **Pons Pilat**. *n. Vil nan depatman nò.*

**Pilbowo**: *n. Mòn nan masif santral ant Okap ak Gonayiv.*

**pile** : *v. 1. Kraze ak pilon.* Pile mayi. *2. Mete pye ou sou yon moun osnon yon bagay. Si ou pile yon moun, se pou ou di l padon.*

**pile dlo nan pilon**: *Pèdi tan.*

**pilil** : *n. 1. Grenn, medikaman sou fòm grenn. Li bon pou ou pran yon pilil ak enpe dlo. 2. Grenn pou moun pa fè pitit.* Fi a ap pran pilil pou li ka pa ansent.

**pilon**: *n.1. Zouti nan kizin ki fèt pou pile epis osnon kraze manje mou avèk li.* Andreya lave pilon an lè li fin pile epis avèk li. 2. Zouti peyizan pou prepare manje. Pilon kafe, pilon mayi, pilon pitimi.

**pilonnen**: *v. Pile ak pye.* Ou pa ka pilonnen moun san ou pa eskize ou. *2. Kraze yon opozan.*

**pilòt**: *n. Moun ki ap pilote, ki ap kondi yon avyon.* Jisten se yon pilòt pou Ayiti Elayn.

**pilye**: *n. Pati nan konstriksyon ki pote pwa konstriksyon an. 2. Moun ki gwo epi solid.* Yon pilye gason.

**pim!**: *ent. Son ki endike yon bwi ki entewonp sa ki tap fèt.* Pitit la tonbe pim!

**piman**. *n. : Legim. piman dou sèvi pou salad, piman pike sèvi pou epis, gen varyete tou ki pike anpil.* Piman bouk, piman zwazo.

**pimantad**: *n. Pikliz, melanj piman zoranj si ak epis.* Mete yon ti pimantad sou griyo a pou mwen.

**pimpe**: *v. Voye jete, vòltije ak rapidite.* Li pimpe tout rad li ba li lamenm.

**pinèz** : *n. Bèt, parazit ki renmen kache nan matla ak nan chèz pay kote moun pral chita.* Dodin sa a plen pinèz.

**pingpong**: *n. 1. Yon jwèt ki sanble ak tennis.* Annou al jwe ping-pong. *2. Ale vini, sitiyasyon kote yon moun ap reponn yon lòt nan yon diskisyon.* Pa fè ping-pong avèk Estefèn, se pa nèg ki gen pasyans pou sa.

**pinga**: *1. n. Limit, piga.* Li ba ou pinga ou pou ou pa ale devan pòt li, pa ale. *2. ent. Lòd pou ou pa fè yon bagay, entèdiksyon.* Pinga ou janm di betiz devan granmoun.

**pini** : *v. 1. Bay pinisyon.* Pwofesè a pini elèv yo. *2. An pinisyon.* Yo pini m paske mwen pa fè devwa m. *3. Bay pinga.* Mwen pini ou vin devan pòt mwen an. *4. Gen pinga.* Yo pini Kalo parèt pwent tèt li nan lari a.

**pinisyon**: *n. Penalite yo bay yon moun ki an fòt.* Timoun yo an pinisyon paske yo pa fè devwa yo.

**pip**: *n. Zouti ki fèt pou brile tabak ladan l pandan yon moun ap rale odè tabak la nan yon bout.* Yo fè Wozmon kado yon bèl pip.

**pipèt** : *n. Tib ki make diferant mezi, ou ka sèvi avèk li nan laboratwa pou ou pran ti kantite likid nan yon veso.* Pipèt yo piti anpil, anjeneral, yo mezire mililit.

**pipi**: *n. 1. Pise, likid ki soti nan vesi yon moun. Pipi kenbe Janjan.* 2. Pipi nan kabann, Moun ki pipi sou li nan dòmi, konsa li mouye kabann kote li kouche an. Anpil timoun pa pipi nan kabann.

**pipi san**: *n fr. Pise ki gen san ladan l. Si yon moun pipi san se petèt paske li malad nan aparèy pipi li.*

**pipich**: *n. Pijon, penis tigason.*

**pipirit**. *n. : Ti zwazo ki kòmanse chante bonè le maten.* Kote ou prale ou leve bonè konsa a, ou tankou yon pipirit.

**pipit**: *n. Pennis.* Ti gason ki gen pipit.

**piramid** : *n. 1. Moniman kote yo te konn antere farawon yo lontan, yo gen yon baz kare epi kote yo gen fòm triyang. 2. kote yo te konn antere wa nan Ejip. Moniman nan peyi Meksik. 2. Fòm jewometrik ak twa dimansyon ki gen baz an fòm poligòn epi ki gen kote yo an fòm triyang ak yon ang ankomen.. 3. Reprezantasyon enfòmasyon sou tablo pou montre relasyon ant chak eleman nan tablo a.*

**pirat**. *n. : Moun ki konn piye lòt moun.* Pirat lontan yo pat nan rans ak moun, depi yo jwenn ou sou wout yo, yo piye w. Moun yo te rele flibistye yo se pirat yo te ye.

**pire** : *n. 1. Preparasyon ki fèt ak yon solid melanje ak dlo epi ak kèk lòt engredyan.* Pire pòmdetè. *2. v. Prije, tòde.* Pire zorany pou fè ji.

**pirifye** : *v. 1. Netwaye, filtre, wete tout sa ki pa nesesè, konsantre.* Pirifye yon pwodui chimik. *2. Netwaye nanm, wete peche.* Kretyen yo pirifye nanm yo pandan lamès la.

**pis**: *n. Tibèt, parazit ki ka kole nan cheve moun.* Pa sèvi ak peny moun ki gen pis.

**pisannit**: *n. Moun ki pise nan kabann.* Lè Jaklin te piti, li te yon pisannit.

**pisans, pwisans** : *n. 1. Fòs.* Richa konnen Woje gen pisans pase l men, fòk yo goumen kanmenm. *2. Kapasite.* Motè sa a gen yon pisans kat silenn. *3. Otorite.* Kaporal la panse li ka vin abize moun la a paske li gen pisans. *4. Nan matematik, ekspozan.* Pa egzanp, twa pisans de.

**pise** : *n. 1. Pipi.* Pitit la gen pise kenbe l.

**pisikiltè**: *n. Moun ki fè elvay pwason nan basen dlo.*

**pisikilti**: *n. Teknik elve pwason nan basen dlo.*

**pisin**. *n. : Gwo gwo basen dlo pou plizyè moun benyen osnon naje.* Nan sezon ete, moun toujou renmen al benyen nan pisin.

**piske, pwiske** :. *Kòm, pwiske.* Piske ou pap vini ankò, nou pap wè.

**piskèt**: *n. Ti pwason piti, chèch.* Diri ak piskèt se bon manje lakay.

**pistach**: *n. Nwa arachid, nwa sa yo fè manba avèk li a.* Pistach griye se amizman Kalo renmen anpil. Tablèt pistach.

**pistil** : *n. Ògàn femèl plant ki fè flè.* Pistil pou flè se tankou ovè pou fi.

**pistolè**: *n. Revolvè, zam kout, pòtatif.* Pa kite timoun jwe ak pistolè. 2. *Zouti pou fè penti soti tankou poud fen.*

**piston** : *n. 1. Enstriman mizik ki mache ak van.* Janmari konn jwe piston. 2. *Gwo kontak, rekòmandasyon, moun pa.* Li pa pase nan medsin paske li pa gen piston. 3. *Nan machin, silenn ki resevwa epi ki transmèt presyon.* Mekanisyen an ap netwaye piston yo.

**piswa**: *n. Kote ki fèt pou moun al pipi.* Lise Petyon gen piswa pou elèv primè gen lòt pou elèv segondè.

**piswon** : *n. Ti pis, ti bèt, parazit nan pyebwa.* Pye zaboka sa a plen piswon.

**pit**. *n. : Fib ki sèvi pou fè kòd, sizal. Yon plant ki gen anpil fib ki sèvi pou fè kòd, chapo, valiz elatriye. Yo te plante pit Ayiti nan ane 1927.*

**pita** : *adv. 1. Aswè, apremidi, tan ki vini apre moman kounye a.* Pita nou ka al flannen. 2. *Yon jou, pa pre.* Jozefin ap regrèt konpòtman li pita.

**piten**: *n. Bouzen, fi lib, ki mennen move vi.* Se yon piten.

**Pitès, Deuit** *(Peters, De Witt). : Yon atis meriken ki te patisipe pou ògànize atis Ayisyen.* Msye te òganize anpil aktivite ak pent Ayisyen yo. *Li te ankouraje yo anpil pou yo devlope estil nayif.* Li fè anpil efò pou pwomouvwa atis Ayisyen aletranje. Gen moun ki panse msye te vle limite aktivite pent yo sèlman nan estil nayif. Se pou sa gen kèk atis ki te separe al fè mouvman pa yo devlope estil pa yo osinon imite lòt estil ki sòti aletranje.

**piti piti**: *Adv. 1. Ofiyamezi, dousman, lantman, pezape.* Boutik la pat konsa, se piti piti li vin agrandi li. 2. *Pa pi mal.* N ap boule piti piti.

**piti**. *a. : ki pa gwo.* Kalin piti toujou, li pa fouti rive louvri pòt la paske janm li kout. Lè Asefi te fèt, li te tou piti, li te gwosè yon pope senkant kòb.

**pitimi san gadò**: *n fr. Moun ki pa gen sipò, san èd.* Pa konprann Richa se yon pitimi san gadò pou ou vin abize l la a.

**pitimi**. *n. : manje, sereyal, sògo. Yon sereyal grenn won ki donnen nan tè ki pa gen irigasyon, li depann sou lapli pou li devlope.* Gen ayisyen ki renmen pitimi ak pwa kongo.

**pitit**. *n. :1. Moun yon manman ak yon papa fè.* Jera se pitit Demostèn ak madan Demostèn. Kalo se pitit gason madan Richa. Joslin se pitit fi madan Richa. 2. Sa yon moun ye pou manman l ak papa l. Mwen se pitit madan Bwason.

**pitit-pitit**: *n. Relasyon ant granmè ak pitit youn nan pitit li yo fè.* Kalo se pitit-pitit Grann Yaya.

**pitit sòyèt**: *timoun ki pa gen moun pou okipe l. Timoun ki pòv anpil. Timoun toutmoun neglije.*

**pito**. *adv. Sa ki chwazi alaplas yon lòt, preferans.* Pito ou di laverite pase, manti a pa bèl menm.

**pitosa**. *ent. : Defi pou yon moun fè yon chwa; preferans.* Yo di mwen ou sispann anmède Silòt, pitosa, paske sa mwen te wè pou ou a, Antwàn Langonmye pat wè l.

**pitye**: *n. 1.Lapenn, mizèrikòd, konpasyon.* Gen pitye pou avèg la. *Gen pitye. San pitye.*

**piwèt**: *n.1. So kote yon moun pike tètanba epi li tounen kanpe sou pye l la menm.* Timoun yo renmen fè piwèt sou kabann manman yo a. 2. *Ti sòti ki pa dire.* Jak al fè yon piwèt,li gen pou li antre talè.

**piwouli**: *n. Kalite sirèt ki koke nan yon ti bwa.* Men machann piwouli a ap pase.

**piyajè**: *n. Moun ki renmen piye.* Antwàn se yon piyajè.

**piyanp**: *[onomatope]. Son ti poul yo fè lè yo ap kouri dèyè manman yo.* Tande ti poul yo ki ap di "piyanp piyanp".

**piyay**. *n. 1. Gaspiyaj, pou gremesi, likidasyon.* Yo tap vann rad pou piyay nan boutik madan Chal la, kote ou te ye pou te al bwote enpe? 2. *Alagwouj.* Apre siklòn na vòlè yo fè piyay sou machandiz yo. 3. *Abondans.* Mango pou piyay. 4. *bay piyay,* moun ki pa ka pwoteje tèt li.

**piye**: *v. Pran tout sa ki te genyen, vòlè.* Moun yo vini la a, yo piye boutik la nèt. 2. *Jete oslè osinon jete zo nan yon jwèt.*

**pla men** : *n fr. Pati andedan men yon moun.* Li mete de pla men l nan dlo a.

**pla**: *n. 1. Manje delika.* Madan Jera fè bon pla pou Jera. 2. *Sifas ki plat.* Pla men, pla pye. 3. *a. Apla, atè, anivo, kouche atè.* Mete kui a seche yon kote ki pla.

**pla pye** : *n fr. Pati anba pye yon moun.* Gade mak pla pye timoun yo sou tapi a.

**plafon**: *n. Fetay, andedan yon kay, pati anwo.* Plafon kay sa a wo.

**plafonnen**: *v. Mete plafon.* Kilè ou ap plafonnen kay la?

**plaj**. *n. : Zòn bò dlo, sitou bò lanmè kote moun al relaks kò yo an kostimdeben.* Nou gen bèl plaj Ayiti, sitou nan zòn Senmak ak nan zòn Tigwav.

**plak**: *n. 1. Disk.* Eske ou gen plak Tabou Konmbo a? 2. *Mesaj ankadre sou yon bwa* *pou onore yon moun.* Yo bay Marilisi yon plak pou remèsye l. 3. *Lisans oto. 4. Fo dan.*

**plaka**: *n. Bifèt pou mete rad osinon manje osinon pou estoke lòt bagay.* Mete liv yon nan plaka a pou mwen.

**plakbòl** *(blakbòl): n. Siraj pou fè soulye klere.* Chany lan mete plakbòl sou soulye a.

**plake**: *a. 1. Sere. Rad plake.* 2. Fè lakilbit nan mi. Timoun yo toujou ap plake sou mi sa *a. 3. Jete, voye ak fòs.* Wozlin plake detwa verite nan figi Gaston. 3. *Tache, kole.* Plake paj la sou mi-an.

**plan**. *n. : 1. Detay yon pwogram ki planifye anvan yo egzekite l.* Anvan ou kòmanse fè yon travay se yon bon abitid pou ou genyen yon plan. 2. *Pwojè.* Mwen gen yon plan la a, men mwen pap di pèsonn moun anyen joustan lide m di mwen. *3. Manti, konplo.* Ou genlè sou plan la a, mwen pa konn si pou mwen pran ou oserye.

**planch**: *n. Bwa koupe an tranch.* Jak al achte planch pou li fè yon tab.

**planche**: *n. Atè yon kay ki fèt ak planch.* Lik pral sire planche a.

**planchèt**: *n. Tab pou pase rad.* Li lè pou madanm nan achte yon lòt planchèt.

**plane** *(plannen): v. 1. Mete bagay nan mezondafè pou yo ka prete ou kòb sou li.* Jozèt al plane mont li a. 2. *Flote sou dlo san bouje.* Leyonid konn plane men li pa konn naje.

**planèt** : *n. Gwo matyè solid nan atmosfè a.* Latè a ak lalin se de planèt.

**planifikasyon**: *òganize kichòy dapre yon plan.* {planifikasyon familyal, pratik pou kontwòle kantite timoun yon moun vle fè}.

**planifye** : *1. Òganize aktivite yon fason pou li reyalize jan ou vle a.* Annou planifye al nan lanmè dimanch.

**planing**: *n. Teknik ak pratik planinikasyon familyal pou kontwòle kantite timoun yon moun vle fè.*

**plannen** *(plannen): v. 1. Mete bagay nan mezondafè pou yo ka prete ou kòb sou li.* Jozèt al plannen mont li a. 2. *Flote sou dlo san bouje.* Leyonid konn plannen men li pa konn naje.

**plant**: *n. Pye bwa, zèb, raje, vejetasyon eltr. Vejetal ki gen anpil selil (milti-selilè). 2. Pati nan plant tankou tij, fèy, branch, rasin, grenn, flè, fwi, legin, epis eltr. 3. Pati anba pye.*

**plantasyon**: *n. Gwo espas jeyografik kote ki gen anpil pyebwa, sitou pyebwa ki bay fwi.* Janjak gen yon gwo plantasyon mango nan zòn Tigwav.

**Plantasyon Breda**. *: Kote Tousen te esklav anvan li te vin yon lidè. Tousen te entelijan epi lè li vin lib li pran zam pou chanje lavi nan teritwa zile a, epitou pou l ede lòt esklav yo vin pran libète yo. Fransè yo te pè msye. Yo pran l nan manti ak nan fent, yo arete l, yo voye l nan prizon jis Anfrans. Li mouri an egzil.*

**Plantasyon Jòj**. *: Se la kote jeneral Brinè te kenbe Tousen Louvèti an 1803. Brinè ki te yon jeneral franse te fè Tousen konprann yo pral chita pale an tout sekirite men lè Tousen rive se dapiyanp ki te fèt sou li epi yo te anbake l nan yon bato franse. Se Anfrans Tousen mouri nan yon fò ki rele Fòdejou, nan mòn Jira.*

**plante**: *v. Mete grenn, semans osnon ti pye nan tè pou yo ka fè gwo plan.* Li lè pou nou plante pwa.

**plantè**: *n. Moun ki nan aktivite agrikòl.*

**planten**. *n. : Bannann. Fwi ki nan menm fanmi ak fig (fig bannann). Li gen anpil farin ladan l. Bannann se youn nan manje Ayiti pwodwi anpil.*

**platezon**: *n. Sezon pou moun plante.*

**plap**: *[onomatope]. Plop, imedyatman.* Li antre plap, epi tout moun antre nan lòd.

**plapye** : *n. Pati anba pye.* Plapye Adlin fè li mal.

**plas**. *n. : Kote.* Se la a ki plas kle a, si li pa la, sèke li pèdi. 2. *Pozisyon.* Se pa plas mwen pou mwen al pale ak fi a, se li ki pou mache sou mwen. *3. Dyòb.*Mwen pa vle pèdi plas mwen. Plas leta. *4. Pak pou timoun jwe.* Plas Channmas. Plas Dè-ewo.

**plasaj**. *n. : Viv ansanm san marye. Plasaj se kondisyon ant yon fi ak yon nèg ki ap viv ansanm men ki pa marye. Si de moun ap viv nan plasaj, yo youn pa gen responsabilite legal devan lòt.*

**plasanta** *(plasenta) : n. Sak ki nouri fetis pandan gwosès.* Gen moun ki pouse plasanta a tousuit apre tibebe a fèt.

**plasay** *(plasaj): n. Relasyon de moun ki ap viv kòm mouche ak madanm men ki pa marye.* Jan ak Lizèt ap viv nan plasay.

**plase**. *v. : Sitiyasyon de moun ki ap viv ansanm san yo pa marye devan lalwa ak devan Bondye. Si ou plase ak yon moun, ou pa gen responsabilite legal avè l.*

**plasman**: *n. 1. Envestisman. 2. Espas kote moun pral bati.*

**plastik**: *n. Materyo atifisyèl fleksib ki fèt ak pwodui chimik.* Ou jwenn tout kalite bagay fèt ak plastik alèkile.

**plat** : *1. a.Ki pa wo.* Lari nan katye lakay mwen an plat, li pa gen yon ti bit menm. 2. *Ki pa bonbe.* Joslin gen vant plat. *3. n. Asyèt. Veso san rebò moun manje ladan l. Mwen vle manje nan plat fayans. 4. plak-de-pari, anplat,* *materyo ki sèvi nan konstriksyon,. 5. pozisyon orizontal.* teren plat.

**platbann**: *n. 1. Espas ki bare ak treng bwa pou fè pepinyè 2. Espas pou fè plant jèmen.*

**plat manje**. *: Asyèt ki plen manje ladan l.* Gade gwosè plat manje ou pral manje, se tilolit ou ye?

**platdepari** : *n. Poudre ki fèt ak melanj idrat silfat kalsyòm; yo sèvi avèk li pou kouvri osnon bouche espas.* Yo pral mete yon kouch platdepari sou mi sa a.

**platfòm**: *n. Teras, espas ki pi wo pase anviwonman li an.* Mizisyen yo pral jwe sou platfòm sa a.

**plati**: *v. 1. Peze pou li ka vin plat.* Joslin plati bannann peze yo. *2. a. Kraze, kolboso, peze.* Mango sa yo plati, mwen pa vle yo.

**platin**: *n. Metal koulè blan yo konn itilize pou fè bijou.* Brasle sa a pa ajan, se platin li ye.

**plato**: *n. 1. Plat laj kote yo pote manje pou sèvi moun.* Vini ak yon plato sandwich tanpri. *2. Kote ki plat lè ou fin monte yon mòn.*

**Plato Santral**.*(Plateau Centrale) : Zòn depi Montay Nwa rive jous nan fontyè ak Dominikani. Se pati plato Ayiti ki pi laj. Li apeprè 1000 pye wotè (altitid). Tè a bay anpil manje. Nan zòn plato santral, gen yon mouvman yo rele mouvman peyizan papay; se yon asosiyasyon koperatif pou ede peyizan yo jwenn ladrès, zouti ak lajan prete pou yo kapab pwodui manje, transfòme sa yo pwodui epitou komèsyalize sa yo transfòme.*

**platon** *(plato): n. Plato, kote ki plat apre ou fin monte yon mòn.* Etan ou sou platon an, ou wè tou vil la byen klè.

**platre**:*v. Mete materyon ki fèt ak plat-de-pari, nan yon konstriksyon.*

**plavant**: *n. Vant.*

**plaw!**: *Onom. Son ki imite yon bagay ki tonbe fò.*

**playwoud**: *Materyo ki fèt ak placn ki kole youn sou lòt.*

**plè**: *Blesi, maleng.*

**plebisit**: *n. Referandòm. Vòt kote tout moun ki gen dwa vote , patisipe.*

**plede**. *v. : 1. Repete.* Li plede rele anmwe men pèson moun pa okipe l. *2. Diskite san rete pou ou defann yon pozisyon.* Ou kontinye ap plede toujou, ou gen kouraj, ala moun gen odas papa. *3. Al defann yon kòz nan tribinal.* Mèt Lesko pa la, li al plede nan tribinal, l ap tounen apremidi vè sizè.

**pledman**: *n. Diskisyon, pale anpil.* De mesye sa yo toujou nan yon pledman.

**plen bòl**: *v fr. Plen, bay an kantite, mete anpil, plen lestomak.* Jinèt plen bòl Jozèt ak manti.

**plen**. *a. : 1. Ki pa gen plas ankò.* Gode a plen dlo, sal sinema a plen moun. *2. Ki gen anpil.* Jak plen lajan, li fin rich. *[kè plen, anvi vomi].*

**plenn lin**: *n fr. Lè lalin nan plenn.* Deyò a klere lè gen plenn lin.

**plenn** *: 1. v. Plenyen.* Lè li gen doulè, li plenn anpil. *2. a. Ki gwo vant, ansent.* Kochon an plenn la a, li kapab akouche demen. *3. n. Kote teren yo pa gen mòn.* Gen bèl plenn andeyò Ayiti.

**Plenn Latibonit**.*(Plaine de l'Artibonite) : Plenn ki fòme nan Vale Latibonit lan, nan zòn Rivyè Latibonit ant Montay Nwa ak Chenn Mate. Plenn Latibonit se kote ki bay anpil manje, ou konnen gen tè wouze la.*

**plent:** *n. Nonmen yon moun responsab yon domaj li fè.* Vwazin nan vin pot plent pou Michèl, li di Michèl rache flè devan pòt li yo.

**plenyadò**: *n. Moun ki renmen plenyen.* Jozèt se yon plenyadò.

**plenyen**: *v. 1. Konplenn, mongonnen.* Madan Chal plenyen anpil pou tout travay sa li gen pou li fè yo. *2. Pote plent.* Moun yo vin plenyen yo pa renmen machandiz la.

**plerezi**. *n. : maladi poumon.* Janjak te mouri maladi plerezi.

**plètil**: *ent. Wi, entèjeksyon ki se yon repons, li endike ou reponn prezan epi ou ap tann konvèsasyon an kontinye.* Anita? Plètil matant...

**Plezans***(Plaisance): np. Vil nan depatman Nò.*

**plezante**: *v. Ranse, blage, pa pran oserye.* Ou pap di anyen ki serye la a, ou ap plezante.

**plezantri**: *n. Blag, rans, radotay.* Pa pran Jera oserye, li ap fè plezantri avèk ou.

**plezi**: *n. Lajwa, kontantman, satisfaksyon, blag.* Sa fè m anpil plezi rankontre ou.

**pli**: *n. 1. Fason yon materyèl plwaye.* Lè ou ap fè pli nan twal, se pou ou plwaye twal la dapre yon liy dwat. *2. Tandans.* Timoun sa a gen move pli.

**plim** *: n. 1. Pwèl, pwal, cheve fen sou po moun osinon sou po bèt.* Mesye sa a gen anpil plim sou bra l. Cheve nan tèt se pa plim *2. Pakèt tij ak cheve chak bò yo ki tache natirèlman sou tout kò zwazo yo.* Plim poul, plim pan. *3. Zouti pou ekri.* Gen plim ak fontèn epi gen plim ak boul. Mwen te renmen plim ak lank lontan yo men yo te konn sal tout dwèt mwen. [pa leve yon plim, pa fè anyen][plim pa deplase, tout moun rete anplas]

**plim ak rezèvwa**: *n fr. Estilo, plim pou ekri ki vini ak yon tij lank andedan l.* Plim ak rezèvwa sa a se yon kado li ye.

**plim zye** : *n fr. Pwal je, yon liy ti cheve tou kout ki kole sou po je moun anwo kòm anba.* Plim je pitit sa a long.

**plimen**: *v. Retire plim. Plimen poul la.*

**plimje**: *n. Pwal ki toutotou popyè je.*

**plimo**: *n. Ti zorye piti-piti ki sèvi pou mete poud sou kò moun.*

**plipplip**: *[onomatope] 1. son yon cheval ki ap galope. 2. yon bagay ki rive byen vit.*

**plis**. *adv. : 1. Pi fasilman.* Ou plis ka wè moun sa yo pati al Anfrans pase pou yo al an Espay paske yo pa konn pale panyòl. *2. Ankò.* Mwen vle plis gato. Plis pase sa, se non mèsi. *3. Pi gwo.* Pa m nan plis pase pa-w la. [plis pase/ konparatif siperyorite]

**plise**: *v. 1. Griji, vyeyi. Figi plise.* 2. Fè pli. Plise yon twal. *3.a. Ki gen pli.* Jip plise.

**pliske**: *adv. 1. Plis pase, depase.* Dapre mwen ou touche pliske mwen. *2. Kom.* Pliske ou pa vle ale, annou kite sa la.

**plit**: *[onomatope] son yon souflèt abit osinon jandam.* Abit la fè pliiit, tout moun kanpe.

**pliton** *(planèt) : n. Nevyèm planèt nan sistèm solè a dapre distans ak solèy la.* Pami planèt piti yo, Pliton se anvan dènye a.

**pliye**. *v. : 1. Plwaye. Ranje yon jan pou yon bagay pa etale.* Pliye rad yo apre wa sòti. *2. Koube.* Gran frè Magarèt la sitèlman gen fòs, li kapab pliye ba fè a. Fransis pliye do l pou li kapab ranmase liv li yo ki te tonbe.

**plizoumwen** " : *adv. Enpe plis enpe mwens, pa tèlman.*Li renmen travay la plizoumwen.

**plizyè**. *adv. : Anpil.* Gen plizyè fason ou kapab peye mwen.

**plòg** : *n. Pati nan tèminal yon fil elektrik, ki gen de tij metal ki ka rantre nan priz elektrik la pou konnekte yon aparèy.* Konnekte plòg sa a pou mwen.

**ploge** : *v. 1. Konnekte yon aparèy elektrik nan yon priz.* Radyo a pa ploge. *2. Kole kò.* De moun sa yo ap ploge nan bal la. *3. a. Kole.* Danse ploge.

**plòkòtòp**: *ent. Son ki endike son cheval fè lè li ap galope.* Tande bwi cheval la, plòkòtòp, plòkòtòp.

**plon**: *n. 1. Metal mou ki sèvi pou fè bal fizi.* Plon se yon metal ki pa di.

**plonbe**: *1. Bouche yon dan pike ak yon melanj ki fèt pou sa.* Dantis la plonbe dan madan Jan an yè maten. *2. Bouche twou nan yon veso.* Al bay plonbe bokit la.

**plonbye**: *n. Bòs ki travay nan plonbe.*

**plonje**: *v .Antre nan yon dlo, tèt anvan, pou ale anba dlo a anvan ou remonte.* Jak renmen plonje nan pisin.

**plonjè** : *n. Moun ki fò nan plonje.* Jera se yon plonjè.

**plop plop**: *adv. Vit.* Li fin fè travay li plop plop.

**plòp** *(plòk): adv. Son ki endike bwi yon bagay ki tonbe atè vit.* Liv la tonbe plòp.

**plòt**: *n. 1. Pil.* Chyen an fè yon plòt poupou atè a. *2. Fil plòtonnen.* Al achte yon plòt fil pou mwen.

**plòtonnen**: *v. Anbobinen, makonnen, vlope an boul.* Fil sa a byen plotonnen.

**pliye**: *v. Koube, rabat yon bò sou lòt bo.*

**ploye**: *v. Pliye, plwaye.* Ploye rad.

**plwaye**: *v. Pliye, ploye.* Plwaye rad.

**P.M**: *Senbòl pou endike aprèmidi, peryòd ant midi ale jiska minui.*

**po bouch**: *n fr. Antre bouch yon moun, li gen de bò, youn anwo ak youn anba (lèv).* Gen moun ki renmen mete fa sou po bouch yo.

**po je**: *n fr. Pati nan figi yon moun ki kouvri je ou.* Po je yon moun fèmen lè li ap dòmi.

**po kat**: *n fr. Pay, kat ki pa gen valè. Kat sis, senk, twa ak de se po kat lè ou ap jwe twasèt.*

**po liv**: *n fr. Kouvèti yon liv.* Po liv sa a fèt ak yon papye espesyal ki sire.

**pò** : *n. Ti twou ki sou po moun men ou pa ka wè yo fasil paske yo piti anpil.* Gen moun ki konn gen pò nan figi yo louvri.

**po**: *n. Kouvèti eksteryè nan kò yon moun osinon kò yon bèt. Ogàn ki kouvri epi pwoteje kò a. Se nan po a glann ki fè swe yo devèse dechè ak diplis dlo, sèl, ak lòt pwodui ki gen azat ladan yo.*

**po**: *n. Kouvèti eksteryè nan kò yon moun osinon kò yon bèt. Ogàn ki kouvri epi pwoteje kò a. Se nan po a glann ki fè swe yo devèse dechè ak diplis dlo, sèl, ak lòt pwodui ki gen azat ladan yo. tout selil po sou kò nou ranplase apeprè chak mwa. Kò a bezwen yon kouvèti pou pwoteje li pou li pa seche epi pou li pa pran enfeksyon. Se po a ki jwe wòl sa a. Li enpèmeyab, li fleksib epi li pa kite lè pase. Lè li fè cho po a kontrakte, lè li fè cho po a relaks epi li bay swe. 2. Pati nan bèt yo retire pou fè lòt bagay itil, tankou kui soulye, valiz eltr. 3. Pati eksteryè ki kouvri yon fwi. Pati pa deyò yon fwi, yon legim, yon bèt osnon yon moun. Se pa tout po fwi ou kapab manje, ou kapab manje po pòm men ou pa kapab manje po fig. Po yon moun kapab vin sèk si li pa pase lwil osnon krèm sou li. Lè yon moun benyen li lave po li ak savon.* Po chadèk.

**pò**: *n. Kote bato akoste tè pou debake. 2. Ti twou piti ki sou po kote swe soti. Ti twou piti-piti.*

**pobab**(*pwobab*): *a. Ki posib, ki admisib, ki ta fèt... men ki pa vle di ki te fèt nesesèman.*

**poban:** *n. Bokal.* Mete konfiti a nan poban sa a.

**poblèm** (*pwoblèm*): *n. 1. Devwa aritmetik.* Pwoblèm sa a fasil, se pou annik adisyonen de valè yo. *2. Difikilte, konplikasyon.* Madan Jera gen anpil pwoblèm paske li pap travay.

**pòch** : *n. Pati nan yon rad ki gen yon plas pou mete kle, monnen osnon lòt bagay piti.* Mete kle m yo nan pòch ou pou mwen.

**pòchri:** *n. Kote yo gade kochon.*

**podnui**: *n. Veso, vaz, kote moun pipi le swa, si yo pa vle ale nan twalèt. Gen moun ki sèvi ak benywa lè pa gen podnui.*

**Pòdepè** (*Port-de-Paix*). *np. : Vil ki pi enpòtan nan depatman nòdwès. Se yon zòn ki gen anpil tè sèk.*

**podyab** (*pòv dyab*): *ent. Entèjeksyon ki endike solidarite ak pitye.* Podyab Jan, li pèdi travay li.

**podyòm**: *n. Estrad, teyat, platfòm.*

**poflè**: *n. Po pou mete flè. 2.* Dekorasyon. *3. Bagay ki pa itil.*

**poje**: *n. Popyè, pati ki kouvri je.*

**pòk**: *a. Ki pa ka fè anpil bagay ak men l paske men an fèb.* Men pòk.

**pokè**: *n. Jwèt kat.* Kalo pèdi anpil lajan nan jwe pokè.

**pòkepik** : *n. Bèt wonjè ki plen pikan sou li. Kou yon pòkepik andanje, tout pikan nan kò li yo kanpe.*

**poko**. *adv. : Ki gen pou rive, ki gen pou fèt, tann.* Mwen poko kapab di ou ki sa mwen ap fè, sa depan, ban-m you kout fil demen maten.

**pol mayetik** : *n fr. Zòn sou latè a kote ang mayetik la nan maksimòm li (90 degre). Pòl mayetik yo tounen alantou pòl jeyografik yo.*

**pòl**: *n. Pwen ki nan ekstremite bout anwo epi bout anba tè a, nan sid epi nan nò. Yo rele pol nò a pol atik osnon boreyal epi pol sid la rele pol antatik osnon ostral. 2. Pwen opoze nan yon leman. Se la fòs leman pi fò.*

**polè** : *a. Ki gen avwa ak pol yo. Zòn polè.*

**polemik**: *n. Atitid yon moun ki pran opozisyon aktivman kont yon tandans.* Fanatik Siko ak Nemou te toujou nan polemik.

**polemis**: *n. Moun ki ap fè konpetisyon alekri, nan jounal. Moun ki ap fè polemik.*

**polèn** : *n. Ti grenn fen tankou pousyè ki fèt nan flè plant ki pote selil repwodiksyon mal plant lant. Pousyè fen ki sot nan yon plant epi ki gen kapasite repwodwi plant sa a.* Nan peryòd genyen anpil polèn nan lè a, gen moun ki konn fè alèji tankou anrimen, je wouj elatriye.

**poli** : *v. 1. Pase polich, vèni.* Bòs la poli mèb yo. *2. Byenelve.* Timoun sa yo poli, yo toujou di granmoun bonjou.

**poligàm**: *n. Gason ki gen plizyè madanm. Fi ki gen plizyè mari.*

**poliglòt**: *n. Moun ki pale plizyè lang.*

**poligòn** : *n. Espas jeyometrik ki fèt ak liy dwat sèlman.* Yon poligòn ki gen kat kote egal se yon kare.

**polikopye**: *v. Repwodui dapre metòd polikopi, ki se repwodiksyon ki sèvi ak estansil pou fè plizyè kopi.*

**polinizasyon**: *n. Fenomèn transpòtasyon polèn yo jiska kote li pral kòmanse pwosesis repwodiksyon an. Papiyon kontribye anpil nan polinizasyon.*

**polinize**: *v. Favorize polèn yon plant antre nan yon lòt plant pou repwodiksyon.*

**polinòm** : *n. Nan aljèb, adisyon plizyè monòm.* Pwofesè a pral montre nou kijan pou nou kalkile polinòm sa a.

**polis:** *n. 1. Òganizasyon lòd piblik ki la pou veye pou tout aktivite mache byen tankou pa egzanp kontwole trafik epi pini moun ki pa suiv lòd tankou pa egzanp bay kontravansyon.* Lontan, moun ki te nan polis nan peyi Ayiti te konn abiye an kaki ak kaskèt sou tèt yo. *2. Moun ki gen inifòm polisye sou li.* Men yon polis ap pase la a.

**polisye**: *n. Ajan, detektif, anketè ki manm nan sèvis lapolis.*

**polisyon** : *n. Prezans yon seri pwodui ki pa bon pou sante nan lè moun ap respire a.* Lafimen ki ap soti nan machin yo se yon sous polisyon li ye.

**politeknik**: *Lekòl siperyè ki anseye plizyè syans.*

**politès**: *n. Règ lizay pou moun boule an amoni youn ak lòt nan sosyete. Sivilite, koutwazi, edikasyon, lizay.*

**politik** : *1. n. Syans ak teknik pou jere yon peyi.* Gen moun ki konprann se politik yo ap fè men se politikayri yo ap fè. *2. a. Sitiyasyon politik Pòl te lakoz li pran egzil.*

**politisyen**. *n. : Moun ki pratike politik.* Ki mirak ou pa kandida tou, jan ou se politisyen sa a.

**poliyestè**: *n. Fib sentetik ki sèvi pou fè twal.*

**Polonè** *(Polonèz) : np. 1. Moun ki gen nasyonalite peyi Polòy.* Manman Astrid se yo polonèz. *2. a. Ki pou Polòy.* Teritwa polonè.

**Polòy** *(Pologne): np. Peyi nan mitan kontinan Ewòp la, nan zòn baltik.* Kapital peyi Polòy se Vasovi.**Polt Karye** *( Carrié Paultre): np. 8 Mas 1924 - 7 Fevriye 1999. Agwonòm, komèsan, edikatè, ekriven, editè jounal Boukan. Li fèt Senmak 8 Mas 1924. Li ekri plizyè istwa kout ki te pibliye nan jounal Boukan ak plizyè woman an kreyòl pami tèks li yo gen Traka yon kretyen pandan vwayaj li; Kote ki gen amou; Ti Jak 1965 . Lerison woman 1966 ; Amarant, 1967 seri istwa kout; "Tonton Liben"1976. Kaye Polt mouri nan lopital Kanapevè 7 Fevriye 1999.*

**polye***: v. Degrade yon kote, mete salte nan yon anviwonman.*

*Etyèn Pòlverèl (Polverel, Etienne). np. : Blan Franse ki te komisyonnè Sivil nan Sendomeng. Li te libere esklav nan sid ak nan lwès peyi a ant 1792 a 1794. Lafrans te konsidere msye te pran twòp desizyon poukò l.*

**polyestè***: n. Twal sentetik ki fèt apatid plizyè molekil estè.* Twal polyestè yo pa ka pran gwo chalè.

**polyo***: n. Yon maladi kontajye epi enfektye ki devlope lakay timoun. Se yon viris ki bay maladi sa a, viris la fè matyè-griz epin dòsal la anfle, li bay lafyèv ak paralizi.Kounye a gen vaksen kont polyo.*

**pòm**. *n. : Fwi dous ki soti nan peyi frèt, po li konn wouj, vèt, ou byen jòn.* Mwen renmen pòm men mwen pito mango, mango pi dous.

**pomad** *(ponmad): n. 1. Grès ki ka gen medikaman melanje ladan l pou moun pase sou po yo.* Viks se yon pomad. *2. Grès pou penyen.* Gen tout kalite pomad pou cheve.

**Pòmago** *(Port-Margot). : Ti vil ki nan depatman Nò peyi a, toupre ak Lenbe. Se boukànye Angle ak Franse yo ki te bati Pòmago an 1641.*

**pòmdetè***: n. Plant yo kiltive pou pwodui ki fèt nan rasin li. Plant ki gen anpil lanmidon.* Manje ki fèt nan rasin pye pòmdetè.

**Pomerak Alsibyad** *(Alcibiade de Pommeyrac): Powèt ayisyen ki fèt Sendomeng 22 Novanm 1844 pandan Ayiti te ini ak Ladominikani. Lè de peyi yo separe, li vini Ayiti epi li te al viv Jakmèl. Li te ekri pwezi nan revi La Ronde ak nan Haiti Littéraire et Sociale. Youn nan pwezi li yo Ode à Victor Hugo te pote premye pri an Frans pou selebrasyon santnè dat Victor Hugo te fèt (1902). Pomerak mouri an 4 Desanm 1908. Gen yon lekòl nan vil Jakmèl ki pote non li.*

**pon**. *n. : Konstriksyon ki pase anwo dlo. Lontan anvan yon moun te sot Jakmèl pou l te rive Pòtoprens, li te janbe san-en-pon dlo men kounye a, ou pa menm wè pon dlo yo menm.*

**ponch**: *n. 1. Bwason ki fèt ak melanj ji fwi ak alkòl.* Ponch anana bon anpil. *2. Melanj kenèp ak sik wouj tranpe.* Timoun lontan te konn fè ponch ak kenèp si.

**pongongon**: *n. Moun ki kolan, ki pa vle lage yon lòt lè li nan deng li.* Aliks se yon pongongon.

**ponktyèl**: *a. Ki toujou alè, ki pa rive an reta*

**ponm** *(pòm): n. Fwi ki soti nan ponmye, andedan li yon jan bèj men deyò li ka wouj osnon vèt. Ponm donnen nan peyi kote ki fè fre.*

**ponmkèt**: *n. Bonbon ki gen fòm won tankou mòfenn ameriken yo.* Al achte de ponmkèt kay madan Jan pou mwen.

**ponn**: *v. Bay ze, depoze ze. Etap nan repwodiksyon bèt ki ovipa tankou zwazo, ensèk, reptil, batrasyen.*

**ponp gazolin**: *n fr. Estasyon gazolin. Kote yo vann gazolin.*

**ponp**: *n. Zouti pou ponpe lè osnon likid soti yon kote ale yon lòt.* Gen ponp ki mache ak elektrisite gen lòt ki mache ak bra tou.

**ponpe**. *v. : Dyayi, batkò.* Ou mèt ponpe sote, sa mwen di ou la se sa ki ap fèt. *2. Transfere likid ak yon ponp.*

**Ponpilis Pradèl** *(Pradel Pompilus): np. Pwofesè, avoka, lenguis, Doktè-ès-lèt, ekriven. Li fèt Akayè an 1914. Li al lekòl primè Akayè epi li te al lekòl segondè nan kolèj Senmasyal. Li te al Lekòl Dedwa, apresa li te ale etidye nan Inivèsite Pari, an Frans, li diplome nan lèt, nivo doktora. Li te pwofesè nan kolèj Senmasyal, nan Lise Petyon, nan lekòl nòmal, nan lekòl militè epitou li dirije lekòl li te ko-fonde, Sant Detid Segondè. Li te sou-sekretè deta nan Edikasyon Nasyonal (1950-1952). Li ekri anpil sou edikasyon, literati, lenguistik. Pradèl Ponpilis se yon modèl pou edikatè ak entelektyèl Ayisyen. Li mouri Pòtoprens 26 Fevriye 2000.*

**ponpis**: *n. Moun ki ap ponpe gazolin met nan machin.*

**ponpon**: *n. Flè atifisyèl ki sèvi pou dekore.*

**ponponm**: *Fè pwomenad sou plas piblik pou atire atansyon lèpasan. Fè chèlbè. Atitid Apa m bi bèl.*

**ponpye**: *n. 1. Depatman ki gen responsabilite kontwole dife. Rele ponpye vit, dife pran kay madan Ogis la. 2. Moun ki ap travay nan depatman sa a epi ki konnen sa pou li fè pou li kontwole dife. Nèg sa a se yon ponpye.*

**Ponwouj**: *Katye nan Pòtoprens toupre Chansrèl kote yo te asasine Anprè Desalin. Zòn nan te rele te rele pon Lavaj. Lè Desalin mouri, yo chanje non an.*

**ponya** : *n. Lajan prete ak enterè (kout ponya).* Jezila sot pran yon ponya nan men Sentilis. *2. Kouto laj epi file.*

**ponyade**: *v. 1. Bay kout ponya.* Prete moun lajan ak yon enterè ki ekzajere. *2. Atake ak ponya, resevwa atak kout ponya.* Yo ponyade Gaston gwo nannuit.

**ponyen men**: *n fr. 1. Kantite ki ase gwo pou li chita nan pla men yon moun.* Ban m yon ponyen men diri. *2. Lanmen.* Jak gen yon jan li souke tout bra ou lè li ap ba ou yon ponyen men.

**ponyen** : *n. 1. Kantite ki pa anpil.* Se yon ponyen diri madan Loran kuit jodi a. 2. *v. Foure men, pran ak jèfò.* Wozita pase, li ponyen gato a san mande.

**ponyèt**: *n. Pati nan kò moun kote bra l ak men l kontre.* Pa vire ponyèt timoun nan.

**pope** *(poupe)*: *n. Jwèt timoun ki gen fòm moun.* Tifi renmen jwe ak pope.

**popilarite**: *n. Ki gen admirasyon prèske tout moun. Ki gen admirasyon yon pèp.*

**popilas**: *Mas pèp, ba-pèp. 2. majorite moun.*

**popilasyon**. *n.* : *Kantite moun ki nan yon zòn osnon nan yon peyi. Dapre enfòmasyon demografik, gen apeprè 317 jiska 477 moun pa mil kare. Popilasyon Ayiti a ap ogmante a yon vitès 2.4 pousan.*

**popilè**: *a. 1. Ki konni toupatou.* Dyaz sa a popilè. *2. Tout moun vle l.* Kandida sa a popilè. *3. Ki pou pèp la, piblik. Pak, mache ak lari a se kote popilè.*

**popilis**: *a. Ki gen sipò pèp, ki gen yon politik an favè moun ki pòv. Ki gen yon diskou demagojik pou atire atansyon pèp men ki pap janm kapab fè sa li ap pwomèt la.*

**pòpkòn**: *Manje ki fèt ak mayi pete, pètpèt mayi.*

**poplin**: *n. Twal tafta.*

**popouri**: *n. Melanj ki soti nan divès sous.*

**popyè** : *n. Po je.* Popyè ou fèmen tankou dòmi nan je ou.

**pore** : *a. Pèmeyab, ki kite kèk bagay pase nan pò li yo.* Tisi pore, twal pore.

**pòs**: *n. Pozisyon, plas. 2. Sèvis distribisyon lèt ak koli; kote yo vann tenm, kote yo poste lèt. 3. Pozisyon kote sòlda fè lagad.*

**Pòsali** *(Port-Salut)*: *np. komin ak awondisman nan depatman Sid.*

**posesyon**: *n. 1. Ki pou ou, ki pa ou, pwopriyete, byen. Kay sa a se posesyon ou li ye.* Jak se yon nonm ki gen yon pakèt posesyon. *2. An posesyon, nan men.* Tout papye yo an posesyon notè a. *3. Defile relijye.* Gen posesyon jou dimanch ramo.

**posib**: *a. Ki fezab.* Travay sa a posib, depi ou ap peye pou li.

**pòs-eskriptòm** *(PS): Enfòmasyon diplis yo mete anba yon lèt, apre siyati moun ki ekri lèt la.*

**posperite**: *n. Bèl sitiyasyon materyèl, lajan, sante, kè kontan. Fòtin, richès, bonè, siksè.*

**postal**: *a. Ki gen relasyon ak lapòs, ki gen relasyon ak voye lèt palapòs*

**poste**: *v. Voye pa lapòs.* Jan poste yon lèt pou ou.

**posti** : *n. Pozisyon, pòz.* Gen moun ki pa chita dwat, yo gen move posti.

**postim**: *a. Ki fèt apre lanmò moun nan.* Pitit sa a fèt postim, apre papa l fin mouri.

**posyon**: *n. 1. Preparasyon ki ka gen fèy ak kleren ladan l, moun pran swa kòm medikaman, swa kòm bwason osnon kòm remèd fèy ki sipoze gen pouvwa majik.* Jera te ale kay yon ougan, yon ba li yon posyon pou li bwè. *2. Kantite, enpe.* Gen yon posyon timoun ki pa renmen jwe ak poupe.

**pòsyon**: *n. Posyon, kantite, enpe.* Yon pòsyon moun di se Gaston ki ap vini, yon lòt pòsyon di se Tika.

**pòt** : *n. Pati mobil nan yon kay ki ka louvri fèmen pou pèmèt moun antre sòti.* Fèmen pòt la, louvri fenèt yo pito.

**potajè**: *n. Kote, nan yon kizin, yo aliyen recho pou yo ka kuit manje.* Nan kizin kay Grann Yaya te gen yon potajè chabon ki te gen senk recho.

**pòtakoulis**: *n. Pòt ki glise sou koulis.* Madan Chal vle mete yon pòtakoulis nan salon an.

**potanta**: *n. Nèg ki enpòtan nan yon sosyete epi ki gen gwo kontak tou.* Lontan, Woje se te yon gwo potanta li te ye nan gouvènman an.

**potasyòm** : *n. Metal mou, blan, ki okside fasil.* Moun ak plant bezwen potasyòm pou yo ka ansante.

**Pòtay Leogann** *(Portail Léogâne). np. : 1. Pòt antre ki nan bò sid Pòtoprens.* Li ant Matisan ak Pòtoprens. *2. Katye kote pòtdantre sa a ye a.* Mwen se moun Pòtay Leogann.

**Pòtay Senjozèf** *(Portail St Joseph).np. : 1. Pòt antre ki nan bò nò Pòtoprens. Li ant Damyen ak Pòtoprens. 2. Katye kote pòtdantre sa a ye.* Anpil moun nan nò konn desann nan Pòtay Senjozèf.

**pòtay**. *n.* : *pòt antre nan yon vil.* Pòtoprens gen pòtay Sen Jozèf ak pòtay Leogann.

**pòtchay**: *n. Pati padèyè nan yon machin kote yo ka mete chay.* Mete malèt la nan pòtchay la pou mwen tanpri.

**pote** *(pot): 1. Vini avèk.* Pote liv jeyometri a prete m. *2. Ale avèk, pran.* Li pote tout gato a ale lakay li.

**pote labànyè**: *v fr. Pran devan pou defann yon kòz.* Jaklin toujou ap pote labànyè nan koze liberasyon fanm.

**pote vini**: *v fr. Vini avèk.* Lè ou al Ayiti, pote vini enpe kànèl pou mwen.

**pòte**: *1. n. Kantite pitit yon bèt fè alafwa.* Yon pòte kochon. *2. Pote, vini osnon ale avèk.* Lè ou ap vini, pòte enpe flè pou mwen.

**pote**. : *1. v. Charye.* Andre ap pote yon gwo chay sou do li. *2. Mennen vini.* Pote machandiz la montre mwen. *3. Prezante.* Kijan ou pote kò ou konsa a, ou sanble ou dekouraje. *4. n. Kantite timoun ki nan vant yon moun ansent.* Se yon pòte jimo madan Blan gen nan vant li la a.

**pote-kole** : *v fr. Mete ansanm, youn ede lòt.* Annou pote-kole.

**poteke**: *v. Ipoteke, pran lajan labank sou yon bagay ki gen valè ou posede.* Poteke kay.

**potestan** *(pwotestan): n. 1. Relijyon kretyen ki parèt apre refòm nan epi ki pa sou otorite pap la.* Gen plizyè relijyon potestan nan peyi Ayiti. *2. Moun ki nan relijyon potestan.* Jànin se potestan.

**Pòtigal** *(Portugal): np. Peyi nan kontinan Ewòp kote yo peche anpil pwason.* Yo pale pòtigè nan peyi Pòtigal.

**Pòtigè** *(Pòtigèz) : n. 1. Lang yo pale nan peyi Pòtigal ak peyi Brezil.* Pòtigè yon jan sanble ak Panyòl. *2. a. Sa ki pou Pòtigal.* Teritwa pòtigè.

**potko**: *adv. Poko, pako, advèb ki endike yon bagay poko fini osnon fèt.* Jak potko vini lè lapli a tap tonbe a.

**poto mitan**. : *1. Sipò ki nan mitan yon konstriksyon.* Dapre kwayans vodou, se sant kote lwa a desann pou l antre sou moun la p moute a. *2. Moun ki met tout kouray li pou fè yon bagay reyalize.* Asefi se poto mitan fanmi an li ye, si moun sa yo rive gen yon ti kòb se grasa li.

**poto**. *n. : Sipò ki kenbe yon konstriksyon.* Kay ki gen anpil poto yo konn pi solid.

**Pòtoprens** *(Port-au-Prince). np. : Kapital peyi Ayiti. Pòtoprens se yon vil ki bò lanmè, nan depatman lwès. Vil sa a egziste depi 1749. Li se kapital Ayiti depi 1808. Se sant ekonomik, politik epi kiltirèl peyi Ayiti. Pòtoprens gen fòm yon kivèt, ak anpil mòn toutalantou li sòf bò plaj yo. An 1999, yo estime Pòtopren metwopoliten (ak alantou) gen 2 milyon moun ki ap viv ladan l. Mwatye moun sa yo ap vin nan bidonvil, nan kondisyon ijyèn terib. Pòtoprens metwo chita sou yon sipèvisi ki gen 10 mil ekta.*

**potorik**: *a. Kokenn chenn, kosto.* Yon potorik gason tankou Wozmon, li pa ta ka kite yon ti frelikè tankou Kalo mete do l atè.

**pòtre** : *n. 1. Imaj, foto.* Gen pòtre Desalin nan mize a. *2. Moun gaga ki pa gen aksyon sou yo.* Jera tankou yon pòtre.

**pou dan ri**: *Pre fr. San rezon valab.* Kalin bay Bèta yon kalòt pou dan ri.

**pou granmèsi**: *n fr. Bon mache, pa chè.* Kalo achte oto li a pou granmèsi.

**pou kò**: *pre fr. Pou kont, sèl, san èd lòt moun.* Janklod vini pou kò l.

**pou kont** *(pou kò): Pre fr. Sèl, san èd lòt moun.* Li netwaye kay la poukont li.

**pou**. *n. :1. Tibèt parazit ki konn viv nan cheve moun ki pa pran swen kò yo.* Gaston plen pou nan tèt li. *2. prep. Ki pou yon moun.* Se pou jan liv sa-a ye. Alaplas. Mwen voye Andre pou l ranplase mwen nan reyinyon an.

**poubwa**: *n. Kòb ou bay moun ki sèvi ou nan restoran osnon moun ki rann ou yon sèvis kòm koutwazi.* Jak chich, li pa renmen bay poubwa.

**poud elevasyon**: *n fr. Bikabonnat.* Lè yo mete poud elevasyon nan yon pat li fè li leje.

**poud** : *n. 1. Farin fenfen, santi bon, pou moun mete sou po yo.* Gen moun ki renmen poudre ak poud blan. *2. Teksti yon bagay ki moulen fen, tankou farin.* Poud savon, poud bwa.

**poudre**: *v. Mete poud sou kò ou.* Manman pitit la poudre tout kò l.

**poudriye**: *n. Veso kote yo mete poud.* Poudriye sa a plen poud ladan l.

**pouki**. *pr. : Sa ki fè-sa, poukisa.* Pouki ou chire chosèt dri konsa a tigason, ou pa konnen yo vann chè?

**poukisa** *(pouki sa): adv. Sa ki fè sa? Advèb ki poze kesyon; repons la kòmanse anjeneral ak "paske".* Poukisa ou pat vini? Paske mwen te okipe.

**poukont**. *adv. : Sèl, pa gen lòt moun la.* Eske ou pral nan match la pou kont-ou. Lè mwen poukont mwen, mwen renmen koute mizik epi li istwa damou.

**poul dlo**: *n fr. Ki pè, ki gen lapèrèz.* Alis se poul dlo.

**poul mouye**: *n Fr. Ki pè, ki gen lapèrèz.* Jera se yon poul mouye, kou yo di men vòlè, li kouri al kache.

**poul**. *n. : 1. Femèl kòk. Bèt ki bay ze.* Mwen ta manje yon ti poul an sòs ak nwa ladan l. Mwen pito poul di pase poul mou etranje a. *2. Apèsi, jòf.* Mwen pa konn leson mwen jodi a, èske ou ta ban mwen yon ti poul?

**poulaye**. *n. : 1. Kote ou met poul.* Mwen te rete pre kay yon moun ki te gen yon poulaye, sant kaka poul la te fò anpil. *2. Zòn nan estad kote ki pa koute chè. 3.*Kote yo lage tout pil timoun ki pap remèt anyen lekòl. Sa ki fè mwen pa gen metye jodi a se paske mwen te toujou nan poulaye a, mwen te pito al jwe mòpyon nan dènye ban nan klas la.

**poulen**: *n. Ti chwal.* Poulen sa a konn galope byen.

**poulèt**: *n. 1. Ti poul.* Manman poul sa a plen poulèt dèyè l. *2. Jenn tifi.* Ti poulèt tankou ou pa dwe ap mache nan lari twòta.

**pouli**: *n. Ti wou kote yon fil pase pou pèmèt ou rale pwa lou.* Atansyon pou fil la pa soti nan pouli a.

**poulich**: *n. Ti jiman.* Konbyen kòb ou mande pou poulich sa a?

**poumon** : *n. Pati nan kò yon moun, ki nan zòn kòf lestomak, kote chanjman lè fèt pou moun respire oksijèn epi ekspire gaz kabonik. Pitit sa a gen poumon frajil.Ògàn respirasyon moun ak bèt, li nan kòf lestomak (toraks) vètebre. Li sèvi pou melanje oksijèn ak san epi retire gaz kabonik nan san. Poumon noun respire 3300 (twamil twasan) galon lè nan yon jounen. Lè nou respire lè ki soti nan nen nou (ekspirasyon) soti ak yon vitès prèske egal ak 4 mil-alè, lè nou estène lè a soti ak yon vitès ki prèske egal ak vitès yon siklòn.*

**poupe** : *n. Pope, jwèt tifi ki sanble ak moun.* Jojo gen menm twa poupe.

**poupou** : *n. Matyè fekal, dechè ki soti apre dijesyon.* Tibebe a poupou, li lè pou yo chanje kouchèt li.

**pouri** : *a. 1. Gate.* Mango sa yo pouri. *2. Santi.* La a gen yon odè pouri.

**pouriti**: *n. eta ak kondisyon yon bagay ki pouri.*

**pous** : *n. 1. Inite pou mezire longè.* Tab sa a mezire ven pous. *2. Dwèt moun.* Jojo frape pous li.

**pousad**: *n. 1. Aksyon kote yon moun pouse yon lòt.* Se timoun lekòl yo ki ba li yon sèl pousad yo lage l atè. *2. Koutpous, pouse, ankourajman pou avanse.* Batri machin Woje a mouri, annou ba li yon pousad pou motè a ka pran.

**pousan** : *n. Pousantay, pousantaj; kantite sou yon total 100.* Beniswa fè ven pousan benefis.

**pousantaj** : *n. Kantite, sou yon total san, yon valè ka ogmante.* Jan al prete yon lajan ak enterè men pousantaj la si tèlman wo, li blije pa prete ankò.

**pouse** : *v. 1. Bay pousad pou ede yon moun osnon yon bagay ale annavan.* Nou pouse timoun yo etidye pou yo ka pase nan bakaloreya. *2. Bouskoule, frape yon moun osnon yon bagay paske ou fache.* Si ou pouse m, m ap pouse ou tou. *3. Pòte yon moun fè sa li pa pare pou li fè.* Se Jaklin ki pouse Silòt renmen ak Pòl. *4. Ankouraje, bay ankourajman.* Manman timoun yo pouse yo pou yo ale lekòl alè chak jou.

pousèt: *n. charyo pou pouse timoun.*

**pousib**: *v. Kouri dèyè, eseye jwenn; chèche pou fè kont.*

**pouso**: *n. Ti kochon. Kochon yo fè yon pakèt pouso.*

**pousuiv**: *v. 1. Ensiste.* Jera ap pousuiv pwojè a. *2. Suiv yon moun ak entansyon pou ou konnen kisa li ap fè, arete l osnon espyonen l.* Lapolis pousuiv Jak joustan yo kenbe l. *3. Chèche kont.* Si ou kontinwe ap pousuiv Kalin, li ka ba ou yon souflèt.

**pousyè** : *n. Poud tè ki atè a osnon nan lè a.* Plen pousyè nan lari a.

**pout**: *n. Madriye, poto nan konstriksyon ki sèvi pou sipòte chaj.*

**poutan**: *adv. Sepandan, malgre.* Odil tann Beti byen ta poutan li te di li pa gen tan.

**poutèt**. *adv. : Paske, akòz.* Mwen fèmen pòt la poutèt fè frèt deyò a.

**pouvwa**. *n. : Fòs, otorite.* Gen moun ki si tan renmen pouvwa se pou yo bòs tout kote yo pase.

**pòv dyab**: *n fr. Podyab; ekspresyon ki endike pitye ak lapenn ou ka gen pou yon moun.* Pòv dyab Jinèt, li travay twò di.

**pòv**: *n. 1. Ki pa gen lajan ni lòt resous.* Moun sa yo se pòv yo ye, kote yo pran lajan pou yo al silema. *2. Moun ki ap mande lacharite nan lari.* Gen anpil pòv ki ap mande lacharite.

**pow**: *Ent. Son ki endike bwi sa ki eklate.* Kawotchou machin nan eklate pow!

**powèt** *(pwèt): n. Moun ki ekri pwezi.* Rene Depestre, Michel-Ange Hyppolite ak Rodney Saint-Eloi se twa powèt ayisyen ak twa estil diferan.

**powo**. *n. : Legim. Soup joumou pa fouti bon si li pa gen powo ladan l.* Si ou mete yon ti powo nan yon soup pen li bali bon gou.

**pòy** : *n. Moun ki menm fòs osnon menm laj avèk ou.* Mari ak Terèz se pòy Kalin.

**pòz**: *n. Atitid.* Li pran pòz li pa rekonèt mwen.

**poze san**: *v fr. Kalme.* Poze san ou machè, sinon ou pap ka fè travay la byen.

**poze**. *v. : 1. Mande enfòmasyon.* Lè ou poze yon kesyon sèke ou vle gen repons la. Mwen poze Erik yon kesyon men li pa menm reponn mwen menm. 2. *Pran yon atitid.* ou ap poze tankou se yon vedèt ou ye. 3. *Prezante, esplike.* Jan ou poze pwoblèm nan la a, pa gen ankenn chans menm pou nou jwenn repons la. 4. *Repoze*

**pozesele** : *v fr. Sitiyasyon kote tribinal mete entèdiksyon pou moun fè antre soti yon kote ki sou kont lajistis.* Yo poze sele sou kay madan Edwa a.

**pozisyon**. *n. : 1. Kote yon bagay ye.* Nan ki pozisyon ou vire, adwat osnon agòch? 2. *Ka, antrav.* Nan ki pozisyon ou mete mwen la a, ou pa konnen mwen ka al nan prizon pou sa? 3. *Eksitasyon, enkyetid.* Kouman ou san pozisyon konsa a, ou annafè ak kèk moun? 4. *Dyòb.* Papa mwen te nan yon bon pozisyon nan biwo lekòl la.

**pozitif** : *a. 1. Ki vre, reyèl.* Rezilta yo pozitif pou malarya, kidonk, moun sa a gen malarya. 2. *Ki pi gwo pase zewo.* Kat se yon chif pozitif epi mwens kat se yon chif negatif.

**prale** *(pral): v mar. Vèb ki make tan fiti, aksyon an gen pou fèt pita, apre.* Nou prale manje, nou ap ale manje pita, pa kounye a.

**pran** : *v. 1. Deplase. Wete yon bagay yon kote.* Mwen pran tout lajan ki te sou tab la. Fè yon bagay vin pa w. Mwen pran de pen nan pànye a. 2. *Kenbe, ranmase, bwote.* Chalan pran Tikalo paske l te pye atè. 3. *Aksepte.* Mwen pa pran priyè. 4. *Antrave.* Msye pran nan twa wa.

**pran ak de bra**: *v fr. Akeyi, byen resevwa, bay bèl akèy.* Moun yo pran Elifèt ak de bra.

**pran anbasad**: *v fr. Al chèche pwoteksyon nan yon anbasad.* Minis la pran anbasad.

**pran bèt**: *v fr. Pran poul, imite yon lòt.* Lè Gaston te ale bakaloreya, li konprann li te ka pran bèt sou Jan men li pat rive.

**pran bò kote**: *v fr. 1. Erite, benefisye yon bagay yon moun genyen.* Pitit sa a pran dan doukla a kote papa l. 2. *Imite, fè tankou.* Abitid al jwe foutbòl chak apremidi a Jewòm pran l bò kote kouzen li a.

**pran chenn**: *v fr. 1. Mande anraje.* Fi a fin pran chenn la a, se lapolis yo oblije rele pou li. 2. *Pran vitès.* Li te kòmanse ale dousman epi toudenkou, li pran chenn.

**pran daso**: *v fr. Antre palafòs osinon ankachèt osinon ilegalman.* Moun yo pran magazen an daso.

**pran devan**: *v fr. Gentan fè kichòy byen vit anvan lòt moun.* Pye kout pran devan konsa li va gentan rive anvan pye long.

**pran elan** : *v fr. Mete ou annavans, fè efò pou prepare ou anvan ou sote, kouri osnon vole.* Pran elan byen pou ou ka vole wo.

**pran fil**: *v fr. Monte nan yon nivo pi wo pase kote ou te ye a.* Ou pran fil, kounye a ou pa monte motosiklèt ankò, se oto ou kouri. 2. *Pran grad, chanje estati.* Sityasyon yon moun afè pat bon epi ki vin amelyore. Michèl pran fil papa, li gen kòb.

**pran gou** : *v fr. Renmen sa, vin gen abitid pou yon bagay.* Depi Jan eseye al dòmi bonè a, li pran gou, depi lè a, se chak jou li vle al dòmi bonè.

**pran ka**: *v fr. 1. Bay yon moun atansyon, resevwa l ak respè.* Jak pran ka malad la. 2. *Resevwa atansyon.* Yo pran ka Michèl byen. 3. *Pran swen, okipe yon bagay ak enterè.* Pwofesè a pran ka elèv la an konsiderasyon epi li pa ba li zewo ankò.

**pran kout ba** : *v fr. Pran move kou, desi paske moun pa serye pa kenbe mo yo avèk ou.* Jak pran kout ba nan men pi bon zanmi li, kounye a, li pa fè zanmi konfyans ankò.

**pran lari**: *v fr. Soti.* Moun yo pran lari depi maten, yo pa janm retounen.

**pran lè**: *v fr. 1. Pran van, soti al pran van.* Annou al pran lè deyò a, yon ti mache va bon pou ou. 2. *Resevwa kouran dè.* Pa kite pitit la pran lè, sa ka fè l gripe.

**pran nan fil**: *v fr. 1. Twonpe yon moun.* Jozèt pran Jera nan fil, li di l teren an se yon bon afè, men se pat vre. 2. *Lè yon moun twonpe ou.* Jera pran nan fil, li al koute Jozèt ki di l teren an se yon bon afè.

**pran nanpon**. *v. : Fè erè, moun twonpe w.* Mwen te konprann se te yon bon twal men se lè mwen lave l mwen wè mwen pran nanpon.

**pran nanm**: *v fr. 1.* Kapte moun nan pou ou fè li fè sa ou vle. Pa kite timoun nan katye yo pran nanm ou epi pou ou pa etidye leson ou. 2. *Chame moun ak pouvwa sinatirèl.* Jan Jera dejwe la a, li sanble yon moun yo pran nanm li.

**pran nòt** : *v fr. Ekri sa ki ap pase a osnon sa yo ap di a.* Grefye a pran nòt.

**pran poul**: *v fr. Kopye sou sa lòt moun fè.* Rita pran poul sou rad mwen an pou li fè rad pa li a.

**pran pòz**: *v fr. Fè kòmsi.* Dyo pran pòz li pa wè m, men mwen konnen li wè m byen pwòp.

**pran prizon**: *v fr. Ale nan prizon.* Gistav te pran prizon pou gremesi paske li pat koupab.

**pran pwen**. : *Al chache genyen pouvwa sinatirèl pou pwoteje ou osnon pou ou kapab fè byen osnon mal.* Ou te konnen Chantal pral pran pwen pou l kapab gen lajan?

**pran pye** : *1. Rive mete pye ou sou tè fèm.* Tibebe a grenpe sou chèz la, lè pou l desann, li eseye pran pye li pa kapab. 2. Jan te fè fayit epi chans pou li, li vin gen nan gwolo bòlèt, se sa ki vin pèmèt li pran pye.

**pran rak**: *v fr. Al kache pou sove po ou.* Yo di m Edga pran rak depi de mwa.

**pran rak**. *n. : Al nan kache.*Depi se peryòd lachas tout zwazo pran rak.

**pran san**: *v fr. Pa prese, san prese.* Wozita se fi ki renmen pran san l lè li ap pran yon desizyon serye.

**pran tanperati** : *v fr. Mezire tanperati.* Pran tanperati Kòkòt pou ou wè si li gen lafyèv.

**pran van**: *v fr. Pran lè, al mache deyò.* Kalo mennen timoun yo al pran van nan pak la.

**pratik** : *1. Moun ou gen abitid achte nan men-l osnon moun ki toujou vann ou toutan.* Pratik ou pap achte jodi a, mwen gen bèl zoranj ak anana. *2. Abitid.* Se pa yon bon pratik pou moun rann mwen vizit san anonse mwen.

**pratikan**: *a. Ki obsève pratik yon relijyon.* Ki pratike yon aktivite.

**pratike**. *v. : Repete.* Mwen gen lontan mwen pa pratike pyano se sa ki fè mwen paka jwe byen jodi a.

**pratikman**: *adv. Prèske, kòmsi-m-ta-di.*

**Praysmas, Jan** *(Price-Mars, Jean). np. : Istoryen Ayisyen ki fèt nan ane 1876 nan Grannrivyè Dinò. Li te Sekretè Legasyon Peyi Ayiti nan Wachinnton nan ane 1909. Li te Chaje Dafè pou peyi Ayiti nan peyi Lafrans. Li retounen nan peyi a nan ane 1917. Nan ane 1919 li pibliye liv ki rele ALa Vocation De L'Elite . Li te vin pwofesè istwa nasyonal ak enstriksyon sivik nan Lise Petyon. Li diplome kòm doktè nan fakilte medsin nan peyi a nan ane 1923. Nan ane 1928, li soti liv Ainsi Parla L'Oncle la, ki konsidere kòm youn nan liv ki pi enpòtan li pibliye. Nan ane apre a, 1929, li pibliye Une Etape de L'Evolution Haitienne. Praysmas te kont okipasyon meriken nan peyi a epi li te fè konnen sa klèman. Li te renonse kandidati li kòm prezidan peyi a pou fasilite Estenyo Vensan monte. Nan ane 1941, Praysmas te vin senatè. Apresa, nan ane 1946, li te vin Sekretè Deta Relasyon Eksteryè. Apre sa, li te vin anbasadè nan Repiblik Dominikèn. Li ekri sou relasyon ant Ayisyen ak Dominiken nan La République d'Haiti* et *la République Dominicaine ki soti nan ane 1953. Nan ane 1956, pou fete 80 ane li, entelektyèl ayisyen yo te fè soti yon liv pou lwanje li. Apre evenman sa a, Praysmas te ale travay kòm anbasadè Ayiti nan ONI, li te vin sekretè deta Relasyon Eksteryè ankò anvan li te vin tounen anbasadè Ayiti nan peyi Lafrans. Dr Praysmas mouri nan mwa mas 1968. Msye te pouse endijenis la, kilti nou an ak fòlklò nou an anpil. Li te fonde Biwo Etnoloji Ayiti a.*

**pre** : *adv. Ki pa lwen.* Kay Jinèt la pre bò isit la.

**prèch**: *n. Sèmon, diskou monpè fè sou lotèl pandan lamès.* Prèch jodi a se te sou lacharite.

**preche**: *v. Mete moun okouran pawòl Bondye a epi ankouraje yo suiv li.* Pastè a te vin preche nou la a.

**predatè** : *n. Ki manje lòt bèt.* Chat se predatè sourit.

**predi** :*v. Annonse davans anvan yon bagay rive.* Labib predi lafendimonn.

**predikatè**: *n. Moun ki preche.* Pè ak pastè se predikatè.

**prediksyon** : *n. Annons davans anvan yon bagay rive.* Prediksyon pa Jera sèke madanm li ap akouche anvan lè.

**prefas**: *n. Pati nan yon kòmansman yon liv ki esplike sa otè a ta renmen lektè yo konnen anvan yo kòmanse li liv la. 2. Etap nan litiji legliz katolik.*

**prefè**. *n. : Reprezantan gouvènman an nan yon awondisman. Moun ki ap gouvène yon awondisman. Ayiti, peyi a divize an depatman, depatman yo divize an awondisman epi awondisman yo divize an komin.*

**prefekti**: *n. Biwo ak fonksyon yon prefè.*

**preferab**: *a. Ki merite pou yo chwazi li alaplas yon lòt.*

**preferans**: *n. Sa ou chwazi pase yon lòt chwa.* Li pito ale lekòl pase li al travay, se preferans li.

**prefere**: *v. Chwazi yon opsyon olyede yon lòt.* Li prefere ale pase li rete.

**prejije**: *n. Jijman osnon opinyon negatif ou fè sou yon moun osnon yon gwoup moun, san baz lojik, san evaliyasyon rasyonèl, men ki satisfè kwayans osnon enkyetid ou.* Gen anpil moun ki pa gen prejije.

**prekosyon**: *n. Prevansyon, atansyon ki mete pou evite dega osnon echèk.* Prekosyon pa kapon.

**prela**: *n. Twal epè, enpèmeyab epi lou ki kouvri kamyon bwat.* Lapli pral vini, kouvri kamyon an ak prela a.

**preliminè** : *n. 1. Etap pou kòmanse.* Depi nan preliminè yo ekip nou an te pèdi. *2.a. Ki nan kòmansman.* Demach preliminè yo.

premis

**premye**. *a. : Moun osnon bagay ki devan nèt.* Se Wobè ki premye moun ki ban mwen nouvèl la.

**premye swen** : *n fr. Atansyon rapid epi preliminè yo bay yon moun an danje.* Si Jak pat konnen premye swen, petèt Ivòn ta ka pèdi lavi l.

**prenon**: *n. Non ki distenge chak moun nan menm fanmi ki gen menm siyati.*

**prens** *(prensès): n. Nan sistèm kote ki gen wa, se yon tit pouvwa moun bay tèt li osinon li resevwa nan men fanmi li ki opouvwa.*

**prensès**: *Nan sistèm kote ki gen wa, se yon tit pouvwa fi bay tèt li osinon li resevwa nan men fanmi li ki opouvwa*

**prensip**: *n. Gid pou aji, valè ou kwè ladan yo.* Prensip pa Jera sèke li pa janm prete moun lajan.

**prensip Achimèd**: *Yon kò ki nan dlo deplase yon valè dlo ki peze menm pwa ak pwa kò a.*

**prensipal**: *a. Ki enpòtan, ki fondamantal.*

**prensipalman**: *adv. Sitou, anvan tout lòt.*

**prentan**. *n. : Sezon ki rive apre ivè, epi anvan ete.* Mwen renmen lè prentan rive; gen anpil flè ak anpil papiyon nan lakou a.

**prentè**: *n. Machin pou enprime enfòmasyon ki soti nan òdinatè (konpyoutè).*

**preparasyon**: *n. Demach preliminè ki pral pèmèt ou reyalize kichòy.* Moun yo te fè tout preparasyon nesesè pou resepsyon an te ka reyisi.

**preparatwa** de: *n fr. Nan sistèm lekòl primè nan peyi Ayiti, klas ki vini apre preparatwa en epi anvan elemantè en.* Kalin ap fè preparatwa de kounye a.

**preparatwa en**: *n fr. Nan sistèm lekòl primè nan peyi Ayiti, klas ki vini apre anfanten de epi anvan preparatwa de.* Jozèt nan preparatwa en kay mè yo.

**preparatwa**: *n. Nivo nan lekòl primè. 2. Aktivite pou prepare anvan yon evenman.*

**prepare**: *v. 1. Òganize, fè sa ki nesesè kòm etap preliminè, pou ka atenn yon objektif.* Prepare ou pou nou soti. *2. Kuit.* Prepare manje a alè.

**propoze**: *v. Ofri, prezante, soumèt.*

**prepozisyon**: *n. Mo pou make ki kote ak kilè. Nan, sou se prepozisyon.*

**près**. *n. : Sistèm pase nan drayklinin.* Mwen voye rad la nan près, talè konsa mwen pral chache l. *2. Zouti pou konprese. 3. Bafè moun leve pou fè espò.*

**presan**: *a. Ki pa ka tann, ki dwe fèt tousuit.*

**presantiman**: *n. entuisyon, santiman ki pèmèt yon moun santi yon bagay anvan li rive.*

**presbit**: *a. Moun ki pa ka wè byen lè yon bagay twò pre.*

**presbitè**: *n. Kay ak biwo kire yon pawas nan leglis katolik.*

**presbiteral**: *a. Ki konsène presbitè. Ki konsène pè. 2. Konsèy pou ede yon evèk nan yon dyosèz.*

**prese**. *v. : Ki mache vit.* Mwen pa kapab ret pale avèk ou jodi a, mwen prese.

**presipitasyon** : *n. 1. Anpresman.* Yo bay Jera tout sa li mande ak presipitasyon. *2. Reyaksyon akrèk, plonjon rapid.* Moun yo plonje sou lèt sinistre a ak anpil presipitasyon. *3. Lapli, kantite dlo ki tonbe pandan lapli.* Vil sa a toujou gen anpil presipitasyon nan tan lapli. *4. Metòd separasyon ant yon solid ak yon likid.*

**presipite**: *v.l.* Fè yon bagay ale pi vit. *Ale rapid, san pran souf.* Akselere. *2. Nan chimi, se yon metòd pou separe yon solid ak yon likid.*

**prèske**. *adv. : 1. Ki tou pre.* Kay ou prèske babpoubab ak lakay mwen. *2. Laplipa.* Prèske tout moun di l sispann, men li pat vle tande konsèy. *3. Manke tika l pou yo egal.* Jan prèske menm wotè ak papa l.

**preskri**: *v. Rekòmandasyon dapre yon espesyalis.* Doktè a preskri repo konplè.

**preskripsyon** : *n. Enfòmasyon yon doktè ekri pou yon malad swa pou medikaman li rekòmande li osnon tretman pou li suiv.* Preskripsyon an di pou malad pran aspirin twa fwa pa jou.

**prestans**: *n. Enpozan, byen kanpe.*

**prestij**: *1. Atitid ki enpoze respè ak admirasyon.2. Non yon mak byè ki fèt Pòtoprens nan Brasri Nasyonal.*

**prestijye**: *a. Ki gen prestij.*

**Preswa Chal Fènan** *(Charles Fernand Pressoir) *** Lenguis ki patisipe nan kodifikasyon lang Kreyòl.*

**presyon** : *n. 1. Fòs ki aji sou yon espas limite.* Presyon kè. *2. Efò yon moun fè pou li enfliyanse yon lòt.* Se pa de presyon Jera pa fè sou Sègo pou yo ale nan menm inivèsite.

**prèt**: *n. Moun ki resevwa lòd majè nan legliz katolik.* Li ka bay tout sakreman.

**prèt pou**: *pre. Pare pou kòmanse, pre rive.* Jera prèt pou rive.

**pretann**: *v. Fè kwè.* Jan pretann li ka gen tan rive alè.

**pretansye**: *a. awogan, ki panse se li ki pi bon pase tout lòt.*

**pretansyon**: *n. Anbisyon.* Madan Kal gen pretansyon louvri de lòt boutik mwa pwochen.

**prete**. *v. : 1. Resevwa yon bagay ak antant pou ou remèt li.* Ektò kite mwen prete paten l yo.

Ann prete yon liv nan men mwen. 2. *Mande pou ou itilize yon bagay men ou pwomèt remèt li.* Prete mwen dis kòb pou mwen achte fresko.

**pretèks**: *n. Eskiz pou jistifye yon aksyon.*

**prèv** : *n. 1. Agiman osnon yon bagay ki sèvi pou demontre yon verite.* Ban m prèv sa ou di a. 2. *Tès pou verifye yon kalkil aritmetik.* Egzanp: Pou ou ka konnen si yon kosyan bon, ou ka fè prèv la, ou miltipliye kosyan an pa divizè a, se pou ou ta jwenn dividann nan.

**Preval, Rene Garcia**. *np. Agwonòm, komèsan, politisyen Ayisyen, Prezidan Ayiti. Li fèt Pòtoprens 17 Janvye 1943. Li te elèv lekòl nan kolèj Sen Masyal ak Jòj Mak. Papa li te yon Agwonòm, ansyen minis agrikilti ki te pran ekzil ak fanmi li nan àne 1963. Rene Preval te etidye agwonomi nan peyi Bèljik, jeyotèmi nan peyi Itali. Li te rete Nouyòk. Li te retounen Ayiti an 1975. Li te travay nan INAREM (Enstiti Nasyonal Resous Mineral). Nan ri Katkalen (ri Travèsyè) li te gen yon boulanjri ak lòt asosye. Li te patisipe nan aktivite pou ede timoun nan lari jwen travay, kote pou yo rete epitou pou yo ale lekòl. Li te premye minis sou gouvènman Aristid. Lè te gen yon koudeta kont gouvènman Aristid la, li pati ale Wachintonn. Li retounen an 1994 ak Prezidan Aristid, apresa li vin direktè FAES (Fon asistans Ekonomik ak Sosyal). An 1995 li vin kandida Bò tab la pou reprezante pati politik Lavalas nan eleksyon pou prezidan Ayiti 16 Desanm 1995, li pase. Li vin prezidan Ayiti, inogirasyon fèt 7 Fevriye 1996.*

**prevansyon** : *n. Aksyon pou evite yon malè osnon yon sitiyasyon ki pa swetab.* Ijyèn se yon mezi prevansyon kont maladi.

**prevantif**: *a. Ki la pou anpeche yon move sitiyason rive.*

**previzyon**: *n. prevwa sa ki pral pase nan lavni. Pare pou sa ki pral vini.*

**prevnans**: *n. Bay moun atansyon ak jantiyès.* Madan Pòl toujou gen prevnans pou tout moun.

**prevni**: *v. Fè kichòy pou anpeche yon bagay rive. Anonse davan, enfòme davans.*

**prevwa**: *v. Wè osnon kalkile davans.* Nou prevwa fè yon gwo benefis nan komès la.

**prevwayan**: *a. Pridan, ki pran prekosyon pou pare pou sa ki pral rive.*

**prevwayans**: *n. Atitid pou prepare move kou ki ka rive.*

**prevyen** *(de ki)*: *v. Kot sa soti, kòman sa fè fèt.* Se tout moun ki ap mande deki prevyen.

**preyavi**: *n. Enfòmasyon ki vin ànonse davans ki sa ki pral pase apre.* Yo voye yon preyavi bay madan Klod pou li degèpi kay la nan yon semenn.

**prezan**: *n. 1. Kado. Sa se yon ti prezan marenn ou te kite pou ou. 2. a. Ki la, ki pa absan.* Nou tout te prezan lè evenman sa a rive a.

**prezans**: *n. 1. Apèl.* Pwofesè site non tout elèv yo paske li ap verifye prezans. 2. *La, pa absan.* Se an prezans tout moun sa pase.

**prezantab**: *a. Ki papab prezante an piblik.*

**prezantasyon**: *n. fè youn rankontre lòt. Anonse yon moun anvan li kòmanse pale nan yon fonksyon.*

**prezantatè**: *n. Animatè, anonsè.*

**prezante**: *v. 1. Parèt.* Jan ou prezante la a, ou vin pou batay? 2. *Vin mande lamen yon fi.* Gari te vin prezante pou Kawòl avantyèswa. 3. *Pale anpiblik, fè yon konferans.* Mwen te al prezante yon rapò nan peyi etranje, tout bagay byen pase. 4. *Parèt, entwodui tèt ou.* Ou pa konn prezante anpiblik menm.

**prezbitè**: *n. Kote, tou pre yon legliz, pè a rete.* Prezbitè Sentàn nan nan lakou legliz la.

**prezèvasyon** : *n. Pwoteksyon, bon jesyon.* Fòk yo fè prezèvasyon resous peyi a.

**prezèvatif**: *Kapichon an plastik pou pwoteje kont maladi moun pran nan sèks. Kondon. Kapòt.*

**prezève**: *v. Pwoteje, konsève.*

**prezidan**: *n. Moun ki alatèt yon peyi, yon konpayi osnon yon òganizasyon.* Prezidan an ap fè yon reyinyon pita.

**pri**. *n. : 1. Sa yon bagay koute.* Ou pa konn pri rad sa a, se rad mwen achte byen chè tande. 2. *Senbòl yo bay yon moun pou konplimante l pou efò l epi jan li reyisi byen.* Se Enòk ki gen premye pri nan kous la.

**pridan**: *a. Ki fè sa pou li fè ak prekosyon pou evite erè, dega osnon malè.* Woje se yon nonm pridan.

**prije** *(pije)*: *v. Peze pou wete ji.* Yo prije tout zorany yo.

**primè**: *a. 1. Anvan tout lòt.* Etap primè *a.* 2. *Nivo lekòl depi kou preparatwa ale jiska sètifika etid primè.* Klas primè. 3. *Atitid rapid ki aji anvan li reflechi.* Karaktè primè. 4. *n. Nivo lekòl.* Timoun sa yo nan primè.

**primitif**: *a.1. Ki pi ansyen, ki te la anvan. Ki pa rafine. ki bay orijin, kote yon bagay kòmanse. 2. Sosyete ki pa li ak ekri. 3. Estil penti ki konsève liy ak fòm ki senp. Teknik penti ki devlope anvan peryòd renesans.*

**pris**: *n. 1.* Desen *jewometrik ak twa dimansyon ki gen de baz paralèl epi egal, baz yo gen fòm poligòn. 2. Nan optik, zouti pou separe* *diferan koulè ki gen nan limyè natirèl.* Pris separe limyè blan pou li bay sèt koulè konplemantè, wouj, oranj, jòn, vèt, ble, digo, vyolèt.

**privatizasyon***: n. Demach pou transfere dwa ak bye leta bay sektè prive.*

**privatize***: v. transfere dwa leta bay enterè prive.*

**prive***: a. Ki fèt apa. Ki pa pou tout moun, ki pa piblik. Entim, patikilye. Ki pa sou kont Leta.*

**privilèj***: n. Avantaj apa yo bay yon moun, andeyò règ, prensip, abitid osinon andeyò lalwa.*

**privilejye***: v. Bay privilèj. Bay avantaj sou lòt moun.*

**priye***: v. Kominike ak Bondye swa pou mande l, pou remèsye l osnon pou glorifye l.* Moun yo al priye nan legliz la. 2. *Sipliye.* Mwen priye ou angras, kite mwen anrepo.

**priyè** *(lapriyè): n. l. Kominikasyon espirityèl espontane avèk Bondye. 2. Fòmil pou kominikasyon woutin ak Bondye tankou Je-vou-sali. Dènye priyè se yon rasanbleman espesyal apre yon moun mouri.*

**priyorite***: n. Sa ki dwe fèt anvan tout lòt. Sa ki gen dwa pase anvan.*

**priz tabak***: n fr. Kantite tabak ou mete nan pip pou ou fimen.* Madanm nan mande vwazen li yon ti priz tabak.

**priz***: n. Kote ak pozisyon yon moun kenbe pou li pa tonbe. 2. Pwovizyon moun jwenn lè li al chase, al peche osinon lè li al vòlè.*

**prizon**. *n. : l. Kote yo mete kriminèl ak moun ki dezobeyi la lwa an pinisyon.* Yo mete vòlè a nan prizon. 2. *Limit.* Mwen ba ou lari a pou prizon w.

**prizonye***: n. Moun ki oblije rete nan prizon. 2. Moun ki tonbe nan men lennmi pandan lagè.*

**PSH***: Pati Sosyalis Ayisyen Gregwa Ejèn fonde an 1979. Ògàn kominikasyon li se te Fratènite.*

**pwa blan**. *: Varyete pwa sèk ki koulè blan.* Gen moun ki pa manje pwa blan leswa paske yo di li lou sou lestomak yo.

**pwa enkoni***: n fr. Pwa sèk, koulè bèj ak yon ti pwen nwa nan mitan l.* Gen moun ki konn fè akra ak pwa enkoni.

**pwa kongo**. *: Pwa ki donnen toupatou Ayiti.* Grann mwen te renmen kuit pitimi ak pwa kongo le tranteyen desanm.

**pwa nwa**. *: Varyete pwa sèk ki koulè nwa.* Mwen pa renmen pwa nwa poutèt li toujou ban mwen vantfèmal.

**pwa souch** *(pwa chouch): n fr. Non pwa plat, ki vèt yo manje ak diri osnon an sòs.* Diri kole ak pwa chous se yon bon manje.

**pwa valèt**. *: Varyete pwa wouj vèt.* Lè ou ap kuit pwa valèt ou pa bezwen kreve pwa a anvan pase se yon pwa vèt li ye, li poko sèk.

**pwa vèt** *: Legim, pwa ki pa rèk ni ki pa sèk.* Jaklin pral kuit yon pwa vèt wouj.

**pwa wouj**. *: Varyete pwa sèk ki koulè wouj.* Pwa wouj se pwa mwen pi renmen.

**pwa**. *n. : Grenn ki soti nan plant ki nan fanmi legiminez.* Legim sèk osnon vèt moun konn kuit *ansòs osnon kole, ak diri, mayi osnon pitimi. Pitimi ak pwa kongo. Ayiti moun renmen manje pwa ak diri osnon ak mayi. Gen pwa sèk ak pwa vèt. Grenn sèk yo gen anpil pwoteyin ladan yo. 2. Valè yon moun peze sou yon balans. Konbyen ou peze, madanm? Jan ou mèg sa a, ou pa fouti gen anpil pwa. 3. Enpòtans. Si se ou ki pale ak papa m, sa ap bay konvèsasyon an plis pwa. 4. Fwi ki gen yon koulè blan transparan andedan l, deyò a swa vèt osnon mawon. Pwa se yon fwi ki pa gen anpil odè.*

**pwal**. *n. : Pwèl. Cheve tou kout ki sou po , anbabra epi sou pibis moun. Gason gen pwal sou lestomak yo men fi pa genyen.*

**pwasenkant**. *n. : Chay lou. Pitit, ou lou kou yon pwasenkant.*

**pwason davril**. *: Pèlen ki pa danjere. Tradisyon pou pran yon moun nan pyèj jou ki premye avril. Pwason davril te yon amizman san mechanste lè mwen te timoun.*

**pwason**. *n. : Bèt ki viv nan dlo, nan lanmè osnon nan rivyè epi ki gen ekay sou kò l. Gen pwason dlo dous, gen pwason dlo sale.*

*Vètebre ki gen san frèt, ki gen Agil@ pou respire nan dlo, ki gen najwa pou deplase nan dlo epi tou ki gen kal sou po li. 2. Vyann bèt ki viv nan dlo pou moun manje.*

**pwatann**. *n. : Legim ki fèt ak po pwa vèt. Legim pwa tann bon anpil sou diri blan ak sòs pwa.*

**pwatray***: n. l. pwatrin cheval. Kòf lestomak moun.*

**pwatrin***: n. l. Zòn kòf lestomak, pati ant kou ak anba zo kòt. Madanm nan di doktè a li gen yon doulè nan pwatrin. 2. Tete, sen fi. Madanm sa a gen gwo pwatrin.*

**pwatrinè***: n. Maladi pwatrin, tibèkiloz. Maladi enfektye lè yon bakteri klas basiy enfekte poumon moun. Li fè moun nan touse, li bay lafyèv.Woje te pwatrinè.*

**pwatsouch, pwa souch**. *n. : Varyete pwa plat vèt. Lè mwen te timoun, pwatsouch se te bon manje.*

**pwav.** *n. : epis moun met nan manje pou ba l gou. Gen moun ki pa renmen pwav, yo di li twò cho.*

**pwavriye***: n. Veso pou mete pwav.*

**pwazon**. *n. : Pwodui ki kapab touye moun ou byen fè yo malad. Moun pa dwe kite pwazon kote timoun ka jwenn li.*

**pwazonnen**. *a. : Ki gen pwazon ladan l. Rat la pa manje manje a, li genlè santi manje a pwazonnen.*

**pwèl**. *n. : Pwal. Plim ki sou po moun, anbabra ak nan douvan yo. Gen gason ki gen pwèl sou lestomak yo tou.*

**pwen fokal** *(optik) : n fr. Pwen kote imaj la ofwaye. Kou ou jwenn pwen fokal la, imaj la te dwe klè.*

**pwen kadino** *: n fr. Pwen jeyografik ki pataje espas la an kat pati: nò, sid, lès, lwès. Gen kat pwen kadino.*

**pwen konjelasyon** *: n fr. Tanperati ki fè yon likid tounen solid.* Kou dlo a rive nan pwen konjelasyon li, li tounen glas.

**pwen**. *n. : 1. Dapre kwayans vodou, se pouvwa yon moun genyen pou pwoteje l osnon pou pèmèt li fè mal osnon byen.* Adriyèn pran pwen, se sa kifè kòmès li a mache byen konsa a. *2. Kouti, bwodri.* Ou konn fè pwen tij? *3. Nòt.* Kalin fè plis pwen pase Janwobè nan egzamen an.

**pwenn fè pa**: *n fr. adv. San diskisyon, se sa nèt.* Kondisyon se kondisyon, nou pa nan fè pa, se pwenn fè pa n ap jwe.

**Pwendisab** *(Point du Sable): Li fèt tou pre Senmak, Ayiti*

**pwenson**: *n. Zouti ki gen pwen fen ki fèt pou pèse yon bagay ki di tankou tòl.*

**pwent:** *n. 1. Bout, pati pwenti.* Pa kite pwent kouto a blese ou. *2. Voye pwent, pale an parabòl.* Madan Kalo ap plede voye pwent bay tout moun men pèsòn pa okipe l.

**pwente**. *v. : 1. Lonje.* Msye pwente kouto a sou mwen kareman. *2. Parèt pwent tèt.* Janjak konnen mwen pa nan rans li pap menm pwente la a.

**pwenti**. *a. : 1. File.* Kouto sa a pwenti papa, pa pwente l sou mwen. *2. Long.* Kijan nen ou fè pwenti konsa a, kot ki moun ou pran sa. *3. Bwòdè, tilititi.* Manmzèl gen yon franse pwenti l ap vin lage la a, tankou li fèk sot Anfrans.

**pwentiye**: *n. Liy ki fèt ak pwen. Liy ki pa kontinye. 2. a. Ki pran anpil prekosyon mensi se initil.*

**pwès** *: a. Epè, ki pa dlo, konsantre.* Ji grenadin sa a pwès.

**pwèt pou**: *pre. Pare pou, prèske rive.* Madan Jera pwèt pou akouche.

**pwezi**. *n. : Tèks ki ekri dapre yon kadans epi ak mo pou l kapab sonnen byen epi fè lespri moun kontan osinon reflechi.* Mwen renmen pwezi womantik yo.

**pwisans**: *n. 1. Fòs.* Machin sa a gen anpil pwisans. *2. Kapasite pou gen monopòl, pou kontwole resous.* Moun sa yo gen pwisans, pa konprann yo se piti. *3. Peyi ki devan nèt nan devlopman. Etazini se yon pwisans. 4. Nan matematik, ekspozan.* Ou ka ekri 3 pwisans .

**pwiske** *(pliske,piske): Kon. Kòm.* Pwiske ou di m, mwen kwè ou.

**pwobab**: *a. Posib, ki ta ka posib.*

**pwobabilite** *: n. Posibilite pou yon bagay fèt osnon rive.* Gen yon gwo pwobabilite pou lapli vini jodi a.

**pwoblèm**. *n. : 1. Difikilte.* Mwen plen pwoblèm semen sa a, mwen pa konn sa pou mwen fè. *2. Kalkil aritmetik.* Mwen pa konprann pwoblèm sa a menm, mwen pa konnen si se pou mwen fè yon adisyon osnon yon soustraksyon.

**pwoche**: *v. Vanse.* Pwoche pou ou ka wè pi byen.

**pwochèn** *(pochèn): a. Ki vini apre.* Pwochèn fwa nou va pale pi lontan.

**pwodig**: *a. Gaspiyè, depansè.*

**pwodiksyon**: *n. Zèv yon atis, yon ekriven eltr. 2. Rezilta travay agrikòl.* Rezilta aktivite endistri; travay, fabrikasyon.

**pwodiktè** *: n. 1. Ki pwodui.* Ou se pwodiktè pat tomat. *2. a. Ki pwodui.* Ayiti se yon peyi pwodiktè kann.

**pwodiktif**: *a. Ki rapòte, ki fètil, ki kreye anpil.*

**pwodui chimik** *: n fr. Pwodui ki genyen karakteristik chimik, ki ka sèvi pou plizyè fonksyon espesifik epi ki ka danjre tou.* Pa kite timoun jwe ak pwodui chimik.

**pwofanasyon**: *n. Aksyon yon moun pran pou pwofane yon kote osinon pou pwofane yon bagay ki sakre, ki gen valè.*

**pwofane**: *v. Trete san respè yon bagay relijye.*

**pwofese**: *n. Pratike yon metye.*

**pwofesè**: *n. 1. Moun ki ap enseye.* Pwofesè sa a ap anseye matematik. *2. Moun ki ap bay yon lòt yon seri enstriksyon.* Pwofesè piyano a malad jodi a.

**pwofesi**: *n. Prediksyon ki soti nan bouch yon moun ki resevwa enspirasyon.*

**pwofesyon**: *n. Metye, sa yon moun aprann dapre metòd.* Pwofesyon madan Jan se enjenyè.

**pwofesyonalize**: *v. Ògànize pou vin gen règ pwotokòl ak prensip. Ogànize tankou yon pwofesyon, yon metye.*

**pwofesyonèl**: *n. / a. Espesyalis nan yon metye.* Konpòtman kòrèk epi ki prediktib.

**pwofèt**: *n. Moun ki predi lavni.* Moun ki di sa ki pral rive onon yon bondye ki enspire li.

**pwofetize**: *v. Di kisa ki pral rive nan lefiti.*

**pwofi**: *n. Benefis.* Moun nan magazen sa a pa fè pwofi ane sa a.

**pwofil**: *n. Aparans yon figi lè ou gade li sou kote. 2. Koup teren, koup jeyolojik. 3. Rezilta tès ak klasifikasyon sikolojik.*

**pwofitab**: *a. Ki rapòte, ki bay avantaj, ki itil.*

**pwofite**. *v. : 1. Sote sou yon okazyon pou fè yon bagay.* Mwen tou pwofite pandan mwen nan katye a pou mwen vin rann ou yon vizit. *2. Grandi, devlope.* Timoun nan pa pwofite ditou ditou, èske li dwe malad?

**pwofitè**: *n. Moun ki ap pwofite yon bagay li pa merite. Malonèt.*

**pwofon**: *a. Ki gen pwofondè.*

**pwofonde**: *1. Ki gen ramifikasyon, ki pa senp, ni ki pa fasil pou moun aprann osnon konprann.* Gen moun ki twouve matematik twò pwofonde pou yo. *2. Ki gen pouvwa sinatirèl osnon ki pratike malefis.* Nèg sa a pwofonde, fè atansyon avèk li.

**pwofondè**: *n. Dimansyon ki ale anba, ki antre anndan. Ki pa sipèfisyèl.*

**pwogram** : *n. 1. Seri aktivite ki planifye pou yon tan espesifik.* Nan pwogram jodi a, gen matematik ak dikte. *2. Anbyans, aktivite lwazi.* Ki pwogram jodi a, ou pral silema?

**Pwogram konpyoutè**: *Diferan kòmann ak sekans pou konpyoutè ekzekite yo. Alòske ou ka wè tout pyès yon konpyoutè, ou pa ka wè pwogram nan. Sa ou wè se sèlman medyòm ki sèvi pou kenbe pwogram nan. (Se tankou yon tep, ou wè tep la men ou pa ka wè mizik la). Gen anpil kalite pwogram ki devlope pou fè tout kalite fonksyon moun bezwen konpyoutè fè. Fonksyon ekri lèt pa menm ak fonksyon kontablite osinon fonksyon jwe mizik. Pwofesè ak elèv sèvi ak pwogram espesyal pou etidye, fè devwa, kominike, fè desen, kenbe rezilta ekzamen eltr. Chak pwogram adapte konpyoutè a pou fè fonksyon pa li.*

**pwogram òdinatè** : *(Ale nan pwogram konpyoutè)*

**pwogramasyon**: *n. Ògànizasyon pwogram radyo, televizyon, edikasyon eltr. Planifikasyon. 2. Ekri kòd ak etap pou òdinatè ka fè yon travay.*

**pwograme**: *v. Fè pwogramasyon swa pou yon biwo swa pou yon evènman, swa pou yon òdinatè (konpyoutè)*

**pwogramè**: *n. Metye moun ki ap pwograme.*

**pwogrè**: *n. Avansman, devlopman.*

**pwogrese**: *v. Amelyore, avanse, macha annavan. 2. Lè yon malad pwogrese, li ap refè. Lè yon maladi pwogrese, malad la vin pi mal, li anpire.*

**pwogresis**: *a. Ki patizan pwogrè politik, ekonomik, sosyal; ki vle refòm.*

**pwogresyon**: *n. Avansman, pwogrè ki fèt pa etap.*

**pwojè**. *n. : Lide ki nan wout pou l reyalize.* Se pwojè pa mwen pou mwen ta marye ak Kalin ane pwochen.

**pwojeksyon**: *n. Mete imaj sou ekran.*

**pwojekte**: *v. Prevwa kijan yon bagay pral devlope. Fòme lide kijan yon bagay pral fèt ak kisa ki nesesè pou li fèt. 2. Mete imaj sou ekran. 3. Represante yon pwen ak yon liy.*

**pwojektè**: *n. Machin pou pwojte imaj sou ekran.*

**pwokire**: *v. Bay, achte.*

**pwoklamasyon**: *n. Deklarasyon ofisyèl.*

**pwoklame**: *v. Fè yon deklarasyon ofisyèl.*

**pwoletarya**: *n. Kondisyon lavi moun ki pòv. Lavi pwoletè, lavi pèp.*

**pwoletè**:*n. Ouvriye, peyizan, bòs manyèl, moun ki pòv, ki pa gen byen ni ekonomi.*

**pwolonje**: *v. 1.Bay plis tan, ogmante tan. 2. Fè yon bagay vin pi long.*

**pwolonjman**: *n. Alonjman, kontinyasyon.*

**pwomennen** *(pwonmennen)*: *v. Flannen, mache pou amize.* Timoun yo al pwomennen nan pak la.

**pwomès** *(pwonmès)*: *n. Òf davans, pawòl donè, òf garanti.* Moun yo te fè pwomès pou yo bay travay la atan.

**pwomèt** *(pwonmèt)*: *v. Fè yon òf, asire yon bagay, garanti kichòy, fè pwomès.* Li pwomèt manman l li ap tounen jodi a.

**pwomnad**: *n. 1. Flann, mache pou plezi.* Annou al fè yon ti pwomnad. *2. Joune, soti an gwoup pou ale nan lanmè osnon nan lanati.* Jodi a, klas twazyèm nan al nan pwomnad.

**pwonmnen**, *pwomennen. v. : 1. Mache a pye.* An al pwonmnen sou laplas la, gen yon bon ti van ki ap vante la a. 2. *Al fè yon tou, fè yon flann.* Annou al pwonmnen Petyonvil non, gen yon dyaz ki ap jwe plas Senpyè aswè a.

**pwomosyon**: *n. Monte nan grad, avansman, nominasyon. 2. Tout elèv ki antre nan yon pwogran nan menm ane epi ki diplome ansanm.*

**pwomouvwa**: *v. Ankouraje, soutni, favorize, atire atansyon sou yon pwodui, sou yon pwojè, sou yon lide.*

**pwonon**: *n. Mo pou ranplase yon non. Nan fraz "Li la a" li se pwonon.*

**pwononse**: *v. Li yon mo osinon yon fraz pou lòt moun tande; Pouse son pou kominike.* Jan pwononse mo yo lantman.

**pwononsiyasyon**: *n. Jan moun pwononse mo ak lèt.*

**pwonostik**: *n. Previsyon kijan yon bagay (maladi osinon evennman) pral devlope.*

**pwòp.** *a. : 1. Ki pa sal. Ou mèt met rad sa a, li pwòp. 2. Ki sanble sa yon moun ta fè.* Se pwòp Jozèt pou l antre nan lavi prive moun. *3. Kare bare.* Msye joure mwen pwòp papa, san mwen pa konnen kisa mwen fè l.

**pwopagann**. *n. : Reklam pou yon bagay.* Si ou ap plede di manje a bon konsa a , se pwopagann ou ap fè pou restoran an.

**pwopaje**: *v. 1. Miltipliye ak metòd repwodiksyon. 2. difize, fè pwopagann.*

**pwopagasyon**: *n. Estrateji bèt ak plant devlope pou yo repwodui, sa vle di devlope yon lòt jenerasyon.2. Fè yon bagay sikile.*

**pwopòsyon** : *n. Ekilib, balans osnon amoni pou mentni ant de osnon plizyè varyab.* Pyès kay sa a gen yon bon pwopòsyon.

**pwopòsyonèl**: *a. Ki rete an rapò epi ki varye nan menm pwopòsyon.*

**pwopoze** : *v. Ofri, rekòmande.* Janklod pwopoze pou nou al manje nan restoran.

**pwopozisyon**: *n. Sijesyon, konsèy, inisyativ.*

**pwòprete:** *Absans salte*

**pwopriyete chimik**. *n fr. : Kapasite, karakteristik, kalite chimik yon pwodui.* Gen pwodui ki gen pwopriyete chimik pou absòbe dlo.

**pwopriyete fizik** : *n fr. Kapasite, karakteristik osnon kalite fizik yon eleman. Gen eleman ki ka etann osnon retrakte sa depan nan ki kondisyon yo ye.*

**pwopriyete:** *n. 1. Tè. Kawòl gen yon pwopriyete sou wout Dèlma a. 2. Karakteristik.* Ki pwopriyete pwodui sa a genyen?

**pwopriyetè:** *n. Mèt, moun ki posede kichòy.* Pwopriyetè kay la pa vle lwe l.

**pwòpte** : *n. Netwayay, netwayaj.* Jodi a se jou pwòpte.

**pwosè:** *n. Litij ki soumèt bay lalwa.* Jera an pwosè ak Jewòm.

**pwosede** : *n. 1. Fason pou bagay fèt.* Ak ki pwosede ou sèvi? *2. v. Aji.* Jan ou pwosede a, se pa konsa mwen tap fè sa mwen menm.

**pwosedi** : *n. Fason etabli pou yon bagay fèt.* Si ou pa respekte pwosedi, ou pa ka konte pou gen menm rezilta toutan.

**pwosesis**: *n. Diferan etap òdone pou rive nan yon rezilta. Etap, devlopman.*

**pwosesyon**: *n. Defile relijye ak chan ak priyè.*

**pwosè-vèbal**: *n. Konsta, rapò ofisyèl.*

**pwospere:** *v. Devlope, miltipliye, pwogrese, fè kòb.*

**pwosperite**: *n. Fòtin, richès, pwogrè.*

**pwostat:** *n. Glann nan aparèy jenital gason ki bay yon likid ki soti ak espèmatozoyid.*

**pwostène**: *v. Mete ajenou devan yon moun pou ba li respè, bese tèt, bat ba.*

**pwostitisyon**: *n. Metye moun ki bay sèvis ak kò li pou lòt moun ka jwenn plezi sèks epitou pou fè kòb.*

**pwotèj**: *n. Yon bagay ki sèvi pou pwoteje yon lòt bagay. 2. Kondon.*

**pwoteje** : *v. 1. Mete sou pwoteksyon.* Paran yo dwe pwoteje timoun yo. *2. Defann.* Edwa ap pwoteje enterè l.

**pwoteksyon**: *n. Defans.* Depi ou sou pwoteksyon Wolan, anyen pap rive ou.

**pwotektè**: *a. Ki la pou pwoteje sa ki pi fèb.*

**pwotestan:** *1. Gwoup kretyen ki pa rekonèt otorite Lepap. Metodis, batis eltr.*

**pwotestantis**: *n. Doktrin leglis pwotestan. Leglis pwotestan yo.*

**pwotestasyon**: *n. Opozisyon, demonstrasyon. Deklarasyon pou endike dezakò.*

**pwoteste**: *v. Deklare dezakò piblikman. Dezapwouve.*

**pwoteyin** : *n. Fòtifyan ki nan vyann, ze, lèt, fonmaj ak pwa sèk epi ki ede moun gen mis, bibit san konte li ede timoun grandi byen.* Manje manje ki gen anpil pwoteyin.

**pwotokòl**: *n. Fòmil ak etap pou fè travay leta. 2. Fòmil ak etap pou fè yon eksperyans syantifik. 3. Konvansyon. Règ ki eksplike kijan pou diplomat konpòte yo an piblik. Règ konpòtman.*

**pwoton**: *n. Pati nan nwayo atòm ki gen chaj elektrik pozitif egal ak chaj elektwon yo men ki gen yon mas ki pi gwo. Se mas pwoton ki defini mas yon nwayo. Pwoton gen pi gwo mas pase elektwon.*

**pwotoplas** : *n. Pwodui chimik konplike ki fè selil vivan yo. Pwotoplas se pati esansyèl nwayo a.*

**pwotozowè** : *n. Animal pi piti ki genyen, li gen yon sèl selil.* Pwotozowè yo se animal vivan.

**pwouve** : *v. Bay prèv.* Si ou rive pwouve nou sa ou di a se vre, nou ap ba ou degouden.

**pwovèb**: *n. Koze ki di yon jan an parabòl, epi ki gen yon leson osnon yon moral ladan l.* Gen yon pwovèb ayisyen ki di sa ou fè se li ou wè.

**pwovens**: *n. Vil ki pa kapital yon peyi.* Jakmèl, Okay, Okap, Jeremi ak Ansavo se egzanp vil pwovens.

**pwovidans**: *n. Desten, gouvènman Bondye nan afè latè.*

**pwovidansyèl**: *a. Ki rive gras ak fòs pwovidans.*

**pwovizwa**: *adj. Pasaje, tanporè annatandan yon lòt rezilta definitif.*

**pwovizwaman**: *adv. Yon jan ki pwovizwa.*

**pwovizyon**: *n. Machandiz, sa ou achte.* Moun yo sot fè pwovizyon nan mache.

**pwovokasyon**: *n. Defi, atak.*

**pwovokatè**: *n. Moun ki ap pouse pou fè kont. Moun ki ap ankouraje batay, ki ap fè ti-difeboule.*

**pwovoke**. *v. : 1. Chache fè jous tan yon bagay rive, koze.* Se koudeta a ki pwovoke grèv la. *2. Chache kont.* Si ou vin pwovoke mwen la a, mwen ap bat ou ak rigwaz.

**pwoyibe**: *v. Entèdi yon bagay, anpeche, kondane.*

**poz**: *n. Repo, rekreyasyon.*

**pòz**: *n. Atitid, pozisyon.*

**poze**: *v. Repoze.*

**pyafe**: *v. Ponpe.* Timoun yo ap pyafe sou kabann nan.

**pyan**: *n. Maladi enfektye ou jwenn nan peyi twopikal, se yon treponèm ki pwovoke l.* Yo fè eradikasyon pyan nan peyi Ayiti depi lane senkant yo konsa.

**pyanis**: *n. Moun ki jwe piyano.* Jera se yon gran piyanis.

**pyano**. *n. : Enstriman mizik.* Si mwen te gen tan, mwen ta aprann jwe pyano.

**pyas**: *n. 1. Monnen ayisyen, goud.* Ban mwen de pyas. *2. Maladi, enfeksyon nan po tèt.* Ti gason sa a gen yon pyas nan tèt li.

**pye**. *n. :1. Pati nan kò ki kole ak janm epi ki gen yon fòm ki pèmèt pote pwa kò epi pèmèt mache kouri, kanpe.* Depi nan maten mwen kanpe sou pye mwen ap travay, li lè pou mwen pran yon repo. *2. Inite longè.* Yon pye egal douz pous. Konbyen pye ou mezire?. *3. Plant.* Pye zoranj, pye zaboka.

**pye atè**. *: 1. San soulye.* Pòl renmen retire soulye l pou li mache pye atè sou gazon an. *2. Ki pòv.* Li se yon gason pye atè, li poko ka marye.

**pye fig**. *: Pye bwa ki bay fig.* Pye fig sa a poko donnen ditou, mwen pa konn sa ki fè sa.

**pye kanbral** *: n fr. Pye kwochi akòz defòmasyon nan zo yo.* Jisten gen pye kanbral.

**pye mayas** *: n fr. Pye santi akòz enfeksyon ak fongis.* Janjan gen pye mayas.

**pyè**: *n. Wòch.* Gen bèl pyè bò lanmè a.

**pyè nan ren** *: n fr. Wòch, depo solid yo jwenn nan ren moun.* Madan Richa te gen pyè nan ren, men doktè wete yo pou li.

**Pyè, Andre** *(Pierre, André). np. : Li fèt nan lane 1916 nan vil Pòtoprens. Li kòmanse fè penti nan lane 1954. Li rekoni anpil kòm atispent. Plizyè nan penti li yo enspire sou relijyon vodou.*

**Pyè-Chal Jera** *(Gérard Pierre-Charles,): np. Ekonomis, sendikalis, politisyen. Li te manm PEP (Pati Antant Popilè) ak Jacques Stephen-Alexis, li te manm ògànizatè PUCH. Li te patisipe nan definisyon platfòm Lavalas. Li vin nan dezakò ak pati Lavalas epi li fòme "Operasyon Pèp an Lit"*

**Pyè Klod**, *(Pierre,Claude): np. Ekriven, pwofesè literati. Li fèt Koray yon vil bò lanmè nan depatman Grandans an Fevriye 194. Li te pwofesè fransè ak literati pandan apeprè 20 ane nan peyi Kanada. Li resevwa plizyè pri literè tankou pri jounal " Le Droit ", 1987; pri "L'Alliance française " 1987 nan vil Otawa. Li retounen an Ayiti an 1987. Li anseye nan sant lengwistik aplike ak nan " ENARTS ". Li ekri plizyè liv pwezi. A haute voix et à genoux (1969); "Coucou rouge" (1973); "Tourne ma toupie" (1974); "Le coup de l'étrier" (1986); "C'est un grand arbre qui nous unit" (en collaboration avec Jean-Guy Paquin)" (1988).*

**pyè presye** *: n fr. Wòch ki gen anpil valè, yo sèvi avèk yo pou fè bijou.* Koray, opal, ribi ak grena se pyè presye yo ye.

**pyebwa** *(pye): n. Plant ki gwo. Pa gen anpil pyebwa kote ki pa gen dlo.* Gen zeb pou bèt manje, gen raje pou fè kloti epi gen pyebwa pou bay lonbraj.

**pyedestal**: *n.1 Sipò pou mete yon estati, yon kolòn kay osinon yon potaflè dekoratif. 2. Leve, mete yon jan pou moun ka admire.*

**pyèj**: *n. Anbiskad, trap.* Yo pran Desalin nan pyèj.

**pyelou**: *n. Ensèk lou, nwa, ki gen zèl epè epi ki fè bri lè li ap vole, moun ki pa debouya.*

**Pyèlwi Nemou** *(Pierre Louis Nemours). : Prezidan Ayiti 1956-1957. Li te prezidan Gran Tribinal Ayiti ki te vin alatèt yon gouvènman pwovizwa pandan 40 jou konsa an 1956.*

**pyepoudre**: *a. Ki pa lakay li souvan. Moun ki gen aktivite deyò ki fè ou pa ka kominike ak li fasil.* Andre gen pyepoudre, se lematen bonè ou ka jwenn li lakay li.

**pyepoupye**: *adv.Imedyatman apre, san pèdi tan, san espas pou separe. Bab-pou-bab.* Mwen pye-pou-pye dèyè ou, ou ap premye, mwen ap dezyèm; si ou betize mwen ap depase ou.

**Pyè-pyè Liz** *(Lise Pierre-Pierre): np. Premye fi ki vin doyen Tribinal Sivil nan bawo Pòtoprens.*

**pyès**. *n. : 1. Moso yon bagay.* Ki kote nan machinakoud la pyès sa a dwe sòti? *2. Pati nan yon kay.* Mwen ta renmen lwe yon kay ki gen kat pyès. *3. Ditou.* Pa gen sa pyès!

**pyese***: v. Kole yon moso (pyès) twal sou yon lòt pou fè reparasyon, reprize.* Pyese pantalon an.

**pyete***: v. Mezire ak longè pye. Sèvi ak pye pou mezire longè.* An nou pyete distans lan.

**pyetine***: 1. Vire-tounen anplas. Pase tan san avanse nan yon pwojè. 2. Pile ak pye. 3. Pa respekte, manke dega.*

**pyeton:** *n. Moun ki ap mache apye.* Fè atansyon pyeton sou twotwa a.

**pyèv** *: n. Bèt lanmè ki gen fòm etwal ak uit branch-bra.* Janjan pè pyèv yo.

**Pyewo, Jeneral Janlwi** *(Général ,PierrotJean Louis). np. : Prezidan Ayiti ant 16 Avril 1845 jiska 24 Mas 1846. Dapre listwa, msye pat konn li kidonk lelit la te pwofite pou yo te fè sa yo vle avè l.*

**pyon***: n. Nan yon jwèt, pyès ou deplase nan yon direksyon pou ou ka genyen sou lòt jwè yo.* Pa mache pyon mwen yo.

**pyonnen***: v. Bay pyon. Poze pyon pou fè advèsè-a bay legen.*

**pyout:** *onom. Son lè yon moun ap fè yon bo. Li pyout pou mwen, sa fè kè m kontan.*

# R r

**r** *(èr): lèt nan alfabè. "r" se premye lèt nan mo "rat".*

**r.r** *(èr-pwen-èr) : n fr. Revoke ranplase.* Bèta gentan r.r. Elifèt.

**ra**. *: Ki pa rive souvan.* Mwen gen lontan mwen pa wè ou kijan ou fè ra konsa a? *2. a. kout, kole avèk.* Li mete yon jip ra kuis. Li kouche ra tè. Li plen vè a ra bouch. Ra bouch, ra bòl. *3. ono. derape ak tout boulin.* Li ra li kouri.

**rabache***: v. Ki fèt vit, san swen. Elèv la rabache devwa a.*

**rabat***: v. Reziyen ou pran yon lòt chwa ou pat vle.* Jozefa rabat li sou poul men se pwason li te vle. *2. Pliye.* Li rabat woulèt jip la.

**rabè***: n. Rediksyon nan pri pou vann yon bagay.* Pratik fè yon ti rabè pou mwen. Jodi a pa gen rabè.

**rabi**: *v. 1. Pachiman, ize, abime, ki pa bon ankò.* Jipon sa a rabi. *2. Manje ki pa byen kuit.* Lanbi sa a rabi.

**rabo***: n. Zouti menizye sèvi pou fè planch lis, valòp.* Prete m rabo ou la, tanpri.

**rabò***: n. sou kote.* Pa jwe nan rabò pisin nan.

**rabòday***: n. Dans fòlklò, kanaval osinon rara ki gen mouvman ranch rapid, ekzajere epi eksite.* Ann al danse yon ti rabòday la a.

**rabote***: v. Pase rabo.*

**Raboto***: np. Katye nan vil Gonayiv.*

**rabougri***: a. Ki pa byen deblope. Pa gen lapli, plant yo rabougri.*

**raboure***: v. Pran ak grap, trete san afeksyon.* Li di pou ou ap raboure yon timoun nan lari a.

**rach**: *n. 1. Zouti pou koupe bwa.* Bòs la sot achte yon rach. *2. Youn nan machin senp yo.* Rach pouli se tounvis, levye se ekzanp machin senp.

**rache**. *v. : Retire, wete, dechouke. Rache manyòk. Rache dan.*

**rachitik***: a. Ki pa byen devlope.* Gen mizè, bèt yo rachitik.

**rachòt***: n. 1. Zouti ki sanble ak rach ki sèvi pou koupe bwa.* Eske ou gen yon rachòt prete m? *2. Youn nan machin senp yo.* Rach ak pouli se de machin senp.

**rad**. *n. : 1. Sa moun met sou yo pou kouvri kò yo, li fèt ak twal. Fi mete jip epi ak kòsay, gason mete chemiz ak pantalon. 2. Wòb fi mete souyo. Lè jip la kole ak kòsaj la se yon rad.*

**rada** *: 1. Youn nan lwa enpòtan yo nan relijyon vodou. 2. Kadans osnon rit tanbou pou lwa sa a.* Lwa rada pran Jozefa lotrejou, tout moun sezi. *3. Zouti, sistèm radyo ki ka detekte prezans, pozisyon ak vitès avyon, bato ak machin*

**radi***: n. 1 Legim ki gen koulè wouj sou deyò epi blan andedan.* Mete radi nan salad la, li ap ba li koulè. *2. a. ensolan, malelve, enpètinan, awogan.*

**radikal***: a. 1. Ki konsantre sou sa ki fondamantal. 2. Ki diferan anpil parapò ak sa ki te la anvan.*

**radiyasyon***: n. 1. Ekla limyè.* Sal sa byen klere, gen yo bon radyasyon limyè toupatou ladan l. *2. Elimine.* Direktè a mande pou yo fè radyasyon senkant pousan nan anplwaye yo. *3. Enèji reyon kap pwopaje, tankou reyon X osnon iltravyolèt.* Moun pa dwe ekspoze nan radyasyon san nesesite.

**radiyès**: *n. Frekansite, konpòtman moun ki radi.* Sa se radiyès sa, pou yon moun manyen afè yon lòt san mande lapèmisyon.

**radiyis***: n. Zo long ki nan anvanbra, toupre ak kibitis la.* Doktè mete anvanbra Woje nan plat paske li kase radiyis li.

**rado***: n. 1. Kannòt ki fèt ak poto bwa. Moun yo monte rado a pou yo al flannen. 2. Yon pakèt. Yon rado mouch antre nan pòt la.*

**radòt***: n. 1. Koze san enpòtans.* Kalin ap di radòt la a. *2. Bagay san enpòtans. Pa fatige kò ou pou remèt mwen lajan an, sa pa enpòtan, se yon radòt.*

**radotay***: n. 1. Koze san enpòtans. Pa kite Kalin ap vin di radotay la a. 2. Bagay san enpòtans. Si ou pèdi degoud, se radotay, sa degoud ye?*

**radote**: *v. Rakonte pawòl san enpòtans; ranse, pale koze ki pa itil pèsòn.* Klèsid vin la a, li radote kont li.

**radotè**: *n. Moun ki ap radote. Klèsid se yon radotè.*

**radyatè**: *n. Pati nan machin ki refwadi motè. Radyatè a chofe twòp.*

**radyo**. *n. : 1. zouti ki pèmèt ou pran pòs lè ou bezwen tande pwogram. Mwen pa gen radyo lakay mwen, se sa ki fè mwen pa gen nouvèl. 2. Estasyon kote pwogram nan soti a. Ou te konn tande Radyo Ayiti? 3. Ond pou tande pwogram.*

**radyodyòl**. *n. : teledyòl, metòd pou fè bri kouri sot nan bouch antre nan zorèy.* Se nan radyodyòl mwen aprann Andreya pran rak.

**radyografi**: *n. Foto andedan kò yon moun pandan yo pase l reyon X.* Kalo sot fè radyografi.

**radyomèt** *(zouti): n. Zouti mou mezire radiyasyon.* Laboratwa sa a gen de radyomèt.

**Radyo Ayiti Entè**: *estasyon radyo nan Pòtoprens ki te konn jwe wòl kritik sosyal epi ki bay anpil enfòmasyon an Kreyòl pou fè konneksyon ak tout moun. Enfòmasyon an Kreyòl nan ane 70 yo te louvri je anpil moun sou sitiyasyon peyi a epitou pèmèt yo konpare reyalite yo ak reyalite moun nan lòt peyi.*

**Radyo Solèy:** *Estasyon Legliz Katolik ki jwen eko nan klas popilè yo espesyalman kote ki gen komite Tilegliz.*

**raf**: *n. Ti lotri lokal ki bay ti pri.* Janjan gen yon boul nan raf la.

**raf**: *n. lotri ki pa regilye.* Mwen genyen yon oto nan raf la. Mwen pa ka vann oto a pito mwen fè yon ral avè l.

**rafal**: *n. 1. Anpil, yon pakèt.* Yon rafal sirèt. *2. Gwo van.* Pa soti nan lakou a pandan rafal la.

**rafine:** *a. Ak estil, ki gen mannyè, ki pa bosal.* Adlin gen jès ki rafine.

**rafle**: *v. Fè raf ak yon bagay.* Yo rafle oto a men pèsonn moun pa genyen l.

**rafrechi**: *n. 1. Fèy tranpe nan dlo, mayezi osnon lòt pwodui natirèl osnon manifaktire, ki fè yon moun santi li byen lè li bwè l.* Rafrechi bab mayi, rafrechi leti. *2. Ji natirèl ki sipoze ka fè ou santi ou byen lè ou bwè l.* Rafrechi kokoye. *3. v. Ki fè yon bagay vin fre.* Beny nan rivyè a fè ManYaya santi li rafrechi. *4. Raple, fè sonje.* Rafrechi memwa.

**rafrechisan**: *a. ki fè moun santi frechè.* Fresko rafrechisan.

**rafrechisman**: *n. Bwason fre, pwodui natirèl osnon atifisyèl ki fè yon moun santi li fre lè li bwè yo.* Ji grenadya sa a se yon bon rafrechisman.

**rafredi**:*v. Refwadi, fè yon bagay vin frèt.* Rafredi ji a, mete yon ti glas ladan l.

**ragou**: *n. Vyann wouj (kabrit, bèf) ki kuit an sòs.* Ragou bon sou diri blan ak sòs pwa.

**raj**: *n. 1. Fache terib.* Pa pase raj ou a sou moun. *2. Maladi ki atake moun osinon chyen.* Chyen sa a gen raj, pito yo mare l.

**raje**: *n. Zèb initil.* Lakou a plen raje.

**rak:** *n. 1. Sipò* Mete tabak la sou rak la pou li seche. *2. Raje.* Konn gen koulèv nan rak la. *3. Kache, pran rak.* Leyon panse yo ap vin arete l, li pran rak.

**rakbwa**: *n. Raje, espas ki pa òganize.* Pa dèyè lakou Jan an se yon rakbwa ki genyen.

**rakèt**: *n. 1. Plant kaktis, ki gen yon fòm plat laj epi ki gen ti pikan sou deyò.* Gen moun ki konn tranpe rakèt pou fè remèd. *2. Zouti pou jwe tennis osinon badmintonn.* Rakèt tennis.

**rakle:** *v. Bri, jès epi reyaksyon yon moun ki pral mouri genyen.* Madanm nan rakle anpil anvan li mouri.

**rakò (akò):** *n. Jwen, moso ki fèt pou li kole de lòt ansanm.* Ou bezwen tache de moso fè sa yo ak yon rakò.

**rakokiye**:*v. Kokiye, akokiye, ranmase kò ou an boul.* Te fè frèt, tout moun te rakokiye yo bò recho dife a

**rakonte**:*v. Di, esplike.* Yo rakonte m kijan Leyogàn se te yon bèl vil.

**rakwen:** *n. Kwen, lwen, nan fon, kache.* Moun yo al preche nan tou rakwen Lakolin.

**ral**: *n. Rakle, son, jès epi atitid yo moun ki pral mouri.* Janwobè fè omwen dis ral anvan li resi mouri.

**ralba**: *n. jwèt timoun jwe, yo fèl ak yon bouchon kola ki plati epi yo fè de ti twou nan mitan. Apresa yo mete yon fil nan twou yo. Lè yo vire fil la epi yo rale li, bouchon an vire.*

**rale kò:** *v. 1. Ale.* Si jodi Kalin rale kò l, li met deyò. *2. Abandonne.* Mesye yo rale kò yo, se mwen sèl ki rete antrave.

**rale**. *v. : 1. Mouvman timoun ki ap aprann mache epi ki ap trennen sou dèyè yo.* Mèseli koumanse rale depi sou simwa. *2. Atire, fè yon bagay vin sou ou.* Chantal se moun ki renmen rale moun vin sou-li. *3. Masaj.* Si biskèt ou tonbe se pou ou ta va al fè yo rale l pou ou.

**ralfò (alfò)**: *n. Sak ki fèt ak fib latànye.* Kote ou achte ralfò sa a. *2. Sak ki sèvi pou depoze kado pou lwa nan relijyon vodou.*

**ralonj**: *n. Fil ou kole ak yon lòt pou fè l vin pi long.* Prete m yon ralonj tanpri.

**ralonje**: *v. 1. Fè yon bagay vin pi long.* Mesye yo ralonje pwogram nan. *2. Delye, melanje.* Ralonje ji a ak yon ti dlo.

**raman**: *adv. Ki pa rive souvan.* Nou al Nouyòk raman.

**rame**: *v. Deplase sou dlo ak ram.* Gen de moun ki ap rame nan lanmè a, nan yon ti chaloup.

**ramoli**: *v. 1. Vin pi mou.* Si ou tranpe vyann nan ak fèy papay, li ap ramoli. *2. Relaks, kal, gen mwens tansyon.* Jak ramoli la menm kou li tande Kalin.

**ramye (ranmye)**: *n. Zwazo, pijon sovaj.* Li sot lachas, li pote senk ramye.

**ran**. *n. : 1. Liy, anran. Tout timoun vin mete nou nan ran kote matmwazèl la di a. 2. Nivo sosyal.* Ou tou konnen Alis pa ran w.

**ranblè**: *n. Tè, wòch kase, nenpòt ki sa ki sèvi kòm ranplisaj pou bouche twou.* Yo te mete ranblè atè nan lari a anvan yo danmen li.

**ranbouse**. *v. : Remèt lanjan, rann.* Si ou pa kapab ban mwen machandiz la, ranbouse mwen lajan mwen.

**ranch**: *n. 1. Pati toutotou basen yon moun. Anch, ren, tay, senti. Doulè bò ranch.* Kawòl gen doulè ranch. *2. Estil kay andeyò pou moun al repoze.* Estefèn gen yon ranch Laplenn.

**randevou**: *n. Antant ant moun pou rankontre yon kote nan yon moman egzak.* Nou gen randevou ak Kalin a dezè. Nou ap kase yon randevou.

**randman**. *n. : Sa ki bay, sa ki pwodui, benefis.* Kòmès sa a pa enteresan paske lè mwen kuit vyann nan, li pa banm yon bon randman, mwen toujou ap pèdi sou lajan m nan.

**randui**: *n. Krepisay, kouch mòtye pou kouvri yon mi an blòk osinon an bwa.* Se jodi a bòs la ap mete randui a.

**randuisay**: *n. Krepisay, kouch mòtye pou kouvri yon mi an blòk osinon an bwa.* Randwisay sa a byen fèt.

**ranfò**. *n. : 1. Èd, sekou.* Kalo sitan fin dechennen la a, se ranfò mwen blije mande anvan li touye mwen. *2. Sipò.* Lapolis mande ranfò

**ranje**. *v. : 1. Mete nan lòd, òganize, fè plan.* Jodi samdi, se jou pou mwen al ranje kay mwen. *2. Ki pwazonnen.* Pa manje manje sa a non, se manje ranje li ye.

**rankin**: *n. Kenbe nan kè, santiman dezagreyab yon moun ka genyen kont yon lòt aprezavwa lòt la te fè l yon tò.* Jera se yon moun san rankin.

**rankinye**: *a. Ki gen rankin, ki pa bliye sa ki mal ki ta pase epi ki ap chèche okazyon pou vanje.*

**rankont**: *n. Kwazman, sitiyasyon kote de osnon plis moun rankontre.* Chak ane fanmi Wozita yo òganize yon rankont kote tout manm fanmi an vini pase yon jounen ansanm.

**rankontre**: *v. Kwaze, jwenn youn ak lòt.* Nou rankontre anba galeri boulanjri Senmak la.

**ranmase**: *v. Pran atè.* Vin ranmase mango ki tonbe yo. *2. Kontrakte.* Papa Mirèy ranmase figi l kou li tande sa ki pase a.

**ranmye**. *n. : Yon plant Ayiti ki gen fib solid anpil.* Mwen gen yon pye ranmye nan lakou lakay mwen an.

**rann fou**: *v fr. Chaje tèt, rann san souf, ensiste.* Timoun yo rann manman yo fou pou li mennen yo al gade madigra.

**rann gaz**: *v fr. Sitiyasyon kote enpe lè andedan yon moun soti, volontèman osnon envolontèman, swa pa anwo (pa bouch) osnon pa anba.* Ou pa dwe rann gaz sou moun, si sa rive ou, ou dwe di eskize.

**rann kont**: *v fr. 1. Rapòte.* Li vinn rann manman l kont sou sa ki pase a. *2. Reyalize.* Li rann li kont pwofesè a pa nan rans. *3. Remèt, peye pou sa ou fè.* Yon jou, ou va gen pou rann kont sa ou fè.

**rann san souf**: *v fr. Pa lage, ensiste.* Elèv yo rann pwofesè a san souf pou li mennen yo nan pwomnad la.

**rann vè (jete vè)**: *v fr. Sitiyasyon kote gen parazit ki ap soti nan twou dèyè yon moun, swa paske li pran medikaman pou sa osnon paske parazit la soti konsa.* Ti pitit sa a rann de vè nan semenn sa a.

**rann vizit**: *v fr. Al vizite, al wè yon moun.* Si jodi ou pa al rann madan Estefèn vizit?

**rann**. *: Vomi, soti.* Depi mwen bay Magarèt remèd la, li rann de vè. *2. Remèt, pote.* Apre detwa jou Jak fè nan kache, li al rann tèt li bay otorite yo. *3. Lakòz.* Pwoblèm sa a vin rann timoun nan chimerik toutan.

**ranni**: *v. Son bourik fè.* Tande bourik la ki ap ranni. *2. Fason gwosye pou di yon moun ap pale osnon kriye fò.* Sispann ranni la a, bay moun zòrèy yo.

**rannman**: *n. Pwodiksyon parapò ak sa ou te atann.* Antwàn bay bon rannman nan lekòl li. Komès la bay rannman, li rapòte.

**ranp**: *n. Pant pou monte.* Gen yon gwo ranp pou monte kay Lora a.

**ranpli**: *v. Plen.* Bokit sa a ranpli ak dlo.

**rans**. *n. : Radòt, koze initil, anyen menm.* Tout sa ou tande a, tout se rans.

**ranse**. *v. : Betize, di bagay san enpòtans, radote.* Pòl toujou ap ranse.

**ransè**. *n. : Moun ki toujou ap di bagay ki san enpòtans.* Monchè, mwen pap okipe w, ou se yon ransè.

**ranseyman** *(ransèyman): n. Enfòmasyon.* Nou bezwen ransèyman sou lekòl segondè.

**rant:** *n. Lajan ki rantre apatid envestisman yon moun fè.* Jera pap travay, se sou rant li l ap viv.

**rantre:** *v. l. Antre andedan, pa rete deyò.* Tout timoun, rantre. 2. *Fèmen kò, antre nan koki.* Kawòl gen yon jan li rantre nan koki li tankou pou moun pa pale avèk li. *3. Wete nan sikilasyon.* Yo rantre tout medikaman ki soti laba yo. *4. Mete nan plas yo, ranje.* Vin rantre veso yo nan gadmanje a.

**ranvwa**. *n. : l. Seremoni kote ou kwape yon lwa yon moun voye sou yon lòt.* Nou pral fè yon ranvwa aswè a, nou envite w. *2. Moun ki vini tou pare pou l anmède yon lòt.* Rale kò ou tande, ou sanble ou se yon ranvwa, mwen kapab koresponn avèk ou tou.

**ranvwaye (ranvoye):** *v. l. Replanifye pou yon lòt dat.* Moun yo ranvwaye maryaj la pou ane pwochen. *2. Revoke.* Yo ranvwaye bòn nan.

**ranyon**. *n. : l. Moso twal ki sèvi pou netwaye. Rad ki dechire.* Mwen gen yon bwat plen ranyon, gad ladan l wa jwenn twal pou siye. 2. *Moun san respè.* Gen moun yo fè tankou se ranyon yo ye, yo fè tout sa ki pa bon.

**rap**: *n. l. Bwi ki fèt lè ou pran yon bagay ak fòs, ou rape l.* Ti fi a fè rap li rale degoud la nan men tigason an. 2. *Estil mizik ki soti nan tradisyon nwa ameriken.* Moun yo al danse rap.

**rapadou**. *n. : Yon sik solid ki fèt ak ji kann.* Gen moun ki renmen akasan nan fèy ak rapadou.

**rape: v**. *l. Pran ak fòs, rale.* Pa rape asyèt la nan menm. 2. *Danse estil mizik nwa ameriken yo rele rap la.* Danse rap.

**rapid:** *a. Vit, san pèdi tan.* Li vini rapid.

**rapidite**: *n. Vitès yon moun pran pou li fè yon bagay.* Li fini travay la ak yon rapidite.

**rapidman**: *adv. Vit, san tann.* Li mache rapidman.

**rapido-presto:** *adv. Trè rapid.* Tout travay te gen tan fèt rapido-presto.

**rapistole**: *l. Repare rapidman, san anpil atansyon.* Vin rapistole jip sa a pou mwen tanpri.

**rapò**. *n. : l. Jan ou boule ak yon lòt moun.* Mwen gen bon rapò ak Jan, si mwen mande l yon sèvis, li pa kapab refize mwen. 2. *Komisyon, pote plent.* Ou toujou gen pou ou al pote rapò bay manman w, tankou se yon timoun piti ou ye. *3. Gaz.* Chak tan mwen manje chou, li fè mwen fè rapò si.

**rapòte**: *v. l. Al pote rapò.* Se madan Dyo ki te rapòte tout sa ki te pase. *2. Ki bay rannman, ki pwodui.* Ane sa a danre a pa rapòte. *3. Rann kont, eksplike egzakteman.* Se radyo nasyonal ki rapòte evenman an. *4. n. Pati yo ajoute nan yon kay pou fè plis espas.* Depi yo konstwi rapòte sa a, kay la parèt pi gran.

**rapòtè**: *n. l. Jouda, moun ki la pou l al rakonte.* Fòk nou pa di tout koze devan Alisya, se rapòtè li ye. 2. *Moun ki nan reyinyon pou pran nòt pou fè rapò osinon pou ekri fèy papye listwa pran rapò pote ale.* Se dam sa a ki rapòtè nan ekip la. *3. Enstriman pou desine sèk.* Ou ka fè yon sèk pafè si ou gen rapòtè.

**rapousuiv**: *v. Suiv yon moun joustan ou rejwenn li.* Jak rapousuiv vòlè a joustan li kenbe l.

**rapyay. n**. *: Moun ki pa bay tèt li valè, ki fè tenten, ki vilgè.* Anita se rapyay monchè, ou byen fèt pa marye avè l.

**rara**. *n. : l. Bann madigra ki gen vaksin, banbou, tanbou, rèn chantrèl ak chante pwen. Rara soti sitou nan peryòd semenn sent, men nan peryòd kanaval, yo pran lari tou.* Mwen pral nan yon rara Leogann aswè a. *Mizik fòlklò ki gen vaksin ki sanble ak mizik ki jwe nan rara.* Boukmann Esperyans la jwe anpil rara.

**ras**: *n. l. Gwoup moun ki gen menm orijin etnik.* Gen ras blan, nwa, jòn ak wouj. 2. *Fanmi.* Pitit sa a pran maladi sa a nan ras li. *3. Gwoup, gwoupman, tip moun ki sanble osnon ki gen menm abitid.* Jaklin toujou di li pa annafè ak vòlè, sa se yon ras li pa ka sipòte.

**rasanble**. *v. : l. Mete ansanm, sanble.* Timoun yo rasanble tout jwèt yo epi yo mete yo nan yon gwo bwat. 2. *Reyini.* Tout moun rasanble pou fèt la.

**rasanbleman**. *n. : l. Reyinyon.* Te gen yon gwo rasanbleman sou laplas la semenn pase a. 2. *Seremoni lwa.* Mwen pral fè yon rasanbleman pou mwen konnen kote mwen bout.

**rasi**. *: l. a. Ki pa fre. Madan Antwàn vann pen rasi, mwen pa renmen yo, yo twò di. 2. Ki pa byen grandi, ki chetif. Tigason sa a rasi, kote l ye la a, li gen gwo ventan sou tèt li.*

**rasin kare:** *n fr. l. Nan aritmetik, operasyon kote ou chèche kare yon chif.* Rasin kare 9 se 3.

**rasin**: *n. pati nan plant ki pouse anba tè, ki pa gen fèy, ki kenbe plant lan nan tè, rale dlo ak fòtifyan nan tè a epitou estoka manje.* Gen divès kalite rasin. Gen rasin vètikal, rasin pivotant tankou kawòt, gen rasin fasikile tankou mayi, pitimi, zèb eltr... gen rasin an tibèkil tankou bètrav, gen rasin advantiv ak diferan lòt kalite rasin ankò.

**rasyo:** *n. Relasyon ant de valè.* Pa egzanp, 1:2 vle di yon fwa youn pou chak de fwa lòt.

**rat**: *n. Bèt, wonjè.* Rat se yon wonjè ki konn ki jan pou li mòde soufle.

**rate**: *v. 1. Pèdi okazyon.* Nou rate opòtinite pou nou ale nan lanmè ansanm. 2. *Mal vize.* Yo rate objektif yo. *3. n. Sitiyasyon kote yon evenman osnon yon danre vin ra.* Gen rate pitimi semenn sa a.

**ratezon**: *n. Rate, ratman, mank.* Gen ratezon pitimi.

**ratman:** *n. Rate, mank.* Gen ratman manyòk.

**rato**: *n. Zouti, nan jadinaj, ki sèvi pou bale fèy sèch san ou pa brase tè a.* Nou bezwen yon rato.

**ratresi:** *v. Vin pi piti.* Twal la vin ratresi apre nou fin lave li.

**ravaje:** *v. 1. Piye.* Yo ravaje kay madan Kola a. 2. *Detwi.* Apre siklòn nan, tou pwopriyete yo te ravaje nèt.

**ravajè**: *n. Moun ki ap fè ravaj.* Ravajè yo pase, se sa yo bliye yo pa pran.

**ravèt**: *n. Bèt, òthoptère ki gen fòm plat epi ki konn vole pafwa.* Pa kite kras manje ap trennen pou pa ankouraje ravèt vin nan kizin nan.

**ravin**: *n. Gwo espas fon ki alantou yon kote ki pi wo, kote toujou gen dlo ki ap koule.* Lè lapli tonbe, dlo a monte wo nan ravin nan.

**Ravinakoulèv** *(Ravine a Couleuvres). : Vil ki tou pre Gonayiv kote Tousen Louvèti te pare yon pyèj pou Wochanbo an 1802.* Anpil moun te mouri nan kan Tousen an men Wochanbo te gen anpil moun nan kan pa li a tou.

**ray**: *n. Ba fè ki fè de liy paralèl ki sèvi wout pou tren.* Moun pa dwe rete kanpe sou ray yo.

**rayi**. *v. : Paka wè, pa renmen.* Mwen rayi al lavil, pa gen kote pou estasyone machin menm.

**rayisab**. *a. : Moun ki pa vle wè lòt moun.* Kijan ou fè rayisab konsa a.

**raz**: *a. San pwogram, san anbyans, anniye.* Tout timoun yo chita byen raz, san yo pap fè anyen debon.

**raze:** *v. Wete cheve osnon bab ak yon razwa.* Papa Kalo ap raze l ak yon razwa elektrik.

**razè**. *a. : Ki pa gen kòb.* Prete mwen yon ti monnen la a non, mwen razè seryèzman.

**razwa**: *n. Zouti ki gen yon lam file, lè ou pase l sou po ou kote ki gen cheve osnon bab, si li file, li koupe yo ra.* Razwa sa a pa file, li pa raze m byen.

**rebat:** *v. Bat ankò, remelanje.* Rebat kat yo.

**rebèl:** *n. 1. Moun ki an rebelyon, ki andezakò ak jan bagay yo ye.* Rebèl yo pran rak. 2. *Ki an rebelyon, ki pa vle kolabore, ki reyaji kont yon prensip.* Timoun rebèl.

**rebele**: *v. Reyaji kont.* Anplwaye yo rebele yo kont chanjman nan orè travay la.

**rebelyon**: *n. Sitiyasyon moun ki ap rebele yo ye, reyaksyon kont yon reyalite a.* Anplwaye yo an rebelyon, yo di yo pap travay.

**rebitan**: *a. Ki fè ou pa anvi plis.* Konfiti sa a twò dous, li rebitan.

**rebite**. *v. : Degoute, bay degoutans.* Mwen rebite manje jenjanbrèt.

**rebò**: *n. Pati tout alantou, kontou.* Rebò asyèt, rebò liv.

**rebondi**: *v. 1. Reyaji, rebonbe, retounen frape.* Boul la rebondi nan mi an.

**rechany:** *n. 1. Rad, pou fi kòm pou gason.* Ou gen yon bèl rechany. 2. *Rad siplemantè, ki sèvi pou ranplase sa sou ou a.* Konbyen rad ou pote kòm rechany.

**rechit:** *n. Retounen tonbe nan sa li te ye.* Sante madan Kalo pat pi mal men li tounen fè yon rechit, depi lè a li pa bon menm.

**rechiya:** *n. 1. Timoun ki renmen kriye pou dan ri.* Ou rechiya twòp. 2. *Karakteristik yon moun ki renmen plenyen osnon kriye.* Gaston rechiya, anvan anyen l ap kriye pou yo ba li ogmantasyon nan travay li a.

**recho**: *n. Akseswa ki fèt pou mete chabon ladan l pou kuit manje.* Gen recho twa pye, gen recho wòch.

**recholye**: *n. Moun ki fè recho.* Men recholye a ap pase.

**rechte** *(rejte) v: Vonmi.* Timoun nan ap plede rechte, siman li malad.

**rèd**: *a. San bouje, tou dwat.* Timoun yo kanpe rèd kou yon pikèt lè yo wè pwofesè a kenbe yo.

**redi**. *: 1. Eseye ak difikilte.* Depi lòt jou mwen ap redi fè machin sa a mache men mwen pa kapab. 2. *Rale, fè fòs.* Sispann redi sou fil la, la kase wi. 3. *Fè kriz.* Pitit la rete konsa, li redi kò l epi li tou mouri nan men madanm nan wi. 4. *v. Repete.* Konbyen fwa pou mwen redi ou sa ou ap fè a se pa konsa pou ou fè l?

**redui**: *v. 1. Diminye sou kantite orijinal la.* Kantite moun ki tap pral nan bal la redui kounye a. 2. *Konsantre.* Sòs pwa a redui twòp paske dife a twò wo. *3. Febli, megri.* Malad la redui anpil, li tankou zo ak po kounye a.

**refè**. : *Geri, ki pa malad ankò.* Depi mwen fin pran remèd la mwen refè lamenm.

**refiz** *(refi): n. Mete opozisyon, refize bay, denye.* Madan Kalo te al chèche viza, yo bali refiz.

**refize**: *v. Mete opozisyon, pa bay, denye. Konsil la refize ban mwen viza a.*

**reflechi**: *v. Panse.* Nou reflechi sou sa epi nou deside pa ale ankò.

**reflèks**: *n. Reyaksyon yon moun genyen san li pa konsyan.* Kou solèy la klere nan je ou, ou gen reflèks fèmen je ou tousuit.

**refleksyon**: *n. 1. Chanjman nan direksyon reyon limyè lè li kontre ak yon sifas ki lis tankou miwa, (glas) osinon dlo. Lè reyon ki soti sou yon bagay al frape sou yon yon lòt bagay ki pa kite reyon yo pase, reyon yo chanje direksyon epi yo fè yon refleksyon imaj premye bagay la. 2. n. Rezilta apre limyè pase nan yon miwa. Limyè, imaj, son, chalè ki retounen apre yo frape yon sifas reflektif. 3. Konsantrasyon lespri sou yon sijè serye pou panse sou li. 4. Konklizyon (rezila) apre anpil panse sou yon sijè. 5. Lide, panse.* Dapre refleksyon mèt la, elèv sa a pap pase nan sètifika.

**reflektè**: *n. Aparèy ki fè ond yo reflechi gras a yon seri miwa. Reflektè yo ka reflechi limyè osnon chalè.*

**reflete**: *v. 1. Pwojeksyon yon imaj, men yon fason twoub.* Imaj nou reflete nan dlo a. 2. *Parèt, reprezante.* Jan ou aji a pa reflete yon bon imaj pou fanmi an ditou.

**refraksyon**: *n. Deviyasyon reyon limyè osnon reyon elektwomayetik. Ang refraksyon.*

**refren**

**refwadi** *(rafredi): v. 1. Vin frèt.* Manje a refwadi. 2. *Manke enterè.* Enterè tout moun refwadi pou yo soti paske lapli ap tonbe kounye a.

**refwadisman**: *n. Pran fredi paske ou soti nan cho ou al nan frèt san ou pa poze.* Madan Gaston pran refwadisman.

**règ**: *n. 1. Règleman ki etabli pou endike kijan yon bagay dwe fèt.* Règ jwèt la. règ gramè. *2. Tandans jeneral.* Toujou gen eksepsyon nan yon règ. *3. Peryòd, lalin. Etap nan peryòd yon fi lè mikis ki nan iteris li soti deyò.* Règ yon fi vini chak mwa (apeprè 28 jou) Tifi a gen règ li. *4. Zouti pou trase liy dwat.* Règ *an bwa osnon an plastik.*

**regadan**. *a. : Ki pap fè chich avè moun, ki pap gade sou yon lòt.* Oska pa regadan, se moun ki renmen pataje.

**regade**: *v. 1. Ki gen avwa ak.* Istwa sa a regade Jwif yo. *2. Gade kòm, pran pou.* Moun yo pa regade ou pou anyen. *3. Gadę ankò.* Lora regade dèyè pou li si pa gen moun ki ap suiv li.

**rege**: *Estil mizik nan karayib la ki devlope anpil nan peyi Jamayik.* Youn nan atis-filizòf ki konni anpil nan mizik rege se Bò Male

**regilarite**

**regle**. *v. : 1. Fè yon moun peye sa li te fè. Ma regle w, konnen ou pa konnen ki moun mwen ye. 2. Ki gen règ li.* A ki laj ou regle, tifi?. *3. Kontwole, kalkile lajan.* Mwen regle kòb la mwen wè I manke twa goud.

**regleman**: *1. Kòd, prensip tabli sou ki jan pou bagay yo ye.* Regleman pou moun rete isi a estrik. *2. Revizyon sa ki achte ak sa ki peye deja.* Li fè regleman ak machann nan, li pa dwe I ankò.

**rego** *(egou): n. Nan konstriksyon lari, twou kote dlo desann anba tè.* Twou rego sa a bouche.

**regrèt**. *v. : Ta pito yon bagay pat fèt konsa.* Mwen regrèt anpil mwen pat la paske si mwen te la malè sa a pa ta janm rive.

**rejenerasyon**: *n. Refè yon bagay mache.* Rejenerasyon yon motè.

**rejete**: *v. 1. Vonmi, rejte, rechte.* Pitit la fèk rejete la a. *2. Renonse sèvi dyab, satan.* Pwotestan sa yo renonse deja. *3. Pa aksepte.* Direktè a rejete òf la.

**rejim**: *n. 1. Pat, plizyè fwi tache ansanm.* Rejim bannann. *2. Fason moun ka jere yon peyi osnon non vil.* Rejim militè. *3. Dyèt.* Lora ap suiv yon rejim.

**rejiman**: *n. 1. Gwoup militè ki sou direksyon yon kolonèl.* Senkyèm rejiman. *2. Kantite, plizyè, anpil.* Yon rejiman moun.

**Rejina Asounta** *(Regina Asumpta): np. Non yon lekòl mè katolik Okap. Se kongragasyon Mè Sentkwa ki ap dirije li.*

**rejis**: *n. Gwo kaye pou ekri evenman epi ak moun ki konsène nan evenman an pou estatistik osnon lòt rezon.* Rejis maryaj.

**rejte**: *v. 1. Rejete rechte. Vonmi. 2. Refize aksepte.* Direksyon an rejte òf anplwaye yo.

**rejwi**: *v. 1. Fete.* Moun yo rejwi paske se kanaval. *2. Pran plezi sou malè lòt.* Tout lenmi li yo rejwi dèske li pèdi.

**rejyon**: *n. Kote, zòn.* Nan rejyon sid osnon nò.

**rèk**: *a. 1. Ki gen matirite mi, yon fwi ki rive nan tèm pou keyi li, ki pa wòwòt..* Kokoye rèk. *2. Ki di, ki pase laj swetab.* Mayi sa a twò rèk, ou pa ka fè mayi griye avèk li. *3. Ki* *granmoun.* Fi rèk sa a pa ta kapab ap jwe ak timoun piti sa yo.

**REKA**: *Rezo Entènèt Kreyolis Ayisyen.* Priyorite REKA se devlope kolaborasyon ak gwoup ki ap travay pou devlope lang Kreyòl la, sitou anndan Ayiti.

**rèkè:** *n. Moun ki pase laj jenn.* Ou mèt wè Sentaniz parèt jèn, se yon rèkè li ye.

**reken**: *n. Bèt lanmè, gwo pwason selasyen ki ka manje moun.* Reken renmen rete kote dlo lanmè a cho.

**reklam**. *n. : 1. Piblisite, pwopagann. Kounye a Jan se reklam li fè nan televizyon chak jou.* Mwen wè reklam pou sereyal sa a nan televizyon.

**reklamasyon**: *n. Mande sa ki pou ou.* Li fè reklamasyon malèt li a men yo poko jwenn li.

**reklame**. *v. : Mande sa ki pou ou. Mwen al reklame chèk mwen an kareman nen biwo a.*

**rekòlt, rekòt**. *n. : 1. Moman nan ane a kote yo keyi danre.* Mwen pap kapab al Pòtoprens an Avril paske se sezon rekòt, fòk mwen rete isit. 2. *Danre.* Mwen poko fin seche tout rekòt la non, tout mayi a sou glasi a toujou.

**rekòlte**: *v. Resevwa fwi sa ou te plante.* Madan Pyè rekòlte anpil mango fil ane sa a.

**rekòmandasyon**. *n. : sètifye yon bagay bon osnon li akseptab.* Mwen te gen yon rekòmandasyon pou mwen te pote bay bòs Kantav pou li te pran mwen nan izin li an.

**rekòmande**. *v. : 1. fè lwanj pou yon bagay, di li bon, sètifye li bon.* Fè yon moun kwè yon *bagay pibon.* Yo te rekòmande mwen anplwaye sa a, men manmzèl pat serye ditou. Doktè te toujou rekòmande mwen pou mwen benyen nan dlo cho.

**rekonèt**. *v. : 1. Moun osnon bagay ou konnen, ou kapab idantifye.* Moun mwen rekonèt la a se fi an ble a ak madanm an nwa a. 2. *Aksepte, dakò.* Mwen rekonèt ou gen plis fòs pase mwen. 3. *Ki pran non papa l.* Jan se pitit deyò Jak men msye rekonèt li.

**rekonpans**: *n. Kado ou resevwa pou yon bagay ou fè osnon ou merite.* Pi gwo rekonpans yon elèv se pase nan egzamen.

**rekonpanse**: *v. Bay yon moun yon kado paske li merite l.* Pwofesè a rekonpanse tout elèv yo.

**rekonsilye**: *v. Rebyen, lè moun ki te fache osnon ki pat antann yo vin reprann relasyon yo ankò.* Kawòl ak Franswa rekonsilye.

**rekòt**: *n. Tan pou ou ranmase fwi sa ou te plante. Rekòt mayi.*

**rekoumanse**: *v. Rekòmanse, Ale nan kòmansman an ankò.* Moun yo rekoumanse danse.

**rekreyasyon**: *n. Tan, apre yon peryòd travay, pou moun relaks annatandan yo rekòmanse travay ankò.* Rekreyasyon an dire kenz minit.

**rektang** : *1. n. Fòm jeyometrik ki gen kat kote men se kote ki fasafas yo ki gen menm longè. 2. a. Bagay ki gen fòm rektang nan.*

**rektè**: *n. moun ki alatèt administrasyon yon inivèsite.*

**rektifikasyon**: *n. Koreksyon.*

**rektifye**: *v. Korije, redrese.*

**rektòm**: *n. Twou dèyè.* Yo konn pran tanperati tibebe nan rektòm yo.

**rèl**. *n. : 1. Bwi moun fè ak vwa yo pou yo kriye.* Te gen anpil rèl nan lantèman Tifrè a. 2. *fè yon bwi pou atire atansyon yon moun.* Bay machan fresko a yon rèl pou mwen tanpri.

**relasyon**: *n. Rapò ant moun.* Kalin gen bon relasyon ak tout moun li konnen.

**rèldo**. *n. : Zodo, nan mitan do.* Mwen te pran yon kout rigwaz nan rèldo m, mwen fè yon semèn mwen pat kapab mache dwat.

**rele dèyè**: *v fr. 1. Kouri apre, pale.* Madan Richa, manyè rele dèyè timoun yo pou yo ka sispann fè bri. 2. *Joure, pale avèk severite.* Madan Richa rele dèyè timoun yo paske yo anpeche l dòmi.

**rele**. *v. : 1. Pale fò.* Pa rele sou mwen tande, mwen pa timoun ki rete avè w. 2. *Kominike ak yon moun.* Mwen te rele Kawòl lotrejou, men li pat la. 3. *Kriye.* Pitit la tèlman rele, se kay doktè mwen mennen l.

**relijye:** *n. 1. Moun ki antre nan mè osnon nan pè.* Gen de relijye nan fanmi Kawòl. 2. *a. Ki gen avwa ak relijyon.* Sèvis relijye.

**relijyon**. *n. : Òganizasyon kote moun ki gen menm kwayans reyini pou yo pratike yon seri sèvis.* Moun ki pratike relijyon se moun ki gen kwayans nan Bondye.

**remak:** *n. 1. Obsèvasyon.* Jan fè madanm li remak la pou li pa janm fè sa ankò. 2. *Konstatasyon.* Youn nan obsèvasyon Jera fè, sèke chak jou kòk la chante menm lè a.

**remake**: *v. 1. Reyalize, obsève.* Li remake machann nan pa vini ankò. 2. *Konstate.* Nou remake ou ap kabre nou.

**remèd** *(renmèd): n. Medikaman.* Ki remèd doktè a preskri?

**remèsi (remèsye)**: *v. Di mèsi.* Jak remèsi doktè a pou swen li bay manman li yo.

**remèt**. *v. : Bay yon moun sa ou te pran nan men l ki te pou li.* Remèt mwen lajan mwen kounye a si ou pa vle mwen al pote plent pou ou.

**remiz**: *n. Garaj.* Nou pral mennen oto a nan remiz.

**remize**: *v. 1. Mete nan kwen, pa sèvi avèk ankò.* Si jodi Janjan remize vès sa a, li pa mete l ankò. *2. Mennen oto nan garaj.* Jera al remize machin li an.

**remò**: *n. Santiman regrè yon moun santi pou yon bagay li te fè.* Si ou gen remò, ou ka mande padon.

**Remon Gasnè** *(Gasner Raymond): np. Jounalis yo asasine bò Leyogàn an Jen 1976. Msye te ap travay nan jounal ebdomadè "Le petit Samedi Soir" epi li te ap fè yon ankèt-jounalis nan Konpayi Siman Dayiti ki te an grèv alòske grèv te ilegal nan peyi a. Li te ekri "Si grèv ilegal èske abi legal?" li te ekri tou anpil kritik pou fè responsab politik ak lòt elit yo reflechi. Yon semèn apre yo asasinen li.*

**remonte**: *v. 1. Monte aprezavwa ou sot desann.* Yo remonte pri gazolin nan. *2. Pran fòtifyan.* Se pou ou manje manje ki pou remonte ou.

**ren pou ren:** *n fr. Mwatye mwatye, egal ego.* Yo pataje lajan an ren pou ren.

**ren**: *n. Ògàn ki fltre dechè nan san. Selil ren an ògànize tankou yon paswa ki fen (filt) filtre pwodui chimik ki pa bon epi voye yo al jete nan pipi. Menmsi nou gen apeprè 2 galon edmi san nan kò nou, li pase plizyè fwa (resikile) nan ren an. Kifè ren an netwaye apeprè 50 galon likid (san) pa jou.*

**rèn**. *n. : 1. Madanm yon wa.* Rèn Elizabèt te marye ak wa Filip. *2. Rèn kanaval.*

**Renal Abe (Abbé Raynald)**. *np. : Pè Franse ki te ankouraje esklav yo revòlte. Dapre listwa, Tousen Louvèti te li liv li a ki rele "Istwa Politik epi Filozofik nan Estil Kòmès nan Zile yo". Liv sa a sanble te ankouraje nenpòt ki moun ki gen lespri òganizasyon pou òganize esklav yo pou goumen pou libète.*

**renka**: *a. Timid, ezitan. 2. Kagou.* Mwen wè ou yon ti jan renka jodiya.

**renmen avèk:** *v fr. Gen yon relasyon damou ak yon moun. Jera renmen ak Ketli kounye a.*

**renmen**: *v. 1. Santiman damou yon moun santi pou yon lòt moun.* Jera renmen Ketli. *2. Jwenn plezi nan yon bagay.* Jaklin renmen jwe piyano. *3. Preferans yon moun.* Kawòl renmen etidye leson l lematen.

**renmèt**: *v. 1. Bay yon moun sa ki pou li.* Jak remèt Jera lajan li dwe li a. *2. Bay anretou.* Joslin remèt Kalin pati a.

**renn**: *n. 1. Femèl wa.* Renn Izabèl ak wa Fèdinan. *2. Larenn, fi ki merite admirasyon, pou kèlkeswa rezon an.* Matilda se yon renn, tande!

**Rennrayt Frans Kiki** *(Frantz Wainwright): Mizisyen chantè, manm Sosyete Koukouy Miyami. Li gen plak chante je klere nan lari: Tap Tap (1981) ak Rozo (1986). Misye ekri yon liv pwezi ki rele Pikliz nan ane 1988. Li sòti apresa Les Sentiers de l'Aube (1993) ak Zepon File (1994). Kiki, se yon mizisyen ki plis tabli nan estil mizik rasin.*

**renna**: *n. Bèt, mamifè kanivò.* Renna rize anpi, dapre Lafontèn.

**Reno (Renaud).** *np. : 1. Non gason. 2. Kòmandan ki te nan lame, sou kòmand Andre Rigo. Msye te fè lagè ak blan Angle yo nan zòn sid peyi a nan ane 1796 epi li te bat yo.*

**renome**: *n. Popilarite, repitasyon yon moun gen an piblik. 2. Chanje non yon bagay osinon chanje non yon moun.*

**renonmen**: *v. Bay yon lòt non.*

**renonse**: *v. Abandonne yon desisyon ou te pran anvan. Abandonne yon sitiyasyon.*

**renouvèlman**: *Chanjman, renovasyon.*

**renouvlab**: *a. Ki ka renouvle.*

**renouvle**: *v. Chanje, modènize, rekòmanse, chanje fòm. 2. Revalide yon abònman ki ekspire.*

**renovasyon**: *Remete nan yon bon kondisyon.*

**ren-pou-ren:** *Separe pou fè kantite egal.*

**rensbouch**: *Likid yo souke nan bouch pou fè bouch santibon.*

**rense**: *v. Pase dlo pwòp apre ou fin lave pou wete rès savon ki ka rete.* Rense rad yo.

**repa:** *n. 1. Manje.* Kilè ou ap vin pran yon repa avèk nou? *2. Lè, tan, moman, pou chita manje. Jak pran twa repa pa jou.*

**repanti**: *v. Demach kote yon kretyen regrèt sa li te fè, mande Bondye padon epi pwomèt li pap janm fè sa ankò.* Ou pa ka al kominyen si ou pa repanti.

**reparasyon**: *n. Aksyon kote ou fè ranje sa ki gate osnon defèt.* Yo fè reparasyon nan oto a pou san dola.

**repare**: *v. 1. Ranje sa ki gate osnon deranje.* Repare pòt oto a. *2. Ranplase sa ki te fèt mal ak yon aksyon pozitif.* Si mwen te fè ou lapenn, mwen ta renmen repare sa.

**repasaj**: *aktivite pou pase rad.*

**repase**: *v. Pase, pase fè, retire pli nan rad; dechifonnen* Madan Pyè repase yon panye rad jodi a. *2. Re-edidye yon leson ou te etidye deja. 3. Pase yon kote plizyè fwa.*

**repasèz**: *n. Moun ki pase rad pou yo viv.* Antwàn gen yon repasèz ki vin pase pou li chak semenn.

**repatimyentòs** *(Repartimientos). n. : Sistèm kote kolon ki te soti nan peyi Espay yo te pataje tè a, bay chak esklav yon moso tè espesifik pou l travay sou li. Se Kristòf Kolon menm ki te kòmanse ak sistèm sa a.*

**repatisyyon**: *separasyon, distribisyon ekitab.*

**repechaj**: *Aktivite pou admèt kandida ki te dwe elimine. Ekzamen siplemantè pou rekipere kèk elèv.*

**repeche**: *Admèt kandida ki te dwe elimine*

**repedale**: *Rekòmanse*

**repeple**: *v. Gani yon zòn ak plant, bèt osinon moun ki pa te la anvan sa.*

**repèpleman**: *n. Aktivite pou repeple yon zòn.*

**repere**: *Remake, idantifye bòn.*

**repete**. *v. : 1. Chare, di sa mwen di a.* Pa repete sa mwen di, tigason, sa se pawòl granmoun ki ap pale la a. 2. *Ki refèt ankò.* Mwen pa ta sipoze yon malè konsa ta repete nan fanmi an.

**repetisyon**: *n. Aktivite kote ou repete an plizyè fwa yon prezantasyon ou pral fè devan moun pou ou ka konnen li byen.* Koral la gen dis repetisyon anvan jou prezantasyon an.

**Repiblik Dayiti** *(Républiqe D'Haiti). : Non peyi Ayiti. Ayiti fè pati zile nan karayib yo. Se premye peyi nwa nan emisfè lwès la ki deklare tè li endepandan. Li pran endepandans li nan ane 1804 apre li te pote laviktwa nan yon batay kont Lafrans. Nan tout emisfè lwès la Ayiti se dezyèm peyi, apre Etazini, ki deklare tèt li endepandan. Ayiti mezire 10, 700 mil kare osnon 27 mil kilomèt kare. Nan lane 1999 gen 7 milyon Ayisyen. Mo Ayiti a vle di tè ki gen anpil mòn.*

**repiblik**. *n. : Sistèm politik kote se sitwayen ki nonmen reprezantan ki pou dirije yo.*

**repite**: *v. Gen repitasyon, konni pou.* Leyon repite pou chèlbè.

**repiyan**: *a. 1. Rebitan.* Manje sa a twò dous, li repiyan. 2. *Ki bay degoutans.* Sitiyasyon sa a repiyan.

**repiyans**: *n. 1. Rebitans, ki fè ou pa vle manje plis ankò.* Wozlin pa renmen gou kalalou, li ba li repiyans. 2. *Degoutans.* Moun sa yo fè ou gen repiyans travay pou yo paske yo pa janm ka peye atan.

**replen**: *v. Plen ankò.* Madan Chal te fèk plen krich la, li gen tan pral replen li ankò.

**replike**: *v. Bay repons tenkantenk.* Tifi sa a replike ak granmoun kareman.

**repo**: *n. 1. Pozisyon kote ou lonje kò ou pou ou relaks.* Dat ou pa pran yon ti repo, manyè fè yon ti dòmi. 2. *Tan kote ou vle pran lwazi osnon fè sa ou renmen.* Jak al pran repo, li lwen yon chalè bò lanmè a. 3. *Sispann travay, rete kal, kèpòpòz.* Doktè di pou pran repo.

**reponn**. *v. : 1. Bay repons sou sa yon moun di. Lè yon moun pale avèk ou, ou byen ekri ou, se pou ou reponn li. 2. Pale ak yon moun nan sans agresif.* Si ou wè kijan Jòj pale avè m, li reponn mwen tenkantenk.

**repons**: *n. 1. Fraz osnon mo yon kesyon jenere. Si kesyon an se "kijan ou rele", repons la se "mwen rele Wozmèn."* 2. *Replik.* Timoun pa dwe bay granmoun repons. 3. *Lèt ou voye bay yon moun ki ekri ou.* Mwen poko fè ou repons men mwen ap ekri ou nan semenn nan.

**repouse**: *v. 1. Pouse ankò.* Zèb yo repouse. 2. *Fè yon moun soti sou ou, pouse l.* Poukisa ou ap repouse pitit la?

**repoze**: *v. Pran repo, dòmi, relaks.* Ou toujou ap travay,kilè ou gen tan pou ou repoze?

**reprann**: *v. 1. Rekòmanse.* Kilè ou reprann aktivite ou yo la a? 2. *Refè sa ou te fè deja.* Jesika reprann egzamen bakaloreya a ane sa a ankò. 3. *Geri.* Madan Izaak sanble li reprann li depi li fin fè operasyon an.

**reprezantan**: *n. Moun ki delege pou pale ononde yon konpayi.* Jak se youn nan reprezantan konpayi nou an.

**reprezante**. *v. : Parèt sou non yon lòt moun.* Mwen pap la men Joslin ap reprezante mwen.

**reprimande**: *v. Blame epi menm pini yon moun pou move konpòtman li.* Papa Jera reprimande l pou dezòd li te fè nan lekòl la.

**reptil**: *n. Klas bèt bèt vètebre ki gen san frèt, ki rale atè, yo gen poumon, eskelèt zo, ponn ze, po yo gen yon seri kal tou piti. Gen ladan yo ki danjere.* Koulèv, mabouya, zandolit, kwokodil, dinozò se reptil.

**repwòch**: *n. Obsèvasyon yo fè yon moun pou sa li fè ki pa kòrèk.* Se pa de repwòch yo fè Loran pou neglijans li fè ak ti zanmi li yo.

**repwoche**: *v. 1. Fè obsèvasyon.* Ejèn repwoche bòn nan pou gaspiye li gaspiye tout vyann nan. 2. *Blame.* Madan Jan repwoche Jan dèske li pa janm sonje jou fèt li.

**repwodiksyon**: *n. 1. Kopi, ki pa orijinal lan.* Tablo sa a se yon repwodiksyon. 2. *Aksyon lè ovil yon fi epi yon espèmatozoyid yon gason kontre pou yo bay yon tibebe lavi.* Repwodiksyon se yon mirak lanati.

**repwodui**: *v. 1. Fè kopi.* Jak repwodui rapò a an kat kopi. 2. *Fè yon orijinal ki sanble* *tèt koupe ak yon premye orijinal ou te fè deja.* Atis la repwodui menm tablo a ankò.

**rès**. *n. : Sa ki vin apre, sa ki rete.* Mwen pap kuit manje jodi a, mwen ap manje rès ki te rete nan sa mwen te kuit yè a.

**resansman**. *n. : Konte konbyen moun ki genyen nan yon popilasyon epi gwoupe moun sa a yo dapre laj yo ak sèks yo.* Lè yo ap fè resansman, li enpòtan pou tout moun patisipe pou rezilta yo ka reyèl.

**resepsyon:** *n. 1. Akèy. Kouman ou twouve resepsyon sekretè a ba ou a? 2. Premye biwo, nan antre yon bilding, kote ou ka mande enfòmasyon.* Si ou bezwen konnen si direktè a la, mande nan resepsyon an. 3. *Fèt ki gen manje ak bwason.* Apre maryaj la, resepsyon an ap fèt nan restoran Kanari.

**resesif:** *a. Ki pa anba, yon jan kache, ki pa dominan.* Gen jèn nan kò moun ki resesif, yo konn pase plizyè jenerasyon yo pa parèt.

**resèt**: *n. Fòmil, seri aksyon aliyen youn apre lòt ki pèmèt yon moun egzekite yon preparasyon pou li ka jwenn yon rezilta.* Si yon resèt bon epi ou suiv li byen, ou te dwe reyisi pla sa a san pwoblèm.

**resevwa** : *v. 1. Akeyi.* Moun yo pa byen resevwa Wozita. 2. *Gen nan men ou sa yon moun voye ba ou.* Nou poko resevwa lèt ou.

**resi**. : *1. n. Papye ki ateste yon bagay.* Mwen ap peye ou, ban mwen resi. 2. *adv. finalman.* Ou resi marye ak Jolibwa a.

**residive**: *Refè menm erè, menm krim, repete yon aksyon.*

**residivis**: *Moun ki ap rekòmanse yon erè li te fè deja.*

**resif**: *n. Wòch vizib nan lanmè a.* Si yon bato jwenn ak yon resif li ka fè nofray.

**resiklaj:** *n. Aksyon kote ou retounen sèvi ak yon bagay ou te ka jete.* Resiklaj gen plizyè avantaj, non sèlman ou ka ekonomize lajan lè ou pratike li men tou, ou kontribye kontwole kantite fatra peyi a ap akimile.

**resikle**:*v. Retounen sèvi ak yon bagay ou ta ka jete.* Gen moun ki resikle sache plastik, bwat ak boutèy vid.

**resipwòk**: *a. Ki ale nan de sans.* Si ou renmen yon moun epi li renmen ou tou, santiman nou resipwòk.

**resisite**: *v. Revni apre lanmò.* Jezikri te resisite sou twazyèm jou apre li te mouri.

**resital**: *n. Seyans kote atis mizisyen jwe pou yon odyans ki chita, ki pa danse.*

**resitasyon**: *n. eksèsis lekòl kote elèv resite tèks li te aprann pakè.*

**resite**: *v. Repete yon tèks dapre memwa ou, egzakteman jan li ye a, san ou pa li l.* Chak maten elèv yo resite leson yo nan men mèt la.

*resiyòl (wosiyòl): n. Zwazo ki konn chante.* Madanm sa a gen yon vwa tankou resiyòl.

**reskape**: *v., n.,a. Moun ki chape nan yon aksidan osinon yon sitiyasyon grav.*

**reskiyè**: *n. Moun ki ap tann rès, visye, sousou.* Jak se yon reskiyè.

**reskonsab** *(responsab): n. 1. Moun ki gen yon seri aktivite sou kont li.* Jaklin reskonsab fèmen pòt la chak jou. 2. *a. Moun ki pran sa ki sou kont li oserye, ki fè sa li sipoze fè.* Jaklin se yon fi ki reskonsab.

**reskonsablite** *(responsablite): n. Obligasyon, devwa.* Se reskonsabilite yon moun pou li fini travay li alè.

**resò**: *n. Pyès an metal ki vire an plizyè fwa, li gen kapasite elastik pou li detire osnon kontrakte konsa li pèmèt mouvman fèt.* Gen plim estilo ki gen yon ti resò nan min yo.

**resous**: *n. Tout sa ki gen valè, ki disponib, pou yon moun osnon yon peyi, epi ki ka sèvi pou ede moun nan osnon peyi a avanse.* Edikasyon se resous li ye pou yon moun; min lò se yon bon resous pou yon peyi.

**resouse**: *v. fè aktivite pou aprann nouvo ladrès.*

**respè**: *n. 1. Politès, konsiderasyon ki genyen nan fason yon moun abòde osnon trete yon lòt. Trete pwochen ou ak respè.* 2. *Diyite.* Woje gen ase respè pou tèt li pou li pa ta manyen sa ki pa pou li.

**respektab**: *a. 1. Karakteristik yon moun, yon kote osnon yon bagay ki merite konsiderasyon.* Yon anbyans respektab. 2. *Byen fèt, san repwòch.* Li fè travay li yon fason respektab. 3. *Granmoun ki gen laj avanse.* Madan Kalo gen yon laj respektab.

**respekte**: *v. 1. Aksyon pou ou trete yon moun, yon kote osnon yon bagay ak konsiderasyon epi politès.* Respekte manman ou. 2. *Kenbe sa ou te di, kenbe pawòl ou, gen diyite.* Jak se moun ki respekte pawòl li. 3. *Ki rekonèt sa ki valab, ki gen dwa, ki gen valè, menm si li pa dakò avèk li.* Nou respekte opinyon ou. 4. *Obeyi.* Respekte règleman lekòl la. 5. *Bay glwa, rekonèt kòm enpòtan.* Pèp la respekte tradisyon karèm.

**respirasyon**: *n. Aksyon kote lè antre epi soti nan nen ou pou pote oksijèn nan poumon ou epi soti ak gaz kabonik.* Lè ou ap monte mòn, rit respirasyon ou ap chanje.

**respire**. *v. : Fè lè antre andedan nen ou pou l al distribye nan kò ou.* Lè ou respire, ou fè lè antre nan poumon ou epi apresa lè a soti ak gaz kabonik ladan l.

**responsab** *(reskonsab): n. l. Moun ki gen yon seri aktivite sou kont li. Jaklin responsab fèmen pòt la chak jou. 2. a. Moun ki pran sa ki sou kont li oserye, ki fè sa li sipoze fè.* Jaklin se yon fi ki responsab.

**responsablite** *(reskonsabilite): n. Obligasyon, devwa pou fè yon bagay.* Se Jera ki gen responsabilite peye kay la chak mwa.

**restan**: *n. Rès, sa ki rete.* Pote restan manje yo vini, nou ka chofe yo.

**restavèk**. *n. : Timoun ki rete kay yon moun ak kondisyon pou li fè travay nan kay la san touche men ya bali manje, dòmi ak lòt sipò pou lapenn.* Ayiti kondisyon restavèk yo konn konsidere tankou se yon fòm esklavaj paske gen anpil abi ki konn fèt.

**restoran**: *n. Kote ki sèvi moun manje pou lajan.* Gen yon restoran sou Lali a ki fè bon lanbi.

**restorasyon**: *n. Reparasyon, remèt yon bilding osinon yon moniman an bon eta. 2. Remèt yon otorite nan pouvwa apre li te fin pèdi pouvwa a.*

**restore**: *v. Remèt an bon eta. 2. Remete opouvwa.*

**restrenn**: *v. Limite aktivite, limite.*

**restriksyon**: *n. Rasyonnman, lòd pou redui yon sèvis osinon yon aktivite.* Gen restriksyon dlo pandan sezon sechrès la.

**restriktirasyon**: *n. Re-ògànizasyon.*

**reta**: *n. Pwolongasyon apre lè ki te fikse deja a.* Moun yo pran reta pou yo delivre machandiz yo.

**retabli**: *v. Remete an fonksyonnman, remete an plas. Remete an vigè. 2. Vin an sante apre yon maladi.*

**retablisman**: *n. Fonksyonnman apre yon peryòd an pàn. 3. Gerizon.*

**retade**: *v., n., a. l. Anreta, fè yon bagay pita pase lè li te gen pou li fèt. 2. Reta nan devlopman mantal, nan aktivite panse.*

**retay**: *n. Moso twal tou piti ki rete apre ou fin koupe yon twal.* Si ou sere retay yo, ou ka fè kole-pyese avèk yo.

**rete bèkèkè:** *v fr. Rete konsa, san anyen, pa jwenn anyen.* Yo bay chak timoun yo yon jwèt epi se Kalin ki rete bèkèkè.

**rete**. *v. : l. Abite.* Mwen t ap viv Okanada men mwen rete isit kounye a. *2. Sispann, pa kontinye, kanpe.* Rete kamyon an pou mwen.

**retif**: *a. Teti, ki refize avanse, rekalsitran.*

**retin**: *n. Pati nan je yon moun ki resevwa limyè epi ki transmèt li bay nè optik la.* Se retin nan ki pèmèt yon moun wè. Kouch selil ki sansib ak limyè ki genyen nan fon boul je tout vètebre yo. Li fèt ak selil ki gen fòm bagèt ak fòm kòne. Retin nan gen nè optik ki pèmèt li konekte dirèkteman ak sèvo a.

**retire nan kòsay:** *v fr. Wete, repouse, pran distans ak yon moun.* Si jodi Jera retire Edit nan kòsay li.

**retire**. *v. : Deplase.* Retire kò ou la a, ou sou wout mwen.

**retisans**: *n. atitid ki montre dout ak ezitasyon.*

**retni**: *n. l. Pinisyon pwofesè bay elèv pou yo rete apre klas fini.* Timoun sa yo nan retni jodi a. *2. Dekowòm, atitid rezève.* Tifi sa a pale san retni.

**reto (retorik):** *n. l. Nan lekòl, klas anvan filo, kote ou gen pou ou pase egzamen bakaloreya premye pati.* Jaklin nan reto. *2. Bon teknik pou pale an piblik.* Avoka sa a pale ak retorik.

**retòke**: *v. replike*

**retonbe**: *Tonbe yon dezyèm fwa. rechite, redesann. 2. Konsekans, repèkisyon.*

**retorik**: *n. Avan dènye klas nan lekòl segondè. Apre klas retorik, se klas filo, avan klas retorik se klas segonn. 2. Ladrès ak talan pou pale byen an piblik, ladrès pou prezante bèl diskou. Elokans nan resite.*

**retouch**: *n. Reparasyon leje.*

**retouche**: *Fè ti reparasyon leje.*

**retoudaj**: *n. aktivite yon moun ap fè alòske li depase laj pou li gen enterè pou sa a.*

**retounen**: *v. l. Tounen kote ou te sòti a.* Li retounen vin chèche malèt li yo. *2. Fè ankò.* Li retounen di Maryàn menm koze a.

**retrè**: *Fè bak, diminye nivo aktivite.*

**retresi**: *a. Vin pi piti.*

**retrèt**: *l. Fè bak, sispann yon aktivite militè, bat ba. 2. Repo, retrè nan aktivite pwofesyonèl. Sispann travay epi rete lakay apre yon laj avanse.*

**retrete**: *a.. Ki pran retrèt, ki pap travay ankò.* Mesye Simon se yon kolonèl retrete depi dizan.

**retwograd**: *a. ki ap fè bak; ki prale nan sans envès. Ki kont pwogrè.*

**retwouse**: *Remonte yon pati nan rad (jip, pye pantalon, manch chemiz).*

**retwovizè**: *Glas (miwa) ki nan machin pou ede chofè a wè sa ki ap pase pa dèyè.*

**rèv**: *n. l. Dezi, ve, anvi yon moun gen nan tèt li men ki poko ka reyalize.* Rèv Mirèy se al vizite Dondon. *2. Evenman imajinè ki pase nan* *tèt yon moun pandan li ap dòmi.* Gen moun ki fè move rèv, yo rele sa kochma.

**revandè**: *n. Detayan, moun ki achte pou yo revann.* Revandè vann pi chè pase gwosis.

**revandèz**. *n. : Moun ki achte nan men gwosis pou l revann andetay.* Revandèz yo toujou vann pi chè pou yo kapab fè yon ti benefis.

**revandikasyon**. *n. : aksyon pou yon moun reklame dwa l.* Mwen pral fè yon revandikasyon la a, mwen swete yo pa arete mwen.

**revandike**. *v. : Reklame dwa.* Se pa tout peyi kote yon moun kapab revandike san yo pa fouke w.

**revanj** *(revanch): n. Aksyon kote yon moun reyaji ak mechanste pou fè yon lòt peye lapenn li te fè l.* Moun ki rankinye, renmen fè revanj.

**revann**: *n. v. Vann ankò, vann sa ou te achte ak entansyon pou te kenbe l.* Nou revann oto a sou de mwa.

**reve**: *v. 1. Fè rèv.* Bèta reve li genyen nan gwolo a. *2. Pa nan reyalite.* Jaklin se yon fi ki ap reve. *3. Swete, vle.* Jak te toujou reve rankontre yon Ayisyen.

**revè**: *n. Moun ki ap reve, ki pa gen de pye l nan reyalite.* Kalin se yon revè, li panse li ka achte yon bilding ki vo yon milyon.

**revèy**: *n. Òlòj; akseswa ki bay lè, li gen yon zegi ki make lè, youn ki make minit, genyen tou ki gen yon zegi ki make segonn. Revèy sa a pa sou lè.*

**reveye**: *v. 1. Leve.* Moun yo reveye bonè. *2. Soti nan imajinasyon, resi gade reyalite a.* Moun yo resi reveye.

**Revi Endijèn (Revue Indigène)**. *: Jounal ki soti pou premye fwa an 1927. Li te la pou pwomouvwa fòlklò a epi ak tradisyon natif natal yo.*

**revni (revini)**: *n. 1. Soti nan koma. Apre twa jou koma, madan Chal resi revni. 2. Tounen sou pa, retounen sou desizyon, fè bak.* Jera revni sou menm pwojè a ankò.

**revoke**. *v. : ki pèdi travay li sanzatann.* Mwen pa menm konn poukisa yo revoke mwen an menm.

**revolisyon**. *n. : Chanjman pwofon, radikal, nan yon sosyete.* Pou Ayiti te vin endepandan, se yon gwo kokenn chenn revolisyon ki te fèt; esklav te vin lib, mèt esklav yo te rache manyòk yo.

**revòlte**: *v. Reyaji kont sitiyasyon etabli a, pran zam. Esklav yo te revòlte kont sitiyasyon an.*

**revòlvè**. *n. : Zam kout, pòtatif. Mwen pa vle gen revolvè.*

**Mari-Michèl Re** *(Rey, Marie-Michèle): np. Li fèt nan àne 1938. Li te vin direktè BNP. Li te vin Minis Ekonomi ak Finans sou gouvènman Aristid nan ane 1991.*

**rèy animal**: *Youn nan gwoupman nan lanati, wayom.* Gen rèy animal, vejetal, mineral.

**rèy**: *n. 1. Tan pandan yon wa ap jere yon pèp.* Sou rèy Anri Kristòf ki te wa nan peyi Ayiti, peyi a pat yon repiblik, li te yon wayote. *2. divizyon ak klasifikasyon nan lanati.* Gen twa gran rèy, rèy vejetal (tout plant), rèy animal (tout bèt) ak rèy mineral.

**reyalite**: *n. Ki pa imajine ni manti.* Se yon reyalite, fòk ou travay pou ou touche lajan.

**reyalize**: *v. 1. Fè sa ki pat egziste vin reyèl.* Moun ki reyalize konstriksyon sa a fò nan jenni. *2. Rann kont.* Nou vin reyalize pito nou achte an detay. *3. Fè travay.* Li gen tan reyalize anpil travay anvan li ale. *4. Fè lajan.* Konbyen kòb ou reyalize nan komès ou a?

**reyèl**: *a. 1. Ki vre, ki pa ni manti, ni rèv.* Yon sitiyasyon reyèl. *2. Ki pa atifisyèl.* Flè sa yo reyèl.

**reyèlman**: *adv. 1. An reyalite, sètènman.* Mwen pa konnen reyèlman si Kalo ap vini. *2. Tout bon, sandout.* Se reyèlman vre ou pap tounen lekòl ankò?

**reyini**: *v. 1. Fè osnon fasilite tout moun pou yo kontre.* Nou ap reyini nan restoran Fouchèt Kreyòl la. *2. Sanble.* Konbyen lajan ou reyini? *3. Ansanm.* Tout moun reyini.

**reyinyon**: *n. Sitiyasyon kote plizyè moun kontre pou yon rezon. Reyinyon jodi a ap fèt apre sizè.*

**reyisi**: *v. 1. Rive, jwenn objektif.* Li reyisi fini ak kou sa a. *2. Pase, fè tout sa li dwe fè pou li ka gen yon diplòm, pase yon tès.* Edlin reyisi nan sètifika.

**reyon**: *n. Liy dwat ki soti nan sant yon sèk pou ale sou nenpòt pozisyon sou sèk la. 2. Liy limyè. Reyon solèy. 3. Radyasyon, radyografi. Madlin te gen kansè, yo trete l ak reyon.*

**reyon Gama**: *Yon tip radyo-aktivite.*

**rezen sèk**: *n fr. Fwi, rezen ki seche epi ki ka konsève pandan lontan.* Gen moun ki twouve rezen sèk twò dous.

**rezen**. *n. : Fwi vèt, nwa ou byen mòv. Yo vini angrap.* Lotrejou mwen chita mwen manje yon grap rezen poukont mwen.

**rezève**: *v. 1. Sere. Li rezève plas sa a pou ou. 2. a. Ki deja gen mèt, ki deja pou yon moun.* Plas rezève.

**rezèvwa**: *n. Veso kote ou estoke kichòy.* Rezèvwa dlo.

**Rezil Jera (Gérard Résil)**: *np. Ekriven ki fèt an 1930. Li ekri pase 100 pyès teyat. Li* *etidye nan SNAD (Societe Nationale d'Art Dramatique) li fonde "Institut National de Formation Artistique" (INFA)*

**rezilta**:*n. Konsekans final sa yon moun fè, sa ou tap atann lè ou fini ak yon seri aktivite.* Yo bay rezilta egzamen yo, Gladis pa pase.

**rezin**: *n. Pwodui natirèl, kolan, ki sòti nan ekòs bwa. Rezin natirèl yo solib (ka deleye) nan etè ak nan alkòl. Yo sèvi ak rezin nan vèni, nan penti, nan plastik eltr. Gen rezin sentetik ki fèt nan manifakti.*

**rezistans**: *n. 1. Aksyon pou ale nan sans kontrè ak yon fòs.* Moun nan opozisyon yo mete anpil rezistans pou kandida sa a pa pase. *2. Pyès nan aparèy elektrik. 3. Inite.* Om se inite rezistans, nan elektrisite.

**reziste**: *v. 1. Kenbe tèt. Li reziste anpil anvan li sede. 2. Kenbe.* Moun yo reziste, yo pa aksepte pri nou ofri a.

**reziyen**: *v. Aksepte fatalite, aksepte sitiyasyon an jan li ye a.* Nou reziyen nou ak sa Bondye ban nou.

**rezo**: *n. Seri kontak òganize ant moun pou kreye yon ekip ki ka konte youn sou lòt.* Si ou pa gen rezo, ou ka pa reyisi pwojè ou a.

**rezon**. *n. : 1. kòrèk. Ou gen rezon monchè, se mwen ki antò. 2. Lojik.* Pou ki rezon ou fè yon bagay konsa pitit?

**rezonab**: *n. Lojik, etap sanse yon moun fè pou li soti depi yon pwen panse li ale nan yon lòt pou li abouti ak yon konklizyon.* Edwa pa dakò ak rezonman Jozèt la.

**rezonnman**: *n. Refleksyon lojik ki mennen jiska yon chwa nan panse.* Sa se yon move rezonman ou fè la a.

**rezonans**: *n. Son ki anplifye.* Opalè sa a bay bon rezonans.

**rezone** *( rezonnen): v. Panse, reflechi, jan yon moun itilize lojik pou li mete lòd nan lide l epi chwazi yon opsyon nan panse l.* Timoun sa a rezone byen pou laj li,

**rezoud**: *v. 1. Pote yon solisyon pou yon pwoblèm.* Nou rezoud tout difikilte ki te genyen yo. *2. Korije yon pwoblèm.* Bòs la rezoud malfonksyon ki te genyen nan ekipman an.

**ri**. *v. : Reyaksyon kontantman yon moun fè ak bouch li lè li kontan.* Gad kijan ou fè mwen ri la a, ou gentan konn bay odyans papa.

**riban metrik** *[pou mezire longè]: n fr. Santimèt, riban ki make santimèt pa santimèt, anjeneral jiska swasant santimèt, epi ki pèmèt moun mezire twal osnon lòt materyèl. Koutiryè sa a toujou mache ak riban metrik li.*

**riban**. *n. : Bann twal pou fè bèbèl nan cheve osnon nan rad tifi. Timoun lontan te joujou gen riban nan cheve yo.*

**ribozom**: *n. Pati nan selil plant ak bèt ki gen RNA ak pwoteyin ki la an kantite nan sitoplas tout selil. Prensipal wòl ribozom se asanble pwotein.*

**rich**: *n. 1. Ki gen lajan. Rich ak pòv se de gwoup moun ak mantalite diferan. 2. a. Estati yon moun ki gen lajan. Jak rich, li gen nan lotri.*

**Rich (Larich) (La Ruche)**: *Jounal ebdo jèn.*

**richa**: *a. Moun ki rich; ki gen anpil lajan.*

**Riche, Janbatis (Riche, Jean-Baptiste)**. *np. : Prezidan Ayiti depi Premye Mas 1846 jiska 27 Fevriye 1847. Msye te vini ak yon nouvo konstitisyon pou peyi a an 1846 men li te gentan mouri anvan l te mete l an aplikasyon.*

**richès**. *n. : Trezò, byen.* Kay sa a se li ki tout richès mwen.

**rido**: *n. 1. Twal ki tache ak yon seri pens ki pandye sot nan yon tij orizontal, pou li ka layite sou tout longè l. Rido twalèt. 2. Aranjman an twal ki fèt pou mete nan fenèt.* Rido fenèt yo ale ak koulè chèz salon an.

**Rigo, Andre (Rigaud, Andre)**. *np. : 1761-1811. Moun Okay, nan sid Ayiti. Li te fèt 17 Janvye 1761, papa l te blan, manman l te nwa. Li te mouri nan ane 1811. Nan ane 1790, li te alatèt nwa ak milat lib yo. Msye ak Tousen te rive met kolon Angle yo deyò. Angle yo te eseye achte l, yo te ofri li 3 milyon fran men li te refize kòb sa a.*

**rigòl**: *n. Rebò yon lari, kote li rejwenn ak twotwa a, kote dlo ka chita osnon koule pou ale nan yon twou rego. Chak maten, madan Senton bale rigòl devan pòt li a.*

**rigwaz**. *n. : Fwèt an kui pou kale moun ou byen bèt. Lontan lè yo te kale yon timoun ak rigwaz mak yo te konn rete sou li*

**rikannen**: *v. Griyen dan.* Sispann rikannen la a.

**rim (larim)** : *n. 1. Likid ki ap koule soti nan nen yon moun ki gripe.* Siye larim nan. *2. Maladi nen koule ki ka mache ak lafyèv. Li gen twa jou ak yon rim sou li.*

**rimatis**: *n. Maladi, doulè nan jwenti, nan atikilasyon, tankou atrit.* Madan Chal gen rimatis.

**riminan**: *n. Bèt mamifè ak kat pat ki gen lestomak divize an twa oubyen kat seksyon. Manje ale nan premye seksyon an epi li retounen nan bouch la pou kontinye dijesyon an.* (Kat seksyon nan lestomak riminan yo se woumenn, retikoulòm, omasoum epi obomasoum).

**rinen (irinen)** : *v. Fè pipi, pipi, pise.* Pitit la rinen sou li.

**rip**: *n. Pay bwa ou jwenn lè ou pase galè sou yon planch.* Bòs la sere pay rip la pou limen dife.

**Risèl, Jeneral Dyonn** *(Russel, General John H.): np. Komisyonnè meriken ki te gouvène Ayiti ant 1922 à 1930 ansanm ak prezidan Ayisyen an, Estenyo Vensan. Msye te yon diktatè. Li te kòmandan marin meriken an ki te lite kont Kako yo.*

**riske**: *v. 1. Pran chans.* Jera renmen riske lavi l twòp. *2. a. Gen danje. Sitiyasyon riske.*

**rit**. *n. : Kadans.* Mwen renmen rit mizik sa a, li frape yon jan swa.

**rivaj** *: n. Liy ant gwo dlo ak tè. Timoun yo ap jwe bò rivaj la.*

**rive**. *v. : 1. Jwenn kote ou prale a.* Mwen poko rive lakay. Li resi rive. *2. Pase.* Sa ki rive ou la a, genlè machin nan pèdi fren.

**rivyè (larivyè)**: *n. Kouran dlo dous. Moun yo ale lave nan rivyè a.*

**Rivyè Latibonit.** *(Rivière de L'Artibonite): Yon gwo rivyè nan zòn santral nan peyi Ayiti ki sèvi pou fè irigasyon pou pwodiksyon diri nan plenn Latibonit. Se li ki sèvi nan baraj Pelig pou fè elektrisite.*

**Rivyè Masak** *(Rivière Massacre). : Rivyè ki sou fwontyè ant Ayiti ak Dominikani. Yo rele l Dajabon tou. Li devèse nan Oseyan Atlantik.*

*Rivyè Pedènal (Rivière des Pédernales). : Rivyè ki sou fwontyè Ayiti ak Dominikani. Li devèse nan Lanmè Antiy yo.*

**riyèl**: *n. yon ti ri.*

**riz**: *n. Mètdam, mwayen yon moun itilize pou li twonpe yon lòt.* Wobè se yon nonm ki gen riz.

**rize** *(rizèz): a. Ki mètdam, ki konn itilize mwayen pou li twonpe moun.* Wobè rize.

**rize, rizèz**. *a. : Malen, mètdam; timoun ki kache laverite pou li ka jwenn yon benefis..* Moun ki rize se moun pou ou pè, ou pa janm konn kote yo bout.Tifi a rizèz, ti gason rize.

**rizib**: *a. 1. Komik, ki fè moun ri.* Sitiyasyon rizib. *2. Ki pa merite pou moun pran oserye.* Yo pase sa nan rizib.

**rizom**: *n. Plant ki grenpe sou tè osinon anba tè, tij li sanble ak rasin, men li gen rasin li ki pouse anba tè pou tache tij la nan tè a.*

**Rizwik**: *(al gade Trete Riszwik).*

# S s

**s:** *n. Lèt nan alfabè.* S se premye lèt nan mo sosis.

**sa.** *pr. : Pwonon demonstratif, li montre yon bagay.* Manje ki nan plat blan an se pa m nan sa. Kouman ou fè di sa, ou gen kouraj ou panse yon bagay konsa?

**sa a.** *: Li menm menm. Adjektif demonstratif ki idantifye yon bagay.* Tigason sa a, se timoun ki gen tèt di, li pa tande sa granmoun di l.

**sab.** *n. : Ti wòch fenfen ki bò dlo lanmè.* Sab lanmè, sab fen, sab nwa, sab blan, sab pou bati kay..

**sable:** *n. 1. Papye graj pou netwaye bwa osinon fè.* Bòs la sèvi ak papye sable fen pou mèb yo. *2. v. Fwote papye sable sou mèb osnon sou fè.* Nou pral sable tab la jodi a.

**sabliye**: *n. Pyebwa.* Pye sabliye sa a bay anpil lonbray.

**sabò:** *n. Kalòt, tabòk.* Yo bay vòlè a de sabò, men li pa legal pou frape moun.

**sache.** *n. : Veso plastik osnon papye.* Mwen bliye pote sache pou mwen al nan mache.

**sad**: *n. Pwason po woz ki gen vyann blanch.* Nèg yo sot peche detwa sad la a.

**sadin:** *n. Ti pwason yo konn mete nan bwat konsèv.* Gen sadin nan luil gen sadin nan sòs tomat.

**saf.** *a. : Moun ki manje anpil epi byen vit.* Moun ki saf konn fin manje epi apresa yo vonmi lamenm.

**safte:** *n. Goumandiz, sitiyasyon kote yon moun manje anpil epi twò vit.* Moun ki manje ak safte konn fasil fè endijesyon.

**Sajè, Nisaj** *(Sajet, Nissage). np. : Prezidan Ayiti ant 19 Mas 1870 jiska 14 Me 1874. Gouvènman l nan te gen anpil pwoblèm ak Dominikani kote ki te gen yon lagè sivil. Li te gen pwoblèm ak peyi ki t ap fè Ayiti reklamasyon.*

**sajfam**: *n. Fi ki gen antrenman pou akouche moun.* Se yon sajfam ki akouche madan Kola.

**sak**. *n. : Veso an twal osnon an plastik oubyen an latànye. Gen ti sak pou moun pote anba bra yo, li tankou valiz, gen gwo sak moun mete bagay ki gwo tankou sak chabon.*

**sak amnyotik** *: n fr. Sak kote tibebe a ap grandi nan vant manman l.*

**sakad:** *n. Sekous ki vini tousuit youn apre lòt.* Lè ou ap monte kap, si li ap fè tèt, ba li sakad.

**sakade**: *v. Sekwe.* Timoun yo sakade kò yo joustan yo bouke.

**sakado.** *n. : Sak ki fèt pou pote sou do, ou pote l sou zepòl ou. Gen elèv ki mete liv ladan sakado, men gen lòt moun ki sèvi avè l pou mete rad li lè l ap pati.*

**sakaje**: *v. 1. Sekwe.* Pa sakaje bwat la, ou ka kraze vè ki ladan yo a. *2. Boulvèse, trakase.* Pa sakaje manman nou, nou pa wè li malad? *3. Vire tètanba, lakòz detrès.* Siklòn nan sakaje vil Okay.

**sakit.** *n. : Ti sache an twal osnon papye moun mete bagay enpòtan ladan l epi yo sere l byen lwen.* Madan Oban se anba tete l li met sakit li a.

**sakpay**: *n. Sak an pay ki ka pote pakèt pwovizyon; yo konn sele bourik ak sakpay tou.* Vin mete sakpay la sou bourik la.

**sakre**: *v. 1. Ki gen tout respè yo bay sa ki sen.* Legliz se yon kote ki sakre. *2. Sa ou pa andwa manyen.* Sa ki pa pou ou se bagay sakre, pa manyen l.

**sakreman**: *n. Seremoni sakre ki fèt pou pwodui osnon ogmante lagras nan nanm moun ki resevwa li a.* Gen sèt sakreman, batèm ak maryaj se de ladan yo.

**sakrifis**: *n. 1. Efò.* Nou fè anpil sakrifis pou nou kanpe tann ou. *2. Ofrann, tiye yon bèt pou ofri senbòl lavi li bay Bondye, rityèl.* Aswè a yo ap fè sakrifis yon kochon kay vwazen an.

**sakrifiye**: *v. 1. Tiye yon bèt kòm sakrifis pou bay Bondye osnon yon sen glwa. Yo sakrifye de poul ak yon kochon nan seremoni yè swa a. 2. Fatige kò, pase mizè, viv lavi di, trakase kò ak anpil devosyon pou yon kòz. Manman timoun sa a yo sakrifye tèt li pou yo.*

**sakrilèj**: *n. 1. Aksyon kote yon moun maltrete nenpòt ki senbòl ki gen anpil valè espirityèl.* Fè sèman se yon sakrilèj.

**sakristen**: *n. Asistan pè nan yon legliz katolik ki prepare lotèl anvan lamès.* Sakristen an di monpè pa la.

**sakristi**: *n. Sal nan legliz katolik kote tout enstriman lamès estoke.* Nenpòt ki moun pa dwe ale nan sakristi a.

**saksofòn**: *n. Enstriman mizik ak van.* Leyon konn jwe saksofòn.

**sal** : *n. 1. Pyès nan yon kay osinon nan yon bilding.* Yo ka itilize gwo sal sa a pou konferans. 2. *Lasal, salon; pati nan kay kote ou ka resevwa moun.* Tout moun te chita nan sal la lè Jak rantre. *3. a. Ki pa pwòp.* Rad sou ou a sal.

**salad**: *n. Fèy vèt, legim fèy.* Moun ki manje anpil salad ka kontwole pwa yo pi byen.

**salamanje**: *n. Pyès nan yon kay ki rezève pou moun chita manje.* Gen yon tak ak sis chèz nan salamanje a.

**saldeben**: *n. Pyès nan kay ki rezève pou moun benyen.* Saldeben sa a gran epi li gen yon twalèt ladan l.

**sale** : *a. 1. Ki gen sèl. Ki gen twòp sèl Diri ak pwa se manje sale.* Manje sa a sale, mwen pa ka manje l. *2. Joure.*

**salezon**: *n. Vyann sale.* Mete salezon nan legim nan.

**Salezyen** *(Salésien): n. Gwoup relijye katolik ki gen vokasyon pou fè edikasyon timoun nan katye ki pòv.* Salezyen yo rekoni anpil pou travay yo fè ak timoun nan peyi Ayiti.

**salin**: *n. Espas bò lanmè kote yo fè sèl.* Gen yo kote yo rele Grann Salin, gen anpil salin la.

**salisan**: *a. Ki sal fasil.* Rad sa a salisan.

**saliv** : *n. 1. Krache, likid ki fèt nan bouch sitou lè yon moun grangou.* Kou ou palede griyo ak bannann bouch mwen plen saliv, mwen gentan grangou lamenm. 2. *Likid nan bouch ki gen anzim ki patisipe nan dijesyon lanmidon ak sik.*

**salmanaza**: *ent. Entèjeksyon ki endike mekontantman, kontraryete osnon movesan.* Alade salmanaza mezanmi, nonm nan twouve vin manke m dega devan pòt mwen an.

**Salnav, Silven Majò** *(Salnave, Major Sylvain). np. : Prezidan Ayiti ant 6 Me 1867 a 15 janvye 1870. Li te deklare tèt li prezidan avi epi li te diktatè tou. Yo te tire l jou ki te 15 Janvye 1870.*

**Salomon, Lwi Etyèn** *Felisite Liziyis (Salomon, Louis Etienne Félicite Lisyus). np. : Prezidan Ayiti ant 23 Oktòb 1879 a 10 Out 1888. Sou gouvènman l nan li te eseye travay sou refòm nan ekonomi ak nan agrikilti. Se sou gouvènman l nan kab soumaren te enstale nan peyi a. Msye te renmen lang Franse epi li te antann li byen ak moun ki te sot nanpeyi Lafrans. Li te marye ak yon fransèz, pitit li a te yon milat. Milat yo pat renmen l. Li te ankouraje pwofesè soti Anfrans vin fè lekòl Ayiti. Se sou gouvènman l Ayiti vin genyen Bank Nasyonal Ayiti a. Se sou gouvènman l Ayiti te fin peye lajan l te dwe Lafrans la. Lè bagay yo te vin enposib, li te chwazi egzile Anfrans.*

**salon**: *n. Sal, pyès nan kay kote moun resevwa vizitè.* Annou al chita nan salon an.

**salòp**. *a. : Malpwòp.* Se yon bagay ki pa fasil menm pou yon moun manje nan men moun ki salòp.

**salope**: *v. Sal yon bagay, mete salte sou li.* Ou salope machin nan, kounye a, vin netwaye l.

**salòpèt**: *n. 1. Estil rad pantalon ki vini ak tout kòsaj li.* Jesika renmen mete salòpèt. 2. *Fi san nen nan figi l, sanwont.* Ou se yon salòpèt, Fènann.

**salopri**. *n. : Malveyan, sankoutya.* Si mwen janm konnen se te yon salopri ou te ye, mwen pa ta marye avè w.

**salte**: *n. 1. Tach. Rad sa a plen salte sou li, pito ou al wete l. 2. Bagay sal osnon ki pa agreyab.* Ki salte sa a ou pote met devan pòt la.

**saltenbank**. *n. : Vakabon, jouman pou sanzave.* Mwen pa mele ak saltenbank mwen menm.

**Salvadoryen (èn)** : *n. Moun ki soti nan peyi Salvadò.* Ennrike se moun Salvadò. 2. *a. Ki pou peyi Salvaldò. Teritwa salvadoryen.*

**salyè**: *n. Veso pou met sèl.* Pote salyè a mete sou tab la.

**salye**. *ent.: Di bonjou.* Li pase li pa salye mwen.

**Sam, Vilbren Giyòm** *(Sam, Vilbrun Guillaume). np. : Prezidan Ayiti ant 5 Mas 1915 jiska 27 Jiyè 1915. Se li ki te lonmen tèt li prezidan men gwoup rival li yo te mete l atè. Msye chwazi pran egzil Anfrans men gen moun ki te fè dappiyanp sou l nan peyi a, yo te touye, masakre l epi mache nan lari ak moso kò l yo. Se konsa meriken tou pwofite sitiyasyon sa an pou yo debake vin domine Ayiti.*

**samdi**: *n. Sizyèm jou nan semèn nan.* Samdi nou pral nan match foutbòl.

**samdi dlo benit:** *n fr. Samdi ki lavèy Dimanch Pak.* Samdi dlo benit konn gen bon rara.

**Samdi swa** *(Le petit Samedi Soir): piblikasyon ebdo ki parèt chak samdi. Li te jon revi ki te kritike gouvènman Divalye epi yo te atake plizyè nan jounalis li yo pou sa. Pami jounalis yo, te gen... Dieudonne Fardin, Jean-Claude Fignolé, Michel Soukar, Rene Philoctete, Pierre Antoine, Gasner Raymond, Jean Robert Herard, Dany Laferriere, Carl Henry Guiteau, Pierre Clitandre.*

**san cho** *(bèt san cho): 1. ki gen tanperati kò li ki rete konstan, karakteristik tout bèt ki pa adapte tanperati kò yo ak tanperati kote yo ye a. An jeneral mamifè ak zwazo se bèt san cho. Moun pa se bèt san cho. Kanta bèt san frèt yo menm, yo kite tanperati kò yo chanje, pou li chofe lè tanperati a cho osinon pou li vin frèt lè tanperati a frèt. Lè li fè frèt li tranble pou kò li ka chofe. 2. Pèsonalite moun ki gen tanperaman vivan, kontan, pasyone, dife-limen.*

**san frèt (bèt san frèt):** *Ki gen tanperati kò li ki varye, (fliktye) pou li adapte ak tanperati li fè deyò kò li (lè, dlo, tè). Karakteristik tout bèt ki adapte tanperati kò yo ak tanperati kote yo ye a. An jeneral pwason ak reptil (mabouya) se bèt san frèt. Kanta bèt san cho yo menm, yo pa kite tanperati kò yo chanje, yo fè efò pou yo pa kite tanperati yo vin ni twò cho ni twò frèt.*

**san kaye** *: n fr. 1. Mak nwa ki fèt anba po yon moun apre li fin frape.* Mak sa a se yon san kaye, se pou ta mete konprès sou li. 2. *Lè pati likid nan san an separe soti nan pati solid la, li fè san kaye.* Gade yon san kaye atè a, ki moun ki blese?

**san konesans** *: n fr. Ki nan koma, ki pèdi konsyans.* Nèg la tonbe san konesans soti nan senkyèm etaj.

**san lè:** *adv. 1. Prèske, nenpòt ki lè, nan yon tan ki pa lwen.* Jak san lè marye.

**san sipòtan:** *n fr. Pasyans. Pa gen san sipòtan.*

**san**: *n. 1. Likid wouj ki gen selil blan, selil wouj ak plasma ki sikile nan kò soti nan kè ale nan atè ak kapilè pou al nan tout ògàn ak tisi ki nan kò a epi retounen nan venn. San pote oksijèn òmòn ak fòtifyan, fè yo sikile poupatou. San netwaye kò a tou paske li pran dechè ki na ògàn yo pou ale filtre nan ren, nan fwa, nan poumon eltr. Yon selil san viv pandan twa mwa apeprè epi li fè tout tou kò nou pandan 130,000 fwa. Gen plizyè kalite selil nan san. Gen selil wouj ki pote oksijèn toupatou epi ki retire gaz kabonik pou voye deyò, gen selil blan ki pwoteje kont maladi; lè yon selil blan kwaze ak yon mikwòb ki ta vle bay maladi, selil blan yo antoure mikwòb la epi manje mikwòb la. Nan san nou tou gen platelè. Platelè se yo ki kaye lè moun blese pou anpeche moun nan pèdi twòp san. Tout pati sa yo ki gen nan san an, yo tout ap naje nan yon likid yo rele plasma. 2. a. Nimewo, valè. Mwen te gen san goud mwen achte avè l kounye a mwen pa ret anyen. 3. Pr. Ki pa genyen. Ou se yon nonm ki san santiman, si ou kapab vin kanpe devan mwen la a pou ou di mwen ou renmen mwen.*

**san-m manje** *m: n fr. Movesan enteryè, sitiyasyon lè yon moun fache, li an kòlè men li pa nan pozisyon pou li reyaji.* San-m manje m kou yo di m se pou mwen pataje tout sa mwen genyen ren pou ren ak Jozefa.

**sànatoryòm**: *n. Lopital kote moun ki malad al rete kòm entèn, swa pou yo ka suiv tretman joustan yo refè osnon pou yo viv izole. Gen moun ki fè tibèkiloz nan sanatoryòm nan.*

**sanba**: *n. 1. Chantè ki fè pwezi ki ak kadans sou kilti, lang, politik ak relijyon.* Kote sanba Micho ta sòti. *2. Powèt, moun ki ekri bèl pwezi, nan tan endyen. Anakawona se te yon sanba ki te konn ap di bon ti pwezi pou lòt endyen yo. 3. Estil mizik ki gen de tan ki soti sitou nan peyi Brezil. Annou al danse yon sanba.*

**sanblab**: *n. 1. Ki sanble, dapre kretyente, nou tout se frè, nou se sanblab youn ak lòt. Kretyen yo panse nou te dwe viv byen ak sanblab nou yo. 2. a. Ki sanble ak yon lòt, idantik.* De rad sa yo sanblab.

**sanblan** *( fè sanblan): v fr. Fè kòmsi, pran pòz.* Jera fè sanblan li pa enterese.

**sanble dife:** *v fr. Rasanble chabon osinon bwa pou limen dife.* Li lè pou ou sanble dife a pou nou ka kuit manje a.

**sanble**. *: 1. v. Rasanble, mete ansanm.* Sanble tout jwèt yo mete nan bwat sa a pou mwen. 2. *Ki parèt menm bagay.* Oumenm ak sè ou la sanble kou de gout dlo. *3. pr. Genlè.* Sanble ou pa kontan sa mwen di a.

**sandal**: *n. Soulye ki louvri pa devan, pa dèyè, ki montre ni talon, ni zòtèy.* Lè fè cho, li bon pou moun mete sandal.

**Sandès, Prens** *(Prince Sanders). np. : Yon ameriken nwa, msye te ede lòt nwa parèy li yo Ozetazini. Msye te al Ayiti pou ede bati lekòl epi konvèti moun nan pwotestan. Li te fanatik Anri Kristòf epi li te bali anpil sipò. Listwa di se li ki premye pote vaksen Ayiti.*

**sandriye:** *n. Veso pou moun met sann sigarèt.* Prete vwazen an yon sandriye pou li pa jete sann nan atè.

**sandriyon**: *Ti fi ki gen lavi difisil, restavèk.*

**sandwich**: *n. Manje ki fèt ak pen anwo ak anba epi nan mitan ka gen ze osinon vyann osinon manba, elatriye.* Madan Chal pral fè yon sandwich poul pou nou.

**sanfil**: *a. Ki mache san koneksyon dirèk.* Telefòn san fil

**sanfwa**: *a. Kal, fèm, ki konsève tout bonsans li lè gen yon pwoblèm.*

**sang**: *n. Senti toutotou vant bourik ki kenbe sèl la osinon ba a.* Vin met sang nan pou bourik la, Woje.

**sanginè**: *a. Ki pa pè vèse san.* Kalo se yon sanginè.

**sangle**: *v. I. Mete sang.* Apa ou poko sangle bèt la?

**sangwen**: *n. Jouman pou di yon moun li sanwont, san nen nan figi l.* Rale kò ou devan m nan, sangwen.

**sankoutcha** *(sankoucha)*: *n. Sanwont, malpouwont, sangwen, san nen nan figi.* Leyon se yon sankoutcha, pa okipe l.

**sanmanman**: *n. Sanzave, moun san prensip, san ledikasyon. moun ki pa pè fè anyen epi ki pa respekte lalwa.* Sanmanman tankou Kalo pat dwe zanmi ou, Jera. Yon bann sanmanman vin la a, yo vòlè tout afè mwen.

**sann**. *n. : Poud gri ki rete lè yon bagay fin boule.* Gen yon pil sann ki rete kote nou sot boule fèy yo.

**sannanm**: *n. I. Gaga, kannannan, ki pa gen anpil aktivite sou li.* Wozmon se yon sannanm, tout sa li ap fè pran yon pakèt tan. 2. *a. Ki pa gen aktivite sou li, loudo.* Nèg sa a se yon eleman sannanm.

**sanpwèl**: *n. Lougawou.* Pa kite ou kontre ak sanpwèl nannuit.

**Sanon Emanyèl** *[Manno] (Emmanuel Sanon): np. Foutbolè li te jwe nan Don Bosko Petyonvil, li te nan seleksyon nasyonal 1971-1974. Li te jwe nan koup foutbòl mondyal an Bèljik an 1974. Nan koup mondyal la, nan yon match kont Itali, Sanon te bay yon gòl tout moun te panse enposib. An reyalite, gadyen an (Dino) te enpenetrab, nan tout match li te jwe anvan, li pa t pran gòl. Sanon defèt mit la. Apre tounwa a, li te al jwe nan ekip Antèb an Bèljik epi Sen Etyèn an Frans. Apresa li te vin viv Ozetazini nan vil Sann Dyego, nan eta Kalifòni kòm antrenè. Li retounen Ayiti kòm antrenè an 1998.*

**sans** : *I. Direksyon, pozisyon.* Nan ki sans ou prale, nan nò osnon nan sid? 2. Ògàn sans. *Gen plizyè ògàn sans, zòrèy tande, zye wè, po touche, nen pran odè, lang goute.*

**Sans yo**: *Gen senk sans prensipal: Vizyon ògàn zyye, tande ògàn zòrèy, pran odè ògàn nen, pran gou ògàn lang, touche ògàn po. I. Zye se ògàn vizyon. Zye se yon boul ki kouvri ak yon vwal blan epi ki ranpli. Sou devan zye a gen yon pati ki transparan (kòne) ki kouvri iris la. Nan iris gen pigman, ki bay zye moun koulè. Nan mitan iris la gen yon ti twou ki ka louvri osinon fèmen. Sa se pipiy zye-a. Lè gen anpil limyè, pipiy la fèmen plis, lè pa gen anpil limyè, pipiy la louvri plis. Limyè ki antre anndan pipiy la al pase nan yon lantiy ki fòme yon imaj sou fon zye-a, sou retin nan. Retin nan pèmèt enfòmasyon ale nan sèvo a an pasan nan nè optik la. 2. Zòrèy se ògàn tande. Son antre nan zòrèy epi li al fè tenpan yo vibre. Vibrasyon sa yo reveye twa ti zo (mato, anklim, etrye) epi nè tande a pote enfòmasyon an nan sèvo-a. Lè likid ki anndan zòrèy yo pa ekilibre sa bay moun maldemè, lè yo monte bato. 3. Nen se ògàn pou pran odè. Nan moun sans pran odè-a devlope, men gen bèt ki genyen l pi byen devlope toujou. Yon moun ka distenge 4,000 diferan odè. Li rive ka fè distenksyon yo paske li gen yon seri nè-reseptè (detektè) ki kouvri tout anndan nen li. Sans pran odè-a kòmanse devlope byen bonè lè yon timoun fèk fèt. Men tou, lè moun ap granmoun se sans pran odè a ki ale pi vit. 4. Lang se ògàn pou pran gou. Lang moun gen depase 10,000 papiy (nè-reseptè-detektè lang) pou pran gou. Gen kèk papiy tou nan gòj ak nan palè a (anlè lang nan). Gen kat gou prensipal nou ka rekonèt; se dous (sikre), se anmè, se si (asid) se sale. Chak gou sa yo gen seksyon pa yo nan lang nan ki pou detekte yo. Gou anmè nou pran l nan zòn sou kote lang nan; gou dous nou pran l nan pwent lang nan, gou si nou pran l nan seksyon pa dèyè lang nan. 5. Sans touche a gen senk sansasyon ki reyini ansanm; gen sansasyon touche, gen sansasyon doulè, gen sansasyon presyon, gen sansasyon cho epi gen sansasyon frèt. Chak sansasyon sa yo gen nè-detektè pa yo ki toupatou sou seli po moun. Tout kote yo pa gen menm sansiblite. Gen kote ki gen plis nè detektè pase lòt. Pwent dwèt moun pi sansib pase koud bra moun.*

**sansal**: *I. a. Moun ki pa gen ijyèn osinon ki pa gen diyite. 2. Maladi enfeksyon nan san.*

**sansasyon**: *n. Pèsepsyon yon bagay ki antre nan youn nan sans yo. 2. Enpresyon.*

**sanse**: *a. Ki fè sans, ki pa ekzajere.*

**sansè**: *n. Moun nan lekòl ki la pou fè siveyans fè disiplin, mete lòd, pini elèv ki an dezòd.*

**sans-inik**: *n. Ki ale nan yon sèl direksyon.* R sa a sans inik.

**sansi**: *n. Bèt, ki se yon vè anelid, li kapab souse san moun ak vantouz li yo.* Madanm nan mete yon sansi sou janm li.

**sansib**: *a. 1. Ki fasil pou eksite sans li. Nèg sa a gen kè sansib. 2. Ki frajil epi li reponn ak estimilasyon byen vit. Enstriman sa a sansib.*

**sansiblite**: *n. 1. Frajilite sans, repons rapid lè li estimile. Machin sa a rekòmande pou sansibilite li. 2. Feblès pou yon moun osnon yon bagay. Papa pitit sa a gen anpil sansibilite pou li.*

**Sansousi** *(Sans-Souci). : Yon kokenn chenn palè bò Okap wa Anri Kristòf te fè bati pou li. Kristòf te renmen teknoloji Alman yo se sa ki fè li te fè bati palè sa a tankou palè Pòsdam (Postdam Palace) Frederik II nan peyi Pris la. Palè a gen twa etaj, chak etaj gen 23 fenèt. Li bati sou 8 kawo tè, plen jaden alantou l. Se la Kristòf te kouwone wa, se la tou li touye tèt li. Tranblemanntè 1842 a te kraze yon pati nan palè a. Li rete kraze pandan lontan, san yo pat repare l. Inesko te bay yon finansman pou yo repare l nan ane 1985. Gen yon gwoup achitèk ki gen alatèt yo Albè Mangonèz ki fè reparasyon yo.*

**sant** : *n. 1. Mitan.* Sant latè 2. *Odè.* Mwen pran yon sant. *3. Klinik. Sant sante. 4. Enstitisyon.* Sant Na Rive se yon sant ki bay èd pou moun ki ateri nan vil Monreyal.

**sant simetri:** *n fr. Pwen nan mitan ki gen distans egal ak tout pwen alantou li yo.* Dyamèt yon sèk toujou pase pa sant simetri li.

**Santamariya** *(Santa Maria). : Youn nan twa bato Kristòf Kolon te fè premye vwayaj li nan Nouvomond. Bato sa a te fè nofray epi moso l yo te sèvi pou konstrui yon fò bò vil Okap.*

**santans.** *n. : pinisyon.* Vin pran santans ou, mwen pral ba ou dis kout matinèt.

**sante, lasante.** *n. : 1. Sitiyasyon kote ou pa malad, kò ou ak lespri ou anfòm. Gen moun ki pa gen sante menm, yo pat dwe ni fimen, ni bwè, sa ka fè yo vin pi mal.* Moun ki gen sante se moun ki gen chans. 2. *n. Eta byennèt fizik ak mantal yon moun ye.* Si ou an sante, ou pat dwe ap pran medikaman san rezon.

**santèn**: *n. Gwoup ki gen dis dizèn. 2. Kantite ki gen omwen san ladan l.*

**santi bouk:** *v fr. Eta moun osinon bèt ki santi fò.* Pòl santi bouk, siman li pa benyen chak jou.

**santi move** : *v fr. Ki gen move odè, pouri, santi.* La a santi move tankou ta gen yon chyen mouri toupre a.

**santi pise**: *v fr. Eta moun (sitou timoun) ki gen odè pipi.* Tifi sa a santi pise, li te dwe al fè twalèt li.

**santi.** : *1. v. Enpresyon ki baze sou sans tankou doulè, plezi.* Mwen santi mwen ta va ale dòmi tèlman mwen fatige. *2. Pran odè, pran sant.* La a gen yon bon ti odè gadenya, èske gen yon pye bò isi a? *3. Ki gen move odè.* La a yon jan santi tankou ta gen yon rat mouri pa lwen.

**santigrad**: *n. Inite mezi tanperati.* Li fè 20 degre santigrad deyò a.

**santilit**: *n. Inite mezi volim. Yon santilit vo 0,01 lit.*

**santim**: *n. Inite monnen nan peyi Ayiti.* Ven santim vo kat senkòb.

**santiman**. *n. : 1. Sa ou santi ki touche sans ou, presantiman.* Se pa santiman mwen pou mwen fè moun mal. Mwen gen santiman makomè mwen an pap viv. *2. Ki konprann, ki gen nen nan figi l.* Mwen se moun ki gen santiman, mwen pap janm pale avè w, ou pa wont, san santiman, ou pat dwe tounen la a ankò.

**santimèt:** *n. 1. Inite mezi longè. Yon santimèt vo 0,01 mèt. 2. Zouti pou mezire.* Prete l yon santimèt pou l mezire longè poto a.

**santyèm**: *n. Fraksyon ki reprezante yon pòsyon nan 100 pati. Pa egzanp, ou ekri yon santyèm konsa 1/100, osinon 0,01.*

**sanwont**. *n. : Moun ki pa konn wont.* Gade lè ou non, sanwont, mwen ta ba ou yon kalòt marasa.

**sanzatann** : *adv. Ki pat planifye, ki vin bridsoukou.* Moun yo parèt sanzatann.

**sanzave**: *a. Vagabon, malpouwont.* Gendefwa ou kontre yon moun ou panse se moun debyen li ye men se sanzave li ye.

**sapantye** *(sapantye osnon chapantye): n. Zwazo ki renmen fè twou nan pyebwa.* Plen sapantye bò isi a.

**sapat**: *n. Sandal pla, san talon, ki pa elegan, moun ka mete pou drive nan kay.* Ou pa ka al travay ak sapat.

**sapoti** *(sapotiy): n. Fwi twopikal ki gen yon koulè mawon sou deyò, andedan li koulè koray; nannan an mou epi li dous anpil; li gen yon grenn nwa nan mitan li. Pyebwa ki bay fui a rele sapoti. Non laten li se Achras sapota. Gen yon lèt ki soti nan ekòs sapoti, lèt la gonmen, li ka sèvi pou fè chiklèts.* Jaklin renmen sapoti, sapoti gen anpil kalsyòm.

**saranpyon**: *n. Maladi enfektye timoun pran nan yon viris ki bay bouton wouj toupatou sou po yo.* Lè Kalin te piti li te fè saranpyon.

**sasinen** *(ansasinen): v. Touye ak zam file tankou kouto.* Yo sasinen Pòl ak Jak pandan kànaval la.

**satan**: *n. 1. Demon, dyab.* Gen moun ki di se satan ki fè nou fè peche. *2. Moun ki* *ap sèvi dyab, ki nan malefis.* Moun sa yo se satan, pran prekosyon avèk yo.

**satelit**: *n. Yon bagay (yon kò) ki ap vire toutotou yon planèt.*

**saten**: *n. Materyèl twal ki sanble ak tafta, yon jan klere epi soup; yo fè rad osnon doubli pou rad fèt.* Jaklin ap mete yon rad saten pou joudlan.

**satisfaksyon**: *n. Kontantman.* Machann nan di li vle pratik li yo gen satisfaksyon.

**satisfè**: *v. Ki kontan, ki jwenn sa li tap atann nan.* Jak satisfè ak kay li a.

**satouyèt** *(chatouyèt, zatouyèt): v. Touche yon moun kote li sansib pou ka fè l ri.* Odil ap satouyèt zo kòt Kawòl.

**savann** : *n. Bwa, espas jeyografik kote moun pa abite, ki pa gen anpil pyebwa men ki gen bèt sovaj.* Gen yon savann nan peyi Ayiti ki rele Savann Dezole.

**save**. *a. : Moun ki konnen anpil, ki entelijan. Ou menm ki save, vin li lèt sa a pou mwen.* Mwen pa save men mwen te al lekòl.

**Saven Woje** *(Roger Savain): np. Ekriven, edikatè, entèprèt, tradiktè, komèsan, politisyen. Li ekri "Dis Pa Nan Lang Ayisyen" yon dokiman pou moun aprann gramè kreyòl. Liv la te pibliye tou nan lang Anglè ak lang Franse. Anplis, li devlope kasèt odyo ak videyo pou ale ak liv la.*

**savon**. *n. :* Detèjan, *pwodui pou netwaye.* Gen moun ki di savon sa a se yon bon kalite paske li kimen byen epi li dire.

**savonnen** : *v. Pase savon, lave.* Madanm nan pral savonnen do timoun nan.

**SD**: *akwonim ki vle di Sèvis Divalyeris.*

**se jodi**: *adv. Dat, depi lontan.* Se jodi nou ap tann ou.

**se laraj**: *v fr. Ekspresyon ki endike yon bagay yon moun ka pa kwè paske li egzajere.* Se laraj pou ou wè jan moun yo ap goumen pou gremesi.

**sè bra**: *n fr. Moun ki antann yo anpil, konpayèl.* Jozèt ak Jànin se sè bra.

**sè**. *n. : 1. Fi ki pitit papa osnon pitit manman yon moun. De fi ki gen menm manman osnon menm papa.* Joslin se tisè m, Kalin se gransè-m. *2. Kote yo fè plant grandi, li kouvri ak plastik osnon ak yon gri ki kite limyè ak chalè antre. Anjeneral, li kenbe imidite tou.* Kay Walas la gen anpil sè, yo plante tout kalite flè la. *3. Fi ki antre nan kouvan, nan legliz katolik.* Bonjou sè Elèn, kouman ou ye jodi a?

**se**. *v.: Vèb ki montre yon sitiyasyon oubyen yon moun.* Se pitit mwen an ki di mwen sa. Se ou ki te ale nan nòs la? Se sa yo di men mwen pa konnen si se vre Se gwo koze ou di la a.

Se pa tout sa ou tande pou ou repete. Se nou tout ki antrave la a.

**sèch, sèk**: . *1. Ki pa gen dlo.* Rivyè a sèch. Pwa kongo sèch.

**seche**: *v. Fè tout imidite soti nan yon bagay; retire dlo.* Seche rad. Seche kafe

**sechrès**. *n. : Detrès lè pa gen dlo osnon lè lapli pa tonbe epi tout plantasyon ap fin brile nan solèy.* Lè lapli pa tonbe konn gen sechrès nan zòn nòdwès.

**sechwa**: *n. aparèy pou seche rad osinon rekòt osinon cheve.*

**sèd** : *n. Gwo pyebwa ki gen branch li yo an etaj epi ki bay planch ki santi bon.* Mèb ki fèt ak sèd toujou gen yon bon odè bwa natirèl.

**sede**: *v. 1. Bay legen. Madan Chal sede bay Chal, li pa kapab nan diskisyon avèk li toutan an. 2. Vann yon pòsyon sa ki pou ou.* Jak sede Jera yon moso nan tè li a pou yon ti kraze.

**sediman** : *n. Depo ki fèt nan fon yon likid, ak tout tikal osnon ti moso solid fenfen ki te nan likid la.* Si ou kite yon dlo sal poze ap gen sediman tout salte ki te nan dlo a ki pral chita nan fon veso a.

**Sedò Dyedone** *(Cédor, Dieudonné). np. : Li fèt nan àne 1925 Ansavo. Se yon atispent rekoni ki te genyen pri meday lò nan Ekspozisyon Bisantnè a. Nan àne 1950, li te youn nan manm fondatè Asosyasyon Atis Ayisyen ak Fwaye Atizay Plastik la. Li patisipe nan ekspozisyon Ozetazini ak nan kontinan Ewòp tou. Se li ki fè penti nan bilding ayewopò Pòtoprens la. Li se yon konsiltan epi yon pwofesè tou pou Galri Nadè. Estil li sanble ak estil Sezàn epi ak Brak.*

**Sedras Rawoul** *(Raoul Cedras): np. Militè, politisyen, diktatè. Li fèt an 1949. Li te diplome nan lekòl militè an 1973. Li vin rive kolonèl an 1989. An 1991 li fè you koudeta militè kont Prezidan Aristid. Li vin prezidan defakto 1991-1994. Pandan twazan koudeta a Sedras te ògànize yon rejim ki te fè masakre anpil moun pou li te kapab rete opouvwa. An 1994 lè Aristid retounen Ayiti ak pwoteksyon lame ameriken, Sedras te pati al viv nan Peyi Panama. An 1999 gouvènman Preval la fè efò diplomatik pou Panama ka voye Sedras Ayiti pou li vin jije, men Panama pa t voye Sedras retounen.*

**sedui**: *v. 1. Konvenk.* Pyè sedui Jera nan pwojè a; yo pral fè l ansanm. 2. *Lè yon nèg fòse yon fi fè sèks avèk li.* Se malonèt sa pou yon nèg sedui yon fi.

**sefwe**: *v. Ale.* Lè a rive, m sefwe.

**segman** : *n. Nan jeyometri, moso, pati, nan yon liy ki kòmanse epi ki fini nan yon lòt pwen. Gen segman dwat gen segman an sèk tou.*

**segonde**: *v. Vini apre, ankouraje moun ki devan an.* Jak segonde Kalo nan tout sa li ap fè.

**segondè**: *n. 1. Nivo nan lekòl.* Gen primè ak segondè. *2. a. Ki vini apre, ki pa an premye plan.* Reyaksyon segondè.

**segonn** : *n. Fraksyon nan tan ki vo swasant minit.* Nan twa segonn li ap dezè apremidi.

**segond**. *n. : Tan ki reprezante yon fraksyon nan yon minit.* Gen swasant segond nan yon minit.

**sèjan**: *n. Nan lame, grad militè nan nivo anba nèt.* Aliks se yon sèjan.

**sèjousi**: *adv. Alèkile, aktyèlman.* Sèjousi nou pa gen tan pou nou pale ditou.

**Sèk Filadèfi** *(Cercle Philadelphie) : Non yon gwoup ki te egziste Okap anvan revolisyon Sendomeng la. Bi gwoup sa a se te fè politik, fè filozofi epi fè literati tou.*

**sèk**. *: 1. a. Ki pa mouye, ki pa gen dlo.* Lapli pa tonbe, se sa kifè tè a sèk konsa a. *2. n. Desen jeyometrik ki gen yon fòm won. liy desen ki gen fòm epi ki gen tout pozisyon li nan yon distans egal parapò ak sant (mitan) li.* Fè yon sèk, nou pral jwe mab.

**Sèka-Lasous** *(Cerca-la-Source): np. awondisman ak komin nan depatman sant.*

**sekans** *: n. Etap òdone pou fè kichòy.* Nan ki sekans ou mete mizik yo?

**sèke**: *v. 1. Fè yon sèk.* Yo sèke kay madan Kal la pandan twa jou. *2. Eksp. Sèke se yon ekspresyon ki vle di "sa rive", "se konsa".* Sèke pa gen ankenn moun ki konprann sa ki ap pase a.

**sèkèy**: *n. Mèb pou met mò anvan lantèman. Sèkèy an mab.*

**sekirite** *: n. 1. Pwoteksyon kont danje.* Se sistèm alam sa a ki ba nou sekirite. *2. Moun ki bay pwoteksyon.* Edwa se yon sekirite nan palè.

**sekle** *(sakle): v. Koupe, rache, wete move zèb.* Jodi a nou pral sakle lakou a.

**sekou**: *n. Ed, sipò nan moman difisil.* Se moun sa yo ki te pote nou sekou.

**sekoup** *(soukoup): n. Ti plat ki ale anba tas.* Sekoup sa a bèl.

**sekoure** *(sekouri): v. Bay èd, bay sekou.* Nòtredam Dayiti, sekoure nou.

**sekrè**. *n. : Enfòmasyon ou pa vle nenpòt ki lòt moun konnen.* Mwen ap di ou yon ti sekrè nan zòrèy.

**sekretè**. *n. : 1. Se moun ki asiste yon patwon, sekretè konn andwa tape epi reponn telefòn tou.* Si mwen pa la, kite komisyon an pou mwen nan men sekretè m nan. *2. Moun ou bay yon dyòb anpasan.* Kot ti sekretè a ki te la a, mwen ta byen voye la al gade si fritay la pare kay madan Jan an.

**sèks**. *n. : 1. Sa ki fè diferans ant mal ak femèl. Sèks mal sèks femèl. 2. Aksyon de moun ki ap fè lanmou. Moun ki marye ka fè sèks.*

**seksyon**: *n. Pati, depatman.* Se pa nan seksyon sa a ou ka jwenn zouti ou bezwen an.

**seksyon riral**. *: Pipiti gouvènman lokal ki egziste Ayiti.*

**sektanm** *(septanm): n. Mwa nan ane a, ki vini apre mwa daou epi anvan mwa oktòb.* Jislèn fèt nan mwa sektanm.

**sektè** *: n. Seksyon, pati, depatman.* Se nan sektè prive a ki gen plis kòb.

**sekwa**: *n. Moun ki panse li se yon pakèt afè.* Jaklin se yon sekwa.

**sekwe** *: v. Sakaje.* Sispann sekwe gode a, li ka chavire.

**sèl kòk chante**: *n fr. Moun ki gen tout pouvwa, ki pran tout plas, tout espas nan anviwonman kote li ye a.* Manno se sèl kòk chante.

**sèl**.: *Engredyan moun met nan manje pou leve gou l, ki bay manje gou sale.* Yo fè sèl ak dlo lanmè.

**sele** *: v. Mete sèl.* Sele chwal la pou nou ale.

**selebre**: *v. Fete.* Tout moun te byen selebre joudlan ane sa a.

**selebride**: *n. Bwason ki gen alkòl to fè sitou Okap. Se yon melanj kleren, sitwon ak lòt engredyan fèy.*

**selera**: *n. Vakabon, moun san prensip. Pa mele ak selera.*

**seleri**. *n. : Yon legim, epis.* Gen moun ki manje seleri kri nan salad men mwen pito l bouyi nan manje.

**Selesten-Meji Emil** *(Célestin-Mégie, Émile) alias Togiram: np. Jounalis, ekriven, powèt, biyograf, pwofesè, notè. Li fèt Marigo 17 Oktòb 1922. Meji tèlman renmen Marigo, li vire mo Marigo a lanvè pou li kreye non atisplim li (Marigot/Togiram). Meji se youn nan twa manm pèmanan Sosyete Koukouy yo. Meji ekri an fransè epi an kreyòl. Nan domèn literati younn nan zèv chelèn Meji se Lanmou pa gen Baryè (1975), yon woman (kont) ki gen twa tòm. Mégie ekri pwezi Kite m'pale; Lettre à une Poétesse, Feuilles d'Orties. Li ekri Teyat Byen viv, Senserite nan lanmou, epi li te fondatè twa jounal: " Le Petit Marigotien", "Espiral", ak "Gindòl".*

**seliba**: *n. Sitiyasyon yon moun ki rive nan laj pou li ta marye, men li pa marye.*

**selibatè**. *n. : Moun ki pa marye. Mwen te toujou vle ret selibatè men lè mwen rankontre Kalo mwen chanje lide.*

**selil** : *n. 1. Sal kote yo mete prizonye. Yon ti pyès nan prizon osinon nan kouvan.* Yo arete Elifèt, yo mete l nan yon selil poukont li. *2. Inite fondamantal tout sa ki vivan, moun plant osinon bèt. Selil bèt ak selil plant gen nwayo, sitoplas ak manbràn. Plizyè selil rasanble ansanm pou fòme diferan kalite tisi. Moun gen 50 milya selil nan kò nou. Gen nan selil nou yo ki tèlman piti se 100,000 (sanmil) pou nou ta mete ansanm pou yo ta kouvri tèt yon epeng titèt. Men gen selil ki gwo, gi long epi ki gen divès fòm. Gen selil nè ki fen epi ki long, genyen ki ka soti nan jenou rive nan talon. Tout selil se selil, men tout selil pa menm. Genyen ki travay nan dijesyon manje genyen ki travay pou konbat maladi, gen lòt se pou kominikasyon yo la. 3. Ti gwoup mouvman kominis. 4. Konpatiman nan yon batri.*

**selina**: *n. Fi, vyèy fi, ki rantre nan laj epi ki pa marye.* Jozèt se yon selina.

**sèlman**: *adv. 1. Yon sèl. Se Terèz sèlman ki vini. 2. Fè atansyon.* Sèlman, mwen pale ou, pa chèche mwen kont.

**selofàn**: *n. Papye seliloz, fen transparan ki sèvi pou anbale manje.*

**selon**: *pre. Sa depan.* Se selon sa li di.

**sèlsiyis**: *n. Inite pou mezire tanperati.* Li fè karant degre sèlsiyis.

**sèman**. *n. : Deklarasyon oswa pwomès moun fè sou tèt yo oswa sou pitit yo pou yo fè yon bagay.* Mwen fè sèman mwen pap janm moute bisiklèt ankò.

**semans**: *n. Grenn ki ka repwodui plant.* Nou sot achte semans pou nou plante.

**sèmante**. *v. : Fè sèman.* Mwen sèmante sèt fwa, mwen pap pale ak moun sa yo.

**semantik**: *n. Etid langaj ak lang pou idantifye sans mo yo.*

**semèl**: *n. Pati anba yon soulye ki touche ak plapye.* Semèl soulye sa a fèt ak kawotchou.

**semèn**. *n. : 1. Sèt jou youn apre lòt depi dimanch rive sou samdi pa egzanp. Chak uit jou.* Chak semèn mwen al fè mache Kafou Deriso. 2. *Anvan uit jou.* Nan semèn nan mwen gen pou mwen al wè matant mwen Okay.

**semès**: *n. peryòd tan ki gen sis mwa konsekitif.*

**semestriyèl**: *n. Chak sis mwa, chak semès.*

**semi**: *n. semans ki fèk kòmanse boujonnen. 2. Eleman ki atache ak lòt mo pou endike mwatye.*

**seminaris**: *n. Etidyan pansyonè ki ap prepare pou yo vin fè prèt osinon pastè. Elèv nan seminè.*

**Sen Jan Bosko:** *I Non yon Sen nan legliz katolik. 2. Non yon legliz nan Pòtoprens nan zòn Lasalin kote militè ayisyen yo te atake, mete dife pou rezon politik.*

**Sen Rafayèl** *(Saint Rapahel). : Ti vil nan pati nò peyi Ayiti.* Jaklin se moun Sen Rafayèl. 2. *Non yon sen nan legliz katolik.* Timoun yo ale nan legliz Sen Rafayèl la chak dimanch.

**Sen Toma:** *1. Moun ki gen dout, ki pa kwè fasilman tou sa yo di li.* Jera se sen toma, se lè li wè li kwè. 2. *Non yon sen nan legliz katolik.* Legliz Sen Toma.

**sèn** : *n. 1. Lobo.* Fi a fè yon sèn la a, moun kanpe sou de ran. 2. *Zouti pou peche.* Mesye yo pran sèn yo pou yo al peche. *3. Seremoni nan legliz pwotestan lè moun yo manje pen epitou bwè diven kò senbòl kominyon. La sent sèn.*

**sen**. *n. : 1. Moun ki san tach. Nan relijyon katolik, sen se moun ki rekoni pou lavi san tach yo genyen epi pou mirak ki asosye a lavi yo. Nan vodou, yo se lwa. 2. Tete.* Gen fi ki gen pi gwo sen pase lòt.

**senaryo**: *1. n. plan detaye pou yon woman osinon yon fim epi ki dekri aksyon enpòtan yo. 2. Pwogram ki dewoule dapre yon plan ki etabli davans.*

**senatè**. *n. : Reprezantan ki ap deside lalwa yon peyi.* Senatè yo travay nan yon biwo ki rele Sena.

**senbal** : *n. Enstriman mizik an fèy metal.* Senbal la gen yon son ki bay mizik la yon kadans dous.

**senbòl chimik** : *n fr. Nan chimi, chak eleman gen yon kòd, yon senbòl pou idantifye yo.* Pa egzanp, H se idwojèn.

**senbòl** : *n. Desen, imaj ki reprezante yon bagay.* X se senbòl miltiplikasyon.

**senbyoz** : *n. Asosyasyon ki pwofitab pou de òganis vivan. Gen fongis ak alg ki viv an senbyoz.*

**sendenden**: *n. Moun ki pa merite atansyon, ki pa serye.* Sesil se yon sendenden.

**sendika**: *n. Asosyasyon ki la pou defann enterè tout anplwaye.* Se grasa sendika a ki fè Dalton nan travay li a toujou.

**Sendomeng**. *(Saint-Domingue) : 1. Non kolon Franse yo bay Ayiti. Se te yonn nan koloni ki te pi rich yo. Lè peyi a vin endepandan Ayisyen* *yo vin chanje non peyi a pou ba l non Ayiti, non li te genyen anvan kolonizasyon.* 2. *Non kapital peyi ki rele Repiblik Dominikèn.* Si ou al Sendomeng, achte yon diksyonè panyòl pou mwen.

**sene**: *n. Remèd vè.* Depi yo bay Bèta sene, li toujou rann anpil vè.

**Senegal** : *np. Peyi nan kontinan Afrik.* Kapital Senegal se Daka.

**Senegalè** (èz) : *n. 1. Non yo bay moun ki gen nasyonalite peyi Senegal.* Senegalè sa a debyen. *2.a. Ki pou peyi Senegal.* Teritwa Senegalè.

**sènen**: *v. 1. Sèkle, kore, antoure yon moun osnon yon bagay pou ou pa kite l pase.* Yo sènen sourit la joustan yo kenbe l. 2. *Kenbe yon moun joustan ou fè l pale.* Yo sènen Jera joustan li bay non tout lòt moun ki te nan koze a.

**Senfa**, *pastè Senfa. (Saint Phar): np. pastè, notè, komèsan*

**senj**: *n. 1. Mamifè, ki gen ki gen men ak pye fleksib ki gen zong, ki viv sou pye bwa. 2. a. moun ki imite lòt moun san refleksyon.*

**Senjis Lowò** *(Laurore Saint-Juste): np.*

**senk** : *a. Kantite ki vini apre kat, anvan sis.* Senk poupe.

**senkant**: *a. Kantite ki vini apre karantnèf, anvan senkanteen.* Senkant santim.

**senkantkòb.** *n. : Degouden. Senkantkòb vo degouden.*

**senkantyèm**: *n. 1. Ranje kote nimewo senkant la ye.* Se Jak ki senkantyèm. *2. a. Pozisyon ki vini apre karantnevyèm, anvan senkanteinyèm lan.* Sa fè senkantyèm fwa yon moun mouri pou ane sa a.

**senkè** : *n. Tan li fè lè ti zegi a sou senk epi gwo zegi a sou douz.* Nou ap derape a senkè tapan.

**senkòb**. *n. : Lajan monnen ki vo yon penich meriken.* Pa gen anyen ou kapab achte ak senkòb alèkile.

**senkyèm** : *n. 1. Ranje ki vini apre katriyèm. Se mwen ki senkyèm. 2.a. Pozisyon ki vini apre katriyèm lan.* Jan se senkyèm pitit.

**Senleje** *(Saint- Léger). np. : Komisyonnè Franse ki te eseye fè "tiblan" ak "granblan" antann yo. Men sa pa t mache.*

**Senlo** *(Saint-Lot): oratè, senatè*

**Senmak** (Saint-Marc): *np. Vil anvan ou pran Gonayiv, ki bò lanmè.* Moun Senmak di yo pa ta janm kite vil yo a pou yo al rete yon lòt kote.

**senmenn** *(semèn): n. Kantite tan ki dire sèt jou youn apre lòt. Gen sèt jou nan yon semenn.*

**senn**: *n. 1. Monnen, yon kòb.* Ven senn se ven kòb. *2. Sèn, eskandal.* pa vin fè ankenn senn la a.

**sennen**: *v. 1. Sènen, sèkle.* Yo sennen Jera joustan li bay kòb la. *2. Voye senn nan lanmè.* Pechè yo al sennen.

**sennesòf**: *adv. San pwoblèm, san danje.* Moun yo ale epi yo tounen sennesòf.

**senp** : *1. n. Seri jès ak pawòl ki sipoze gen pouvwa sinatirèl ki pèmèt yon moun fè sa lòt pa ka fè.* Jenni di li konn fè senp. *2. a. Ki pa konplike.* Istwa sa a senp.

**senpleman.** *adv. : fasilman, ki pa konplike, san bri san kont.* Mwen tou senpleman di fi a pa janm met pye l devan pòt mwen an ankò epi li tou konprann mwen la menm.

**senplifye** : *v. Fè yon bagay vin senp; wete sa ki pa nesesè.* Annou senplifye travay la.

**Sen Rafayèl** *(Saint-Raphael): np. komin ak awondisman nan depatman Nò.*

**sensè**: *a. Onèt, ak tout kè, san manti, san blòf. Woje te yon nonm sensè.*

**sensèman** : *adv. Ak senserite, san manti, onètman.* Kawòl regrèt sa li fè a sensèman.

**sent**: *n. Moun ki mennen yon vi san peche, ki ka fè gerizon osnon fè mirak apatid pouvwa Bondye ba li.* Sent Katrin.

**Sentelwa Wodne** (Rodney *Saint-Eloi): np. Edikatè, jounalis, kritik literè, editè, powèt. Li fèt Kavayon an Out 1963. Li etidye Ayiti ak Kanada. Li pibliye "Grafitti pour l'Aurore" pwezi, Pòtoprens, 1989; "Voyelles Adultes", Editions Mémoire, 1994; "Cantiques d'Emma", 1997.*

**Sentespri**: *n.p. Twazyèm fòs ki reprezante Bondye.* Papa, Pitit ak Sentespri se Bondye nan twa fòs, dapre relijyon katolik.

**senti sekirite** : *n fr. Nan oto osnon nan avyon ap egzanp, senti ou mete pou tache ou pandan ou chita; li kapab pwoteje ou si ta gen yon aksidan.* Kou ou monte machin nan, mete senti sekirite ou.

**senti**. *n. : 1. Sentiwon. Bagay ou pase nan ren ou pou kenbe pantalon ou byen jip.* Fòk mwen mete yon senti ak pantalon sa a paske li twò gwo pou mwen. 2. *Pati nan kò moun nan nivo kote pantalon rive.*

**sentiwon**. *n. : Senti. Bagay ou pase nan ren ou pou kenbe pantalon ou byen jip.* Fòk mwen mete yon sentiwon ak pantalon sa a paske li twò gwo pou mwen.

**Sentod, Kleman Maglwa** *(Saint Aude, Clément Magloire). np. : Li fèt Pòtoprens Avril 1912. Bon non li se Kleman Maglwa fis (Clément Magloire Fils). Li adopte non Kleman Maglwa-Sentod an 1940. Li te elèv Kolèj Senmasyal, Senlui epi EnstitiTipenawè. Papa li te pwopriyetè jounal kotidyen "Le Matin". Sentod pibliye pwezi nan "La Relève", ak nan plizyè jounal. Sentod te etabli yon korespondans kiltirèl ak Andre Breton, Wilfredo Lam ak lòt ekriven / atis entènasyonal. An 1939 li te youn nan fondatè revi "Les Griots" Li ekri twa liv pwezi, Dialogue de mes Lampes (1941), Tabou (1941) ak Déchu, (1956). Li mouri nan ane 1971. Li te konn ekri an franse men ak yon estil lokal. Maglwa Sentod mouri nan Savann Sale an Mas 1971.*

**sentre** *: v. 1. Sere.* Senti sa a sentre ou twòp, fè yon ti lage l. 2. *Kore, fè yon moun pake, sènen l.* Yo sentre l joustan yo pran tout lajan li sou li.

**Sentrinite** *(Sainte Trinité). np.: 1.Legliz episkopal ki nan vil Pòtoprens epi ki gen anpil bèl tablo vitray ki dekore 2. Legliz sa a aksepte entèpretasyon ak sans atis Ayisyen yo bay labib la.*

**Sentrinite***: Papa, Pitit ak Sentespri se Bondye nan twa fòs, dapre relijyon katolik.*

**senyen**. *v. : Lè san ap sòti nan kò yon moun ou byen yon bèt.* Lè mwen te tonbe lotrejou a, se pa de senyen janm mwen an te senyen.

**sèpan** *: n. Koulèv.* Jeraldin pè koulèv.

**sèpantye** *(chapantye, sapantye): n. Zwazo ki beke pyebwa pou fè nich li.* Gen anpil sèpantye nan vil sa a.

**separasyon***: n. 1. Divizyon. De mi yo separe ak yon planch. 2. Aksyon kote ou bay chak moun sa ki pou yo.* Se papa Woje ki fè separasyon jwèt yo.

**separe**. *v. : 1. Ki pa pre. Se pou ou kite twa mèt ant chak plant yo pou separe yo konsa yo kapab grandi alèz. 2. Ki pap viv ansanm ankò. Ki fè ou pat konnen madan Biwon te separe ak Biwon? 3. Bay chak moun pa yo.* Mwen pral separe manje a, nou mèt chita tann plat pa nou.

**sèpèt***: n. Zouti pou travay latè, manchèt ki gen fòm demisèk.* Chak maten, Elwa pati ak sèpèt li nan dyakout li.

**septanm** *(sektanm): n. Mwa nan ane a ki vini apre out.* Kou li septanm andire li fè pi fre.

**sepwazon***: eksp. Espresyon ki vle di "Kote ou ta wè sa".* Vin ban mwen kou menm, sepwazon!

**seramik:** *n. 1. Materyèl ki fèt ak tè kuit, fayans osnon pòslèn.* Po an seramik. 2. *Atizay, travay manyèl ki sèvi ak tè kuit.* Jaklin ap aprann seramik.

**sera-seta:** *ent. Entèjeksyon ki endike ou pap janm kite yon bagay fèt ankò, janm, pap janm.* Sera-seta, piga Wolan janm mete pye l isit la ankò.

**sere boulon***: v fr. 1. Vise yon boulon joustan li sere. Si ou pa sere boulon sa a, li ap lache talè konsa. 2. Mete disiplin, mete lòd estrik. Yo sere boulon Manno, li pa ka soti apre setè diswa ankò.*

**sere**. *a. : 1. Mete yon kote byen lwen pou moun pa jwenn li. Jouskibò ou t al sere kòb sa a la a. 2. Mare di. Sispann sere ren ou konsa non, tay fin pa alamòd ankò non.*

**serebelòm***: n. Pati nan sèvo a (piba epi pa dèyè serebwòm nan) li gen twa lòb, li kontwole balans ak kowòdinasyon miskilati yo.*

**serebwòm:** *n. Pati prensipal nan sèvo vètebre ki gen de emisfè (pòsyon goch ak pòsyon dwat) kontwole panse, memwa, jijman aktivite konsyan ak volontè.*

**seremoni***: n. Seri aktivite ki fèt sou direksyon yon moun otorize, an prezans yon piblik, ki gen valè sakre swa sosyal, espirityèl osnon relijye.* Seremoni maryaj sa a te bèl.

**Seremoni Bwakayiman**. *: Seremoni kote Afriken nan Sendomeng yo te chwazi lanmò pase pou yo te rete nan kondisyon sa yo te ye a. Sa te fèt yon jou 14 out 1791, nan Laplèndinò. Seremoni sa a konsidere tankou se kòmansman revolisyon esklav yo.*

**Seremoni Yanm.** *: Seremoni kote yo ofri lwa yo premye fwi yo keyi yo.*

**seren***: n. Imidite melanje ak frechè ki gen nan lè a leswa lè fè nwa.* Gen moun ki panse lè seren an pa bon pou timoun piti.

**sereng** *: n. Zouti enfimyè ou doktè itilize, lè yo kole l nan yon zegi, pou yo bay moun piki avèk li.* Yo konn bouyi sereng pou dezenfekte yo men yo ka sèvi ak sereng jetab tou.

**sereyal***: n. 1. Gwoup manje ki gen anpil farin tankou diri, mayi, pitimi ak ble.* Sereyal nou manje ak pwa nan peyi Ayiti se diri, mayi, piti ak ble. 2. *Manje maten ki fèt ak manje ki gen anpil farin, yo kuit yo, mete fòtifyan ladan yo, yo konn ajoute sik ak lòt bagay tankou rezen tou.* Nan peyi Etazini, anpil moun manje sereyal lematen.

**seri** *: n. 1. Gwoupman kote tout inite yo sanble.* Yon seri kat, yon seri liv. 2. *Lis lèt, non osnon chif.* Yon seri nimewo tankou 1, 2, 3. 3. *Je, ansanm, klasman.* Yon seri match ki pral jwe.

**seriz**: *n. Fwi koulè wouj sou deyò, ki gen yon chè mou andedan, ki soti nan yon pyebwa yo rele serizye.* Kawòl gen yon pye seriz nan lakou lakay li a.

**serizye** : *n. Pyebwa ki bay seriz.* Jaklin gen yon serizye lakay li a ki donnen anpil ane sa a.

**serye** : *a. 1. Responsab.* Kalo se yon moun serye. *2. Move, ki pap ri.* Sa ou genyen ou serye konsa a?

**seryèzman**. *adv. : Tout bon.* Mwen di ou sa seryèzman, si ou pa konfòme w, mwen ap divòse avè w.

**sesi-sela:** *Pwo. Nenpòt.* Ou mèt tande sesi-sela, se ou ki pi bon.

**sèso**. *n. : Sipò anfè osnon an plastik ki fèt pou koke rad.* Mwen pral pase la a, te mwen al ranmase detwa sèso.

**sèt:** *a. Chif ki vini apre sis.* Sèt pitit.

**sètadi**: *kon. Osnon, oubyen.* Mwen pa dakò, sètadi, mwen pap kolabore nan travay sa a.

**setè** : *n. Lè li ye lè ti zegi a sou sèt epi gwo zegi a sou douz.* Nou ap tounen a setè.

**sèten:** *a. Si, san dout.* Ou sèten ou ap ka fè travay la?

**sètifika**. *n. : 1. Klas final nan kou primè yo.* Maryo se klas sètifika l ap fè kounye a, li fin gran nèt. *2. Egzamen leta pou ou pase kou primè yo epi pou ou lib antre nan kou segondè yo.* Ane sa a Maryo ap desann sètifika. *Papye yo bay yon moun lè li konplete yon antrenman.*

**sètifikadetid primè**. *: Diplòm yo bay Ayiti apre yon moun fin fè sizan pwogram lekòl primè.*

**sètoblije:** *a. Oblije, dwe, fòse. Ou ap sètoblije ban mwen sa ki pou mwen.*

**setyèm**: *n. Pozisyon ki vini apre sizyèm.* Se Aliks ki setyèm. *2.a. Pozisyon sa ki vini apre sizyèm nan.* Setyèm pati.

**sevè:** *a. Di, tyak.* Manman Odil sevè anpil.

**sèvèl**. *n. : Sèvo. Pati andedan tèt yon moun osnon yon bèt.* Sèvèl yon moun se yon pati ki enpòtan anpil nan kò l.

**severite**: *n. Fason estrik pou adrese yon sitiyasyon.* Manman Odil pale l ak severite.

**sèvi**. *v. : 1. Manje mete sou tab.* Manje a sèvi wi, li lè pou nou vin manje. *2. Nan jwèt volebòl, jan ou voye balon an pou kòmanse konpetisyon an.* Si ou pa sèvi byen, mwen pap kapab fè pas la byen non plis. *3. Dezyèm men.* Bagay sa yo sèvi deja, mwen pa vle yo, se bagay nèf mwen vle. *4. Pratike, nan vodou.* Mwen pa sèvi ak ankenn lwa mwen menm, mwen pa foure kòm nan bagay sa yo.

**sèvis** : *n. 1. Èd, koutmen.* Pòl ap vin rann nou sèvis la pita. *2. Travay yon moun fè pou lajan.* Bèta ofri yon sèvis drayklinin.

**sèvisdijyèn**. *n. : Biwo ki okipe afè pwòpte ak sante popilasyon Ayiti.*

**sèvitè**: *n. Moun ki ap sèvi.* Gaston se sèvitè madan Chal.

sèvo: *n. Pati andedan tèt yon moun ki jere fonksyonman kò a. Yon mas tisi nè nan tèt vètebre, se pati prensipal sistèm nè a, se sant panse, se ògàn ki resevwa estimilasyon sans yo (vizyon, tande, touche, odè, gou) epi ki kontwole repons miskilati yo. Sèvo a gen matyè gri (ki plis sou deyò) ak matyè blanch (ki plis sou anndan). Doktè pral opere Tifrè nan sèvo.*

**sevre**: *v. Wete nan tete.* Yo sevre Rachèl sou twa mwa.

**Sevren, Franswa** *(Séverin François): np. Agwonòm, ekriven, pwofesè, politisyen ayisyen.*

**sèvyab**: *a. Ki renmen rann sèvis.* Jozèt se yon moun ki sèvyab.

**sèvyèt**. *n. : Twal espesyal ki epè, ki fèt pou moun siye kò yo.* Pote yon sèvyèt pou mwen siye kò m, mwen gentan fin benyen la a.

**sewòm**: *1. Pati likid klè (enpe jòn) ki nan san an, lè san an kaye li separe selil solid yo epi sewòn nan rete likid. Sewòm nan gen pwodui chimik ki pwoteje moun kont enfeksyon (iminite). 2. Medikaman ki fèt ak dlo, sik epi fòtifyan ladan l yo bay moun nan venn; gen sewòm yo bay nan bouch tou. Likid klè ki gen sèl ak lòt fòtifyan yo enjekte nan venn pou remonte moun ki malad. Sewòm oral. 3. Pati klè ki rete lè lèt kaye.*

**seyans**: *n. 1. Tan limite yon aktivite pran.* Nou pral silema seyans twazè osnon senkè. *2. Nan sistèm lejislatif osnon jistis, deliberasyon ant moun ki espesyalize nan domèn nan.* Seyans lachanm nan poko fini.

**seye**: *v. 1. Eseye, tante chans.* Nou eseye twa doktè deja. *2. Mezire pou ou wè si li bon.* Vin seye soulye a.

**Seyè**. *: Non yo bay Jezi.* Seyè papa, gen pitye pou nou non.

**sèz**: *a. Chif ki vini apre kenz.* Sèz poul ak de kanna.

**Seza Filip** *(César, Phillipe). np. : Youn nan twa komisyonnè Tousen te voye pou diskite lapè ak chèf milat ki te rele Andre Rigo a an 1800.*

**sezi**. *v. : 1. Fè dappiyanp, pran ak tout fòs ou.* Mwen gentan sezi pitit la anvan l tonbe nan pisin nan. *2. Fè emosyon.* Se pa de sezi mwen sezi non lè mwen pran nouvèl lanmò Antwàn nan. *3. Poze sele.* Tribinal te vin sezi tout byen vwazen yo paske yo pat peye taks yo.

**sezisman**: *n. 1. Emosyon.* Moun yo fè sezisman, se kafe anmè yo ba yo. *2. Tit yon woman nan literati Kreyòl.* Sezisman pou Lafanmi Bonplezi se Mod Etelou ki ekri l.

**sezon**. *n. : 1. Peryòd nan ane a, ki make diferans nan klima. Gen kat sezon nan yon ane, se prentan, ete, otòn ak ivè. Chak sezon dire twa mwa. 2. Tan, peryòd.* sezon lapli, sezon chalè, sezon mango.

**sezonnen**: *v. Mete epis, epise.* Nou fin sezonnen vyann nan.

**sezonye** : *a. Ki baze sou sezon yo.* Anplwaye sezonye yo travay sèlman simwa nan ane a.

**sèzyèm**: *n. 1. Pozisyon. Se ou ki sèzyèm. 2. Sa ki nan pozisyon apre kenzyèm nan.* Sèzyèm anplwaye a malad jodi a.

**si Dye vle:** *eksp. Ekspresyon sa a endike se si Bondye pèmèt yon evenman fèt l ap fèt;* nou pa ka si, se Bondye sèl ki sèten sa ki ap rive demen. Nou ka wè demen si Dye vle.

**si**. *: 1. Asid.* Lè zabriko poko mi, pa gen lè yo si konsa. Zoranj ki pa mi toujou si tou. *2. Sèten.* Mwen pa si mwen konprann sa ou ap di la a non. *3. Akondisyon ke.* Mwen prale avèk ou si ou ap rete tou.

**sibaltèn:** *n. Moun ki nan pozisyon ki ba pa rapò ak yon lòt moun ki bòs li.*

**sibi**: *v. 1. Sipòte.* Jozèt pa ka sibi Jerad. *2. Soufri.* Chal fè madan Chal sibi anpil difikilte.

**sibit**: *a. Toudenkou, sanzatann.* Lanmò sibit.

**sibtil**: *a. Delika, diskrè, ki pa fè anpil bri.*

**sibvansyon:** *n. don, ankourajman, lajan leta osinon yon enstitisyon bay yon moun osinon bay yon òganizasyon pou fè yon travay ki pa rapòte lajan.*

**sibvansyone**: *v. Bay sibvansyon.*

**sibwa:** *n. Veso sakre ki gen fòm vè diven ki sèvi pou konsève losti konsakre.*

**sid.** *n. : Pwen kadinal ki anfas nò, direksyon ki adwat ou lè ou ap gade solèy la ki ap leve.* Nan tout vil nan sid yo se Okay mwen pa konnen.

**Sida**: *1. Non maladi moun genyen lè yo enfekte ak viris ki gen menm non an. Anvan moun fè sida li pase yon peryòd kote li ka enfekte men li poko gen sentòm ditou.*

**SIDIKA** *(CIDIHCA): Akwonim pou Sant Entènasyonal Dokimantasyon ak Enfòmasyon Ayisyen ak Afwo-Kanadyen. (Centre International de Documentation et D'Information Haitienne-Caribéenne et Afro-Canadienne). Sant ki tabli nan Monreyal (Kanada) ki ankouraje piblikasyon dokiman ki gen konneksyon kiltirèl edikatif epi lengwistik ak Ayisyen. Li asosye ak plizyè lòt sant Ayiti pou devlope liv ak lòt piblikasyon.*

**sifas** *: n. 1. Espas ki limite.* Nou pral glasiye tout sifas sa a. *2. Nan kalkil, longè miltipliye pa lajè. Sifas mezire an mèt kare.*

**sifilis** *: n. Maladi moun pran nan sèks; se yon treponèm ki lakòz li; li bay chank.* Marilisi gen sifilis.

**sifle**: *v. 1. Fè yon son pike ak yon siflèt osnon ak vwa.* Timoun yo ap sifle ak siflèt la. *2. Son yon tren fè.* Tren an ap pase kounye a, mwen tande li ap sifle.

**siflèt**: *n. Jwèt timoun ki pèmèt yo sifle.* Timoun yo bay tout moun maltèt tèlman yo sifle siflèt la.

**siga:** *n. Gwo sigarèt ki gen tabak ladan l.* Papa Janklod renmen fimen siga.

**sigarèt** *: n. Ti woulo mens ki gen tabak ladan l.* Alèkile, moun dwe al fimen sigarèt deyò nan lakou osnon nan lari.

**sigwav.**: *Demon ki gen fòm yon lou men ki gen tèt tankou moun.* Dapre kwayans vodou, li gen tandans rache pijon gason.

**sijè**: *n. Mo ki fè osinon ki sibi aksyon vèb nan yon fraz.* Nan fraz "Mari manje poul la" Mari se sijè a, li ap fè aksyon vèb la make a.

**sik:** *n. 1. Pwodui ki gen gou dous ki ka deleye nan dlo yo pran nan kann osinon bètrav osinon sèv erab. 2. Fè sik se lè moun fè dyabèt.*

**sikatris** *: n. Mak ki rete apre yon blesi osnon yon maleng.* Apre aksidan an, Pyè pa rete ankenn sikatris.

**sikilasyon**: *n. Deplasman tout sa ki bouje nan yon espas jeyografik.* Tèlman gen moun ak oto nan Pòtoprens, sikilasyon an difisil lematen. *Mouvan soti yon kote ale nan yon lòt kote. 2. Mouvman san k ap fèt nan tout pati nan kò moun osinon bèt, mouvman sèv nan plant.. Nan sistèm sikilasyon, San an ponpe ale toupatou nan kò-a. Ponp ki fè travay ponpe a se yon Miskilati espesyal yo rele kè. Lè kè a kontrakte san an soti ale nan tib san yo, atè yo, kapilè yo epi gaye toupatou nan kò-a. San an bay oksijèn ak fòtifyan li pote epi li pran gaz kabonik ak dechè. Apresa sa an antre nan venn san fonse yo pou li retounen nan kè-a ankò. 3. Mouvan soti yon kote ale nan yon lòt kote. 4. Mouvman oto nan lari.*

**sikilè** *: n. Nòt ekri ki gen enfòmasyon enpòtan, ki dwe pase al jwenn tout moun ki konsène yo.* Direktè a mande èske tout moun te okouran sa ki di nan sikilè a.

**siklis**: *n. Moun ki monte bisiklèt.* Li ta bon pou tout siklis yo ta mete kaskèt.

**Siklòn Azèl.**: *Siklòn ki te ravaje Ayiti an 1954. Zòn sid la te fini nèt apre siklòn Azèl.*

**siklòn**. *n. : Tanpèt ki gen anpil van, loraj ak zèklè, move tan ki ka fè anpil dega. Siklòn konn sitan danjere, anpil moun konn mouri epi anpil kay konn kraze tou.* Mezanmi, gade yon siklòn, li pase, li touye tout bèt, li rache tout pye bwa.

**Siko, Webè** *(Sicot, Webert). np. : Mizisyen ki te moute yon gwo dyaz ki te rele Kadans Ranpa. Dyaz sa a te an konpetisyon ak yon lòt ki te rele Konpa Dirèk ki te sou direksyon Nemou Janbatis. Siko te yon gran saksofonis ki te fè anpil konpozisyon epitou ki te konn enpwovize; gendelè msye konn jwe de saksofòn ansanm. Estil mizik li a rele konpa. Apre estil dyaz li a te vin pase minidyaz te vin alamòd.*

**sikoloji**: *n. Pati nan syans ki etidye jan lespri ak panse moun ògànize ak jan li aji nan sosyete. Li etidye karaktè ak konpòtman.*

**sikonferans**: *n. Distans toutotou yon sèk. Wonn ki gen tout pwen nan menm distans parapò ak sant la, sèk ki fèt ak konpa.*

**sikonsi**: *a. Ki pa gen po pijon. Ki fè operasyon pou retire prepis.*

**sikonsizyon**: *n. Operasyon pou retire po pijon yon gason.*

**sikonstans**: *n. Sitiyasyon espesyal.* jan sikonstans la prezante la a, nou pa ka pa ede Doris.

**sikre**. *v. : 1. Dousi yon ji osnon yon manje dous ak sik.* Gen moun ki renmen sikre kafe ak rapadou osnon ak siwo myèl men mwen pito sikre ak sik blan. 2. *Dousi.* Cheri, ti koze a sikre kè mwen anpil.

**siksè**: *n. Rezilta satisfezan, pozitif osnon ekselan.* Li pase bakaloreya ak siksè.

**Siksto Moris:** *(Maurice Sixto): np. Atis oral, rakontè, animatè. Li fèt Gonayiv. Li te avèg epi li te konn rakonte tout kalite istwa pou amize epi kritike abitid diskriminasyon ak prejije epitou prezante diferan pati nan kilti Ayisyen. Li mouri Ozetazini nan yon aksidan dife an 1984.*

**sikui** *: n. Wout, distans chemen ki kòmanse yon kote epi fè yon tou konplè pou vin fini kote li te kòmanse a.. Chemen kote elektwon (elektrisite) antre travay epi retounen nan sous kote li soti.* Sikui elektrik.

**sikyatri:** *n. Branch nan medsin ki okipe maladi mantal.* Yo voye Woza al trete nan sikyatri.

**Sila** *(Silla). np. : Kòmandan nwa ki te anrebelyon kont Lafrans. Li te nan lit la nan menm peryòd ak Desalin epi ak Tousen.*

**silabè**: *n. Liv lekti pou debitan kote yo dekoupe chak mo yo pa silab.* Edga vin fò, li konn li tout silabè a.

**silema**: *n. 1. Kote ou al gade fim.* Jera al silema Monpanas. 2. *Fim.* Nou sot silema.

**silenn gradye:** *n fr. Veso pou mezire volim likid. Yo sèvi ak silenn gradye nan laboratwa.*

**silenn** *: n. 1. Veso won ki gen yon fòm etwat epi ki fon.* Silenn sa a ka pran dis mililit. 2. *Pati nan yon machin, ki sèvi pou deplase piston yo dapre kantite presyon li mete.* Motè sa a gen kat silenn.

**silo:** *n. Resèvwa pou konsève manje moun osinon manje bèt epi sitou manje angren. 2. Resèvwa militè souteren.*

**Silven, Frank** *(Sylvain, Frank). np. : Moun ki te alatèt gouvènman pwovizwa peyi a an 1957. Li te rete 56 jou opouvwa jouska jou ki te 2 Avril 1957. Apre sa se Danyèl Fiyole ki vin monte kòm prezidan pwovizwa.*

**Silven, Jòj** *(Sylvain, Georges): np. ekriven, powèt, istoryen, tradiktè, diplomat. Li fèt an nan Dominikani 2 Avril 1866 alòske paran li te an ekzil. Li mouri Pòtoprens 2 Out 1925. Li te al lekòl Pòdepè epitou nan Kolèj Senmasyal nan Pòtoprens. Li etidye dwa an Fran. Li te pibliye plizyè liv, diskou, esè, istwa, biyografi. Li pibliye yon "Antoloji Literati Ayisyèn" an 1925 ak yon koleksyon Fab Lafontèn an Kreyòl. Li te lite kont lokipasyon amerikèn ak plim li ak literati. Li te aktif nan Mouvman Patriyotik Nasyonal.*

**Silven-Konmè Sizàn** *(Suzanne Sylvain-Comhaire): np. Pitit fi gran powèt, diplomat ayisyen, Jòj Silven. Ni papa ni pitit fè yon seri travay estraòdinè an Kreyòl. Sizàn Silven-Konmè se premye fanm ayisyèn lengwis ki prezante yon tèz lengwistik nan Inivèsite Sòbòn (1936). Li pibliye nan plizyè revi; li fè rechèch sou kilti oral (Ayiti / Afrik), li pibliye yon seri koleksyon kont an kreyòl ak an fransè. Li pibliye "Le créole haitien: morphologie et syntaxe". 1936. "A propos du vocabulaire des croyances paysannes". Port-au-Prince. "Les contes Haitiens". 1937. Wetteren, Belgique Imprimerie de Meester. 2 volim. LXIII. "Creole Tales from Haiti". Journal of American Folklores. New York. Vol. 50, pp. 207-295; Vol. 51, pp. 219-346. 1937-1938. "Contes du pays d'Haiti". Port-au-Prince. "Contes Haitiens". Ceeba Publications, serie II, Vol.6. "Creole Tales from Haiti". Journal of American Folk-lore, Vol 50, #197 (Jul. - Sept. 1937); Vol. 50, pp. 207-295; Vol. 51, pp.219-340. New York, 1937-38. "Etudes Haitiennes." Port-au-Prince: Imprimerie du Collège Vertières. 1939. "Le Roman de Bouqui", Port-au-Prince, Imprimerie du Collège Vertières. 1940. "La chanson haitienne". Presence Africaine, 12:61-87. "Survivances africaines dans le vo-*

*cabulaire religieux d'Haiti". Porto Novo. Etudes Dahoméennes XIV, 14:5-20. "Trois contes merveilleux au pays d'Haiti". (nan Kolaborasyon ak Jan, In: Bulletin du Bureau d'Ethnologie. Port-au-Prince. 1958.*

**Silven Nòmil** *(Normil Sylvain): np. Pitit powèt Jòj Silven. Limenm tou li se powèt epitou li te yon kritik literè nan "La Revue Indigène". Li fèt 24 Jiyè 1901, li mouri premye Fevriye 1929, li te gen 28 ane.*

**silvouplè** *(sivouplè): int. Souple, tanpri; entèjeksyon ki endike yon politès osnon siplikasyon lè ou ap mande yon bagay.* Prete m sizo ou a, sivouplè.

**simagri**. *n. : Makak , fetich, grimas.* Gad lè ou non, sispann fè simagri la a.

**siman**. *n. : 1. matyè anpoud ki fen anpil ki sèvi pou bati kay. Yo melanje siman, lacho ak sab epi dlo pou fè mòtye, mòtye a vin tankou yon pat, men lè li seche, li vin di epi tout pati yo rete kole solid. 2. Petèt.* Siman mwen te peye ou deja.

**simante**: *v. Mete yon kouch beton.* Yo simante lakou a.

**simaye**. *v. : Lage tout kote, gaye.* Sispann simaye grenn mayi atè a non, ou pa wè mwen fèk fin bale?

**Simbi**: *np. Youn nan lwa fi, nan relijyon Vodou. Li se Mètrès dlo dous, li gade fontèn, lak, sous ak tout dlo dous, li gen fòm lasirèn. Gen istwa ki rakonte traka timoun ki al chache dlo nan sous epi ki kontre ak Simbi, yo disparèt pandan lontan. Lè yo retounen, yo fin grandi epi yo gen pouvwa espesyal. Gen anpil istwa sou Simbi nan kont, istwa ak fòlklò peyi Ayiti.*

**simen**: *v. Simaye.* Yo simen tout farin nan atè a.

**simen-kontra**: *n. Fèy ki gen pouvwa gerizon, nan tradisyon remèd fèy nan peyi Ayiti.* Jera fèk pran yon te simen-kontra.

**simetri** *: n. Amoni, ekilib, pwopòsyon, distribisyon egal parapò ak yon aks. Yon desen gen simetri se lè ou ka pliye li yon jan pou chak pati yo vin egal Gen simetri ant de je ou parapò ak nen ou. Kare gen simetri orizontal, vètikal ak dyagonal.*

**simetrik** *: a. Ki gen yon distans egal youn ak lòt. Pozisyon simetrik.*

**simidò**. *n. : Moun ki alatèt chante nan konbit.*

**similak**: *n. 1. fè sanblan, aparans pou bay enpresyon reyalite. 2. Mak lèt pou bebe.*

**simityè**: *n. Kote yo antere moun mouri.* Yo antere Edwa nan simityè Dèlma a.

**Simko Djonn** *(John Simcoe). np. : Jeneral Angle ki rive Sendomeng jou ki te 28 Fevriye 1797, alatèt 30 mil moun. Li pat rive mate Tousen Louvèti, li te oblije tann Jeneral Toma Metlan an 1798 pou vin ba l ranfò kont Tousen ak ekip li a.*

**Simon, Antwàn** *(Simon, Antoine). np. : Prezidan Ayiti ant 17 Desanm 1908 jiska 2 Out 1911.*

**Simon Sam, Tirezyas** *(Simon Sam, Tiresias). np. : Prezidan Ayiti depi 1896 jiska 1902. Gouvènman l la se kenbe tèt ak gouvènman Alman ki t ap fè Ayiti reklamasyon.*

**sinakwa**: *n. Onondipè, Siydelakwa. Moun ki ap fè sinakwa yo di onon Papa a, Pitit la ak Lesprisen an, amèn.*

**sinema** *(silema): n. 1. Kote ou al gade fim.* Sinema sa a chè, nou pa ka ale la, pito nou ale sine Inyon. *2. Fim.* Sinema sa a te bon anpil.

**sinik**: *a. San kè, ki pa sansib ak sa ki ka fè moun lapenn, okontrè, sa ka amize l.* Manno se yon nonm ki sinik.

**sinistre**: *n. 1. Moun ki pèdi tout sa yo te genyen apre yon dega tankou siklòn.* Te gen anpil sinistre nan vil Jeremi. *2. Manje ak lòt bagay yo voye bay moun ki sot travèse yon dezas.* Moun Jeremi yo resevwa bonkou sinistre apre siklòn nan.

**sinizit** *: n. Maladi enflamasyon sinis yo.* Doktè preskri Richa yon antibyotik pou sinizit li a.

**sinonim**. *n. : Mo ki vle di menm bagay.* Travay ak djòb se de mo sinonim.

**sipèfisi** *: n. 1. Espas, sifas.* Sa se yon gwo sipèfisi. *2. Mezi longè pa lajè. Rezilta sipèfisi a an mèt kare.*

**siperyè**: *n. a. 1. Pi bon pase lòt. Kalite siperyè. 2. Nan kouvan osnon seminè, mè osnon pè ki alatèt la. Mè siperyè a pa la.*

**sipèstisyon**: *n. konpòtman ak jès yon moun fè ak lespwa li ta ka enfliyanse Bondye ak Lespri yo.*

**sipèvizè** *(sipè): n. Moun ki la pou li siveye, oryante epi evalye moun ki anba li yo.* Sipèvizè a pat vle bay pèmisyon jodi a.

**sipleman** *: a. Pati anplis.* Sa a se sipleman jounal jodi a.

**siplemantè** *: a. Ki anplis.* Lè siplemantè, tan siplemantè.

**siplis**: *n. Pinisyon ki depase lamezi yo mete sou kò yon moun, pou ba li doulè ak lapenn epi ki ka touye li.*

**sipò** : *n. 1. Ankourajman, èd.* Pwofesè a te bay elèv sa a anpil sipò. 2. *Apui.* Enjenyè a mete yon lòt poto kòm sipò pou dal beton an.

**sipòtan**: *a. Pasyan, toleran.* Jak pa gen san sipòtan.

**sipòte**: *v. 1. Ki gen pasyans ak tolerans.* Polèt sipòte tout sa ki rive li yo ak kouraj. *2. Bay sipò, apui.* Se poto sa a ki sipòte tout pwa kay la.

**sipoze**. *v. : Imajine.* Sipoze sa ou di a se vre, nou tout la a nou antrave machè.

**sipozisyon**: *n. Imajine si yon bagay ta posib.* Terèz fè sipozisyon sa a men nou pa si.

**sipozitwa**: *n. remèd pou mete nan twoudèyè.*

**sipozon**: *kon. Si, a sipoze, konsidere posibilite kichòy fèt.* Sipozon ou ta genyen nan lotri jodi a, kisa ou tap fè?

**siprann**: *v. 1. Fè sipriz, parèt sou yon moun san enfòme l davans.* Polèt siprann nou lotrejou, li vini, li pase twa jou avèk nou. 2. *Fè moun sezi.* Pitit la siprann tout moun, li leve konsa, san tretman, li mache.

**siprime**: *v. 1. Wete, retire.* Yo siprime yon bann jou konje initil. 2. *a. Bloke nan kwasans ou.* Gen moun ki di si tifi manje anpil asid pandan tan kwasans yo, sa ka siprime yo.

**Sipris Lenous**, *(Suprice, Lenous) (Nounous): np. Misye fèt Fondèblan. Li se pwofesè fransè. Li ekri Rêverrant (1990); Bwamitan, pwezi, (1993) ak Faits Divers (1994).*

**sipriz**. *n. : Evenman ki planifye an sekrè pou fè kè yon moun kontan.* Mwen pat atann mwen a sipriz sa a, ou fè kè mwen kontan anpil.

**siray**: *n. 1. Materyèl an pomad osnon likid ki fèt pou sire.* Yo fèk mete siraj sou mozayik la. 2. *Plakbòl, siraj soulye.* Chany lan pa mete ase siraj sou soulye yo, yo pa klere ase.

**sire**: *v. 1. Mete siraj.* Sire planche a. 2. *a. Sal anpil.* Rad sa a sire sou tifi a.

**sirèt**: *n. Manje dous, amizman sikre, mezi yon bouche, ki fèt ak sik, dlo epi koloran; yo fèsik la kristalize epi yo koupe an ti mòso; souvan yo vlope sirèt nan yon ti papye selofàn.* Sirèt sa a gen gou sitwon.

**sireyalis**: *1. n. Mouvman entelektyèl ki ankouraje atis ak ekriven al fouye an fon kè yo pou yo sèvi ak rèv, otomatis ak enkonsyan nan travay yo epitou pou atis yo libere lespri yo depase lide tout moun ap repete. 2. a. Ki sanble ak sireyalis, dwòl, etranj.*

**sirik**: *n. Krab, bèt lanmè, wouj, ki bon nan bouyon osnon ak berejèn.* Joslin prepare yon bouyon sirik pou remonte nou.

**Siryen** *(Syrien) : n. 1. Moun ki gen nasyonalite peyi Lasiri. Syrien yo soti prèske menm kote ak iranyen yo. 2. Moun klè, blan ak cheve nwa, ki rete nan peyi Ayiti depi plizyè jenerasyon, ki jwe yon wòl enpòtan nan komès Pòtoprens epi ak lòt vil enpòtan yo tou. Syrien yo gen tout kalite kòmès anba lavil la.*

**sis** *(si, siz): a. Chif ki vini apre senk.* Sis timoun, sizan.

**sispann**: *v. 1. Rete.* Sispann pale fò la a. *2. Pa fè osnon pa pwodui yon bagay ankò.* Yo sispann fè pat tomat nan izin nan.

**sispèk** : *n. 1. Moun yo panse li ka koupab men yo poko si.* Jan se yon sispèk nan krim nan. *2. a. Enkyè, pa alèz.* Poukisa ou sispèk konsa a?

**sistèm** : *n. 1. Fonksyonman, teyorik epi pratik ògànize.* Jan moun sa yo fonksyone yo pa gen menm sistèm ak konpayi pa nou an. 2. *Metòd, fason.* Ki sistèm yo itilize pou montre elèv yo lang Kreyòl la? *3. Rejim, estil jesyon politik.* Sa se yon sistèm liberal. *4. Rasanbleman plizyè pati diferan pou kolabore pou fè yon travay. Nan sistèm sikilatwa, kè a, san, venn yo, atè yo kolabore pou voye oksijèn toupatou nan kò a.*

**sistèm andokrin**: *Se yon seri glann ki sekrete òmòn al mete nan sikilasyon san an. Omòn yo kontrole aktivite lòt glann yo. Glann pituitè ki nan tèt pa dèyè zye; glann tiwoyid ki nan kou sou devan larenks lan; glann paratiwoyid (yo 4) ki kole ak glann tiwoyid la; glann adrenal ki chita sou chak ren yo; glann pakreyas ki bay ensilin; gonad yo (testikil pou gason ak ovè pou fi).*

**sistèm defans** : *n fr. Nan syans biyoloji, se sistèm iminizasyon ki pèmèt kò yon moun defann moun nan lè yon mikwòb atake l.* Sistèm defans Jojo dwe bon paske tout moun pran grip la sòf limenm.

**sistèm dijesyon**: *Nan sistèm dijesyon an gen trip yo (kanal alimantè), gen fwa-a ak pankreya-a. Enèji nou depanse pou nou viv, mache, travay eltr.., se nan manje yo li sòti. Yon moun ki viv 60 ane manje apeprè 60 mil liv manje pandan lavi li. Manje moun manje kraze an miyèt mòso pou enpe ka pase antre nan san li. Dijesyon a kòmanse nan bouch epi li fini nan dèyè (rektòm), yon distans ki reprezante 30 pye an longè, si trip yo deploye. Anpremye manje a kraze ak dan epi melanje ak saliv. Lang nan kage manje a desann nan ezofaj la ki gide manje kraze a nan lestomak. Nan lestomak la manje a melanje ak lòt pwodui pou fè manje a tounen pire. Apresa li desann nan ti trip yo (ti entesten). La li vin dijere plis ak pwodui dijesyon ki soti nan pankreya vin kontre ak manje a nan ti trip yo. Se nan ti trip yo tou* *pati manje ki pi byen kraze yo (ki pi piti yo) kòmanse ap pase nan kapilè yo pou ale nan san, epi san an pote yo ale toupatou nan kò a. Manje ki nan trip la ki pa sèvi yo, yo ale nan gwo trip (gwo entesten), yo kontinye desann, yo pèdi dlo jiskaske yo vin al pase an twou dèyè (rektòm) epi elimine.*

**sistèm ekskresyon** *(ren, pipi) : Sistèm pou netwaye san, pase l nan ren ki gen yon paswa pou netwaye epi jete sa ki pa bon nan pipi.*

**sistèm eskelèt** *(zo): Eskelèt la se yo echafo ki fèt ak zo. Sistèm eskelèt la gen 206 zo. Gen twa kalite zo, gen zo long tankou zo ki nan bra ak kuis, gen zo kout tankou zo ki nan talon ak nan ponyèt men, epitou gen zo plat tankou zo kòt. Men gen zo ki la pou pwoteje ògàn, tankou zo tèt ki pwoteje sèvo osinon zo kòf lestomak ki pwoteje poumon ak kè pou yo pa pran sekous ki ka domaje yo. Kèlkeswa zo a, li gen yon pati deyò ki di ak yon pati anndan ki mou (mwèl zo). Zo yo rete tache ansanm se gras ak ligaman yo ki kenbe yo nan jwenti yo.*

**sistèm iminolojik** *: n fr. Sistèm pwoteksyon kò yon moun genyen ki fè li gen antikò pou defann tèt li kont atak mikwòb. Sistèm iminolojik yon moun ka febli apre li sibi plizyè enfeksyon menm lè a.*

**sistèm miskilati** *(sistèm mis): Sistèm ki rasanble tout vyann nan kò moun. Si nou kapab deplase se gras ak miskilati nou yo. Gen twa kalite miskilati; gen miskilati kadyak ki nan kè, gen miskilati lis ki nan atè, venn, kapilè, lestomak eltr... epi gen miskilati eskelèt ki se yon seri miskilati ki al tache ak zo yo. Gen 656 diferan miskilati nan kò moun, 200 ladan yo patisipe lè moun ap mache.*

**sistèm nè:** *Sistèm ki rasanble tout nè yo ansanm. Tout sistèm nan kò nou ak tout ògàn yo ap travay, san nou pa bezwen ap panse sou kisa pou nou fè pou yo mache. Men gen yon kominikasyon ki fèt ant yo. Se sèvo a ki santral kominikasyon sa a. Selil sèvo yo, yo rele yo newon. Yo kominike youn ak lòt ak yon seri pwodui chimik tou piti youn voye bay lòt. Lè mesaj la rive jwenn sèvo a, sèvo a reponn epi voye repons lan tounen ale kote enfòmasyon an te sòti. Se konsa sèvo-a di tou patou kisa pou yo fè.Sèvo a se pati prensipal sistèm nè a. Li kon-twole ni aktivite otonòm (tankou respirasyon, sikilasyon san ak dijesyon), ni aktivite volontè tankou mache, pale, panse. Sèvo a peze apeprè twa liv. Sèvo a gen twa pati prensipal; gen serebwòm (pati ki pi gwo nan sèvo a) ki gen de pati (emisfè) pati goch ak pati dwat. Serebwòm nan patisipe nan panse, aprann, konprann, rezone; apresa gen serebelòm (sèvelè) ki gen de emisfè (pati) tou, li patisipe nan kowòdinasyon miskilati volontè yo; apresa gen amedoula (mwèl epinyè) se pati nan sèvo a ki kontwole aktivite otonòm tankou batmann kè, respirasyon eltr.*

**sistèm respiratwa** *: Sistèm ki responsab pou antre lè nan poumon epi transfere oksijèn anndan kò epi mete gaz kabonik deyò. Kijan oksijèn fè rive nan san moun? Se yon bagay ki byen senp, paske nou fè li tout tan, men se yon bagay ki estra òdinè tou lè pou nou esplike li. Lè nou respire, nou rele lè nan nen nou (pafwa nan bouch nou) lè sa a pase nan yon tib ki rele trache epi li ale divize an de pati pou antre nan poumon an (poumon an gen de lòb, lòb goch ak lòb dwat). Anndan poumon an lè a vin pase nan plizyè ti branch (tankou branch yon pye bwa) jiskaske li rive nan yon seri grap sak yo rele alveyòl. Se nan alveyòl yo oksijèn ki nan lè a pase al jwenn selil san yo. Se nan alveyòl yo tou selil san yo al jete gaz kabonik li pote soti nan selil kò a. Nou respire 3300 (twamil twasan) galon lè nan yon jounen. Lè nou respire, lè ki soti nan nen nou (ekspire) soti ak yon vitès prèske egal ak 4 mil-alè, lè nou estène lè a soti ak yon vitès ki prèske egal ak vitès yon siklòn.*

**sistèm repwodiksyon***: Pou yon bèt osinon moun kontinye ekziste fò li repwodui pou ranplase sa yo ki mouri yo (osinon ki pa la yo). Pou repwodiksyon moun tout bagay kòmanse ak yon ti selil. Anndan kò yon fi gen seli ze. Anndan kò gason gen selil espèmatozoyid. Lè de selil sa yo kontre epi yo melanje, gen fètilizasyon epi yo vin fòme yon sèl selil. Selil sa a vin divize plizyè fwa pou vin fè yon anbriyon ki al fè nich an iteris la li devlope plis, fè tisi, pran fòm eltr.. Li rete nan iteris la pandan nèf mwa. Lè fetis la pare, yon ti moun fèt.*

**sistèm san** *(sistèm sikilatwa, sistèm sikilasyon san): San an ponpe ale toupatou nan kò-a. Ponp ki fè travay ponpe a se yon Miskilati espesyal yo rele kè. Lè kè a kontrakte san an soti ale nan tib san yo, atè yo, kapilè yo epi gaye toupatou nan kò-a. San an bay oksijèn ak fòtifyan li pote epi li pran gaz kabonik ak dechè. Apresa sa an antre nan venn san fonse yo pou li retounen nan kè-a ankò. : sistèm sikilatwa, sistèm sikilasyon san.*

**sistematik***: a. Ki fèt ak metòd epi nan lòd ki te deside davans.*

**sistematikman***: adv. Ki fèt yon jan ki sistematik.*

**Sitadèl Laferyè** *(Citadelle Laférière). : Se yon kokenn chenn bilding militè ki bati tou pre vil Milo, pa lwen Okap, nan Nò peyi Ayiti. Nan tan lontan yo te konsidere l kò uityèm mèvèy sou latè a. Se Anri Kristòf ki te fè bati l nan peryòd 1804-1817, pou pwoteje nouvo nasyon an kont lenmi sitou Lafrans, epi kòm yon konstriksyon estratejik oka ta vin gen lagè. Dapre sa yo di, ta gen plis pase 20 mil moun ki mouri* *pandan konstriksyon sa a. Gen mi ki gen 12 pye epesè. Kounye a, se yon moniman istorik. Linesko klase kòm yon eritaj lemonn antye te dwe pwoteje, admire epitou repekte. Gen renovasyon ki te fèt nan ane 80, se te yon achitèk ayisyen ki rele Albè Mangonès ki te dirije yo. Tout Ayisyen te dwe al vizite sitadèl la.*

**sitan**: *adv. Si tèlman. Ou sitan bay manti, pèsonn moun pa kwè ou ankò.*

**sitasyon**: *n. 1. Manda.* Yo voye yon sitasyon bay Wozmon pou li konparèt nan tribinal.

**site** : *n. 1. Katye ki planifye pou tout kay yo sanble.* Gen Premye Site ak Dezyèm Site sou wout Dèlma. *2. v. Nonmen.* Pa site non moun an mal.

**sitèlman**. *adv. : Sitan.* Li sitèlman radi, se kale manman l oblije kale l.

**sitèn**: *n. 1. Gwo veso ki fèt pou estoke dlo pou yon vil osnon yon kay.* Gen anpil moun ki bati sitèn pa yo nan peyi Ayiti. *2. Kamyon sitèn. Kamyon ki gen gwo tank yo ka plen dlo pou yo al distribye kay moun.*

**sitirans:** *n. Atitid yon moun ki aksepte yon lòt fè sa ki pa akseptab.* Sa se sitirans sa, si yon timoun pa konpòte l byen, ou dwe mete l nan lòd, ou pa dwe aksepte tout sa li fè.

**sitire**: *v. Soutire, aksepte sa ki pa akseptab paske ou pa gen kè osnon fèmte pou ou estope sa.* Si manman yon timoun sitire li, lè li vin gran li ap desi pou li wè lòt moun pap sitire l menm jan an.

**sitirè** *(sitirèz): n. Moun ki sitire yon lòt.* Manman timoun sa yo se sitirè, tout sa yo fè, li dakò.

**sitiyasyon**. *n. : Kondisyon reyalite a jan li ye a.* Nan sitiyasyon sa a, ou oblije pran yon desizyon vit. *2. Malè, antrav.* Mwen pat konnen se nan yon sitiyasyon konsa ou te ye pitit, ou ta di mwen sa.

**sito**: *kon. Kou.* Sito Jera vini, mwen ap ba li komisyon an.

**sitoloji**: *n. Branch nan biyoloji, ki etidye estrikti ak fonksyon, patoloji ak istwa selil.*

**sitoplas**: *n. Pati nan yon selil ki antoure nwayo selil la. Li anndan manbràn selil la, li gen yon likid klè epi epè ki bay selil la fòm li.*

**sitou**: *n. adv. Espesyalman.* M ap pale ak nou tout, sitou ou menm.

**sitwayen**. *n. : Moun ki manm nan yon peyi.* Si nou se sitwayen Ayiti, se pou nou met tèt ansanm pou nou fè sa nou kapab pou li la mache.

**sitwon vèt** : *n fr. Ti fwi piti, sitris, nan menm fanmi ak zorany; li si; yo fè limonad avèk li epi yo itilize l pou netwaye vyann tou.* Sitwon vèt bon pou fè limonad.

**sitwon**. *n. : Fwi asid, jòn osnon vèt.* Papa mwen renmen manje pwason ak kèk gout sitwon sou li.

**sitwonad**. *n. : Ji yo fè ak sitwon. Mwen ta pran yon sitwonad ak bonkou glas ladan l.*

**sitwonèl**. *n. : Plant awomatik ki tankou yon gwo zèb, yo fè te avè l.* Si ou poko bwè yon ti te sitwonèl ak kanèl ladan l, ou poko konn sa ki bon.

**siv**. *n. : Legim, epis.* Gen moun ki renmen fri siv epi lage l nan sòs pwa a.

**siveyan**: *n. Moun ki ap siveye.* Siveyan bakaloreya a bay Alis zewo paske li kenbe l ap pran poul.

**siveye:** *v. Suiv, gade yon moun osnon yon bagay ak entansyon pou ou wè tout sa li ap fè osnon tout sa ki ap pase.* Se Wolan ki siveye machandiz yo chak maten.

**sivil:** *n. 1. Ki pa militè, ki tankou tout lòt sitwayen, san inifòm.* Jera se yon sivil, li abiye an sivil. *2. a. Ki gen avwa ak sitwayen yo, ant sitwayen yo.* Lagè sivil.

**siviv:** *v. Rete vivan apre yon dezas. 2. Grapiyen pou ou pa mouri. 3. Tout efò pou yon gwoup pa disparèt.*

**sivoke** *(sifoke) : v. Ap toufe, mal pou respire.* Jan ou ap sivoke a sanble ou pa santi ou byen.

**siwo grip**: *n fr. Siwo, medikaman ki bon pou trete grip.* Si ou ba li siwo grip la, tous la ka diminye lamenm.

**siwo kann**: *n fr. Ji kann konsantre, prèske san dlo.*

**siwo myèl:** *n fr. Myèl, likid epè, dous anpil abèy yo fè apatid siwo flè.* Gen moun ki pito dousi kafe yo ak myèl pase sik.

**siwo**. *n. :* Mwen pa renmen anpil siwo, ban mwen sik pito.

**siwolin** : *1. a. Ki dous anpil, dous kou siwo.* Kafe sa a dous anpil, li siwolin, papa. *2. Ki pa vini vit.* Msye ap siwolin diven an. *3. Sote kòd rapid rapid.* Timoun yo ap bay siwolin.

**siy**. *n.: Jès. Jès ki vle di pou ou avanse pi pre.* Mwen vin kote ou paske ou fèm siy, sa pou ou fè m?

**siyal:** *n. Jès pou endike yon tandans, yon entansyon osnon yon desizyon.* Fè siyal pou endike ou ap vire adwat.

**siyale**: *v. Endike, enfòme.* Yo te siyale m sitiyasyon an deja.

**siyameto.** *n. : Si ki fèt pou siye metal.* Dat mwen ap chèche siyameto sa a, mwen resi jwenn li.

**siyati:** *n. 1. Non ou, non fanmi ou. Ki siyati ou? 2. Fason ou siyen, paraf ou.* Jak ekri siyati li tankou madigriji.

**siydelakwa** *(sinakwa): n. Siy, nan relijyon katolik yon moun fè lè li mete men l sou fwon l, sou lestomak li, sou zèpòl gòch li, epi sou zèpòl dwat li alafen. Pandan yon moun ap fè siydelakwa, li di onondipè, edifis, di sentespri, amèn.*

**siye bèk atè:** *v fr. Fè kwa pou pa janm fè yon bagay ankò.* Se pou ou siye bèk ou atè pou ou pa janm manyen sa ki pa pou ou.

**siye**: *v. 1. Melanje.* Kalo pa siye ak Jak ditou. 2. *Koupe bwa.* Yo ap siye bwa a deyò a. *3. Netwaye.* Lè ou fin sou tab la, siye l.

**siyen**. *v. : Mete non ou osnon siyati ou alafen yon lèt ou byen yon dokiman.* Vin siyen papye sa yo anvan ou ale.

**siyifikasyon:** *n. Sans yon mo genyen, sans yon jès genyen.*

**Siyis Jan-Wobè** *(Jean-Robert Cius): np. Youn nan twa jèn milisyen te tiye nan yon demonstrasyon nan vil Gonayiv, 28 Novanm 1986. Moun pran lari apre de semèn. Apre Divalye pati kite pouvwa. Lòt de moun yo te tiye se Michèl Makennsonn ak Danyèl Izrayèl.*

**siyon** : *n. Jès pou atire atansyon yon moun.* Apa madanm sa a ap fè m siyon?

**sizal**. *n. : Pit. Plant ki gen anpil fib, li sèvi pou fè kòd, chapo, valiz, bagay konsa. Se an 1927 yo te plante l Ayiti.*

**sizè** : *n. Lè li ye si ti zegi a sou sis epi gwo zegi a sou douz.* A sizè nou pral legliz.

**sizo**. *n. : 1. Zouti pou moun koupe twal.* Mwen fèk achte yon sizo la a, li koupe byen. 2. *Bèt, ensèk.* Gade kijan sizo manje twal mwen an. *3. Dans kote pye ak janm moun ki ap danse a kwaze tankou sizo.* Aswè a mwen pral danse yon sizo anba tonèl la.

**sizoka** *(sizanka, sioka): Kon. Ankake, si.* Sizoka ou pase lavil, achte yon tablèt kokoye pou mwen.

**sizyèm** : *n. 1. Pozisyon sa ki vini apre senkyèm. Sizyèm jwè a se Leyon. 2. a. Pozisyon sa ki apre senkyèm nan. Yon sizyèm jwè vin parèt.*

**Smarth Rosny** *(Woni Esmat): np. Premye Minis Ayiti sou gouvènman Rene Preval. Woni Esmat fèt nan vil Kavayon nan dat 19 Oktòb 1940. Li se yon ekonomis agrikòl ki te etidye nan Inivèsite Santyago, nan peyi Chili ak nan inivèsite Eta Ayiti. Li te pwofesè nan peyi Meksik ak Ayiti.*

**so** : *n. 1. Anprent, mak ki gen enfòmasyon osnon senbòl sou li, ki fèt pou ou poze sou papye.* Mete so sou papye ofisyèl yo. 2. *Bokit.* Nou al bwote dlo nan rivyè a ak kivèt epi ak so tou. *3. Tonbe.* Li pran yon sèl so li kase tèt li. *4. Dlo ki ap soti yon kote anlè mòn pou tonbe atè. Sodo.*

**sò** : *n. 1. Malchans, devenn, destine.* Se sò pa Kalin pou li rankontre yon malandren tankou Jakòb. 2. *Andeyò li vle di sè, manzè.* Sò Yaya kouman ou ye?

**sobtyè**: *n. aparèy ki sèvi pou fè krèm glase.*

**Sodo** *(Saut d'eau): n. dlo rivyè ki soti yon kote pi wo pou li tonbe yon kote pi ba. 2. np. Lokalite kote moun al nan fèt chanpèt chak ane. Plas pou pèlerinaj katolik ak vodou, nan mwa jiyè.*

**sof** *(sòf): pre. Eksepte.* Tout moun prale sòf Ketli.

**SOFA:** *akw. Solidarite fanm Ayisyen. Òganizasyon sosyal ak politik ki ede fi pou yo pwoteje tèt yo, edike tèt yo, defan tèt yo ak aprann sou koze sante.*

**sògo**. *n. : Pitimi. Yon sereyal ki donnen nan nenpòt ki tè sèk. Yo manje l anpil Ayiti.*

**sòkèt** : *n. 1. Pyès ki vise yon anpoul.* Gade pou wè si sòkèt la byen vise nan anpoul la. 2. *Chosèt.* Timoun yo mete bèl sòkèt yo dimanch maten pou yo ale legliz.

**solay:** *n. Fondasyon kay, baz kay*

**solanèl**: *a. Ki selebre ak anpil ponponm ak anpil fòmalite ofisyèl ak piblik.*

**sòlda**. *n. : Moun ki nan lame, nan ti grad.* Tichal pa senp sòlda ankò, mwen byen kwè li vin lyetnan kounye a.

**solè** : *a. 1. Ki sèvi ak solèy kòm sous enèji. Enèji solè 2. Ki gen relasyon ak solèy. Sistèm solè, eklips solè.*

**solèy**. *n. : Planèt ki bay tè a limyè ak chalè.* Solèy la cho, si ou vle soti, pito ou met yon chapo sou tèt ou.

**solid**: *n. 1. Konsistans ki gen epesè, ki pa dlo.* Glas se yon solid men si li fonn li ap vin likid. *2. a. Ki pa dlo ni ki pa gaz, ki solid, fèm.* Poto sa a solid.

**solidè**: *a. Ki pran esponsabilite youn pou lòt.*

**solisyon** : *n. 1. Seri demach ki pèmèt yon moun jwenn fason pou li analize epi pran desizyon pou rezoud yon pwoblèm.* Solisyon pwoblèm sa a mande pou nou konsidere konbyen tan nou gen devan nou. 2. *Nan chimi, melanj plizyè molekil.* Ki konsantrasyon solisyon sa a?

**solo**: *n. Pasaj pou yon sèl moun chante nan mizik.*

**somè**: *n. Pati ki pi wo nan yon montay osinon nan yon desen teknik, jewometrik.*

**sòlvan** : *n. Pwodui ki sèvi pou delye yon lòt pwodui. Nan melanj dlo ak sik, dlo se sòlvan an.*

**sòm**: *n. Adisyon.* Lè yo fè sòm nan, yo jwenn yon total ki elve anpil.

**somèy** *(sonmèy): n. Dòmi.* Pitit la gen somèy, mennen l al kouche.

**somon**: *n. Gwo pwason ki gen vyann li koulè woz. Somon se pwason dlo sale men li konn ale nan dlo dous tou.*

**somyè (somye)**: *n. Pati nan kabann ki gen resò epi ki kenbe matla a. Si yon kabann doub somyè li ka pi estab.*

**son**. *n. : 1. Bwi.* Mwen tande yon son tankou ta gen yon moun sou do tòl la. 2. *Pale anpil, tout voum se do.* Sispann vin pouse son la a, Gabriyèl, talè mwen pa rele manman ou pou ou!

**sonde**: *v. 1. Mete sond.* Doktè a te sonde Jera. 2. *Fè yon sondaj, ankete.* Yo sonde popilasyon an pou yo konnen pou kilès li vle vote.

**sonèt** *(sonnèt): n. Zouti an metal ki ka pwodui son lè ou aktive l.* Peze sonèt pòt la pou moun yo ka vin louvri pou nou.

**sonje** *(chonje): v. Pa bliye, raple. Nou sonje ki jou ou te vini an.*

**sonnen**: *v. 1. Karyonnen.* Klòch legliz la ap sonnen. 2. *Bay son.* Radyo sa a sonnen byen. 3. *Peze sonèt la.* Nou sonnen kay Kalo.

**sonnèt** *(sonèt) : n. Zouti an metal ki ka pwodui son lè ou aktive l.* Peze sonnèt pòt la pou moun yo ka vin louvri pou nou.

**Sontonaks Felisite** *(Sontonax, Félicité). np.: Komisyonnè sivil Franse ki te pwoklame libète pou esklav yo an 1793. Li te yon Jakoben, li te asosye ak yon gwoup ki te rele "Sosyete Zanmi Nwa", ki t ap fè demach pou kwape esklavaj. Li te travay ansanm ak yon lòt blan ki te rele Pòlverèl. Msye te toudabò al nan kan milat yo apresa li vin ofri tout nwa ki goumen nan kan l yo libète. Lejislasyon Lafrans te twouve li te fè twòp "eksè".*

**soptyè** *(sobtyè): n. Ekipman, amen osnon alelektrisite ki sèvi pou fè krèm; li gen yon batez andedan l ki brase melanj pou fè krèm nan; ou mete glas sou deyò l pou ka kenbe veso ki gen krèm nan frèt.* Nou ta ka fè yon ti krèm kokoye nan soptyè jodi a.

**sòs**: *n. 1. Likid ki gen zonyon, pat tomat ak epis ladan l, ki fèt pou melanje ak vyann.* Sòs vyann, sòs pwason. 2. *Yon kalite soup ki fèt ak pwa. Sòs pwa.*

**sòs tomat**. *n fr. : Sòs wouj, epè, yo fè ak tomat. Ou kapab manje sòs tomat ak tout sa ou vle.*

**sosis**. *n. : Vyann moulen woule yo mete nan trip osnon nan yon tib fenfen tankou yon ti ba, li sanble ak ti baton. Li long epi li fen men li konn gwo tou. Anvan ou manje l se pou ou kwit li.* Yo ta p vann sosis pandan match foutbòl la.

**sosison**. *n. : yon kalite sosis byen epise.* Sandwich sosison gen bon gou.

**sosyal**: *a. Ki pou la sosyete, ki fèt nan sosyete. Aktivite sosyal.*

**sòsye** *(chòche): n. Moun ki mechan, ki chèche kont.* Kalin se yon sòsye.

**Sosyete Kongo**. *: Ko operativ ou jwenn nan anpil kote Ayiti, li sanble ak konbit men li p òganize menm jan.*

**Sosyete Koukouy**: *Asosiyasyon ekriven ki enterese nan devlopman literati Kreyòl Ayisyen. Okòmansman Sosyete Koukouy te youn nan branch "Mouvman Kreyol". Apre arestasyon manm Mouvman Kreyol yo, Jan Mapou, Jozèf Kristòf ak kèk lòt mounn ankò aktivite yo te sispann. An 1979 aktivite Sosyete Koukouy reprann nan Nouyòk. Prensipal travay Sosyete Koukouy se bay literati kreyòl la eskanp nan domèn pwezi. Se gras ak travay rechèch manm Sosyete koukouy yo nou vin gen modèl pwezi tankou wongol, zwing, pwent, lomeyans, imajis, pwezigram eksetera. Nan ane 1984 Sosyete Koukouy vin gen yon branch nan Kanada. Fondatè branch sa a se Manno Ejèn, Jilyo Janpyè ak Mikèlanj Ipolit (Kaptenn Koukouwouj). Nan ane 1987 vin gen Sosyete Koukouy Miyami. Fondatè li se Jan Mapou, Kiki Wainwright, Yolann Toma elatriye. Sepandan se travay solid Koukouy Miyami yo nan teyat ki vin konvenk Dade county nan Florid rekonnèt jounen 20 novanm 1994 kòm jounen Sosyete Koukouy.*

**Sosyete Zanmi Nwa** *(Association des Amis des Noirs).: Non yon òganizasyon Anfrans ki te lite pou lesklavaj te kaba. Sosyete Zanmi nwa te kòmanse fonksyone jou ki te 19 Fevriye 1788. Li te kòmanse dabò pa defann sitiyasyon milat yo pou yo te vin egal ego ak blan yo epi apre revolisyon fransè a, li te vin ap defann nwa yo tou.*

**sosyete**. *n. : 1. Relasyon ant plizyè moun ki gen kichòy an komen.* Sosyete koukouy etabli nan plizyè peyi, manm yo ap ankouraje tout ekri liv an Kreyòl 2. *Kontra kote plizyè moun antann yo pou yo met resous ansanm pou yo akonpli kichòy. 3. Òganizasyon 4. Konpayi. 5. Gwoup relijyon.*

**sot** : *v. 1. Soti, ale.* Medam yo sot la a sa fè yon bon moman. 2. *Soti, tounen.* Nou sot silema.

**sòt**: *a.1. Inyoran, kreten.* Tigason sa a sòt anpil. 2. *v. Soti, ale.* Medam yo sòt la a sa fè bon moman. 3. *Sòti, tounen.* Nou sòt silema.

**sote kòd:** *v fr. Jwèt timoun kote yo sote ponpe pandan yon kòd ap pase anba pye yo.* Timoun yo renmen sote kòd apre lekòl chak apremidi.

**sote tèt:** *v fr. 1. Pase devan, pase sou moun.* Moun yo sote tèt mwen kareman, kifè mwen pa konte? 2. *Koupe tèt.* Nèg la sote tèt twa inosan. 3. *Menas.* Rale kò ou la a, anvan sanginè sa yo sote tèt ou.

**sote**. *v. : 1. Sezi, kè kase, fè sezisman.* Mwen pa renmen lè ou pase pa dèyè do mwen pou ou fè mwen sote a. 2. *Ponpe.* Gade timoun yo deyò a, yo ap sote kòd. 3. *Espase.* Mwen pa al travay chak jou, mwen ale chak de jou, mwen toujou sote yon jou.

**soti** *(sot, sòti). v. : Deplase kite yon kote pou ale nan yon lòt.* Andre soti li ale legliz. *Lè soti kole ak yon lòt vèb, li endike yon aksyon ki fèk pase.* Mwen sot pase devan legliz la mwen wè pè a ap fè lamès.

**soti pou:** *v fr. Vle tout jan tout jan, ensiste, vle kanmenm.* Ou soti pou fè kont ak tout moun.

**sotiz**: *n. Betiz, koze moun sòt.* Kouman Elifèt fè fè yon sotiz konsa?

**sotrèl**. *n. : Ensèk ki gen janm long, ki sanble ak krikèt. Sotrèl gen zèl men se pa tout ki vole.*

**sou**: *a. 1. Ki pa gen kontwòl paske li bwè twòp alkòl.* Estefèn tèlman sou, li pa ka louvri pòt kay li. 2. *pre. Enterese.* Timoun yo sou sa. 3. *pre. Nan prezans.* Ou pa ka di nenpòt koze sou timoun yo la a. 4. *pre. Pami.* Jak fè pwen sou nou tout ki la a. 5. *pre. Anwo, anlè.* Ki sa ki sou tab la?

**sou bò:** *pre fr. Enterese nan.* Odil sou bò Masèl.

**sou de chèz**: *pre fr. Konfòtab, kòrekteman, nan plat, nan asyèt.* Gladis mete nou chita sou de chèz pou li rakonte nou istwa sa a.

**sou kont:** *pre fr. Depannde, konte sou.* Timoun yo sou kont ou, pa kite yo ap jwe nan lari a san siveyans.

**sou kote**: *pre fr. Apa, akote, andeyò.* Sa se yon ti komès Elifèt genyen sou kote.

**sou mank**: *pre fr. Razè, ki ap bay ratman paske li pa gen senk nan pòch li.* Janklod sou mank, ba li yon monnen non.

**sou moun**: *pre fr. Ki foure kò l sou moun fasil, ki ap chèche kontak ak moun menm si yo pa sou bò l.* Fi sa a sou moun anpil, ba li distans li.

**sou piga**: *pre fr. Distans, pran distans, pa pwoche.* Ret sou piga ou tande, Rafayèl.

**sou san:** *pre. fr. Kontan, anvi griyen dan.* Kalo pa sou san l, pa chèche l kont.

**soud** *: a. Ki pa tande.* Janjan soud.

**soude** *: v. Kole ak soudi.* Yo soude mòflè a pou mwen.

**soudè**: *n. Moun ki konn soude.* Gaston se yon soudè.

**soudin** *(an soudin): pre fr. 1. An kachèt, an katimini.* Li pran tout desizyon sa a an soudin, san fanmi l pa konnen. 2. *Sounwa, ou pa ka konnen tout longè li.* Pòl se yon nonm ki an soudin.

**souf kout** *: n fr. Difikilte pou respire.* Malad la te gen souf kout epi apresa li tou rantre nan koma.

**souf** *: n. 1. Nan chimi, kò senp, eleman koulè jòn ki gen yon odè fò. Yo sèvi ak souf pou fè medikaman pou maladi po.* 2. *Lè ki rantre soti nan nen yon moun.* Li gen souf kout.

**souflantchou**: *n. Komisyonè, moun ki toujou la pou sèvi moun, ki la pou sèvi moun, ki renmen sèvi moun.* Kalo se yon souflantchou.

**soufle**. *v. : 1. Bouje, deplase van.* Van an soufle fò, li voye tout fèy tòl yo jete. 2. *Bay osnon pran poul.* Mwen pat konn leson an epi Richa soufle mwen twaka ladan l. 3. *Refwadi.* Mayi a cho anpil, mwen oblije soufle sou chak kiyè mwen pran pou mwen fè l frèt.

**souflèt** *: n. 1. Kalòt, tabòk, kou nan figi.* Yo bay Jeralda de souflèt. 2. *Zouti pou soufle, ki fè bwi pou atire atansyon.* Abit ak polisye sèvi ak souflèt.

**souflete**: *v. Bay souflèt.* Madan Kalo renmen souflete moun ki rete avèk li.

**soufrans**: *n. Doulè, lapenn.* Jezila te gen anpil soufrans pandan akouchman an.

**soufri** *: v. Ki plenn paske li gen doulè, ki gen doulè.* Madanm sa a sanble li ap soufri anpil, jan mwen wè li ap tòde a.

**Souka Michèl** *(Michel Soukar): np. Jounalis, istoryen, ekriven.*

**souke**. *v. : 1. Deplase alevini.* Van an tèlman fò, li fè pye bwa yo souke. 2. *Netwaye, wete salte.* Mwen te ale souke dra yo deyò a pou mwen wete enpe pousyè sou yo. 3. *Balanse, kadanse.* Pa souke tyatya a twò fò, wa fè l fè twòp bwi.

**soukèt lawouze** *(choukèt lawouze): asistan chèf seksyon.*

**soukote**. *adv. : Akote. Pa lwen yon moun ou byen yon bagay.* Edwa te kanpe sou kote Mona nan liy la. Richa te soukote Evlin nan foto a.

**soukoup** *(sekoup): n. Ti plat ki fèt pou ale anba tas.* Soukoup sa laj anpil.

**Soukri**: *Youn nan denominasyon ak estil nan pratik Vodou.*

**soulaje**: *v. 1. Kalme.* Doulè a fè yon ti soulaje pou kounye a. *2. Leje paske yon pwa sot so li.* Nouvèl sa a soulaje Elifèt.

**soulajman** *: n. Kal, detant, rekonpans. Depi operasyon an Jak santi yon gwo soulajman.*

**soulamen**: *adv. Ki pa lwen.* Kite liv la soulamen konsa lè ou bezwen l pou ou kapab jwenn li.

**soule**: *v. Fè pou ou sou, bwè alkòl joustan ou pèdi kontwòl.* Gen moun ki konn soule tèt yo nan tan kànaval.

**soulechan**: *Imediatman.*

**soulèvman**: *n. Mouvman revòt jeneral.*

**souliyen** *: 1. Mete yon liy anba mo osnon fraz.* Li souliyen tout mo ki kòmanse ak s. *2. Atire atansyon.* M ap souliyen pou enfòmasyon ou, moun yo poko peye lwaye jouskounye a.

**Soulouk, Fosten** *(Soulouque, Faustin). np. : Prezidan Ayiti depi premye Mas 1847 jiska 28 Out 1849. Msye te sakre tèt li wa jou ki te 29 Out 1849 epi li te ret opouvwa jiska 15 Janvye 1859. Msye te enterese pou l te fè Dominikani vin ajoute a pati ki rele Ayiti a. Msye te jwenn opozisyon epi se konsa li te vin pati kite peyi an 1859. Msye pat konn li, li te kòmande peyi a palafòs.*

**soulve**. *v. : 1. Revolte, leve kanpe kont yon bagay.* Tout pitit li yo soulve kont li, sa fè lapenn anpil. *2. Leve pou gade anba yon bagay.* Si ou soulve pwent tapi a ou ap jwenn digoud.

**soulye**. *n. : Pwoteksyon pou pye.* Soulye nan pye ou la sanble li dous, mwen pito met tenis mwen-menm paske mwen pa kapab mete talon.

**soumaren**: *n. Bato ki deplase anba dlo.* Ameriken voye de soumaren ale nan zòn peyi Iran.

**soumarin**: *n. Bato ki kapab deplase anba dlo. 2. a. ki anba dlo lanmè.*

**soumèt**: *v. Mete a la dispozisyon, nan pozisyon pou pran lòd; obeyi, konfòme.* Li soumèt li bay Bondye. *2. Donte. 3. remèt (yon rapò).*

**sounwa**. *a. : Anbachal.* Miwon se nèg ki sounwa, li pap janm di ou sa l panse.

**soup joumou**. *n. : Soup ki nan tradisyon ayisyen an. Moun bwè l sitou le premye janvye. Se yon soup ki fèt ak joumou, vèmisèl, pòmdetè, chou, kawòt, vyann ak powo.*

**soup**. *n. : Manje ki gen anpil likid ladan l.* Mwen pa fouti pèdi abitid bwè soup premye janvye a.

**soupe**. *v. : manje moun manje aswè.* Mwen poko soupe la a, se sa ki fè vant mwen ap bouyi konsa a.

**soupi**: *n. Respirasyon pwofon kote anpil lè soti nan poumon yon moun kòm yon siy soulajman.* Madan Benwa fè yon gwo soupi.

**souple**: *ent. Tanpri.* Vin pran sa a pou mwen, souple.

**soupoudre** *(saupoudre): n. Vyann kochon ki tranpe nan epis ak sèl pandan kèk tan epi ki sèvi pou bay manje gou.* Mete soupoudre nan legim nan. *2. Simen.*

**souri** *: v. Ri an silans, relaks figi ou ak po bouch ou paske ou kontan.* Pòl souri kou li wè timoun yo.

**sourit**. *n. : Bèt wonjè ki koulè gri, li gen yon ti ke long.* Chat la kouri dèyè sourit jous nan jaden an.

**sous**: *n. 1. Kote dlo soti.* Gen yon sous dlo padèyè teren sa a. *2. Referans, kote yon enfòmasyon soti.* Moun ki di m sa a, se yon sous si. *3. Nich, kote ou jwenn anpil.* Kalo te jwenn yon sous liv, se pa de liv li te konn pote lakay gratis.

**souse** *: v. 1. Rale, tete, pran ji, fè tòtòt.* Souse kenèp. *2. Pran tout sa ki te genyen.* Timoun yo fin souse malerèz la.

**sousèt** *: n. Sison, jwèt ki fèt pou tibebe souse osnon mòde nan peryòd yo ap fè dan.* Kot sousèt pitit la?

**sousi**: *n. 1. Pati nan figi yon moun, ki gen cheve anwo chak po je l.* Madanm sa a dekore sousi l byen. *2. Refleksyon, pwoblèm.* Yo di moun ki gen anpil sousi blanchi bonè. *3. Remèd fèy.* Fè rafrechi fèy sousi pou chalè a.

**sousòl**. *n. : Pati nan yon kay ki anbatè.* Apatman nan sousòl yo pibon mache, se youn mwen vle lwe.

**sousou**. *n. : Ti visye, tifigi.* Mwen pa fouti al fè sousou devan Jak.

**soustraksyon**. *n. : Lè ou retire yon pi piti kantite nan yon gwo kantite, ou kab di ou fè yon soustraksyon. Siy soustraksyon se (-).* Nèf mwens twa (9-3) egal = 6

**soustrè** *: v. Fè soustraksyon.* Si ou soustrè 3 nan 8 ap rete 5.

**souteren** *: a. Anba tè.* Koulwa souteren.

**soutni**: *v. 1. Kenbe. Yo soutni madan Chal pandan tout lantèman an. 2. Ede.* Nou soutni yo ak yon ti monnen chak mwa.

**soutyen**. *n. : Pati nan abiman fi ki fèt pou soutni tete li.* Gen moun ki pa renmen met soutyen.

**souvan** *: adv. An plizyè fwa.* Sa rive souvan ou di ou ap vini epi ou pa janm met pye.

**Souvnans**: *1. Sant vodou nan Gonayiv. 2. Youn nan denominasyon ak estil nan pratik Vodou.*

**souvni**: *n. Memwa, sa ou sere pou ka sonje.* Liv sa a se souvni tan mwen te pase lekòl segondè.

**souvren** *: a. Pozisyon pwisans, ki kontwole sitiyasyon an.* Pouvwa souvren.

**sovaj**. *: 1. a. Ki rete nan bwa, ki pa domestike, mawon. Gen chat ki ret ak moun men gen chat sovaj ki pa janm apwoche moun ditou. Ki pa sivilize.* Ki jan tipitit la sovaj konsa a, mwen annik di l bonjou epi li pran kriye. *2. Karaktè yon moun ki gen difikilte lè l ap kominike ak lòt moun.* Tidam sa a se yon moun ki sovaj papa, fòk ou konn ki jan ou pral pale avè l, sinon, ou nan ka. *3. n. Ki rete lwen sivilizasyon.* Papa mwen te yon sovaj, li te rete nan bwa pandan tout vi l.

**sovajri**: *n. 1. Aksyon bosal, babari.* Sa se sovajri jan yo tiye moun yo pou dan ri a. *2. Eta moun ki pa renmen mele ak sosyete, ki apa, yon jan sovaj.* Se sovajri ki nan kò Elyasen si li pa ka desann vin salye fanmi an.

**sove** *: v. 1. Ki kouri kite kote li ye pou li ka pwoteje tèt li.* Prizonye a sove. *2. Ki soti nan sitiyasyon danjre li te ye a.* Moun ki te malad grav la sove, li pat mouri. *3. Ede yon moun soti nan danje.* Se Kawòl ki sove lavi Janklod.

**sowe** *: n. gwo nèg mapotcho, pisan.* Se yon gwo sowe.

**sowosi**: *n. Asowosi, plant ki sèvi pou fè remèd fèy.* Fè yon ti te sowosi pou moun yo, tanpri.

**suif** *: n. Swif, grès nan kò bèt ki ka sèvi pou fè savon. Yo konn rale moun ak suif tou.*

**Suis** *(lasuis): n p. Peyi nan kontinan Ewòp. Kapital peyi Suis se Bèn.*

**suiv** *(swiv): v. 1. Mache dèyè.* M ap suiv ou. *2. Siveye, espyone.* Yo suiv Kalin joustan yo jwenn tout koneksyon zanmi li yo.

**suivan** *(swivan): n. 1. Moun ki apre.* Moun ki swivan an mèt antre vin kot direktè a. *2. pre. Selon, dapre.* Swivan jan tan an ye demen, nou va deside sa nou ap fè.

**swa** *: 1. a. Ki glise, fasil, agreyab.* Mwen paka di ou poukisa mwen renmen dam nan, men mwen kapab di ou mwen renmen karaktè l, se yon dam ki swa. *2. n. Kalite twal.* Twal swa bèl men si ou vle yo ret bèl se pou ou voye yo nan drayklininn. *3. Osnon, oswa.* Ou pa kapab gen de lide alafwa, se swa ou suiv youn osnon ou suiv lòt la

**swadizan**. *adv. : Kòmsi, fè laparans.* Jan fè swadizan l ap dòmi men zye l te klè.

**swaf**: *n. 1. Anvi bwè dlo.* Jak gen yon swaf ki ap tiye l. *2. v. Aksyon pou endike ou anvi bwè dlo.* Jak swaf.

**swaf**. *a. : Ki anvi bwè yon ti dlo.* Mwen ta bwè yon ti dlo, mwen swaf anpil, li mèt yon ti kola mwen ta pran.

**sware**: *n. 1. Tan aswè, anvan minwi.* Sware jodi a kal. 2. *Fèt nan aswè.* Sware sa a te byen òganize.

**swasanndis**: *a. 70, Chif, apre swasantnèf.* Gaston gen swasanndis foto pou li montre nou.

**swasanndizyèm**: *n. 1. Pozisyon ki nimewo 70.* Swasanndizyèm nan se Wobè.

**swasant** *(swasann): a. 60 Chif ki vini apre senkantnèf.* Swasant fwa.

**swasantyèm**: *n. 1. Pozisyon nimewo 60.* Swasantyèm nan se Bèta.

**swe**. *: Dlo ki soti nan po yon moun paske l ap transpire.* Depi mwen ap fè egzèsis mwen toujou swe. 2. *Kondansasyon.*

**Swedwa** *(Swedwaz) : 1. np. Non yo bay moun ki gen nasyonalite peyi Swèd (Laswèd).* Kawòl se yon swedwa. *2. a. Ki pou peyi Laswèd.* Teritwa swedwa.

**swèl** *: n. Pataswèl, souflèt, kalòt.* Depi yon moun pa dakò ak Ti Pòl, li flank ou yon swèl kareman.

**swen** *: n. Okipe sante yon moun ak atansyon, devosyon.* Ou pran swen Eliz byen.

**swente** *: v. 1. Degoute.* Dlo a swente menm si ou fèmen tiyo a di. *2. Degoute pise sou ou.* Jera swente nan tout pantalon li lè yo vin arete li a.

**swenyay**: *n. Bon swen, anpil atansyon.* Klod nan swenyay.

**swètè**: *n. Kòsaj osnon chemiz epè, ki fèt ak lenn osnon ak lòt materyo ki kenbe cho.* Fè frèt deyò a, mete yon swètè.

**swete**. *v. : Ta renmen sa pou ou, dezire.* Mwen swete ou ane sa a pote anpil siksè pou ou tande.

**swif**: *n. 1. Grès ki sot nan bèt.* Gen anpil swif nan bokit la. *2. Kal, baton.* Yo bay timoun yo yon swif poutèt yo tap fè dezòd. *3. Jouman.* Madanm sa a, anvan anyen li bay moun yon swif.

**swisid**: *n. Aksyon kote yon moun tiye tèt li.* Kalo komèt swisid.

**switch** : *n. Mànèt osnon bouton ou deplase pou ou ka pèmèt kouran pase osnon pa pase.* Desann swich la sou anba pou ou ka etenn limyè a.

**swiv**. *v.* : *1. Mache dèyè yon lòt.* Ou pral nan bakaloreya ane sa a, mwen ap swiv ou pye pou pye. *2. Gad fent ou.* Mwen ap swiv ou pou mwen wè jiskibò ou prale. *3. Gade ak atansyon.* M ap swiv kou sa a depi ane pase, mwen wè li byen fasil.

**swivan**: *n. 1. Moun ki vini apre.* Se ou ki swivan an. *2. a. Ki vin apre.* Se nan jou swivan yo nou vin konnen kisa ki te pase.

**syanm**: *n. Twal koton solid, anjeneral koulè bèj.* Yo konn fè grèp kafe ak syanm.

**syans** *(lasyans)* : *n. 1. Ansanm konesans, rechèch ak solisyon ki genyen sou yon koze, ki mande metòd ak teknik. Fason òganize pou moun rasanble enfòmasyon. Enfòmasyon ak konesans sistematik ki baze sou obsèvasyon, sou etid epi sou tès pou konprann nati ak prensip yon bagay ki aletid. Ladrès ki devlope ak anpil antrennman. 2. Disiplin ki gen: gen fizik, chimi, matematik, biyoloji, etid latè, nan pwogram lekòl, konsidere kòm syans parapò ak literati pa egzanp.*

**syantifik** : *a. 1. Ki pwouve ak konesans epi rechèch dapre metòd epi teknik ki mezirab epi ki ka repwodui.* Metòd syantifik. *2. Moun ki nan domèn syans.* Doktè Wilsonn se yon syantifik.

**syantis**: *n. Moun ki ap travay nan rechèch lasyans. Gen syantis ki pase tout vi yo ap travay nan laboratwa pou yo ka dekouvri solisyon pwoblèm jodi yo.*

**syèj**: *n. 1. Biwo santral.* Syèj bank sa a jous nan peyi Lafrans. 2. *Chèz.* Pa gen lòt syèj ankò.

**syèk**: *n. 1. Santan. Santan se yon syèk. 2. Lontan.* Sa fè yon syèk depi manman ou ap tann ou.

**syèl**: *n. Espas ble ki anwo tèt nou lè nou ap gade deyò.* Gen anpil zetwal nan syèl la aswè a.

# T t

**t**: *Lèt nan alfabè.*

**ta**. *n. : Aswè, pita, anreta.* Li fin ta, nou pa bezwen ale. 2. *kondisyon.* M ta gade ou m ta yas. M ta manje yon ti lanbi.

**tab**. *n. : Mèb nan salamanje.* Pou ou chita sou tab fòk ou chita sou chèz. Tout timoun pou vin chita devan tab la pou etidye leson yo.

**tabak**. *n. : Fèy yo seche pou fimen.* Gen moun ki pa fimen tabak la, yo moulen l.

**tabatyè:** *n. Veso pou met tabak.* Tabatyè a plen tabak.

**tabdenwi:** *n. Mèb ki bò tèt kabann.* Gen yon bèl lanp sou tabdenwi an.

**tablèt:** *n. I. Manje ki gen sik, siwo, pistach ki bouyi epi redi ansanm.* Tablèt pistach.

**tabli**. *v. : Enstale.* Mwen pap pati al ankenn kote, mwen fin tabli la a.

**tabliye** *: n. Rad ki kouvri devan kò yon moun pou pwoteje rad pwòp li, sitou lè moun an ap fè yon travay salisan.* Jàn mete yon bèl tabliye ble.

**tablo**. *n. : I. Ankadreman plat ki fèt pou ou ekri sou li ak lakre.* Mwen sot ekri yon dikte sou tablo a. 2. *Penti.* Tablo sa a bèl anpil, ou wè se yon gwo atis ki fè li. 3. *Peyizaj, vi.* Gade yon tablo devan je-m la a, dat mwen pa wè yon bèl lanmè ak yon bèl plaj konsa, se Ayiti vre pou mwen ta wè sa.

**tabòk**: *n. Kalòt, kou nan tèt.* Pa bay moun tabòk.

**Tabou Konmbo**. *: Dyaz ayisyen, li rekoni anpil, yo jwe mizik pou moun danse, tankou bolewo ak mereng. Tabou se yon dyaz ki popilè anpil, ni Ayiti, ni nan peyi etranje.*

**tach**. *n. : Mak.* Se pandan mwen ap pentire mi an mwen pran gwo tach wouj sa a, mwen pa konnen si klowòs va wete l.

**tache** *: v. I. Kole ansanm ak zepeng, bouton osinon lakòl.* Vin tache do m pou mwen. 2. *Salte ki tonbe sou yon bagay ki pwòp.* Ou tache rad la.

**tafya**. *n. : Bwason alkòl ki fèt ak ji kann.* Gen moun ki sou kou yo rive sou dezyèm boutèy tafya yo.

**tafyatè**: *n. Moun ki bwè alkòl san kontwòl.* Gaston se tafyatè.

**tak**. *n. : Yon ti kras.* Ban mwen yon ti tak dlo, pa anpil. Mwen pap ba ou menm yon tak.

**take**: *v. Fèmen ak takèt.* Vin take pòt la.

**taken**: *a. Ki renmen pase moun nan jwèt.* Tigason sa a taken anpil.

**takèt**: *n. Pati nan yon pòt osnon fenèt pou fèmen li. Takèt pòt.*

**takinè**: *n. Moun ki ap takinen.* Janjan se yon takinè.

**takinen**: *v. Pase moun nan jwèt, nan betiz.* Sispann takinen Wozlin.

**tako:** *n. I. Yon espès zwazo ki mèg.* Gade yon seri tako ap pase la a. 2. *Moun ki mèg.* Pitit sa a mèg tankou yon tako.

**taks**. *n. : Kontribisyon lajan sitwayen yon peyi peye bay leta pou leta fè depans pou avansman ak pwòpte peyi a.* Gen moun ki pa vle peye taks men, sa pa fè sans.

**taksi**. *n. : Sèvis oto kote yon chofè kondui ou mennen ou ale kote ou bezwen an epi ou peye l pou kous la.* Si ou prese pito ou pran yon taksi paske mwen gen plizyè wout mwen ap fè jodi a, mwen pap kapab ba ou woulib.

**takte** *: n. Pakèt ti tach tankou ti pwen nwa ki sou yon sifas.* Jak plen takte nwa nan figi l.

**talan** *: n. Ladrès, kapasite pou fè yon bagay byen menm san aprann.* Jewòm gen talan.

**talatàn**: *n. Twal ki ale anba rad yon tifi pou bay rad la fòm.* Talatàn anba rad la ba li sipò.

**talè** *: adv. Titalè, toutalè, yon lòt moman.* Talè mèt la pral vini.

**talon kitkit:** *n fr. Estil soulye ki gen talon wo epi pwenti.* Jaklin mete talon kikit.

**talon**. *n. : I. Pati ki dèyè pye.* Talon pye mwen fè mwen mal depi lè mwen te frape l nan mi a. 2. *Pati dèyè soulye a ki andwa plat osnon wo.* Ti medam yo mete soulye ak talon wo pou fè bwòdè.

**talonnen**: *v. I, Suiv, veye, san bay souf. Sispann talonnen mwen.* 2. *Pile ak talon.* Li mache dèyè m, mwen talonnen l.

**tamaren**: *n. 1. Pyebwa ki pouse bò lanmè epi ki bay yon fwi asid.* Pye tamaren sa a donnen anpil ane sa a. *2. Fwi ki soti nan pye tamaren.* Konfiti tamaren bon anpil.

**tan kouvri** : *1. Lè gen anpil nyaj nan syèl la ki bare solèy.* Tan an kouvri, solèy la pa leve jodi a. *2. Lapli pare, tan an mare.* Tan an kouvri, li lè pou nou ale.

**tan pou**: *Kon. Olye pou.* Tan pou mwen ta pati mwen ta pito rete kay marenn mwen.

**tan**. *n. : 1. Lè.* Mwen pa janm gen tan pou mwen pèdi, si ou gen yon bagay ou ap di m, di mwen li vit. 2. *Tanperati, movetan.* Tan an mare la a, li sanble li pral fè yon gwo siklòn, te mwen antre lakay mwen byen vit.

**tanbou**. *n. : Enstriman mizik ki fèt ak bwa alantou l epi po bèf nan mitan anwo l.* Mizik ayisyen toujou gen bon kout tanbou ladan l. Tanbou rada, tanbou Petwo, manman tanbou.

**tandans**: *n. Panchan.* Pitit sa a gen tandans dòmi sou kote.

**tande** : *1. Pòte atansyon sou sa moun ap di.* Si yon moun ap pale avèk ou, fòk ou tande sa li ap di ou a. 2. *Sèvi ak zòrèy pou ou kite enfòmasyon antre nan sèvo ou.* Pitit la tande men li pa ka pale.

**tande di** : *v fr. 1. Ki pa obeyisan.* Ou tande di, mwen di ou non ou kontinye pi rèd? 2. *Ki gen pwoblèm nan zòrèy, ki pa tande byen.* Kalo pa soud men li tande di.

**tandiske**: *kon. Alòske, pandanke.* Tandiske granmoun ap pale avèk li, li ap gade televizyon.

**tandon** : *n. Tisi konjonktif ki tache mis ak zo ansanm.* Elifèt tonbe, sanble li gen yon tandon ki dechire.

**tandrès**: *n. Afeksyon.* Yo trete pitit la ak anpil tandrès.

**tanga**. *n. : Rad toukout ki soti nan senti rive nan jenou.* Ou pa sa mete tanga sa a pou ou al sinema.

**tange** : *v. Balanse de bò adwat agòch osinon devan dèyè.* Bato a ap tange.

**tank** : *n. Rezèvwa pou estoke likid.* Nou gen de tank nan lakou a.

**tankou**. *adv. : 1. Kòm.* Ou vin sou mwen tankou se mwen ki responsab isi a, se ou ki bòs la, se ou ki responsab. 2. *Menm bagay. Jan manje tankou Bèna.* Jodi a fè frèt tankou yè.

**tanmen**: *v. Kòmanse.* Moun yo tanmen pale.

**tann** : *v. 1. Kite tan pase.* Dat nou ap tann ou. *2. Mete sou yon kòd.* Tann rad.

**tannè**: *n. Metye moun ki prepare po bèt pou fè kui.* Wobè se yon tannè.

**tannen**: *v. Prepare po bèt pou fè kui.* Tannen po bèf la.

**tannri** *(tànri): n. Atelye kote yo prepare po bèt pou fè kui.* Tannri Dikap.

**tanp** : *n. Pati chak bò figi yon moun anwo zòrèy li.* Jak gen yon maltèt ki reponn li nan tanp.

**tanpe**: *1. Make ak yon so.* Tanpe papye a pou mwen. *2. Make po bèt ak fè cho.* Yo tanpe chwal la.

**tanperaman**: *n. 1. Karaktè.* Jera gen move tanperaman. 2. *Pa etap.* Peye pa tanperaman.

**tanperati pou bouyi:** *n fr. Tanperati ki fè yon likid fè vapè. Tanperati pou dlo bouyi se 100 degre Sèlsiyis.*

**tanperati**. *n. : Varyasyon ant chalè ak fè frèt.* Isit nan Pòtoprens, tanperati a toujou cho, se nan gwo peyi tankou Kanada ak Ozetazini kote tanperati a konn chanje. Yo gen chalè, yo gen fredi.

**tanpere** : *a. 1. Karaktè moun ki kal.* Jan se yon moun ki tanpere. 2. *Zòn sou latè ant senti twopikal ak senti polè, kote kat sezon yo byen diferan youn ak lòt epi kote li fè frèt nan sezon ivè.* Zòn tanpere.

**tanpèt**. *n. : Move tan ki vin ak gwo van ak lapli.* Pa soti tande, yo anonse pral gen yon gwo tanpèt, tout moun dwe rete lakay yo.

**tanpete**: *1. Bat kò.* Sa ou genyen ou tanpete konsa a. *2. Leve kont.* Kalo renmen tanpete.

**tanpi**: *ent. Zafè, sa l fè l fè.* Si ou pa vle, tanpi pou ou.

**tanpon**: *n. Twal mouye pou poze sou kò.* Si ou te mete yon tanpon alkòl sou fwon l, sa ta ka bese maltèt la.

**tanponnen**: *v. Pase tanpon.* Tanponnen kote ki anfle a ak tenti danika.

**tanpri:** *ent. Silvouplè.* Tanpri, ban m yon ti woulib.

**tansyomèt** : *n. Zouti pou mezire tansyon yon moun.* Tansyomèt la endike tansyon mwen wo jodi a.

**tansyon** : *n. 1. Presyon nan venn ak nan atè yon moun.* Lè tansyon twò wo osnon lè li twò ba li pa bon. 2. *Maladi tansyon.* Jera fè tansyon, li ap pran medikaman.

**tant** : *n. 1. Kay an twal ki fèmen pou moun rete lè li al nan kan.* Moun yo ap kanpe nan lanati, yo dòmi nan tant. 2. *Espas ki kouvri pou pwoteje kont solèy osinon lapli.* Se anba tant sa a mwen te pare lapli. *3. Matant, sè* *manman osinon sè papa yon moun.* Jaklin gen yon tant li ki rete Mibalè.

**tantakil** : *n. Pati nan ekstremite kèk bèt, ki sèvi pou yo ka pran sa yo bezwen osnon touche yon bagay.* Gen molis ak vè ki gen tantakil.

**tante**: *v. 1. Atire yon moun pou li vle yon bagay ki pat nan tèt li.* Jan tante Joslin pou yo al nan sinema jodi a. *2. Fè yon moun tonbe nan mal.* Satan tante Adan ak Ev, dapre Labib.

**tantin**: *n. Tant, matant.* Tantin di m pou mwen vin pote yon vè dlo pou li.

**tanto**: *adv. 1. Titalè a, sa pa fè lontan.* Li te la a tanto epi li fè yon deplase. *2. Pafwa.* Tanto ou vle, tanto ou pa vle.

**tanzantan** *(detanzantan): adv. Souvan, chak ti kadè, plizyè fwa nan yon tan ki kout.* Tanzantan Manno parèt nan fenèt la.

**tap** : *1. n. Kou ak pla men.* Yo bay Jak de tap epi li ret trankil. *2. Te ap.*

**tapaj**: *n. Dezòd ki mele ak bri.* Sispann fè tapaj la a.

**tapajè**: *n. Moun ki ap fè dezòd ki mele ak bri.* Pòl se yon tapajè.

**tape**. *v. : 1.* Timoun nan tèlman dezobeyisan, mwen oblije tape l. *2. Ekri alamachin.* Si mwen pat konn tape alèkonsa, se peye mwen ta va peye yon moun pou fè travay sa a pou mwen.

**tapi**: *n. 1. Kouvèti an twal osnon plastik pou kouvri tab.* Te mwen mete tapi a. *2. Kouvèti pou atè.* Yo kouvri planche a ak tapi.

**taptap**. *n. : Transpò piblik Ayiti. Se ak yon pikòp ki gen yon kouvèti anbwa padèyè l yo fè taptap yo. Yo toujou gen yon bann bagay ekri sou yo, swa pawòl levanjil osnon pwovèb.*

**tas**. *n. : Veso ki gen yon fòm won ak manch moun sèvi pou bwè bagay cho.* Mwen ta pran yon tas kafe cho kounye a.

**taso**. *n. : Vyann bèf tranpe nan epis espesyal epi yo griye apresa.* Taso ak bannann peze se manje Ayisyen renmen anpil.

**tata** : *n. Poupou.* Pitit la fè tata sou li.

**tate**. *v. : Chache ak dwèt ou sa ou pa kapab wè ak je w.* Mwen tate pòch la mwen pa jwenn kle a.

**taton, alataton**. *n. : Ezitasyon. Msye mache alataton joustan li resi rive devan pòt la.*

**tatonnen**. *v. : Aji ak ezitasyon.* Msye tatonnen anpil anvan li resi deside marye ak Lovana.

**tavèno**: *n. 1. Pyebwa ki bay planch.* Yo koupe pye tavèno a pou yo al fè planch. *2. Planch ki fèt ak pye tavèno.* Tavèno se yon bwa ki fè bèl mèb.

**taw**: *ent. Bwi tap.* Li bay pitit la yon ti tap nan dèyè taw!

**tawode**: *v. Netwaye filte yon metal.* Tawode vav nan silenn motè.

**tay**. *n. : 1. Zouti pou file pwent kreyon.* Prete mwen tay kreyon ou lan. *2. Senti.* Ala moun gen tay fin papa.

**taye tèt**: *v fr. Koupe cheve, fè cheve.* Kwafè a taye tèt ou kout men li ba ou yon bèl tyas.

**taye** : *v. 1. Koupe ak sizo, kouto osinon manchèt.* Vin taye twal sa a pou mwen. *2. Koupe, fè sèks ak yon moun.* Bèta te nan taye ak Alis depi ane pase.

**tayè**. *n.: Metye moun ki konn fè pantalon ak kostim gason.* Papa mwen te tayè nan ri Marengwen.

**Tayino**. *: Endyen ki soti nan gwoup Arawak ki te la lè Kristòf Kolon debake Ayiti. Te gen plis pase yon milyon lè Kolon rive men an 1548, pat rete 500 ladan yo, yo te fin touye yo ak move tretman Espayòl yo te pote.*

**tayo**: *n. Non yo bay malanga sitou nan depatman Sid ak Grandans.*

**taza**: *n. Yon espès pwason.*

**tchak** *(tyak) : a. Move, michan, ki pa nan jwèt, sevè.* Papa Kalin tchak seryezman.

**tchak-tchak** *(tyak-tyak): v. Gaspiye.* Tifrè tchaktchak manje a epi li kite l.

**tchake**: *v. 1. Tyaktyak, koupe an plizyè moso ki vin initil.* Pou kisa yo tchake twal la konsa? *2. Gaspiye manje.* Kalo pa manje, li annik tchake manje a epi li kite l.

**tchala** *(tyala): n. Liv pou enspire moun ki ap jwe lotri.* Gaston gade nan tchala a pou li konn ki nimewo li ap jwe.

**tchanpan** *(tyanpan) : n. Bagay ki pa sèvi anyen.* Odil plen tchanpan nan depo a.

**tchatcha, tyatya**. *n. : Enstriman mizik popilè Ayiti. Yo fè tyatya ak kalbas netwaye epi seche. Apresa, yo mete grenn sèk ladan l. Lè ou souke tchatcha a, li bay yon bon son kadans ki sèvi pou akonpaye mizik twopikal.*

**tè arab** : *n fr. Bon tè, tè ki ka bay bon ranmman.* Bò isi a, se tè arab nou genyen.

**te**. *n. : 1. Bwason cho yo fè ak fèy.* Mwen pa renmen te, mwen pito bwè kafe pito. *2. Kite, Pèmèt mwen al...* Te mwen al di moun yo ou rive.

**tè**. *n. : 1. teren, kote moun plante, osnon bati kay.* Mwen gen de kawo tè nan Fondèblan. *2. Materyo konstriksyon.* Pote de kamyon tè, pou konble twou a. *3. a. Eksplike kalite finisyon, wout tè, kay tè.*

**tebe**: *n. 1. Maladi tibèkiloz, pwatrinè.* Olivye gen tebe. *2. v. Ki gen tibèkiloz, ki pwatrinè.* Olivye tebe.

**tèdoreye** *(tèdoreye, tètzòrye): n. Sak ki kouvri zorye.* Li lè pou chanje tèdoreye a.

**tèk** : *n. Mouvman ak dwèt pou lanse yon mab.* Ou fè tèk la mal kounye a ou mò rèd.

**teke** : *v.* Fè tèk. Tigason konn teke mab pi byen pase tifi.

**teknik**. *n. : 1. Mwayen, estil, ladrès.* Mwen gen teknik mwen pou mwen fè kay pay, se fason pa mwen. *2. Woutin manyèl.* Pa gen anyen la a ou pa kapab fè, depi ou konn teknik la se fini.

**teknoloji** : *n. Koleksyon teknik ak metòd, zouti, machin epi materyo nan yon domèn. Teknoloji ka pèmèt moun pwodui plis epi pi vit.*

**tèl**: *a. Yon moun osnon yon bagay ki pa defini.* Si yon moun di entèl di tèl bagay mwen pa ka konte sou sa pou mwen kwè sa moun nan di a.

**teledyòl**. *n. : Sistèm kominikasyon popilè kote yon moun di yon lòt sa ki ap pase epi lòt la al repete l joustan nouvèl la gaye toupatou.* Mwen pat konn sa, se nan teledyòl mwen aprann Kalin mouri.

**telefòn**. *n. : Zouti ki pèmèt ou kominike ak yon moun ki lwen depi ou gen enstalasyon an lakay ou epi moun nan genyen l lakay li tou. Pou ou rele yon moun nan telefòn, fòk ou konn nimewo l.*

**telefone**. *v. : Rele nan telefòn.* Chak tan entèl telefone m, mwen gen kè sote, mwen toujou pè pou l pa ban mwen yon move nouvèl.

**telegram**: *n. Kominikasyon kout, alekri, ki rive rapid rapid al jwen mèt li.* Jak voye yon telegram pou mwen.

**telele**: *n. Melimelo, konfizyon, sitiyasyon tètanba.* Jera pa nan telele ak moun.

**teleskòp** : *n. Zouti pou moun ka wè bagay ki lwen nan syèl la.* Si ou gen lajan ou ka achte yon teleskòp.

**televizyon**. *n. : Aparèy ki gen yon ekran epi ki pèmèt ou gade epi tande yon pwogram ki soti byen lwen. Aparèy ki transmèt imaj ak distans grasa ond ètzyèn. Pou ou gen plis pwogram ou kapab pran kab men gen de twa estasyon ou kapab pran san kab.*

**tèlman**. *adv. : Sitan, anpil.* Papa mwen tèlman gen travay li antre byen ta leswa.

**tèminal** : *n. Kote pou tout moun desann yon bis, yon tren, yon kamyonèt osinon yon avyon, anvan li kase tèt tounen.* Nou rive nan tèminal la.

**tèmomèt**: *n. Enstriman pou mezire tanperati. Tèmomèt gen yon tib an vit ki gradye epi fèmen nan de ekstrèm yo; anndan tib la gen yon likid (souvan se mèki osinon alkòl kolore). Likid la monte (ekspann) osinon desann (kontrakte) lè tanperati a monte (cho) osinon desann (frèt).*

**tèmòs**: *n. Veso ki izole pou kenbe tanperati yon bagay.* Jan al nan travay ak yon tèmos ji chak jou.

**temwayay**: *n. Depozisyon yon temwen.* Temwayay sa a klè, jiri a ap kwè l.

**temwen**: *n. Moun ki wè osinon tande yon evennman.* Si ou pat temwen, pa antre nan koze a.

**ten**. *n. : 1. Epis.* Moun ki renmen ten di li bon nan sòs pwa. *2. Koulè po.* Ou se moun ki gen bon ten, ou pa bezwen mete makiyay.

**tenay** : *n. Zouti an metal ki fèt tankou yon kwa, yon bò se manch la, lòt bò a tankou yon machwa. Ou ka rache klou ak tenay.*

**tenbal**: *n. Gode an metal.* Pote yon tenbal dlo pou mwen.

**tenbre**: *v. Ki gen tenm.* Papye tenbre.

**tenèb**: *n. Kondisyon reyèl kote ki pa gen limyè yon kote. 2. Sitiyasyon kote ki gen anpil medyokrite, mechanste, sipèfisyalite ak sotiz.* Tout peyi ap soufri akoz yon peryòd tenèb ki gaye nan sosyete a. *3 Bat tenèb, lè plizyè moun nan plizyè kafou ap frape sou poto elektik an metal pou demontre mekontantman osinon kominike solidarite ak patisipasyon.* Vandredi sen, a twazè, yo bat tenèb nan Pòtoprens.

**tenis**. *n. : 1. Soulye twal.* Mwen renmen met tenis paske li dous nan pye mwen. *2. Jwèt.* Tenis se yon espò ki enteresan menm jan ak foutbòl men mwen pito foutbòl.

**tenm** *(tenb): n. Imaj an papye ki fèt pou al sou yon dokiman.* Nan peyi Ayiti, yo mete tenm sou papye legal yo.

**tenpan**: *n. Yon ti vwal ki nan zòrèy ki vibre lè gen son se li transfòme son yo pou sèvo a ka konprann yo. Klwazon ki separe pati sa yo rele kannal tande ekstèn nan ak sa yo rele zòrèy mwayen an.* Nèg sa a gen pafouten sou chak bò tenpan l.

**tensèl** *(etensèl): n. Limyè ki tankou yon ekla, li parèt vit, li deplase rapid epi li pa dire.* Chabon sa a fè anpil tensèl.

**tenten**: *n. Betiz, makakri, ridikil.* Sispann fè tenten la a.

**tentennad**: *n. Rans, betiz, tenten.* Mwen pa nan tentennad avèk ou.

**tenyen** : *1. Etenn yon sous limyè.* Tenyen tout limyè, annou al dòmi. *2. Fèmen yon aparèy elektrik.* Tenyen radyo a.

**tep** : *n. 1. Aparèy ki fèt pou anrejistre son.* Nou gen mizik la sou tep. *2. Riban kolan, ki fèt pou kole papye.* Kole de fèy sa yo ak yon tep.

**teras**. *n. : 1. Ki monte , ki fè tankou eskalye.* Gen kote mòn nan yo sitan wo, peyizan an yo plante nan yon estil yo rele teras. *2. Galri anwo nan balkon.* Mwen pral pran yon ti van sou teras la si ou bezwen mwen wa vin kote mwen.

**tere**: *v. 1. Antere.* Nou antere Sonson yèswa. *2. a. Ki antere.* Sonson antere depi yèswa.

**terebantin**: *n. Rezin osnon esans ki soti nan plant tankou konifè yo.* Yo konn mete terebantin nan vèni osnon nan penti.

**teren**: *n. Espas tè.* Ki gwosè teren ou an?

**teritwa**: *n. Teritwa Ayiti ògànize an nèf depatman, 133 komin ak 561 seksyon kominal.*

**tès**. *n. : 1. Egzamen laboratwa.* Mwen t al fè tès kay doktè a, li di-m mwen anfòm, mwen pa malad. *2. Egzamen lekòl.* Tès mwen t al pase lòtrejou a te byen di men mwen pase l kanmenm paske mwen fò.

**testaman**: *n. Desizyon yon moun mete sou papye pou endike kisa li vle yo fè ak tout sa ki pou li lè li mouri.* Ou ka chanje testaman ou nenpòt kilè ou vle.

**teste** *: v. 1. Eseye.* Mwen ta renmen teste yon nouvo pwodui. *2. Gade kote yon moun bout, suiv li.* Jak ap teste Pòl pou wè ki desizyon li.

**testikil** *: n. Pati nan sistèm repwodiktif gason; grenn gason.* Nèg sa a genlè malad nan testikil.

**tèt anba**: *n fr. 1. Lè tèt nan pozisyon pye epitou pye vin nan pozisyon tèt.* Timoun nan ap plede pike tèt anba. *2. Gaye, san pye ni tèt. Sitiyasyon an tètanba.*

**tèt chaje**: *n fr. Pwoblèm, traka.* Kalo nan tèt chaje.

**tèt chòv** *: n fr. Tèt gason ki pèdi cheve devan, lanmitan osinon dèyè.* Aliks tèt chòv.

**tèt di** *: n fr. Ki pa kapab aprann fasil.* Ala timoun gen tèt di papa.

**tèt dlo**: *n fr. Kote yon sous pete, kòmanse osinon soti nan tè.* Annou ale nan tèt dlo a.

**tèt fè mal**: *n fr. Doulè nan tèt.* Woje soufri ak tèt fè mal.

**tèt grenn**: *n fr. Moun ki gen cheve ki fè ti boul.* Woje gen tèt grenn.

**tèt gridap** *: n fr. Fi ki gen cheve kout epi ki fè ti boul.* Kalin gen tèt gridap.

**tèt jiwòf** *(klou jiwòf): n fr. Yon grenn jiwòf antye.* Jera pa renmen jwenn tèt jiwòf nan manje l.

**tèt kale**: *n fr. Moun ki pa gen cheve nan tèt li.* Jan tèt kale.

**tèt kokolo**: *n fr. Tèt ki pa gen cheve osnon ki pa genyen anpil epi sa li genyen an pa ka trese.* Jaklin tèt kokolo.

**tèt koupe**. *: Sanble kou de gout dlo.* Chantal ou tèt koupe ak papa w.

**tèt kwòt**: *n fr. Fason gwosye pou dekri tèt yon moun ki pa gen anpil cheve.* Kawolin gen tèt kwòt.

**tèt mato**: *n fr. Ki kondi oto mal, ki pa bon chofè.* Woje se tèt mato.

**tèt vire**: *n fr. Toudisman.* Bèta gen tèt vire, li al kouche.

**tèt**. *n. : 1. Pati nan kò moun kote sèvo, zye, nen, bouch, zye ye.* Detanzantan mwen konn gen tèt fè mal. *2. Chèf, responsab.* Se Simon ki nan tèt biwo sa a. *3. Entelijans.* Mwen pa gen tèt pou mwen aprann tout leson sa yo.

**teta** *: n. Etap nan devlopman krapo, lav krapo.* Gade yon teta!

**tetanòs**: *n. Maladi enfektye ki ka vin fatal lakoz li se pwazon ki nan yon bakteri (Clostridium tetani). Pou bakteri sa a antre nan moun, li pase nan blesi, nan maleng, pike nan po, maladi a pwovoke kontraksyon nan miskilati, ki fè machwa, kou, figi malad la vin sere. Nou jwenn mikwòb ki lakoz maladi sa a nan poupou moun ak poupou bèt.*

**tete**. *n. : Sen. Pati nan kò fi ki fè de pwent sou lestomak li. Gason gen tete tou men pa fi yo pi devlope, se sa ki fè fi met soutyen.*

**tete lang**: *v fr. Flatri. 2. Bo ant moun ki amoure.*

**tetin**: *n. Tèt bibon, pati nan bibwon ki al nan bouch tibebe.* Ti twou tetin nan twò piti.

**tetyè**: *n. Bonèt tibebe.* Mete tetyè a pou bebe a anvan ou soti avèk li.

**tètzòrye** *(tèdoreye): n. Sak ki kouvri zorye.* Tètzòrye a menm koulè ak dra a.

**Teya Andre** *(Andre Theard): np. Espòtif olenpik ki fè kous rapid. Li fèt an 1905. Li patisipe nan plizyè kous entènasyonal ak kous inivèsitè mondyal. Li chanpyon plizyè fwa.*

**teyat**. *n. : 1. Aktivite sou sèn pou montre yon evenman.* Mwen pral gade yon pyès teyat. Teyat-de-Vèdi, teyat Mòn Ekil. *2. Bagay ki fo, manti, ki envante, plan.* Pa vin jwe teyat devan mwen la a, ou kwè mwen kwè w?. *3. Non yo bay lekòl Janmari Giyou.*

**teyatral**: *a. 1. Ki gen avwa ak teyat.* Fèt teyatral. 2. Tifi sa a teyatral papa.

**Teyodò Davilma** *(Théodore, Davilmar). np.: Prezidan Ayiti pandan 4 mwa, depi novanm 1914 jiska fevriye 1915.*

**Teyodò Gi** *(Theodore Guy ): np. Medsen nan komin Piyon. Li te pitit yon pastè ki al etidye lamedsin Pòtoprens epi al espesyalize nan* *chiriji Ozetazini ak nan lame ameriken. Li retounen Ayiti epi li fè demach pou konstwi yon lopital Piyon ki vin yon lopital ki fè anpil tretman nan bouk la epitou ki sèvi pou antrene jèn doktè sou teknik medikal.*

**Teyodò Rene** *(Théodore, René). np. : Pwofesè, politisyen, Chèf pati politik, kandida prezidansyèl, komèsan. Li fèt 23 Jen 1940. Li pran ekzil nan ane 1963. An 1969 li fonde PUCH, Pati Inifye Kominis Ayisyen, apresa nan 1978 li te vin Sekretè Jeneral li ak yon non prete (Jak Dòsilyen). Li tounen Ayiti an 1986. An 1987e 1990 li kandida pou prezidan. Li patisipe nan aktivite politik nan epòk la.*

**teyorèm:** *n. Yon pwopozisyon ki pa klè men ki kapab pwouve lè moun sèvi ak lwa ki deja etabli.*

**ti:** *a. 1.Piti, ki pa gwo.* Gade yon ti pitit. *2. Fason afektye pou ou lonmen yon moun. Ti cheri, ti zanmi. 3. Enpe, pa tout. Jak yon ti jan kras. 4. Ki pap dire lontan, ki kout.* Mwen *pral fè yon ti koutfil la a. 5. Ki pa ofisyèl, ki san fason, tètatèt antre nou, an konfyans.* Annou fè yon ti koze.

**tib**: *n. Kondui ki long tankou yon ti kòd epi ki gen yon twou andedan l ki pèmèt likid pase.* Yo mete yon tib nan lestomak Bèta apre operasyon li an. 2. *Yon silenn kre an metal, an vit osinon an kawoutchou. An jeneral yon tib gen plis longè pase dyamèt. Tib sèvi pou pase likid ak gaz. 3. Kanal ze ki soti nan ovè fi pou rive nan matris lan.*

**tib falòp** *: nfr. Tib ki mennen ovè nan matris la.*

**tibebe**. *n. : Timoun tou piti ki poko gen ennan.* Granmè pran foto tibebe ki fèk fèt la pou l al montre zanmi l yo.

**tibèkiloz**: *n. Tebe, pwatrinè, maladi ki atake poumon. Moun ki gen tibèkiloz konn al trete nan sanatoryòm.*

**tibin**: *n. Machin ki sèvi ak fòs dlo (osinon vapè) pou li vire epi transmèt mouvman an bay yon lòt machin (jeneratè) pou fè elektrisite.*

**tiblès**: *n. Kawoutchou nan wou machin ki mache san chanm.*

**tiblan.** *n. : 1. Moun nan ras nwa ki klè anpil.* Gade tande tiblan, pa manyen papye mwen yo tande, si ou pa vle mwen pase ou de tap la a. 2. *Pandan peryòd koloni an, yo te rele tiblan blan ki pat nan lelit la (atizan, komèsan osnon moun ki ap travay latè). Nan tan sa a, te gen anpil hinghang ant tiblan ak granblan.*

**tibonm**: *n. Fèy santi bon ki sèvi pou fè te.* Alis ta bwè yon te tibonm.

**tibway**. *n. : Ti gason.* Tibway sa a entelijan anpil, li konn tout sa pou l fè pou l demonte radyo sa a.

**tibya**: *n. Youn nan zo janm yon moun.* Gen youn nan foutbolè yo ki kase tibya li.

**ti dife boule:** *n fr. Chèche kont, chofe pou kont fèt ant de osnon plis moun; pwovoke kont la.* Kalo fè ti dife boule epi se konsa Woje ak Pòl vin goumen.

**tif**: *n. Wòch mou epi ki blan, ki sèvi pou fè lacho.* Gen anpil tif nan zòn Kenskòf nan peyi Ayiti.

**tifi** *: n. 1. Moun, fi, ki timoun toujou.* Alisya se yon tifi ki janti. *2. a. Vyèj. Fi ki poko nan fè sèks.* Si ou pa tifi se pou ou di Janjak sa depi anvan ou marye avè l pou li sa konnen.

**tifoyid**. *n. : Yon enfeksyon ki grav ki bay moun lafyèv. Lontan anpil moun te konn mouri ak tifoyid men kounye a gen plis kontwòl sou maladi a.*

**tig**. *n. : Bèt tyak.* Mwen poko janm wè yon tig, yo di mwen se bèt ki pa nan rans.

**tigason**: *n. 1. Moun, gason, ki timoun toujou.* Tigason sa a toujou ap woule sèk nan lari a. 2. *Gason.* Rete trankil tande, tigason.

**tigrès**: *n. 1. Ekip foutbòl fi. 2. Femèl tig.*

**Tigwav** *(Petit Goâve): np. komin nan awondisman Leyogàn nan depatman Lwès. Vil bò lanmè ki a 50 mil Pòtoprens.* Moun Tigwav konn fè bon dous makòs.

**tij** *: n. Pati nan plant ki pote branch yo. Pati nan plant ki pote tout pati vizib plant lan, branch, fèy, flè eltr. Tij la grandi an montan (alòske rasin pose an desandan). Tij transpòte manje monte desann ant rasin yo ak fèy yo. Se li ki sèvi sipò pou flè ak fèy devlope. 2. Yon moso bwa ki gen yon fòm an silenn. Gen divès kalite tij, gen tij rizom ki anba tè, tij aeryèn (majorite tij plant) gen tij grenpant eltr.*

**Tijo** *(Turgeau): np. sizyèm seksyon kominal nan komin Pòtoprens nan depatman Lwès. 2. Katye rezidansyèl Pòtoprens.*

**tijoudlan**. *n.: Timoun ki abiye byen bwòdè pou yo al chèche zetrenn jou premye janvye, ki joudlan.* Gade twa tijoudlan ki ap pase la a, ala timoun yo bwòdè papa ak soulye vèni yo nan pye yo.

**tik** *: n. 1. Bèt, parazit ki souse san moun epi ki ka transmèt maladi enfektye tou.* Madanm sa a gen tik. 2. *Abitid, reyaksyon nè yon moun pa ka kontwole.* Nèg sa a ap plede bat je l toutan tankou yon moun ki gen yon tik.

**tikal**. *:1. Moso, tizong.* Sovè pa renmen viv ak moun, menm yon tikal manje li pap ba ou. 2. *Kote istorik nan peyi Gwatemala. Tikal se yon kokenn chenn konstriksyon endyen lontan lontan yo te bati; si ou al vizite l, ou ap gen anpil mach eskalye pou ou monte.*

**tikè**. *n. : 1. Kat pou moun al nan yon fèt.* Mwen pat gen tan achte tikè pou bal la, se sa ki fè mwen pa ale monchè. 2. *Kat konpayi avyon an bay moun ki achte yon plas pou li kapab pati.* Si ou poko gen tikè, ou ka pa jwenn plas monchè, yo di mwen avyon an plen kouleba.

**tikòk**. *n. : Tijennjan.* Tikòk, ret trankil tande, medam yo pa nan rans deyò a.

**tikrik tikrak**. *: Avan anyen, san rezon.* Mwen te wè sa pou Kawòl, tikrik tikrak se pou l al pote manman l ak papa l plent pou Jan.

**til** *(tuil): n. 1. Moso tè kuit ki fèt pou kole youn ak lòt pou ka kouvri kay.* Twati kay sa a fèt an til. 2. *Griyaj.* Si nou pat mete til, alèkonsa marengwen te fin manje nou.

**tilapya**: *Espès pwaso dlo dous.*

**tilenòl**: *Medikaman pou maltèt ak lafyèv.*

**tilip**: *n. Plant ki rasin anboul tankou zoyon, li bay bèl flè pou dekorasyon.*

**tilititi**: *adv. Pale bwòdè, pale chèlbè, fè lenpòtan, fè mativi.*

**tilolit**. *n. : Aloufa, moun ki manje anpil anpil.* Mwen pa konn kijan ou fè manje anpil konsa a, se fanmi tilolit ou ye?

**timè** *: n. Yon kote ki anfle. Gen timè ki pa danjre men genyen ki fatal tou.*

**timid**. *n. : Moun ki pa alèz pou l pale l devan moun.* Pitit sa a tèlman timid, li pa janm renmen parèt nan sosyete.

**timoun**. *n. : Moun ki fèk kòmanse grandi.* Timoun yo t ap jwe boul nan lakou a. Gwo granmoun yo t ap fè jwèt timoun piti. *Minè. Yon moun ki jenn, ki sou depandans manman l ak papa l.* Timoun alèkile vin eklere.

**ti koulout** : *n fr. Ki pa renmen depanse, ki kras.* Jera se yon nonm ki tikoulout.

**Ti Malis** *: np. 1. Non yon pèsonaj nan fòlklò Ayiti.* Ti Malis toujou pi entelijan pase Bouki, dapre kont ak istwa nan peyi mwen. 2. *Moun ki sèvi ak entelijans pou jwenn sa yo vle.* Kalo se yon ti Malis. 3. *Pat ti fig piti ki dous anpil.* Mwen pito ti malis pase fig.

**ti medam**: *n fr. Gwoup jèn tifi.* Ti medam yo pito al flannen.

**ti mesye**: *n fr. Gwoup jèn gason.* Ti mesye yo al silema aswè a.

**ti non**: *n fr. Non jwèt, jan yo rele ou swa pa afeksyon osnon pou takinen ou.* Ti non Elizabèt se Babèt.

**ti nouris**: *n fr. 1. Fi ki fèk akouche.* Wozita se yon tinouris. 2. *Fi ki ap bay tibebe tete.* Wozita ti nouris. 3. *a. Ki fèk akouche osnon ki ap bay tete.* Wozita tinouris.

**Tinye**, *Lis (Luce Turnier). np. : Atispent ki fèt nan vil Jakmèl nan àne 1950. Li etidye penti nan Art Student League nan Nouyòk. Li te resevwa yon pri Wòkfèlè pou penti kreyatif li yo. Li ekspoze nan peyi Lafrans epi nan vil Wachinnton nan peyi Etazini. Li rete nan peyi Lafrans kounye a.*

**Tiparis**. *np. : Atis, chantè ayisyen ki te konn chante reyalite sosyal pèp ayisyen an sou gita ak anpil epis. Twaka mizik Tiparis yo gen mesaj ki gen valè kiltirèl pèp la apresye. Yo popilè anpil nan diferan gwoup sosyal yo. Apre msye mouri yo vin ap pale plis sou li kòm yon atis ki plen talan ki te konn chante reyalite pèp la yon fason senp, klè, san makiyaj.*

**tiraj** *(tiray): n. Raf, pran pa aza.* Kilè yo ap fè tiraj oto a?

**tiraye**: *v. Anmède.* Kalito renmen tiraye Kalin tout lajounen.

**tire** *: 1. Rale.* Pa tire sou kòd la, li ap kase; 2. *Atake ak bal ki soti nan zam tankou revolvè, fizi osinon mitrayèt. Jandam nan tire anlè, tout moun kouri.* 3. *Detire kò ou.* Ou pa dwe ap tire kò ou sou moun.

**tire kat**: *v fr. 1. Wete kat, separe kat nan jwèt. Tire kat yo byen pou pay yo pa mele ak lòt yo.* 2. *Al konsilte yon oungan.* Madan Sentilis te al tire kat, depi li tounen li ret ak men nan machwa l.

**tire kont**: *v fr. Rakonte istwa kòm amizman.* Chak swa, Jeralda reyini ak timoun yo pou yo tire kont anba pye mapou a.

**tire pye**: *v fr. 1. Voye pye, pa dakò, konteste.* Jera tire pye kont li men li pat rive fè mesye yo chanje lide. 2. *Reyaksyon yon bèt fè lè li pa kontan.* Chwal la tire pye joustan li jete madanm nan atè.

**tirè**: *n. Moun ki ap tire zam.* Jefra se yon bon tirè.

**tire-jete** *: jete ak fòs.*

**tirèdkont** *(tirè): n. Moun ki ap rakonte istwa osnon ki ap tire kont.* Bèti se yon bon tirèdkont.

**Tirèn Joujou** *(Joujou Turenne): np. Aktris, animatris, koregraf, tirèd-kont ak pawolye. Li fèt Ayiti, an 1961, men grandi Monreyal, Kanada.*

**tiri**: *Kochon*

**tisi** *: n. 1. Twal.* Tisi sa a delika. 2. *Nan biyoloji, yon gwoup selil ki genyen menm estrikti, ki ap fè menm fonksyon.*

**Tisi epitelyal** *se yon tip tisi ki kouvri ògàn ki anndan kò a ak tout sifas ki an kontak ak deyò kò a. nen, bouch, lestomak, entesten, po, cheve, zong, glann.*

**Tisi konektif** se *yon tip tisi ki konekte epi sipòte lòt tisi yo. zo, tandon, ligaman, katilaj*

**Tisi miskilati** se *yon tip tisi ki fasilite pou nou lonje kò nou, kontrakte kò nou, deplase. Zo, jwenti ak miskilati yo. Tisi nè se yon gwoup tisi ki fasilite kominikasyon ant sèvo nou ak rès kò a. Yo resevwa epi yo transmèt siyal ale-vini.*

**tit** : *n. 1. Grad, jan yo rele fonksyon yon moun genyen an.* Tit Jera se direktè anchèf. *2. Diplòm, kalifikasyon.* Ki tit ou genyen, èske ou gen lisans osnon doktora?

**titalè:** *adv. Talè, talèkonsa, nan yon lòt moman.* Titalè Elifèt ap pote komisyon an.

**Titanyen**: *vilaj tou sou kote nò Pòtoprens, nan depatman Lwès.*

**titato**: *n. 1. Jwèt.* Annou al jwe titato. *2. Bann kanaval.* Ou al danse nan titato.

**titile** : *v. Goumen ak lavi a, viv malman.* Kouman ou ye, bò pa nou, nou ap titile.

**titit:** *n. 1. Tibebe.* Titit la bèl. *2. Non afektye yo bay timoun jiska laj twazan konsa.* Vin fè ti bo pou grann ou, titit.

**tito**: *n. Manje dous ki fèt ak sik. Tito ka kole nan dan ou epi li ka ba ou maldan apresa.*

**Titwoudnip** *(Petit-Trou de Nippes): np. Komin nan awondisman Ansavo nan depatman Grandans.*

**tiwa**: *n. Pati nan yon mèb ki fèt pou mete bagay ladan l, ou ka rale l pou louvri l.* Nou sere zouti nan tiwa bifèt la.

**tiwèl**: *n. Zouti mason pou poze mòtye. Bòs Dinwa toujou mache ak tiwèl.*

**tiwoyid** : *n. Glann andokrin ki nan zòn anba kou kote òmòn kwasans yo pwodui. Si tiwoyid yon moun pa travay byen, li ka gen pwoblèm pou li grandi nòmalman.*

**tiye**. *v. : 1. Touye, mouri.* Ki maladi ki tiye Chal, ou konnen? *2. Bay osnon resevwa yon chòk.* Ou tiye mwen monchè, ou pa ta ban mwen nouvèl la konsa. *3. Netwaye fèy pit pou jwenn fib.*

**tiyo**: *n. 1. Tib.* Gen yon tiyo ki soti nan bidon sa a, ale nan lòt la. *2. Bouch tib ki bay dlo.* Al pran enpe dlo nan tiyo a.

**tiyon**. *n. : 1. Kantite ki depase anwo tèt yon mamit.* Mwen ba ou mamit mayi a ak tout tiyon l. *2. twòkèt, mouchwa machann mete sou tèt yo kòm kousen pou yo kapab pote pànye yo pi byen.* Si mwen pat mete tiyon an, kou mwen ta fè mwen mal.

**tizann:** *n. Rafrechi, fèy bouyi pou moun bwè kòm remèd.* Gen moun ki pran tizann yo regilyèman.

**tizuit** : *n. Ti moso tou piti, ti kal.* Gaston bannou yon tizuit nan gato a.

**tò** *(antò) : n. 1. Pa kòrèk.* Se Jera ki gen tò. *2. Antò; ki pa gen rezon.* Jera antò.

**tòchon:** *n. 1. Pye bwa ki bay fib ki ka sèvi pou lave asyèt.* Pye tòchon an donnen ane sa a. *2. Fib ki soti nan pye tòchon.* Ou vle detwa tòchon? *3. Twal pou siye asyèt.* Kenbe chodyè a ak tòchon. *3. Ki pa gen valè.* Rad sa a se yon tòchon, ou mèt jete l.

**tòchonnen**: *v. Fè yon bagay vin sal.* Timoun yo tòchonnen kay la.

**tòde** *(tòdye): v. Vire epi peze pou retire dlo.* Tòde rad. *2. Vire epi peze pou koze doulè.* Tòde bra.

**toke** *(tòktòk): a. Tèt pa byen, fou. Pyè yon jan toke, pa okipe l.*

**tòkèt** *(twòkèt): n. Twal osinon pay moun mete sou tèt yo anvan yo mete yon chay pou amòti chòk epitou pou bay ekilib lè yo ap pote chay lou.* Machann nan mete tòkèt.

**tòktòk:** *a. Toke, tèt pa byen. Misye yon tijan tòktòk*

**tòl:** *n. 1. Metal an fèy mens.* Veso sa yo fèt ak tòl. *2. Metal an fèy mens ki ondile ki sèvi pou twati kay.* Twati tòl la fè kay la cho lajounen.

**tolalito**: *n. Tenten, jwèt timoun, alevini san rezon.* Pa fèm fè tolalito.

**tolerans**: *n. Fleksibilite aksepte sa ki pa akseptab.* Timoun sa yo malelve paske manman yo nan tolerans avèk yo.

**tolere**: *v. 1. Aksepte.* Nou tolere timoun yo ap fè bwi.

**tomat**. *n. : Salad ki gen yon fòm won, li wouj epi li gen ti grenn ladan l. Yo renmen manje l ak leti.* Yonn nan salad mwen plis renmen manje se salad leti ak tomat.

**tomat Ti-Joslin** *(Ti-Joslin): n fr. Ti tomat piti, ak yon fòm alonje, gwosè yon grenadya.* Tomat Ti-Joslin nan bon nan salad.

**ton** : *n. 1. Nivo vwa.* Ton vwa li rive jis bò isit. *2. Fason yon moun pale.* Kawòl pale ak Jera sou yon ton, ou ta di se ak yon timoun li ap pale a. *3. Espès pwason.* Nou pral manje yon salad ton.

**tòn**. *n. : Inite mezi pou pran pèz yon bagay. Yon tòn metrik egal 1000 kilogram osinon 2200 liv.*

**tònad**: *n. Van vyolan ki ap soufle ak anpil vitès an toubiyon (fòm antonwa). Li mache ak yon nyaj gri fonse.*

**tonbe kouri** : *v fr. Pran kouri.* Kou moun yo tande tire, yo tonbe kouri.

**tonbe nan**: *v fr. Lage kò nan, livre kò ou a.* Jak tonbe nan bwè kleren.

**tonbe pou:** *v fr. Atire pou yon moun, renmen.* Jaklin tonbe pou Woje.

**tonbe** *: v. 1. Blayi.* Pitit la tonbe, li kase yon dan. *2. Kòmanse ap di osnon fè yon bagay san rete.* Kalin tonbe di tenten. *3. Soti anlè, rive atè.* Mango a tonbe pou kont li sot nan pye a.

**tonbola***: kèmès ak jwèt.*

**tondèz***: n. Zouti pou koupe cheve.* Kwafè a blese m ak tondèz la.

**tonèl.** *n. : 1. Espas ki kouvri anlè men ki pa bare tout kote. Anlè a andwa fèt ak pay kòk.* Gen moun ki renmen al pran van anba tonèl. *2. Kote yo fè seremoni lwa.* Ann al rele Ezili anba tonèl madan Kola a.

**tonm***: n. Moniman kote yo mete moun mouri.* Nou pral sou tonm Desalin.

**tonmtonm.** *n. : Manje nan sid peyi Ayiti ki fèt ak lamveritab, bouyi, pile.* Ou kwè se manje gou sa se yon bon tonmtonm kalalou.

**tonn***: n. 1. Inite mezi pou bagay ki lou.* Ekipman sa a mezire kat tòn. *2. Anpil, pakèt.* Moun yo vini ak yon tòn rad pou yo lave nan rivyè a.

**tonnè** *: n. 1. 2. Entj. Ekspresyon kontraryete.* Tonnè, ki dwa ou pou ou manyen radyo mwen an?

**Tonnè Bwawon** *(Tonnerre, Boisrond). np. : Moun ki te ekri deklarasyon endepandans peyi Ayiti. Bwawon te di konsa nou dwe ekri endependans la sou po yon blan epi nou ta sèvi ak san blan sa a kòm lank, ak yon bayonèt kòm plim.*

**tonnè**. *n. : Bri ou tande lè movetan ap pare epi lapli pral tonbe. Gen kout tonnè ki mache ak gwo zèklè tou.*

**tonnèl** *(tonèl): n. Espas kay ki gen kouvèti an pay men ki pa gen mi.* Nou pral danse anba tonnèl.

**tonnvis** *(tounvis): n. Zouti pou mete vis nan bwa osinon nan metal.* Prete m tonnvis ou a.

**tonton**. *n. : Sa frè manman ou osinon frè papa ou ye pou ou.* Masèl se tonton mwen bò kot manman. *2. Gason ki depase swasantan.* Sa tonton sa a gen la a, pouki l ap pale anpil konsa a.

**tonton makout** *: Milis prive Divalye te moute pou defann pwòp kòz li. Makout yo te gen inifòm wouj e ble pou imite koulè Zaka ak Ogou. Moun sa yo te gen dwa touye moun, rapòte moun. Popilasyon an te pè yo anpil.*

**topi** *(toupi): n. Jwèt timoun ki vire sou li epi ki fè laviwonn.* Gaston te renmen jwe ak topi lontan.

**topsi** *(otopsi): n. Verifikasyon andedan yon kadav.* Topsi a montre se yon pwazon ki tiye Dyedone.

**torya:** *Pale an parabòl*

**total** *: n. 1. Rezilta yon adisyon.* Ki total ou jwenn? *2. Antye.* Mwen remèt ou jwèt la total, san manke moso. *3. Okonplè.* Machin nan total, li kraze nèt.

**tòti:** *n. Bèt, reptil ki gen kat pat, kò li kouvri ak yon karapas, li mache dousman.* Kalo mache tankou yon tòti.

**tòtòt** *( fè tòtòt): n. Souse, tete yon ji san mòde.* Timoun yo fè tòtòt ak mango a.

**tòtòy***: a. Kwochi.* Pye tòtòy.

**tou bote** *(twou bote) : n fr. Ti twou chak bò figi yon moun osinon nan manton li.* Adelin gen twou bote.

**toun-nan-manch***: al gade twou-nan-manch.*

**tou nen** *(twou nen) : n fr. Kote lè antre pou l al nan poumon.* Pa jwe nan tou nen ou.

**tou pre** *: adv fr. Ki pa lwen.* Nou rete tou pre a.

**tou***: Menm jan.* Mwen menm tou, mwen pat konnen, se kounye a mwen pran nouvèl la.

**touble** *(twouble): v. 1. Deranje, kontrarye.* Pa touble granmoun lè yo okipe. *2. Pèdi konsantrasyon.* Nou tap konte konbyen kasèt ki genyen, kou mwen rive sou sanven mwen touble.

**toubouyon**, *(toubiyon.) n. : Yon gwo van ki deplase an won, ki voye bagay jete.* Pa kite ou pran nan yon toubouyon, li kapab voye ou al jete byen lwen.

**touch***: n. Sitiyasyon nan foutbòl lè balon sot deyò liy jwèt la.* Jwè nimewo kat la fè yon touch kounye a.

**touche:** *v. 1. Kole.* Pa kite radyo a touche ak mi an. *2. Resevwa lajan.* Si ou touche deja, sa ou ap tann ankò? *3. Gen konpasyon.* Kè Jozèf touche l.

**toudi** *: a. Ki pèdi ekilib tanporèman.* Madanm ansent la toudi.

**toudisman***: n. Pèdi ekilib tanporèman, tèt vire.* Li gen toudisman.

**toudwat***: adv. San vire. Ale toudwat.*

**touf**. *n. : Gwo kantite, dri.* Mezanmi, se pa de cheve ki nan tèt timoun nan, gwo touf byen dri. *2. ono. Son ou tande lè yon moun ap krache.* Touf, touf, touf, wete bouch ou sou mwen, pa ban mwen devenn.

**toufe**. *v. : 1. Ki pa kapab respire.* Anmwe, m ap toufe. *2. manje kote yo kwit plizyè legim ansanm.* Mwen renmen toufe ki gen chou, kawòt, pwatann ak militon ladan l.

**toufounen***: n. Maltrete. Yo toufounen Richa.*

**toujou**. *adv. : Pa janm manke.* Mwen toujou renmen al mache sou laplas leswa. Chyen an toujou jape lè li wè mwen.

**toulede**. *: Ni youn ni lòt, youn ak lòt, yo de.* Toulede moun yo genyen yon pri. Yo toulede di yo pa konn kisa ki pase a.

**toulimen**. *a. : Toupare.* Jan ou ap pale la a ou sanble ou toulimen, men mwen tou pare pou ou tou, se byen jwenn ak byen kontre.

**touman** *: n. Difikilte, mizè, lapenn.* Madan Jak gen anpil touman.

**toumante***: v. 1. Fè pase mizè, anmède. Yo toumante Elifèt anpil. 2. Mete nan touman, bay traka.* Se mwen ki ap toumante ou konsa a?

**tounavis***: n. Zouti pou mete vis nan bwa osinon nan metal.* Pote tounavis la prete m.

**toundra***: n. Zòn ki fè frèt anpil, kote pye bwa pa pouse, sitou nan de pòl yo.*

**tounen**. *: 1. Chanje pou vini yon lòt bagay.* Grenn mwen plante an gen pou l donnen pou l tounen yon plant yon jou. 2. *Vini ankò.* Apa ou gentan tounen, ou rapid papa.

**touni***: a. Toutouni, san rad.* Pitit la rete toutouni bò dlo a.

**tounvis** *(tonnvis, tounavis): n. Zouti pou mete vis nan bwa osinon nan metal.* Kote tounvis la?

**toupatou***: adv. Tout kote.* Marengwen yo toupatou.

**toupre**. *adv. : Ki pa lwen. Ou anfas lakay mwen an, ou tou pre, pouki ou pa fè yon rive vin wè nou?*

**touris**. *n. : Moun ki ap vizite yon kote pou plezi l san li pa gen entansyon rete la.* Ou sanble yon touris ak teni sa ki sou ou a.

**tous** *(latous): n. Grip.* Pitit sa a gen yon tous ki pa vle lage l.

**touse san**: *v fr. Bay krache ki gen san ladan l lè ou touse.* Magali touse san, siman li blese nan gòj li.

**touse** *: v. Fè bwi ak mouvman nan gòj ki endike yon malèz swa nan poumon, nan kòflestomak osnon nan gòj; bwi sa a yo anjeneral repete an plizyè fwa.* Mirèy ap pran yon siwo pou tous paske li ap plede touse tout lajounen.

**Tousen Edi** *(Eddy Toussaint): np. Atis, dansè pwofesyonèl, koregraf. Li te fèt Okap an 1946, li te kòmanse etidye dans depi laj sizan nan Akademi dans Lavinya Wilyams, Pòtoprens. A dizan li te deja Monreyal, Kanada. Pandan sèzan, li te direktè "les Ballets de Montreal". Li vin viv Sarasota Florida. Li vin direktè atistik "les Grands Ballets D'Haiti" epi kolabore ak Lekòl Balè Rejin Monwozye Touyo (Régine Montrosier Trouillot).*

**Tousen Pyè** *(Pierre Toussaint): np. Yon ansyen esklav ki fèt Ayiti an 1766 nan yon plantasyon kann pandan tan lakoloni. An 1787, li te gen okazyon ale Nouyòk ak pitit kolon ki te mèt plantasyon an. Li te vin libere epi te travay kòm kwafè. Li devlope lòt biznis jistan li te vin rich. Li te yon moun ki gen lafwa, epi li te onèt. Li pat kite richès avegle li. Li te ede moun ki pòv. Li te bay anpil lajan nan legliz katolik. Li ede pou rekonstwi legliz Senpyè apre yon dife te boule legliz la. Li ede ranmase lajan pou konstwi Katedral Sen Patrik nan Manatann. Men lè katedral la fin bati gen moun ki te eseye anpeche l antre paske li te nwa. Men lè moun alatèt yo tande sa, yo fè efò pou Tousen kontinye antre nan legliz la. Lè Pyè Tousen mouri 30 Jen 1853, plizyè jounal nan Nouyòk ekri kichòy sou lavi msye. Pou ekzanp li nan lavi lòt moun ki gen difikilte, Pap JanPòl2 nonmen Pyè Tousen "venerab" annatandan pou yo vin nonmen li Sen Tousen.*

**touswit**. *adv. : Koulye a, kounye a.* Si nou ale touswit, n ap gen tan rive avan avyon pati.

**tout bon**: *adv fr. Seryezman.* Terèz renmen Jera toutbon.

**tout**.: *1. Alawonnbadèt, san eksepsyon.* Tout moun san eksepsyon dwe peye taks. 2. *San kite rès.* Mwen manje tout gato a, mwen pat konnen si ou te vle moso. 3. *Pwen final.* Mwen fin pale, se tout. 4. *San rete.* Lapli tonbe tout nannuit la.

**toutalè**: *adv. Nan yon lòt ti moman.* Toutalè konsa doktè a pral rele ou.

**toutan***: adv. 1. Tout tan, chak fwa san eksepsyon.* Se toutan Kawòl ap kriye. 2. *Souvan, sèlman souvan sa parèt tankou se chak fwa.* Toutan Kalin vin isi a.

**toutlasent jounen**: *adv. Toutan, souvan, plizyè fwa nan yon jounen.* Toutlasent jounen se yon sèl koze menaj Jezila ap pale.

**toutokontrè***: kon. Okontrè, nan sans kontrè.* Toutokontrè, nou pa dakò ak sa Kalo ap fè a ditou.

**toutotan**. *adv. : anatandan, jiskaske.* Toutotan ou pa di mwen laverite mwen pap lage w.

**toutotou** *: Pre. Alantou, otou, tou.* Yo sènen toutotou kay la.

**toutou** *(toutous): n. Non yo bay ti chen.* Toutous, men yon zo. 2. *Non amikal pou rele ti gason.* Vini m pale w toutou!

**toutouni**. *a. : San rad, san kouvèti.* Sa pa bon pou timoun yo ap mache toutouni, yo kapab pran fredi si lestomak yo pa kouvri.

**toutrèl** *(titirèl): n. Zwazo ki sanble ak pijon men ki pi piti.* Tande toutrèl yo ap woukoule.

**touye lanp:** *v fr. Fèmen yon sous limyè, etenn lanp.* Kou yo touye lanp la tout timoun yo al nan kabann yo.

**touye**. *v. : Tiye. Wete lavi.* Mouche bali de bal epi li touye l frèt, la menm. Chalè-a touye plant yo.

**towo** *(towo bèf): n. Mal bèf.* Gade de towo mawoule yo ap mennen labatwa.

**towtow**: *ent. Pawpaw, panmpanm, vit, san tann.* Nou fin netwaye kay la towtow.

**trafik**. *n. : Sikilasyon oto.* Tout wout bloke tèlman trafik la malouk sou Granri a.

**trajè:** *n. Wout.* Ki trajè nou ap pran?

**trak:** *n. Piblisite politik, kominikasyon politik.* Moun yo ap voye trak sou do kay la.

**traka**: *n. Difikilte, pwoblèm.* Ala traka, papa.

**traktè:** *n. 1. Machin pou travay latè.* Moun andeyò yo bezwen traktè. *2. Machin pou fè wout.* Traktè sa a rapid.

**tranble** : *v. Sekwe kò ou san kontwòl paske ou ennève.* Sispann tranble la a.

**tranblemanntè** : *n. Katastwòf natirèl kote tè a tranble sanzatann akoz mouvman ki fèt nan ekòs tè a. ; sa ka lakòz anpil moun mouri.* Gen kote ki gen tranbleman tè pi souvan pase lòt.

**tranch**: *n. Moso ou koupe ak kouto.* Ban m yon tranch gato.

**tranche**: *n. 1. Doulè fi santi anvan li akou-che.* Madan Alsendò gen tranche. 2. *v. Koupe moso.* Tranche gato a.

**trangle**: *1. Peze kou pou anpeche lè antre.* Jakòb mouri trangle. 2. *Toufe, sitiyasyon lè lè paka pase nan gòj yon moun osinon yon bèt.* Madan Jan ap trangle, ba li yon ti dlo fre tousuit.

**trankil**. *a. : Pezib, lapè.* Mwen rete la a byen trankil epi ou vin anmède mwen.

**trankilite**: *n. Kal, lapè.* Kawòl ap viv nan trankilite kote li rete a.

**trankilize**: *v. 1. Kalme.* Nou pale ak Lamèsi joustan nou trankilize l. *2. Bay anestezi.* Doktè a trankilize pasyan an ak yon anestezi lokal.

**tranpe:** *v. 1. Mete nan likid.* Kalin tranpe rad yo anvan li lave yo. *2. n. Bwason ki gen rasin ak fèy plant tranpe nan wonm osinon nan kleren.* Jera ap bwè yon tranpe la a.

**transfizyon** : *n. 1. Transfizyon san. Mete san, bay moun san pou sove lavi l; gen ka kote se san pa ou yo ba ou ankò.* Fito te pran transfizyon san lè li te al fè operasyon li an.

**transfòmatè**: *n. Yon machin ki chanje vòltaj nan kouran elektrik.*

**transparan**: *a. Eta yon materyèl ki pèmèt limyè pase, moun ka wè sa ki ap pase pa lòtbò l; ki pa opak.* Papye sa a transparan.

**transpirasyon** : *n. 1. Swe, likid ki soti nan kò yon moun ki ap travay di, osinon lè fè chalè.* Moun ka pèdi anpil dlo nan kò yo si yo gen anpil transpirasyon. *2. Sitiyasyon, eta yon moun ki ap transpire.* Moun ki rete deyò nan tan chalè gen tandans pèdi anpil dlo nan kò yo nan pakèt transpirasyon.

**transvèsal**: *a. Oblik, an bye.* Koutiryè a mete twal la yon jan transvèsal.

**trant** *(trann): a. Chik ki vini apre ventnèf.* Sou trant jou Jak ap tounen.

**trantèn**: *n. Apeprè 30.* Nèg sa a sanble li nan trantèn li.

**trantyèm**: *n. 1. Pozisyon nimewo 30.* Se Jozèf ki trantyèm nan. *2. a. Ki nan tran-tyèm pozisyon.* Jozèf se trantyèm elèv nan klas li a.

**tranzaksyon**: *n. 1. Afè, komès, biznis.* Este-fèn ak Polèt ap fè yon tranzaksyon ansanm. *2. Move afè.* Janin pa moun ki pral nan ka-lite tranzaksyon sa yo.

**tranzitif**: *a. Ki ap pase, ki an tranzit.* An-plwaye tranzitif.

**trapde**: *adv. Rapidman, san pèdi tan.* Li gen-tan vini trapde vin chèche komisyon li an.

**trape** : *v. Kenbe, atrape.* Trape poul la, pa kite l ale.

**trapèz** : *n. Nan jeyometri, fòm kare ki gen de kote paralèl men ki ka pa egal.* Bwat sa a sanble li kwochi men anreyalite se yon tra-pèz li ye.

**tras**: *n. 1. Liy osnon seri enfòmasyon ki men-nen ou jwenn kichòy.* Vòlè a kite tras san li atè a. *2. Tigout, titak.* Kalo kite yon tras kafe nan kafetyè a. *3. Rès, lonbray.* Rale kò ou la a, pa kite mwen wè tras ou.

**trase cheve**: *v fr. Fè liy nan po tèt yon moun.* Lè ou ap penyen, anvan ou trese cheve a, si ou vle fè plizyè très, se pou ou trase cheve a.

**trase egzanp:** *v fr. Pran yon desizyon pou premye fwa ak entansyon pou ou ka bay yon leson, pou lòt moun ka konnen kisa ou kijan ou ka reyaji.* Masèl kale Janjan byen kale pou li ka trase yon egzanp bay lòt timoun yo.

**trase**: *v. 1. Fè tras.* Yo trase yon liy. *2. Fè desen, ak kreyon.* Achitèk la poko trase plan kay la.

**travay**. *n. : 1. Aktivite fizik osnon mantal pou jwenn yon rezilta.* Timoun lekòl yo travay di pou yo aprann pandan manman yo ap tra-vay di pou fè kòmès li mache. *2. Kote ou al travay la,* mwen te konprann ou tap travay nan lopital jeneral? *3. Dyòb.* Ou gen yon travay ban mwen fè la a, mwen razè mwen ap chache yon dyòb.

**travayan**: *a. Ki travay ak enterè.* Dalton se yon nonm ki travayan.

**travayè**: *n. 1. Moun ki ap travay.* Tout travayè dwe touche nòmalman. *2. Moun ki ap fè travay manyèl.* Konje sa a se plis pou travayè yo paske lòt anplwaye biwo yo te vin travay.

**travè** *( an travè): adv. 1. Kwochi.* Liy sa a yon jan travè. *2. Nan chemen, sou wout.* Kilès ki mete chèz la antravè nan wout la?

**travès**: *n. Nan menizri, bwa ki ale antravè.* Travès sa a pap ka ale la a.

**travèse**: *v. 1. Soti yon kote, ale nan yon lòt, anpasan pa yon obstak.* Travèse pon, travèse rivyè. *2. Viv, fè eksperyans.* Nou travèse anpil peripesi.

**travopiblik**. *: Biwo ki okipe transpò ak kominikasyon Ayiti.* Moun travopiblik yo te di yo ap vin bouche gwo twou sa ki nan lari yo men yo pa janm vini.

**tray**: *n. Mizè, difikilte.* Ala tray, papa!

**trayi**: *v. Twonpe konfyans yon moun, vann li bay yon lòt.* Se Jozèf ki trayi Mirèy.

**trè**. *adv. : Anpil.* Mwen trè satisfè men, si ou fè plis, la pi bon toujou.

**trèf** *: n. Nan jwèt kat,senbòl ak twa boul ki chita sou yon baz.* Si mwen jwe trèf, ou pa ka jwe kawo amwenske ou renonse.

**trema**: *n. siy (an Fransè) ki ale sou vwayèl pou endike vwayèl la dwe pwononse separeman.*

**tren**. *n. : Transpòtasyon ki pase sou ray.* Mwen pa renmen pran tren paske l al twò dousman pou mwen, mwen se moun ki toujou prese.

**treng**: *n. Moso bwa long ki ka sèvi pou sipòte yon bagay.*

**trenin**: *Antrenman.*

**trenke**: *v. kole vè anvan ou bwè pou selebre kichòy.*

**trenn**. *n. : Liy ki tankou yon ray.* Pa mache sou trenn bwa a tande, si li kase, wa tonbe epi wa tou kase yon zo.

**trennen** *: v. 1. Ki pran tan.* Dosye sa a gen lontan depi li ap trennen sou tab la. *2. Drive.* Ou pa ka ap trennen nan lari a konsa a.

**trepase**: *a. 1. Pase soti nan lavi ale nan lanmò.* Antwàn trepase yon jou mèkredi. *2. v. Dat li mouri.* li trepase depi mèkredi.

**très**. *n. : Cheve osnon pit ki kòde.* Gen moun ki penyen gwo très, genyen ki penyen titrès.

**trese riban**: *Dans fòlklò kote plizyè moun lap danse kwaze anba yon poto epi pandanstan an yo tou ap trese riban tout koulè nan poto a.*

**trese**: *v. Fè très.* Trese pit, trese cheve, trese riban.

**trèt**: *n. Moun ki fè trayizon, ki vann moun ki fè li konfyans.* Woje se yon trèt.

**Trete Aranjèz** *(Traité d'Aranjuez).: Trete osnon kontra ki tabli limit pati panyòl ak pati franse zile Ispayola a. Li te fèt an 1777.*

**Trete Rizwik** *(Traite de Ryswick): Kontra lapè (1697) ki te ekri aprezavwa Lafrans te fini lagè li tap mennen ak Otrich, Espay, Swis ak Angletè. Se kontra sa a ki bay Lafrans pati lwès zile Ispayola a pou li. Pati sa a rele Ayiti kounye a.*

**trete**. *v. : 1. Etap nan pran medikaman epi suiv konsèy doktè pou gerizon.* Se jodi mwen konnen Ayida ap pral trete kay doktè Bontan. *2. Aji.* Madanm mwen gen pwoblèm ak bòs li nan travay la paske msye pa trete l byen.

**tretman**. *n. : 1. Sa doktè ba yon moun pou trete l osnon pou diminye doulè l.* Tretman an gen pou dire de mwa konsa. *2. Sa yon doktè fèy osnon yon gangan fè pou yon moun pou wete move lespri sou li.* Tretman sa a konn fèt ak fèy, senp osnon lòt mwayen majik tou.

**trèz**: *a. Chif ki vini apre douz.* Trèz moun mouri nan aksidan an.

**trezò**: *n. Bagay ki gen anpil valè; bijou, min lò.* Pirat yo te toujou ap chèche trezò.

**trèzyèm**: *a. Pozisyon nimewo 13.* Gen trèz elèv nan klas la.

**tribilasyon**: *n. Traka, mizè.* Moun sa yo pase anpil tribilasyon.

**tribinal koreksyonèl**: *Jistis kriminèl nan yon awondisman. Li gen jijman orijinal epi ak jijman apèl.*

**tribinal sivil**. *: Tribinal kote yo jije moun. Koudapèl la nan menm tribinal sa a tou.*

**tribinal**. *n. : Kote yo rann lajistis.* Jan pa vle okipe timoun yo, se nan tribinal mwen te oblije rele l.

**tribòbabò** *(tribòrebabò): n. Nan tout direksyon san kontwòl.* Loray gwonde tribòbabò.

**trik**: *n. Aksyon pou detounen moun, twonpe moun.* Pa vin eseye trik sa a sou mwen.

**triko**. *n. : Koud ak gwo fil epi ak de zegui long pou ou fè rad ak fil lenn osnon fil sentetik.* Mwen pa gen pasyans pou mwen fè triko.

**trikote**. *v. : Fè triko. Lè ou trikote , ou sèvi ak de gwo zegwi pou koud fil lenn.* Kamèn trikote yon bèl chanday wouj lòtjou.

**trimen:** *v. Travay di san rezilta.* Jak ak madanm li ap trimen pou granmesi.

**trimès***: n. Peryòd twa mwa.* Premye trimès la pa difisil.

**trinite:** *n. Ansanm twa moun osinon twa bagay ki fòme yon inite. 2. Nan domèn teyoloji kretyen, se inyon twa Bondye (Papa a, Pitit la ak Lespri Sen an) pou fòme yon sèl Bondye.*

**trip** *: n. Entesten; pati nan sistèm dijestif.* Gen moun ki fè bouden ak trip kochon.

**tripòt** *: n. 1. Jouda, kirye.* Men yon tripòt ap gade nan twou a. *2. a. Ki jouda, ki kirye.* Bèta tripòt.

**tripotay** *(tripotaj, tripòt): n. Koze ki ka pa vre yo di sou yon moun dèyè do li pou detenn repitasyon l, swa paske yo anvye l swa paske yo vle pase pou pi bon.* Vànya renmen tripotay, pa pale koze pèsonn moun avèk li.

**tripote***: v. Fouye.* Jaklin pa renmen moun tripote l, sispann poze l kesyon sou sa ki pa regade l.

**tris**. *a. : Chagren. Lè ou tris, kè ou pa kontan.* Gendelè moun ki tris konn anvi kriye.

**tristès***: n. Santiman lapenn ki asosye ak move nouvèl osinon ak kè pa kontan; dekourajman, chagren.* Se tout moun ki gen yon tristès nan kè yo kou yo sonje Elifèt.

**trivyal:** *a. 1. Woywoy.* Fi sa a twò trivyal, mwen ta pito pa nan pale avèk li. *2. San enpòtans.* Pa bay istwa sa a enpòtans, se yon afè trivyal.

**triyang**. *n. : Fòm jeyometrik ki gen twa kote epi twa ang. Poligòn ki gen twa kote ak twa ang.*

**Triyang rektang** *gen yon ang ki gen 90 degre.*

**Triyang ekilateral** *gen touletwa kote yo egal.*

**Triyang eskalèn** *pa gen okenn kote ki egal.*

**triye***: v. Separe an plizyè pil.* Lè yo triye mango yo, yo mete merilan yo apa.

**triyèz***: n. Moun ki ap triye.* Kalin ak Jeralda se de triyèz kafe.

**tuip**. *: bwi moun fè ak bouch yo pou montre mepriz osnon mekontantman.* Atò ou se yon moun serye tou, tuip!

**tuipe** *(kuipe) : v. Bri moun fè ak bouch pou make mepri.* Fi a tuipe madanm nan kareman.

**twa** *: a. chif. En, de, twa; twa vini apre de.* Yon Bondye nan twa moun.

*twade: wayal kasav ak manba (sitou nan depatman Nò)*

**twa sèt:** *n. Jwèt kat.* Annou al jwe twa-sèt.

**twal gaz:** *n fr. Twal fen ki sèvi pou fè pansman.* Mete twal gaz sou blesi a.

**twal**. *n.: 1. materyèl ki sèvi pou fè rad pou moun osnon pou koud lòt bagay tou.* Ayiti yo vann twal pa lòn. 2. *Penti.* Sa a se yon bèl twal, konbyen kòb atis la dwe mande pou li?

**twalèt**. *n.: 1. Pyès nan yon kay ki fèt pou moun al benyen, pwòpte kò yo, pise, poupou osnon bwose dan yo. Nan yon twalèt gen lavabo, douch, basen, bòl twalèt ak miwa. 2. Aktivite pou pwòpte kò.* Mwen pral fè twalèt mwen paske lè a pre rive pou mwen al lekòl.

**Twarivyè** *(Trois Rivières). : Dezyèm rivyè ki pi enpòtan Ayiti. Li devèse nan lanmè Atlantik, nan vil Pòdepè. Premye rivyè a se Latibonit.*

**twati***: n. Do kay.* Twati sa a fèt ak til.

**twazè** *: n. Lè li ye si ti zegui a make 3 epi gwo zegui a make 12.* Li twazè egzakteman.

**twaze**. *v. : gade yon moun delatètopye.* Mwen pase mwen twaze Nòveli byen twaze.

**twazyèm**. *a. : Sa ki vini apre dezyèm.* Apre premye se dezyèm, apre dezyèm, se twazyèm.

**twèl** *(twal): n. Materyèl pou fè rad yo vann pa lòn osnon pa mèt pou moun koud.* Twal sa a bon kalite.

**Twen** *(Trouin). : Vil nan depatman Sidès.* Nou te konn ale Twen chak samdi maten.

**twèt**. *a. : Lanvè, ki pa simetrik.* Madanm ki chita bò kote mwen an gen je twèt.

**twipe**. *v. : fè son tuip.* Sispann twipe, tifi, sa ou genyen ou move konsa a.

**twis**. *n. : Dans moun vire moute epi vire desann sou plas.* Dans twis la pa alamòd ankò.

**twò** *(two): adv. Twòp, anpil. Li twò bonè pou nou ale.*

**twòk***: n. 1. Echanj byen osnon sèvis san lajan.* Si ou ban mwen yon lam veritab epi mwen ba ou yon glòs luil sa se yon twòk. *2. Gwo machin ki gen anpil espas pa dèyè pou li bwote chay.* Twòk sa a pa gwo ase pou li pran tout machandiz mwen yo.

**twoke kòn:** *v fr. Koresponn, fè fòs.* Nou se de mètdam, m ap kite nou twoke kòn nou ansanm.

**twoke**. *v. : Chanje.* Si ou pa renmen mont ou a, ann twoke.

**twokèt***: n. moso twal osinon lyann yo bay fòm to won pou mete sou tèt lè yon moun ap pote chay lou. Li sèvi kòm kousen pou estabilize chay la epi pou pwoteje tèt moun nan.*

**twòn** *: n. 1. Lotèl, yon kote espesyal, pafwa li andwa sou yon pewon byen wo kote yo mete yon moun enpòtan tankou yon wa osnon yon* *lwa yo ap onore.* Mete Simbi sou twòn nan depi anvan seremoni an kòmanse. 2. *Watè, latrin.* Kawòl sou twòn li, l ap poupou.

**twonpe** : *v. 1. Bay enfòmasyon fo, ki pa vre, bay manti, sèvi ak riz.* Jezila twonpe tout moun. 2. *Mistifye, mal oryante moun volontèman.* Se ou ki ap twonpe tèt ou si ou konprann ou ap vin blofe nou la a.

**twonpèt** : *n. Enstriman mizik ki mache ak van.* Kalo jwe twonpèt trèbyen.

**twonpetis**: *Mizisyen ki jwe twonpèt.*

**twonpri**: *n. Erè.* Se yon twonpri, eskize nou.

**twòp** : *adv. Anpil, plis pase nesesè.* Ou bay Janjan twòp manje.

**twopik**: *n. Liy imajinè ki pase toutotou glòb latè, nan zòn ki pi cho. Rejyon latè kote li fè cho, li imid, gen anpil plant ak bèt. Zòn twopik.*

**twopikal**: *a. Ki cho.* Klima twopikal se pou moun ki ka sipòte chalè. 2. *Zòn toutotou latè ki cho.* Rejyon twopikal.

**twopis**: *n. Deplasman yon plant akòz enflyans enviwonman kote li ap viv la.* Limyè solèy fè plant deplase nan direksyon monte, sa se yon fenomèn twopis.

**twòta**. *n. : Lè a pase.* Nou pap gentan pran kamyonèt la, li gentan ale kounye a, nou rive twòta.

**twote**: *v. Gwo pa chwal fè men ki pa ale vit tankou galope.* Chwal la sanble li bouke, li pa twote vit ase.

**twotinèt**: *n. Pousèt pou timoun.* Pòl achte yon twotinèt pou bebe a.

**twotwa**. *n. :* Si yon moun ap mache nan lari a, machin ka frape l, men si l ap mache sou twotwa, li pi ansekirite.

**twou bote** : *n fr. Ti twou ki nan de bò figi yon moun osinon nan manton li.* Polèt gen de twou bote ki leve figi l.

**twou**. *n. : 1. Espas ki fè bafon pa rapò ak nivo kote l ye a.* Pou ou plante yon pye bwa, ou dwe fouye yon twou pou rasin pye bwa a antre epi pou l byen chita. 2. *Nan fon.* Se jous nan yon twou ri sa a ye, se pa de mache mwen mache anvan mwen te resi jwenn kay ou *a. 3. Espas kote ki manke yon moso.* Tigason sa a gen yon twou nan pantalon l.

**twoub**: *a. 1. Ki pa klè.* Dlo a twoub. 2. *n. Toumant.* Ap gen twoub aswè a.

**twouble**: *v. 1. Pèdi fil panse.* Ou twouble m nan kalkil la. 2. *Tris, dekouraje.* Madan Richa twouble apre antèman an.

**twou nan manch**: *karaktè moun ki pa onèt, ki gen de vi, ki bay manti, ki gen malis.* Ti moun nan gen twou nan manch, se pa tout sa li di pou ou kwè.

**twoupo**. *n. : Gwoup bèt ki viv ansanm epi ki vwayaje ansanm.* Twoupo mouton sa a toujou vin nan pak sa a chak maten.

**twouve**: *v. 1. Jwenn, kontre, rankontre.* Nou twouve sa nou tap chèche a. 2. *Wè, rann kont.* Ou twouve Jaklin megri, mwen pa twouve sa mwenmenm.

**Twouyo Djo** *(Trouillot, Joe): np. Mizisyen, chantè. Li chante mizik amoure ak amourèz ak yo bèl vwa pou enspire tandrès.*

**Twouyo Enòk** *(Enock Trouillot): np. Istoryen, ekriven pyès teyat, womansye. Li fèt Pòtoprens an Janvye 1923, li te etidyan nan kolèj Sen Masyal epi li te al etidye dwa.. Li te pwofesè nan lekòl militè ak nan lekòl nòmal. Li te vin direktè Achiv Nasyonal epitou li te direktè/editè Revue de la Société d'Histoire, de Géographie et de Géologie d'Haiti. Li ekri plizyè esè, biyografi, pyès teyat, kritik literè, liv istwa, liv ekonomik, liv relijyon.*

**Twouyo Èta Paskal** *(Trouillot, Erta Pascal) np. Avoka, jij, politisyen, feminis, ekriven, prezidan pwovizwa. Li fèt 13 Out 1943 nan vil Gonayiv. Li marye ak Èns Twouyo ki te batonye Lòd Avoka Pòtoprens Li etidye nan lekòl Dedwa Pòtoprens. Avoka nan Bawo Potoprens, jij nan Lakou Kasasyon, li te vin prezidan pwovizwa 13 Mas 1990. Sou prezidans li te vin gen eleksyon prezidansyèl, lè Jan Bètran Aristid pote viktwa pou vin prezidan..*

**Twouyo Lyonèl** *(Lyonel Trouillot): np. Jiris*

**Twouyo Michèl Wòf** *(Trouillot, Michel-Rolph): np. Pwofesè, jesyonè, ekriven. Li fèt Pòtoprens, li te al lekòl nan Ti Seminè Sen Masyal. Apresa li ale Etazini li fè doktora nan Antwopoloji nan Inivèsite John Hopkins. Li te pwofesè nan Inivèsite Duke apresa li vin Pwofesè distenge epitou chèmann Depatman Antwopoloji nan Inivèsite John Hopkins. Li se direktè Enstiti pou etidye Lemonn antye sou koze Kilti. Touyo ekri plizyè liv sou koze teyori sosyal, sou esklavaj ak sou rejyon Karayib la. Zèv li: Ti dife boule sou Istwa Ayiti (1977). Les Racines Historiques de l'Etat Duvalierien (Deschamps 1986). Li ekri tou anpil tèks nan lang Angle.*

**Twouyo Mildrèd** *(Trouillot, Mildred): np. Avoka, politisyen. Madanm prezidan Jean Bertrand Aristide.*

**Twouwo Ralf** *(Ralph Trouillot): np. ekriven "Les Fous de Saint-Antoine".*

**Twouyo Rejin Monwozye** *(Regine Montrosier Trouillot): np. Edikatè, atis, dansè balè, koregraf. Li te etidye balè ak Lavinya Williams apresa li te kontinye etidye Ozetazini avèk Jòj Balanchin. Li te louvri yon lekòl dans nan*

*Nouyòk. An 1978 li retounen Ayiti, li fonde Lekòl dans RMT, Petyonvil.*

**tyak**: *a. Ki gen move karaktè. Ki difisil.*

**tyaka**: *n. Manje ki fèt ak mayi kase melanje ak pwa.*

**tyanpan:** *n. Bagay ki pa itil, fatra.* Sispann achte tyanpan pot nan kay la.

**tyatya, tchatcha.** *n. : 1. Enstriman mizik ki fèt ak kalbas epi yo mete ti grenn andedan l.* Tyatya pou kenbe rit mizik. 2. *Plant, pyebwa ki bay gwo gous.*

**tye**: *v. Mo rejyonal pou "ke".* Pa pile tye chen an.

**tyè**: *n. 1. Fraksyon ki egal a.* Nou ap achte yon tyè nan kawo tè a. 2. *Moso nan yon bagay ou separe an twa pati egalego.* Gato sa a se pou mwen, Woje ak Wolan, yon tyè pou nou chak.

**tyèd** : *a. Ki gen tanperati kò yon moun, pa cho, pa frèt.* Dlo a tyèd.

**tyedi:** *v. 1. Ki ap pèdi chalè. Dlo a tyedi.* 2. *Refwadi, pran distans.* Kou Jera vin sou koze lajan an Elifèt tyedi la menm.

**tyèmonn**: *n. Mo pou mete ansanm tout peyi ki pa ko devlope ekonomikman.*

tyouboum *(tchouboum): n. Tèt chaje, pwoblèm, traka.* Pyè tonbe nan tyouboum.

**tyotyo**: *Enpe, pa anpil.*

**tyòtyòwè**: *adj, n. Jouda, frekan, antyoutyout, ki renmen zen.*

**tyouboum**: *a. Pwoblèm.* Mwen nan tyouboum.

**tyoul**. *n. : Restavèk, sousou, moun ki rete osèvis lòt moun.* Pa voye mwen fè komisyon, mwen pa tyoul ou. 2. *Moun ki abiye bwòdè san li pa gen okenn kote pou li ale, ap fè wè.*

**tyoup**: *onom. Son pou endike yon deplasman rapid e diskrè.*

# U u

**ui**: *n. demi vwayèl nan alfabè Kreyòl.*

**uisan**: *800.*

**uit**. : *a. 8. valè ki reprezante total sèt plis youn (7 + 1), osinon kat plis kat, (4+4). 2. n. Nonm kadinal ant 7 ak 9.*

**uitan**: *n. Laj yon moun apre uit àne.* Janjan gen uitan.

**uitè**: *n. Lè li fè nan yon revèy lè ti zegui a sou chif uit epi gwo zegui a sou douz.* Li fè egzakteman uitè.

**uitèdtan**: *Dire tan apre uitè pase.*

**uityèm**: *n. 1. Pozisyon nimewo uit. pozisyon ki vini apre setyèm, anvan nevyèm* Se Jan ki uityèm. *2. Pozisyon nimewo uit la.* Uityèm leson

**INDH/UNDH**: *Inivèsite NòtreDam Dayiti.*

**UNEH** *(INEA): Akwonim ki vle di Inyon Nasyonal Etidyan Ayisyen.*

**UNNOH (INNA)**: *akw. Inyon nasyonal nòmalyen Ayisyen*

# V v

**va.** : *Vwi pou fè moun pè.* Mwen fè yon sèl va sou Monik li oblije rantre ke l anba vant li. 2. *Mo pou make fiti.* Nou va wè demen.

**vach**: *n. Femèl bèf.* Lèt vach.

**va e vyen**: *Ale vini.* Mouvman altènatif ki fè yon bò epi ki retounen pou fè lòt bò a epi kontinye chak bò ale-vini san rete.

**vag**: *a.1. Koze, atitid, opinyon li pa klè, ki pa defini. Bagay ki pa gen fòm ki byen defini.* Konesans ki pa solid. Jak pale yon jan vag. 2. *n. Youn nan pè nè nan sèvo ki kominike ak larenks, poumon, kè, ezofaj ak lòt ògàn nan vant. a.* 3. *n. Lam lanmè.* Vag yo monte wo.

**vagabon** *(vakabon)*: *n. Aryennafè, pa serye, flannè, ki pa gen adrès fiks.* Tichal se gwo vagabon, pa koute l non, pa swiv li.

**vagabòn**: *n. Fi ki pa serye.* Jaklin se yon vagabòn. 2. *Fi ki pa gen kay fiks.* Jaklin drivaye toupatou tankou li se yon vagabòn.

**vajen**: *n. Pati nan kò fi ki konnekte ak sistèm repwodiksyon.*

**vajinal**: *a. 1. ki konsène vajen. 2. Fi ki gen vajen li ki byen devlope.*

**vakabonday**: *1. Dezòd, fason yon moun ki gen vi lib, ki gen plizyè fi nan vi li anmenmtan, ki ap fè sa ki pa kòrèk.* Pòl pa nan vakabonday, se moun debyen li ye. 2. *Ki ap fè aksyon moun ki vakabon, pa serye, bonjou l pa laverite.* Kalo nan vakabonday, pa konte sou li.

**vakans**: *n. 1. Peryòd repo ki asosye ak kè kontan.* Timoun yo gen vakans kounye a. 2. *Jou konje, pa gen lekòl, pa gen travay.* Tan vakans.

**vaksen**: *n. Piki pou pwoteje moun kont maladi, pou devlope sistèm pwoteksyon kò yo. Yon melanj ki fèt ak mikwòb ki mouri osinon yon ti pati tou piti ki soti nan yon mikwòb yo enjekte nan kò moun osinon kò bèt pou yo ka devlope iminite (pwoteje) kont maladi mikwòb sa a ta ka bay lè li te vivan. Nan tan lontan, tout vaksen te sou fòm piki, men kounye a gen lòt fòm ak metòd pou devlope iminite kont maladi. Jodi a nou pran vaksen kont tifoyid.*

**vaksin**: *n. Estil mizik ki gen tanbou, banbou ak klewon ladan l.* Nan tan rara, gwoup vaksin pran lari. 2. *Gwoup enstriman mizik ki fèt ak banbou, chak eleman gen diferen longè epi diferan dyamèt pou bay son ki diferan.*

**vaksinasyon**: *n. Enjeksyon pou pwoteje moun kont yon maladi mikwòb.*

**vaksine**: *v. Pran osnon bay vaksen.* Al vaksine timoun yo.

**valè** : *Kantite. Valè manje ou manje la a, ou te dwe fè endijesyon. 3. Enpòtans.* Sa ou ap di a pa gen valè.

**vakyòm**: *n. Espas vid sou presyon negatif parapò ak presyon nòmal atmosfè a.*

**vale.** *v. : 1. Aksyon kote yon bagay pase nan bouch ou pou l desann nan gòj.* Mwen renmen pran remèd sa a paske grenn nan tou piti, ou kapab vale l vit san l pa ret koke nan gòj ou. 2. *Manje san ou pa byen moulen manje a.* Jan ou prese a la a, se vale ou vale manje sa a, se bagay ki pou ba ou endijesyon, ou konn sa? 3. *Ranmase, reprann.* Gade tande, vale sa ou sot di a, piga janm repete sa ankò devan mwen.

**valèt** *(vale)*: *n. 1. Yon nan figi nan jwèt kat.* Wa koupe valèt nan jwèt twa-sèt.

**Valyè**: *np. awondisman ak komin nan depatman Nòdès*

**valiz.** *n. : Sak pou met liv osinon sak pou met rad lè moun ap pati. Gen ti valiz pou moun al travay, gen gwo valiz tankou malèt pou moun pati.*

**valkande** *(valkanse,valkannen)*: *v. Flannen.* Olye ou etidye, ou al valkande nan lari a.

**valòp**: *n. Galè, zouti pou menizye netwaye planch.* Pase valòp la sou planch la toujou.

**valope**: *v. fè yon planch vin lis ak galè.*

**vals**: *n. dans ak twa tan.* Mizik ki akonpaye dans ki gen twa tan.

**valse**: *v. Danse vals. 2. Bay difikilte.*

**Valsen, Jera** *(Valcin, Gérard)*: *np. 11924-1924-1988. Atispent li koni pou ekilib ki nan penti li yo. Gen moun ki panse li gen bon presizyon lè li ap fè penti paske se mozayik li te konn poze lontan. Li se frè Pyè Jozèf Vasen.*

Se Jera ki te ankouraje Pyè Jozèf vin dvlope talan atis li.

**Valsen Pyè-Jozèf** *(Pierre-Joseph Valcin): np. Atispent. Li fèt Pòtoprens an Me 1925. Li te mekanisyen, mason ak plobye, anvan li te vin atispent. Se frè Jera Valsen epi se papa Valsen*

**van.** *n. : Mouvman lè.* Gen twòp van deyò a, antre ak timoun nan. Ban m van pou m al

**Vandredi, levandredi.** *n. : jou ki vini apre jedi epi anvan samdi.* Mwen al nan sinema chak vandredi swa epi apresa mwen al bwè krèm.

**vandredisen**: *n. 1. Jou vandredi anvan dimanch Pak.* Vandredisen vini anvan samdi dlo benit. *2. Jou legliz kretyen selebre lanmò Jezikri.* Vandredisen raple lanmò Jezikri sou lakwa.

**vanite**: *n. Ògèy, pretansyon, sifizans.*

**vaniy**: *n. Epis dous ki gen bon odè ki sèvi nan gato, bonbon sirèt ak desè. Li sèvi tou nan pafen.*

**vanje**: *v. Remèt yon moun yon move kou li fè ou.* Yon jou Bèta gen pou vanje kanmenm.

**vann**: *v. Chanje yon bagay pou lajan. Tranzaksyon ki fèt ant yon vandè ak yon achtè.* Kay sa a te pou vann men depi semèn pase a, gen yon moun ki genlè achte l.

**vannen**: *1. Fè lè pase pou netwaye yon bagay.* Yo vannen diri pou yo retire pay ladan l. *2. Bat yon moun osnon ekip ak eksè. Tiresin vannen Lèglenwa nan foutbòl yèreswa.*

**vanse**: *v. 1. Avanse, ale annavan.* Si ou avanse nan pwojè sa a ou ka fè kòb ladan l. *2. Pwoche, vin pre.* Si ou vanse sou mwen m ap ba ou yon tabòk.

**vant ba**: *n fr. 1. Sou vant.* Malad la kouche vant ba. *2. Ak reziyasyon.* Yo wont, yo oblije al kache vant ba.

**vant fè mal**: *n fr. 1. Doulè nan vant.* Pitit la gen vant fè mal. *2. Règ, peryòd.* Jaklin gen vant fè mal.

**vant mennen**: *n fr. Dyare.* Li gen vant mennen, se pou sa li pa al travay.

**vant**: *n. Pati nan kò ki kouvri sistèm dijesyon an.* Jak gen gwo vant.

**vant pase**: *n fr. Dyare.* Li gen yon vant pase li pa ka rete.

**vanta**: *n. Ki renmen vante tèt li.*

**vantay** *(evantay): n. Zouti pou fè van.* Prete m vantay ou a.

**vante**: *1. Lè gen van ki ap soufle. Lè yon moun deplase lè pou fè van sou yon bagay.* Vin vante dife a pou li ka pran. *2. Lè yon renmèd osinon alkòl evapore, vin pèdi konsantrasyon l paske li rete dekouvri.* Kleren an fin vante. *3. Fè lwanj, bay louanj.* Li renmen vante tèt li.

**vantouz**: *n. Klòch an vè yo plake sou pa yon moun pou rale kichòy nan po moun nan.* Yo mete vantouz pou madan Wobè.

**vantrès**: *n. Fib ki sòti nan pye bannann.* Yo fè panye ak vantrès.

**vantrikil**: *n. De chanm nan kè a ki resevwa san ki soti orikil yo epi ki ponpe san nan tout atè (tib san wouj) pou ale toupatou nan kò. 2. pati nan sèvo.*

**vanyan**: *a. Kouraje, ki gen kran, ki pa pè.* Kote nonm vanyan yo?

**vànye**: *Moun ki louvri vàn dlo.*

**vap**: *ent. Rapidman. Li vap li antre.*

**vapè**: *n. Gaz. Lè ou chofe dlo, li fè vapè dlo.*

**vapore** *(evapore) : 1. Ki chanje soti likid pou vin tounen gaz.* Dlo a vapore. *2. Ki vin pi konsantre paske enpe nan dlo a seche.* Lèt vapore. *3. Ki pa panse klè.* Kalo sanble yon moun ki vapore la a.

**vaporizatè**: *Tib pou vaporize yon likid.*

**vaporize**: *v. Mete sou fòm vapè (gaz).*

**vare sou**: *v fr. Fè va sou, atake, fè bwi sou, kouri sou.* Kòman ou fè vare sou nèg la konsa a?

**varèz**: *n. Rad, gwo kòsaj, blouz.* Madan Kalis mete varèz li kou li fè lanjelis.

**varis**: *n. Venn ki gonfle epi ki parèt anfle sou po yon moun, sitou nan zòn janm.* li gen varis nan janm.

**varyab**: *a. Ki pa fiks, ki ka chanje.* Pri a varyab, sa depan kote ou achte l.

**varye**: *v. 1 Ki chanje. Kondisyon yo varye. 2. Ki gate.* Vyann nan varye.

**varyete**: *n. Plizyè kalite.* Varyete mango.

**vas**: *a. Rrè gran.*

**vasektomi**: *n. lè yo koupe osinon mare tib ki gen espèmatozoyid pou anpeche yon gason fè pitit.*

**vatevyen** *(va-e-vyen): n. Alevini.* Jozèf ap fè vatevyen devan pòt la ap tann bòs la vini.

**vavari**: *adv. anpil, yon pakèt, yon pil ak yon pakèt.* Yon vavari mouch poze sou vyann nan.

**vaz**: *n. 1. Veso pou moun pipi.* Tonton Richa pise nan vaz la. *2. Po, veso pou mete flè.* Vaz sa a bèl.

**vazlin**: *n. Pomad ki pa gen medikaman, grès ki soti nan luil petwòl.* Gen moun ki mete vazlin nan cheve yo.

**ve pa**: *v fr. Pa vle.* Mwen ve pa ou ale deyò ankò.

**vè solitè**: *n fr. Vè ki viv nan trip moun osinon nan trip bèt.* Wobè gen vè solitè.

**ve.** *n. : kondisyon moun pran pou yo met yon rad san lave pandan yon sèten nonm jou.*

**vè. n.** *: 1. Materyèl an glas, an vit.* Biblo sa a fèt an vè. *2. Veso moun bwè dlo.* Vè sa a yo bèl. *3. Parazit nan entesten.* Si ou wè Sentaniz paka grandi byen siman se vè li genyen.

**vèb**: *n. Pati nan yon fraz ki make kisa sijè a ap fè, kisa sijè a ye osinon kisa sijè a ap tounen.* Mo pou make aksyon osinon egzistans Pyè ap chante; chante se vèb la. Nan fraz Ali kouri vit kouri se vèb. *2. Pawòl Jezikri.* Vèb la tounen moun, dapre labib.

**vèbal**: *a. 1. Pawòl ki pa asosye ak yon aksyon, koze met la.* Kounye a, nou nan faz vèbal la, pita nou va pran kèk aksyon. *2. Pawòl nan bouch, ki pa asosye ak yon papye ekri.* Kalo pat ban mwen yon kontra ekri, nou te gen mo vèbal konsa. *3. Ki pa gen valè, san konsekans.* Sa se koze vèbal ou ap di la a. *4. Ki asosye ak yon vèb.* Sistèm vèbal nan lang Kreyòl la.

**vèble**: *n. Bouton ki pete bò bouch.* li gen yon vè ble.

**Vedrin Emanyèl** *(Emmanuel W. Védrine): np. fèt Lazil, Ayiti (1959). Pwofesè, kritik literè, powèt, romansye, tradiktè.*

**vegle** *(avegle): v. Ki fè yon moun pa wè klè.* Limyè flach la vegle je m.

**vègòy**: *n. lawont, pidè.* **Li san vègòy.**

**vejete**: *v. Dekrepi, ki pa avanse.* Plant yo ap vejete paske pa gen lapli.

**vekse** *(vèkse,vepse): v. Fache, ofiske.* Fayo vekse dèske yo pa envite l nan nòs la.

**vektè** *: n. 1. Nan jeyometri, yon segman liy ki gen oryantasyon. 2. Wòl tik osinon moustik ki transfere mikwòb sou yon lòt bèt osinon sou moun jwe nan transmisyon yon maladi.* Marengwen se vektè malarya.

**velosite**: *n. Vitès, deplasman rapid. Kantite chanjman nan pozisyon (ak nan direksyon) an relasyon ak tan ki pase.*

**vèmin**: *n. 1. Bèt nan tè ki gen fòm vè. Tout kalite bèt parazit. 2 Moun ki renmen gate koze, anvlimen sitiyasyon, anplifye kont.* Wozlin se yon vèmin. *3. Mit, ti bèt ki nan farin.* Farin sa a plen vèmin ladan l.

**ven**: *a. Chif ki vini apre diznèf.* Sa fè ven jou depi nou pran vakans.

**venen**: *n. Pwazon ki sot nan bèt osinon nan plant.*

**ven jen kat avril**: *n fr. Fraz pou dekri ekspresyon figi timoun ki pral kriye.*

**Venezyela** *(Venezuela): n p. Peyi nan Amerik Disid ki bay sou Oseyan Atlantik, nan nò peyi Kolonbi.* Kapital peyi Venezyela se Karakas.

**Venezyelyen** *(Venezyelyèn): n. 1. Nasyonalite moun ki soti nan peyi Venezyela.* Woberto se venezyelyen. *2. Ki pou peyi Venezyela.* Teritwa venezyelyen.

**vèni**: *v. 1. Mete yon kouch penti transparan sou bwa pou li ka pwoteje osinon vin briyan.* Mèb vèni. *2. Jete vèni, Denigre, pale yon moun mal.* Si ou vin chèche l kont, li ap vèni ou. Li jete vèni sou Madona. *3. n. Edikasyon ak fòmasyon ki pa gen pwofondè, ki sipèfisyèl.* Sa Jak konnen... se yon vèni li genyen sou konpyoutè, li pa konn anyen an pwofondè.

**venime**: *a. Ki danjere, ki gen pwazon, ki gen venen.* Koulèv venime.

**Venis**: *n.p. 1. Youn nan Planèt ki nan menm sistèm ak latè.* Venis se yon planèt ki briye. Planèt Venis. *2. Fi ki bèl.* Vijini se yon venis. *3. Non pou fi.* Kalin gen yon zanmi ki rele Venis. *4. Nan mitoloji women, se non lwa (divinite, espri) ki reprezante lamou ak labote.*

**venk**: *v. Genyen yon batay, yon konkou.* Sara te patisipe nan konpetisyon an, se ekip li a ki venk.

**venn**. *n. : Tib ki pote san fonse soti toupatou nan kò a pou retounen nan kè ale nan poumon.* Lè bòs mason an ap pote bokit siman an yo, tout venn nan bra l yo redi. *2. tib espesyalize nan fèy plant.*

**vennkatrè**: *n. Peryòd tan ki kouvri yon jou.* Sa fè vennkatrè nou ap tann ou.

**Vensan, Estenyo** *(Vincent, Stenio). np. : Diplomat, jounalis, ansyen majistra Pòtoprens, ansyen prezidan Ayiti. Li te vin prezidan Ayiti nan peryòd 1930-1941. Se te yon milat ki te kont dominasyon meriken an, nan ane 1915 men lè meriken yo te ale, msye te vin antann avè yo.*

**Vensan, Oje** *(Vincent, Ogé). np. : Milat, moun Dondon ki te rete nan peyi Lafrans. Ansanm ak Jilyen Remon, li eseye defann dwa milat yo pandan li nan peyi Lafrans, nan kontèks lespri liberal Asanble Konstityant 1789 la. Lè li rantre anbachal Ayiti, Oje te rive jwenn katsan afranchi ame ki te aksepte fè ekip avèk limenm epi ak Chavàn pou lite kont twoup kolonyal yo. Malerezman, Asanble Jeneral nan nò a te pi fò, se konsa yo te fè pwosè Oje ak Chavàn pou ajitasyon sa yo menm ak ekip afranchi yo te lakòz. Oje ak Chavan te kondàne pou yo te mare nan yon wou, pou yo te kase toulekat manm yo jiskaske yo te pèdi tout san nan kò yo. Santans la te egzekite konsa, jou ki te 25 févriye 1791.*

**Vensan Jan-Mari** *(Jean-Marie Vincent): np. Pè Katolik direktè Karitas, animatè devlopman.*

**ventèn**: *n. Apeprè 20.* Kristòf se yon jennòm nan ventèn li.

**ventyèm**: *n. 1. Pozisyon nimewo ven.* Se ou ki ventyèm nan. 2. *Ki nan ventyèm pozisyon.* Ventyèm konpetitè a se Kalin.

**vèp**: *n. Seremoni legliz katolik ki fèt le swa.* Kawòl al nan vèp.

**Vèrèt** *(Verrettes): np. Komin nan awondisman Senmak nan depatman Latibonit.* Prezidan Estime fèt nan vil Vèrèt.

**vèrèt**: *n. Maladi epidemik ki antre Ayiti an 1861. Li kòmanse Okap apr yon bato etranje te fin pase epi li pwopaje nan plizyè kote nan peyi a.*

**Vènè Jan-Pyè**, *(Jean-Pierre Vernet, Ph.D.): np lenguis, edikatè, dwayen faklite*

**veritab**: *n. 1. Fwi ki gen anpil farin tankou pòmdetè konsa, li pa dous, yo bouyi l pou yo manje l, yo manje l vèt; li gen yon koulè bèj andedan; deyò a vèt. Nan peyi Ayiti yo manje veritab fri an tranch, yo fè boulèt avèk li osnon yo bouyi l.* 2. *a. Ki vre, ki gen verite, ki reyèl.* Sa se veritab istwa a.

**verite**: *n. Ki pa manti.* Di la verite.

**vès**. *n. : Levit, palto. Rad gason met anwo chemiz yo lè yo vle abiye fen.* Mwen pral nan yon maryaj la a, mwen bezwen yon levit ble.

**vèse**: *v. 1. Vide.* Atansyon lè ou ap vèse ji a pou li pa degoute. 2. *Peye. Vèse m lajan m tousuit.*

**vesèl** *(vèsèl): n. Plat, veso pou manje.* Nou pral lave vesèl.

**veselye**: *n. Mèb pou met vesèl.* Nou sot achte yon veselye.

**vesi**: *n. Pati nan kò ki kenbe pipi.* Depi vesi ou plen ou ap anvi pipi.

**vèsman**: *n. Depo lajan.* Nou ap peye an sis vèsman.

**veso**. *n. : Chodyè, bòl, asyèt, osnon plat ou mete manje osnon lòt bagay pou kuit osnon pou sere.* Tout veso sa yo sal, ni asyèt, ni bòl, tout bezwen lave.

**vèt**. *a. : Koulè fèy plant osinon zèb gazon.* Melanj ant pigman ble ak pigman jòn. Kisa ou mete nan gazon ou nan ki fèl vèt konsa a? 2. *Ki poko mi.* Kowosòl vèt. 3. *Ki poko seche.* Pwa vèt.

**vètè**. *n. : Bèt ki viv nan tè.* Yo jwe yon wòl enpòtan nan tè a, yo bay angrè natirèl epitou yo fè lè antre.

**vètèb**: *n. Pati nan sistèm zo ki ant zo kalbas tèt ak zo basen. Segman zo ki chita joun sou lò pou fòme kolòn vètebral al (zo rèl do). Zo rèl do a se yon seri vètèb ki kole youn ak lòt ki bay kò a sipò soti nan tèt ak kou ale nan ranch ak kòksis. Vètèb yo kòmanse depi nan kou rive jous nan kòksis. 2. youn nan zo ki nan rèldo a. vètebral*

**vètebre**: *n. Tout bèt ki gen zo vètèb. Bèt ki gen kolòn vètebral (zo rèl do) tankou pwason, reptil (mabouya), mamifè (bèf), zwazo(poul), batrasyen (krapo). Vètebre yo gen yon sèvo ki nan kalbas tèt la epi ki kontinye desann andan kolòn vètebral (zo rèl do).Lòm se vètebre.*

**veterinè**: *n. Doktè ki trete bèt.*

**vètij**: *n. Tèt vire, pedi ekilib nan yòn ti tan kout.* Fi ansent la gen vètij.

**vètikal**. *a. : Ki kanpe toudwat, pozisyon kanpe .Ki pèpandikilè pa rapò ak yon liy orizontal.* Bòs mason ki ap bati kay sa a mezire ak prekosyon pou mi yo byen vètikal. 2. *n. Soti anwo desann anba nan liy dwat.*

**vetivè**: *n. 1. Plant zèb ki sèvi pou bay luil esans.* Gen pye vetivè nan peyi Ayiti. 2. *Rasin plant vetivè.* Esans vetivè a sèvi nan endistri pafen.

**Vètyè** *(Vertières). : Vil bò Okap, nan depatman nò Ayiti. Se nan vil Vètyè batay final ant twoup Ayisyen yo ak twoup Franse yo te pase.*

**vèv**: *n. 1. Fi ki gen mari li ki mouri.* Madan Kal se yon vèv. 2. *Sitiyasyon yon fi ki pèdi mari l. a.* Kalin vèv depi dezan.

**vèvè**. *n. : Desen senbolik ki reprezante diferan espri nan relijyon vodou. Anjeneral yo trase vèvè atè ak farin frans, farin mayi ak lòt poud. Chak lwa gen senbòl vèvè pa li. Gen liv ki ekri sou vèvè ak sa yo vle di.*

**vèvenn** *(vèvèn): n. Plant pou fè remèd fèy.* Te vèvenn.

**vèy, veye**. *: Reyinyon ant fanmi ak zanmi detwa jou anvan lantèman an. Ayiti, moun andeyò yo gen anpil plezi nan veye, ou bwè kleren, yo jwe zo, yo jwe domino epi yo chante tankou se yon gwo fèt.*

**veyatif**: *a. Atantif.* Se pou ou veyatif.

**veye**. *v. : 1. Voye je sou yon moun osnon yon bagay.* Veye tigason sa a, se vòlè li ye. 2. *Sèvis anvan yo antere yon moun.* Moun anfas yo ap fè yon veye aswè a, yo gen moun mouri.

**Veye yo**: *Ògànizasyon sivik nan Miyami ki te lite kont rejim Divalye. Se Pè Janjis, yon prèt katolik ki te lidè li. Lè Pè Janjis retounen Ayiti, ògànizasyon kontinye ak lòt lidè ak lòt objektif.*

**vibrasyon**: *n. 1. Mouvman kout ale-vini epitou ki rapid.* Motè sa a gen anpil vibrasyon. 2. *Sansasyon sipènatirèl.*

**vibre**: *v. Souke, tranble, fè deplasman kout ale-vini epitou ki rapid.* Machin sa a vibre anpil.

**vid**. *a. : Ki pa gen anyen ladan l.* Apa bokal la vid, timoun yo genlè manje tout manba a.

**vide sou**: *v fr. Vini an mas, an kantite.* Kou nou louvri boutik kliyan yo vide sou nou.

**vide**: *v. Retire tout sa ki genyen nan yon veso al mete nan yon lòt.* Nou vide basen an.

**videyo**: *n. Imaj ak son ki anrejistre ansanm epi moun ka wè ak tande nan yon aparèy mayetofòn.*

**vidirant**: *Pandant tout lavi.*

**vif**: *a. Rapid, leje, alè.*

**vigè**: *n. Enèji fòs, puisans. Enèji nan yon moun ki an sante epi ki an devlopman.*

**vigil**: *1. Senbòl nan yon fraz ki make yon poz. 2. Senbòl nan yon chif pou make kote chif desimal yo kòmanse.*

**vijilan**: *a. Veyatif, atantif, ki gen vijilans.*

**vijilans**: *n. Atansyon, siveyans, atantif, siveyans san lage.*

**vijinite**: *n. Vyèj, inosans, eta moral. Eta yon moun ki pa jan fè sèks ak penetrasyon.*

**vikè**: *n. Asistan yon kire. Asistan yon evèk.*

**Viking**: *non yo maren brav nan tan lontan ki te soti Eskandinavi, nan Ewòp.*

**viks**: *n. pomad ki fèt ak mant, li sèvi pou friksyonnen moun ki gripe osinon ki pran refwadisman.*

**viktim**: *n. Moun ki sibi yon enjistis.* Gen yon nonm ki rale revolvè sou yon fi, viktim nan te tèlman pè, li pa rele, li tonbe bip li mouri.

**Viktò Gari** *(Gary Victor): np. Agwonòm, ekriven womansye. Li fèt an 1958.*

**viktwa**: *n. 1. Siksè nan lagè.* Lenmi an gen viktwa. *2. Triyonf.* Lekòl Sen Vensan an ranpòte viktwa nan konpetisyon an.

**vil**: *n. Espas jeyografik ki gen sèvis ak konfò nesesè pou popilasyon ki abite li a; li gen yon gouvènman lokal ak yon majistra alatèt ki kenbe tout bagay sou kontwòl epi rapòte bay nivo gouvènman pi wo yo.* Pòtoprens se yon vil.

**vila**: *n. Bèl kay riral pou moun al fè vakans.*

**vilaj**: *n. Gwoup kay ki fòme yon kominote riral.*

**vilbreken**: *n. Zouti pou pèse twou.* Ou ap bezwen yon vilbreken pou ou fè twou sa

**vilgè**. *a. : Woywoy, gwo soulye, san mannyè.* Kouman ou fè vilgè konsa a.

**vilipande**: *v. Prezante yon moun tankou yon moun meprizab.*

**vilokan**: *n. Paradi imajinè nan relijyon vodou.*

**Vilsen Fekyè** *(Vilsaint Féquière). : np. Biyolojis, editè, edikatè. Li fèt Pòtoprens. Apre lekòl segondè li Ayiti, li etidye biyoloji ak biyochimi Kanada. Li travay nan domèn rechèch nan Inivèsite Megil, Kanada, ak Inivèsite USF, Tampa Etazini. Li monte yon mezon edisyon (Educa Vision) ki espesyalize nan pibliye liv lekòl nan lang Kreyòl. Li pibliye plis pase san (100) dokiman (liv, pwogram òdinatè, tep) an Kreyòl, Angle, Franse, Espayòl.*

**vin pou**: *v fr. Vin koresponn, vini la pou yon bagay espesifik. Si ou pa rete trankil m ap vin pou ou.* Nou vin pou chèche kont.

**vin**: *v. Vini, parèt, prezante. Nou vin wè ou.*

**vinèg**: *n. 1. Likid asid ki sèvi nan kuizin pou asezonnen vyann ak lòt manje yo bezwen konsève. Se yon pwodui ki soti nan fèmantasyon asetik.* Mete yon ti vinèg nan sòs la. *2. Sote kòd rapid.* Lè ou ap sote kòd, gen dous, gen pike gen vinèg, kisa ou pi pito?

**vini**: *v. Vin, parèt, prezante.* Nou vini chèche ou.

**vipè**: *n. Sèpan ki gen fòm tèt triyang epi ki plat, li gen de dan devan ki gen pwazon.*

**viraj**: *n. Mouvman yon machin ki ap chanje direksyon. 2. Koub ki sou yon wout.*

**vire do**: *v fr. Ale.* Edwa vire do l li ale.

**vire lang**: *v fr. Chanje pawòl.* Ou fin di m yon koze epi ou vire lang ou kounye a.

**vire lòlòj**: *v fr. Fè yon moun pèdi kontwòl li ak bèl pwomès.* Gaston vire lòlòj Magarèt depi premye jou yo kontre a.

**vire**. *v. : Chanje pozisyon.* Mwen mete timoun nan kouche sou vant, li vire sou do poukont pa li.

**vire tounen**: *n. 1. antre-soti, ale-vini.* Te gen anpil vire tounen nan biwo a se dwe sa ki fè nou pa rive jwenn papye yo. *2. Kous, sòti pou yon rezon.* Kalo soti li al fè yon viretounen tou pre la a.

**viris sida**: *n fr. Viris ki bay maladi sida.* Tout moun te dwe viv yon jan pou yo pa enfekte ak viris sida a.

**viris**: *n. Mikwòb, patikil mikwoskopik ki ka enfekte bèt, moun osinon plant. Viris fèt ak RNA osinon DNA epi li ka repwodui sèlman lè li anndan yon selil vivan. Anpil viris bay maladi, men se pa tout viris ki danjere.*

**vis**: *n. 1. Metal ki sèvi pou tache de pyès.* Pote vis yo vini pou mwen ka vise bwa a. *2. Abitid ki pa bon.* Abitid se vis. *3. Peche.* Abandonne tout vis epi vin jwenn Jezi.

**vise**: *v. Mete vis, tache yon bagay ak vis.* Vise bwa a byen.

**visye**: *a. 1. Ki renmen manje.* Tigason sa a visye. *2. Ki gen vis.* Granmè pa renmen lè Elifèt vini jwe avèk nou paske Elifèt visye.

**vit**: *1. n. Materyèl transparan epitou solid.* Vit sa a epè. *2. a. Rapid.* Leyon mache vit.

**vital**: *a. Ki enpòtan, ki nesesè pou lavi, fontamantal.*

**vitametènam**: *1. Tout lavi.* Li gen pou li repete koze a vitametènam. 2. *Ki dire lontan.* Istwa sa a dire vitametènam.

**vitamin**: *n. Fòtifyan natirèl nan manje osnon sentetik ki endispansab pou kò moun mache byen. Pwodui ògànik. Gen vitamin atifisyèl tou yo fè nan laboratwa osinon nan manifakti. Gen plizyè kalite vitamin, yo tout enpòtan.*

**vitès**: *n. Deplasman nan yon espas nan yon tan kout; rapidite.* Polèt kouri al pran telefòn nan an vitès.

**vitre**: *a. Ki gen vit. Ki transparan.*

**vitrin**: *n. 1. Etalaj ki pwoteje ak vit.* Mete tout bijou yo nan vitrin. 2. *Mèb ki gen vit.* Nou pral achte yon vitrin pou magazen an.

**vitriye**: *n. Metye moun ki repare vit.* Edga se yon vitriye.

**vityelo**: *n. pye.* Mwen ale sou de vityello m. 2. *Vityelo (Vitielo) Non yon komèsan ki te konn vann soulye Pòtoprens.*

**viv**. *v. : 1. Egziste.* Tout moun ap viv ak espwa sa va chanje. 2. *Ki pa mouri.* Apre operasyon an doktè a di Asefi ap viv menm 20 an ankò. 3. *Anpè, ere.* Mizik sa a fèm viv. 4. *Manje tankou rasin, bannann ak patat.* Gen moun si yo pa manje viv ak vyann yo pa santi yo byen.

**vivab**: *a. Yon moun osinon yon sityasyon ou ka sipòte.*

**vivan**. *a. : Ki gen lavi.* Tout kretyen vivan te dwe patisipe nan konbit sa a.

**vivè**: *a. moun ki ap mennen yon vi plezi.*

**vivi**: *n. Egare, retade, manman-i-mouch.* Fi a rete ap gade m tankou vivi.

**viwonn**: *n. Ale toutotou yon kote osinon yon bagay osinon yon lide.* Mwen fè viwonn katye a, mwen pa wè pèsonn moun.

**viwonnen** *(viwònen)*: *v. Antoure.* Li viwonnen kay la an plizyè fwa.

**viyèt**: *n. Etikèt ki ekri mak fabrik. Senbòl osinon tenm pou endike tout taks te peye pou yon machandiz.*

**viza**: *n. Otorizasyon.* Nou bezwen viza pou nou ale Kànada.

**vizavi**: *pre. Anfas.* Antwàn avèk Kalo rete vizavi.

**vize**: *v. 1. Konsantre zye pou tire sou yon bagay.* Vize byen pou ou ka pran jibye a. 2. *Konsantre efò pou jwenn yon plas osinon yon bagay.* Li vize plas minis la.

**vizib**: *a. Ou kapab wè.* Limyè a vizib.

**viziblite**: *Moun ka wè ak zye. 2. Kondisyon tan ki defini jiska ki distans yon moun ka wè.*

**vizit doktè**: *n fr. Vizit ki pa dire.* Nou pap rete, se yon vizit doktè nou te vin fè.

**vizit**: *n. Ale lakay yon moun pou pase yon ti tan avèk li.* Li vin fè yon vizit lopital la.

**vizite**. *v. : Al kay yon moun pou pase yon moman.* Ale nan lopital, nan pansyon pou fè yon vizit. Mwen gen pou mwen al vizite moun Tomazo yo jodi a, depi lanmò Tisya a, mwen pa wè yo.

**vizitè**: *n. Moun ki al vè yon vizit tanporè.* Moun ki al vizite yon lòt

**vizyè**: *n. Pati nan yon zam osinon yon zouti optik kote pou operatè a gade pou li vize.*

**vizyon**: *n. 1. Pèsepsyon moun genyen dapre sa li wè ak zye.* Mwen gade toupatou, dapre vizyon mwen, pa gen kay ble sou wout la. 2. *Espas moun ka wè ak zye.* Espas vizyon mwen limite paske gen yon moun ki kanpe devan mwen la a. 3. *Reprezantasyon sinatirèl, revelasyon.* Li fè vizyon Lavyèj. 4. *Rèv. La ta bon si ou ta ka fè yon vizyon nan dòmi aswè a.*

**vle di**. *: Sans yon pawòl osnon yon fraz.* Sa sa vle di ou pa si, ou fèk pou ou konnen sa ou vle fè.

**vle pa vle**: *eksp. Ou mèt ponpe sote, ou pa gen okenn kontwòl.* Vle pa vle fòk ou ale.

**vle**. *v. : 1. Anvi, renmen.* Mwen ta vle di ou yon ti koze. 2. *Bay lòd. Mwen vle ou antre nan chanm ou kounye a.*

**vlen**: *n. Pati nan vyann yo jete anvan yon kuit li.* Chyen an manje vlen yo.

**vlengbendeng**: *n. Sosyete sekrè nan relijyon Vodou.* Sanble li nan chanprèl.

**vlope**: *v. 1. Antoure yon bagay ak papye osinon twal osinon ak lòt kouvèti.* Vlope mango a. 2. *Pliye, ploye, plwaye.* Vlope rad la.

**vlou**: *n. Twal ki dous lè ou manyen li.* Vlou sa a ta fè yon bèl jip.

**vo**: *n. 1. Ti bèf ki fèk fèt.* Vyann vo gen bon gou. 2. *Pri yon bagay osinon yon sèvis koute, valè.* Konbyen kay sa a vo?

**vodou**. *n. : Mo ki soti nan peyi Dawome, ki vle di espri. Relijyon ki gen anpil kwayans ak tradisyon Afrik ladan l. Moun ki pratike l sèvi espri osnon lwa epi yo chache gen bon relasyon avè yo. Relijyon vodou a genyen sèvis, chante, danse. Enstriman ki pi enpòtan nan vodou se tanbou ak ason. Relijyon Vodou kòmanse devlope nan Karayib la lè anpil Afriken ki soti Togo, Benen, Nijerya eltr te rive nan Karayib la. Vodouyizan sèvi Bondye ak yk plizyè espri ki anba pouvwa Bondye.*

**vodouyizan**: *Pratikan nan relijyon Vodou.*

**Vodrèy** *(Vaudreuil)*: *Vilaj tou pre vil Okap.*

**vòg**: *n. Sa ki alamòd (kounye a) annatandan li vin chanje.*

**voge**: *v. Navige, avanse ak kout ram nan ti bato.*

**vokabilè**: *n. Lis mo esansyèl nan yon lang osinon nan yon sijè. Tout mo ki nan pale yon moun.*

**vokal**: *a. Ki konsène vwa, pale, chante.* Kòd vokal.

**vokasyon**: *n. Atraksyon, panchan ak ladrès yon moun genyen pou yon metye.*

**vòl**: *n. 1. Deplasman nan lè.* Avyon an pran vòl a dezè. *2. Pran yon bagay san konsantman mèt li, dèyè do mèt li.* Yo arete Sofi pou vòl.

**volan**. *n. : Wou ou kenbe pou fè yon machin vire nan yon direksyon.* Lè ou ap kondwi, fòk ou kenbe volan machin nan ak de men w.

**volay**: *n. Tout kalite zwazo domestik yo elve pou vyann yo.* Poul, kanna, zwa ak kodenn pami volay yo.

**vòldefas** *(vòltefas): n. Chanjman rapid nan opinyon osinon nan direksyon.*

**vole gagè**: *v fr. Sove, kouri ale.* Janmari vole gagè.

**vole**. *v. : Deplase anlè, san touche tè.* Ti zwazo a rete sou branch bwa a pandan lontan apre li vole, l ale. Ou mache twò vit, ou fè tankou se vole ou ap vole wout la.

**vòlè**. *: 1. n. Moun ki pran sa ki pa pou li.* Adilka se gwo vòlè, lotrejou yo resi kenbe l. *2. v. Aksyon yon moun ki ap pran sa ki pa pou li.* Tigason an gentan vòlè degoud la sou mwen la a, mwen pa menm wè sa.

**volebòl**: *n. Espò ki opoze de ekip ki gen 6 jwè chak epi ki gen yon filè ki separe yo. Chak kan ap eseye voye balon an ak men yo nan pati advès la.*

**Volèl Ati** *(Pè Arthur Volel): np. Pè katolik Salezyen. Li konsakre karyè li pou patisipe na lavi moun Lasalin.*

**volim**: *n. 1. Kantite ki okipe yon espas an twa dimansyon.* Longè pa lajè pa pwofondè bay volim. *2. Youn pami yon koleksyon liv.* Volim nimewo de. *3. Entansite yon son.* Bay radyo a plis volim.

**vòlkan**: *n. Yon montay ki vomi (osinon ki te konn vomi) dife (wòch ak sann) ki soti anba tè.* Gen yon vòlkan Gwatemala ki rele Atitlann.

**vòlkanik**: *a. Ki soti nan yon vòlkan.* Ki gen relasyon ak vòlkan.

**volonte**: *n. 1. Dezi.* Se pou Kalo fè volonte ou. *2. Entansyon.* Li fè travay la ak bòn volonte li. *3. Motivasyon.* Yon moun san volonte.

**volontè**: *1. a. Ki fèt apre refleksyon.* Desizyon volontè. . *2. n. Moun ki aksepte travay kòm benevòl, san touche lajan.* Volontè lakwa wouj.

**vòlt**: *n. inite pou mezire fòs yon kouran elektrik.*

**vòltaj**: *n. 1. kantite vòlt ki nesesè pou fè yon aparèy mache. 2. Tansyon elektrik ki rive nan yon kay.*

**Lesli Vòltè** *(Voltaire, Lesly) : np. Ibanis, politisyen, edikatè. Li fèt nan àne 1950. An 1991 li te Minis Edikasyon sou gouvènman Jan Bètran Aristid.*

**vòltij**: *Ekzèsis vole, sote, ponpe.*

**vòltije**: *v. Sote, ponpe, vole. Kòk la vòltije li ale nan vwazinay la.*

**vomi** *(vonmi): n. 1. Aksyon kote yon moun mete bagay ki nan lestomak deyò pa bouch.* **Malad la bay twa vomi deja**. *2. v. Rejte, mete bagay ki nan lestomak deyò pa bouch.* Malad la vomi.

**vomisman** *(vonmisman): n. Aksyon kote yon moun vomi.* Malad sa a gen vomisman.

**vonvon** *(vouvou): n. 1. Gwo ensèk ki boudonnen.* Mwen pa renmen lè vonvon yo ap fè bwi bò zòrèy mwen. *2. Estasyon radyo opozan ki te entèdi sou gouvènman F. Divalye.*

**voras**: *a. Aloufa, gouman, ki manje anpil.* Kalo voras.

**vorasite**: *n. Manje ak anpil apeti, san pran souf.*

**voryen**: *n. Moun ki pa itil anyen, vagabon.* Elifèt se yon voryen.

**vòsvagenn**: *n. Mak machin Alman.* Konpayi Alman ki fè machin vòsvagenn.

**vòt**: *aktivite pou jwen opinyon yon gwoup sou yon sijè. Eleksyon. Rezilta eleksyon.*

**votan**:*n. moun ki ap vote.*

**votasyon**: *n. vòt. Rezilta yon eleksyon.*

**vote**. *v. : Aksyon pou chwazi yon kandida pou yon fonksyon. Moun vote tou pou yon pwojè, pou yon lide. Se yon devwa sivik pou yon moun vote.*

**votè**: *n. sitwayen ki elijib pou vote.*

**votou**: *n. Gwo zwazo rapas tèt kale ki manje fatra ak bèt mouri.* Plen votou kote ki gen anpil fatra. *2. Karaktè moun ki vle pran tout bagay pou li sèl.* Vànya tankou yon votou.

**voum**: *v. ent. Bwi, son, nenpòt son.* Tout voum se do.

**voumtak**: *n. Parapli, (sitou nan nò).* Lapli pral vini, mache ak voumtak ou.

**voup**: *ent. Sanzatann. Fi a leve voup li bondi sou lòt la.*

**vout**: *n. Pati won nan yon bilding (ki sou anlè)*

**voute**: *v. Ki gen fòm won. koube.*

**vouzan**: *Ent. Rale kò ou, disparèt devan mwen an.* Ale ou vouzan!

**voye chaplèt**: *v fr. Bat moun ak baton.* Gad la voye chaplèt nèt ale, anpil moun pran baton.

**voye je**: *v fr. Pote atansyon, siveye.* Voye je sou machandiz la pou mwen.

**voye mò**. *: Dapre kwayans popilè, se fè malefis, voye yon lespri sou yon moun pou kokobe l osnon touye l.* Maladi Chal la pa sennesòf, jan l ap depale a sanble se yon mò yo voye sou li.

**voye monte**: *v fr. Pale pou granmesi, pale anlè, fè politik ipokrit.* Sispann voye monte la a, Aliks.

**voye nan peyi san chapo**: *v fr. Tiye.* Ansasen an voye Manno nan peyi san chapo.

**voye pwent**: *v fr. Pale ak parabòl, voye mesaj san adrese yon moun dirèkteman.* Sispann voye pwent, Bèta, si ou gen yon bagay ou vle di m, di mwen li.

**voye pye**: *v fr. Endike dezakò, konteste.* Kalo voye pye kont li men li pat rive fè moun yo chanje desizyon yo.

**voye.** *v. : 1. Espedye. Deplase yon bagay sot yon kote ale yon lòt.* Mwen voye rad la nan lesiv. *2. Lanse yon bagay, voltije l.* Mwen voye yon bwa bale dèyè l men li pa pran l. *3 Lè dechay soti nan pijon yon gason.*

**vre**: *a. 1. Ki verite. Sa ou di a vre. 2. adv. Toutbon.* Ou ale vre?

**vreman**: *adv. Toutbon, san doute.* Nou panse vreman ou ba nou manti.

**VSN** *(Volontè Sekirite Nasyonal). : Tonton makout. Gwoup paramilitè Divalye te fòme pou l te kapab kenbe pouvwa nan peyi Ayiti. Se konsa li te reyisi netralize lame, kraze tout fòm opozisyon, tout kritik kont gouvènman lan. VSN te travay san peye. Pou yo te kapab gen kòb yo te fè anpil abi sou sivil yo.*

**vwa.** *n. : Son ki soti lè yon moun ap pale. Chak moun gen vwa pa yo.* Dat mwen pa tande vwa w, kote ou ye makòmè.

**vwal.** *n. : 1. Twal ki anlè yon bato pou l ede bato a pran direksyon l.* Bato ki gen vwal yo konn pa menm gen motè menm. *2. Til yo met sou tèt lamarye.* Vwal lamarye sa a long papa, li pran tout longè legliz la. *3. Moso twal ki sèvi pou kache kichòy. 4. Rad leje, transparan ki kouvri kò yon fi.*

**vwala**: *pre. 1. Se te yon fwa.* Vwala se te Malis ki te kontre ak Bouki.

**vwale**: *v. 1. kouvri, kache ak yon vwal. Mete vwal. 2. Wè twoub.*

**vwalye**: *n. Ti bato ki mache ak vwal.* Gen de vwalye sou lanmè a kounye a.

**vwati**: *n. Otomobil. Nou gen yon vwati nèf.*

**vwayaj.** *n. : Ale yon lòt kote.* Timoun yo te kontan paske yo ta pral fè vwayaj lòtbò dlo.

**vwayaje.** *v. : Ale nan yon lòt peyi, osnon yon lòt kote.* Kote mwen pran lajan pou mwen vwayaje, erezman frè mwen an ap voye lajan tikè a pou mwen sot jous Miyami.

**vwayajè**: *n. Moun ki an vwayaj.* Jak ak Andre se vwayajè.

**vwayan**: *Metye moun ki ka predi lavni. 2. Ki trè vizib, ki atire zye.*

**vwayèl**: *n. lèt ki bay son tankou a, o, e eltr.*

**vwazen**: *n. 1. Gason ki rete tou pre.* Vwazen nou an ap travay nan yon lopital. *2. Moun ki rete tou pre, vwazinaj.* Vwazen yo tande rèl la.

**vwazinen**: *v. ale flannen nan vwazinaj.*

**vwazin**: *n. Fi ki rete tou pre.* Vwazin mwen an se koutiryè.

**vwazinay** *(vwazinaj): n. 1. Moun ki rete tou pre, nan menm katye.* Vwazinay bò isi yo janti anpil. *2. Katye.* Nou renmen vwazinay sa a.

**vwe**: *v. Fè pwomès bay Bondye. Konsakre.*

**vwèl**: *(al gade vwal)*

**vyann**: *n. 1. Youn nan kat gwoup manje.* Se gwoup vyann nan ki gen plis pwoteyin. *2.Chè, mis, pati elastik nan kò moun osinon bèt ki pèmèt mouvman.Pati nan kò bèt moun kapab manje.* Fi sa a gwo men li pa gra, li gen anpil vyann men li pa gen grès pase sa. Nou kwit vyann bèf, vyann kochon ak vyann kabrit, kilès ou pi pito?

**vye**: *a. 1. Ki ansyen.* Sa se yon vye televizyon. *2. Ki pa bon.* Vye radyo sa a pa ka ranje ankò.

**Vye, Damoklès** *(Vieux, Damoclès) : np. Diplomat, powèt ki te direktè lekòl nan Pòtoprens nan àne 1932.*

**Vye Mari** *(Marie Vieux): ale nan Chovèt Mari.*

**vyèj, lavyèj.** *n. : 1. Manman Jezi.* Lavyèj Mari manman ede mwen non ak timoun yo. *2. Ki poko janm fè sèks, tifi.* Li bon pou jennjan yo rete vyèj joustan yo pral marye.

**vyenvyen**. *: Zonbi. Espri.*

**vyetnamyen**: *n./a. Moun ki sot nan peyi Vyetnàm. Ki konsène Vyetnàm.*

**vyewo**: *n. Granmoun ki gen anpil eksperyans.* Moun ki te al travay Kiba epi ki retounen, tankou Manyèl nan AGouverneurs de la Rosée

**vyèy fi**: *n fr. 1. Fi ki pa janm marye.* Kalin pa janm marye, li rete fè vyèy fi. 2. *Pèsonalite yon fi ki egzijan.* Linda gen mès vyèy fi.

**vyeyès**: *n. Dènye pati nan lavi yon moun lè fòs li ak aktivite li diminye.*

**vyeyi**: *v. 1. Ki ap avanse nan laj.* Tout moun gen pou yo vyeyi. 2. *a. Antre nan laj.* Kawòl vyeyi.

**Vyo Leyons** *(Leonce Viaud): np. Ansyen minis Edikasyon Nasyonal nan gouvènman Divalye.*

**vyòl**. *n. : 1. Kadejak.* Yo arete Beniswa pou vyòl. 2. *Ki fè bagay kont lalwa.* Si yon moun vòlè lajan leta sa se yon vyòl konfyans.

**vyolan**: *a. Ki aji ak britalite, ak fòs, san retni.*

**vyolans**: *n. Britalite, kolè, fòs brital.*

**vyolasyon**: *n. Zak ki vyole yon angajman osinon ki pa respekte yon bagay ki sakre.*

**vyole**. *v. : Moun ki fè vyòl.* Yo te dwe arete ou pase ou vyole lalwa. 2. *Moun ki sibi vyòl.*

**vyolèt**: *n. Koulè mòv.* Twal vyolèt.

**vyolon**. *n. : Enstriman mizik ki gen kat kòd. Yo jwe l lè yo fwote yon elastik sou kòd yo.* Mwen ta renmen konn jwe vyolon.

**vyolonis**: *n. Mizisyen ki jwe vyolon.*

**vyolonsèl**: *n. Enstriman mizik ak kòd, ki sanble ak vyolon men ki pi gwo.*

**wa chat***: n fr. Moun ki vòlè.* Alsiyis se wa chat, pa kite lajan ou sou wout li.

**Wa, Ejèn** *(Roy, Eugène). np. : Prezidan pwovizwa Ayiti depi 15 Me 1930 rive sou 18 Novanm 1930. Msye te rich, li te mèt yon bank, li pat enterese gen pòs prezidan. Msye te aksepte pozisyon an sèlman pou l te ka sipèvize eleksyon nouvo Asanble Nasyonal la. Kou eleksyon an fini, msye te bay demisyon l. Se konsa Asanble a vin chwazi Estenyo Vensan.*

**Wa Wolan** *(Roland Roy): np. Espòtif, ògànizatè espòtif. Li te prezidan Asosiyasyon Atletis Amatè.*

**wa.** *n. : 1. Chèf ki konsakre epi ki dirije yon wayòm.* Ayiti nou te gen wa tou, pa egzanp Anri Kristòf te yon wa. *2. kontraksyon pou(ou a, ou va, ou menm).* Wa di Tijan pou mwen si l betize l ap jwenn avèk mwen.

**Wachintonn** *(Washington): np. Vil Ozetazini. Kapital Etazini. 2. Ansyen prezidan Etazini.*

**wachmann** *(watchmann): n. Gadyen, siveyan.* Kalo se wachmann li ye nan konpayi an.

**waf.** *n. : Kote bò rivaj la pou bato vin akoste.* Mwen te konn al sou waf Pòtoprens la lè mwen te piti.

**Wanament** *(Ouanamithe) : np. awondisman ak komin nan depatman Nòdès*

**wanga***: n. 1. Nenpòt bagay yon moun monte nan yon operasyon majik pou li ka fè dimal kont yon lòt moun osinon pou ka fè dibyen pou mèt afè-a.* Gaston konn al fè wanga. Si li pèdi tout sa-l te posede, se ta ka yon wanga yo fè dèyè l. *Cham yon oungan ositou yon bòkò prepare pou pwoteje yon moun.*

**wanga-nègès***: n. Ti zwazo, zwazo mouch, kolibri.* Gen wanga-nègès nan peyi Ayiti.

**wangatè** *(wangatèz): n. Moun ki pratike wanga. Odil pa renmen byen ak moun ki wangatè.*

**wap***: Kontraksyon pou ou ap.*

**wap-wap***: adv. Rapid, san refleksyon.*

**wat***: ent. Kisa! kisa ou ap vin di la a.* Ban mwen plim nan, plim de-wat. *2. n. Inite pou mezire pisans kouran elektrik.*

**watè.** *n. : 1. Latrin, kote moun al poupou. Latrin.* Fèmen pòt watè a, tout moun pa bezwen konnen kisa ou ap fè.

**watchman***: Moun ki responsab sekirite lanuit.*

**watè***: Twalèt kote moun al poupou.*

**watèpwouf***: a. Enpèmeyab yon twal osinon lòt materyèl ki pa kite dlo pase.* Tapi tab la watèpwouf.

**way***: ent. Plent, rèl pou endike ou blese osnon ou gen yon doulè.* Depi sou jan timoun nan rele way la, mwen te konnen li te blese grav.

**wayabèl** *(gwayabèl): n. Estil chemiz gason ki gen pòch sou anba ak ti pli sou devan.* Le dimanch mesye met wayabèl pou ale legliz.

**Wayal Dawome** *(Royal Dahome). : 20 000 militè nwa byen antrene ki te soti nan kontinan Afrik pou pwoteje wa Anri Kristòf. Yo te sèvi kòm lapolis epi kòm rapòtè tou.*

**wayal.** *n. : Kasav ak manba. Gen kote Ayiti, yo mete kreson sou wayal la pou li gen pi bon gou.*

**wayan***: ent. (ou pa pajwen anyen). Son pou endike yon moun pap jwenn sa li ap chèche.* Ou mèt fè sa ou vle se mwen ki ap manje tito a, wayan!

**wayòm***: n. 1. Klasifikasyon nan biyoloji pou tou sa ki vivan.* Gen wayom plant gen wayom bèt. *2. Teritwa yon wa.* Wa a chita nan wayom li.

**wayote***: n. 1. Teritwa yon wa ak tout pouvwa li gen ladan l.* Se tout wayote a ki ap fete wa a jodi a. *2. Estil gouvènman ki gen yon wa alatèt li.* Gen anpil wayote ki tounen repiblik alèkile.

**wazif***: a. 1. Aryennafè, ki pa gen anyen pou l fè.* Ou pa ka rete la a wazif konsa. *2. n. Moun ki aryennafè.* Jan se yon wazif.

**wè-lwen***: esp. 1. ki kapab predi sa ki pral rive. 2. Ki ka fè refleksyon pwofon.*

**wè mò***: v fr. Fache, mande anraje. Kalo annik tande se pou li pataje lajan an avèk mwen, li wè mò lamenm.*

**wè pa wè**: *adv. Vle pa vle, kanmenm.* Wè pa wè, lantèman pou katrè.

**wè**. *v. : Sa ou anrejistre ak je w.* Moun ki pa gen je paka wè. Moun ki pa wè byen pote linèt.

**Wèle Klodèt Antwàn** *(Werleigh, Claudette Antoine): np. Edikatè, ekonomis, jesyonè, politisyen Ayisyèn. Li fèt nan vil Dondon, nan Nò Ayiti. Li te etidye Ozetazini, Laswis ak Ayiti. Li te dirije plizyè ògànizasyon devlopman tankou Karitas, IDEA, ITECA... Li patisipe pou ògànize aktivite osinon pwogram pou moun kapab devlope ladrès (teknoloji) refleksyon ak agiman (animasyon, motivasyon) pou rezoud pwoblèm ki trakase yo, osinon ki trakase kominote yo. Li fè efò tou pou fi yo patisipe menm jan ak gason, san diskriminasyon. Li panse yon pwogram devlopman te dwe devlope moun yo dabò, epi apresa moun yo va devlope resous yo. Li te vin Minis Afè Sosyal apresa Premye Minis nan gouvènman Aristid.*

**Wèle Jòj** *(Werleigh George): np. Ekonomis, politisyen, edikatè.*

**Wèle** *(Werleigh) : np Powèt.*

**Weinè Odèt** *(Odette Weiner): np. atis, dansè, koregraf, edikatè. Li konni pou adaptasyon dans tradisyonèl nan devlopman atistik.*

**wès**: *1. Direksyon kote solèy kouche. 2. Depatman.*

**wetan** *(anwetan): Eksepte*

**wete** *(wet): v. Retire. Pa wete anpil manje pou mwen.*

**wete nan kòsay**: *v fr. Bay yon moun distans li, pa frekante l ankò.* Elifèt wete Kalin nan kòsaj li.

**wete nanm**: *v fr. Pèdi kontwòl tèt li.* Jan fè tankou yon moun yo wete nanm li.

**wi** : *1. Dakò.* Eske ou vle al nan mache avè m? Wi. 2. *Mo si.* Mwen renmen annafè ak moun ki gen wi ak non, se moun serye mwen ye mwen menm.

**wifout**: *entj. Son pou endike admirasyon osinon kontraryete.*

**wikenn**: *n. Konje samdi ak dimanch.*

**Wilyams Lavinya** *(lavinia Williams): np. Yon dansè enpòtan nan twoup Katrin Dinam, Ozetazini. Wilyams te vizite Ayiti ak yon gwoup dansè pandan fèt bisantsè an 1953 sou prezidan Maglwa. Li te tèlman chame, li deside vin rete Ayiti ak tout mari li ak pitit li. Li louvri yon lekòl balè, ki fòme anpil jèn.*

**wipip**: *entj. Son pou endike admirasyon osinon kontraryete.*

**wiski**: *n. Bwason ki gen alkòl, ki fèt ak lanmidon ki fèmante epi ki distile.*

**witi**: *adv. rejyonalis. Kote, kikote.* Witi kivèt la.

**wo**. *a. : 1. Ki pa kout.* Pitit fi mwen an tèlman wo, li parèt pi gran pase gran frè a, se yon timoun ki byen vini. 2. *Ki moute anlè.* Zwazo a vole wo nan syèl la.

**wòb**: *n. Rad pou kouvri kò fi.* Wòb sa a bèl.

**wòbdechanm**. *n. : Rad laj moun mete pou yo ret nan kay anvan ou byen aprè yo fin benyen.* Moun pat dwe janm soti nan lari ak wòbdechanm yo.

**wobinèt**: *n. Zouti pou regle kantite dlo ki ap koule nan yon lavabo, nan yon basen osinon nan yon veso.*

**wobo**: *n. 1. Machin konplèks ki pwograme pou fè yon seri aktivite youn apre lòt.* Lè yo sèvi ak wobo nan endistri, yo vin angaje mwens anplwaye. 2. *Moun ki ap aji tankou machin, san panse. Pran san ou, Woje, ou pa yon wobo.*

**wòch dife**: *n fr. Wòch ki sèvi pou kenbe chodyè lè moun ap kuit manje ak bwa-dife.* Mete twa wòch dife epi fè bwa yo pran pou nou sa kòmanse kuit manje a.

**wòch**. *n. 1. materyèl natirèl ki sou latè, ki sèvi souvan kòm Materyo konstriksyon. Ou jwenn wòch toupatou, kifè, li pa chè. Men kòm wòch lou, li koute chè pou transpòte l, se sa ki fè yo pa sèvi avè l tou patou.* Kay sa a bati ak wòch, se sa ki fè li pat boule nan gwo dife lòtrejou a.

**Wòchabato**: *np. Non yon vil ki nan sid Ayiti.*

**Wochanbo**, *(Roches à bateau) Jeneral Donasyen (Rochambeau, Général Donatien). np. : 1750-1815.* Dezyèm kòmandan Leklè. Kòmandan *Lame Franse nan peyi Sendomeng. Dapre listwa, li te rayi nwa epi li te fè touye anpil ladan yo, li te fè nwaye yo osnon fè chyen sovaj manje yo. Nwa yo te pito touye tèt yo pase pou yo te kite msye atrap yo. Gen nwa ki te konbat li tenkantenk. Li te rive siyen yon akò ak Jeneral Desalin. Msye te vin pèdi devan lame Angle yo ki te vin pran zòn Mòlsennikola a pou yo. Msye dwe te fè touye menm 150 mil nwa.*

**wode**. *v. : Pase nan yon zòn tankou ou ap chache yon bagay.* Msye sa a toujou ap wode nan katye a.

**wodpòte**: *adj. Aktivite ki gen moun enpòtan ki ap patisipe.*

**wogatwa** *(ogatwa) : n. Espas dedye pou lapriyè.* Nan wogatwa gen imaj, gen bouji ak kado pou lwa yo.

**wòk**: *n. Gwo blòk wòch, ki sèvi pou bati.*

**wòkèt**: *n. 1. Difikilte yon moun genyen toudenkou pou li pale, respire paske kòflestomak li ap plede kontrakte.* Tibebe gen wòkèt souvan. 2. *Teknik pou voye zam pou atake* *delwen. 3. Syans ak metòd pou met enèji nan machin ki pral nan lespas.*

**wòklò**: *a. Moun ki teti, ki fè sa ki nan tèt li, ki difisi, rebèl enkoutab, lekonduit, ki pa chanje lide fasil.* Elifèt wòklò; li ap fè wòklò li pa tande lè granmoun pale ak li.

**Wokou Alen** *(Alain Rocourt) : np. pastè metodis*

**wòl**: *n. 1. Pati yon moun jwe nan yon pyès teyat.* Se Sizàn ki ap jwe wòl machann nan. *2. Responsablite yon moun genyen akoz grad li osinon pozisyon li nan yon travay; estati.* Se pou wòl sekretè a pou li pran desizyon sa a.

**Woldan Jimenèz** *(Roldan Jimenez). np. : Yon moun ki te alatèt kolon panyòl ki te fè gwoup apa nan zile Ispayola a. Kristòf Kolon te bay moun sa yo yon pòsyon tè ak esklav endyen pa yo pou travay tè a pou yo. Se konsa esklavaj te premye kòmanse nan Amerik la.*

**wololoy**: *adj. ki bèl san mezire. Te gen yon resepsyon wololoy nan maryaj Wowo Bontan.*

**Wòm** *(Rome) (wonm): n. 1. Bwason alkòl ki fèt an de etap; dabò yo fèmante ji kann (sik) apresa yo distile l pou separe alkòl (ki fèt pandan fèmantasyon an) epi kite dlo ak lòt pwodui dèyè.* Nèg sa a ap bwè yon wòm Babankou. *2. Non kapital peyi Itali.* Wòm se yon vil ansyen. *vil nan peyi Itali.*

**woma** *: n. Oma, kristase, bèt lanmè ki repite pou gou li epi ki vann chè tou. Wonman viv nan dlo yo gen senk pè pat (dekapòd) ak yon pè antèn byen long. Woma gen koulè gris tire sou vèt men lè li bouyi li vin tou wouj.* Annou al manje woma jodi a.

**woman foto.** *: Ti liv istwa damou ki gen foto ladan l.* Lè mwen te timoun manman mwen pat konn kite mwen li woman foto anvan mwen te konn tout leson mwen.

**woman**: *n. 1. Estil literè ki prezante yon istwa imajine, long, ki prezante diferan pèsonaj fè yo parèt reyèl, prezante soufrans yo, lajwa yo, sikoloji yo chans yo ak malchans, rèv yo ak reyalite yo. Souvan woman devlope sitiyasyon damou ant de moun men se pa tout. Liv ki dekri yon istwa, yon avanti osinon yon peripesi imajinè.* Mod Etelou ekri kat woman, Lafami Bonplezi, Sezisman, Tika Nan Twa Wa ak Otan.

**womans.** *n. : Santiman epi demonstrasyon damou ant de moun ki renmen.* Depi yo te fèk kòmanse renmen mwen te wè womans sa a pa tap dire.

**womansye**: *n. Ekriven ki ekri woman.*

**womantik**: *a. Ki gen womans.* Fim womantik nan Rèks Teyat.

**womaren**: *n. Fèy ki sèvi pou prepare remèd osnon fè te. Te womaren.*

**Womelis Wili, Monseyè** *(Romelus, Willy): np. Evèk Dyosèz Jeremi.*

**won**: *a. Ki gen fòm yon sèk.* Zorany sa a tou won.

**wondè**: *n. Gòm won, moun ki gwosi, zo li pa parèt.*

**wondèl**: *n. Ki tou won.* Wondèl sitwon, wondèl anmetal.

**wondi**: *v. Fè yon bagay vin won. Bay fòm won, awondi.*

**wondonmon**: *a. Wòklò, teti, rekalsitran, rebèl.* Kawòl wondonmon anpil.

**wonf**: *n. son moun fè lè li ap wonfle.*

**wonfle**: *v. Ki fè bri ak gòj nan dòmi.* Jan wonfle nan dòmi.

**wonje**: *v. 1. Manje tikras pa tikras.* Rant la wonje savon an. *2. ki bay doulè san rete.* Li gen yon doulè ki ap wonje l.

**wonjè** *: n. Gwoup bèt tankou rat osinon ki sanble ak rat ki gen dan devan pwenti epi ki grate manje yo tikras pa tikras.* Rat se yon wonjè.

**wonm** *(wòm): n. Bwason alkòl ki fèt an de etap; dabò yo fèmante ji kann (sik) apresa yo distile l pou separe alkòl ki fèt pandan fèmantasyon an epi kite dlo ak lòt pwodui dèyè. Wonm Babankou.*

**wonm Babankou**: *mak wonm ki konni anpil Ayiti, li te kòmanse depi ane 1862.*

**wonma** *(woma): n. Bèt lanmè, kristase ki gen fòm long, li wouj lè li kuit.* Wonma chè anpil.

**wonn**: *n. 1. Sèk.* Moun yo fè yon wonn atè a. *2. Jwèt timoun fè lè yo mete yo an sèk.* Timoun yo toujou chante bèl ti chante lè yo ap fè wonn.

**wonpe!**: *entèj. Defèt tout ran!.* Sòlda wonpe!

**wonpi**: *v. Kale yon moun, bat yon moun ak kolè.* Yo wonpi Richa.

**wonpwen**: *n. 1. Sèk nan yon kafou pou kontwole trafik otomobil. 2. Non yon restoran nan bisantnè Pòtoprens.*

**wont**: *n. 1. Santiman jennen yon moun genyen devan yon lòt.* Woje wont Beti. *2. Santiman imilyasyon.* Ou fèm wont. Ou ap fè wont sèvi kolè. Mal pou wont. *3. Rezèv, pidè.* San wont.

**wonte** *(lawonte): n. Yon sitiyasyon ki fè moun wont.* Se wonte sa pou nou leve epi nou pa bale devan pòt nou.

**wonwonnen**: *v. Fè yon bwi ak gòj tankou chat fè.* Chat la ap wonwonnen.

**wonyay**: *adv. endirèk, sou kote, ki pa aklè.* Li rete a la wonyay.

**wonyen**: *v. Pran tikal pa tikal.* Ki moun ki wonyen gato a?

**wose**: *1. Kanpe sou pwent pye, mete pi wo.* Madanm nan wose sou bout mi an. *2. Kale.* Yo wose misye.

**wosiyòl**: *n. Ti zwazo ki konn chante.* Tande wosiyòl la.

**wotasyon**: *n. Pivote, vire, mouvman toutotou yon aks.* Wotasyon latè.

**wote**: *v. Rann gaz pa wo.* Granmè toujou wote lè li fin manje.

**wotè**. *n. : Distans ki sot anba al anwo.* Gade wotè Ivàn, li fin grandi.

**wou lib**: *n fr. Transpò gratis.* Vwazen an te bannou wou lib maten an.

**wou**: *n. 1. Pyès won ki ka vire osnon ki ka fè yon machin deplase.* Wou bisiklèt. Wou sa yo nèf. *2. Zouti agrikiti pou vire tè osinon pou rache move zèb.*

**woublon**: *n. Plant grenpant, yo sèvi ak flè li pou bay byè odè.*

**wouch**: *ent. Way, son ki endike doulè osnon repiyans.* Wouch, gade yon pil fatra la a.

**wouj**: *n. 1. Koulè.* Wouj se yon koulè vivan. *2. a. Koulè yon bagay.* Rad wouj.

**wouj-a-lèv**: *n. Fa pou fi dekore bouch yo.*

**wouji**: *v. Ki vin wouj.* Po fi a wouji lamenm.

**woujòl** *(lawoujòl): n. maladi enfektyez (ki gen enfeksyon) ki soti nan enfeksyon ak viris (viral), ki bay lafyèv, ki atake timoun epi fè bouton leve sou po yo. Lawoujòl kontajye epi ka fasilman devlope an epidemi.*

**woukou**: *n. Pwodui pou bay koulè, koloran natirèl koulè brik ki soti nan yon plant. Gen moun ki met woukou nan diri pou ba li yon koulè brik.*

**woukoule**: *v. Son pijon osnon lòt zwazo fè.* Tande pijon yo ki ap woukoule.

**woul** *(fè woul). : Ale flannen nan tan ki rezève pou fè yon pagay serye.* Timoun sa yo pito al nan woul pase yo ale lekòl.

**woulawoup**: *n. Sèk won timoun sèvi pou danse.*

**woule**. *v. : 1. vire yon bagay anwon.* Vin ede mwen woule tapi sa a. *2. Toujou ap chanje dat pou ou fè yon bagay.* Se pa de woule minis la woule mwen anvan li te resi siyen papye pansyon mwen an pou mwen. *3. Fè yon machin mache pou li pa wouye.* A woule machin nan. *4. Bat tanbou.* Woule tanbou a.

**woulè**: *n. Moun ki bay manti, blòfè.*

**woulèt** *(oulèt): n. 1. Pati nan rad ki pliye sou anndan. Woulèt rad sa a dekoud. 2. Wou ki vire.* Jwèt woulèt, paten woulèt.

**woulib**: *n. 1. Akonpaye yon moun sou wout li.* Mwen pral ba ou yon ti woulib. *2. Kite you moun monte machin pou ale yon lòt kote, san peye. 3. Deplase yon machin nan ladesant yon pant, alòske motè a etenn.*

**woulibè**: *n. Moun ki ap pran woulib, san peye.*

**woulman**: *Mouvman, bri yon bagay ki ap woule. 2. Activite komèsyal ki pa rapòte moun fè pou yo ka siviv.*

**woulo konpresè**. *: Mouvman mas moun sou Fiyole ki te òganize pou fè revandikasyon sosyal Ayiti. 2. Zouti tankou yon traktè ki gen yon woulo ki lou anpil. Li sèvi pou danmen wout anvan yo met goudwon.*

**woulo**. *n. : 1. Zouti won ki fèt pou woule yon bagay.* Mwen pral achte yon woulo patisri. *2. Zouti fi mete pou fè cheve yo pran pli.* Mwen pa konn met woulo, ou vle mete pou mwen?

**woulobi**: *n. Ti wou an metal ki gen ti mab metal andedan l. Nan woulobi gen yon silenn anndan ak yon silenn deyò, mab yo ant de silenn yo. Lè yon silenn ap vire, mab yo vire tou, se sa ki fè silenn deyò a ka vire alòske silenn anndan rete san vire.* Kabwèt la gen twa woulobi.

**woulong**: *n. Mangous. Sa a se yon woulong ou ap gade la a.* Woulong manje koulèv, koulèv manje poul, poul manje mayi.

**woumble**: *1. rasanbleman pou seremoni relijyon vodou. 2. Son ak rit vodou. 3. Rasanbleman aktivis pou diskite yon pwoblèm. Konbit aktivis; konbit entelektyèl.*

**Woumè, Emil** *(Roumer, Emile). np. : Ekriven Ayisyen ki fèt nan vil Jérémi, Ayiti, jou ki te 5 Fevriye 1903. Li fini etid segondè li nan peyi Lafrans epi li al etidye komès nan peyi Angletè. Lè li tounen Ayiti, li fonde Revue Indigène, yon jounal literè ki parèt nan ane 1927. Li rantre Lekòl Dedwa nan ane 1930. Li pa janm travay kòm avoka. Li te pito ale rete Jeremi kote li te travay kòm espekilatè pandan li kontinye ap ekri powèm. Li gen plizyè liv ki pibliye. Pami yo, nou ka site Poèmes d'Haiti et de France (1925), Poèmes en Vers (1960), Caiman Etoilé (1963). Nan ane 1964, li pibliye yon liv pwezi nan lang Kreyòl: Rosaire Couronne Sonnets. Emil Woumè renmen ekri ak "koulè lokal".*

**Woumen, Enès** *(Roumain, Ernest). np. : Diplomat Ayisyen ki te reprezante peyi l Ozetazini an 1862. Tit li se te "Chaje Dafè".*

**Woumen, Jak** *(Roumain, Jacques). np. : Li fèt jou ki te kat Jen 1907 nan vil Pòtoprens. Li se pitit pitit Tankrèd Ogis, ansyen prezidan peyi a. Msye te al kontinye etid segondè li nan peyi Lasuis apre li te kite lekòl Sen Lui Gonzag. Lè* *li te fini lekòl segondè li, li te ale rete nan vil Pari, Peyi Lafrans. Apre sa, li te ale nan peyi Almay, Angletè ak Lespay. Li te tounen Ayiti nan àne 1927, lè li te gen ventan. Li te patisipe aktivman nan Revue Indigène lan. Li pat vle kontinye idantifye tèt li ak elit sosyal peyi a, se pou sa li fè wout li nan mitan mas pèp la. Msye te fonde Lig Jenès Patriyòt Ayisyen. Nan ane 1929, lè grèv Damyen an, yo te arete li pou pawòl politik ki te soti nan bouch li. Premye liv li soti nan ane 1930: La Proie et L'Ombre. Apresa, li pibliye Les Fantoches (1931), La Montagne Ensorcelée epi ak Gouverneurs de la Rosée (1931). Msye te vle fè yon revolisyon sosyal. Se konsa li parèt ak L'Analyse Schématique (1933), yon tantativ pou entwodui maksis nan peyi Ayiti. Li vin fonde yon pati kominis (1934) ki lakòz li fè yon tou prizon. Li pran wout egzil epi li ale rete nan peyi Bèljik ak nan peyi Lafrans tou. Pandan tan sa a, li kontinye ap pibliye nan jounal peyi sa yo. Se nan vil Pari li vin enterese nan etnoloji. Nan ane 1939 li pibliye Griefs de l'Homme Noir, yon atik kont rasis. Se msye ki fonde Biwo Etnoloji Pòtoprens. Msye mouri maladi siwoz jou ki te 18 Out 1944, li te gen 37 an. Gouverneurs de la Rosée (Mèt Lawouze), te pibliye nan ane 1944. Liv sa a prezante lavi peyizan yo. Li tradui nan 17 lang.*

**wounou-wounou**: *ono. 1. Plenyen, son ki endike mekontantman. 2. Tripotaj pèsistan.*

**wouspete**: *v. Fè wondonmon, plenyen.* Sispann wouspete la a.

**wout**. *n. : 1. Espas ki trase pou fasilite kominikasyon swa pou oto pase osnon pou moun mache.* Depi gen wout la kounye a li pa menm pran mwen trant minit pou mwen rive lakay mwen. *2. Chemen, direksyon pèsonèl yon moun.* Al fè wout ou anvan mwen fè kont avè w.

**woutin**: *n. San panse, regilyèman. Travay sa a se yon woutin li ye pou mwen mwen pa bezwen panse pou mwen fè li. Gen twa etap lè moun ap aprann kichòy, gen etap aza kote moun nan pa konpran sa ki ap pase a men li gen rezita li ap chèche a; gen etap woutin kote li konn kisa pou li fè pou li jwen sa li ap chèche a; apresa gen etap refleksyon kote li reflechi anvan li aji.*

**woutye**: *a. 1. ki konsène wout. 2. Tit nan ògànizasyon eskout. 3. Moun ki gen anpil eksperyans.*

**wouy** *(woy): ent. Son pou endike sezisman agreyab osnon dezagreyab.* Wouy, pitit la tonbe. *2. ono. Son moun ki gen doulè osinon ki ap rele anmwe.*

**wouye**: *v. 1. Metal ki gen kowozyon osinon ki okside; metal ki abime. 2. Moun ki pèdi ladrès nan yon bagay li te konnen byen.*

**wouze**: *v. Mete dlo.* Wouze plant yo.

**Wouzye Filip** *(Philippe Rouzier): np. Ekonomis, edikatè, komèsan, politisyen, ekriven. Li al nan inivèsite nan peyi Bèljik epi li te pwofesè Kanada nan inivèsite Laval. Li retounen Ayiti, li travay nan Nasyonzini ak nan plizyè gouvènman kòm konseye ekonomik.*

Wouzye Mariliz *(Marilise Rouzier): np. Botanis, biyolojis elvaj pwason, edikatè.*

**Wouzye Lin** *(Lynn Rouzier): np. Atis, edikatè, dansè, koregraf.*

**Wowo** *(ti Wowo): Tanbourinè ki pote pri nan plizyè peyi pou teknik, pasyon ak metriz jan li bat tanbou.*

**wowoli**. *n. : Plant ki yon epis tou; li tankou yon seri ti grenn piti piti. Yo fè tablèt avè l Ayiti. Ameriken mete l nan pen pou bay pen an gou. Yo rele l jijiri tou. Wowoli gen anpil luil ladan l.*

**wòwòt**. *a. : 1. Jenn, ole, ki poko mi, ki poko pare Ki pa rèk .* Ou pa bezwen keyi mango sa yo, yo twò wòwòt. *2. Moun ki pa gen eksperyans.* Ou wòwòt nan biznis sa a.

**woyal**: *Grabdyoz, ki konpare ak wa. 2. Manje ki fèt ak kasav ki bere ak manba.*

**woywoy**. *n. : Vilgè, san mannyè, vagabon.* Li se yon woywoy, mwen pa ka byen avè l. 2. *Diskisyon ki gen anpil pale fò.*

**woz** *(wòz ): a. Koulè.* Rad woz. *2. n. Non yon flè.* Woz wouj. *3. Anfòm.* Figi l woz.

**wosbib**: *n. vyann bèf ki kuit nan fou.*

**woze**: *v. Mete koulè woz.* Woze bouch, woze zong.

**wozèt**: *n. Abiman gason met nan kou li, sou chemiz li.* Se nan maryaj ou prale, mete wozèt.

**Woz-kwa**: *n. 1. Asosiyasyon sekrè, moun ki manm asosiyasyon an. 2. Grad nan mason.*

**wozo**: *n. Plant ki pouse bò dlo.* Moun yo al chita bò wozo a.

**Wozo** *(Roseau): Vilaj nan depatman Grandans.*

# Y y

**y**: *n 1. igrèg, lèt nan alfabè Kreyòl.* Y se premye lèt nan "yè". *2. Fòm kontrakte pou Ayo.* Y ap vini.

**ya, yo.** *pr. : Pwonon endefini.* Mwen pap ale nan batèm nan, ya di sa yo vle, mwen pap fè yon pa.

**yad**: *n. Inite pou mezire longè, li vo twa pye osinon 36 pous.* Achte twa yad.

**y al** *(yo al, y=al): kontraksyon pou Ayo ale.*

**Yagwana.** *np. : Yon vil Ispayola. Franswa Leklè te detwi li nan àne 1553. Kounye a se la Pòtoprens bati.*

**yan**!: *entej. Son pou endike yon bagay ki reve toudenkou.* Li louvri pòt la li fè yan sou mwen.

**yanki**: *n. Ameriken Ozetazini, parapò ak lòt moun ki nan Amerik la.*

**yanm.** *n. : Manje ki gen anpil lanmidon. Rasin plant yo manje bouyi. Gen divès varyete yanm, yanm blan, yanm franse, yanm jòn, yanm masòkò, eltr. Yo sèvi ak yanm anpil nan seremoni vodou.*

**yanvalou.** *: 1. Dans nan relijyon vodou pou sipliye, pou mande yon bagay. Nan dans sa a, moun ki ap danse a koube sou devan louvri de bra l (osinon poze bra l sou jenou li) epi woule zèpòl li ak rèl do l. 2. Estil dans fòlklò. Mwen pi renmen danse yanvalou pase kontredans.*

**yap**: *Kontraksyon pou (yo ap).*

**yas.** *ent. : men pa w. Jès pou pwovoke, defi.* Mwen ta gade ou mwen ta yas.

**yaya**: *Estil dans.* Balanse yaya. *2. Varyete mango.*

yayad: *n. Gouyad.*

**ye.** *v. : Sitiyasyon yon moun.* Kouman ou ye la a. *2. Pozisyon nan espas.* Ki kote ou ye la a.

**yè.** *: Jou anvan jodi a.* Nou te gen yon bèl ti pwogram yè, n ap pase l ankò demen, si ou vle ou mèt vini, ou mèt mennen zanmi ou tou.

**Yegede** *: Lwa lanmò, espri lanmò . Mounn ki mouri , yo fè tounen lwa.*

**yèm**: *Pati ki vin nan apre yon chif pou endike pozisyon. Nan Asenkyèm senk se chif la yèm se sifiks la.*

**yenyen**: *a. San pasyon, kò mòkòy, san fòs, kè pòpòz.* Nèg sa a yenyen.

**yerachi**: *Òganizasyon yon sosyete (osinon gwoup), kote chak moun gen yon pozisyon pouvwa sou sa ki anba l epi gen yon pozisyon sibòdone parapò ak sa ki anwo l.*

**yerachik**: *a. Ki ògànize dapre yon yerachi.*

**yès**: *ent. Son ki endike yon defi.* Ou pap yès, ou pap jwenn sa ou vle a.

**yèwoswa**: *adv. Yèswa, yèreswa.* Yèwoswa nou te al nan yon ti bal.

**ying-yang**: *n. Diskisyon san kòlè ki dire.*

**yo.** *: 1. pr. Pwonon endefini pou reprezante plizyè moun. Li ranplase plizyè moun osnon plizyè bagay san nonmen non, san presize ki moun moun sa yo ye.* Yo di konsa, tout sa ki la a se pou yo. Mwen ap goumen avè yo tou paske se pa pou yo li ye, se pou mwen. *2. a. Adjektif demonstratif ki endefini, ki pa presize.* Mwen pa nan tout bagay sa yo mwen menm, talè mwen pa move la a.

**yòd**: *n. Eleman chimik yo mete nan sèl pou prevni maladi gwat, sitou lè moun ap viv nan mòn kote ki pa gen lanmè. Eleman chimik. Yòd sèvi tou kòm dezenfektan nan tentidyòd.*

**yode**: *v. Mete yòd nan yon bagay.*

**yoga**: *n. Pratik ak ekzèsis baze sou pozisyon kò, mouvman ak respirasyon.*

**yogàn**: *(al gade Leyogàn)*

**yogout**: *n. manje ki fèt ak lèt vach ki fèmante.*

**yon** *(you, on): det. On sèl, youn; atik endefini, ki pa presize.* Yon jou, yon moun, yon lide, yon liv.

**yon ka** *(3): n fr. Youn nan kat pati yon inite. Yon ka luil.*

**yon lòt.** *: Youn ankò. Eske mwen kapab pran yon lòt moso pen. Li eseye yon lòt chanday paske premye sa li te eseye a te twò piti.*

**yon, youn**. *pr. : 1. Yon sèl.* Nou gen yon konpyoutè nan klas nou an. Lapòs la vini lakay la yon fwa chak jou.

**youn pou youn**: *Pou chak youn gen yon lòt.*

**youn**: *pwo. 1. On sèl. Pwonon ki endike yon sèl grenn.* Youn nan nou ap vini. *2. En. Youn, de, twa, kat. 3. premye nonm antye ki reprezante 1 (en).*

**yota**: *Lèt grèk ki reprezante lèt Ai. 2. Ti kras tou piti.*

**yoyo**. *n. : 1. Jwèt ki fèt ak fil epi bouchon kola plati.* Mwen gen de jwèt yoyo. *2. Non pou pijon tigason.* Moute zip pantalon w, moun pa bezwen wè yoyo w.

**yoyoun**: *pwo. Pèsonn, pa gen yon moun. Pwonon ki endike pa gen yon, ni yon sèl ki fè yon aksyon osnon ki nan yon sitiyasyon.* Yoyoun pa mete pye.

# Z z

**z**: *dènye lèt nan alfabè Kreyòl.*

**Zabèlbòk**: *n. 1. Zaboka, fwi ki gen anndan vèt e jòn ak po koulè vèt.* Mayi moulen ak zaboka, se manje pa Jera sa. *2. Non youn nan pèsonaj nan istwa Maurice Sixto yo.*

**zaboka**: *n. 1. Zabèlbòk; fwi pye zaboka.* Gen moun ki renmen salad zaboka. *2. Pye bwa ki bay fwi zaboka.* Pye zaboka sa a ap donnen ane sa a.

**zabriko**. *(Abricot) n. : 1. Peyi kote Endyen yo te kwè lanm moun ale lè yo mouri. 2. Fwi ki yon koulè jòn tankou mango konsa men li konn yon tijan si.* Mwen te renmen zabriko men mwen te toujou met sik sou li.

**zafè**: *n. 1. Afè moun tankou rad, vesèl eltr.* *Mete tout zafè ou yo nan yon bwat. 2. entj. Pa enpòtan. Zafè si ou pa dakò.*

**zago**: *n. 1. Pat, pye bèt.* Zago chwal. *2. Fason gwosye pou rele pye yon moun.* Wete zago ou sou tapi a.

**zak**: *n. Aksyon.* Se pou ou responsab zak ou.

**Zaka** *(Azaka): np. Youn nan lwa nan relijyon Vodoun.* Zaka pran Gaston.

**zalimèt**: *n. Alimèt; ti bwa ki gen yon melanj souf nan yon pwent; lè melanj lan chofe li fè flanm ki kontinye boule.* Pase alimèt la nan bwapen an pou mwen.

**zam**. *n. : Zouti, ki ka sèvi pou lagè osinon krim.* Jan mouche sa a anjandre sa a, yo pat dwe kite ankenn zam pre l.

**Zamò Orès** *(Zamor, Oreste). np. : Prezidan Ayiti pandan 9 mwa ant Fevriye rive nan mwa Oktòb 1914.*

**zan**: *(ale gade ane)*

**zazana**: *n. anana, fui trofikal, moun manje li epitou yo fè godrin ak po a.*

**zandolit**: *n. Reptil ki toupatou kote ki gen fèy.* Gade yon zandolit.

**zangi**: *n. Angi, pwason ki sanble ak koulèv.* Moun lakay pa renmen zangi. Move zangi

**Zanglè, Lèzanglè** *(Les Anglais). np: Vil nan depatman sid Ayiti.* Chantal se moun Zanglè.

**zanj** *(anj): n. 1. Senbòl nan relijyon katolik ki reprezante espri ki nan syèl.* Zanj yo rete nan syèl. *2. Ki gen bon karaktè.* Fi sa a se yon zanj.

**zanmann**: *n. 1. Pyebwa ki bay grenn zanmann.* Pye zanmann bay lonbray. *2. Fwi ki soti nan pye zanmann.* Timoun renmen kase zanmann. *3. Nwa ki andedan fwi a, nannan an.* Lè timoun yo kase fwi a, yo jwenn nannan zanmann nan ladan l.

**zanmi**. *n. : Moun ou byen avè l.* Mwen poko fè zanmi paske mwen fèk vin rete nan katye a.

**zanmitay**. *n. : Kòkòday.* Mwen pa nan zanmitay ak tigason an, fè l rete trankil.

**zannanna**: *n. Anana, fwi asid, po li gen pakèt mak ki genyen pwen nwa ladan yo.* Yo ka fè ji osnon konfiti ak anana; po a sèvi pou fè yon ji yo rele godrin.

**zannimo**: *n. Tout bèt.* Jezila pè tout zannimo.

**zanno**: *n. Dekorasyon pou zòrèy.* Fi sa a gen yon bèl zanno.

**zanpoul** *(zanpoud): n. Blad sou po moun.* Kalin gen zanpoul nan pye.

**zansèt** *(ansèt): n. 1. Moun ki te la lontan lontan anvan nou epi ki fonde peyi nou an.* Zansèt nou yo te konbat lesklavaj. *2. Granpanparan nou yo.* Zansèt nou yo te soti nan kontinan Afrik.

**zansiv** *(jansiv): n. Pati nan bouch ki kouvri zo machwa epitou ki kenbe dan yo.*

**zansyen** *(ansyen): n. Moun ki la lontan, granmoun.* Leyon se yon zansyen.

**zantray**. *n. : 1. Lestomak, vant, trip.* Mwen tèlman gen lapenn, mwen santi zantray mwen ap koupe bout bout. *2. Santiman.* Ou san zantray, si ou kapab fè mwen gwosè mechanste sa a.

**zanviwon**: *n. Toutotou, pa lwen.*

**zaragwa**.*(Xaragua) : Wayòm ki te nan pati Sidwès peyi Ispayola. Se Boyekyo ki te chèf endyen nan wayòm sa a. Kapital wayòm sa a te Lagwana, kounye a yo rele l Leogàn.*

**zariyen** *(zarenyen): n. Arenyen, bèt ki gen uit pye (atwopòd nan fanmi araneyid yo) epi ki fè fil.* Pa jwe ak zariyen an.

**zatouyèt**: *v. Chatouyèt, takinen yon moun lè ou touche po l pou li ka ri osnon sote.*

**Zayi**: *np. Peyi nan kontinan Afrik. Zayi te rele Konngo Bèlj anvan.*

**Zayiwa** *(Zayiwaz): n.1. Nasyonalite moun ki soti nan peyi Zayi.* Nou te byen ak yon zayiwa ki te rele Oje N Dyala. *2. Ki pou peyi Zayi.* Teritwa zayiwa.

**ze**: *n. Koki won fòm oval yon bèt femèl ovipa ponn.* Zwazo, ensèk, pwason, reptil ponn ze ki gen jèm pou fè yon pitit epitou li genyen manje pou pitit la siviv pandan detwa jou. Poul sa a ponn anpil ze. *2. Yon gwo selil pou repwodiksyon. 3. Selil repwodiksyon femèl.*

**zèb**: *n. Varyete plant (gramine) ki sèvi pou bay bèt manje osinon pou dekore deyò kay. Teren ki kouvri ak plant sa yo.* Depi la pli pa tonbe, plen raje nan zèb la. *2. Mamifè ki rete nan kontinan Afrik ki nan menm kategori (jan) ak cheval, li gen plizyè liy nwa e blan sou po li.*

**zechalòt**: *n. Plant, epis, echalòt, boul ki sanble ak zonyon men ki yon koulè mòv, yo sèvi avèk li kòm epis.* Zechalòt bon nan pikliz.

**zèd**: *Dènye lèt nan alfabè Kreyòl, Franse Angle ak Espayòl. Z, z.*

**zefi**: *Twal an koton ki sèvi pou fè rad timoun.*

**zege**: *n. Ensèk. zege mache sou dlo. 2. Moun ki mèg epi ki kout.* Yon ti zege gason.

**zegrè** *(zègrè): n. Doulè, brili nan lestomak. Kawolin gen zegrè lestomak, li oblije pran medikaman pou sa.*

**zegwi.** *n. : 1. Zouti fen, long ki gen yon pwent pwenti epi yon ti twou nan lòt bout la pou file fil pou koud.* Si mwen te gen zegui mwen ta koud kote ki chire nan rad ou a pou ou. 2. *Tray, traka, mizè. Pitit la fè fanmi l yo wè nan yon je zegwi.*

**zeklè** *(zèklè): n. Kout limyè rapid, aveglan ki soyi nan nyaj yo lè gen lapli ak loraj. Limyè pwisan, sibit, dechaj elektrik pandan tan loraj.* Pa soti deyò, gen twòp zèklè.

**zekourèl**: *n. Doulè nan kou.* Mirèy gen zekourèl.

**zèl chemiz**: *n fr. Chemiz ki lage sou pantalon.* Ou pat dwe janm al travay ak zèl chemiz ou konsa a.

**zèl kat**: *n fr. Kat pou moun jwe.* Ou manke yon zèl kat.

**zèl.** *n. : 1. Evantay ki chak bò kote zwazo yo epi ki pèmèt yo vole. Pati zwazo ak ensèk ki sèvi pou yo vole anlè.* Si mwen te gen zèl, ala vole mwen ta vole. *2. Motivasyon pou yon moun fè yon bagay.* Mwen wè ou mete anpil zèl pou ou fè travay la pou Jan, ou genlè tonbe pou li.

**zele**: *v. 1. Aji ak zèl ak enterè, ak motivasyon. 2. Ki montre anpil enterè pou fè yon bagay rive.*

**zen** : *1. n. Tripotay, nouvèl ansoudin.* Mwen telefone ou la a pou ou kapab ban mwen zen an byen. Yo ap bouyi zen. *2. Dyaz ayisyen ki jwe Ozetazini, sitou nan Nouyòk. Se yon dyaz ki gen anpil jenn moun ladan l epi li gen fi ki chante ladan l tou. Zen rekoni anpil, estil li gen enfliyans meriken ladan l men li kenbe anpil nan estil mereng ayisyen an tou. Li gen mizik sou fi, peyi Ayiti, patriyotis, tèt ansanm, elatriye.*

**zenga**: *a. Zinga, ki make ak tach. Poul zenga.*

**zenglen.** *n. : 1. Moso boutèy osnon lòt bagay an glas ki kraze.* Atansyon ou pa blese nan zenglen an tande. *2. Ansyen polis sekrè anprè Soulouk te òganize.* Men zenglen yo ap vini, annou al kache.

**zenglendo**: *n. Gwoup moun ki ap fè vyolans ak krim pou avanse yon kòz politik ilegal.* Sou gouvènman militè a zenglendo fè anpil krim. *2. Kriminèl ki pwofite enstabilite politik pou fè krim.*

**zengredyan** (engredyan): *n. eleman ki patisipe pou fè yon melanj. Engredyan pou fè benyen se farin, fig, sik, bikabonat ak mantèg.*

**zenk**: *n. Eleman chimik ki gen senbòl Zn. Yo sèvi ak li pou fè pil ak batri epitou nan medikaman ak vitamin.*

**zepeng kouchèt**: *n fr. Zepeng kochte, zepeng ki fèmen byen, ou ka sèvi avèk yo pou tache kouchèt tibebe.* Prete m yon zepeng kouchèt, tanpri.

**zepeng ti tèt**: *n fr. Zepeng ki gen fòm yon zegi, li gen yon ti tèt piti nan yon pwent, lòt bout la pwenti anpil.* Moun ki ap koud sèvi anpil ak zepeng ti tèt.

**zepeng.** *n. : Ti zouti an metal ki pèmèt ou tache twal osnon cheve.* Si ou vle penyen chou se pou gen anpil zepeng cheve. Mwen kapab fofile rad sa a pou ou si ou ban mwen detwa zepeng titèt.

**zepi**: *n. Epi, bougon.* Zepi mayi.

**zepi mayi**: *n fr. Mayi antye, tou nan bougon li, ki gen bab mayi epi ki kouvri ak pay mayi tou.* Zepi mayi sa a fèk kase.

**zepina**: *n. Legim vèt, fèy ki gen anpil vitamin. Fè yon legim zepina pou soupe.*

**zepis**: *n. Epis; zèb, rasin osnon fwi ki gen bon odè ak bon gou moun mete nan manje pou ba li gou. Zepis yo mete nan manje nan peyi m se siv, lay, jiwòf, pwav ak pèsi.*

**zèpòl**. *n. : I. Pati nan kò moun ki chak bò kou l.* Depi mwen pote chay, zèpòl mwen fè mwen mal.

**zepolèt**: *n. Senbòl moun pote sou zèpòl pou make yon grad osinon ak ki gwoup li mele.* Kaporal la gen zepolèt.

**zepon**. *n. : Pati ki soti sou kote pye kòk ki sèvi pou li defann tèt li osinon pou atake.Si yon kòk ba ou yon kout zepon, ou chire.*

**zès**: *n. Luil ki soti nan po sitwon, po zoranj osinon po chadèk.* Zès sitwon.

**zesèl**: *n. Pati anbabra. Anba zesèl.*

**zespwa**: *ale nan espwa*

**zètòk**. *n. : Ti plim tou piti piti sou tout kò poul ak kodenn lè ou fin deplimen yo.* Ala poul gen zètòk papa.

**zetrenn** *(zetrèn): n. Kado premye janvye.* Pou joudlan mwen ap ba ou zetrenn.

**zetriye**: *n. Plas pou pye yon kavalye lè li sou cheval.* Pase pye ou nan zetriye a.

**zetwal**. *n. : Reflè planèt osnon lòt mas ki nan inivè a moun kapab wè nan syèl la leswa lè fè nwa. Zetwal yo lwen anpil.* Leswa mwen renmen gade zetwal nan syèl la, yo klere byen sitou lè pa gen nwaj. *2. Fòm konvavsyonèl ki gen 5 branch simetrik. 3. Fòs imajinè ki enfliyanse destine moun sou latè a. 4. Moun ki fò nan sa li ap fè.5. Aktè aktris ki gen anpil fanatik. 6. Senbòl sou papye ki ranvwaye nan yon lòt seksyon sou menm papye a.*

**zèv**. *n. : Dokiman ekri. Ansanm tout dokiman, liv, ak lòt aktivite yon moun fè pandan yon tan se zèv li. 2. Fè zèv. Fè yon aksyon ki bon pou lòt moun san atann yon benefis. Charite. Moun ki fè zèv se moun ki ede yon lòt ki nan yon enpas, li bali enpe nan sa l genyen.*

**zewo**. *n. : San valè, ki pa vo anyen, pa reyisi.* Mezanmi, jan mwen etidye sa a epi se zewo bare mèt la ban-mwen.

**zewofot**: *San repwòch, san erè, ki fèt trè byen.*

**zewòks**: *Mak machin ki sèvi pou fè fotokopi.* Non konpayi ki fè pwodui zewòks.

**zeye**: *n. Kote pou pase lasèt nan soulye osinon rad.* Tennis sa a manke yon zeye. *2. Zye zegui.*

**zèz**: *Byen enstale, alèz, ki pa pè, ki pa enkyè.*

**zidòl** *(idòl): n. Imaj osnon Reprezantasyon an tè kuit moun konn adore. Moun ki adore zidòl fè idolatri.*

**zigòt**: *Nouvo Selil ko fòme lè yon selil mal (espèmatozoyid) ini ak yon selil femèl (ovil, ze), anvan yo kòmanse divize. Nòmalman zigòt la divize sistematikman pou li tounen yon òganis ki genyen anpil selil (miltiselilè). 2.* Rezilta fètilizasyon.

**zigzag**: *n. Liy ki pa dwat, ki ale nan plizyè direksyon.*

**zigzage**: *v. Ale nan diferan direksyon. Mache tankou yon moun ki sou.* Avanse san desizyon.

**zikap**: *n. Mouvman sèk lè moun ap monte kap.* Fè zikap, bay zikap.

**zil** *(zile, il): n. Tè ki antoure ak dlo toupatou. Zile Lagonav, Latòti, Kayemit.*

**zile anba dlo**. *: Dapre kwayans vodou, zile kote nanm moun ki mouri yo ale. Gen lwa vodou ki sipoze rete la tou.*

**Zile Menfò**. *: Dapre kwayans vodou, zile anba dlo kote lwa Agwe rete.*

**zile**. *n. : II. Mas tè ki antoure ak dlo.* Gen zile ki gwo ase pou moun abite men gende yo ki tou piti tankou Ibobich.

**zilèm**: *n. Tib ki nan tij plant ki pote likid espesyalman dlo monte nan fèy plant lan.*

**zilofòn**: *n. Enstriman an bwa pou jwe mizik, yo jwe ak de mato.*

**ziltik**: *a. Ki lwen.*

**zing** *(ti zing): n. Ti moso piti, tikal.* Antwàn bannou yon zing nan gato a.

**zip**. *n. : Pati nan yon rad ki pèmèt li ouvè epi fèmen fasilman.* Mwen genlè pran yon ti grès paske zip rad mwen an pa kapab fèmen.

**zipe**: *v. Fèmen ak yon zip.* Zipe do rad la pou mwen.

**ziwondèl**: *n. Iwondèl, zwazo.* Ziwondèl gen zèl long.

**zizani**: *n. Hinghang, kont ki dire.* Moun sa yo toujou nan yon zizani.

**zizye**: *n. Pati nan poul (osnon lòt zwazo) ki manje grenn.* Zizye se tankou yon pòch lestomak siplemantè.

**zo bouke chen**: *n fr. Pèsonalite ki pa vle aprann pou aji debyen.* Kalito se yon zo bouke chen.

**zo douvan**: *I. Melanj alkòl ak fèy remèd.* Gaston konn prepare zo douvan. *2. Plant ki sèvi pou fè remèd.* Pye zo douvan.

**zo kòt**: *n fr. Zo ki pwoteje kè ak poumon.* Dyo fè aksidan, li kase de nan zo kòt li yo.

**zo mangay**: *n fr. Moun ki pa byen nouri, ki mèg.* Wolan se yon zo mangay.

**zo ranch**: *n fr. Zo basen. Zo basen Fayo kase, yo oblije opere li.*

**zo rèldo**: *n fr. Zo ki fòme kolòn vètebral.* Zo rèl do m ap fè m mal.

**zo tèt**: *n fr. Kalbas tèt.* Doktè opere Jera nan zo tèt li.

**zo**. *n. : Eskelèt. Pati di ki fòme eskelèt yon moun anba po ak vyann li.Eskelèt gen 26 di-*

*feran zo nan tèt moun. Eskelèt la se yo echafo ki fèt ak zo. Sistèm eskelèt la gen 206 zo. Gen twa kalite zo, gen zo long tankou zo ki nan bra ak kuis, gen zo kout tankou zo ki nan talon ak nan ponyèt men, epitou gen zo plat tankou zo kòt. Men gen zo ki la pou pwoteje ògàn, tankou zo tèt ki pwoteje sèvo osinon zo kòf lestomak ki pwoteje poumon ak kè pou yo pa pran sekous ki ka domaje yo. Kèlkeswa zo a, li gen yon pati deyò ki di ak yon pati anndan ki mou (mwèl zo). Zo yo rete tache ansanm se gras ak ligaman yo ki kenbe yo nan jwenti yo. 2. Pati ki rete apre yon moun fin mouri apre ennan. Lè Klodèt te tonbe sou makadanm nan li te kase yon zo nan bra l.*

**zobop**: *n. Bann mistik ki soti lannuit.* Gen moun ki di Wozita nan zobop.

**zòbòy**. *n. : Vyann ki donnen sou zòtèy ou byen nan lòt kote nan pye moun.* Kouman ou fè gen zòbòy konsa, ou te konn mache pye atè?

**zòd**: *n. Lòd, kòmann.* Manno pa pran zòd nan men moun.

**zoklo**: *n. 1. Kou nan tèt ak zo men.* Pa bay timoun nan zoklo. *2. Lè yon madanm osinon yon mari pa fidèl.* Inès bay Woje zoklo.

**zòm**: *n. Moun, nonm, lèzòm, limanite.*

**zomangay**: *moun ki mèg, ki soufri malnitrisyon.Ki pa gen grès anba po li.*

**zòn polè**: *n fr. Zòn pol nò ak pol sid, aktik ak antatik. Rejyon polè.*

**zòn**. *n. : 1. Katye.* *Pa gen boutik sa a nan zòn bò lakay mwen. 2. Lokalite. Moun nan zòn Jeremi renmen manje konparèt.*

**zonay**: *n. Règleman ki endike kijan yon teritwa ap ògànize. An jeneral se lakomin ak ministè plan ak ministè enteryè ki defini vokasyon teritwa.*

**zonbi**. *n. : Dapre kwayans, moun ki mouri ki leve epi tounen anvi. Yo di moun nan te parèt mouri paske yo te ba li yon remèd fèy ki andòmi li epi apresa yo detere l pou yo fè l mache sou zòd moun ki fè l fè zonbi a. Yo wete bonanj moun yo, konsa yo kapab fè yo mache sou zòd pi byen. 2. Lespri. Fantòm.* Mwen wè Jera nan dòmi, tankou yon zonbi devan mwen. *3. Egare.*

**zonbifikasyon**: *Drapre tradisyon oral se teknik ak ladrès yo itilize pou fè moun tounen zonbi.*

**zonbifye**: *v. Trans fòme an zonbi.*

**zong**. *n. : Pati ki di nan pwent dwèt men ak zòtèy yon moun. Li lè pou koupe zong ou, yo twò long.*

**zons** *(ons): Inite pou mezire pwa nan peyi anglo-sakson. Abreviyasyon li se Aoz li vo yon sèzyèm pati yon liv osinon 28.35 gram.*

**zonyon**: *n. Legim ki gen fòm yon boul ki gen detwa branch ki soti nan tèt li, yo sèvi avèk li kòm epis pou mete nan sòs.* Mete bonkou zonyon sou sòs mwen an, tanpri.

**zoranj** *(zorany): n. Fwi nan fanmi sitris, li dous epi li gen anpil ji andedan l.* Yo ka fè ji ak zoranj.

**zòrèy di**: *n fr. Ki pa koute, ki pa vle koute.* Jaklin gen zòrèy di, se sa li vle pou li fè.

**zòrèy**: *n. Pati nan tèt ki sèvi pou tande. Moun soud pa kapab tande.*

**zòrye** *(zorye): n. Kousen kote moun met tèt lè li ap dòmi.* Kote zòrye m nan?

**zosman**: *n. Rès zo apre lanmò.* Zosman mò.

**zòt**: *n. / a. / pwo. moun, lòt moun.*

**zòtèy**. *n. : Pati ki nan pwent pye moun osnon bèt. Moun gen senk zòtèy nan chak pye yo.* Mwen pa renmen mete soulye sere paske li fè zòtèy mwen fè mwen mal.

**zotobre**: *n. Gran nèg, moun ki gen lajan, pouvwa osnon kontak.* Simeyon se yon gwo zotobre nan biwo sa a.

**zòtolan**. *n. : Ti zwazo.* Mwen kenbe de zòtolan ak fistibal mwen an.

**zou**: *n. Oganizasyon kote yo gade bèt sovaj. Jaden zowolojik.* Timoun yo pral nan zou jodi a.

**zoulou**: *Moun ki soti nan zòn sid Lafrik.* Lang moun ki zoulou.

**zoum**: *1. Lantiy ki bay yon efè rapwochman osinon efè distans (elwayman).*

**zouti**. *n. : Enstriman moun sèvi pou fè yon travay tankou mato ak pèl. Nenpòt ki enstriman ki sèvi yon moun pou fè yon travay se yon zouti.*

**zouzoun**: *n. Moun ki gen kòb, gran chire, gwo chabrak, komèsan ki gen bon rezilta.* Vànya se yon gwo zouzoun.

**zowoloji**: *n. Branch nan biyoloji ki etidye vi bèt, kwasans bèt, klasifikasyon bèt eltr.*

**zowolojis**: *n. Espesyalis nan zowoloji.*

**zwa**. *n. : Zwazo ki yon jan lou pou l vole men ki renmen naje. Li pòtre ak yon kanna men li pi gwo. Gen moun ki di yo pito poul pase zwa.*

**zwav**: *n. Aryennafè, epav.* Fito se yon zwav.

**zwazo** *(zwezo): n. Bèt ki gen plim, ki gen de pat, ki gen de zèl, ki gen bèk, ki ponn ze, epi ki ka vole.* Zòtolan se yon zwazo timoun yo renmen chase. Poul se yon zwazo. Pan se yon zwazo ki gen bèl plim.

**zwit** *(zuit): n. 1. Bèt ki viv nan dlo ki gen kokiy an de bò (bivalv). Li viv nan dlo kote ki gen wòch. Gen anpil moun ki manje pati mou ki andan zuit la.* Eske ou renmen zwit? *2. Piti, tikal.* Li ban m yon ti zwit nan gato a.

**zye.** *n. : Je. Pati nan kò moun ki nan figi l, anba sousi l, anwo nen l epi ki pèmèt li wè. Zye se ògàn vizyon. Fè kat zye kontre. Zye se ògàn vizyon. Zye se yon boul ki kouvri ak yon vwal blan epi ki ranpli. Sou devan zye a gen yon pati ki transparan (kòne) ki kouvri iris la. Nan iris gen pigman, ki bay zye moun koulè. Nan mitan iris la gen yon ti twou ki ka louvri osinon fèmen. Sa se pipiy zye-a. Lè gen anpil limyè, pipiy la fèmen plis, lè pa gen anpil limyè, pipiy la louvri plis. Limyè ki antre anndan pipiy la al pase nan yon lantiy ki fòme yon imaj sou fon zye-a, sou retin nan. Retin nan pèmèt enfòmasyon ale nan sèvo a an pasan nan nè optik la.*

**zye lasi**: *n fr. Dekri zye yon moun ki gen sekresyon jonn, mou osinon sèk.* Ale lave je ou pou retire lasi, pa vin ak zye lasi la. *2. Egare.* èske ou panse m se yo zye lasi?

**zye chire**. *n fr.: Zye bride.*

**zye chinwa**. *n fr. : Zye bride, tankou zye moun ki soti nan ras chinwa.*

**zye pichpich**. *n. fr. : Zye ki louvri ademi, tankou lè moun soti nan yon kote fènwa pou ale nan yon kote ki klere.*

**zye chat**. *n fr.: Dekri koulè zye moun ki gen zye ble osinon zye vèt.* Fi a gen zye vèt.

**zyèm**: *Sifiks ki ale apre yon chif pou montre pozizyon.* Dizyèm se pozisyon nimewo 10.